BRUNNER - SUDDARTH

SOINS INFIRMIERS

MÉDECINE ET CHIRURGIE

FONCTIONS SENSORIELLE ET LOCOMOTRICE

BRUNNER/SUDDARTH

SOINS INFIRMIERS – MÉDECINE ET CHIRURGIE

(EN 6 VOLUMES)

Volume 1 Fonction respiratoire

Volume 2 Fonctions cardiovasculaire et hématologique

Volume 3 Fonctions digestive, métabolique et endocrinienne

Volume 4 Fonction génito-urinaire

Volume 5 Fonctions immunitaire et tégumentaire

Volume 6 Fonctions sensorielle et locomotrice

BRUNNER - SUDDARTH

SOINS INFIRMIERS

MÉDECINE ET CHIRURGIE

FONCTIONS SENSORIELLE ET LOCOMOTRICE

Suzanne Smeltzer
Brenda Bare

3e ÉDITION

5757, RUE CYPIHOT, SAINT-LAURENT (QUÉBEC) H4S 1X4
TÉLÉPHONE : (514) 334-2690 TÉLÉCOPIEUR : (514) 334-4720

J. B. LIPPINCOTT
A WOLTERS KLUWER COMPANY

VOLUME 6 DE 6

Ce volume est une version française des parties 14 et 15 de la septième édition de *Brunner & Suddarth's Textbook of Medical-Surgical Nursing* de Suzanne Smeltzer et Brenda Bare, publiée et vendue à travers le monde avec l'autorisation de J.B. Lippincott Company

Traduction: Sylvie Beaupré, Marie-Annick Bernier, France Boudreault, Pierre-Yves Demers, Annie Desbiens, les traductions l'encrier, Jocelyne Marquis, Véra Pollak
Révision et supervision éditoriale: Jocelyne Marquis et Suzie Toutant
Correction d'épreuves: France Boudreault, Pauline Coulombe-Côté, Corinne Kraschewski, Diane Provost
Coordination de la réalisation graphique: Micheline Roy
Conception de la page couverture: Denis Duquet
Photocomposition et montage: Compo Alphatek Inc.

Les médicaments et leur posologie respectent les recommandations et la pratique en vigueur lors de la publication du présent ouvrage. Cependant, étant donné l'évolution constante des recherches, les modifications apportées aux règlements gouvernementaux et les informations nouvelles au sujet des médicaments, nous prions le lecteur de lire attentivement l'étiquette-fiche de chaque médicament afin de s'assurer de l'exactitude de la posologie et de vérifier les contre-indications ainsi que les précautions à prendre. Cela est particulièrement important dans le cas des nouveaux médicaments ou des médicaments peu utilisés.

Les méthodes et les plans de soins présentés dans le présent ouvrage doivent être appliqués sous la supervision d'une personne qualifiée, conformément aux normes de compétence en vigueur et en tenant compte des circonstances particulières de chaque situation clinique. Les auteurs, les adaptateurs et l'éditeur se sont efforcés de présenter des informations exactes et de rendre compte des pratiques les plus courantes. Cependant, ils ne peuvent être tenus responsables des erreurs ou des omissions qui auraient pu se glisser ni des conséquences que pourrait entraîner l'utilisation des informations contenues dans cet ouvrage.

Dépôt légal: 2e trimestre 1994
Bibliothèque nationale du Québec
Bibliothèque nationale du Canada
Imprimé au Canada

ISBN 2-7613-0893-X (Volume 6)
13006 ABCD
ISBN 2-7613-0696-1 (L'ensemble)
2245

1 2 3 4 5 6 7 8 9 0 II 9 8 7 6 5 4
COM9

CONSULTANTS

PARTIE 15

Version anglaise

Chapitre 55

Kathryn A. Pollon, RNC, MSN
Spécialiste en santé mentale, Northwest Center for Community Mental Health, Reston Virginia

Chapitre 56

Betty Temples-Mill, PhD, RN
Professeur adjoint en sciences infirmières, George Mason University, Fairfax, Virginia

Chapitre 57

Cynthia A. Blank, RN, MSN, CEN
Coordinatrice du programme de traumatologie, Department of Nursing, Hospital of the Medical College of Pennsylvania, Philadelphia, Pennsylvania

Chapitre 58

Shawn M. McCabe, RN, MSN, CCRN
Infirmière clinicienne spécialisée en traumatologie, University of Medicine and Dentistry of New Jersey/University Hospital, Newark, New Jersey

Chapitre 59

Margaret Ahearn-Spera, RN, C, MSN
Directrice des soins infirmiers cliniques, Danbury Hospital, Danbury, Connecticut
Professeur adjoint, Yale University School of Nursing, New Haven, Connecticut

Version française

Lyne Cloutier, inf., M.Sc.
Infirmière clinicienne spécialisée en traumatologie, Hôpital du Sacré-Cœur, Montréal

PARTIE 16

Version anglaise

Chapitres 60, 61, 62 et 63

Dorothy B. Liddel, MSN, RN, ONC
Professeur adjoint, Edyth T. James Department of Nursing, Columbia Union College, Takoma Park, Maryland

Version française

Chapitres 60, 61, 62 et 63

Lucie Gagnon, inf., M.Sc.
Chargée d'enseignement substitut, faculté des sciences infirmières, Université de Montréal

APPENDICE

David B.P. Goodman, MD, PhD

AVANT-PROPOS

Les six premières éditions anglaises de *Soins infirmiers — médecine et chirurgie* ont été le fruit d'une collaboration qui a trouvé son expression dans un partenariat *efficace*. Le soutien inébranlable des enseignantes, des praticiennes et des étudiantes nous a donné la plus grande des joies en nous amenant à nous pencher sur la quintessence des soins infirmiers, les réactions humaines aux problèmes de santé.

Nous sommes heureuses que Suzanne Smeltzer et Brenda Bare aient accepté d'être les auteures et les directrices de la septième édition de cet ouvrage. Elles nous ont déjà prêté main forte lors des éditions précédentes, et nous pouvons attester qu'elles ont l'intégrité, l'intelligence et la détermination nécessaires à la publication d'un ouvrage d'une telle envergure. Elles savent à quel point il est important de lire tout ce qui est publié sur le sujet, de voir comment les découvertes de la recherche en sciences infirmières peuvent être mises à profit dans la pratique, de choisir des collaborateurs *qualifiés* et d'analyser à fond les chapitres pour s'assurer que leur contenu est exact et d'actualité.

Nous tenons à remercier les infirmières qui ont utilisé notre ouvrage pour leur fidélité et leur encouragement. Nous passons maintenant le flambeau à Suzanne et à Brenda, avec la certitude qu'elles consacreront tout leur talent à la recherche de l'excellence qui constitue la marque de ce volume.

Lillian Sholtis Brunner, RN, MSN, *Sc*D, *Litt*D, FAAN
Doris Smith Suddarth, RN, BSNE, MSN

PRÉFACE

Quand on passe d'une décennie à une autre, les prévisions et les prédictions abondent. Quand c'est dans un nouveau siècle que l'on s'engage, elles déferlent. À l'aube du XXIe siècle, la documentation spécialisée dans les soins de santé regorge donc de prédictions sur l'avenir de notre monde, et plus particulièrement sur l'avenir des systèmes de soins de santé. Les titres des ouvrages et des articles sur le sujet contiennent souvent des mots comme «perspectives démographiques au XXIe siècle», «prospectives en matière de soins de santé» ou «les systèmes de soins de santé en mutation».

Selon ceux et celles qui ont tenté de prédire ce que seront les soins infirmiers au XXIe siècle, les infirmières doivent se préparer à faire face à des changements et à relever de nouveaux défis. Il leur faudra donc anticiper les courants et les orientations de leur profession si elles ne veulent pas se laisser distancer. Les nouveaux enjeux leur ouvriront des perspectives inédites sur leur profession, tant dans la théorie que dans la pratique, et cela ne pourra se faire que dans un souci constant d'excellence.

Dans la septième édition de *Soins infirmiers en médecine et en chirurgie* de Brunner et Suddarth, nous nous sommes donné pour but de favoriser l'excellence dans la pratique des soins infirmiers. Nous avons continué de mettre l'accent sur ce qui a fait notre marque dans les éditions précédentes: notions de physiopathologie, explications scientifiques, résultats de la recherche et état des connaissances actuelles sur les principes et la pratique des soins infirmiers cliniques. Pour décrire le vaste champ d'application des soins infirmiers en médecine et en chirurgie, nous avons eu recours à des principes de physique, de biologie, de biotechnologie médicale et de sciences sociales, combinés à la théorie des sciences infirmières et à l'art de prodiguer les soins.

La démarche de soins infirmiers constitue le centre, la structure du présent ouvrage. À l'intérieur de cette structure, nous avons mis en évidence les aspects gérontologiques des soins, les traitements médicamenteux, l'enseignement au patient, les soins à domicile et la prévention. Le maintien et la promotion de la santé, de même que les autosoins, occupent aussi une place importante. Cet ouvrage est axé sur les soins aux adultes qui présentent un problème de santé aigu ou chronique et sur les rôles de l'infirmière qui leur prodigue des soins: soignante, enseignante, conseillère, porte-parole, coordonnatrice des soins, des services et des ressources.

Nous avons accordé plus d'espace que dans les éditions précédentes aux questions d'actualité en matière de soins de santé. Dans cet esprit, nous avons consacré un chapitre aux problèmes d'éthique qui se posent le plus dans la pratique des soins infirmiers. Nous avons aussi traité en détail des besoins en matière de santé des personnes âgées (dont le nombre augmente sans cesse), des sans-abri, des personnes atteintes du sida ou d'autres maladies immunitaires et des personnes atteintes d'une maladie chronique dont la vie est prolongée grâce aux progrès de la médecine.

Nous avons accordé une importance particulière à la recherche en sciences infirmières en consacrant une section aux progrès de la recherche à la fin de chaque partie de l'ouvrage. Dans cette section, nous présentons une analyse des résultats de différentes recherches, suivie de leur application possible en soins infirmiers. Dans les bibliographies, nous avons marqué d'un astérisque les articles de recherche en sciences infirmières. Nous avons choisi avec soin les références les plus représentatives de l'état actuel des connaissances et de la pratique.

De plus, nous avons voulu dans l'édition française faciliter la consultation d'un ouvrage aussi exhaustif en le séparant en volumes plus petits et plus faciles à transporter dans les cours ou sur les unités de soins. Pour ce faire, nous avons divisé la matière en six grandes fonctions, auxquelles nous avons ajouté divers éléments de théorie plus générale: le **volume 1** traite de la fonction respiratoire, du maintien de la santé et de la collecte de données; le **volume 2** couvre les fonctions cardiovasculaire et hématologique ainsi que les notions biopsychosociales reliées à la santé et à la maladie; le **volume 3** traite des fonctions digestive, métabolique et endocrinienne ainsi que des soins aux opérés; le **volume 4** explique la fonction génito-urinaire ainsi que les principes et les difficultés de la prise en charge du patient; le **volume 5** couvre les fonctions immunitaire et tégumentaire, les maladies infectieuses et les soins d'urgence; et enfin, le **volume 6** traite des fonctions sensorielle et locomotrice.

Afin de faciliter la lecture du texte, nous avons utilisé le terme «infirmière» et avons féminisé les titres de quelques professions. Il est entendu que cette désignation n'est nullement restrictive et englobe les infirmiers et les membres masculins des autres professions. De même, tous les termes masculins désignant des personnes englobent le féminin. Nous avons choisi de désigner par le terme «patient» la personne qui reçoit les soins parce que, dans le contexte du présent ouvrage, il correspond bien à la définition donnée par les dictionnaires: Personne qui subit ou va subir une opération chirurgicale; malade qui est l'objet d'un traitement, d'un examen médical (*Petit Robert*). Dans tous les autres contextes, les infirmières peuvent utiliser un autre terme de leur choix: client, bénéficiaire, etc.

Nous avons conservé notre perspective éclectique des soins au patient, parce qu'elle permet aux étudiantes et aux infirmières soignantes d'adapter ce qu'elles apprennent à leur propre conception des soins infirmiers. La matière du présent ouvrage peut être utilisée avec tous les modèles conceptuels de soins infirmiers.

Nous considérons la personne qui reçoit les soins comme un être qui aspire à l'autonomie, et nous croyons qu'il incombe à l'infirmière de respecter et d'entretenir cette volonté d'indépendance.

À l'aube du XXIe siècle, dans l'évolution rapide de la société et des soins de santé, une chose n'a pas changé: l'infirmière a toujours pour rôle d'humaniser les soins. La septième édition de *Soins infirmiers – médecine et chirurgie* de Brunner et Suddarth, avec sa perspective holistique des soins au patient, fait écho à ce souci d'humanisation.

Table des matières

VOLUME 1

partie 1

Échange gaz carbonique-oxygène et fonction respiratoire

partie 2

Maintien de la santé et besoins en matière de santé

partie 3

Collecte des données

VOLUME 2

partie 4

Fonctions cardiovasculaire et hématologique

partie 5

Notions biopsychosociales reliées à la santé et à la maladie

VOLUME 3

partie 6

Fonctions digestive et gastro-intestinale

partie 7

Fonctions métabolique et endocrinienne

partie 8

Soins aux opérés

VOLUME 4

partie 9

Fonctions rénale et urinaire

partie 10

Fonctions de la reproduction

partie 11

Prise en charge du patient: Principes et difficultés

VOLUME 5

partie 12

Fonction immunitaire

partie 13

Fonction tégumentaire

partie 14

Maladies infectieuses et soins d'urgence

VOLUME 6

partie 15

Fonction sensorielle

partie 16

Fonction locomotrice

partie 15

Fonction sensorielle

55
ÉVALUATION ET TRAITEMENT DES PATIENTS SOUFFRANT DE TROUBLES DE LA VUE ET D'AFFECTIONS OCULAIRES

SOMMAIRE

OBJECTIFS:

Après avoir étudié ce chapitre, vous devriez être en mesure de réaliser ce qui suit:

1. *Nommer les épreuves diagnostiques utilisées pour examiner l'œil et la vue.*
2. *Décrire les soins et précautions relatifs aux lentilles cornéennes.*
3. *Nommer les interventions utilisées pour les soins quotidiens du patient souffrant d'une affection oculaire.*
4. *Appliquer la démarche de soins infirmiers pour intervenir auprès du patient atteint d'une affection oculaire.*
5. *Décrire les soins infirmiers à donner au patient qui doit subir une opération pour une affection de la cornée ou un décollement de la rétine.*
6. *Appliquer la démarche de soins infirmiers pour intervenir auprès du patient atteint de glaucome.*
7. *Appliquer la démarche de soins infirmiers pour intervenir auprès du patient qui doit subir une opération pour une cataracte.*
8. *Décrire les soins d'urgence à donner au patient qui a subi une lésion oculaire.*
9. *Décrire les soins de santé dont ont besoin les personnes atteintes de cécité.*
10. *Établir un plan d'enseignement des soins oculaires préventifs.*

GLOSSAIRE

ANATOMIE DE L'ŒIL

***Bâtonnets**: Voir «Cônes et bâtonnets».*

***Canal de Schlemm**: Canal d'écoulement de l'humeur aqueuse qui entoure la périphérie de la chambre antérieure.*

***Canal lacrymal**: Petit canal d'écoulement des larmes situé dans la face interne des paupières inférieures et supérieures, allant des points lacrymaux au sac lacrymal*

***Canthus (commissure des paupières)**: Angle formé par la réunion des paupières au coin interne ou externe de l'œil*

***Chambre antérieure**: Cavité de l'œil remplie d'humeur aqueuse située entre l'iris et la cornée*

***Chambre postérieure**: Cavité remplie d'humeur aqueuse, située entre le cristallin et l'iris*

***Choroïde**: Membrane vasculaire pigmentée située entre la rétine et la sclérotique*

***Cônes et bâtonnets rétiniens**: Cellules réceptrices de la rétine. Les cônes interviennent dans l'acuité visuelle et le sens chromatique, alors que les bâtonnets interviennent dans la vision périphérique quand la luminosité est faible.*

GLOSSAIRE (suite)

***Conjonctive**: Membrane muqueuse qui tapisse l'intérieur des paupières (conjonctive palpébrale) et se réfléchit pour recouvrir le globe oculaire (conjonctive bulbaire ou cornéenne).*

***Cornée**: Partie antérieure transparente et claire de la couche fibreuse du globe oculaire*

***Corps ciliaire**: Partie de l'uvée située entre la base de l'iris et l'avant de la choroïde; le corps ciliaire comprend les procès ciliaires et le muscle ciliaire.*

***Corps vitré**: Masse gélatineuse, incolore et transparente qui remplit les deux tiers postérieurs de l'œil entre le cristallin et la rétine.*

***Cristallin**: Lentille biconvexe transparente située entre l'iris et le corps vitré. Il a pour fonction de réfracter les rayons lumineux pour qu'ils convergent sur la rétine.*

***Épicanthus**: Pli cutané vertical qui recouvre le canthus interne.*

***Fond de l'œil**: Partie interne et postérieure de l'œil, visible à l'aide d'un ophtalmoscope*

***Fovea centralis**: Dépression située au centre de la macula ainsi adaptée pour une acuité visuelle optimale*

***Humeur aqueuse**: Liquide transparent et aqueux qui circule dans les chambres antérieure et postérieure de l'œil.*

***Iris**: Membrane contractile, circulaire et colorée située entre la cornée et le cristallin et percée en son centre par la pupille*

***Limbe**: Point de rencontre entre le bord de la cornée et la sclérotique*

***Macula lutea**: Dépression située sur la rétine et entourant la fovea, latéralement à la pupille optique; c'est au niveau de la macula que la vision est la plus précise.*

***Nerf optique**: Deuxième nerf crânien; il transmet les influx visuels depuis la rétine jusqu'au cerveau.*

***Palpébral**: Relatif à la paupière*

***Papille optique**: Partie de la rétine qui correspond au point de pénétration du nerf optique et des vaisseaux centraux à travers les enveloppes du nerf optique.*

***Points lacrymaux**: Orifices d'écoulement des larmes situés dans la face interne du bord de chaque paupière; ils permettent aux larmes de s'écouler dans le canal lacrymal.*

***Pupille**: Ouverture contractile et circulaire située au centre de l'iris; elle régit la quantité de lumière qui entre dans l'œil.*

***Rétine**: Membrane située dans la portion la plus interne de la paroi oculaire et composée de tissu nerveux; elle contient des cônes et bâtonnets photosensibles qui reçoivent les images et transmettent les influx visuels au cerveau par l'intermédiaire du nerf optique.*

***Sac lacrymal**: Extrémité proximale élargie de chacun des deux canaux lacrymonasaux*

***Sclérotique**: Partie blanche de l'œil; il s'agit d'une tunique opaque, fibreuse et résistante prolongée par la cornée; la sclérotique et la cornée forment ensemble la couche protectrice externe de l'œil.*

***Tache aveugle (ou de Mariotte)**: Région du champ visuel qui correspond au point où le nerf optique pénètre dans l'œil et au niveau de laquelle il ne se forme aucune image.*

***Tractus uvéal**: Tunique moyenne vasculaire et pigmentée de l'œil; elle comprend l'iris, le corps ciliaire et la choroïde.*

***Zonule de Zinn**: Ensemble de fines fibres tissulaires qui vont des procès ciliaires au cristallin et qui maintiennent ce dernier en place.*

AFFECTIONS OCULAIRES

***Aphaquie (ou aphakie)**: Absence de cristallin*

***Astigmatisme**: Vice de réfraction qui empêche les rayons de la lumière de converger en un même point sur la rétine à cause d'une courbure inégale de la cornée et du cristallin.*

***Atrophie optique**: Dégénérescence du nerf optique*

***Blépharite**: Inflammation du bord de la paupière*

***Cataracte**: Perte de transparence du cristallin*

***Chalazion**: Kyste de la paupière*

***Dacryocystite**: Inflammation du sac lacrymal*

***Décollement rétinien**: Séparation de la partie sensorielle de la rétine et de la membrane épithéliale pigmentée sous-jacente*

***Diplopie**: Vision double*

***Ectropion palpébral**: Retournement vers l'extérieur (éversion) de la paupière*

***Emmétropie**: État normal du pouvoir de réfraction de l'œil*

***Endophtalmie**: Infection intraoculaire*

***Entropion**: Retournement vers l'intérieur (rétroversion) de la paupière*

***Epiphora**: Production excessive de larmes*

***Exophtalmie**: Saillie anormale du globe oculaire*

***Glaucome**: Groupe d'affections oculaires caractérisées par l'augmentation de la pression intraoculaire et entraînant des changements pathologiques dans la papille optique ainsi qu'une perte plus ou moins importante de l'acuité visuelle*

***Hémianopsie (hémianopie)**: Perte de la vision dans une moitié du champ visuel*

***Hypermétropie**: Incapacité de bien voir les objets rapprochés*

***Hypertropie**: Déviation d'un œil vers le haut*

***Hyphéma**: Présence de sang dans la chambre antérieure de l'œil*

GLOSSAIRE (suite)

***Hypopion**: Présence de pus dans la chambre antérieure de l'œil*

***Hypotonie oculaire**: Baisse anormale de la pression intraoculaire*

***Kératite**: Inflammation de la cornée*

***Kératocône**: Déformation conique de la cornée accompagnée d'un amincissement non inflammatoire de la partie centrale de la cornée*

***Myopie**: Incapacité de bien voir les objets éloignés*

***Nystagmus**: Mouvements rapides, involontaires et répétés du globe oculaire*

***OEdème papillaire**: OEdème de la papille optique*

***Ophtalmie sympathique (ou uvéite sympathique)**: Uvéite dans un œil suite à une lésion de l'autre œil; il s'agit d'une forme d'auto-immunisation contre les tissus intraoculaires.*

***Orgelet externe**: Infection des glandes de Moll ou de Zeiss*

***Orgelet interne**: Infection des glandes de Meibomius*

***Photophobie**: Sensibilité exagérée à la lumière*

***Presbytie**: Diminution du pouvoir d'accommodation causée par le vieillissement*

***Ptérygion**: Prolifération tissulaire triangulaire et épaisse de la conjonctive qui peut s'étendre jusqu'à la cornée.*

***Ptosis**: Chute de la paupière supérieure*

***Rétinopathie pigmentaire**: Affection dégénérative, bilatérale, progressive et héréditaire de la rétine*

***Strabisme**: Défaut de convergence dû à un déséquilibre des muscles oculaires; impossibilité de fixer un point avec les deux yeux.*

***Strabisme convergeant**: Déviation en dedans d'un œil*

***Strabisme divergent**: Déviation en dehors d'un œil*

***Trabéculum cornéoscléral**: Formation en réseau située dans l'angle de la chambre antérieure et par laquelle l'humeur aqueuse s'échappe de l'œil.*

***Trachome (conjonctivite granuleuse)**: Infection bactérienne chronique et grave de la conjonctive et de la cornée due à* Chlamydia trachomatis.

***Uvéite**: Inflammation de l'iris, du corps ciliaire et de la choroïde*

***Xérosis**: Sécheresse anormale de la conjonctive et de la cornée causée par un manque de larmes.*

AGENTS OPHTALMIQUES

***Cycloplégique**: Agent qui paralyse le muscle ciliaire.*

***Mydriatique**: Agent qui provoque la dilatation de la pupille.*

***Myotique**: Agent qui entraîne la contraction de la pupille.*

ANATOMIE ET PHYSIOLOGIE

L'œil est l'organe de la vue. Sa structure et sa fonction complexes permettent au cerveau de se représenter les situations et les objets éloignés et rapprochés. La vue, ou la vision, est possible grâce à la conversion de la lumière en influx nerveux. Les rayons de la lumière entrent dans l'œil par la cornée et traversent la pupille, le cristallin et le corps vitré avant d'arriver à la rétine. Là, les rayons lumineux stimulent des récepteurs sensoriels pour l'envoi d'influx nerveux au cerveau. Ces influx doivent passer par le nerf optique pour se rendre au lobe occipital (cortex visuel), où ils sont reconnus comme des sensations visuelles.

Devant l'œil se trouvent les paupières. Les paupières sont des plis musculofibreux mobiles qui peuvent s'ouvrir et se fermer pour protéger l'œil.

Produites par les grandes lacrymales, les larmes sont étalées sur l'œil par le clignement des paupières. Elles permettent à la cornée et à la conjonctive de rester humides. Les larmes s'échappent de l'œil par les points lacrymaux, deux petits orifices situés respectivement à la face supérieure et inférieure de l'extrémité interne de chaque paupière. Les larmes se déplacent ensuite par le canal lacrymal jusqu'au sac lacrymal, puis se déversent dans le nez.

Il existe deux sortes de larmes, les larmes lubrifiantes, composées d'huile, d'eau et de mucus, et les larmes produites en réaction à une émotion ou à une irritation, composées d'eau seulement. Les larmes composées uniquement d'eau n'adhèrent pas à l'œil; elles débordent et coulent sur la joue. La sécrétion de larmes lubrifiantes diminue avec l'âge, parfois au point de compromettre la protection de l'œil et de provoquer un malaise. La sécheresse des yeux entraîne certains symptômes: sensation de brulûre, rougeurs, douleurs, démangeaisons, difficulté de bouger les paupières et présence de mucus fibreux. Les yeux réagissent à cette sécheresse en augmentant leur sécrétion de larmes aqueuses. Malheureusement, cette réaction déclenche un larmoiement mais ne règle pas le manque de lubrification. Quand la sécheresse des yeux s'accompagne d'une sécheresse de la bouche et d'arthrite, on parle du syndrome de Gougerot-Sjogren (syndrome de l'œil sec).

La sécrétion insuffisante de larmes ou la fermeture anormale des paupières aboutit à un assèchement de l'œil et, parfois, à l'apparition de cicatrices sur la cornée. Pour remplacer les larmes, on instille des larmes artificielles. On recommande aussi au patient d'éviter les agents irritants (la fumée par exemple) et d'humidifier davantage sa maison. Souvent, l'application d'un onguent au coucher est utile.

Le mouvement de l'œil fait intervenir les six muscles oculomoteurs (figure 55-2) qui s'insèrent dans la sclérotique.

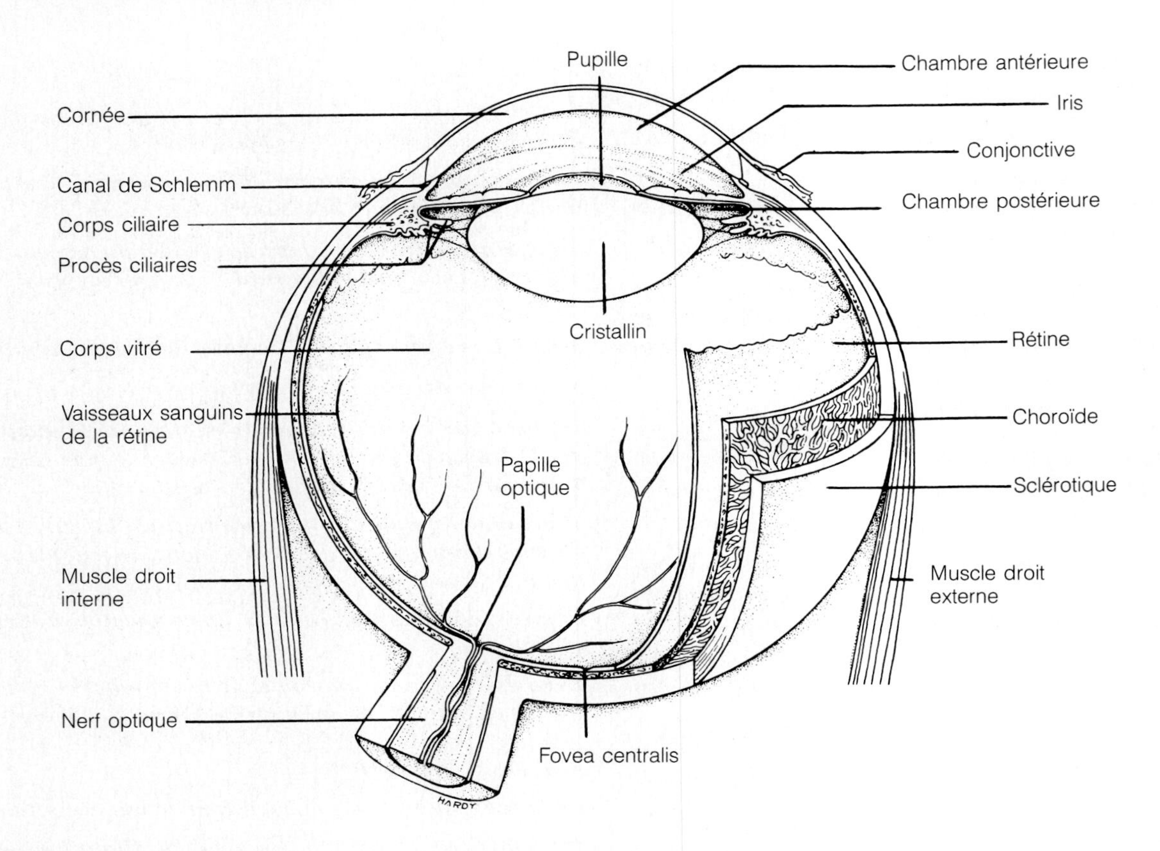

Figure 55-1. Coupe transversale de l'œil
(Source: E. E. Chaffee et E. M. Greisheimer, *Basic Physiology and Anatomy,* Philadelphia, J. B. Lippincott)

Les muscles oculomoteurs comprennent quatre muscles droits et deux muscles obliques. Le muscle droit externe produit les mouvements d'abduction alors que le muscle droit interne assure les mouvements d'adduction. Le muscle droit supérieur régit les mouvements d'élévation et d'adduction, tandis que le muscle droit inférieur est responsable des mouvements d'abaissement et d'adduction. Enfin, le muscle grand oblique dirige l'œil dans ses mouvements latéroinférieurs et le muscle petit oblique le dirige dans ses mouvements latérosupérieurs.

Le globe oculaire est un organe sphérique contenu dans une cavité osseuse protectrice appelée orbite. Il est entouré d'un coussin de graisse orbitale et se compose de trois couches: la sclérotique, l'uvée et la rétine.

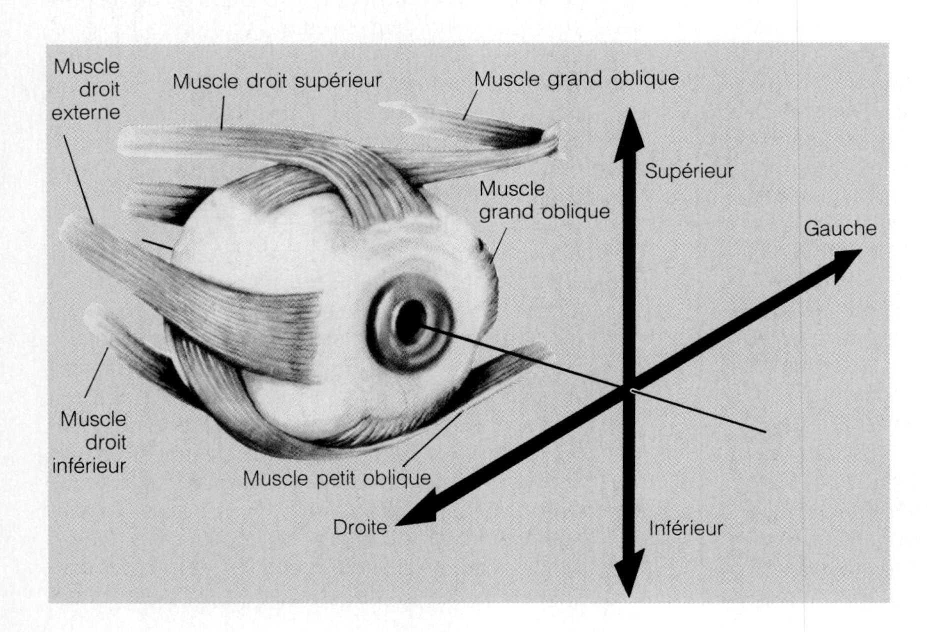

Figure 55-2. Les muscles oculomoteurs et leur emplacement autour de l'œil droit. Les flèches ainsi que la ligne partant de la pupille indiquent les positions cardinales du regard.
(Source: J. W. Gittinger Jr., *Ophthalmology,* Boston, Little, Brown)

La sclérotique est la tunique protectrice fibreuse, blanche et dense de l'œil. Dans sa partie postérieure, elle comprend un orifice par lequel passent le nerf optique et les vaisseaux centraux de la rétine. À l'avant, elle se prolonge par la cornée, une membrane avasculaire et transparente qui fait légèrement saillie. La sclérotique sert de fenêtre de réfraction par laquelle la lumière se rend à la rétine. Elle donne également de la résistance à la partie antérieure de l'œil.

L'uvée, la tunique moyenne du globe oculaire, se compose de la choroïde, de l'iris et du corps ciliaire. La choroïde est la partie postérieure de l'uvée. Richement vascularisée, elle nourrit la rétine. L'iris est une membrane pigmentée qui donne à l'œil sa couleur caractéristique. Elle constitue la face antérieure de l'uvée et forme un diaphragme circulaire qui sépare les chambres antérieure et postérieure. Son centre est percé d'un orifice appelé pupille. La pupille s'adapte spontanément à la lumière et à la distance en se dilatant ou en se contractant. Le bord périphérique de l'iris est relié au corps ciliaire, lequel se compose de fibres musculaires qui interviennent dans la contraction et le relâchement des zonules du cristallin. Le corps ciliaire contribue au maintien de la pression intraoculaire en sécrétant l'*humeur aqueuse,* un liquide aqueux et transparent qui remplit les chambres antérieure et postérieure et s'échappe par le trabéculum cornéoscléral après avoir suivi le canal de Schlemm. C'est l'écoulement constant de l'humeur aqueuse qui permet de maintenir la pression intraoculaire dans les limites de la normale, c'est-à-dire entre 12 et 21 mm Hg.

Le cristallin est une lentille biconvexe, avasculaire, incolore et transparente que les zonules de Zinn maintiennent en suspension derrière l'iris (les zonules sont d'ailleurs appelées «ligaments suspenseurs du cristallin»). La contraction et le relâchement des zonules changent la forme du cristallin et lui permettent de faire converger les rayons lumineux sur la rétine. Ce phénomène est appelé *accommodation.*

Le corps vitré est un liquide légèrement gélatineux, avasculaire et transparent qui remplit l'espace postérieur délimité par le cristallin, la rétine et la papille optique. Le corps vitré joue un rôle important dans le maintien de la transparence et de la forme de l'œil.

La rétine est la couche mince et semi-transparente de tissu nerveux qui tapisse la paroi de l'œil. Les cônes et bâtonnets contenus dans la rétine sont des récepteurs qui réagissent à l'énergie lumineuse et déclenchent une réponse nerveuse qui sera interprétée par le cerveau. Les cônes rétiniens jouent un rôle dans l'acuité visuelle et le sens chromatique, tandis que les bâtonnets rétiniens permettent la vision périphérique quand la luminosité est faible. Au centre de la partie postérieure de la rétine se trouve la macula lutea, qui encercle la fovea centralis. Ces éléments sont responsables de la vision nette, de la vision des couleurs et de la définition des images. Les fibres nerveuses de la rétine se rejoignent en «pied de bouquet» pour former le nerf optique. La tête du nerf optique, c'est-à-dire la papille optique, est également appelée «tache aveugle» puisqu'elle ne contient pas de cellules visuelles.

Certaines maladies et blessures peuvent bloquer le passage des rayons lumineux, entraver la conversion des rayons en influx nerveux ou nuire à la transmission de ces influx. Ces perturbations causent alors un trouble de la vision ou la cécité. Heureusement, il existe plusieurs traitements qui peuvent préserver ou corriger la vue.

Gérontologie

La vue de l'être humain faiblit avec l'âge. La pupille, par exemple, devient moins sensible à la lumière car elle rétrécit en raison de la sclérose du sphincter pupillaire. Le cristallin, lui, s'opacifie avec le temps. Il se produit aussi une diminution du champ visuel qui rend plus difficile la vision périphérique. Les yeux s'adaptent moins rapidement à l'obscurité; la vision de la personne âgée est donc faible dans l'obscurité ou dans des endroits peu éclairés. Avec l'âge, on constate en outre un ralentissement de l'accommodation car le cristallin perd peu à peu son élasticité. On appelle *presbytie* cette diminution du pouvoir d'accommodation causée par le vieillissement. Les muscles ciliaires deviennent eux aussi moins souples et moins fonctionnels. C'est la vision de près qui s'altère d'abord car elle exige plus de travail de la part des muscles ciliaires. La diminution de la vision de près se corrige par le port de lunettes de lecture, de verres à double foyer et même de verres à triple foyer.

Le vieillissement entraîne la formation de petits amas de collagène dans le corps vitré, ce qui se manifeste par la présence de mouches volantes dans le champ visuel. La rétine est la partie qui subit le moins de changements avec l'âge, sauf pour ce qui est de la macula. De très petits changements dans la macula suffisent à perturber la vision.

Spécialistes des soins oculaires

L'*ophtalmologiste* est un médecin qui se spécialise dans le diagnostic et le traitement (médical ou chirurgical) des maladies oculaires, des troubles de vision et des blessures de l'œil. Certains ont une spécialité dans un domaine précis comme les maladies oculaires chez l'enfant, les affections de la cornée, les maladies de la rétine ou du corps vitré, le glaucome, la chirurgie oculoplastique et la vision faible.

L'*optométriste* est un docteur en optométrie qui peut examiner, diagnostiquer et traiter les problèmes de la vue, les maladies oculaires et autres anomalies de l'œil et des structures connexes.

L'*opticien* met au point, fabrique et vend des verres correcteurs et des lentilles cornéennes selon l'ordonnance de l'ophtalmologiste ou de l'optométriste.

Enfin, l'*oculariste* est un technicien qui fabrique des yeux artificiels et d'autres prothèses oculaires.

Voici quelques abréviations courantes dans le domaine de l'ophtalmologie:

OD (oculus dexter): œil droit
OS (oculus sinister): œil gauche
OU (oculi unitas): yeux droit et gauche
D: dioptrie, unité de puissance d'une lentille (une lentille de 1 D fait converger des rayons lumineux parallèles à un mètre de la lentille)
HT: hypertropie
ST: ésotropie
PIO: pression intraoculaire

EXAMEN DE L'ŒIL ET DE LA VUE

L'examen de l'œil est une étape essentielle de l'examen physique, non seulement à cause du rôle important de la fonction oculaire dans le bien-être du patient mais aussi parce que l'œil reflète l'état de santé général. La rétine, qu'on peut examiner au moyen d'un ophtalmoscope, est le seul endroit du corps humain où on peut voir le lit vasculaire de façon directe. Des maladies comme l'hypertension et le diabète entraînent des changements faciles à voir lors d'un examen de la vue. On peut dire que la pupille est le miroir de la microcirculation.

Bilan de santé

Il faut d'abord établir le bilan de santé du patient: troubles de vision, maux de tête, vertiges, douleurs oculaires ou frontales, écoulements oculaires. L'évaluation de la douleur comprend plusieurs éléments: siège, moment d'apparition, durée, changements visuels accompagnant la douleur, facteurs déclenchants, mesures de soulagement et intensité. Il faut également noter si le patient porte des verres correcteurs et si ces verres sont bien adaptés.

On doit de plus noter les antécédents de glaucome, de diabète, d'hypertension, de blessures oculaires, d'interventions chirurgicales à l'œil, ainsi que les autres affections pouvant perturber la vision. Il est important aussi de noter la date d'apparition de ces affections.

On doit par ailleurs évaluer le mode de vie du patient (travail, loisirs et activités sportives, facteurs de risque et exposition à des irritants aérogènes).

Enfin, il faut noter ses antécédents familiaux de glaucome, de cécité, d'hypertension, de cataractes, de diabète, ainsi que les résultats du traitement de ces maladies.

Acuité visuelle. L'évaluation de l'acuité visuelle fait partie du bilan de santé initial de chaque patient. Pour mesurer l'acuité visuelle, on place le sujet à six mètres d'une échelle de lettres. On lui demande ensuite de couvrir un œil à l'aide d'une carte, de garder les deux yeux ouverts et de lire les lignes de lettres de taille décroissante jusqu'à ce qu'il ne soit plus capable de distinguer les caractères. Si le patient porte des verres correcteurs, on évalue son acuité visuelle avec et sans verres correcteurs.

Si le patient est analphabète, on peut utiliser un tableau qui montre la lettre *E* dans quatre positions différentes. Ce tableau est également pratique pour l'examen de la vue des enfants qui ne savent pas encore lire.

L'acuité visuelle s'exprime par un rapport de ce que le sujet peut voir à une distance de 20 pieds sur la vision normale. Ainsi, une acuité de 20/50 signifie que le patient peut voir à 20 pieds ce qu'il devrait normalement voir à 50 pieds. Le rapport de 20/200 est à la limite de la cécité du point de vue légal et indique que le patient voit à 20 pieds ce qu'il devrait voir à 200 pieds. Le patient qui a une acuité visuelle de 20/200 distingue uniquement les grosses lettres de la toute première ligne du tableau.

Un patient qui a une acuité visuelle inférieure à 20/20 avec ses verres correcteurs doit être dirigé vers un ophtalmologiste ou un optométriste.

La vision de près n'est pas évaluée systématiquement, sauf si le patient se plaint d'avoir de la difficulté à lire de près ou s'il a plus de 40 ans. En effet, après l'âge de 40 ans, le cristallin peut devenir rigide et perdre sa capacité d'accommoder sa forme à la vision de près (presbytie). Pour dépister la presbytie, on peut demander au patient de lire le journal à une distance de 30 cm. Si le patient a de la difficulté à lire à cette distance, on doit le diriger vers un spécialiste.

Évaluation externe de l'œil. On évalue visuellement les structures externes de l'œil (sourcils, paupières, cils, appareil lacrymal, conjonctive, cornée, chambre antérieure, iris et pupille). L'examen commence par l'évaluation de la position et du parallélisme des yeux. On examine ensuite les sourcils pour vérifier la quantité et la distribution des poils. Puis on note la position des paupières par rapport aux globes oculaires. Lorsque le patient a les yeux ouverts, la sclérotique ne devrait pas être visible au-dessus de la cornée. On doit également examiner les paupières: couleur de la peau, présence d'œdème ou d'une lésion, état et orientation des cils. Les anomalies des paupières les plus fréquentes sont décrites plus loin dans ce chapitre.

On examine ensuite la région des glandes lacrymales, soit la face latérale supérieure de l'orbite. Si les glandes semblent tuméfiées, on tourne la paupière vers l'extérieur pour les examiner de plus près. On vérifie ensuite si l'appareil lacrymal est enflé. Pour voir si le canal lacrymonasal présente une obstruction ou une inflammation, on n'a qu'à appuyer sur le milieu de la paupière inférieure, juste à l'intérieur de la bordure orbitale. On palpe cette région pour dépister la douleur et vérifier si les points lacrymaux rejettent du liquide.

La sclérotique et la conjonctive bulbaire (ou cornéenne) sont examinées en même temps. Pour faire cet examen, il faut écarter les paupières en plaçant l'index sur la bordure orbitale supérieure et le pouce sur la bordure inférieure. Après avoir écarté les paupières, on demande au patient de regarder vers le haut, vers le bas et de chaque côté. Normalement, on voit de petits capillaires dans la conjonctive et on distingue nettement la sclérotique. Chez les personnes à la peau foncée la sclérotique est souvent jaunâtre, ce qui est tout à fait normal. La conjonctive de la paupière inférieure est facile à examiner; il suffit de demander au patient de regarder vers le haut pendant qu'on tourne doucement la paupière inférieure vers l'extérieur.

Pour dépister la présence d'opacités dans la cornée et la chambre antérieure, on éclaire la cornée avec un crayon lumineux en dirigeant la lumière obliquement. La cornée est normalement lisse et transparente. Souvent, une mauvaise réflexion de la lumière sur la cornée permet de déceler des anomalies. La présence d'irrégularités sur l'iris peut témoigner d'une lésion cornéenne ou d'un déplacement vers l'avant de la chambre antérieure.

Normalement, les deux pupilles sont rondes, régulières et de diamètre égal, et elles réagissent de la même façon à la lumière. Une asymétrie dans le diamètre des pupilles n'est pas nécessairement pathologique, mais peut être le signe d'une affection du système nerveux central. En réaction à une lumière dirigée directement sur elle, la pupille doit normalement se contracter rapidement de façon régulière et concentrique. La pupille opposée, celle qui n'est pas stimulée par la lumière, doit également se contracter. C'est ce que l'on appelle le réflexe pupillaire consensuel. On l'évalue en demandant au patient de regarder un objet éloigné pendant qu'on éclaire ses pupilles l'une après l'autre.

La contraction de la pupille stimulée est appelée *réflexe photomoteur,* alors que la contraction de la pupille opposée s'appelle *réflexe consensuel.* L'évaluation de ces réflexes permet de faire la distinction entre la cécité causée par une lésion du nerf optique et la cécité due à une maladie plus générale. Ainsi, quand on éclaire directement l'œil dont le nerf optique est lésé, on n'obtient ni le réflexe photomoteur ni le réflexe consensuel. Toutefois, si on éclaire directement l'œil indemne, on provoque un réflexe consensuel de la pupille de l'œil atteint. Ce phénomène est dû au fait que le réflexe pupillaire consensuel ne dépend pas de la transmission par le nerf optique.

On doit aussi examiner la réaction des pupilles à l'accommodation (adaptation qui se fait quand le regard passe d'un objet rapproché à un objet éloigné et vice versa). La meilleure façon de faire cet examen est de demander au patient de regarder un objet éloigné puis de regarder le doigt de l'examinateur, placé entre 7,0 à 12,0 cm du nez du patient. La réaction normale des pupilles est de se contracter quand les yeux convergent pour fixer le doigt de l'examinateur.

Dans les affections neurovégétatives dues à la syphilis ou au diabète, la pupille est souvent incapable de réagir à la lumière, mais capable de réagir à l'accommodation. Il s'agit du *signe d'Argyll Robertson.*

Pression intraoculaire. L'augmentation de la pression intraoculaire est le signe cardinal du glaucome, une maladie responsable d'un cas de cécité sur cinq. On peut effectuer une évaluation sommaire de la pression intraoculaire en exerçant une légère pression avec les doigts sur la sclérotique. Pour ce faire, on place le bout des deux index sur la paupière supérieure et on appuie doucement avec un index pendant que l'autre index palpe la pression ainsi exercée. Certains examinateurs font ensuite une comparaison entre leur propre pression et la pression ressentie dans l'œil du patient. On utilise un tonomètre pour mesurer la pression intraoculaire de façon précise.

Évaluation des muscles oculomoteurs. Les muscles oculomoteurs (figure 55-2) sont six petits muscles rattachés à chaque œil. Ils sont innervés par trois nerfs crâniens. C'est l'action synergique des muscles oculomoteurs des deux yeux qui permet le parallélisme du regard. Le mécanisme à l'origine de ce jeu musculaire est fort complexe; on doit donc consulter un ophtalmologiste si on constate une anomalie.

Il est facile de vérifier le parallélisme des yeux. Il suffit d'éclairer directement le visage du sujet pendant que celui-ci fixe la source lumineuse. La lumière devrait être reflétée par les deux pupilles de façon identique. L'obtention de réflexes différents d'une pupille à l'autre est le signe d'une perturbation du parallélisme visuel. Même si le parallélisme est normal, il arrive que l'un des yeux a tendance à dévier vers le nez ou vers la tempe, ce que l'on peut mettre en évidence par le test sous écran. Pour faire le test sous écran, on couvre un des yeux du patient avec une carte ou une main et on lui demande de regarder un objet immobile avec l'œil libre tout en gardant ouvert l'œil caché. L'examinateur doit ensuite retirer rapidement la carte ou la main et fixer l'œil précédemment caché. Normalement l'œil caché devrait rester en position de parallélisme par rapport à l'œil découvert. Si c'est le cas, on dit qu'il y a *orthophorie.* Si l'œil avait glissé vers la tempe (exophorie) ou vers le nez (ésophorie) quand il était couvert, il reviendra brusquement en place quand on enlèvera la carte ou la main.

Pour évaluer l'intégrité du fonctionnement des muscles oculomoteurs, on demande au patient de bouger les yeux dans les six positions cardinales du regard (figure 55-2) tout en suivant des yeux un objet. L'examinateur bouge l'objet d'un bout à l'autre d'un axe horizontal imaginaire, puis d'un bout à l'autre de deux autres axes, obliques cette fois. Chacun de ces deux axes obliques forme un angle de 60 degrés avec l'axe horizontal. Chacune des positions cardinales du regard correspond à la fonction d'un des six muscles oculomoteurs rattachés à l'œil. Si une *diplopie* (vision double) apparaît au moment où le patient passe d'une position cardinale à une autre, l'examinateur peut présumer qu'un ou plusieurs muscles oculomoteurs ne fonctionnent pas bien.

Lorsqu'on vérifie les mouvements oculomoteurs, il faut rechercher les signes de *nystagmus*, des mouvements rapides involontaires et répétés du globe oculaire. Il est cependant normal de constater un nystagmus dans le regard latéral forcé; pour l'éviter, on ne doit pas placer l'objet au-delà de la vision binoculaire latérale.

Évaluation du champ visuel. Le champ visuel (figure 55-3) peut être évalué avec grande précision par un

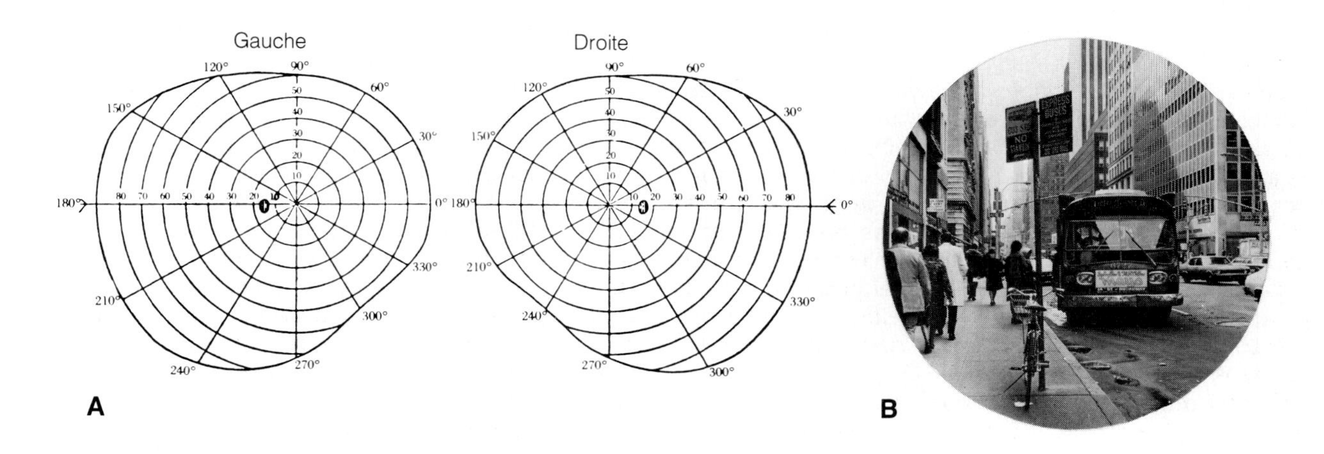

Figure 55-3. (**A**) Schémas du champ visuel montrant la vision périphérique de 180 degrés avec les deux yeux (**B**) Photo représentant une scène de rue telle que peut la voir une personne ayant une vision normale (20/20)
(Source: The Lighthouse, The New York Association for the Blind)

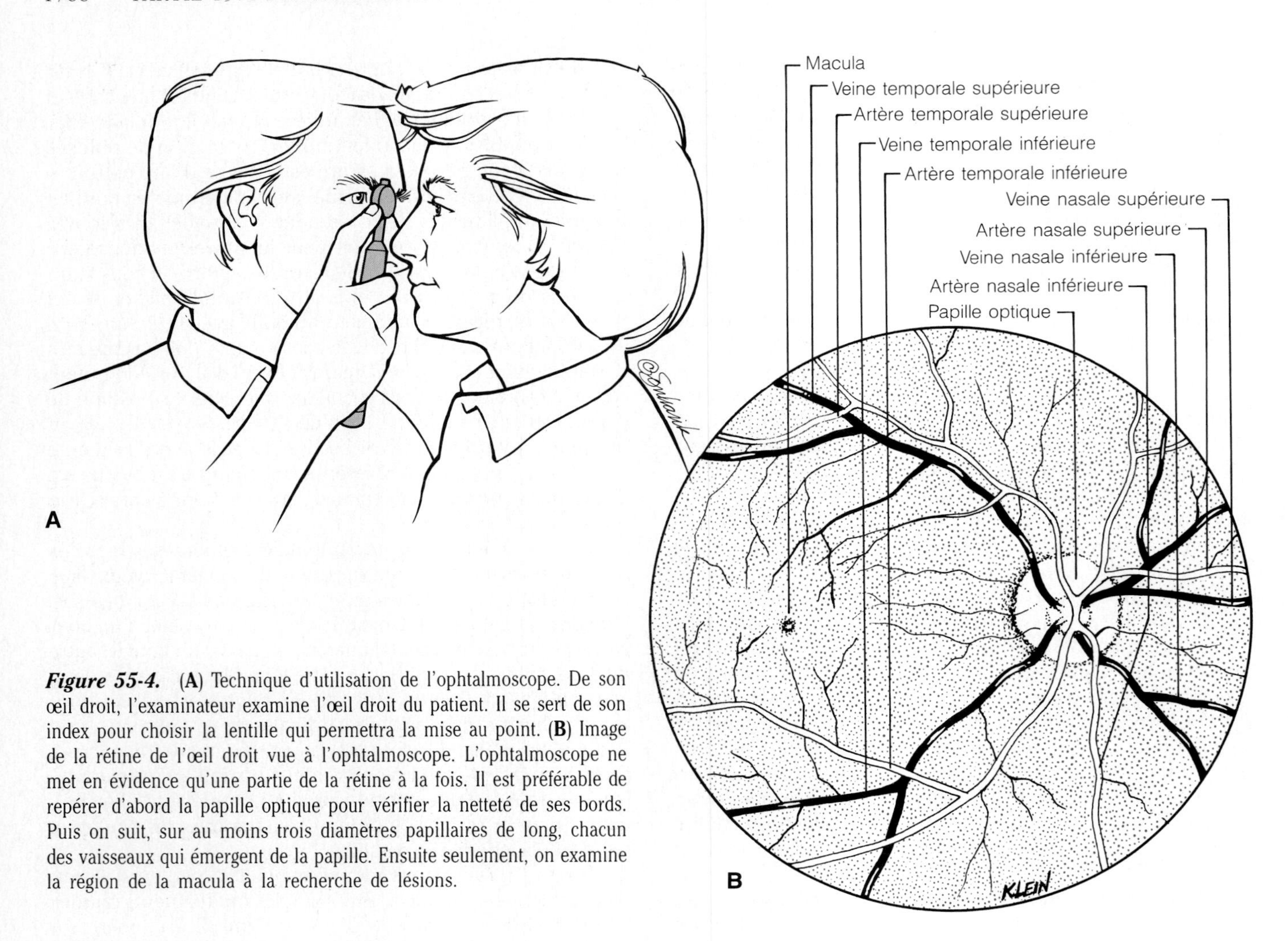

Figure 55-4. (**A**) Technique d'utilisation de l'ophtalmoscope. De son œil droit, l'examinateur examine l'œil droit du patient. Il se sert de son index pour choisir la lentille qui permettra la mise au point. (**B**) Image de la rétine de l'œil droit vue à l'ophtalmoscope. L'ophtalmoscope ne met en évidence qu'une partie de la rétine à la fois. Il est préférable de repérer d'abord la papille optique pour vérifier la netteté de ses bords. Puis on suit, sur au moins trois diamètres papillaires de long, chacun des vaisseaux qui émergent de la papille. Ensuite seulement, on examine la région de la macula à la recherche de lésions.

ophtalmologiste. On peut toutefois en faire une évaluation sommaire, si on soupçonne une perturbation générale du champ visuel. Ce peut être le cas chez les victimes d'un accident vasculaire cérébral, qui perdent souvent le quart ou la moitié du champ visuel des deux yeux.

L'examen par confrontation est la méthode la plus simple et la plus fiable pour évaluer l'intégrité des champs visuels. L'examinateur et le patient sont assis face à face à une distance de 60 cm. Le patient doit se couvrir un œil avec une carte tout en regardant directement le nez de l'examinateur. L'examinateur couvre son œil opposé pour comparaison. Par exemple, il couvre son œil droit si le patient a couvert son œil gauche. Il prend ensuite un objet (crayon, bâton, etc.) dans sa main droite et le fait bouger sur un axe situé à mi-chemin entre le patient et lui. On évalue les champs nasal, temporal, supérieur et inférieur en faisant entrer l'objet dans le champ de vision à partir de différents points périphériques, et en demandant au sujet de préciser le moment où il commence à voir l'objet. Pour vérifier le champ visuel nasal du même œil, on passe l'objet dans l'autre main. On procède à l'inverse pour l'autre œil. Quand l'examen par confrontation met en évidence une diminution des champs visuels ou des taches aveugles, il faut adresser le patient immédiatement à un ophtalmologiste.

Ophtalmoscopie. L'œil interne, c'est-à-dire le *fond de l'œil,* comprend la rétine, la papille optique, la macula et les vaisseaux rétiniens. Pour examiner le fond de l'œil, on se sert d'un *ophtalmoscope.* Avec la pratique, il est possible de devenir très habile avec cet instrument. L'ophtalmoscope est un instrument d'optique qui projette de la lumière à travers un prisme qui fait dévier les rayons lumineux à 90 degrés, ce qui permet à l'observateur de voir la rétine à travers une lentille selon une ligne de vision parallèle à la déviation des rayons lumineux. Il existe différents types de lentilles, qui se placent sur un disque qu'il suffit de faire tourner pour changer de lentille. La lentille à petite ouverture sans filtre est celle qui convient le mieux à l'examen courant.

Pour éviter la collision des nez, l'œil droit du patient est examiné par l'œil droit de l'examinateur, et vice versa (figure 55-4A). La lumière de la pièce doit être tamisée afin que la pupille soit dilatée. Le patient doit garder les yeux immobiles et fixer son regard sur un objet éloigné réel ou imaginaire. L'examinateur saisit l'ophtalmoscope d'une main sûre et place son index sur le disque à lentilles. Il stabilise l'instrument en l'enchâssant dans le creux formé par son arcade sourcilière et son nez. Il choisit d'abord la lentille marquée d'un zéro, sauf s'il a un défaut de vision qu'il doit corriger. Certains examinateurs qui portent des lunettes préfèrent les retirer et se servir de la lentille qui correspond à la lentille zéro chez un examinateur ayant une vision de 20/20. D'autres préfèrent garder leurs lunettes et utiliser la lentille zéro. Si le patient a une vision de 20/20, la lentille zéro devrait permettre à l'examinateur d'obtenir une mise au point claire sur la rétine. Si la rétine apparaît brouillée, on tourne le disque à lentilles jusqu'à ce qu'on obtienne la mise au point. L'examinateur choisit les lentilles de la série rouge pour les patients *hypermétropes* (qui ne voient pas bien les objets rapprochés) et les lentilles de la série noire pour les patients *myopes* (qui ne voient pas bien les objets éloignés).

Après avoir réglé l'éclairage de la pièce et demandé au sujet de fixer son regard sur un objet éloigné, l'examinateur s'approche à une distance d'environ 35 cm du sujet et à un angle d'à peu près 15 ° par rapport à la direction de son regard. Quand il dirige la lumière dans la pupille, il peut voir la rétine s'éclairer de rouge à travers la pupille dilatée. Cette réaction est appelée «reflet rouge». L'examinateur s'approche encore, jusqu'à ce que son front touche sa main gauche qui repose sur le front du patient (voir la figure la 55-4A). Si l'examinateur a choisi la bonne lentille, il devrait avoir une image nette de la rétine et des veinules et artérioles qui la sillonnent (voir la figure 55-4B). Pendant l'examen de la surface de la rétine, il faut tenir l'ophtalmoscope fermement et bouger la tête plutôt que l'instrument.

On examine d'abord la papille optique. Si on ne peut la repérer, on doit suivre les veines jusqu'aux vaisseaux plus petits puis jusqu'à la papille, où les artérioles émergent et où les veinules entrent. On fait comme si on suivait des yeux les branches d'un arbre pour en repérer le tronc. Une fois la papille optique repérée, on note son diamètre, sa forme et sa couleur, de même que la netteté de ses bords. Normalement, la papille est circulaire et d'un rose jaunâtre. Ses bords sont nets et parfois soulignés d'une ligne fortement pigmentée. Pour bien évaluer le diamètre de la papille, il faut connaître le diamètre des papilles normales. Au milieu de la papille, on voit souvent une excavation physiologique dans laquelle la veine centrale de la rétine se rétracte. Pour bien voir la base de cette excavation, l'examinateur doit parfois choisir une autre lentille de la série rouge. La présence d'une excavation profonde est caractéristique du glaucome. Une papille œdématiée et dont les bords sont flous est un signe d'une augmentation de la pression intracrânienne. La papille est alors rose et on a parfois besoin d'une lentille de la série noire pour en obtenir une image nette. Quant à l'*atrophie optique,* elle se caractérise par une pâleur extrême de la papille et une diminution de son diamètre.

Après avoir scruté la papille optique, l'examinateur examine le reste de la rétine. Il est important de localiser les anomalies de façon claire et précise afin que les autres membres du personnel soignant s'y retrouvent. Pour cela, on utilise la position des aiguilles d'une montre et on se réfère au diamètre de la papille pour préciser la distance. Par exemple, on peut décrire un point hémorragique en disant que son diamètre correspond à la moitié du diamètre de la papille et qu'il se trouve à deux diamètres des bords de la papille, à deux heures.

On examine chacun des principaux vaisseaux à partir des bords de la papille. Les artérioles sont plus pâles et plus petites que les veinules. Les parois des vaisseaux étant transparentes, ce que l'on voit est en réalité le flux sanguin. On doit noter la grosseur et les caractéristiques des jonctions artérioveineuses, ainsi que la présence de lésions sur la rétine. Les changements causés par le diabète sont faciles à voir; ils sont décrits en détail au chapitre 30.

L'examen de la région de la macula se fait en dernier lieu. On doit demander au patient de regarder directement vers la source lumineuse, ce qui provoque une gêne et un larmoiement. L'examinateur n'a donc qu'une seconde ou deux pour noter les anomalies. Le reflet brillant qui se trouve au centre de la macula est appelé *fovea centralis.* L'œdème, les hémorragies ou les lésions doivent être signalés à un ophtalmologiste.

Lors d'un examen courant, on ne procède généralement qu'à l'inspection de la conjonctive, de la cornée et de la pupille, et à l'évaluation des mouvements oculaires. L'ophtalmoscopie fait partie intégrante de tout examen physique complet. L'évaluation de l'acuité visuelle est un élément du profil initial, mais on ne la répète généralement que tous les ans ou tous les deux ans, sauf chez les personnes âgées et chez les personnes qui présentent des maladies susceptibles de perturber la vision (par exemple, le diabète).

Évaluation de l'acuité visuelle

Échelle de lettres et microprocesseur. L'échelle de Snellen (échelle de lettres) est la méthode la plus utilisée pour évaluer les troubles de la vision. Son exactitude est toutefois limitée. Parmi les autres outils d'évaluation figurent le microprocesseur BVAT (pour Baylor Video Acuity Tester) et l'échographie. Le microprocesseur BVAT (Mentor) produit des **E** de 30 grosseurs différentes sur un écran. Une souris permet d'entrer les réponses du patient dans un ordinateur, et une imprimante donne sur papier la moyenne de l'acuité visuelle et l'écart type calculé sur 20 essais. L'examen à l'aide du microprocesseur dure environ huit minutes.

Échographie. Lors de l'examen échographique, une petite sonde placée sur l'œil du patient émet des vibrations sonores de haute fréquence. Après avoir frappé les tissus oculaires, ces vibrations reviennent à la sonde, qui transmet à son tour l'information à un oscilloscope. En ophtalmologie, on utilise deux modes d'échographie:

- Le mode A, unidimensionnel
- Le mode B, bidimensionnel

Ces deux modes d'échographie permettent de dépister et de différencier plus de 100 lésions ou groupes de lésions dans les régions orbitaire et périorbitaire. L'échographie permet également de prendre des mesures en vue de l'implantation d'un cristallin artificiel et d'analyser ces mesures par ordinateur. Le chirurgien peut ainsi déterminer la puissance du cristallin à implanter et sa puissance de réfraction postopératoire.

L'échographie est indolore mais exige l'instillation de gouttes anesthésiques. À cause du risque de lésions cornéennes, il faut recommander au patient de ne pas se frotter les yeux après l'examen.

Biomicroscope. Le biomicroscope (compteur de cellules endothéliales) est un instrument photographique qui produit des images de haute définition révélant les détails morphologiques minuscules des cellules endothéliales. L'examen au biomicroscope est très utile en période préopératoire, car il permet de connaître l'état de l'endothélium et par le fait même de prévoir les risques de complications postopératoires.

OPTIQUE ET RÉFRACTION

La plupart des gens présentent un petit défaut de parallélisme des yeux qu'il n'est généralement pas nécessaire de corriger.

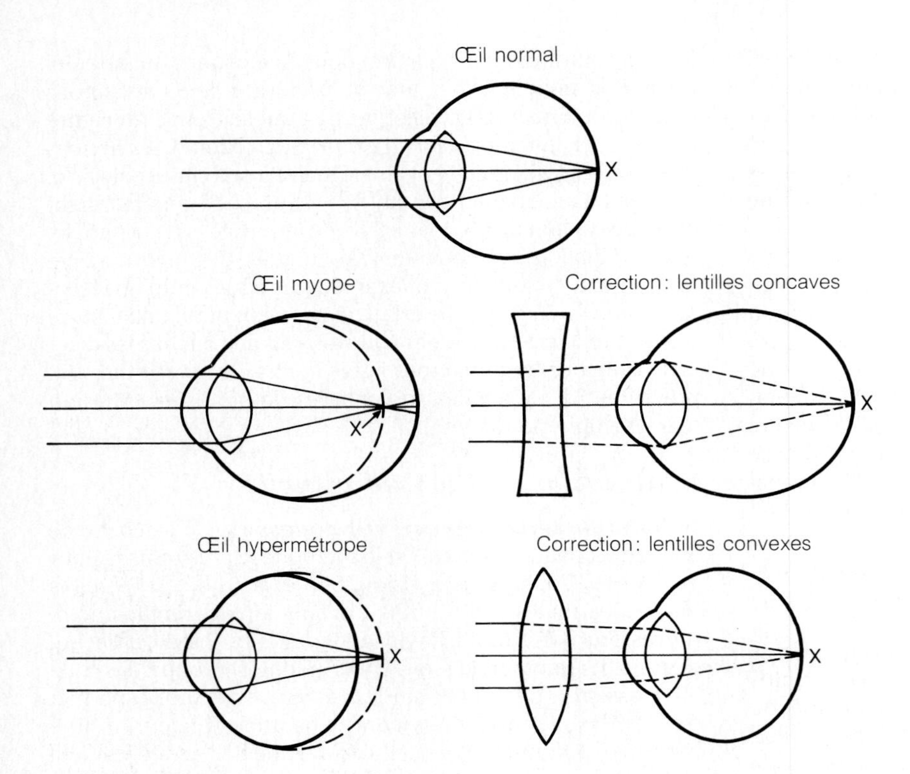

Figure 55-5. Vision normale, myopie et hypermétropie
(Source: D. S. Suddarth, *The Lippincott Manual of Nursing Practice,* Philadelphia, J. B. Lippincott, 1991)

Quand la correction d'un vice de réfraction est nécessaire, elle vise non pas à améliorer la santé de l'œil mais plutôt à soulager des symptômes comme la vision trouble, les maux de tête ou la fatigue oculaire. Il existe diverses interventions chirurgicales de la cornée qui servent à corriger la myopie, l'hypermétropie ou l'astigmatisme. Ces interventions peuvent éliminer le port des lunettes ou réduire la force des verres correcteurs.

Les vices de réfraction comprennent la myopie (mauvaise vue à distance), l'hypermétropie (mauvaise vue de près) (figure 55-5), l'anisométropie (différence de puissance entre les deux yeux), l'astigmatisme (défaut de réfraction) et la presbytie (défaut d'accommodation).

Il est plus facile de comprendre les vices de réfraction et leur traitement quand on connaît la façon dont ils influencent l'accommodation. L'accommodation se fait quand les muscles ciliaires se contractent pour accroître la courbure du cristallin, ce qui augmente sa puissance de réfraction et permet au regard de se fixer sur des objets rapprochés. Quand les muscles ciliaires se relâchent, la puissance de réfraction est à son plus bas niveau.

La capacité d'accommodation diminue peu à peu avec l'âge. Après 40 ans, la diminution de l'amplitude d'accommodation s'accentue, surtout en ce qui concerne la vision de près. La presbytie désigne cette diminution de l'accommodation qui accompagne le vieillissement.

Pour désigner l'œil normal qui regarde au loin, sans accommodation, on utilise le terme «emmétropie». L'œil emmétrope distingue bien les objets éloignés sans effort et il peut, grâce à l'accommodation, se fixer sur des objets rapprochés.

Dans la myopie, l'œil possède un pouvoir réactif excessif dû à un défaut de convergence des rayons lumineux. À cause de ce défaut de convergence, l'image se forme en avant de la rétine. La mauvaise vue à distance est le seul symptôme apparent de la myopie.

Chez le patient hypermétrope, c'est l'inverse qui se produit; l'œil ne possède pas assez de pouvoir réactif pour faire converger la lumière sur la rétine. L'image se forme donc derrière la rétine. La personne hypermétrope a donc une mauvaise vue de près.

L'astigmatisme est dû à un défaut de la courbure de la cornée qui entraîne la perception d'images déformées. Habituellement, la vue est brouillée et le patient se plaint d'une gêne oculaire. L'astigmatisme peut s'accompagner de myopie ou d'hypermétropie. On ne peut pas l'éliminer en corrigeant le vice de réfraction. Des verres dépolis qui neutralisent le défaut de courbure de la cornée sont nécessaires.

VICES DE RÉFRACTION

Évaluation

Pour déterminer le type de verres et la force des verres nécessaires pour corriger un vice de réfraction on utilise un *rétinoscope.* D'après les résultats de l'examen rétinoscopique, on choisit les verres correcteurs appropriés et on les adapte en demandant au patient de lire les lettres de l'échelle de Snellen.

On peut aussi utiliser des réfracteurs automatiques munis de dispositifs photoélectriques sensibles à la lumière. Le sujet doit s'asseoir en face de l'instrument et fixer un objet. Une imprimante permet d'obtenir une carte ou un graphique du vice de réfraction sur support papier. Avec d'autres types de réfracteurs automatiques, le patient doit faire des mises au point en tournant un bouton.

Correction

On peut corriger les vices de réfraction importants à l'aide de lunettes et de lentilles cornéennes (tableau 55-1). Un léger vice de réfraction n'exige pas nécessairement une correction.

TABLEAU 55-1. *Types de verres correcteurs*

Durabilité	*Avantages*	*Inconvénients*
LUNETTES		
Possèdent une excellente durabilité.	Procurent une excellente correction visuelle; sont faciles à entretenir.	S'embuent au froid; ne sont pas esthétiques pour certains; ne conviennent pas à la pratique de certains sports ou activités; constituent un obstacle dans certains domaines professionnels; doivent être remplacées plus souvent que les lentilles cornéennes.
LENTILLES CORNÉENNES RIGIDES		
Avec un bon entretien, peuvent durer de 15 à 20 ans.	Procurent une excellente correction visuelle; sont habituellement moins coûteuses que les autres types de lentilles cornéennes; sont efficaces pour corriger l'astigmatisme.	Sont parfois mal tolérées; demandent une période d'adaptation; peuvent bouger de leur position idéale.
LENTILLES CORNÉENNES SOUPLES		
Doivent être remplacées plus souvent que les lentilles rigides (durent habituellement entre un et trois ans).	Sont plus confortables et peuvent être portées plus longtemps que les lentilles rigides.	Exigent un entretien quotidien; risque accru d'irritation ou d'infection oculaire; ne sont pas aussi efficaces que les lentilles rigides pour corriger l'astigmatisme; sont parfois mal tolérées.
LENTILLES CORNÉENNES À PORT PROLONGÉ		
Ce sont les lentilles cornéennes les plus fragiles; doivent parfois être remplacées tous les six mois.	Procurent une correction 24 heures sur 24; peuvent être portées pendant plusieurs semaines de suite.	Sont coûteuses; exigent des visites plus fréquentes chez l'optométriste; comportent un risque de lésion cornéenne; n'apportent pas toujours une aussi bonne correction que les autres types de lentilles; sont parfois mal tolérées.

Les verres à foyer progressif sont l'une des plus récentes découvertes dans le domaine de l'optique. Il s'agit de verres qui corrigent la vision éloignée, intermédiaire et rapprochée sans la ligne que l'on observe dans les autres verres à double ou triple foyer. Les verres à foyer progressif ont l'avantage de donner une vue claire à toutes les distances sans changements de puissance brusques. Ils présentent cependant certains inconvénients: ils ne peuvent pas être prescrits à tous les patients, ils produisent des aberrations optiques et ils sont difficiles à ajuster.

La lentille cornéene est un petit disque de plastique mince comme du papier et léger, qui se place sur l'œil. Elle flotte sur la couche liquide du globe oculaire et reste en place grâce à l'attraction capillaire des larmes et à la paupière supérieure. Elle bouge avec l'œil et reste au centre de la cornée.

Les lentilles cornéennes ont plusieurs avantages sur les lunettes: elles ne s'embuent pas quand on passe du froid à la chaleur; elles se nettoient automatiquement à chaque clignement des yeux; on peut les porter sans danger durant les activités sportives; elles donnent une meilleure vision périphérique; et elles ne se brisent pas facilement.

Les lentilles cornéennes rigides peuvent être perméables ou non perméables aux gaz. Dans le cas d'une lentille non perméable aux gaz, l'oxygène qui se dissout dans les larmes s'écoule sous la lentille durant les clignements des paupières et donne à la cornée l'oxygène dont elle a besoin pour bien fonctionner. Les lentilles perméables aux gaz sont plus populaires car elles sont plus confortables. Avec ce type de lentille, l'oxygène dissout dans les larmes se mélange à l'oxygène atmosphérique et traverse directement la lentille pour se rendre à la cornée.

Les lentilles cornéennes souples sont perméables aux gaz. On les trouve sous forme de lentilles à port prolongé, de lentilles à port quotidien et de lentilles jetables. Elles sont molles et flexibles parce qu'elles absorbent l'eau.

Les lentilles à port prolongé sont faites de nouveaux plastiques et silicones qui laissent passer davantage d'oxygène jusqu'à la cornée. On parle de port prolongé parce qu'on peut les porter pendant plusieurs semaines sans les enlever. Elles sont donc particulièrement utiles pour les personnes âgées, pour les personnes qui ont de la difficulté à mettre leurs lentilles et pour celles qui ont une mauvaise vue de près.

Les lentilles cornéennes, surtout celles à port prolongé, peuvent entraîner des complications: irritation de la surface de la cornée, conjonctivite, sensibilité chimique et infection de la cornée. Les lentilles à port prolongé doivent être remplacées plus souvent que les lentilles à port quotidien, à cause des dépôts et du film qui peuvent se former sur l'œil. Pour réduire les risques de complications, on recommande de respecter les directives de l'ophtalmologiste à la lettre.

Retrait des lentilles cornéennes

Les lentilles cornéennes sont conçues pour être portées pendant les heures de veille (à l'exception des lentilles à port prolongé). Pour plus de sûreté, on doit les retirer chez les personnes atteintes d'une incapacité à cause d'un accident, d'une maladie ou autre. Quand on reçoit un patient conscient ou à demi conscient, il faut lui demander s'il porte des lentilles cornéennes. Selon son état, il sera capable de les enlever sans aide ou avec un peu d'aide. Quand on reçoit un patient inconscient, on doit l'examiner pour vérifier s'il porte des lentilles cornéennes. Il suffit d'écarter doucement les paupières et d'éclairer l'œil obliquement. L'infirmière qui porte elle-même des lentilles cornéennes est souvent plus habile pour retirer celles d'un patient.

Si le patient est incapable d'enlever lui-même ses lentilles cornéennes, l'infirmière doit les retirer de la façon suivante:

- Après s'être lavé les mains, elle place un pouce sur la paupière supérieure et l'autre pouce sur la paupière inférieure, près de la naissance des cils.
- Elle écarte ensuite les paupières et les bouge doucement; la lentille devrait sortir facilement de l'œil.
- Si la lentille est difficile à retirer, l'infirmière en vérifie la position.
- On ne doit jamais retirer de force une lentille cornéenne.
- Si l'infirmière voit la lentille mais est incapable de la retirer, elle doit la faire glisser doucement jusqu'à la sclérotique; la lentille peut y rester sans grand danger jusqu'à ce que l'on trouve une personne expérimentée qui puisse la retirer.

Si le patient porte des lentilles souples, l'infirmière doit demander l'aide d'une personne habituée à retirer ce type de lentilles. De toutes façons, les lentilles souples peuvent rester en place pendant plusieurs heures sans causer de dommages.

Soins des patients souffrant d'affections oculaires

L'œil est un organe si important qu'on se préoccupe de ses soins et de sa protection dès la naissance. À titre de membre à part entière de l'équipe de soins et en raison de son rôle en matière de promotion de la santé l'infirmière peut dispenser un excellent enseignement sur le soin des yeux et la prévention des affections oculaires.

Il est important d'inculquer de bons principes d'hygiène oculaire dès le plus jeune âge. Certains symptômes exigent l'intervention d'un professionnel de la santé, notamment les maux de tête, les étourdissements, une fatigue oculaire anormale, et les démangeaisons dans les yeux. D'autres signes sont également à surveiller: inflammation ou larmoiement; paupières enflées, croûtées ou dont les bords sont rouges; orgelets à répétition; strabisme; pupilles inégales. On doit enfin soupçonner un problème si un enfant tient son livre trop près, fronce les sourcils, cligne des yeux, louche, se frotte les yeux, a des problèmes de lecture et autres problèmes scolaires.

L'importance de prendre soin de ses yeux est maintenant reconnue, notamment dans l'industrie, où on exige de plus en plus le port de lunettes de protection pour les tâches comportant un risque de blessure aux yeux par un corps étranger, ou un autre danger. On devrait également protéger ses yeux du soleil, des lampes solaires, et des aérosols de produits nocifs (comme la laque). À la maison, l'ammoniaque et les produits alcalins, comme les produits pour la lessive, sont tout particulièrement dangereux pour les yeux des enfants et des adultes. On devrait toujours les ranger dans un endroit sûr et les utiliser avec prudence.

On doit laisser reposer les yeux régulièrement au cours d'un travail qui entraîne une fatigue oculaire. On peut les détendre tout simplement en regardant de temps en temps par la fenêtre ou ailleurs dans la pièce.

L'importance de l'éclairage dans la prévention de la fatigue oculaire est maintenant reconnue non seulement dans le monde médical, mais aussi dans le monde du travail et dans toute la société.

Au cours des dernières années, le traitement médical des patients souffrant d'affections oculaires a beaucoup évolué et exige une hospitalisation de moins en moins longue. Par exemple, le patient opéré pour une cataracte n'a plus besoin de garder le lit pendant plusieurs jours, ce qui lui évite une privation sensorielle de même que des complications comme la thrombophlébite, l'embolie pulmonaire et la pneumonie. L'ablation du cristallin dans les cas de cataracte, et plusieurs autres interventions ophtalmologiques, sont aujourd'hui pratiquées en chirurgie d'un jour ou en consultation externe, ce qui signifie que le patient rentre chez lui le jour même de l'opération. En chirurgie d'un jour, l'infirmière n'a qu'un bref contact avec le patient et sa famille et dispose de peu de temps pour les observations, l'examen, les soins et l'évaluation. Par conséquent, dans ses séances d'enseignement et ses démonstrations de techniques d'autosoins, elle doit faire en sorte que le patient et sa famille comprennent bien leurs responsabilités en matière d'autosoins et qu'ils sachent reconnaître les signes et symptômes justifiant l'intervention du personnel soignant.

Principaux traitements

Médicaments ophtalmiques

Il existe une grande variété de médicaments ophtalmiques destinés au diagnostic ou au traitement des affections oculaires (tableau 55-2). L'infirmière, le patient et sa famille doivent savoir utiliser correctement ces médicaments. Avant d'instiller un médicament, il faut prendre le temps de lire l'étiquette et de désigner l'œil à traiter afin de s'assurer d'utiliser le bon médicament pour le bon œil. Il faut toujours se laver les mains immédiatement avant l'instillation. Pour éviter les lésions, on ne doit jamais toucher l'œil avec le bout du tube ou du flacon. Il faut jeter les contenants contaminés.

L'infirmière doit bloquer les points lacrymaux afin que le médicament ne soit pas absorbé dans tout l'organisme. S'il faut administrer plus d'un médicament, on doit attendre au moins 30 secondes entre les instillations car l'œil ne peut garder plus d'une goutte à la fois. Il faut refermer correctement le contenant après usage, et se débarrasser des médicaments dont la date de péremption est dépassée ou qui ont changé de couleur ou formé un sédiment.

Gouttes ophtalmiques (collyres)

Le traitement de presque toutes les affections oculaires comprend l'instillation de différentes solutions médicamenteuses dans l'œil.

Avant d'instiller des gouttes, il faut s'assurer qu'il s'agit bien du bon médicament, car certains de ces médicaments (comme les myotiques et les mydriatiques) agissent de façon exactement contraire (figure 55-6). Autrement dit, si un de ces médicaments est indiqué dans le traitement d'une certaine affection oculaire, l'autre est contre-indiqué. Il est donc extrêmement important de bien étiqueter les contenants de gouttes ophtalmiques et de vérifier soigneusement l'étiquette avant usage.

TABLEAU 55-2. *Médicaments ophtalmiques d'usage courant*

Médicament	*Action/Avantage*
ANESTHÉSIQUES LOCAUX	
Chlorhydrate de tétracaïne (Pontocaïne), 0,5 %	Anesthésique local couramment utilisé; agit en 5 à 9 minutes.
Chlorhydrate de proparacaïne (Ophtaïne, Acaïne), 0,5 %	Le moins irritant des anesthésiques locaux; agit en 20 secondes.
MYDRIATIQUES	
(*Dilatent la pupille. Étant donné que les mydriatiques et les cycloplégiques dilatent la pupille, on ne devrait pas en administrer aux patients dont les angles iridocornéens sont étroits car on peut provoquer une crise de glaucome.*)	
Chlorhydrate de phényléphrine (Néosynéphrine), 2,5-10 %	Le plus utilisé des mydriatiques; agit durant au moins trois heures.
Chlorhydrate d'épinéphrine (Adrénaline), 1:1000 (Glaucon) 0,5 %, 1 % et 2 %	Fait baisser la pression intraoculaire chez le patient atteint de glaucome à angle ouvert (augmente l'évacuation de l'humeur aqueuse).
CYCLOPLÉGIQUES	
(Anticholinergiques)	
(*Dilatent la pupille et paralysent l'amplitude d'accommodation; contre-indiqués chez les patients souffrant de glaucome.*)	
Homatropine, 2 % et 5 %	Couramment utilisé pour la réfraction cycloplégique; agit durant 24 à 36 heures; provoque rarement des allergies.
Sulfate d'atropine, 0,25 %, 0,5 %, 1 % et 2 %	Le plus puissant des cycloplégiques; possède une durée d'action de 10 à 14 jours durant lesquels il faut protéger les yeux de la lumière vive; utilisé dans le traitement de l'uvéite; utilisé pour la réfraction chez les enfants; 5 % des gens y sont allergiques (symptômes: troubles de déglutition, étourdissements, rougeurs de la peau et pâleur péribuccale, pouls rapide et plein, délire).
Chlorhydrate de cyclopentolate (Cyclogyl), 0,5 % et 1 %	Agit pendant moins de 24 heures; couramment utilisé pour la réfraction cycloplégique.
Tropicamide (Tropicacyl), 0,5 % et 1 %	Nouveau cycloplégique à action plus brève (six heures).
MYOTIQUES	
(Parasympathomimétiques ou cholinergiques)	
(*Contractent la pupille.*)	
Chlorhydrate de pilocarpine, 0,5 %, 1 %, 2 %, 3 %, 4 % et 6 %	Fréquemment utilisé dans le traitement du glaucome; agit pendant six à huit heures.
Carbachol (Carbacel), 1,5 % à 3 %	Utilisé quand la pilocarpine est inefficace.
Iodure d'échothiophate (Phospholine iodide), 0,06 %, 0,125 % et 0,25 %	Hydrosoluble
Fluostigmine (diisopropyl fluorophosphate) (Floropryl), 0,025 % en onguent; 0,1 % en solution	Liposoluble; peut entraîner des effets secondaires: vomissements, diarrhée et ténesme.
ADRÉNERGIQUES	
(Sympathomimétiques)	
(*Diminuent la pression intraoculaire.*)	
Épinéphrine (Epitrate), 1 % à 2 %	Agit durant 12 heures.
Chlorhydrate d'épinéphrine (Adrénaline), 1:1000; (Glaucon) 0,5 %, 1 % et 2 %	Fait baisser la pression intraoculaire chez les patients atteints de glaucome à angle ouvert (augmente l'évacuation de l'humeur aqueuse).
BÊTABLOQUANTS	
(*Font baisser la pression intraoculaire.*)	
Collyre au maléate de timolol (Timoptic) 0,25 %-5 %	Le plus utilisé des médicaments destinés à réduire la pression intraoculaire; diminue la sécrétion d'humeur aqueuse en 30 minutes.
Chlorhydrate de lévobunolol (Betagan), 0,5 %	Agit comme le maléate de timolol.

TABLEAU 55-2. (suite)

Médicament	*Action/Avantage*
DIURÉTIQUES INHIBITEURS DE L'ANHYDRASE CARBONIQUE	
(*L'anhydrase carbonique est une enzyme qui se trouve dans les tissus de l'organisme. Dans le corps ciliaire, elle intervient directement dans la sécrétion de l'humeur aqueuse.*)	
Acétazolamide (Diamox)	Dans le traitement du glaucome, diminue efficacement la sécrétion de l'humeur aqueuse par les procès ciliaires.
DIURÉTIQUES OSMOTIQUES	
(*Réduisent la pression intraoculaire en rendant le plasma hypertonique, ce qui permet l'écoulement de l'humeur aqueuse.*)	
Mannitol (solution à 20 % dans de l'eau)	Abaisse la pression intraoculaire; utilisé avant la trabéculectomie.
MÉDICAMENTS OPHTALMIQUES UTILISÉS EN CHIRURGIE	
Onguent (Lacri-lube)	Couramment utilisé chez les patients comateux ou les patients recevant une anesthésie générale, car il permet de garder la cornée humide; prévient l'irritation et l'assèchement de la cornée; *NON* utilisé sur l'œil qu'on doit opérer.
Miochol (Acétylcholine 1:100) (acétylcholine: 20 mg et mannitol: 60 mg)	Utilisé pour faire contracter la pupille rapidement après l'ablation du cristallin dans les cas de cataracte.
Hyaluronate de sodium (Healon)	Gelée visqueuse utilisée dans l'opération du segment antérieur pour prévenir les lésions et la formation d'adhérences; dilate la chambre antérieure afin de prévenir les lésions à l'endothélium cornéen; maintient la pression de la chambre antérieure durant l'ablation du cristallin, ce qui diminue les risques de déplacement du corps vitré vers l'avant.
ANTIBIOTIQUES	
Sulfate de néomycine avec polymyxine et bacitracine (Néosporin)	Large spectre; présenté sous forme d'onguent ou de solution; son seul inconvénient est son pouvoir allergène (dû à la néomycine).
Bacitracine, onguent, 500 unités/g	Efficace en remplacement de la pénicilline pour application locale; agit contre les microorganismes Gram positif.
Érythromycine, onguent à 1 %	Efficace en remplacement de la pénicilline contre les staphylocoques résistants.
Sulfamides: Sulfafurazole (Gantrisine), solution à 4 % ou onguent Sodium de sulfacétamide (Sulamyd sodium)	Utilisés dans le traitement de la conjonctivite; parfois efficaces contre les plus gros virus
Sulfate de gentamicine (Garamycine)	Utilisé contre les bactéries Gram négatif.
Tobramycine	Utilisée contre les bactéries Gram négatif et Gram positif.
Tétracycline	Utilisée contre les bactéries Gram négatif et Gram positif.
Polymyxine B	Utilisée contre les bactéries Gram positif.
Céfazoline	Utilisée contre les bactéries Gram négatif et Gram positif.
ANTIFONGIQUES	
Natamycine (Natacyne)	Efficace contre les champignons filamenteux; médicament de choix dans le traitement de la plupart des ulcères cornéens mycosiques.
Amphotéricine B (Fungizone)	Utilisée quand la natamycine est inefficace.
ANTIVIRAUX	
Idoxuridine (Herplex), 0,1 %	Utilisée dans le traitement de la kératite causée par le virus de l'herpès simplex (HSV).
Vidarabine (Ara-A, Vira-A), onguent à 3 %	Utilisée dans le traitement de la kératoconjonctivite et de la kératite épithéliale récurrente dues au HSV de types 1 et 2.
Aciclovir (Zovirax)	Disponible au Canada pour usage ophtalmique; semble prometteur dans le traitement des infections à herpès simplex et du zona.

TABLEAU 55-2. (suite)

Médicament	*Action/Avantage*
CORTICOSTÉROÏDES	
(*Efficaces dans le traitement des affections inflammatoires de l'œil: uvéite, épisclérite, brûlures chimiques. Réduit la vascularisation et la cicatrisation après une brûlure, un trauma, une inflammation grave.*)	
Acétate de cortisone, 0,5-2,5 % en suspension, 1,5 % en onguent	Le moins coûteux des corticostéroïdes.
Hydrocortisone, 0,5-2,5 % en suspension, 1,5 % en onguent	Plus puissante que la cortisone; peut donc être utilisée en concentrations plus faibles.
Prednisone, prednisolone et dexaméthasone	Seraient plus puissants que l'hydrocortisone.
NOTE: Les corticostéroïdes sont contre-indiqués dans les cas de kératite à herpès simplex. Tous les patients qui prennent des corticostéroïdes doivent être sous la surveillance d'un ophtalmologiste. On sait maintenant que tous les stéroïdes peuvent provoquer un glaucome chez certaines personnes prédisposées.	
COLORANTS	
(*Utilisés pour faire ressortir en vert vif les défauts de l'épithélium cornéen et pour mettre en évidence les ulcères cornéens superficiels.*)	
Fluorescéine, 0,5-2,0 %	Utilisée pour déterminer l'étendue des lésions cornéennes et ajuster les lentilles cornéennes, de même qu'en tonométrie par aplanation. Utilisée en photographie réticulaire pour mettre en évidence certaines affections. NOTE: Étant donné que *Pseudomonas aeruginosa* (très pathogène pour les tissus cornéens) prolifère bien dans les solutions de fluorescéine, il est recommandé d'utiliser des flacons stériles à usage unique ou des papiers stériles «Kimura fluorescein».
Rose Bengale, 1 % et 2 %	Utilisé pour la coloration de la conjonctive; colore mieux les filaments de mucus que la fluorescéine.
AGENTS DE LUBRIFICATION ET LARMES ARTIFICIELLES	
Hydroxypropyl méthylcellulose Alcool de polymère de vinyle	Utilisés comme larmes artificielles et comme lubrifiants ophtalmiques, dans les solutions pour verres de contact et dans les solutions pour lentilles gonioscopiques.
DÉCONGESTIONNANTS/VASOCONSTRICTEURS	
(*Contractent les vaisseaux superficiels de la conjonctive et atténuent les rougeurs; soulagent l'irritation superficielle bénigne et les démangeaisons de la conjonctive.*)	
Les ingrédients actifs de ces agents sont soit l'éphédrine à 0,123 %, la naphazoline à 0,012 % ou la tétryzoline à 0,50-0,15 %	

En outre, il faut examiner la solution; un changement de couleur ou la présence de sédiments indique une décomposition. On doit alors la jeter. Il faut d'ailleurs recommander aux patients de ne pas utiliser les médicaments qui traînent dans leur armoire à pharmacie depuis des mois ou des années. Ils doivent vérifier les dates de péremption et jeter les médicaments périmés.

Instillation

Il est primordial de bien se laver les mains avant l'instillation. Si un pansement couvre l'oeil, on doit procéder ainsi: (1) se laver les mains; (2) enlever le pansement; (3) se laver encore une fois les mains; (4) instiller la solution. Avant d'instiller les gouttes (figure 55-7A), il faut nettoyer les paupières et les cils. On penche ensuite la tête du patient vers l'arrière et légèrement sur le côté, afin de permettre à la solution de s'écouler loin des conduits lacrymaux et de l'autre œil, ce qui prévient la contamination. La position de la tête est particulièrement importante quand on administre une solution toxique comme l'atropine, car des effets indésirables peuvent se produire si un excès de solution pénètre dans l'organisme du patient par le nez ou le pharynx. Dans la plupart des cas, on peut exercer une légère pression sur l'angle interne de l'œil après l'instillation pour empêcher la solution de pénétrer dans le nez. Voici comment faire une instillation:

- Abaisser la paupière inférieure avec un doigt et demander au patient de regarder vers le haut; avec l'autre main, verser la solution sur la paupière inférieure retournée et non sur la cornée. Si la solution touche la cornée d'un œil non anesthésié, le patient sursautera, ce qui augmente les risques de lésion de l'œil et de contamination du flacon compte-gouttes.
- Il faut éviter que le flacon compte-gouttes ne vienne en contact avec l'œil ou les paupières pour les mêmes raisons.

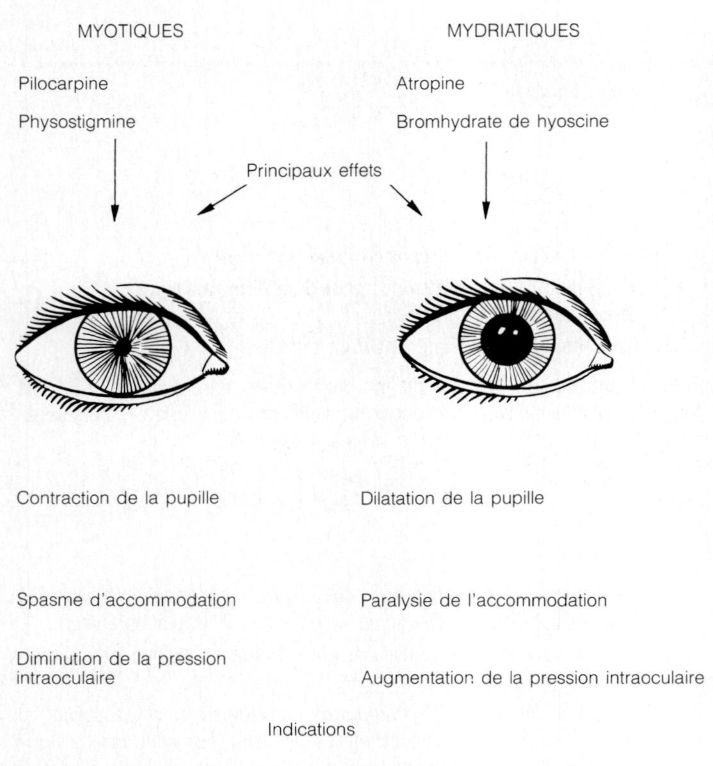

Figure 55-6. Effets et indications des myotiques et mydriatiques

- Après avoir instillé les gouttes (une ou deux tout au plus), relâcher la paupière et éponger doucement l'excès de liquide sur les paupières et les joues à l'aide d'un papier-mouchoir.
- Après l'instillation, demander au patient de fermer les yeux doucement (les patients ont souvent tendance à les fermer si fort qu'ils expulsent le médicament). Quand les yeux sont fermés, l'absence de clignement de paupières permet de garder le médicament plus longtemps dans l'œil.
- Afin d'éviter la contamination et les lésions, le patient qui a de la difficulté à s'administrer une solution ophtalmique sans toucher son œil devrait se faire aider par un proche. Ce proche devra être présent quand l'infirmière enseignera au patient les soins oculaires.

Onguents

On utilise souvent des onguents de toutes sortes dans le traitement d'affections inflammatoires des paupières, de la conjonctive et de la cornée. Le plus souvent, il s'agit d'un antibiotique, d'un anti-inflammatoire ou d'un mélange des deux.

Pour appliquer un onguent, on tire doucement vers le bas la paupière inférieure, on exprime une petite quantité d'onguent du tube et on l'applique sur la conjonctive de la paupière inférieure (figure 55-7B), en allant du pli interne au pli externe. Il faut éviter de toucher l'œil ou la paupière avec le tube. On peut ensuite masser doucement la paupière pour bien étaler l'onguent.

Irrigations oculaires

Les irrigations oculaires sont indiquées dans le traitement de diverses inflammations de la conjonctive, dans la préparation d'un patient pour une intervention chirurgicale à l'œil et pour l'évacuation de sécrétions inflammatoires. On les utilise également pour leurs propriétés antiseptiques. Le liquide utilisé dépend de l'affection à traiter. Pour pratiquer une irrigation, on a besoin d'un flacon contenant une solution ophtalmique stérile, d'un petit bassin incurvé, de gants et de tampons d'ouate. Une même solution ne doit être utilisée que pour un seul patient.
Voici comment pratiquer une irrigation oculaire:

- Le patient doit être couché sur le dos ou assis, avec la tête penchée vers l'arrière et légèrement inclinée sur le côté. Si le patient est assis, il peut tenir lui-même le bassin; s'il est couché, on place le bassin à l'endroit approprié. La personne qui pratique l'irrigation se tient devant le patient.
- Après avoir soigneusement nettoyé les paupières pour enlever la poussière, les sécrétions et les croûtes, on les maintient ouvertes avec le pouce et l'index d'une main. On irrigue ensuite l'œil en dirigeant le jet vers la tempe. Il ne faut jamais diriger le jet vers le nez car le liquide pourrait s'écouler dans l'autre œil. On continue d'irriguer jusqu'à ce qu'il n'y ait plus de sécrétions.
- Pour éviter les lésions à l'œil, il faut irriguer en douceur. Pour cette raison, et aussi pour éviter les contaminations, on ne doit pas toucher l'œil, la paupière ou les cils avec le flacon.
- Une fois l'irrigation terminée, on éponge doucement la joue et l'œil avec des tampons d'ouate.

Irrigation oculaire continue

L'irrigation continue est indiquée dans les cas de brûlures chimiques, d'ulcères cornéens résistants, d'uvéite, d'infections de la cavité oculaire après énucléation, ou encore dans les maladies qui exigent une médication ou un débridement constant. On instille un anesthésique local avant l'irrigation.

Compresses humides chaudes

Parce qu'elle soulage la douleur et favorise la circulation sanguine, la chaleur favorise l'absorption des médicaments et diminue la tension oculaire. La chaleur est tout particulièrement bénéfique dans les conjonctivites accompagnées de sécrétions abondantes. La meilleure façon d'appliquer de la chaleur sur un œil malade est de fabriquer des compresses de sept ou huit couches de gaze juste assez grandes pour couvrir l'œil.

- On déplace le patient vers le bord du lit et on place une serviette sur sa poitrine. On peut aussi appliquer une couche protectrice de crème ou de vaseline sur la paupière et la joue adjacente.
- On mouille les compresses avec de l'eau ou la solution prescrite, dont la température se situe entre 46 et 49 °C.
- On essore ensuite la compresse, on en vérifie la température et on la met doucement en place sur la paupière fermée.
- Il faut changer la compresse toutes les 30 à 60 secondes pendant une séance de 10 à 15 minutes, et répéter l'application de chaleur toutes les deux à trois heures.
- Après chaque séance d'application de chaleur, on assèche soigneusement la paupière à l'aide de tampons d'ouate. Si on doit

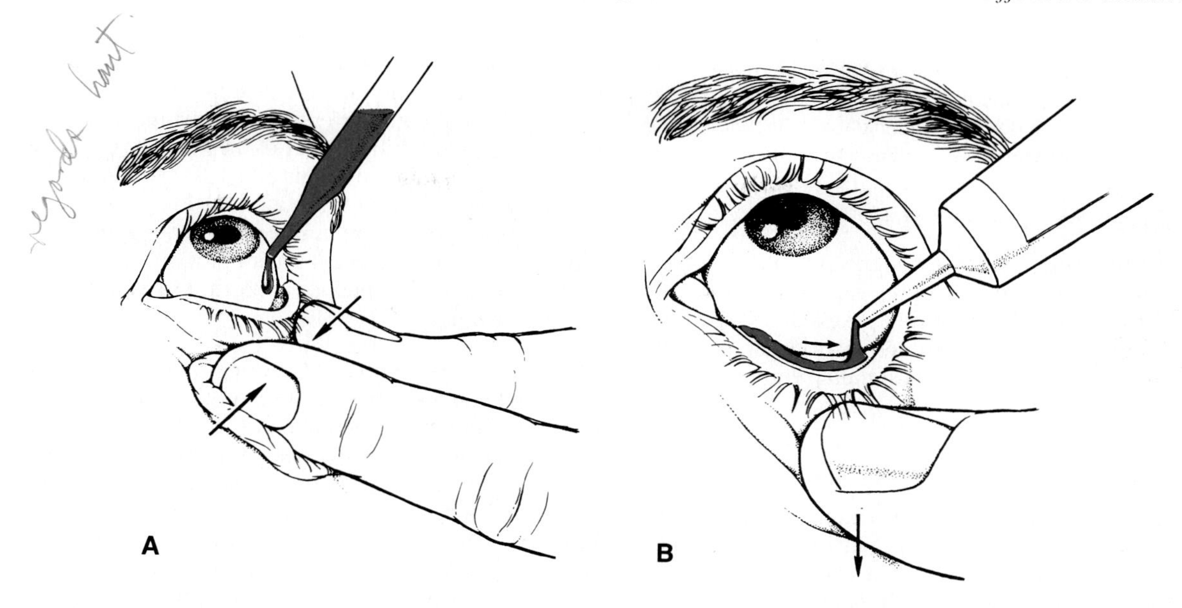

Figure 55-7. Instillation de gouttes dans les yeux (**A**) Quand on instille des gouttes oculaires, on demande au patient de regarder vers le haut puis on tire légèrement la peau de la paupière inférieure pour lui donner la forme d'un réceptacle. (**B**) Quand on applique de l'onguent dans un œil, on demande au patient de regarder vers le haut. Ensuite, on abaisse la paupière inférieure et on applique soigneusement l'onguent le long de la paupière retournée, en allant du pli interne (près du nez) vers le pli externe.

appliquer des compresses sur les deux yeux, on les applique sur un œil à la fois et on change les compresses et le liquide entre les applications.

Compresses froides

Le froid provoque une constriction des capillaires qui a pour effet de diminuer les sécrétions et de soulager la douleur au cours des premiers stades de l'inflammation due à une conjonctivite. Les compresses froides aident également à atténuer les démangeaisons causées par la conjonctivite allergique.

On prépare le patient de la même façon que pour des compresses chaudes. On mouille les compresses dans la solution prescrite et on les place sur l'œil fermé du patient. Pour garder la solution froide, on peut placer un gant de latex ou un petit sac de plastique rempli de glace sur les compresses. Il faut changer les compresses toutes les 15 à 30 secondes pendant cinq à quinze minutes toutes les heures.

- Il ne faut jamais utiliser les compresses froides dans le traitement des inflammations de l'œil (iritis, kératite) car la constriction capillaire causée par le froid entrave la nutrition de la cornée.

▷ *DÉMARCHE DE SOINS INFIRMIERS*

PATIENTS SOUFFRANT D'AFFECTIONS OCULAIRES

▷ *Collecte des données*

L'infirmière doit dresser le profil initial du patient pour connaître l'affection dont il souffre. Elle doit aussi déterminer si l'affection touche un seul œil ou les deux yeux, et demander au patient quand le problème est apparu.

Il importe également de déterminer l'état général des yeux du patient. Porte-t-il des verres correcteurs? Quand les a-t-il fait vérifier pour la dernière fois? Est-il suivi de façon régulière par un ophtalmologiste? À quand remonte son dernier examen de la vue? A-t-on vérifié sa pression intraoculaire lors de cet examen? Le patient a-t-il une mauvaise vue de près ou de loin? A-t-il de la difficulté à lire ou à regarder la télévision? Qu'en est-il de sa capacité à différencier les couleurs ou de sa vision latérale ou périphérique? A-t-il déjà souffert d'une blessure ou d'une infection à l'œil? Si oui, quand? Quels sont ses antécédents familiaux d'affections oculaires?

Il est essentiel d'établir les antécédents personnels et familiaux d'affections oculaires.

Enfance : Strabisme, amblyopie, blessures

Âge adulte : Glaucome, cataracte, blessures oculaires, vices de réfraction ; traitements médicaux et chirurgicaux d'affections oculaires ; maladies associées à des affections oculaires : hypertension, diabète, troubles thyroïdiens, maladies transmises sexuellement, allergies, maladies cardiovasculaires, collagénoses, affections neurologiques

Maladies familiales : Antécédents d'affections oculaires chez les parents ou les grands-parents

Enfin, on doit évaluer les connaissances du patient en matière de soins et de traitements pour vérifier s'il comprend bien sa situation et corriger, s'il y a lieu, les idées fausses.

▷ *Analyse et interprétation des données*

Selon les données recueillies, voici les principaux diagnostics infirmiers possibles :

- Douleur reliée à une blessure oculaire ou à la pression intraoculaire
- Peur et anxiété reliées à un trouble visuel et à la possibilité d'une aggravation de la perte visuelle
- Altération de la perception visuelle reliée à une blessure oculaire, à une inflammation, à une infection, à une tumeur ou à une dégénérescence

- Déficit d'autosoins relié à une perte visuelle ou au manque de connaissances sur les soins oculaires
- Isolement social relié à des restrictions dans la participation à des loisirs et à des activités sociales dues à un trouble de la vue

▷ *Planification et exécution*

▷ ***Objectifs de soins:*** Soulagement de la douleur; réduction de l'anxiété; prévention d'une plus grande détérioration de la vue et observance du traitement; capacité d'effectuer les autosoins, dont l'administration des médicaments; participation à des activités de divertissement pour prévenir l'isolement social

▷ *Interventions infirmières*

Peu importe la cause d'une affection oculaire, il existe des mesures qui permettent à la fois d'en maîtriser l'évolution et d'en prévenir l'aggravation. On peut par exemple faire reposer l'œil malade, limiter les activités du patient, lui faire porter des verres fumés ou lui instiller un anesthésique local. Si le trouble oculaire est dû à une infection, le médecin prescrit le traitement médicamenteux nécessaire.

▷ ***Réduction de la douleur, de la peur et de l'anxiété.*** La douleur peut provenir d'une blessure (par exemple une égratignure à la cornée) ou d'une pression intraoculaire trop élevée. Le port d'un pansement oculaire occlusif peut aider à restreindre les mouvements de l'œil. Si on utilise ce type de pansement, il ne faut pas oublier de faire reposer l'œil indemne car les deux yeux bougent de façon synchrone.

Étant donné que la lumière cause de la douleur dans beaucoup d'affections oculaires et que les yeux doivent se reposer le plus possible avant et après une intervention chirurgicale, il est préférable de tamiser l'éclairage dans la chambre du patient. Si les personnes qui prennent soin du patient ont besoin de lumière pour accomplir leurs tâches, elles peuvent utiliser une lumière artificielle atténuée.

Les analgésiques et antibiotiques aident à soulager la douleur. Comme la relaxation aide aussi à atténuer la douleur, le patient doit éviter les perturbations affectives et l'effort physique.

Une fois que les examens sont terminés, que le diagnostic est posé et qu'un plan de traitement a été établi pour corriger le problème, l'anxiété du patient diminue généralement.

▷ ***Diminution des effets de la privation sensorielle.*** Le patient dont les yeux sont recouverts d'un pansement peut percevoir des distorsions, se comporter de façon inhabituelle ou perdre le sens de l'équilibre. Ces troubles peuvent prendre une importance exagérée pour le patient, lui faire peur ou le contrarier. Pour aider le patient à surmonter ses inquiétudes, l'infirmière peut le réorienter de temps à autre, le rassurer, lui expliquer les interventions et se montrer compréhensive. En outre, toutes les personnes qui entrent dans la chambre doivent s'annoncer à haute voix afin de ne pas faire sursauter le patient.

▷ ***Soins infirmiers préopératoires.*** Quand on prépare un patient pour une intervention chirurgicale à l'œil, il faut procéder avec minutie pour prévenir les complications et assurer le bien-être du patient. C'est souvent le type d'anesthésie qui détermine la préparation du patient. Si, par exemple, le patient doit subir une anesthésie générale, il faut évacuer ses voies intestinales inférieures le matin de l'opération et s'en tenir à un régime liquide par la suite. Avant de préparer les yeux du patient pour l'intervention chirurgicale, on lui recouvre les cheveux d'un bonnet et on lui nettoie le visage. S'il faut couper les cils, on le fait à la salle d'opération; pour ne pas que les cils coupés tombent dans les yeux, on enduit les lames des ciseaux d'une mince couche de vaseline. Habituellement, le médecin prescrit un antibiotique avant l'opération. Il faut encourager le patient à exprimer ses inquiétudes afin de le rassurer.

▷ ***Soins infirmiers postopératoires.*** Lorsque les deux yeux sont bandés après une intervention chirurgicale, on couche le patient sur le dos avec un petit oreiller sous la tête. On peut également placer des oreillers de chaque côté de la tête pour que celle-ci ne bouge pas. Par mesure de prudence et aussi pour rassurer le patient, on monte les ridelles. Il faut également donner au patient une sonnette d'appel et lui recommander de s'en servir pour demander de l'aide, ce qui lui évitera les mouvements et les efforts inutiles.

Si l'opération s'est faite sous anesthésie locale le patient peut habituellement marcher quelques heures après.

Il faut prévenir l'ophtalmologiste immédiatement si le patient a trop mal ou si les pansements sont déplacés.

- On ne donne jamais de morphine au patient en ophtalmologie, à moins d'être certain que les vomissements ne causeront pas de lésions à l'œil.

▷ ***Les autosoins.*** L'infirmière doit encourager le patient à assumer les autosoins et à acquérir peu à peu plus d'autonomie. Les soins infirmiers à prodiguer dépendent des besoins du patient. Si le patient ne peut voir, l'infirmière l'aide à manger; s'il est habitué à se nourrir seul, elle l'encourage à continuer. On facilite l'élimination et on évite la manœuvre de Valsalva qui élèverait la pression intraoculaire par un régime alimentaire approprié, de même que par des laxatifs émollients ou des lavements, selon l'ordonnance du médecin. À moins d'avis contraire du médecin, il ne faut pas laisser le patient lire, fumer ou se raser. On doit de plus lui recommander de ne pas se frotter les yeux et de ne pas les essuyer avec un mouchoir souillé. Tous les patients qui prennent des mydriatiques devraient porter des verres fumés.

Les flacons de médicaments doivent être étiquetés en grosses lettres et utilisés sous un bon éclairage. Avant de s'instiller un médicament, le patient doit se laver les mains. Lorsqu'il s'instille des gouttes oculaires pour la première fois, l'infirmière doit l'observer et veiller à ce qu'il utilise la bonne technique. Le patient peut choisir d'appuyer contre son front la main qui tient le compte-gouttes et d'utiliser son autre main pour abaisser la paupière inférieure de façon à former la poche qui recevra les gouttes.

Il faut par ailleurs s'assurer que le domicile du patient est adapté et recommander au patient ou à sa famille d'éliminer toutes les sources de danger. On doit aussi adapter l'éclairage aux besoins du patient.

▷ ***Amélioration des mécanismes d'adaptation et de la vie sociale.*** Quand elle soigne un patient atteint d'une affection oculaire, l'infirmière doit accorder autant d'attention à l'anxiété ressentie par le patient qu'à son état physique. C'est quand on perd la vue de façon temporaire et, éventuellement permanente, qu'on se rend compte à quel point on dépend de ce sens. Les principales réactions à cette perte sont l'inquiétude, la peur, la dépression, la tension, le ressentiment, la colère et le rejet. L'infirmière doit inciter le patient à exprimer ses sentiments pour ensuite prendre les mesures qui l'aideront à surmonter sa détresse et à s'adapter à sa situation.

Il est bon aussi que le patient reçoive des visiteurs et ait des contacts avec les autres patients. On peut lui suggérer certaines activités qui correspondent à ses goûts et à ses intérêts. La radio et des séances d'ergothérapie peuvent aider à le distraire. Tout en veillant à ne pas être envahissante, l'infirmière doit faire preuve d'intérêt, d'empathie et de compréhension. Elle doit adapter ses interventions à la personnalité du patient. Si la cécité est permanente, le patient peut suivre un programme de réadaptation avec du personnel spécialisé, et se joindre à un groupe de soutien.

▷ *Évaluation*

Résultats escomptés

1. Le patient ressent moins de douleur.
   a) Il prend les médicaments prescrits pour diminuer l'irritation, pour reposer ses yeux et pour traiter ou prévenir l'infection ; il prend également des sédatifs qui l'aident à se détendre.
   b) Il applique des compresses chaudes ou froides, selon l'ordonnance.
   c) Il repose ses yeux en appliquant le pansement approprié.
   d) Il utilise un écran protecteur pour prévenir d'autres blessures.
2. Le patient est plus calme et moins anxieux.
3. Le patient s'adapte à la privation sensorielle.
   a) Il est bien orienté dans le temps et dans l'espace.
   b) Il réagit de façon appropriée avec son entourage.
4. Le patient suit le traitement prescrit et applique les recommandations du personnel soignant.
   a) Il se lave les mains avant d'instiller ses gouttes oculaires et de prendre des médicaments.
   b) Il signale les effets indésirables comme l'accumulation de granulations, le larmoiement et la douleur.
   c) Il réduit l'activité de son œil en utilisant un pansement oculaire occlusif selon l'ordonnance.
   d) Il note ses progrès et les questions qu'il veut poser lors de sa prochaine visite chez le médecin.
5. Le patient est capable d'effectuer ses autosoins.
   a) Il est capable d'administrer ses traitements ; il sait comment former un réceptacle avec sa paupière inférieure pour instiller des gouttes.
   b) Il nettoie ses verres correcteurs efficacement, comme on le lui a enseigné.
   c) Il connaît les mesures de sécurité à prendre pour prévenir les chutes.
   d) Il connaît le type d'éclairage qu'il doit utiliser pour la lecture et les travaux manuels.
6. Le patient a des loisirs et participe à des activités sociales.

INTERVENTIONS CHIRURGICALES AU LASER

L'utilisation du laser dans la chirurgie ophtalmologique constitue l'un des plus importants progrès des dix dernières années dans le domaine du traitement des affections oculaires. Le laser permet aux chirurgiens d'éviter les incisions. Il réduit les risques d'infection, la durée de la convalescence et les coûts. Habituellement, les traitements au laser se font en consultation externe sous anesthésie locale. On évite ainsi les risques et complications de l'anesthésie générale.

Le terme *laser* est l'acronyme de *L*ight *A*mplification by *S*timulated *E*mission of *R*adiation. Un appareil à laser produit de l'énergie et émet un faisceau de lumière étroit et uniforme qu'on peut diriger de façon très précise sur les tissus. Selon le type de laser utilisé, on peut produire une photocoagulation, faire des incisions ou provoquer une micro-explosion. On peut utiliser le laser pour traiter les déchirures rétiniennes, la rétinopathie diabétique, l'occlusion d'une veinule rétinienne, la dégénérescence maculaire, le glaucome, certaines tumeurs, ainsi que les opacités de la capsule postérieure après l'ablation du cristallin avec implantation d'un cristallin artificiel.

Le dimère ionisé, encore au stade expérimental, est le plus récent perfectionnement dans le domaine du laser. Il permet de modifier l'amplitude d'accommodation de l'œil selon une méthode informatisée de reconfiguration de la cornée qui corrige les vices de réfraction.

Parmi les complications possibles des opérations au laser, on note l'iritis, la cataracte, l'hyphéma, les lésions cornéennes et les brûlures rétiniennes. Le patient peut également présenter une élévation de la pression intraoculaire, qui est habituellement transitoire. Le patient qui présente des risques d'augmentation de la pression intraoculaire après un traitement au laser doit être surveillé pendant une à deux heures après l'intervention. Le laser est contre-indiqué pour traiter des tissus qu'on ne peut voir, de même que chez les patients qui présentent un œdème de la cornée, qui ne veulent pas collaborer ou qui sont incapables de rester assis sans bouger.

Il est important de préparer le patient et sa famille au traitement au laser et de leur en expliquer le déroulement, car la peur du laser peut entraîner de l'agitation, des mouvements ou une syncope durant l'opération. L'infirmière doit expliquer au patient qu'on lui mettra des gouttes anesthésiques dans les yeux avant l'intervention, qu'il sera confortablement assis avec la tête enchâssée dans un appui-tête et que le chirurgien stabilisera son œil. Il faut également lui dire qu'il ressentira un picotement et percevra un éclair et un cliquetis à chaque émission du laser. Enfin, on doit lui demander de prévenir le chirurgien immédiatement s'il sent qu'il va s'évanouir.

Après l'intervention, le patient aura la vue brouillée pendant une heure environ et percevra des éclairs. Il doit donc se faire accompagner par sa famille ou un proche pour rentrer chez lui. Si le patient souffre de maux de tête après l'opération, il peut prendre de l'acétaminophène. En général, on n'impose aucune restriction en ce qui concerne les activités et l'alimentation.

Quand de nombreux traitements sont nécessaires, il faut les répartir sur plusieurs séances, afin d'éviter une uvéite, un œdème maculaire, un décollement exsudatif de la rétine ou une perte de profondeur de la chambre antérieure avec fermeture de l'angle.

Résumé : Les différentes parties de l'œil fonctionnent ensemble pour permettre aux rayons lumineux d'entrer dans l'œil, de converger sur la rétine, de se changer en influx nerveux et, enfin, de produire des images. La maladie, les blessures et le vieillissement sont des facteurs qui contribuent à la perturbation de la vue.

On utilise différentes techniques pour évaluer la fonction visuelle et dépister les affections oculaires. Lors d'une évaluation, il faut d'abord établir les antécédents personnels et familiaux du patient, de même que son mode de vie. Plusieurs instruments et tests servent à examiner la vue et le mouvement de l'œil. L'acuité visuelle, c'est-à-dire la finesse de perception de la vue, est probablement le critère le plus important à mesurer. On peut aussi évaluer la pression intraoculaire, les muscles oculomoteurs, le champ de vision et l'œil interne.

Les vices de réfraction sont les problèmes qui perturbent la convergence des rayons lumineux, c'est-à-dire la presbytie, la myopie, l'hyperopie et l'astigmatisme. On peut corriger les vices de réfraction à l'aide de verres correcteurs (lunettes, lentilles cornéennes).

De par sa position, l'infirmière peut réconforter le patient, veiller à son bien-être physique et lui apporter les soins nécessaires. Il est essentiel qu'elle respecte rigoureusement la technique de lavage des mains afin de prévenir les contaminations. Elle doit aussi veiller à la sécurité du patient, et s'assurer que celui-ci et sa famille apprennent correctement les autosoins. L'infirmière doit donner des explications détaillées sur l'administration des collyres et des onguents, de même que sur les irrigations et les compresses. Elle doit en outre encourager le patient et sa famille à exprimer leurs besoins.

La chirurgie au laser est un des plus importants progrès en ophtalmologie. Les interventions chirurgicales au laser sont non effractives et moins coûteuses que les opérations avec incision; elles permettent d'abréger la période postopératoire et de diminuer les risques d'infection.

AFFECTIONS DE LA PAUPIÈRE

Ptosis

Le ptosis est une chute de la paupière supérieure. Il est dû, notamment, à un œdème de la paupière, à une faiblesse musculaire, à une anomalie congénitale ou à une lésion du troisième nerf crânien.

Blépharite

La blépharite est une inflammation du bord des paupières qui peut être due à une séborrhée (blépharite non ulcérante, forme la plus courante) ou à une infection staphylococcique (blépharite ulcérante). Ses principaux symptômes sont l'irritation, une sensation de brûlure ainsi que des démangeaisons et une rougeur des bords des paupières. Des squames ou des granulations apparaissent en grande quantité près des cils. Le traitement de la blépharite comprend le nettoyage des bords des paupières avec un coton-tige et du shampoing doux pour bébé, l'application de compresses chaudes et l'application locale d'onguents antibiotiques.

Chalazion

Le chalazion est une inflammation granulomateuse stérile d'une glande de Meibomius qui donne naissance, quelques semaines après son apparition, à une tuméfaction localisée indolore. Le traitement peut comprendre l'application de compresses chaudes, ou l'administration de gouttes ou d'injections d'antibiotiques ou de corticostéroïdes. L'excision est indiquée si le chalazion grossit au point de perturber la vision ou de devenir inesthétique.

Orgelet

L'orgelet, habituellement causé par *Staphylococcus aureus*, est une infection des glandes palpébrales superficielles de Zeiss ou Moll. Ses principaux symptômes sont une douleur subaiguë et une rougeur, suivies d'une induration localisée arrondie. Le traitement comprend l'application de compresses humides chaudes pendant 10 à 15 minutes trois ou quatre fois par jour. Si l'infection ne semble pas se résorber après 48 heures, une incision et drainage s'imposent. Le médecin peut prescrire des antibiotiques par voie locale ou générale.

Résumé: Les paupières sont des plis cutanés mobiles qui protègent et recouvrent les globes oculaires. Le ptosis, la blépharite, le chalazion et l'orgelet sont les affections palpébrales les plus courantes.

AFFECTIONS DE LA CONJONCTIVE, DU SAC LACRYMAL ET DE L'UVÉE

Conjonctivite

La conjonctivite, c'est-à-dire l'inflammation de la conjonctive, peut avoir diverses causes. Elle peut être d'origine infectieuse (bactérienne, chlamydienne, virale, fongique, parasitaire), immunitaire (allergique), irritative (chimique, thermique, électrique) ou radique (rayons ultraviolets), ou associée à une maladie généralisée. Elle se manifeste notamment par une hyperémie (rougeur), des écoulements, un œdème, un larmoiement, des démangeaisons, une sensation de brûlure, et une sensation de corps étranger.

Le traitement varie selon la cause de la conjonctivite et peut comprendre l'administration d'antibiotiques à action locale ou générale, l'administration d'anti-inflammatoires, une irrigation de l'œil, un nettoyage de la paupière ou l'application de compresses chaudes. Quand la conjonctivite est causée par des microorganismes, on doit enseigner au patient les mesures à prendre pour ne pas contaminer l'autre œil ou transmettre son infection aux personnes de son entourage: éviter de toucher l'œil sain après avoir touché l'œil atteint; bien se laver les mains après avoir touché l'œil atteint; et ne pas partager les débarbouillettes, les serviettes et les mouchoirs.

Trachome

Le trachome, ou conjonctivite granulaire, est une maladie infectieuse qui touche plus de 400 millions de personnes dans le monde. Il constitue la première cause de cécité évitable et frappe surtout les populations d'Afrique, du Moyen-Orient et de l'Asie. Il s'agit d'une maladie rare au Canada, sauf chez les Amérindiens où son incidence est toutefois en baisse. Il est habituellement bilatéral. Si on ne le traite pas à ses débuts, il finit par atteindre la cornée, causant une cicatrisation et, souvent, la cécité. Il se transmet par contact direct, par les objets personnels et, peut-être, par certains insectes. On peut le prévenir par l'enseignement et l'hygiène.

Évaluation et manifestations cliniques. Les principaux symptômes du trachome sont de légères démangeaisons et une irritation. Après le stade inflammatoire aigu, des follicules apparaissent sur la conjonctive. La vue se brouille et le patient ressent une gêne croissante. Les conjonctives palpébrales supérieures sont touchées.

Traitement. Comme le trachome se transmet par contact direct, l'hygiène personnelle est le meilleur moyen de le prévenir. Pour lutter efficacement contre cette maladie, on doit isoler les personnes qui en souffrent et leur administrer une antibiothérapie. Si le trachome n'est pas traité, il dure des mois et même des années. L'Organisation mondiale de la santé a fait beaucoup de progrès dans l'éradication de cette maladie.

Ptérygion

Le ptérygion est une prolifération triangulaire de tissu conjonctif qui touche la conjonctive bulbaire intrapalpébrale et qui s'étend vers la cornée. On pense qu'il s'agirait d'une dégénérescence et d'une irritation dues aux rayons ultraviolets, car il est fréquent chez les personnes qui passent beaucoup de temps à l'extérieur, surtout dans les régions tropicales. L'exérèse chirurgicale est indiquée si le ptérygion empiète sur l'axe visuel ou provoque un important malaise.

Dacryocystite

La dacryocystite est une infection du sac lacrymal due à l'obstruction du canal lacrymonasal. Elle est relativement fréquente et peut être aiguë ou chronique. On l'observe surtout chez les nourrissons ou chez les adultes de plus de 40 ans. La forme aiguë répond généralement bien à l'antibiothérapie. La forme chronique, cependant, exige une dilatation du canal lacrymal et, parfois, une dacryocystorhinostomie (création d'un orifice d'écoulement entre le canal lacrymonasal et la cavité nasale).

Uvéite

L'uvéite est une inflammation du tractus uvéal (uvée). Elle peut toucher l'iris, le corps ciliaire et la choroïde. Elle peut compromettre la vision car le tractus uvéal renferme une bonne partie des vaisseaux sanguins qui nourrissent l'œil et il possède une frontière commune avec plusieurs parties de l'œil. Elle peut être d'origine allergique, bactérienne, fongique, virale, chimique ou traumatique, et est associée à certaines maladies comme la sarcoïdose et la rectocolite hémorragique.

L'uvéite antérieure aiguë (iritis) est le type d'uvéite le plus fréquent; elle se caractérise par des douleurs, une photophobie, une vision trouble et une rougeur de l'œil. Il faut instiller des gouttes mydriatiques immédiatement pour éviter la formation de tissu cicatriciel qui pourrait provoquer un glaucome en entravant la circulation normale de l'humeur aqueuse. L'administration locale de corticostéroïdes atténue l'inflammation, et l'administration d'analgésiques et le port de verres fumés aident à soulager les symptômes.

Quant à l'uvéite intermédiaire (cyclite chronique), elle entraîne l'apparition de «mouches volantes» dans le champ de vision. On la traite par l'administration locale ou générale de corticostéroïdes dans les cas graves.

Enfin, l'uvéite postérieure (choroïdite et rétinite) est généralement associée à des maladies comme le syndrome d'immunodéficience acquise (sida), l'herpès simplex, le zona, la toxoplasmose, la tuberculose ou la sarcoïdose. Le patient se plaint d'une vision réduite ou déformée. Il peut aussi présenter une rougeur et de la douleur. Le traitement consiste d'une part à soigner la maladie systémique sous-jacente et, d'autre part, à administrer des corticostéroïdes pour atténuer l'inflammation.

Ophtalmie sympathique

L'ophtalmie sympathique est une forme rare mais grave d'uvéite bilatérale. Elle se manifeste plusieurs jours à plusieurs années après une blessure par pénétration du tractus uvéal. On n'en connaît pas la cause, mais on soupçonne une auto-immunisation au pigment uvéal. Elle touche d'abord l'œil blessé, puis s'étend à l'œil indemne (ou œil sympathique). Si elle n'est pas traitée, elle évolue jusqu'à la perte de la vue dans les deux yeux. Habituellement, on recommande d'énucléer l'œil atteint dans les dix jours suivant l'accident afin de prévenir l'atteinte sympathique de l'autre œil. Toutefois, on ne pratique généralement pas cette intervention le jour même de l'accident. On ferme plutôt les plaies et on laisse au patient le temps de donner son consentement éclairé. Si la blessure n'est pas grave et que le patient a des chances de conserver une certaine vision, l'énucléation n'est pas envisagée. Si une ophtalmie sympathique apparaît, on la traite par l'administration locale ou générale de corticostéroïdes, et l'instillation de gouttes mydriatiques. Il est parfois nécessaire d'administrer des cytotoxiques.

Résumé: Les affections de la conjonctive, du sac lacrymal et du tractus uvéal peuvent exiger l'intervention rapide d'un médecin. La conjonctivite est l'inflammation de la conjonctive et le trachome, une conjonctivite à chlamydia qui touche les populations du tiers-monde. Le ptérygion est une prolifération tissulaire qui s'étend vers la cornée et semble causé par les rayons ultraviolets et la dacryocystite, une infection du sac lacrymal due à une obstruction du canal lacrymonasal. L'uvéite est l'inflammation du tractus uvéal. Enfin, l'ophtalmie sympathique est une inflammation d'un œil blessé qui s'étend à l'autre œil.

AFFECTIONS DE LA CORNÉE

La cornée est une membrane protectrice résistante et imperméable. Elle constitue un élément important du système de réfraction de l'œil. Son fonctionnement exige l'intégrité et l'uniformité de ses couches superficielles, une bonne transparence et une forme sphérique. Elle doit rester humide pour protéger son endothélium des lésions, et être lisse pour fonctionner comme une lentille optique. Le film lacrymal répond précisément à ces deux besoins, en s'étalant uniformément à chaque clignement de paupière. La transparence de la cornée est due à sa structure uniforme, à l'absence de vaisseaux et à sa sous-hydratation relative.

Étant donné que la cornée possède de nombreuses fibres nerveuses, la plupart des lésions cornéennes provoquent de la douleur, une photophobie et un larmoiement. La douleur peut être intense et même exagérée par rapport à la gravité de la lésion. Elle peut être exacerbée par le glissement des paupières et persiste habituellement jusqu'à la guérison complète de la lésion. Les anesthésiques locaux soulagent la douleur mais nuisent à la guérison; une administration prolongée est donc contre-indiquée. Étant donné que les lésions cornéennes entravent la capacité de la cornée de transmettre et de réfracter les rayons lumineux, la vision du patient est généralement brouillée.

Pour examiner la cornée, on se sert d'une *lampe à fente* qui produit un grossissement et un éclairage adéquats. On peut aussi utiliser une lampe de poche. Pour faciliter l'examen, on instille des gouttes anesthésiques. Le test à la fluorescéine peut aider à mettre en évidence les lésions épithéliales.

Le fonctionnement de la cornée peut être altéré par une lésion, une infection, une anomalie congénitale, une tumeur ou d'autres troubles héréditaires ou acquis. La cicatrisation, l'opacification et l'altération de l'architecture de la cornée peuvent entraîner des pertes visuelles de gravité variable.

Abrasions cornéennes

Les abrasions cornéennes sont des lésions de l'épithélium cornéen dues, notamment, à un traumatisme, à un corps étranger, au port prolongé de lentilles cornéennes, à une anomalie du film lacrymal, à une difficulté à fermer les paupières ou à une déviation des paupières ou des cils. Voir la section consacrée aux lésions oculaires pour plus de détails sur les abrasions cornéennes et les corps étrangers (page 1797). Pour traiter les abrasions cornéennes à répétition, qui peuvent être causées par le frottage de l'œil, on applique un onguent lubrifiant au coucher, ou on utilise une lentille cornéenne souple qui sert à protéger la cornée contre l'irritation due aux mouvements palpébraux.

Kératite microbienne

La kératite (infection de la cornée) peut être d'origine bactérienne, virale, fongique ou parasitaire. La présence de lésions épithéliales, même petites, rend la cornée vulnérable aux infections. Les infections sont souvent dues à un traumatisme. Elle peuvent aussi être attribuables à une altération des défenses immunitaires, consécutive, notamment, à l'usage prolongé de corticostéroïdes.

Une inflammation marquée du globe oculaire, une sensation de corps étranger, un écoulement purulent qui colle les paupières au cours de la nuit, une ulcération de l'épithélium et la formation d'hypopion (pus dans la chambre antérieure de l'œil) peuvent être des signes d'infection de la cornée. Au stade avancé de l'infection, on peut observer une perforation de la cornée, une extrusion de l'iris ou une endophtalmie. Il faut faire une culture et un antibiogramme pour confirmer le diagnostic, de même que pour identifier l'agent pathogène et établir sa sensibilité aux antibiotiques.

Le patient souffrant d'une infection cornéenne grave doit habituellement être hospitalisé, car il doit recevoir des gouttes à intervalles rapprochés (parfois toutes les 30 minutes) et subir régulièrement des examens par un ophtalmologiste. Le lavage des mains est d'une importance capitale. L'infirmière doit porter des gants pour tous les soins de l'œil. Elle doit veiller à garder propres les paupières du patient. Elle doit aussi être à l'affût des signes d'élévation de la pression intraoculaire. On peut administrer au patient de l'acétaminophène pour soulager la douleur. Le médecin peut aussi prescrire des cycloplégiques et des mydriatiques pour atténuer la douleur et l'inflammation. Étant donné que les pansements oculaires occlusifs et les lentilles cornéennes de protection favorisent la prolifération bactérienne, il faut éviter de les utiliser tant que l'infection n'est pas résorbée. Une fois l'infection jugulée, on peut y avoir recours pour favoriser la guérison des lésions épithéliales.

Kératite filamenteuse

La kératite filamenteuse peut apparaître quand la cornée est mal humidifiée et mal protégée par les paupières. La cornée s'assèche d'abord, puis s'ulcère et s'infecte. L'exposition de la cornée peut être due à des affections comme l'exophtalmie, la paralysie du septième nerf crânien (nerf facial) ou la paralysie de Bell, mais elle peut aussi survenir lors d'un coma ou d'une anesthésie. Il est donc important de garder fermées les paupières du patient anesthésié. Chez le patient comateux, les lentilles cornéennes de protection peuvent être indiquées.

Pour une protection de la cornée de courte durée, on peut utiliser une lentille en collagène. Avant d'appliquer la lentille en collagène, on instille un anesthésique. Une fois en place, la lentille épouse la forme de la cornée et absorbe le liquide des larmes. Elle se dissout après 24 à 72 heures, selon sa composition. Elle lubrifie et protège la cornée, mais ne comporte pas les risques des lentilles cornéennes de protection.

Avant d'appliquer la lentille en collagène, on peut l'hydrater avec une solution antibiotique, ce qui lui confère un pouvoir bactéricide élevé et prolongé. On peut également administrer ainsi d'autres médicaments topiques. La lentille en collagène peut aussi servir à protéger la cornée après une blessure, à administrer des médicaments après une ablation du cristallin ou une kératoplastie et, enfin, à faciliter le traitement des infections graves.

Dystrophie de Fuchs

La dystrophie de Fuchs touche l'épithélium cornéen et entrave son action de pompage. Elle entraîne une décomposition de l'endothélium qui se manifeste par un œdème cornéen, une opacification, une cicatrisation et des troubles visuels. Elle apparaît vers la trentaine ou la quarantaine et évolue lentement. Elle touche plus souvent les femmes que les hommes.

Kératocône

Le kératocône est une déformation en cône de la cornée due à un amincissement graduel non inflammatoire. Il se manifeste généralement au cours de la puberté et atteint plus de femmes que d'hommes. Ses premiers symptômes sont une vision brouillée et déformée. À un stade plus avancé, les verres correcteurs ne suffisent plus à corriger un astigmatisme irrégulier et une forte myopie. Le patient doit alors porter des lentilles cornéennes ou subir une intervention chirurgicale. Il faut recommander au patient de ne pas se frotter les yeux car cela peut contribuer à l'évolution de la maladie.

Kératoplastie transfixiante (greffe de cornée)

La kératoplastie transfixiante est une technique de microchirurgie qui permet le remplacement de toute l'épaisseur d'une cornée malade par du tissu cornéen sain (figure 55-8). On utilise une tréphine (lame circulaire) pour inciser la cornée du receveur et la cornée du donneur. La nouvelle cornée est fixée dans l'œil du receveur par une suture très fine (10-0). Cette intervention peut se faire en même temps que l'ablation du cristallin et l'insertion d'un cristallin artificiel. Les patients qui ont besoin d'une greffe de cornée doivent d'abord s'inscrire sur la liste d'attente informatisée d'une banque d'yeux. Quand on trouve un donneur, on doit procéder à la greffe dans les plus brefs délais. Pour obtenir les meilleurs résultats, on doit prélever la cornée dans les huit à dix heures qui suivent la mort du donneur (pour éviter son ramollissement).

La kératoplastie transfixiante sert à redonner la vue à des patients qui l'ont perdue à cause d'une dystrophie cornéenne, d'une dégénérescence de la cornée, d'un kératocône, d'une kératite microbienne, de cicatrices, d'une pigmentation ou de brûlures chimiques. Les complications possibles de cette opération sont l'hémorragie, l'infection, le glaucome et le rejet du greffon.

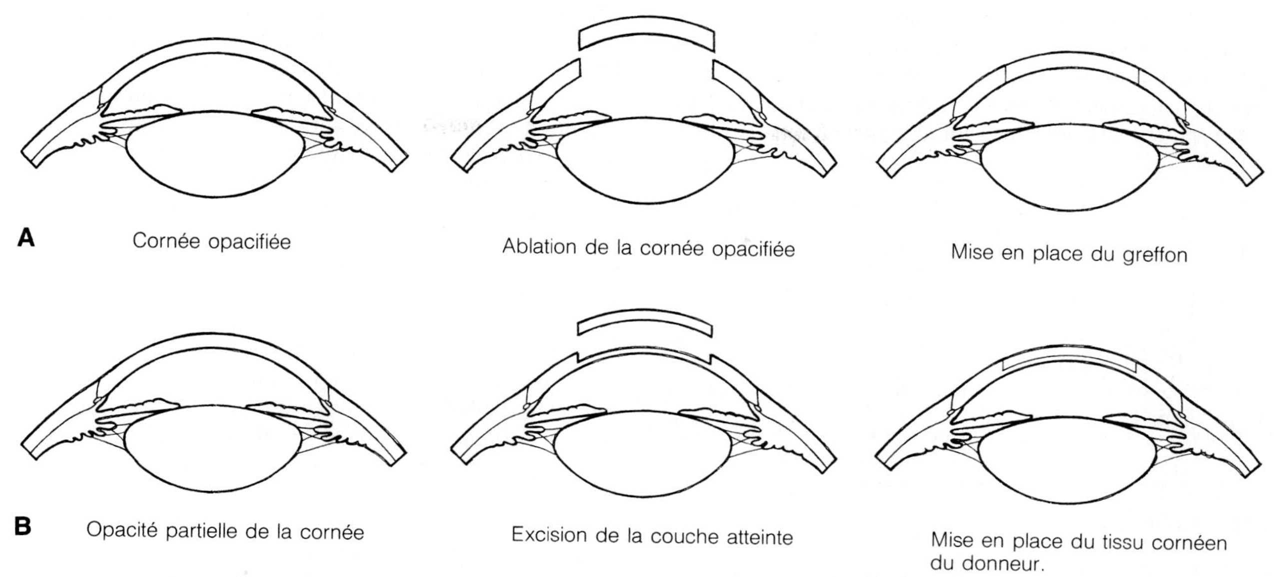

Figure 55-8. Kératoplastie (greffe de cornée) (**A**) Kératoplastie transfixiante: on retire toute l'épaisseur de la cornée du receveur (7 à 8 mm) et on la remplace par la cornée d'un donneur compatible. (**B**) Kératoplastie lamellaire: on excise une mince couche du tissu cornéen du receveur. On laisse le stroma et tout l'endothélium.

Soins préopératoires. Étant donné que la kératoplastie est une intervention chirurgicale élective, le patient en connaît généralement la nature. De plus, il l'attend avec impatience, car elle peut lui redonner la vue. Toutefois, l'infirmière doit quand même lui laisser le temps d'exprimer ses inquiétudes et de poser des questions. Pour assurer le succès de la greffe, il faut s'assurer de l'absence d'infections oculaires ou respiratoires.

Soins infirmiers postopératoires. Les soins postopératoires ont pour objectif: (1) d'éviter les facteurs qui peuvent entraîner une hausse de la pression intraoculaire ou une pression sur l'œil opéré; (2) de laisser reposer l'œil pour favoriser la guérison; et (3) de prévenir les infections.

L'augmentation de la pression intraoculaire diminue l'apport sanguin; elle peut causer une atrophie du nerf optique et endommager le greffon. Pour prévenir l'augmentation de la pression intraoculaire, l'infirmière doit connaître les facteurs qui y contribuent (les éternuements, la toux, la manœuvre de Valsalva ou les efforts). Une perte d'humeur aqueuse par la ligne de suture peut entraîner un prolapsus de l'iris, une adhérence de l'iris sur la cornée ou une déformation de la chambre antérieure. On mesure la pression intraoculaire au moyen d'un tonomètre. On peut réduire la pression intraoculaire par l'administration d'acétazolamide, un agent qui inhibe la sécrétion d'humeur aqueuse.

L'absence de vascularisation de la cornée ralentit la guérison et augmente les risques d'infection. L'infirmière doit utiliser une technique aseptique rigoureuse quand elle change les pansements. Pour diminuer les risques d'infection, on peut aussi utiliser un onguent ou des gouttes antibiotiques ou un écran au collagène imbibé d'un antibiotique.

Dons d'yeux

La kératoplastie a permis de redonner la vue à de nombreux patients atteints d'une lésion ou d'une maladie de la cornée. Toutefois, si les banques d'yeux disposaient de plus de tissu cornéen, encore plus de gens pourraient profiter de cette intervention chirurgicale dont le taux de réussite est élevé. Dans son milieu de travail comme dans sa vie privée, l'infirmière peut jouer un rôle crucial à cet égard en sensibilisant son entourage à l'importance du don d'organes. En donnant ses yeux, on fait cadeau de la vue. Pour devenir donneur, il suffit de remplir et de signer sa carte d'assurance-maladie ou le verso de son permis de conduire. Si on veut donner ses organes, il faut faire part de sa décision à ses proches afin que ceux-ci puissent prendre les mesures nécessaires au moment opportun. Si une personne n'a pris aucune décision à ce sujet avant sa mort, ses plus proches parents peuvent consentir au don de ses yeux. L'infirmière peut rassurer les membres de la famille en leur expliquant certains points:

- Le visage du donneur ne sera pas défiguré après le prélèvement.
- Son corps sera traité avec respect.
- Le don ne nuira pas à l'organisation des funérailles.
- Il n'en coûtera rien à la famille.
- Le don restera confidentiel.

Voici les critères de sélection des donneurs de cornée:

- Heure du décès connue (On doit prélever les yeux dans les six à huit heures suivant la mort.)
- Cause du décès connue (absence d'infection ou de maladie infectieuse transmissible)
- Âge minimum: 26 semaines de gestation (fœtus); aucune limite d'âge par la suite

Les yeux du donneur exigent certains soins, dont l'instillation d'une solution physiologique toutes les quatre heures, la fermeture continuelle des paupières et l'application d'une gaze humide sur les paupières. Les onguents sont contre-indiqués.

Les yeux qui ne peuvent être utilisés pour une greffe peuvent servir à la recherche.

Résumé: La cornée, qui réfracte les rayons lumineux, peut être examinée à l'aide d'une lampe à fente. Les abrasions cornéennes sont des lésions de l'épithélium cornéen. La kératite microbienne est une infection de la cornée, tandis que la kératite filamenteuse peut apparaître quand la cornée est mal humidifiée et mal protégée par les paupières. La dystrophie de Fuchs touche l'endothélium cornéen et entrave son mécanisme de pompage. Enfin, le kératocône est une déformation en cône de la cornée due à un amincissement graduel non inflammatoire.

Une bonne partie des patients souffrant d'une de ces affections de la cornée peuvent recouvrer la vue grâce à une greffe de cornée (kératoplastie transfixiante). Encore plus de patients pourraient profiter de cette opération si les donneurs étaient plus nombreux.

GLAUCOME

Le glaucome est une des principales causes de cécité en Occident. On estime que deux millions de personnes en sont atteintes en Amérique du Nord. De ce nombre, presque la moitié présentent une déficience visuelle, 70 000 sont aveugles au sens de la loi et 5500 le deviennent chaque année.

Quand le glaucome est diagnostiqué à ses débuts et traité correctement, on peut presque toujours prévenir la cécité. Malheureusement, dans la plupart des cas, les dommages sont déjà étendus et irréversibles quand les signes et symptômes apparaissent. Pour dépister le glaucome, on doit s'en remettre essentiellement aux examens périodiques de la vue et aux cliniques de dépistage. Les personnes prédisposées à cette maladie et les personnes de plus de 35 ans devraient donc se soumettre régulièrement à des mesures de la pression intraoculaire et à des examens de la papille optique.

Le glaucome peut toucher des gens de tous les âges, mais son incidence augmente avec l'âge. Deux pour cent des personnes de plus de 35 ans en sont atteintes. Il est plus fréquent chez les Noirs. Les principaux facteurs de risque sont le diabète, les antécédents familiaux de glaucome, les blessures oculaires ou les interventions chirurgicales à l'œil, de même qu'une corticothérapie prolongée.

On ne peut pas guérir le glaucome, mais on peut la plupart du temps le stabiliser par des médicaments. Dans certains cas, on doit en plus pratiquer un traitement au laser ou une intervention chirurgicale. Le traitement vise à arrêter l'évolution de la maladie ou, du moins, à la ralentir suffisamment pour permettre au patient de jouir d'une bonne vue toute sa vie. Habituellement, on atteint cet objectif en diminuant la pression intraoculaire.

Le terme *glaucome* désigne un groupe d'affections dont la physiopathologie, le tableau clinique et le traitement diffèrent. La caractéristique générale des glaucomes est une perte de champ visuel causée par une lésion du nerf optique, due à une augmentation de la pression intraoculaire. Plus la pression intraoculaire est élevée, plus le nerf optique se détériore rapidement. L'augmentation de la pression intraoculaire est pour sa part causée par des changements pathologiques qui entravent la circulation de l'humeur aqueuse (figure 55-9).

Dynamique de la sécrétion de l'humeur aqueuse

Le corps ciliaire est la partie de l'uvée qui se situe entre l'iris et la choroïde. L'iris s'insère dans la face antérieure du corps ciliaire et sépare la chambre postérieure et la chambre antérieure. Le cristallin est attaché au corps ciliaire par les zonules, et se situe entre l'espace aqueux à l'avant et l'espace vitré à l'arrière. Les muscles lisses du corps ciliaire assurent le mouvement de l'humeur aqueuse dans la zonule, le trabéculum cornéoscléral et le canal de Schlemm.

L'humeur aqueuse est sécrétée par les procès ciliaires. En plus de circuler dans les tissus avasculaires de l'œil (cornée, cristallin, trabéculum), elle apporte à l'œil les matières nutritives essentielles, en évacue les métabolites et lui assure un milieu chimique adéquat. Elle a également pour rôle de maintenir la pression intraoculaire afin de préserver l'intégrité de l'œil.

L'humeur aqueuse circule de façon continuelle. Elle va des procès ciliaires à la chambre postérieure, passe dans la pupille entre le cristallin et l'iris jusque dans la chambre antérieure, puis traverse le trabéculum cornéoscléral, le canal de Schlemm et le plexus veineux. Le trabéculum cornéoscléral et le canal de Schlemm sont situés à l'angle iridocornéen (ou angle de la chambre antérieure), à la jonction de l'iris, de la cornée et de la sclérotique. On peut les mettre en évidence par la gonioscopie (voir page 1783).

La pression intraoculaire est tributaire de l'équilibre entre la sécrétion d'humeur aqueuse et la résistance à l'évacuation de l'humeur aqueuse. Elle n'est pas constante; elle fluctue au cours d'une même journée et peut être influencée par les saisons, l'exercice, les changements de position, le mouvement des paupières, la nourriture et les médicaments. Une augmentation anormale de la pression intraoculaire peut endommager graduellement la structure de l'œil et altérer son fonctionnement.

CLASSIFICATION

On classe les glaucomes selon la configuration de l'angle iridocornéen et l'âge auquel ils apparaissent. On distingue les types de glaucome suivants:

I- Glaucome à angle ouvert (chronique)
II- Glaucome par fermeture de l'angle (aigu)
III- Glaucome mixte
IV- Glaucome congénital

Glaucome mixte

Dans certains cas, on peut observer l'association de plusieurs formes de glaucome. Le glaucome à angle ouvert compliqué d'un glaucome à angle fermé (ou d'un rétrécissement des angles) est le glaucome mixte le plus courant.

Évaluation clinique

Le diagnostic du glaucome se base sur l'examen de l'œil, sur le résultat d'un certain nombre d'épreuves diagnostiques ainsi que sur les antécédents ophtalmologiques et médicaux.

Tonométrie

La tonométrie est un examen simple et indolore qui sert à mesurer la pression intraoculaire. Pour effectuer cet examen, on se sert de deux types d'instruments: le tonomètre par aplanation (ou de Goldmann) et le tonomètre à indentation (ou de Schiotz). Le tonomètre par aplanation est le plus précis; il mesure la force requise pour aplanir une petite zone de la cornée. Quant au tonomètre à indentation, il mesure la

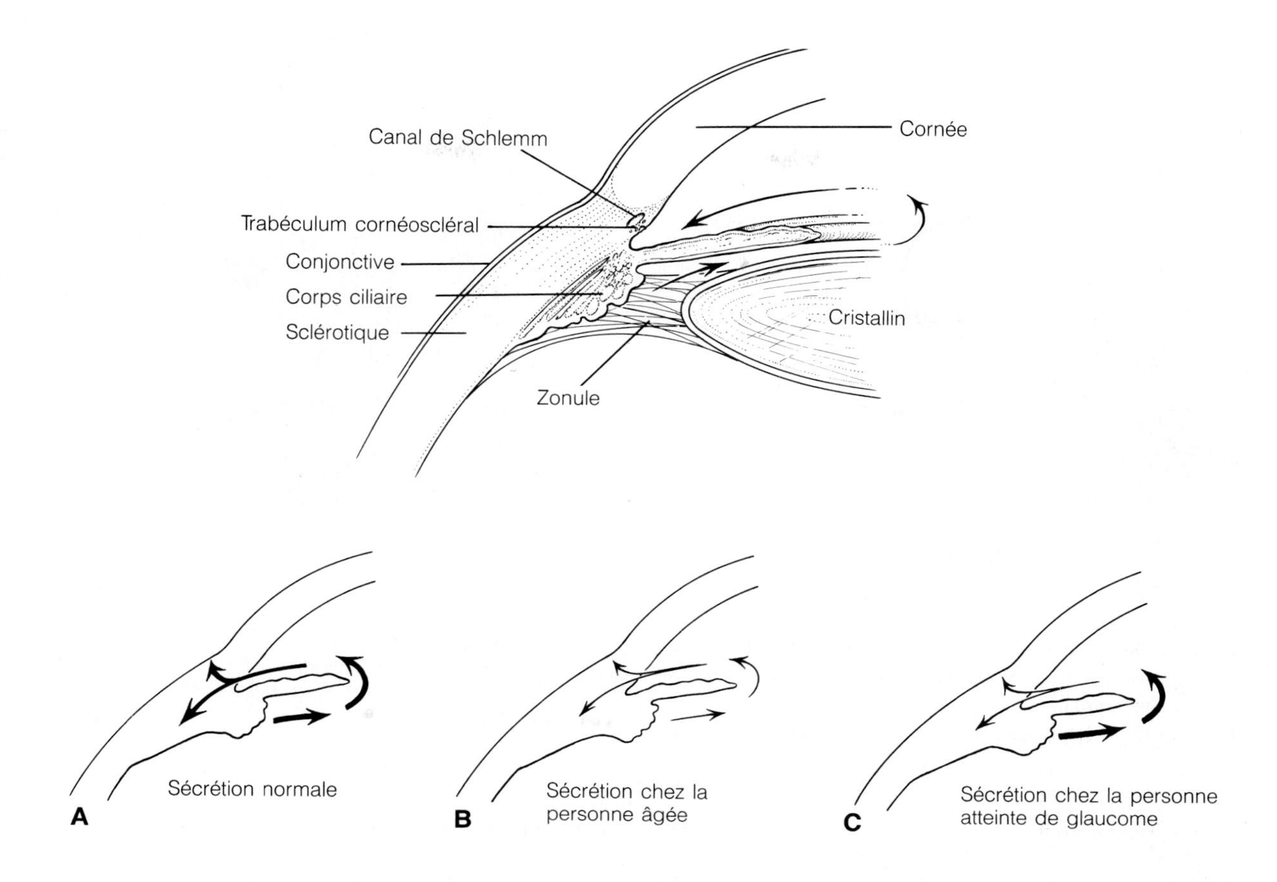

Figure 55-9. Effets du vieillissement et du glaucome sur la sécrétion de l'humeur aqueuse. L'illustration du haut représente l'anatomie normale. (**A**) Les flèches indiquent l'écoulement de l'humeur aqueuse depuis le corps ciliaire jusqu'à la chambre postérieure, au travers de la pupille jusqu'à la chambre antérieure, puis vers l'extérieur par le trabéculum cornéoscléral jusqu'au canal de Schlemm et, enfin, dans le système veineux. (**B**) Chez la personne plus âgée, l'humeur aqueuse suit le même parcours mais est sécrétée en plus petite quantité. (**C**) Chez la personne atteinte de glaucome, trop de liquide entre dans la chambre antérieure par rapport à la quantité qui en sort. Ce déséquilibre provoque une augmentation de la pression intraoculaire qui à son tour entraîne un durcissement du globe.

déformation du globe oculaire en réaction à l'application d'un poids normalisé sur la cornée. La pression intraoculaire normale se situe entre 11 et 21 mm Hg.

Chez une personne souffrant de glaucome, la pression intraoculaire est habituellement (mais pas toujours) supérieure à 21 mm Hg. Étant donné que la pression intraoculaire est sujette à des fluctuations, une seule mesure normale de la pression intraoculaire ne suffit pas pour écarter le glaucome. À l'inverse, une seule mesure anormale n'est pas nécessairement un signe de glaucome, mais elle exige des évaluations plus poussées.

Périmétrie

La périmétrie sert à mesurer l'étendue du champ visuel. Une perte de champ visuel est le principal signe clinique d'une atteinte du nerf optique causée par le glaucome. C'est pourquoi on utilise la périmétrie pour le diagnostic du glaucome ainsi que pour l'évaluation des résultats du traitement. La périmétrie se fait au moyen d'un instrument appelé «périmètre» qui permet de tracer la topographie de l'espace visuel et de déterminer ainsi les pertes de champ visuel.

Gonioscopie

La gonioscopie est une technique qui permet l'examen de l'angle iridocornéen. Elle se fait à l'aide d'un biomicroscope (microscope binoculaire couplé à une lampe à fente). Elle permet de déterminer si l'angle iridocornéen est ouvert ou fermé.

Ophtalmoscopie

On utilise un ophtalmoscope pour examiner la couleur et la forme de la papille optique. Le glaucome entraîne une altération du nerf optique soit par ischémie, soit par compression mécanique. Cette altération se manifeste par l'atrophie et l'excavation de la papille optique.

Antécédents

Les antécédents ophtalmologiques et médicaux du patient constituent des renseignements précieux pour le diagnostic, la classification et le traitement du glaucome. Il faut porter une attention particulière à certains éléments: symptômes d'hypertension oculaire, uvéite, traumatismes, interventions chirurgicales, utilisation prolongée de corticostéroïdes et antécédents familiaux de glaucome.

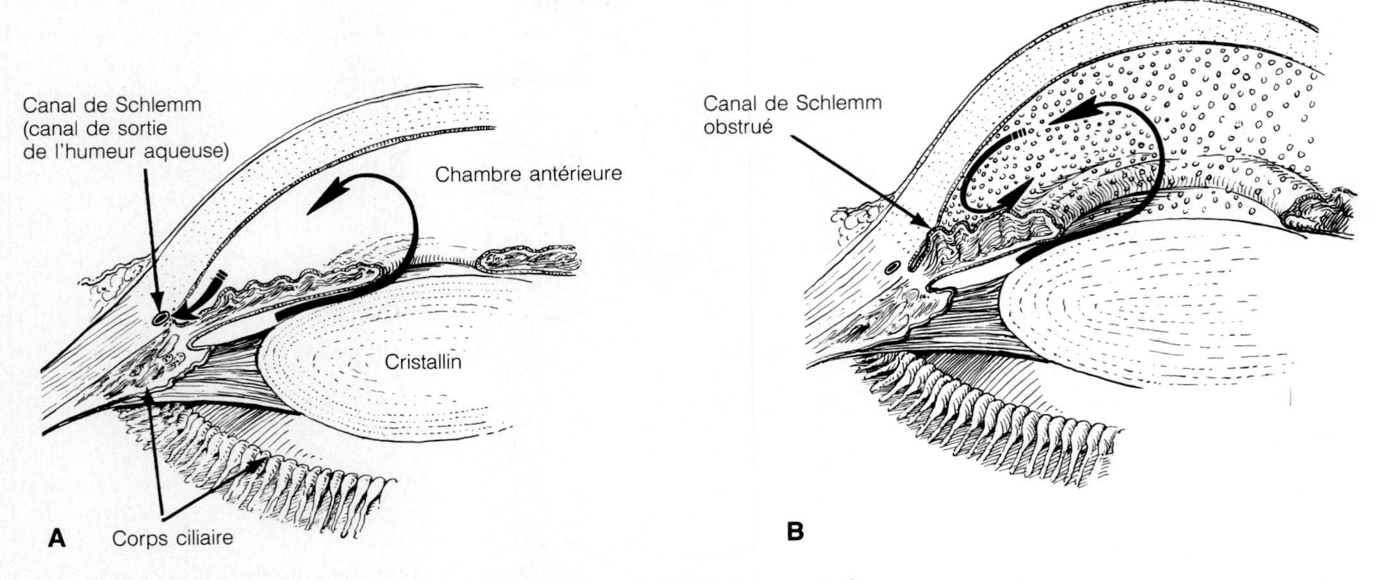

Figure 55-10. Obstruction de l'écoulement de l'humeur aqueuse dans le glaucome (**A**) Écoulement normal de l'humeur aqueuse par le canal de Schlemm. (**B**) Obstruction de l'écoulement de l'humeur aqueuse causant un glaucome à angle étroit.

(Source: M. Lechliger et F. Moya, *Introduction to the Practice of Anesthesia,* 2e éd., New York, Harper & Row)

Lors de la cueillette des données, il faut tenir compte des affections qui peuvent causer, aggraver ou simuler le glaucome: diabète sucré, maladies cardiovasculaires, hypertension, état de choc, accident vasculaire cérébral, troubles thyroïdiens, pneumopathie ou maladie démyélinisante.

Il faut de plus demander au patient s'il prend des médicaments et noter ceux qui sont associés au glaucome: antidépresseurs imipraminiques, antihistaminiques, phénothiazines, inhibiteurs de la monoamine oxydase (thyméréthiques), anticholinergiques, antispasmodiques et antiparkinsoniens.

Manifestations cliniques

Le glaucome chronique à angle ouvert est le type de glaucome le plus courant mais aussi le plus difficile à dépister à ses débuts car il reste asymptomatique jusqu'à un stade avancé de son évolution. Il apparaît de façon insidieuse, évolue progressivement et se caractérise par des petites pertes de la vision périphérique localisées qui peuvent passer inaperçues. Quand le patient se rend enfin compte qu'il souffre d'une perte de champ visuel, le nerf optique est déjà lésé de façon grave et irréversible. Des examens réguliers de la vue sont le seul moyen de dépister le glaucome à ses débuts et de prévenir ainsi la cécité. Même si le glaucome chronique à angle ouvert est bilatéral, l'atteinte est souvent asymétrique, un des yeux étant touché plus tôt et plus gravement que l'autre.

Les symptômes du glaucome par fermeture de l'angle sont, notamment, la douleur, la perception d'un halo, une vision trouble, une rougeur et un changement dans l'aspect de l'œil. Ils apparaissent soudainement. La douleur oculaire peut provenir d'une hausse rapide de la pression intraoculaire, d'une inflammation ou des effets secondaires de certains médicaments (comme un spasme du muscle ciliaire). Quand la douleur oculaire est intense, elle peut s'accompagner de nausées, de vomissements, de transpiration ou de bradycardie. Quant à la rougeur, elle peut être causée par un iritis aigu, une réaction à un médicament, un glaucome par néoformation de vaisseaux sanguins, un hyphéma, une hémorragie sous-conjonctivale ou une élévation de la pression veineuse épisclérale. L'apparition d'un œdème cornéen, causé par l'élévation rapide de la pression intraoculaire ou par la décompensation de l'épithélium cornéen, peut provoquer la perception d'un halo coloré autour des lumières incandescentes. La vision du patient peut aussi se brouiller de temps à autre. Enfin, certains patients remarquent un changement dans l'apparence de leur œil, notamment un aspect voilé de la cornée, ainsi qu'une altération de la position, de la taille et de la forme de la pupille.

Traitement

Le traitement du glaucome vise à faire baisser la pression intraoculaire à un niveau qui permet de préserver la vue. Il varie en fonction du type de glaucome et de la réaction du patient. Pour essayer de freiner l'évolution du glaucome, on a recours à des médicaments, à des traitements au laser et à la chirurgie.

Les médicaments sont le premier traitement à utiliser dans les cas de glaucome chronique à angle ouvert. Quand ils ne réussissent pas à faire baisser suffisamment la pression intraoculaire, on a le plus souvent recours à une trabéculoplastie au laser avec administration continue de médicaments. Il faut parfois pratiquer une trabéculectomie. En général, le traitement au laser ou la chirurgie sont un complément du traitement médicamenteux et non un remplacement.

Pharmacothérapie

Habituellement, le patient atteint de glaucome à angle ouvert doit suivre pendant toute sa vie un traitement médicamenteux, qui changera selon sa réaction au traitement et l'apparition d'effets secondaires. Ces médicaments doivent être administrés de façon systématique et régulière pour prévenir efficacement l'atteinte du nerf optique. Dans la plupart des cas, le patient commence d'abord par le médicament topique le plus sûr, selon la posologie minimale nécessaire pour garder la pression intraoculaire au niveau désiré. Si ce premier médicament ne réussit pas à faire baisser la pression même après avoir augmenté la posologie à son maximum, on doit prescrire d'autres médicaments à action locale, et parfois générale, en complément ou en remplacement.

- L'utilisation de mydriatiques (agents qui dilatent les pupilles) est contre-indiquée pour le patient souffrant de glaucome.

La plupart des médicaments entraînent des effets secondaires qui souvent disparaissent après une ou deux semaines. On observe parfois chez le patient une intolérance qui oblige à cesser l'administration du médicament. Les principaux effets secondaires des médicaments topiques utilisés pour traiter le glaucome sont une vision trouble, une baisse visuelle (surtout la nuit) et des problèmes d'accommodation. Chez certains patients, ces médicaments ont également des effets sur la fréquence cardiaque et la respiration. Quant aux médicaments à action générale, ils peuvent provoquer un fourmillement dans les doigts ou les orteils, une somnolence, une perte d'appétit, de la constipation et, parfois, une lithiase rénale. Il faut prévenir le patient de la possibilité de ces effets secondaires.

Traitement au laser

Selon le type de glaucome, on a recours au laser d'emblée, ou seulement dans les cas où le traitement médicamenteux est mal toléré ou inefficace. Le laser est utilisé pour différentes interventions.

Iridectomie périphérique: Cette technique consiste à créer un orifice sur toute l'épaisseur de l'iris pour permettre à l'humeur aqueuse de s'écouler de la chambre postérieure à la chambre antérieure.

Trabéculoplastie: La trabéculoplastie est la modification du trabéculum cornéoscléral dans le but d'augmenter l'évacuation de l'humeur aqueuse. On la pratique quand le traitement médicamenteux ne peut à lui seul maîtriser la pression intraoculaire dans les cas de glaucome à angle ouvert.

Goniotomie: La goniotomie provoque la contraction de l'iris pour l'éloigner du trabéculum cornéoscléral. On la pratique quand l'iridectomie ne donne pas les résultats escomptés.

Cyclophotocoagulation: La cyclophotocoagulation détruit une partie des procès ciliaires afin de diminuer la sécrétion d'humeur aqueuse.

Goniophotocoagulation: Cette technique supprime les vaisseaux nouvellement formés dans la chambre antérieure. On l'utilise en association avec la photocoagulation pour traiter le glaucome causé par la formation de nouveaux vaisseaux sanguins.

On a aussi recours au laser pour traiter le glaucome par blocage ciliaire, rouvrir des zones de filtration défectueuses, couper les sutures après une trabéculectomie, et rompre les kystes de l'iris ou du corps ciliaire.

Chirurgie

On a recours à la chirurgie quand le traitement au laser ne donne pas les résultats escomptés ou quand le patient n'est pas un bon candidat au traitement au laser (par exemple, s'il est incapable de s'asseoir sans bouger ou de suivre des directives).

L'*iridectomie périphérique* ou *sectorielle* est l'excision d'une partie de l'iris afin de permettre à l'humeur aqueuse de passer de la chambre postérieure à la chambre antérieure. Elle est indiquée dans le traitement du glaucome avec blocage pupillaire.

La *trabéculectomie* (intervention filtrante) sert à créer un nouveau canal de drainage dans la sclérotique. Elle favorise l'évacuation de l'humeur aqueuse en lui permettant de contourner les canaux de drainage habituels. Quand l'humeur aqueuse s'écoule par le conduit nouvellement créé, il se forme une bulle (ou ampoule) qu'on peut voir à l'examen de la conjonctive. Parmi les complications connues de la trabéculectomie, on note l'hypotonie oculaire (pression intraoculaire anormalement basse), l'hyphéma (présence de sang dans la chambre antérieure), l'infection et une filtration de l'humeur aqueuse défectueuse.

Dans les interventions au *séton*, on crée une fistule à l'aide d'un tube en matière synthétique implanté dans la chambre antérieure et raccordé à un champ de drainage épiscléral. On y a généralement recours quand la pression intraoculaire est très élevée, quand les risques d'une intervention chirurgicale sont très grands ou quand les autres interventions ont échoué. Parmi les complications possibles de l'implantation d'un drain figurent la formation d'une cataracte, l'hypotonie oculaire et le rejet du tube.

Cette opération peut exiger une courte hospitalisation. On autorise graduellement les déplacements en tenant compte de l'âge et de l'état physique du patient. Pendant une semaine, celui-ci doit éviter les efforts et les actions qui provoquent la manœuvre de Valsalva, et, par conséquent, une augmentation de la pression intraoculaire comme forcer, lever des poids lourds et se pencher. Il doit aussi éviter de conduire. S'il y a lieu, on peut mettre un pansement sur l'œil pendant 24 heures ou plus. L'œil ne doit pas être en contact avec de l'eau. On peut prescrire l'instillation de gouttes antibiotiques à large spectre pendant quatre ou cinq jours, ainsi que d'un stéroïde durant plusieurs semaines pour atténuer l'inflammation et prévenir la formation d'une cicatrice. Dans certains cas, des agents inflammatoires ou antifibrinolytiques plus puissants, et les stéroïdes oraux, sont indiqués. À cause des risques de saignements, l'aspirine est contre-indiquée; le patient prendra plutôt de l'acétaminophène pour soulager la douleur. Comme la lecture provoque des mouvements oculaires rapides et brusques, le patient doit s'en abstenir jusqu'à ce que son médecin lui en donne l'autorisation.

Enseignement au patient et soins à domicile

Le patient chez qui on diagnostique un glaucome doit apprendre à vivre avec une maladie chronique. Les membres de l'équipe de soins peuvent l'aider à s'adapter à cette situation difficile en lui donnant l'information dont il a besoin pour comprendre la maladie, son traitement et les autosoins qu'elle exige. On sait qu'un patient bien informé est davantage porté à participer activement à son traitement. Or, dans le glaucome, le succès du traitement médicamenteux exige une observance stricte et un suivi rigoureux.

Les directives écrites remises au patient doivent contenir le nom de chacun des médicaments, la description des flacons (couleur du bouchon ou de l'étiquette, par exemple) et la fréquence et le moment de l'administration. Le patient doit aussi connaître l'action de ses médicaments et leurs effets secondaires. Il faut insister sur l'importance d'intégrer la prise des médicaments aux habitudes quotidiennes afin de ne pas oublier de doses, et sur la nécessité de continuer à les prendre quand la pression intraoculaire est stabilisée.

Le patient doit savoir qu'il lui appartient de prendre soin de ses yeux et de sa santé en général, de même que de réduire le stress dans toute la mesure du possible. Pour protéger ses yeux, le patient doit les garder propres et à l'abri des agents irritants, éviter de les frotter, n'utiliser que des produits de beauté hypoallergènes et porter des lunettes de protection pour la natation, les autres sports, le bricolage, etc. Il doit aussi être à l'affût des symptômes comme une irritation excessive, le larmoiement, une vision floue, une vision voilée, la présence d'écoulements, la perception de halos autour des lumières la nuit, d'éclairs et de mouches volantes.

Comme le traitement du glaucome vise à stabiliser la maladie plutôt qu'à la guérir, il dure habituellement toute la vie. Les examens de suivi, nécessaires pour établir l'efficacité du traitement, comprennent la mesure de la pression intraoculaire ainsi que l'examen du champ visuel et de la papille optique. La fréquence de ces examens dépend de la gravité et de la stabilité de l'hypertension oculaire et de l'ampleur de l'atteinte. Les examens sont plus fréquents au début du traitement, quand la pression intraoculaire est considérablement élevée ou très fluctuante, quand la papille optique présente une forte excavation, quand il y a perte de champ visuel ou qu'un seul œil fonctionne.

On doit faire comprendre au patient l'importance du suivi. On peut aussi lui indiquer le but des différentes épreuves diagnostiques.

Le maintien d'une bonne santé et la réduction du stress peuvent avoir un effet favorable sur la pression intraoculaire, de même qu'une alimentation équilibrée, la restriction de la consommation de sel et de liquide, le maintien du poids santé, l'exercice, les loisirs et la détente. Enfin, pour mieux s'adapter à sa maladie, le patient peut faire part de ses sentiments à sa famille et à ses amis ou rencontrer d'autres personnes atteintes de la même maladie.

Gérontologie

La plupart des personnes atteintes de glaucome ont plus de 40 ans. Souvent, on considère une baisse de l'acuité visuelle comme une manifestation normale du vieillissement et on ne consulte pas le médecin à ce sujet. Par conséquent, l'examen physique périodique des personnes de plus de 35 ans devrait comprendre la mesure de la pression intraoculaire par tonométrie.

Il est fréquent que les personnes atteintes de glaucome cessent l'instillation de leurs gouttes oculaires sous prétexte qu'elles n'ont aucun effet. Il appartient donc au personnel soignant de leur faire comprendre que les gouttes préviennent l'aggravation du glaucome et, par conséquent, la cécité. Quand on travaille auprès d'un patient âgé souffrant de glaucome, il faut également tenir compte des problèmes associés au vieillissement: l'arthrite, l'isolement et la dépression, la constipation (qui exige un effort de défécation) et les risques de chutes et d'accidents.

Résumé: Le glaucome est la principale cause de cécité en Amérique du Nord. Même si on ne peut le guérir, on peut le stabiliser à l'aide de médicaments. Il faut parfois recourir à un traitement au laser ou à une intervention chirurgicale pour en freiner l'évolution.

Le terme *glaucome* désigne un groupe d'affections qui se distinguent les unes des autres par leur physiopathologie, leur tableau clinique et leur traitement, et que l'on classe selon la configuration de l'angle iridocornéen et l'âge auquel elles apparaissent. Les épreuves diagnostiques comprennent souvent la tonométrie, la périmétrie, la gonioscopie et l'ophtalmoscopie.

Le glaucome par fermeture de l'angle (aigu) survient quand le blocage de l'angle iridocornéen par du tissu iridien fait monter la pression intraoculaire. Les manifestations cliniques du glaucome aigu sont une douleur oculaire très intense, une vision trouble, une rougeur de l'œil et la dilatation de la pupille. Le patient peut aussi présenter des nausées et des vomissements. S'il n'est pas traité, une cécité permanente peut s'installer en deux à cinq jours. Le glaucome par fermeture de l'angle doit être opéré d'urgence. Avant l'intervention chirurgicale, on administre certains médicaments pour faire baisser la pression intraoculaire.

Quant au glaucome à angle ouvert (chronique), il évolue lentement; il est asymptomatique à ses débuts et est plus fréquent que le glaucome à angle fermé. La perte graduelle de vision périphérique est généralement le seul symptôme de ce type de glaucome. Il peut entraîner la cécité permanente. Il est habituellement traité au moyen de collyres myotiques comme la pilocarpine. Le traitement vise à réduire la pression intraoculaire à un niveau qui permet de préserver la fonction visuelle.

Dans le cadre de son enseignement au patient et à la famille, l'infirmière doit absolument insister sur l'importance d'examens réguliers de la vue et de l'observance stricte du traitement médicamenteux. Le plan de soins 55-1 décrit les soins au patient souffrant de glaucome.

CATARACTES

La cataracte est l'opacification du cristallin (figure 55-11). Elle est habituellement associée au vieillissement, mais elle peut aussi être présente à la naissance (cataracte congénitale). Elle est parfois consécutive à une blessure par pénétration, à un traitement médicamenteux prolongé (comme la corticothérapie), à une maladie touchant tout l'organisme (comme le diabète ou l'hypoparathyroïdie), à l'exposition à des radiations, ou à d'autres maladies oculaires (comme l'uvéite antérieure). Des études ont démontré que l'exposition prolongée au soleil (rayons ultraviolets) peut également favoriser la formation des cataractes.

Physiopathologie

Normalement, le cristallin ressemble à un bouton clair et transparent suspendu derrière l'iris. Doté d'une grande puissance de réfraction, il se compose de trois parties: un *noyau* qui en forme le centre, un *cortex* qui en constitue la zone périphérique et une *capsule* qui enveloppe les deux premiers éléments. Avec l'âge, le noyau du cristallin prend une teinte brun-jaune. Les opacités qui apparaissent devant et derrière le noyau ont

Cataracte Diminution de l'acuité visuelle due à une opacité du cristallin. Le champ de vision n'est pas touché. Il n'y a pas de scotome (lacune dans le champ visuel), mais la vue est voilée, surtout quand la lumière est éblouissante.

Glaucome Le glaucome avancé s'accompagne d'une diminution de la vision périphérique, mais la vision centrale est maintenue.

Figure 55-11 Effets d'une cataracte et d'un glaucome sur la vue; les photos représentent la vision de l'œil droit
(Source: The Lighthouse, The New York Association for the Blind)

l'aspect de taches blanchâtres. L'opacité de la capsule postérieure est la forme de cataracte la plus courante; elle a l'aspect du givre sur une vitre.

Certains facteurs physiques et chimiques peuvent diminuer la transparence du cristallin. Par exemple, les multiples fibres délicates qui forment la zonule de Zinn et qui s'étendent du corps ciliaire à la périphérie du cristallin peuvent, en se modifiant, provoquer une distorsion des images. Parfois, on observe une dégradation des protéines du cristallin causant une coagulation, qui brouille la vue en empêchant la lumière de se rendre à la rétine. Certains chercheurs pensent que la dégradation des protéines s'accompagnerait d'un afflux d'eau dans le cristallin. Ce phénomène perturberait les fibres du cristallin et entraverait la transmission de la lumière. Selon une autre théorie, une enzyme jouerait un rôle dans la protection du cristallin contre la dégénérescence. Le taux de cette enzyme diminuerait avec l'âge et serait absente chez beaucoup de personnes atteintes d'une cataracte.

Manifestations cliniques

L'opacification du cristallin provoque une diffusion des rayons lumineux. Cette diffusion entraîne un éblouissement désagréable, une baisse de la vue ou une vision trouble accompagnée d'une distorsion des images, et une baisse de la vision nocturne (voir figure 55-11). La pupille, normalement noire, peut sembler jaunâtre, grise ou blanche. En général, l'évolution de la cataracte se fait de façon progressive sur plusieurs années. Au stade avancé, les verres correcteurs les plus forts n'arrivent pas à corriger la vision.

Souvent, le patient souffrant d'une cataracte trouvera le moyen d'éviter l'éblouissement. Il pourra par exemple disposer les fauteuils de la maison à des endroits qui sont à l'abri de la lumière directe, porter un chapeau à large bord, porter des verres fumés, ou baisser le pare-soleil de la voiture quand il conduit le jour.

Traitement

On ne peut traiter les cataractes ni par les médicaments ni par le laser. On doit avoir recours à l'ablation chirurgicale du cristallin, soit par l'extraction extracapsulaire, soit par l'extraction intracapsulaire (figure 55-12). L'intervention chirurgicale est indiquée quand la perte visuelle entrave les activités du patient ou quand la cataracte cause un glaucome ou nuit au diagnostic et au traitement d'une autre maladie oculaire (comme la rétinopathie diabétique).

L'ablation du cristallin est l'intervention chirurgicale la plus fréquente chez les personnes de plus de 65 ans. De nos jours, elle se fait presque toujours sous anesthésie locale, en consultation externe. Dans plus de 95 % des cas, le patient recouvre une vision fonctionnelle.

Extraction intracapsulaire

L'extraction intracapsulaire est l'ablation complète du cristallin. Elle se fait à l'aide d'une cryosonde placée directement sur la capsule.

La *cryochirurgie* est une technique chirurgicale basée sur le principe selon lequel le métal froid adhère aux objets humides. Ainsi, pour l'extraction d'une cataracte, on se sert d'un stylet dont le bout est doté d'une sonde de métal (droite ou courbée) qu'on active jusqu'à ce que sa température atteigne −30 à −40 °C. On place ensuite l'instrument directement sur la capsule du cristallin. En quelques secondes, il se forme une petite boule de glace qui fait adhérer la capsule à la sonde. En dirigeant la sonde doucement vers le haut puis vers le côté, on peut détacher et extraire le cristallin. Il faut ensuite remettre en place le pan de tissu cornéen et le suturer.

Extraction extracapsulaire

L'extraction extracapsulaire est actuellement utilisée dans 95 % des cas. Elle se fait sous microscope. Elle consiste à retirer la capsule antérieure du cristallin, à en exprimer le noyau et à aspirer les fragments corticaux mous qui restent à l'aide d'un appareil spécial d'irrigation-aspiration. On laisse en place la capsule postérieure et la zonule, afin de préserver l'architecture postérieure de l'œil. On réduit par le fait même l'incidence de complications graves.

La *phacoémulsification* est un des plus récents perfectionnements en matière d'extraction extracapsulaire. Elle n'exige

(suite à la page 1790)

Plan de soins infirmiers 55-1

Patient atteint de glaucome

Diagnostic infirmier : Altération de la perception visuelle reliée au glaucome

Objectif : Adaptation à la perturbation visuelle

Interventions infirmières	*Justification*
1. Encourager le patient à maintenir une autonomie optimale.	1. Le patient se sentira davantage valorisé s'il reste autonome.
2. Informer le patient sur les effets de la constriction de la pupille.	2. L'acuité visuelle est diminuée à l'aube et au crépuscule.
3. Adresser le patient aux organismes appropriés s'il a besoin d'aide à la maison.	3. Si sa vue est très faible, le patient peut obtenir une aide qui lui est précieuse pour les soins, les courses et le transport.
4. Expliquer au patient les signes et symptômes qu'il doit signaler à son ophtalmologiste.	4. Les maux de tête, une douleur oculaire, des nausées et vomissements, une vision trouble et la perception de halos sont des signes d'hypertension oculaire.
5. Donner au patient et à ses proches de l'information orale et écrite sur les médicaments prescrits.	5. Si le patient est bien informé sur l'administration de ses médicaments, il se conformera mieux à son traitement.
6. Expliquer et démontrer les techniques de soins oculaires.	6. Le patient qui connaît bien les soins oculaires se conforme mieux à son traitement.

Résultats escomptés

- Le patient fait réaménager son domicile en fonction de ses nouveaux besoins.
- Il effectue ses activités extérieures durant le jour.
- Il communique avec les organismes appropriés et demande les services dont il a besoin.
- Il reconnait les signes et symptômes d'hypertension oculaire et les signale sans délai à son ophtalmologiste.
- Il utilise une bonne technique d'instillation.
- Il garde ses médicaments dans un endroit précis et bien visible.
- Il garde un flacon de médicament en réserve à la maison.
- Il connaît les effets indésirables de ses médicaments.
- Il prend ses médicaments régulièrement même si la PIO est stable.
- Il a toujours ses gouttes sur lui quand il n'est pas à la maison.
- Il porte un bracelet ou une carte contenant les renseignements essentiels sur sa maladie et ses médicaments.
- Il prend des antihistaminiques ou des sympathomimétiques seulement sous la surveillance de son médecin.
- Il fait coïncider ses instillations avec certaines habitudes quotidiennes comme l'heure de la promenade, les repas, le coucher.
- S'il se rend compte qu'il a oublié une dose de médicament oral, il communique avec son ophtalmologiste pour savoir s'il doit prendre la dose oubliée tout de suite ou en même temps que la prochaine dose.
- Il évite le stress.
- Il évite de boire trop de liquide.
- Il se conforme à ses rendez-vous chez le médecin.
- Il évite de se frotter les yeux.
- S'il vient de subir une opération aux yeux, il porte des lunettes de protection pour le bricolage, le travail dans le jardin, la natation et les autres sports.
- Il informe de sa maladie les infirmières ou les médecins qui ne connaissent pas son état.

Plan de soins infirmiers 55-1 (suite)

Patient atteint de glaucome

Diagnostic infirmier: Douleur reliée à l'augmentation rapide de la pression intraoculaire

Soulagement de la douleur et des malaises

Interventions infirmières	Justification	Résultats escomptés
Évaluer la douleur; informer le médecin de tous les changements survenus dans la nature ou l'intensité de la douleur; administrer les médicaments selon l'ordonnance.	Les médicaments prescrits pour diminuer la pression intraoculaire soulagent la douleur du patient.	• Le patient est soulagé. • Il prend les médicaments prescrits pour soulager sa douleur.

Diagnostic infirmier: Anxiété ou peur reliée à la perte de la vue ou à la possibilité de la perdre

Objectif: Réduction de l'anxiété et de la peur et adaptation à la baisse de la vue

Interventions infirmières	Justification	Résultats escomptés
1. Déterminer les peurs et les inquiétudes du patient. Aider celui-ci à comprendre que l'atteinte progressive causée par le glaucome peut la plupart du temps être maîtrisée par des médicaments ou une intervention chirurgicale. L'aider à comprendre qu'il doit obligatoirement se conformer au traitement, mais qu'il n'aura pas à modifier son mode de vie de façon radicale.	1. Le patient qui comprend bien sa maladie et son traitement ressent moins d'anxiété et de peur.	• Le patient pose des questions sur sa maladie et son pronostic. • Il parle de ses peurs et de ses préoccupations. • Il fait part de ses sentiments à sa famille ou à ses amis.
2. Enseigner au patient des exercices de relaxation.	2. Les exercices de relaxation aident à diminuer le stress et l'anxiété.	• Le patient fait des exercices de relaxation. • Il participe à des activités qui l'aident à se détendre.

Diagnostic infirmier: Déficit d'autosoins relié à une mauvaise vue

Objectif: Maintien ou accroissement de l'autonomie en matière d'autosoins

Interventions infirmières	Justification	Résultats escomptés
1. Encourager le patient à faire sa toilette lui-même.	1. Le patient qui a la vue brouillée peut se désintéresser de son apparence.	• Le patient fait sa toilette personnelle lui-même.
2. Montrer au patient comment modifier son milieu de vie de façon à le rendre sûr et fonctionnel.	2. Le patient qui vit dans un environnement sûr et fonctionnel assume plus aisément ses autosoins.	• Les lampes sont placées de façon à obtenir le meilleur éclairage possible. • La disposition des meubles ne présente pas de danger pour le patient.
3. Expliquer à la famille et aux amis les besoins spéciaux du patient.	3. Le réseau de soutien joue un rôle important dans l'observance du traitement.	• Le patient a recours à son réseau de soutien. • Il demande l'aide de sa famille ou de ses amis pour le réaménagement de son domicile.

Diagnostic infirmier: Risque d'isolement social relié à la peur de subir une blessure qui pourrait aggraver son trouble visuel

Objectif: Participation aux activités sociales dans les limites permises

Interventions infirmières	Justification	Résultats escomptés
1. Encourager le patient à continuer de voir sa famille et ses amis.	1. La vie sociale favorise l'estime de soi et une attitude plus constructive.	• Le patient continue de voir sa famille et ses amis.
2. Inciter le patient à trouver des activités et des passe-temps qui lui plaisent.	2. Souvent, le patient souffrant d'un trouble visuel peut apprendre de nouvelles activités qui n'exigent pas une vision parfaite.	• Il s'adonne à des divertissements.

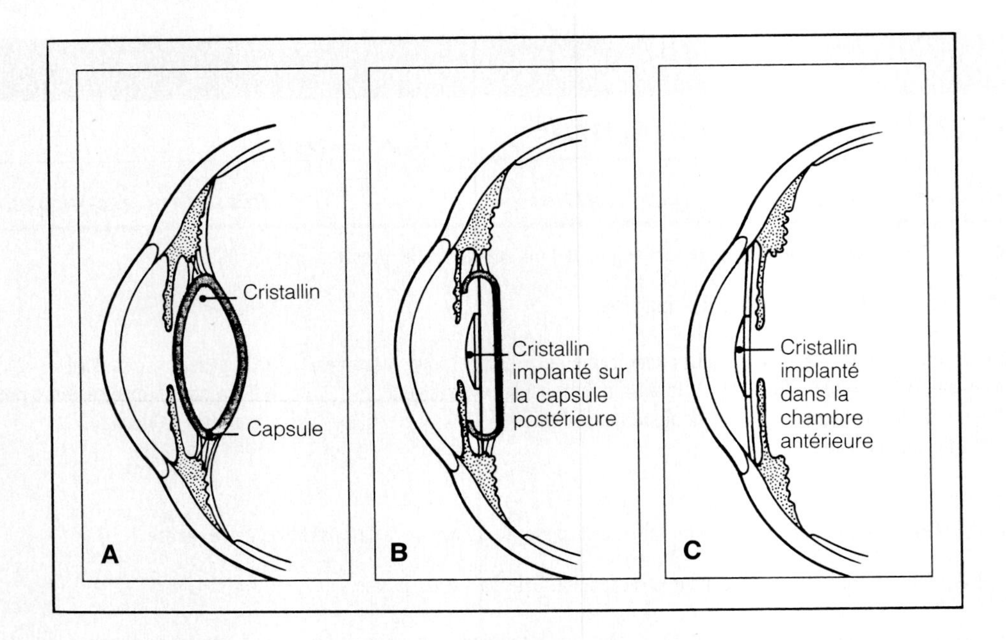

Figure 55-12. (**A**) Anatomie de l'œil normal. Les principales techniques chirurgicales d'ablation du cristallin sont l'extraction extracapsulaire (**B**) et l'extraction intracapsulaire (**C**). Dans l'extraction extracapsulaire, on retire le contenu du cristallin mais on en préserve la capsule postérieure pour y fixer ultérieurement un cristallin artificiel. Dans l'extraction intracapsulaire, on retire le contenu du cristallin et la capsule et on place un cristallin artificiel dans la chambre antérieure. L'extraction extracapsulaire est la méthode la plus utilisée parce qu'elle entraîne moins de complications.
(Source: Patient Care, 15 août 1986, Copyright © 1986. Patient Care Communications, Inc., Darien, CT. Photographe: Paul J. Singh-Roy. Tous droits réservés)

qu'une très petite incision et se fait à l'aide d'un appareil ultrasonique qui «émulsifie» le noyau et le cortex, aspire les particules émulsifiées et assure une irrigation continue de l'œil. La phacoémulsification abrège la convalescence et diminue les risques d'astigmatisme postopératoire. Avec la technique d'irrigation-aspiration, la capsule postérieure reste intacte et sert à supporter le cristallin artificiel qui sera placé dans la chambre postérieure.

L'extraction du cristallin et l'implantation d'un cristallin artificiel peuvent être pratiquées en même temps qu'un greffe de cornée ou qu'une opération pour le glaucome.

Après l'extraction du cristallin, le patient a besoin d'une correction optique car le cristallin fournit le tiers de la puissance réfractive de l'œil normal. Il a le choix entre les lentilles pour aphaques, les lentilles cornéennes ou l'implantation d'un cristallin artificiel.

Les lentilles pour aphaques donnent une bonne vision centrale. Par contre, le grossissement de 25 à 30 % qu'elles produisent entraîne une diminution correspondante de la vision périphérique ainsi qu'une distorsion qui rend difficile l'évaluation des distances. Plus précisément, les objets semblent beaucoup plus rapprochés qu'ils ne le sont en réalité. Elles créent également des anomalies sphériques, c'est-à-dire qu'elles transforment les lignes droites en lignes courbes. La vision binoculaire n'est possible que si les deux cristallins sont enlevés. Le patient doit réapprendre à coordonner ses mouvements et à évaluer ses distances, en plus de s'adapter à une perte de champ visuel, ce qui peut être long.

Comparativement aux lentilles pour aphaques, les lentilles cornéennes gênent beaucoup moins la vision. Elles produisent un grossissement modéré (5 à 10 %), ne provoquent pas de déformation sphérique, ne diminuent pas le champ visuel et ne faussent pas la perception spatiale. Elles permettent de recouvrer presque intégralement la vision, mais elles exigent de l'entretien et sont parfois mal tolérées. Beaucoup de personnes âgées ne possèdent pas la dextérité nécessaire pour mettre et enlever, ou pour entretenir les lentilles à port quotidien. Pour certaines d'entre elles, les lentilles cornéennes à port prolongé sont une bonne solution de remplacement. Celles-ci exigent toutefois des visites fréquentes chez l'ophtalmologiste. Elles sont en outre coûteuses et fragiles, et comportent un risque de kératite infectieuse.

Aujourd'hui, on a généralement recours à l'implantation d'un cristallin artificiel pour corriger la vue d'environ 97 % des personnes qui ont subi l'ablation du cristallin. Il s'agit d'une lentille de plastique permanente qu'on fixe dans l'œil lors de l'ablation et qui produit des images de grosseur et de forme normales.

Au cours des dernières années, on a beaucoup amélioré les cristallins artificiels. Actuellement, il existe un cristallin qu'on peut plier afin de le faire passer par la très petite incision pratiquée pour la phacoémulsification, et qui reprend sa forme une fois en place.

Le cristallin artificiel est contre-indiqué dans certains cas, dont l'uvéite à répétition, la rétinopathie diabétique proliférante et le glaucome par néoformation de vaisseaux sanguins.

Encadré 55-1
Enseignement des autosoins après l'ablation du cristallin

Note: Revoir ces directives avec le patient, ses proches ou la personne qui s'en occupe. Inscrire les recommandations en grosses lettres et utiliser un surligneur.

Activités

À observer

- Regarder la télévision; lire si nécessaire, mais avec modération.
- Tout faire avec modération.
- Prendre des «bains à l'éponge» au début; plus tard, prendre un bain ou une douche (avec de l'aide).
- Porter un cache-œil en métal perforé durant la nuit et des lunettes durant le jour.
- Dormir sur le dos ou le côté, non sur le ventre.
- S'adonner à des activités sédentaires.
- Porter des verres fumés.
- Se mettre à genoux ou s'accroupir si on doit ramasser quelque chose au sol.

À éviter

- Dormir sur le côté opéré.
- Se frotter les yeux ou les fermer avec force.
- Forcer lors de la défécation.
- Se pencher au-dessus de l'évier ou du bain (se pencher la tête légèrement vers l'arrière lors d'un shampoing).
- Se mettre du savon dans les yeux.
- Lever des poids plus lourds que 7 à 9 kg.
- Avoir de relations sexuelles avant que le médecin ne l'ait autorisé.
- Conduire.
- Tousser, éternuer ou vomir.
- Pencher la tête plus bas que la taille (plier les genoux et garder le dos droit pour ramasser quelque chose au sol).

Médicaments et soins oculaires

- Prendre les médicaments selon l'ordonnance.
- Se laver les mains avant et après l'instillation des collyres.
- Nettoyer le pourtour de l'œil avec un tampon d'ouate stérile ou une compresse imbibée d'eau stérile; essuyer doucement la paupière en allant du coin interne au coin externe.
- Pour instiller les collyres, s'asseoir, se pencher la tête vers l'arrière et tirer doucement le bord de la paupière inférieure.
- Porter un cache-œil en métal perforé durant la nuit; porter des lunettes durant le jour.
- Lors des consultations postopératoires, apporter tous ses médicaments pour que le médecin en vérifie la posologie et la modifie s'il y a lieu.

Signes et symptômes à signaler

- Douleur dans l'œil ou autour de l'œil
- Sensation de douleur malgré les analgésiques
- Douleur accompagnée d'une rougeur, d'une enflure ou d'un écoulement
- Apparition soudaine d'une douleur oculaire
- Changements dans la vision
- Changements dans l'acuité visuelle, vision trouble, diplopie (vision double), champ visuel voilé, perception d'éclairs, ou de mouches volantes
- Perception de halos
- Maux de tête persistants
- Inflammation et écoulements

L'extraction du cristallin et l'implantation d'un cristallin artificiel ne sont pas sans risques de complications: lésions de l'endothélium cornéen, blocage pupillaire, glaucome, hémorragie, ouverture de la plaie, oedème maculaire, décollement de la choroïde, uvéite et endophtalmie. Le cristallin peut également se déplacer. On peut le replacer de la façon suivante: instiller des gouttes mydriatiques, mettre la tête du patient dans une position donnée, puis instiller des gouttes myotiques. Parfois, on doit avoir recours à la chirurgie pour replacer ou retirer le cristallin artificiel.

Une des complications courantes de l'ablation du cristallin est la formation de membranes secondaires; celles-ci apparaissent entre trois et trente-six mois après l'opération. On dit souvent, à tort, que ces membranes sont des opacifications de la capsule postérieure ou de nouvelles cataractes. Elles proviennent plutôt de la prolifération de l'épithélium résiduel du cristallin; elles nuisent à la vision car elles entravent le passage de la lumière et augmentent l'éblouissement. Pour rétablir la vision, on peut percer une ouverture dans les membranes par une intervention à l'aiguille ou au laser.

Le patient reçoit son congé peu après l'extraction du cristallin et l'implantation d'un cristallin artificiel. Avant de quitter le centre hospitalier, il doit recevoir de l'information sur les médicaments, le nettoyage et la protection des yeux, le niveau d'activité recommandé, les restrictions, le régime alimentaire, le soulagement de la douleur, les positions les plus favorables, les consultations médicales ultérieures, le déroulement normal de la convalescence et les symptômes à signaler immédiatement au médecin (encadré 55-1).

Plan de soins infirmiers 55-2

Patient subissant une opération à l'œil (cataracte, glaucome, affection de la rétine ou de la cornée)

Interventions infirmières	Justification	Résultats escomptés
Diagnostic infirmier: Peur ou anxiété reliée à une perte sensorielle et au manque de compréhension du traitement		
Objectif: Réduction du stress émotionnel, de la peur et du sentiment de dépression; acceptation de l'intervention chirurgicale		
1. Évaluer la gravité et la durée de la perte sensorielle. Engager la conversation avec le patient pour déterminer ses préoccupations, ses sentiments et son niveau de connaissances. Répondre à ses questions, le soutenir et l'aider à s'adapter.	1. L'information peut atténuer la peur de l'inconnu. Les mécanismes d'adaptation peuvent aider le patient à surmonter sa peur, son inquiétude, sa dépression, sa tension, son ressentiment, sa colère et sa réaction de rejet.	• Le patient montre qu'il comprend l'information reçue. • Il utilise certaines stratégies d'adaptation et est capable de se détendre.
2. Familiariser le patient au milieu hospitalier.	2. On peut ainsi réduire l'anxiété du patient et le sécuriser.	• Le patient est familier avec son environnement immédiat.
3. Expliquer au patient les soins préopératoires et postopératoires. *Avant l'opération*: Informer le patient sur le niveau d'activité à respecter, le régime alimentaire à suivre et les médicaments à prendre. *Pendant l'opération*: Insister sur l'importance de rester immobile durant l'intervention et de prévenir le chirurgien avant de tousser ou de bouger. Expliquer le déroulement de l'opération. *Après l'opération*: Donner de l'enseignement au patient sur les positions, les pansements occlusifs, le niveau d'activité; lui souligner l'importance de ne pas se déplacer sans aide jusqu'à ce que son état soit stable et sa vision adéquate.	3. Le patient bien informé accepte mieux le traitement et se conforme mieux aux directives du personnel soignant.	• Il comprend les soins relatifs à l'intervention chirurgicale et se conforme aux directives du personnel et à son traitement.
4. Expliquer les interventions infirmières en détail. S'annoncer à haute voix avant de s'approcher du patient. Expliquer les bruits inhabituels. Utiliser le toucher si nécessaire pour faciliter la communication verbale.	4. Le patient qui souffre d'une perte visuelle doit recourir à ses autres sens pour obtenir l'information voulue.	• Le patient n'a pas de réactions de sursaut et de peur.
5. Encourager le patient à participer aux AVQ selon ses capacités. Lui servir des mets qu'il peut manger avec ses doigts s'il ne voit pas assez bien pour utiliser des ustensiles.	5. Le patient qui assume ses autosoins et qui est autonome se sent mieux.	• Le patient participe aux AVQ selon ses capacités. • Il sait qu'il doit respecter certaines limites.
6. Encourager la famille ou les proches à participer aux soins du patient.	6. Le patient est parfois incapable d'assumer la totalité de son traitement ou de ses autosoins. La famille est souvent hésitante à participer aux soins.	• La famille ou les proches aident aux soins du patient selon les besoins.
7. Encourager le patient à voir des gens et à se distraire selon les limites permises (recevoir des visiteurs, écouter la radio, écouter de la musique, écouter des livres-cassettes, regarder la télévision)	7. Le patient qui s'isole et qui ne se tient pas occupé peut réagir négativement.	• Le patient participe à des activités de groupe ou se distrait selon ses capacités et selon les recommandations du médecin.

Plan de soins infirmiers 55-2 (suite)

Patient subissant une opération à l'œil (cataracte, glaucome, affection de la rétine ou de la cornée)

Interventions infirmières	Justification	Résultats escomptés
Diagnostic infirmier: Risque élevé de blessure relié au trouble visuel ou au manque de connaissances		
Objectif: Prévention des accidents		
1. Après l'opération, aider le patient à se lever et à marcher jusqu'à ce qu'il retrouve son équilibre et qu'il possède une vision adéquate ou de bonnes stratégies d'adaptation.	1. Il On réduit ainsi les risques de chute ou de blessure.	• Le patient demande qu'on l'aide à se déplacer quand il en a besoin.
2. Aider le patient à réaménager son environnement. Ne pas changer les meubles de place sans le prévenir.	2. On favorise ainsi l'autonomie du patient et on diminue les risques d'accident.	• Le patient est capable de se déplacer sans danger dans son environnement.
3. Expliquer au patient pourquoi il devrait porter un cache-œil ou des lunettes à certains moments.	3. Le cache-œil et les lunettes protègent les yeux des blessures.	• Le patient porte le cache-œil et les lunettes selon les recommandations du personnel soignant.
4. Ne pas exercer de pression sur l'œil.	4. La pression peut provoquer de graves lésions.	• Il protège son œil des blessures.
5. Utiliser une technique appropriée pour instiller les collyres.	5. On peut blesser l'œil en le touchant avec le flacon compte-gouttes.	
Diagnostic infirmier: Risque de complications relié à l'intervention chirurgicale		
Objectif: Prévention des complications		
1. Utiliser une technique aseptique rigoureuse. Se laver les mains souvent.	1. On réduit ainsi les risques d'infection.	• Le patient ne montre aucun signe d'infection.
2. Être à l'affût des signes et symptômes de complications: saignement, douleur oculaire soudaine (augmentation de la pression intraoculaire); rougeurs, œdème, écoulement purulent (infection); douleur non soulagée par les médicaments; perception d'éclairs; modification ou diminution de la fonction visuelle; changements dans la structure de l'œil (prolapsus de l'iris, pupille en forme de poire, désunion des sutures de la plaie); réactions défavorables aux médicaments.	2. Le dépistage précoce des complications peut réduire le risque de perte visuelle permanente.	• Il connaît les signes et symptômes de complications et en fait part sans délai au médecin le cas échéant.
3. Expliquer au patient les positions qui favorisent la guérison.	3. Le patient peut réduire l'œdème en gardant la tête relevée et en évitant de se coucher du côté opéré. Le maintien de la position recommandée après l'instillation d'une bulle gazeuse dans le corps vitré favorise le recollement de la rétine et diminue le risque de cataracte ou de lésion à l'endothélium cornéen.	• Le patient reste dans la position recommandée.

Plan de soins infirmiers 55-2 (suite)

Patient subissant une opération à l'œil (cataracte, glaucome, affection de la rétine ou de la cornée)

Interventions infirmières	*Justification*	*Résultats escomptés*
4. Expliquer au patient les restrictions de l'activité qu'il doit observer. Augmenter progressivement le niveau d'activité.	4. Il faut parfois restreindre les activités du patient pour favoriser la cicatrisation et éviter d'autres lésions ou blessures.	• Le patient respecte les restrictions de l'activité recommandées.
5. Administrer les médicaments selon l'ordonnance et la technique prescrite.	5. L'administration incorrecte du traitement médicamenteux peut nuire à la guérison ou entraîner des complications.	• Le patient sait comment instiller ses gouttes correctement.

Diagnostic infirmier: Douleur reliée à une lésion, à une augmentation de la pression intraoculaire, à une intervention chirurgicale ou à l'instillation de gouttes mydriatiques

Objectif: Réduction de la douleur et de la pression intraoculaire

Interventions infirmières	*Justification*	*Résultats escomptés*
1. Administrer les analgésiques et les médicaments contre l'hypertension oculaire selon l'ordonnance.	1. L'administration des médicaments prescrits diminue la douleur et la pression intraoculaire, ce qui favorise le bien-être du patient.	• Le patient dit ressentir moins de douleur et de symptômes d'hypertension oculaire.
2. Appliquer des compresses froides selon les recommandations.	2. La réduction de l'œdème atténue la douleur.	• Le patient présente moins d'œdème.
3. Réduire l'intensité de la lumière: tamiser l'éclairage, tirer les rideaux ou baisser le store.	3. Après l'intervention chirurgicale, le patient se sent souvent mieux dans la pénombre.	• Le patient dit se sentir mieux.
4. Encourager le patient à porter des verres fumés après l'instillation de gouttes mydriatiques quand la lumière est vive.	4. Après l'instillation de gouttes mydriatiques, la lumière vive fait mal aux yeux.	• Le patient porte des verres fumés après l'instillation de gouttes mydriatiques.

Diagnostic infirmier: Risque de déficit d'autosoins relié à une perte visuelle

Objectif: Adaptation à la perte visuelle

Interventions infirmières	*Justification*	*Résultats escomptés*
1. Enseigner au patient et à ses proches les signes et symptômes de complications qu'il faut signaler sans délai au médecin.	1. Le dépistage et le traitement des complications peuvent prévenir une aggravation du trouble oculaire.	• Le patient connaît les signes et les symptômes dont il doit faire part à son médecin.
2. Donner au patient et à ses proches des directives orales et écrites sur la façon d'administrer les médicaments. Expliquer les indications des médicaments ainsi que leurs effets normaux et anormaux. Suggérer des façons de différencier les flacons (par la couleur du bouchon ou de l'étiquette par exemple).	2. L'utilisation d'une technique appropriée réduit les risques d'infection et de lésion oculaire. Par ailleurs, le patient qui connaît les effets normaux des médicaments est plus porté à suivre son traitement. Et s'il connaît aussi les effets anormaux, il sera capable de reconnaître les symptômes à signaler. Les directives écrites servent à guider le patient une fois à la maison.	• Le patient et ses proches savent administrer correctement les médicaments et en connaissent les effets normaux et anormaux.
3. Déterminer dans quelle mesure le patient aura besoin d'aide à la maison. S'assurer que les proches du patient pourront apporter leur aide; sinon, adresser le patient aux organismes appropriés.	3. Plusieurs organismes offrent des services de soins à domicile ainsi que des services d'accompagnement.	• Le patient fait part de ses besoins en matière d'aide. • Il reçoit les coordonnées des organismes qui peuvent l'aider.

En général, le patient se rétablit plutôt rapidement et retourne à ses activités habituelles en peu de temps. Pendant environ deux semaines, il doit porter un cache-œil en métal durant la nuit et des lunettes durant le jour (avec verres fumés quand il est dehors en pleine lumière) afin de protéger son œil. L'infirmière doit insister sur cette protection surtout si le patient est âgé et sujet aux chutes, car une contusion de l'œil pourrait provoquer la rupture du globe oculaire et la cécité. Habituellement, on modifie l'ordonnance des lunettes six à huit semaines après l'opération.

Résumé: La cataracte est une opacification évolutive du cristallin souvent causée par le vieillissement. Toutes les opacités du cristallin sont appelées cataractes. Elles entraînent une vue brouillée, une baisse de la vue, une déformation des images et une baisse de la vision nocturne.

Les cataractes peuvent entraîner une importante baisse de la vue, voire la cécité, mais on peut les traiter par chirurgie. Le moment de l'intervention chirurgicale dépend de la perte visuelle. On peut procéder à l'ablation du cristallin par l'extraction intracapsulaire ou par l'extraction extracapsulaire. L'extraction intracapsulaire consiste à extraire tout le cristallin au moyen d'une cryosonde. L'extraction extracapsulaire est utilisée dans environ 95 % des cas; elle se fait par phacoémulsification ou par irrigation-aspiration. Ces deux techniques d'extraction extracapsulaire préservent la capsule postérieure pour y fixer ultérieurement un cristallin artificiel. Le plan de soins 55-2 décrit les soins à donner au patient avant et après l'opération.

Étant donné que la puissance de réfraction de l'œil est moindre après l'extraction du cristallin, il faut corriger la vision à l'aide de lentilles pour aphaques, de lentilles cornéennes ou d'un cristallin artificiel.

L'enseignement postopératoire doit porter sur les différents aspects des soins oculaires: médicaments, nettoyage, protection des yeux, niveau d'activité, restrictions, soulagement de la douleur, consultations de surveillance et symptômes à signaler sans délai au médecin. Le patient doit en outre porter un cache-œil ou des lunettes pour protéger ses yeux, en raison du risque de chute.

AFFECTIONS DE LA RÉTINE ET DU CORPS VITRÉ

Décollement rétinien

Le décollement rétinien est la séparation du neuroépithélium de l'épithélium pigmentaire sous-jacent. Le neuroépithélium est la couche qui contient les bâtonnets et les cônes, et l'épithélium pigmentaire est la couche qui nourrit le neuroépithélium. Par conséquent, lorsque le neuroépithélium se sépare de l'épithélium pigmentaire, les cellules photosensorielles (les bâtonnets et les cônes) ne peuvent plus accomplir leur fonction et on observe une baisse de la vue. Le décollement rétinien peut avoir pour cause une malformation congénitale, un trouble métabolique, une maladie vasculaire, une inflammation intraoculaire, un cancer, un traumatisme ou une affection dégénérative du corps vitré ou de la rétine. La plupart du temps, il est consécutif à une traction vitréorétinienne ou à des déchirures de la rétine. Les perforations de la rétine, qui touchent 5 à 13 % de la population, et la dystrophie cornéenne de Haab-Dimmer, dont la fréquence est d'environ 8 %, sont des affections dégénératives asymptomatiques de la rétine qu'il faut surveiller de près car elles prédisposent au décollement rétinien.

Les décollements inflammatoires exigent habituellement un traitement médicamenteux. Dans certains décollements exsudatifs ou séreux (dûs à un trouble concomitant comme une tumeur ou une inflammation avec formation de liquide sous-rétinien sans déchirure rétinienne), on a recours à la photocoagulation au laser. Dans les décollements rétiniens causés par le diabète ou un traumatisme, on doit parfois pratiquer une chirurgie intravitréenne pour atténuer la traction. Dans les décollements rétiniens dûs à une tumeur intraoculaire, la radiothérapie peut donner des résultats favorables.

Les décollements rétiniens rhegmatogènes (c'est-à-dire causés par des déchirures) sont les plus fréquents; ils touchent une personne sur dix mille chaque année et surviennent généralement entre 40 et 70 ans. Ils sont plus fréquents chez les hommes, ce que l'on attribue à un taux plus élevé de blessures oculaires. Les facteurs prédisposants sont une forte myopie, la dystrophie cornéenne de Haab-Dimmer, l'aphakie (absence totale ou partielle de cristallin) et les traumatismes. Les déchirures à l'origine des décollements rhegmatogènes sont souvent causées par une dégénérescence (liquéfaction) du corps vitré qui entraîne une traction sur la rétine.

Le corps vitré est une trame de fibres de collagène remplie d'un liquide composé d'acide hyaluronique et d'eau et reliée à la face postérieure de la rétine. Normalement de consistance visqueuse, ce liquide devient plus fluide avec l'âge à cause de la diminution graduelle de la concentration d'acide hyaluronique. Des mouches volantes apparaissent alors dans le champ visuel, ce qui est normal. Les fibres de collagène, elles, ne sont plus supportées par la viscosité du vitré; elles s'affaissent et se déplacent vers l'avant. La plupart du temps, le corps vitré qui s'affaisse se sépare facilement de la rétine postérieure. Dans certains cas, cependant, il adhère à une partie de la rétine postérieure et y exerce une traction qui provoque des déchirures.

En l'absence de traitement, le décollement rétinien rhegmatogène peut aboutir à l'atrophie de la rétine, à la formation d'une cataracte, à l'uvéite chronique, à l'hypotonie ou à l'ophtalmomalacie (atrophie du globe oculaire accompagnée de cécité).

Évaluation et manifestions cliniques. La plupart du temps, le patient a des antécédents de mouches volantes ou d'éclairs. Les mouches volantes sont causées par des cellules et du sang, libérés au moment de la déchirure, qui créent des ombres sur la rétine (figure 55-13). Par la suite, le patient peut percevoir une sorte d'ombre ou de rideau qui se déplace, brouille la vue et rétrécit le champ visuel. Une atteinte de la macula se traduit par une perte de l'acuité visuelle ou de la vision centrale.

Traitement chirurgical. Habituellement, le patient atteint d'un décollement rétinien est hospitalisé le jour même du diagnostic. Selon la gravité du décollement et la région touchée, on doit l'opérer d'urgence ou mettre ses yeux au repos en attendant l'intervention chirurgicale. Pour mettre les yeux au repos, on les bande et on exige que le patient garde le lit. La mise au repos des yeux permet de stabiliser la rétine et de prévenir l'aggravation du décollement. Avant l'intervention chirurgicale, on provoque une dilatation de la pupille afin de bien voir le fond de l'œil.

Le *cerclage oculaire* est l'intervention chirurgicale de choix pour recoller la rétine. Elle consiste à réparer par cryothérapie chaque déchirure rétinienne. On forme ainsi une adhérence choriorétinienne qui empêche le liquide du corps vitré de pénétrer dans l'espace sous-rétinien.

Quand la rétine est de nouveau en contact avec le tissu sous-jacent, sa fonction physiologique normale se rétablit. Il est souvent nécessaire d'évacuer le liquide sous-rétinien pour rapprocher la rétine décollée de la zone cerclée.

Durant l'intervention chirurgicale, on doit parfois injecter dans le corps vitré une bulle de gaz inerte pour maintenir la pression intraoculaire ou aplanir la rétine. Selon le gaz utilisé, on doit attendre de trois jours à deux mois avant que la bulle ne soit réabsorbée et remplacée par de l'humeur aqueuse.

Dans quelque 90 à 95 % des cas de décollement rétinien, le cerclage oculaire permet de rétablir l'acuité visuelle. Chez certains patients, toutefois, il faut pratiquer plus d'une opération. Dans les cas de décollement rétinien chronique ou d'atteinte de la macula, il est parfois impossible de rétablir entièrement la vision, même si le recollement est réussi.

Soins postopératoires. Les soins postopératoires dispensés par l'infirmière pour ce type d'opération sont semblables à ceux dispensés aux patients opérés pour une cataracte, un glaucome, une affection de la rétine ou une affection de la cornée (voir le plan de soins infirmiers 55-2).

Les complications immédiates du cerclage sont l'hypertension oculaire, le glaucome, l'infection, le décollement choroïdien, l'échec du recollement de la rétine ou un nouveau décollement. L'infirmière doit surveiller les signes et symptômes suivants et les signaler au médecin s'ils apparaissent: douleur non soulagée par les médicaments, écoulement mucoïde purulent ou trop abondant, fortes nausées et vomissements, rougeurs, œdème, vision brouillée, perception de halos, symptômes de décollement rétinien.

Parmi les complications tardives figurent l'infection, l'expulsion des matériaux de cerclage par la conjonctive, la rétinopathie proliférante, la diplopie, les vices de réfraction ou l'astigmatisme.

Endophtalmie infectieuse

L'*endophtalmie infectieuse* est un abcès du corps vitré. L'infection peut être introduite par voie endogène (à partir par exemple d'une endocardite) ou par voie exogène (par une plaie perforante ou par une incision chirurgicale). Le patient atteint se plaint généralement d'une douleur à l'œil et d'une perte de vision. Les parties normalement transparentes de l'œil deviennent parfois troubles. Le traitement peut comprendre une antibiothérapie intraoculaire et une vitrectomie.

Traitement chirurgical. La *vitrectomie* est l'ablation chirurgicale totale ou partielle du corps vitré. Outre l'endophtalmie infectieuse, les indications de la vitrectomie sont les hémorragies persistantes, le décollement rétinien grave par traction, l'incapacité de recoller la rétine par un cerclage oculaire, la formation de membranes épirétiniennes, la rétinopathie diabétique, les plaies oculaires pénétrantes et la présence d'un corps étranger dans l'œil.

Après l'ablation, on utilise un liquide, de l'air, un gaz inerte ou de l'huile de silicone pour remplacer le corps vitré. Les soins et traitements postopératoires sont sensiblement les mêmes que pour le cerclage oculaire.

Rétinopathie diabétique

La *rétinopathie diabétique*, une complication fréquente du diabète sucré, provient d'un déséquilibre de la glycémie qui provoque des lésions ou une occlusion des vaisseaux sanguins responsables de l'alimentation de la rétine. Les vaisseaux atteints deviennent hyperperméables et fuient; les fuites entraînent à leur tour des microhémorragies, un œdème rétinien ou une exsudation. L'ischémie rétinienne qui en résulte favorise la formation de nouveaux vaisseaux sanguins qui parfois prolifèrent sur la surface du corps vitré. Ces nouveaux vaisseaux sont fragiles; ils peuvent se rompre et provoquer une hémorragie dans le corps vitré. Ils peuvent également former des brides fibrovasculaires qui se contractent et entraînent un décollement rétinien par traction.

Si du liquide s'accumule dans la macula, la vision centrale se brouille et s'il y a hémorragie dans le corps vitré, la vision devient trouble ou floue de façon soudaine. La plupart des personnes atteintes de rétinopathie diabétique finissent par souffrir de troubles visuels. Au Canada, la rétinopathie diabétique est la première cause de cécité chez les adultes.

Il arrive que la rétinopathie se résorbe spontanément, mais dans la majorité des cas, il faut avoir recours à la chirurgie au laser. Le laser permet d'obturer les vaisseaux sanguins qui fuient et de détruire les nouveaux vaisseaux anormaux. Si le patient souffre d'une hémorragie dans le corps vitré ou d'un décollement rétinien par traction, on peut pratiquer une vitrectomie.

Le risque de rétinopathie diabétique est plus élevé chez les diabétiques de longue date. On doit informer les patients diabétiques de ce risque et leur recommander de se conformer à leur régime alimentaire, à leur traitement médicamenteux et à leur programme d'exercice afin d'équilibrer leur glycémie et de prévenir l'hypertension. On devrait aussi les inciter à se soumettre régulièrement à des examens des yeux par un ophtalmologiste, car celui-ci peut déceler les signes de rétinopathie diabétique bien avant que les symptômes n'apparaissent. Or, si la rétinopathie est diagnostiquée et traitée à ses débuts par un spécialiste, les risques de perte visuelle importante sont considérablement réduits.

Dégénérescence maculaire sénile

La *dégénérescence maculaire* sénile est une affection qui entraîne une diminution graduelle de la vision centrale et qui aboutit souvent à la cécité pratique. Probablement héréditaire, elle provient de la lésion ou de la détérioration des cellules photoréceptrices de la macula.

Elle est la principale cause de déficience visuelle grave chez les personnes de plus de 65 ans. À peu près le tiers des personnes de plus de 50 ans souffrent d'un certain degré de dégénérescence maculaire. Quand la fovea est atteinte, les principaux symptômes sont une distorsion de la vision d'un œil, une diminution ou même la perte de la vision centrale, une diminution de la perception des contrastes, une augmentation de l'éblouissement et la baisse de la vision chromatique.

Pour la plupart des dégénérescences maculaires, il n'existe aucun traitement. Dans certains cas diagnostiqués à temps, un traitement au laser permet d'arrêter la progression de la maladie. Les lampes, les imprimés à caractères très contrastants et un bon éclairage peuvent être utiles au patient.

Résumé: Les affections de la rétine et du corps vitré chez l'adulte comprennent le décollement rétinien, l'endophtalmie infectieuse, la rétinopathie diabétique et la dégénérescence maculaire sénile.

Le décollement de la rétine survient quand le neuroépithélium se sépare de l'épithélium pigmentaire sous-jacent. Le décollement rhegmatogène (dû à une déchirure) est le type de décollement le plus fréquent. La déchirure rétinienne laisse pénétrer le liquide du corps vitré dans l'espace sous-rétinien, ce qui entraîne la séparation des couches de la rétine. Il faut recourir à la chirurgie pour réparer les déchirures.

Le cerclage oculaire est la principale intervention chirurgicale utilisée pour recoller la rétine. Le patient doit souvent restreindre ses activités après l'opération. S'il y a eu instillation d'un gaz inerte, le patient doit rester dans la position recommandée pour que la déchirure rétinienne soit bien comprimée par la bulle de gaz. L'infirmière doit surveiller les signes d'un nouveau décollement rétinien: douleurs, écoulements, nausées et vomissements, vision trouble ou perception de halos.

La rétinopathie diabétique, complication courante du diabète sucré, est une affection des vaisseaux sanguins de la rétine. Elle provoque une ischémie qui déclenche la formation de nouveaux vaisseaux sanguins fragiles qui peuvent se rompre et causer une hémorragie dans le corps vitré. La plupart des patients atteints de rétinopathie diabétique finissent par souffrir de troubles visuels. Il faut donc recommander aux diabétiques de se faire examiner les yeux régulièrement.

La dégénérescence maculaire sénile est une maladie causée par une lésion ou une détérioration des cellules photoréceptrices de la macula. Elle est la principale cause de déficience visuelle grave chez les personnes de plus de 65 ans. Dans la plupart des cas, il n'existe aucun traitement.

BLESSURES OCULAIRES

Chez les jeunes, les déficiences visuelles unilatérales sont souvent causées par une blessure à l'œil lors d'un accident à la maison, d'un accident de la route ou de la pratique d'un sport, par exemple.

Évaluation et manifestations cliniques

Quand on examine un patient atteint d'un traumatisme oculaire, on doit d'abord obtenir les circonstances de l'accident et noter les changements visuels qui y sont associés. On peut ensuite vérifier l'acuité visuelle et la mobilité des deux yeux, puis inspecter les parties externes de l'œil. Tout ceci doit être fait très délicatement pour éviter de causer d'autres lésions.

Même si l'examen des parties externes de l'œil ne révèle qu'une lésion relativement bénigne, il ne faut pas exclure la possibilité d'une blessure grave. Comme les paupières sont minces, une simple lacération peut atteindre la cornée ou la sclérotique. Parfois, une petite blessure indolore de la paupière est le seul signe externe de plaie pénétrante avec corps étranger intraoculaire. Si le choc a été suffisamment important pour causer une hémorragie palpébrale («œil au beurre noir»), on peut soupçonner un saignement intraoculaire, un décollement de la rétine ou une rupture du globe oculaire.

Si les circonstances de l'accident ou des signes de traumatisme externe laissent soupçonner une lacération, une plaie pénétrante ou une rupture du globe oculaire, il faut *éviter toute pression* sur l'œil, pour prévenir l'expulsion de son contenu et des dommages irréversibles. On peut séparer les paupières sans danger en plaçant le pouce et l'index sur les bordures orbitaires inférieure et supérieure. Il faut par ailleurs recommander au patient de ne pas fermer les yeux avec force.

Voici les signes de blessure potentiellement grave du globe oculaire:

- Douleur (bien que les petites blessures par pénétration soient parfois indolores)
- Hémorragie sous-conjonctivale
- Lacération de la conjonctive
- Énophtalmie (retrait anomal du globe oculaire causé par la perte du contenu de l'œil ou par une fracture orbitaire)
- Anomalie de l'iris
- Déplacement de la pupille (parfois causé par l'affaissement de la chambre antérieure)
- Hyphéma (présence de sang dans la chambre antérieure)
- Pression intraoculaire anormalement basse (œil mou) -*Ne pas palper l'œil.*
- Expulsion du contenu de l'œil (iris, cristallin, vitré, rétine)
- Hypopyon (présence de pus dans la chambre antérieure)
- Signe tardif de traumatisme

Si on soupçonne une blessure grave du globe oculaire, on doit éviter de toucher l'œil jusqu'au moment de l'intervention chirurgicale. Il faut appliquer un léger pansement (*sans exercer de pression*), placer un cache-œil de métal sur les os malaires, puis fixer le cache-œil à l'aide de ruban adhésif depuis le front jusqu'à la joue. Si un corps étranger fait saillie, on applique seulement le cache-œil. Il est parfois bon de panser les deux yeux pour limiter le plus possible les mouvements (les yeux bougent en synchronie). On peut ensuite commencer une antibiothérapie par voie parentérale et administrer des analgésiques, des antiémétiques et une anatoxine tétanique selon l'ordonnance.

Si le corps étranger se trouve dans la conjonctive, le patient en ressent la présence, surtout quand il bouge les paupières, quand il pleure beaucoup ou quand sa conjonctive est injectée (rouge). Il faut inspecter la face interne de la paupière inférieure et de la paupière supérieure. On peut retirer un corps étranger non pénétrant sous la paupière supérieure en ramenant la paupière supérieure par dessus la paupière inférieure; l'action de brossage des cils de la paupière inférieure sur l'intérieur de la paupière supérieure permet de faire sortir le corps étranger.

On peut aussi retirer le corps étranger par irrigation, mais il faut prendre garde de ne pas toucher la cornée. Si l'extraction du corps étranger est impossible, on doit fermer l'œil, le panser et adresser le patient à un ophtalmologiste. La présence d'un corps étranger dans la conjonctive peut être dangereuse, notamment pour la cornée.

Abrasion de la cornée

L'abrasion de la cornée est une lésion oculaire fréquente qui se caractérise par la perte d'une partie de la couche épithéliale. Elle peut être causée par un petit objet (brosse à mascara, brindille, ongle), par la présence d'un corps étranger ou par le port trop prolongé de lentilles cornéennes. Elle se manifeste par une douleur soudaine (et souvent intense), une photophobie et un larmoiement, de même que par une sensation de corps étranger. L'acuité visuelle est normale ou diminuée, selon la région touchée.

On administre des anesthésiques topiques seulement au début du traitement car leur utilisation prolongée retarde la guérison et peut cacher d'autres lésions pouvant aboutir à une cicatrisation permanente de la cornée. Il faut aussi éviter l'administration de stéroïdes. On administre des antibiotiques topiques dans un but prophylactique et des cycloplégiques topiques à action rapide pour soulager la douleur. L'application d'un pansement compressif immobilise les paupières, soulage le malaise et favorise la guérison. S'il s'agit d'une abrasion grave, on peut panser l'autre œil et prescrire le repos au lit durant 24 heures. En général, si les couches sous-jacentes de l'épithélium cornéen ne sont pas atteintes, la cornée guérit sans cicatrice en 24 à 48 heures.

Si un corps étranger se trouve sur la couche superficielle de la cornée, on peut généralement le retirer par simple irrigation. Par contre, un corps étranger enfoncé dans la cornée relève d'un ophtalmologiste. On utilise souvent le test à la fluorescéine pour mettre en évidence les abrasions de l'épithélium cornéen. Avant de retirer un corps étranger, on instille un anesthésique local. L'extraction se fait à l'aide d'un instrument spécial et non avec un coton-tige. Lorsqu'un corps étranger est profondément enfoncé dans la cornée, on doit parfois recourir à une intervention chirurgicale.

L'épithélium cornéen est une barrière naturelle qui protège l'œil contre les microorganismes. Par conséquent, on doit examiner tous les jours, jusqu'à guérison complète, l'œil du patient ayant subi une blessure de la cornée, à la recherche de signes d'infection.

Brûlures chimiques

Dans les cas de brûlures chimiques de la conjonctive ou de la cornée, l'œil doit être rincé sans délai avec une abondante quantité d'eau ou de solution physiologique. La façon la plus simple et la plus rapide de rincer l'œil est de demander à la victime de se mettre la tête sous le robinet. Il est toutefois plus efficace d'utiliser une seringue, en prenant soin de ne pas contaminer l'autre œil. Le rinçage doit durer au moins 15 minutes. On peut utiliser l'eau du robinet s'il s'agit du seul liquide dont on dispose. On procède ensuite à une irrigation après avoir instillé un anesthésique et ouvert l'œil au moyen d'un spéculum oculaire. On utilise pour l'irrigation du tubage et des solutions i.v. Il faut éviter les agents neutralisants car la chaleur produite par leur réaction avec le produit chimique pourrait brûler l'œil davantage. Si le produit chimique à l'origine de la brûlure est alcalin, il faut poursuivre l'irrigation pendant au moins une heure car les substances alcalines restent plus longtemps dans les tissus que les substances acides.

Après l'irrigation, il faut dilater la pupille et instiller des antibiotiques selon l'ordonnance. Le médecin peut prescrire des inhibiteurs de la collagénase tels que l'acétylcystéine ou de l'acide téhylène-diamino-trétra-acétique disodique pour traiter les brûlures graves causées par un produit alcalin. Pour accélérer la guérison et atténuer l'effet abrasif du clignement des paupières, on peut se servir d'une lentille de protection. Cette lentille reste en place lors de l'instillation des médicaments. On doit la retirer si le patient ressent une douleur persistante. Le patient se sent souvent mieux quand on lui panse les deux yeux pour restreindre les mouvements. Il faut toutefois soupeser les avantages de cette mesure en regard de la perte sensorielle. La victime d'une brûlure chimique doit se faire suivre par un ophtalmologiste à cause des risques d'infection et de perforation de la cornée.

SITUATIONS D'URGENCE

Voici une liste d'affections oculaires qu'il faut traiter d'urgence. La personne qui présente un de ces troubles doit voir un ophtalmologiste sans délai, car un retard de quelques heures peut entraîner des lésions irréversibles.

- Traumatisme
  - Abrasions de la cornée et corps étrangers
  - Lacérations de la paroi oculaire
  - Corps étrangers intraoculaires
  - Rupture du globe oculaire
- Ulcère et infection de la cornée
- Conjonctivite grave
- Cellulite orbitaire
- Brûlures chimiques
- Iritis aigu
- Glaucome aigu
- Occlusion de l'artère centrale de la rétine
- Décollement de rétine
- Endophtalmie

Les affections suivantes doivent être traitées le plus tôt possible, mais sont moins urgentes que les précédentes:

- Glaucome chronique
- Hémorragie dans le corps vitré
- Exophtalmie unilatérale d'apparition récente
- Dacryocystite aiguë
- Tumeurs oculaires
- Troubles du nerf optique

ÉNUCLÉATION

L'*énucléation* est l'ablation chirurgicale de tout le globe oculaire. Les indications de l'énucléation sont la cécité après une blessure par pénétration, la cécité avec infection réfractaire, une douleur dans un œil aveugle qui ne répond pas au traitement médical, et certaines tumeurs oculaires. L'intervention consiste à inciser la conjonctive, à écarter les muscles oculomoteurs, à couper le nerf optique, puis à retirer le globe oculaire. On replace ensuite les muscles sur un implant oculaire qui sert à maintenir le volume de l'orbite. Enfin, on referme la conjonctive et on met en place un conformateur en plastique pour maintenir les fornix durant la guérison. Plus tard, le patient est adressé à un ocularine qui retirera le conformateur et ajustera une prothèse.

Après l'opération, le médecin peut prescrire des onguents antibiotiques et stéroïdiens. L'application d'un pansement compressif est courant pour réprimer l'œdème; on peut aussi utiliser des sacs de glace. Si du mucus s'accumule sur le conformateur, il faut pratiquer en douceur une irrigation. On doit garder les paupières propres. Les complications de l'énucléation sont l'hémorragie, l'infection et l'expulsion de l'implant oculaire.

Le patient qui subit une énucléation a besoin de beaucoup de soutien affectif et psychologique. Comme il n'a plus qu'une vision monoculaire, il doit réapprendre à évaluer les distances avec l'œil indemne et à marcher en bougeant la tête de droite à gauche afin d'obtenir une vue panoramique.

Basse vision et cécité

Le terme *cécité pratique* désigne une acuité visuelle de 20/200 ou moins ou un champ visuel périphérique de 20° ou moins. Toutefois, le terme «basse vision» est sans doute plus approprié pour désigner les personnes dont l'acuité visuelle est sensiblement altérée, mais qui possèdent une certaine vision fonctionnelle.

Les termes basse vision et cécité partielle désignent une altération de l'acuité visuelle qui ne peut être corrigée par des lunettes ordinaires, des lentilles cornéennes ou des implants oculaires. Cette altération peut être due à une anomalie congénitale, à une maladie héréditaire, à un glaucome, à une cataracte, à une dégénérescence maculaire, à un décollement de rétine ou au vieillissement. Les personnes atteintes de vue basse sont dites «malvoyantes».

Le traitement de la basse vision doit être entrepris dès que le patient a de la difficulté à accomplir des tâches visuelles simples. Le rôle du personnel soignant ne se limite pas au diagnostic, à la prévention et au traitement des affections oculaires qui aboutissent à un trouble visuel, à une déficience visuelle évolutive irréversible ou à la cécité, car la personne atteinte d'une grave déficience visuelle a besoin pour avoir une vie pleine et satisfaisante d'une réadaptation, de counseling et, souvent, d'une aide financière. D'où l'importance de bien connaître les ressources disponibles et de savoir les utiliser. On trouvera à la fin de la bibliographie une liste des organismes d'aide aux handicapés visuels.

Voici une liste des services offerts aux malvoyants:

- Examen de la vue
- Examen clinique
- Programme d'apprentissage de l'orientation et de la mobilité
- Consultation professionnelle et financière
- Orientation scolaire et professionnelle et consultation psychologique
- Ergothérapie
- Orthopédagogie
- Groupes de soutien
- Apprentissage de l'utilisation d'aides visuelles

On trouvera ci-dessous une liste d'aides pour basse vision (les aides en italique conviennent également aux personnes aveugles):

- Lunettes grossissantes
- Loupes à main ou sur pied
- Télescopes
- Livres, journaux et revues en gros caractères
- *Livres-cassettes*
- *Imprimés en braille*
- Télévision en circuit fermé (image grossie)
- *Montres et horloges tactiles*
- *Jeux de société dotés d'une planche tactile*
- Téléphones à gros cadran
- *Ustensiles, outils et flacons de médicaments adaptés*
- *Horloges, chronomètres, balances, calculatrices et ordinateurs parlants*
- *Scanners de textes* (convertit un texte écrit en texte audio ou en braille)
- *Canne, y compris les cannes au laser*
- *Chien-guide*

Ces aides sont souvent coûteuses.

Pour le malvoyant, un bon éclairage est essentiel. La source lumineuse doit être placée près du plan de travail. Les lampes à haute intensité dotées d'un bras ajustable sont idéales à cette fin.

La *cécité* désigne l'absence totale de vision fonctionnelle. Elle peut provenir d'un trachome, d'une rétinopathie diabétique, d'une cataracte, d'un glaucome, d'une blessure, de la lèpre ou d'une xérophtalmie. Plusieurs des aides visuelles destinées aux malvoyants conviennent aussi aux personnes atteintes de cécité.

Un patient nouvellement atteint d'une grave déficience visuelle ou de cécité a besoin de beaucoup d'aide pour s'adapter à son handicap. Il obtient principalement cette aide des spécialistes en réadaptation visuelle. Cependant, l'infirmière peut aussi lui procurer un soutien. Elle doit pour ce faire reconnaître les principales difficultés du patient:

1. Le déni (L'infirmière doit accorder beaucoup d'attention à ce stade, car il constitue une réaction normale.)
2. Le changement des valeurs (Le patient doit modifier ses valeurs pour s'adapter à des aides qu'il croit ne jamais pouvoir utiliser.)
3. Le conflit indépendance-dépendance (Le patient essaie d'accepter son état en conservant son autonomie dans toute la mesure du possible.)
4. Les préjugés des voyants (Le patient doit apprendre à vivre avec les préjugés des voyants qui considèrent les malvoyants comme invalides, inaptes au travail, complètement dépendants et déprimés.)
5. L'adaptation sociale (Le patient doit apprendre à communiquer avec les autres sans l'aide de repères visuels.)

Le patient doit donc avoir pour objectif de s'adapter à sa perte visuelle totale ou partielle. Pour ce faire, il doit:

1. apprendre à se servir des aides;
2. accepter son état tout en conservant une certaine autonomie;
3. continuer à assumer ses autosoins physiques;
4. apprendre à vivre avec les préjugés des voyants;
5. apprendre à communiquer sans repères visuels;
6. suivre le programme thérapeutique prescrit.

Interventions infirmières

L'infirmière peut aider le patient atteint d'une déficience visuelle de différentes façons: enseignement, soutien, soins, et collaboration avec le médecin.

Après avoir vérifié ce que le médecin a révélé au patient au sujet du diagnostic, du traitement et du pronostic, l'infirmière peut donner au patient des éclaircissements, répondre à ses questions, le soutenir et faire part à l'ophtalmologiste de sa réaction et de celle de sa famille. Si on cache au patient une partie de la vérité, par exemple si on lui cache qu'il a peu de chances de recouvrer la vue, on nuit à son adaptation. L'infirmière est souvent bien placée pour déterminer le moment propice pour lui révéler la vérité. Elle doit encourager le patient à verbaliser ses peurs, car celles-ci sont souvent engendrées par des idées préconçues. Souvent, les limites que le patient s'impose à lui-même représentent des obstacles plus importants que ses limites physiques. L'attitude et les croyances de l'infirmière peuvent également influencer le patient de façon directe ou indirecte. Une attitude positive peut aider le patient à améliorer son estime de soi et son image corporelle.

TABLEAU 55-3. ***Guide de prévention des blessures oculaires***

DANS LA MAISON ET AUTOUR DE LA MAISON

Avant d'utiliser un produit en aérosol, s'assurer que le jet n'est pas dirigé vers soi.

Lire attentivement le mode d'emploi avant d'utiliser un liquide nettoyant, un détergent, de l'ammoniaque ou un produit chimique fort. Se laver les mains soigneusement après usage.

Se servir d'un écran protecteur pour éviter les éclaboussures d'huile ou de gras dans les poêles à frire.

Porter des lunettes de protection quand on utilise des produits chimiques puissants, afin de protéger ses yeux des émanations ou des éclaboussures.

Quand on ouvre une bouteille de boisson gazeuse ou d'un autre liquide pétillant, ne pas diriger l'ouverture vers soi ou les autres.

DANS L'ATELIER

Porter des lunettes de protection pour protéger ses yeux des éclats, des émanations, des particules de poussière, des étincelles et des éclaboussures de produits chimiques.

Lire attentivement le mode d'emploi avant d'utiliser un outil ou un produit chimique, et suivre les précautions recommandées.

AVEC LES ENFANTS

Tenir compte de l'âge et de la maturité de l'enfant avant d'acheter un jouet ou un jeu. Éviter les jouets et les jeux avec projectiles, comme les jeux de fléchettes et les fusils à plomb.

Montrer aux enfants à se servir en toute sécurité des objets potentiellement dangereux comme les ciseaux et les crayons, et surveiller leurs jeux.

DANS LE JARDIN

Ne jamais laisser quelqu'un se tenir en avant ou à côté d'une tondeuse en marche.

Ramasser les cailloux et autres objets avant de tondre la pelouse, car ils peuvent être projetés dans un œil par les lames rotatives de la tondeuse.

Quand on utilise un contenant de pesticide, diriger le jet loin de son visage.

Faire attention aux branches basses des arbres.

AUTOUR DE LA VOITURE

Avant d'ouvrir le capot de la voiture, éteindre sa cigarette ou tout autre objet allumé. Si on a besoin d'éclairage sous le capot, utiliser une lampe de poche et non une allumette ou un briquet.

Porter des lunettes de protection quand on travaille le métal de la carrosserie ou qu'on frotte deux pièces métalliques l'une contre l'autre.

Quand on utilise des câbles de démarrage, porter des lunettes de protection. S'assurer que les deux voitures ne se touchent pas et que les pinces des câbles ne viennent pas en contact l'une avec l'autre. Ne jamais se pencher au-dessus de l'accumulateur quand on branche les câbles. Ne *jamais* brancher un câble à la borne négative d'un accumulateur en panne.

DANS LES SPORTS

Porter des lunettes de protection quand on pratique certains sports, en particulier le racquetball, le squash, le tennis, le baseball et le basketball.

Porter les accessoires de protection indiqués (visières, casques ou masques protecteurs) quand on pratique certains sports en particulier le hockey sur glace.

LORS DE FEUX D'ARTIFICE

Porter des lunettes de protection.

Ne pas utiliser de fusées de feux d'artifice explosives.

Ne pas laisser les enfants allumer les fusées de feux d'artifice.

S'éloigner des autres quand on allume une fusée de feux d'artifice.

Ne pas essayer de rallumer les fusées non éclatées. Les plonger dans l'eau.

SOUS LE SOLEIL

Porter des verres fumés qui bloquent 100 % des rayons ultraviolets, et dotées si possible de côtés enveloppants, ainsi qu'un chapeau à larges bords.

Quand on utilise une lampe solaire, porter des lunettes opaques.

Durant une éclipse du soleil, ne pas regarder directement le soleil.

(Source: American Academy of Ophthalmology)

Il faut toujours traiter la personne aveugle avec la même dignité que la personne voyante et éviter d'exprimer de la pitié. Il est bon de s'assurer que le patient a quelqu'un à qui parler et se divertit. On peut l'aider à regagner sa confiance en l'encourageant à accomplir des tâches simples.

Si le patient a la permission de se lever, l'infirmière doit l'inciter à explorer la chambre et à toucher les meubles. Elle doit par la suite veiller à ce que les meubles ne soient pas déplacés. Les portes ne doivent pas rester à demi ouvertes; il faut soit les fermer soit les ouvrir complètement. Pour guider le patient, l'infirmière lui demande de la suivre en lui touchant légèrement le coude. Quand le patient marche seul, il doit utiliser une canne légère qui le préviendra des obstacles.

L'apparence physique est un élément important des soins du patient. L'infirmière doit encourager le patient à s'habiller et à se coiffer lui-même. Avec de la pratique, le patient peut réapprendre d'autres tâches, comme manger seul et écrire.

L'infirmière se doit de bien connaître les ressources offertes aux malvoyants. Si un patient est aveugle au sens de la loi, on doit le diriger vers un organisme gouvernemental, comme le Conseil canadien des aveugles.

Certaines aides visuelles sont intéressantes et efficaces, notamment les objets «parlants»: horloges, calculatrices, thermomètres, balances, etc. Il existe même une sorte de lecteur optique qui peut balayer les lignes d'un texte et envoyer des signaux à un ordinateur qui convertit ces signaux en mots et les prononce. Il existe aussi un appareil qui peut lire un texte et enregistrer la forme des lettres; les lettres sont ensuite converties en vibrations que la personne aveugle peut palper du bout des doigts.

Des outils perfectionnés sont constamment mis au point pour faciliter la vie des malvoyants.

SOINS OCULAIRES PRÉVENTIFS

Parce qu'elle occupe une place importante au sein de l'équipe de soins et aussi parce qu'elle joue un rôle de premier plan dans l'enseignement et la pratique d'une bonne hygiène de vie, l'infirmière peut enseigner les soins oculaires, les mesures de protection des yeux et la prévention des affections oculaires. Elle peut notamment enseigner les mesures de prévention des contaminations et de propagation des maladies infectieuses. Elle peut également recommander à ses patients de se soumettre régulièrement à des examens et leur enseigner des mesures de prévention des blessures aux yeux.

Le moment et la fréquence des examens ophtalmologiques dépendent de l'âge, des facteurs de risque et des symptômes oculaires. Les personnes qui présentent des symptômes oculaires doivent consulter sans délai un ophtalmologiste. Celles qui ne présentent pas de symptômes mais qui font partie d'un groupe à risque doivent se soumettre régulièrement à des examens. Il en va de même pour les personnes qui prennent des médicaments susceptibles d'avoir des effets sur les yeux (comme les corticostéroïdes, le sulfate d'hydroxychloroquine, la thioridazine HCl ou l'amiodarone). Quant aux personnes qui ne présentent pas de symptômes et qui ne font pas partie d'un groupe à risque, elles doivent se soumettre à un dépistage du glaucome à l'âge de 35 ans, et par la suite tous les deux à cinq ans.

Voici les signes et symptômes qui justifient un examen ophtalmologique, indépendamment de l'âge:

- Perte de champ visuel, baisse de la vue ou distorsion
- Vision double
- Douleur dans les yeux ou autour des yeux
- Œdème des paupières ou protrusion du globe oculaire
- Larmoiement ou écoulements
- Mouches volantes ou éclairs
- Perception de halos autour des lumières
- Déviation soudaine de l'œil
- Modification de la couleur de l'iris

Voici les facteurs de risque de maladies oculaires, suivis de la fréquence des examens recommandée:

- Diabète: examen lors du diagnostic et tous les ans par la suite
- Antécédents familiaux de glaucome, de cataracte, de décollement rétinien ou autre affection oculaire familiale ou héréditaire: examen tous les ans
- Hypertension: examen lors du diagnostic et tous les ans par la suite
- Âge avancé (65 ans et plus): examen tous les deux ans

On estime que 90 % des blessures oculaires pourraient être évitées. Le tableau 55-3 présente des recommandations pour la prévention des blessures oculaires. Ces recommandations s'appliquent aux personnes de tous les âges.

Résumé: La meilleure façon de prévenir les blessures oculaires est de prendre les mesures de précaution appropriées. Quand un patient semble souffrir d'une blessure oculaire, il est essentiel de *ne pas* exercer de pression sur le globe oculaire. Même si l'examen des parties externes de l'œil ne révèle qu'une blessure mineure, il faut agir comme s'il s'agissait d'une blessure grave jusqu'à preuve formelle du contraire.

Les abrasions de la cornée sont des lésions fréquentes qui se caractérisent par la perte d'une partie de l'épithélium. Après avoir traité une abrasion de la cornée, il faut examiner l'œil régulièrement pour dépister les signes d'infection.

Les brûlures chimiques aux yeux exigent des soins d'urgence. Il faut rincer les yeux immédiatement avec une abondante quantité d'eau ou une solution d'irrigation et vérifier l'acuité visuelle après au moins 20 minutes de rinçage continu. L'infirmière doit prévenir le médecin si le patient se plaint de douleur. Les anesthésiques locaux sont contre-indiqués car ils nuisent à la guérison.

L'énucléation est l'ablation chirurgicale de tout le globe oculaire. Après une énucléation, il faut appliquer un pansement compressif durant 24 à 48 heures pour atténuer l'œdème. On peut aussi utiliser des compresses glacées. L'enfoncement de l'orbite est une des complications tardives de l'énucléation; on peut dans ce cas avoir recours aux services d'un oculariste ou à la chirurgie reconstructive. Le patient qui subit une énucléation a besoin de beaucoup de soutien sur les plans affectif et psychologique.

La *cécité pratique* désigne une acuité visuelle de 20 / 200 ou un champ visuel périphérique de 20°. La vue basse (cécité partielle) ne peut être corrigée par des lunettes ou des lentilles cornéennes. Le malvoyant doit être pris en charge dès qu'il commence à éprouver des problèmes visuels dans ses tâches quotidiennes. Il est très important d'adresser le patient aux personnes et aux organismes qui peuvent l'aider à s'adapter à son handicap.

La prévention reste la meilleure façon de protéger ses yeux des blessures. En tant qu'enseignante et professionnelle de la santé, l'infirmière joue un rôle de premier plan dans la promotion des soins oculaires et des mesures de prévention des blessures.

Bibliographie

Ouvrages

Benson WE. Retinal Detachment Diagnosis and Management, 2nd ed. Philadelphia, JB Lippincott, 1988.

Bornet P. La santé de vos yeux. France, Éditions du Rocher, 1990.

Boyd-Monk H. Nursing Care of the Eye. East Norwalk, CT, Appleton & Lange, 1987.

Clayman HM (ed). Atlas of Contemporary Surgery. St Louis, CV Mosby, 1990.

Doxanas MT and Anderson RL. Clinical Orbital Anatomy. Baltimore, Williams & Wilkins, 1984.

Gittinger JW Jr. Manual of Clinical Problems in Ophthalmology. Boston, Little, Brown, 1988.

Gittinger JW Jr. Ophthalmology. Boston, Little, Brown, 1984.

Gruendemann BJ and Meeker MH. Alexander's Care of the Patient in Surgery, 6th ed. St Louis, CV Mosby, 1989.

Havener WH. Synopsis of Ophthalmology, 6th ed. St Louis, CV Mosby, 1984.

Heckenlively JR. Retinitis Pigmentosa. Philadelphia, JB Lippincott, 1988.

Hersh PS. Ophthalmic Surgical Procedures. Boston, Little, Brown, 1988.

Hilton GF et al. Retinal Detachment, 5th ed. San Francisco, American Academy of Ophthalmology, 1989.

Hoskins HD and Kass MA. Becker-Shaffer's Diagnosis and Therapy of the Glaucomas, 6th ed. St Louis, CV Mosby, 1989.

Jaffe NS (ed). Atlas of Ophthalmic Surgery. Philadelphia, JB Lippincott, 1990.

Jaffee NS et al. Cataract Surgery and Its Complications, 5th ed. St Louis, CV Mosby, 1990.

Kaufman HE (ed). The Cornea. New York, Churchill Livingstone, 1988.

Krupin T. Manual of Glaucoma. New York, Churchill Livingstone, 1988.

Mackety CJ. Perioperative Laser Nursing: A Practical Guide. Thorofare, NJ, Charles B Slack, 1984.

Pouliquen Y. Précis d'ophtalmologie. Paris, Masson, 1984.

Rougier J et Maugery J. Ophtalmologie pratique. Bruxelles, Simep, 1979.

Roy FH. Ocular Syndromes and Systemic Diseases, 2nd ed. Philadelphia, WB Saunders, 1989.

Smith JF and Machazel DP. Ophthalmologic Nursing. Boston, Little, Brown, 1980.

Spoor TC (ed). Management of Ocular, Orbital, and Adnexal Trauma. New York, Raven Press, 1988.

Spoor TC (ed). Medical Management of Ocular Diseases. Thorofare, NJ, Charles B Slack, 1986.

Tuttle DW. Self-Esteem and Adjusting With Blindness. Springfield, IL, Charles C Thomas, 1984.

Vaughan D et al. General Ophthalmology. Norwalk, Appleton & Lange, 1989.

Walsh JB et al (eds). Physicians Desk Reference for Ophthalmology. Oradell, Med Economics Company Inc, 1990.

Yanoff M. Ocular Pathology: A Color Atlas. Philadelphia, JB Lippincott, 1988.

Yanoff M. Ocular Pathology, 3rd ed. Philadelphia, JB Lippincott, 1989.

Revues

Évaluation

Bostater SS. Assessment tool for low vision patients. J Ophthalmic Nurs Technol 1986 Nov/Dec; 5(6):216–218.

Boyd-Monk H. The structure and function of the eye and its adnexa. J Ophthalmic Nurs Technol 1987 Sep/Oct; 6(5):176–183.

Garber N et al. Model eye for teaching application tonometry. J Ophthalmic Nurs Technol 1986 Nov/Dec; 5(6):214–215.

Genest F. L'œil. Santé 1991; 69:16-20.

Gould D. The biology of aging: The special senses. Geriatr Nurs Home Care 1987 Feb; 7(2):15–19.

Guenon P. Anatomie de l'œil. Soins chirurgie 1988; 88-89:4-6.

Hall PS and Wick BC. Simple procedures for comprehensive vision screening. J School Health 1988 Feb; 58(2):58–61.

Kallman H and Vernon MS. The aging eye. Postgrad Med 1987 Feb; 81(2): 108–130.

Kosnik W et al. Visual changes in daily life throughout adulthood. J Gerontol 1988 Mar; 43(3):63–70.

Makes DJ. Photographic artifacts: Make the diagnosis and correct the problem. J Ophthalmic Nurs Technol 1987 Jan/Feb; 6(1):29–32.

Millette JM and Drascic EA. Vision in aging. J Ophthalmic Nurs Technol 1987 Nov/Dec; 6(6):234–237.

Pinholt EM et al. Functional assessment of the elderly. Arch Intern Med 1987 Mar; 147(3):484–488.

Sanderson D. Ocular screening. Canadian Nurs 1986 Feb; 82(2):19–20.

Walker ML. Growing old. AORN J 1986 Apr; 43(4):887–890.

Lentilles cornéennes

Arentsen JJ. A review of complications associated with soft contact lenses. J Ophthalmic Nurs Technol 1987 Nov/Dec; 6(6):230–233.

Childress CM et al. A review of contact lens induced giant papillary conjunctivitis. J Ophthalmic Nurs Technol 1988 Jan/Feb; 7(1):12–17.

Cotgreave JT et al. Part of your daily routine: Teaching good contact lens care. Prof Nurse 1989 Jun; 4(9):446–449.

Donzis P et al. Microbial contamination of contact lens care systems. Am J Ophthalmol 1987 Oct; 104(4):325–333.

Ficker L et al. Acanthamoeba keratitis occurring with disposable contact lens wear. Am J Ophthalmol 1989 Oct; 108(4):4532.

Goldstein J. Contact lens care products: Uses and actions of ingredients. J Ophthalmic Nurs Technol 1987 Mar/Apr; 6(2):70–72.

Grutzmacher RD. Ocular disease from wearing contact lens. Postgrad Med 1989 Sep; 86(4):90–100.

Insler M et al. Visual field constriction caused by colored contact lens. Arch Ophthalmol 1988 Dec; 106(12):1680–1682.

Kershner RM. Infectious corneal ulcer with overextended wearing of disposable contact lens. JAMA 1989 Jun; 261(24):3549–3550.

Kirn TF. As number of contact lens users increases, research seeks to determine risk factors: How best to prevent potential eye infections. JAMA 1987 Jul; 258(1):17–18.

Kirn TF. Contact lenses need tender, loving care, ophthalmologist warn, as infection may result. JAMA 1987 Jul; 258(1):18.

Koenig S et al. Acanthamolba keratitis associated with gas-permeable contact lens wear. Am J Ophthalmol 1987 Jun; 103(6):832.

Koidau-Tsiligianni A et al. Ulcerative keratitis associated with contact lens wear. Am J Ophthalmol 1989 Jul; 108(1):64–67.

MacRae S et al. Guidelines for safe contact lens wear. Am J Ophthalmol 1987 Jun; 103(6):832–833.

Mobley CL. New extended wear materials: A safer modality for patients. J Ophthalmic Nurs Technol 1988 Sep/Oct; 7(5):170–173.

Rakow PL. Bausch & Lomb Research Symposium Focuses on RGP Lenses. J Ophthalmic Nurs Technol 1987 Nov/Dec; 6(6):249–250.

Rakow PL. Bifocal contact lenses: Are they coming of age? J Opthalmic Nurs Technol 1986 Nov/Dec; 5(6):232–233.

Rakow PL. Breakthroughs in lens design and care. J Ophthalmic Nurs Technol 1988 Jan/Feb; 7(1):36–37.

Rakow PL. Disposable lenses: A Pandora's box? J Ophthalmic Nurs Technol 1988 Mar/Apr; 7(2):72–24.

Rakow PL. Giving credit where credit is due. J Ophthalmic Nurs Technol 1987 Jul/Aug; 6(4):159.

Rakow PL. Perspective on Contact Lenses. J Ophthalmic Nurs Technol 1987 Mar/Apr; 6(2):83–84.

Rakow PL. RGP Lenses: Proceed with caution: Rigid gas permeable. J Ophthalmic Nurs Technol 1988 May/Jun; 7(3):108–110.

Olson CM. Increasing use of contact lenses prompts issuing of infection-prevention guidelines. JAMA 1989 Jan; 261(3):343–344.

Poggio E et al. The incidence of ulcerative keratitis among users of daily-wear and extended-ware soft contact lenses. N Engl J Med 1989 Sep; 321(12):779–783.

Randolph SA. Contact lens survey implications for the occupational health nurse. AAOHN J 1987 Jan; 35(1):6–12.

Schein O et al. The relative risk of ulcerative keratitis among users of daily-wear and extended-wear contact lenses. N Engl J Med 1989 Sep; 321(12):773–778.

Smith RE and MacRae SM. Contact lenses convenience and complications. N Engl J Med 1989 Sep; 321(12):824–826.

To K. Artificial tears or lens cleaner. Am J Ophthalmol 1989 Nov; 108(5): 610.

Tolbert M et al. Are your contact lenses as safe as you think? FDA Consum 1987 Apr; 21(3):16–19.

Udell IJ et al. Treatment of contact lens-associated corneal erosions. Am J Ophthalmol 1987 Sep; 104(3):306–307.

Cataractes

Andrews CL. Nursing care of the cataract patient in an ambulatory surgery center. Ophthalmic Nurs Forum 1987 Mar; 3(3):1–8.

Applegate WB et al. Impact of cataract surgery with lens implantation on vision and physical function in elderly patients. JAMA 1987 Feb; 257(8):1064–1066.

Balyeat HD. Cataracts surgical removal and lens implantation. Consultant 1986 Nov; 26(1):151–154.

Brady SE et al. Diagnosis and treatment of chronic postoperative bacterial endophthalmitis. J Ophthalmic Nurs Technol 1990 Jan/Feb; 9(1):22–26.

Brown B. Preoperative evaluation of cataract patients. J Ophthalmic Nurs Technol 1988 Nov/Dec; 7(6):204–208.

Capino D et al. The elderly patient with cataract. Hosp Pract 1987 Mar; 22(3):19–26.

Carner JA. Cataract care made plain. Am J Nurs 1987 May; 87(5):626–630.

Donnelly D. Instilling eyedrops: Difficulties experienced by patients following cataract surgery. J Adv Nurs 1987 Feb; 12(2):235–243.

Elam JT et al. Functional outcome one year following cataract surgery in elderly persons. J Gerontol Med Sci 1988 May; 43(5):122–126.

Frank A et al. ECCE with phacoemulsification and flexible IOL implantation: Extracapsular cataract extraction. J Ophthalmic Nurs Technol 1988 Mar/Apr; 7(2):62–67.

Gottsch D et al. Cataracts: Diagnosis and treatment. Hosp Med 1987 Apr; 23(4):21–29.

Hale E. Lifting the clouds of cataracts. FDA Consum 1990 Jan; 23(6):6–8.

Hutchinson BT. Cataracts. Harvard Medical School Health Lett 1988 Apr; 13(6):6–8.

Jampel HD et al. A computerized analysis of astigmatism after contract surgery. J Ophthalmic Nurs Technol 1987 May/Jun; 6(3):100–105.

Maltzman BA et al. Penlight Test for Glare Disability of Cataracts. J Ophthalmic Technol 1988 Jul/Aug; 7(4):137–139.

Rigler S. Personalizing "routine" cataract and IOL surgery: Intraocular lens. Todays OR Nurse 1987 Nov; 9(11):20–21, 44–46.

Sagaties MJ. Preparing patients for cataract surgery. Nursing 1987 Jun; 17(6):324.

Smith S. Day-care cataract surgery: The patient's perspective. J Ophthalmic Nurs Technol 1987 Mar/Apr; 6(2):50–56.

Sutherland A and Karlinsky H. Abrupt recognition of age-related physical changes in appearance following cataract surgery. J Am Geriatr Soc 1989 May; 37(5):117–119.

West K. ABCs of cataract surgery preparation: Assessment, briefing and counseling. J Ophthalmic Nurs Technol 1987 Jul/Aug; 6(4):156–158.

Zavon B et al. A surgical counseling plan for patients undergoing cataract surgery. J Ophthalmic Nurs Technol 1988 Mar/Apr; 7(2):68–71.

Cornée

Binder PS. Radical keratotomy in the United States. Arch Ophthalmol 1987 Jan; 105(1):37–39.

Boyd-Monk H. Need for donor organs and tissues. J Ophthalmic Nurs Technol 1987 Jul/Aug; 6(4):133.

Coburn MA. Hypopyon keratitis with subsequent evisceration: A nursing care study. J Ophthalmic Nurs Technol 1988 Nov/Dec; 7(6):209–219.

Garber N. Model eye for teaching keratomety. J Ophthalmic Nurs Technol 1987 Mar/Apr; 6(2):73–74.

Kaye B. Corneal transplantation: Guidelines for the refraction of patients with corneal transplantation. J Ophthalmic Nurs Technol 1987 Mar/Apr; 6(2):61–65.

Lambrix KK. Epikeratophaxia: Correcting visual deficits with corneal tissue. AORN J 1987 Aug; 46(2):218–225.

Lee PP et al. Cornea donation laws in the United States. Arch Ophthalmol 1989 Nov; 107(11):1585–1589.

Lundergan MK et al. What patients should know about radical keratotomy. AFP 1986 May; 33(5):169–172.

Parker P. Moraxella corneal ulcer. J Ophthalmic Nurs Technol 1988 May/Jun; 7(3):87–89.

Pflugfelder SC et al. Peripheral corneal ulceration in a patient with AIDS-related complex. Am J Ophthalmol 1987 Nov; 104(5):542–543.

Sawelson H and Marks RG. Three-year results of radial keratotomy. Arch Ophthalmol 1987 Jan; 105(1):81–85.

Torento C et al. Pseudophakic bullous keratopathy and the nursing implication. Ophthalmic Nurs Forum 1988 Mar; 4(3):1–12.

Diabète

Bernbaum M et al. Promoting diabetes self-management and independence in the visually impaired: A model clinical program. Diabetes Educ 1988 Jan/Feb; 14(1):51–54.

Bernbaum M et al. Psychosocial profiles in patients with visual impairment due to diabetic retinopathy. Diabetes Care 1988 Jul/Aug; 11(7):551–557.

Collins JW. Proposed criteria for referring diabetic retinopathy. Nurse Pract 1988 Apr; 13(4):21–28.

Davis MD. Eye care focus on prevention: Diabetic retinopathy. Diabetes Forecast 1987 Jan; 40(1):28–31.

Davis MD. Eye care focus on treatment. Part 2. Diabetes Forecast 1987 Mar; 40(3):56–61.

Forrest RD et al. Screening for diabetic retinopathy: Comparison of a nurse and a doctor with retinal photography. Diabetes Res 1987 May; 5(1): 39–42.

Goldberg RE et al. The equation: A photo essay acquainting the diabetic patient with the goals of pars plana vitrectomy for proliferative diabetic retinopathy. J Ophthalmic Nurs Technol 1987 May/Jun; 6(3):95.

Hampton LA et al. Choosing and using helpful aids. Nursing 1989 Jun; 19(6):70–71.

Hector M et al. Diabetic retinopathy: Recommendations for primary care management. Geriatrics 1987 Dec; 42(12):51–60.

Herget MJ et al. New aids for low-vision diabetics. Am J Nurs 1989 Oct; 89(10):1319–1322.

Minaker KL. Aging and diabetes mellitus as risk factors for vascular disease. Am J Med 1987 Jan; 82(Suppl 1B):47–53.

Packer AJ. Diabetic retinopathy. Postgrad Med 1987 May; 81(6):191–198.

Roach VG. What you should know about diabetic retinopathy. J Ophthalmic Nurs Technol 1989 Sep/Oct; 7(5):166–169.

Robertson C. Coping with chronic complications: Diabetes. RN 1989 Sep; 52(9):34–43.

Rogell GD. Vitrectomy for diabetic retinopathy. Diabetes Forecast 1987 Nov; 40(11):18–20.

Rosenthal JL. Timely recognition of diabetic retinopathy. Emerg Med 1989 Jun; 21(11):87–90.

Wulsin LR et al. Psychosocial aspects of diabetic retinopathy. Diabetes Care 1987 May/Jun; 10(3):367–373.

Glaucome

Anderson DR. Glaucoma: The damage caused by pressure. XLVI Edward Jackson Memorial Lecture. Am J Ophthalmol 1989 Nov; 108(5):485–495

Capino DO et al. Glaucoma: Screening, diagnosis, and therapy. Hosp Pract 1990 May; 25(5A):73–86.

Everitt DE and Avorn J. Systemic effects of medications used to treat glaucoma. Ann Intern Med 1990 Jan; 112(2):120–125.

Hamrick S et al. Therapeutic ultrasound: A precise noninvasive therapy for glaucoma. AORN J 1988 Apr; 47(4):950–955+.

Hanson CM and Hodnicki DR. Glaucoma screening: An important role for NPs. Nurse Pract 1987 Dec; 12(12):14–21.

Langseth FG. Transscleral cyclophotocoagulation: A laser treatment for glaucoma. AORN J 1988 Dec; 48(6):1122–1127.

Skolink NS. Screening for open-angle glaucoma in a primary care setting. Hosp Pract 1987 Sep; 22(9):57–63.

Vader L. End-stage glaucoma and enucleation: An ophthalmic nursing challenge. Ophthalmic Nurs Forum 1987 Apr; 3(4):1–8.

Laser

Bessette FM and Nguyen LC. Laser light: Its nature and its action in the eye. Can Med Assoc J 1989 Dec; 141(11):1141–1148.

Mackety C. Nursing laser safety recommendation: Ophthalmology. Laser Nurs 1986–1987; 1(1):2–5.

Mathis B. Utilisation du laser en ophtalmologie. Soins chirurgie 1987; 81:13-15.

Spadoni D and Cain CL. Laser blepharoplast. AORN J 1988 May; 47(5): 1184–1194.

Ticho U and Nesher R. Laser trabeculoplasty in glaucoma. Arch Ophthalmol 1989 Jun; 107(6):844–846.

Yannuzzi LA et al. Lasers in ophthalmology. J Ophthalmic Nurs Technol 1988 Nov/Dec; 7(6):199–203.

Médicaments

Aspirin: Risk of blindness in the elderly? Nurses Drug Alert 1988 Jul; 12(7): 49.

Goldstein J. Pharmacology of ophthalmic drugs. J Ophthalmic Nurs Technol 1987 Jul/Aug; 6(4):146–150.

Goldstein J. Pharmacology of ophthalmic drugs: Part II. J Ophthalmic Nurs Technol 1987 Sep/Oct; 6(5):193–197.

Hahn K. Administering eye medication. RN 89 Sep; 19(9):80.

Misuse of steroid eye medications. Nurses Drug Alert 1987 Jan; 11(1):7.
OTC eye drops and blindness. Nurses Drug Alert 1988 Jul; 12(7):56.
Timolol eye drop overdosing. Nurses Drug Alert 1989 Aug; 13(8):57

Rétine

Bloom JN and Palestine AG. The diagnosis of cytomegalovirus retinitis. Ann Intern Med 1988 Dec; 106:963-969.
Michels RG. Scleral buckling methods for rhegmatogenous retinal detachment. Retina 1986 Jan; 6(1):1-49.
Taylor HR. Protect eyes from ultraviolet light to prevent cataract rather than retinal damage. JAMA 1989 Jun; 261(24):3550.

Divers

Alvern MT. Ophthalmic prosthetics: A guide for nurses. J Ophthalmic Nurs Technol 1987 Nov/Dec; 6(6):218-223.
Arentsen JJ. The dry eye. J Ophthalmic Nurs Technol 1987 Jul/Aug; 6(4): 134-137.
Barker-Stotts K. Action STAT: Hyphema. Nursing 1988 Dec; 18(12):33.
Bodard-Rickelman E. Les contusions du globe. Soins chirurgie 1988; 88-89:9-12.
Boyd-Monk H. Eye trauma; A close-up on emergency care. RN 1989 Dec; 19(12):22-29.
Boyd-Monk H. Spectacles: Goggles or face shields. J Ophthalmic Nurs Technol 1988 May/Jun; 7(3):84-86.
Burns FR et al. Prompt irrigation of chemical eye injuries may avert severe damage. Occup Health Saf 1989 Apr; 58(4):33-36.
Cagogne L. L'infirmière et les urgences chirurgicales en ophtalmologie. Soins chirurgie 1988; 88-89:45-50.
Clanton C et al. Retinal reattachment quality and appropriateness of care. J Ophthalmic Nurs Technol 1988 Jul/Aug; 7(4):130-133.
Clark RB et al. Eye emergencies and urgencies. Patient Care 1989 Jan; 23(1):24-38.
Curtain JW et al. Cosmetic surgery update: The face. Patient Care 1987 Sep; 21(9):30-44.
Donshik PC et al. Eye to eye with systemic disease. Patient Care 1989 Jun; 23(1):34-46.
Ernest DT. 20/20 is not enough: Psychosocial aspects of patient care. Arch Ophthalmol 1987 Aug; 105(8):1028.
Finn SM et al. Ocular complications of AIDS. Ophthalmic Nurs Forum 1987 Jan; 3(1):2-4.
Godard G. Corps étranger intraoculaire. Soins chirurgie 1988; 88-89:35-39.
Goldman R. For your eyes only: Eye injuries. Emergency 1987 Dec; 15(12): 27-29.
Goldsmith MF. Computers star in new communication concepts for physically disabled people. JAMA 1989 Mar; 261(9):1256-1259.
Kahrman BD and Warfield CA. Eye pain: Ocular and nonocular causes. Hosp Pract 1987 Dec; 22(12):33-50.
Lawlor MC. Common ocular injuries and disorders: Red eye. Part 2. J Emerg Nurs 1989 Jan/Feb; 15(1):36-43.
Mansir JH et al. Intraocular inflammatory disease (uveitis). Ophthalmic Nurs Forum 1988 Jan; 4(1):1-8.
Melamed M. The injured eye at first sight. Emerg Med 1988 Oct; 20(17): 86-98.
Neger RE. The evaluation of dyplopia in head trauma. J Head Trauma Rehabil 1989 Jun; 4(2):27-34.
Newsome DA. Noninfectious ocular complications of AIDS. Int Ophthalmol Clin 1989 Summer; 29(2):95-97.
Pederson KM et al. Herpes zoster ophthalmicus. J Ophthalmic Nurs Technol 1987 Jul/Aug; 6(4):151-155.
Pigassou-Albouy R. A discussion of prism therapy for strabismus. J Ophthalmic Nurs Technol 1988 Jan/Feb; 7(1):18-25.
Shingleton BJ. A clearer look at ocular emergencies. Emerg Med 1989 May; 21(9):52-64.
Springer M. Sight-saving month calls attention to eye care. Arch Ophthalmol 1988 May; 106(5):593.
Sridama V and DeGroat LJ. Treatment of Graves' disease and the course of ophthalmopathy. Am J Med 1989 Jul; 87(7):70-73.
Tarail J. Sjogrens syndrome: A dry-eyed diary. Am J Nurs 1987 Mar; 87(3): 324-326.
Taylor PB and Nozik RA. Conjunctivitis: Causes and management. Hosp Med 1987 Dec; 23(12):58-78.
Toglia JP. Visual perception of objects: An approach to assessment and intervention. Am J Occup Ther 1989 Sep; 43(9):587-595.
Teutsch E and Hill M. Adding moisture to your life. Am J Nurs 1987 Mar; 87(3):326-329.
Walker KF. Clinically relevant features of the visual system. J Head Trauma Rehabil 1989 Jun; 4(2):1-8.
Wolfe CP. Tonography. J Ophthalmic Nurs Technol 1987 Sep/Oct; 6(5): 203-206.
Zegeer LJ. Oculacephalic and vestibuloocular responses: Significance for nursing care. J Neurosci Nurs 1989 Feb; 21(1):46-55.
Zito M. Effects of two gravity inversion methods on heart rate, septalic brachial pressure, and ophthalmic artery pressure, . . . ankle or thigh suspension. Phys Ther 1988 Jan; 68(1):20-25.

Perte visuelle

Allen MN. Adjusting to visual impairment. J Ophthalmic Nurs Technol 1990 Mar/Apr; 9(2):47-51.
Allen MN. The meaning of visual impairment to visually impaired adults. J Adm Nurs 1989 Aug; 14(8):640-646.
Capino DG and Leibowitz HM. Age-related macular degeneration. Hosp Pract 1988 Mar; 23(3):23-42.
Edmonds SE. Resources for the visually impaired. J Ophthalmic Nurs Technol 1990 Jan/Feb; 5(1):14-15.
Ehrenberg M. Blindness prevention. AAOHN J 1987 May; 35(5):243-245.
Holt JE and Selhorst JB. Differential diagnosis of vision loss. Patient Care 1987 Jan; 21(1):61-72.
Jones DA et al. Visual disability and associated factors in the elderly. Health Visit 1987 Aug; 60(8):256-257.
Kupfer C. A decade of progress in the prevention of blindness. Am J Ophthalmol 1987 Jul; 104(1):80-83.
Lawlor MC. Common ocular injuries and disorders. Part 1: acute loss of vision. J Emerg Nurs 1989 Feb; 15(1):32-36.
Maloney CC. Identifying and treating the client with sensory loss. Phys Occup Ther Geriatr 1987 Spring; 5(4):31-46.
Norris RM. Commonsense tips for working with blind patients. Am J Nurs 1989 Mar; 89(3):360-361.
Pesci BR. When the patient's problem is really poor vision. RN 1986 Oct; 49(10):22-25.
Smith-Brewer S and Singerman LJ. Vision loss in age-related maculopathy: primary care referral guide. Geriatrics 1987 Sep; 42(9):99-106.
Spencer RE. Transitions: Reflections on going blind in a sighted world. J Ophthalmic Nurs Technol 1988 Nov/Dec; 7(6):220-222.
Stones MJ et al. Balance and age in the sighted and blind. Arch Phys Med Rehabil 1987 Feb; 68(2):85-89.

Information/Ressources

Organismes

American Academy of Ophthalmology
655 Beach St, San Francisco, CA 94109
American Council of the Blind (ABC)
1010 Vermont Ave, Suite 1100 NW, Washington, DC 20005
American Foundation for the Blind
15 West 16th St, New York, NY 10011
American Optometric Association (AOA)
243 Lindbergh Blvd, St Louis, MO 63141
American Society of Ophthalmic Registered Nurses, Inc (ASORN)
P.O. Box 3030, San Francisco, CA 94119
Better Vision Institute Inc (BVI)
1800 N Kent St Suite 1220, Rosslyn, VA 22209
Braille Institute
741 N Vermont Ave, Los Angeles, CA 90029
Conseil canadien des aveugles
396, rue Cooper, bureau 405, Ottawa (Ont.), K2P 2H7 (613) 567-0311

Conseil canadien pour la réadaptation des handicapés
45 Sheppard Ave. East, bureau 801, Toronto (Ont.), M2N 5W9
(416) 250-7490
Contact Lens Society of America (CLSA)
523 Decatur St, Suite 1, New Orleans, LA 70130
Eye-Bank Association of America (EBAA)
1725 I St NW, Washington, DC 20006–2403
Institut national canadien pour les aveugles
1931 Bayview Ave., Toronto (Ont.), M4G 4C8 (416) 480-7580
Institut national canadien pour les aveugles,
Division du Québec
1010, rue Sainte-Catherine est, bureau P-100, Montréal (Québec),
H2L 2G3 (514) 284-2040
Leader Dogs for the Blind
1039 Rochester Rd, Rochester, MI 48063
National Association for Visually Handicapped (NAVH)
305 E 24th St, New York, NY 10010
National Braille Association (NBA)
1290 University Ave, Rochester, NY 14607
National Federation of the Blind (NFB)
1800 Johnson St, Baltimore, MD 21230
National Society to Prevent Blindness (NSPB)
500 E Remington Rd, Schaumburg, IL 60173
Recording for the Blind (RFB)
20 Roszel Rd, Princeton, NJ 08540
Seeing Eye (SE)
P.O. Box 375M, Washington Valley Rd, Morristown, NJ 07960
Taping for the Blind (TFTB)
3935 Essex Lane, Houston, TX 77027

56 ÉVALUATION ET TRAITEMENT DES PATIENTS SOUFFRANT DE TROUBLES AUDITIFS ET D'AFFECTIONS DE L'OREILLE

SOMMAIRE

OBJECTIFS D'APPRENTISSAGE

Après l'étude de ce chapitre, vous devriez être en mesure de réaliser ce qui suit:

1. *Décrire les méthodes d'évaluation de l'audition.*
2. *Décrire différentes façons de communiquer avec une personne souffrant d'une déficience auditive.*
3. *Décrire le traitement des affections de l'oreille externe.*
4. *Comparer les problèmes reliés aux infections de l'oreille externe avec les problèmes reliés aux infections de l'oreille moyenne.*
5. *Comparer les différents types de tympanoplastie ainsi que les soins infirmiers apportés au patient subissant une tympanoplastie.*
6. *Appliquer la démarche de soins infirmiers pour intervenir auprès du patient subissant une opération à l'oreille.*
7. *Décrire les manifestations cliniques, le diagnostic et le traitement de la maladie de Ménière.*

GLOSSAIRE

ANATOMIE DE L'OREILLE

Acoustique: *Qui se rapporte aux sons.*

Caisse du tympan: *Cavité de l'oreille moyenne*

Canaux semi-circulaires: *Conduits supérieur, postérieur et intérieur qui forment une partie de l'oreille interne.*

Cérumen (cire): *Sécrétion cireuse brunâtre du conduit auditif externe*

Cochlée: *Long canal enroulé sur lui-même formant une partie de l'oreille interne et contenant l'organe de Corti, qui sert à percevoir les sons*

Enclume: *Osselet situé entre le marteau et l'étrier*

Endolymphe: *Liquide pâle et transparent se trouvant dans le labyrinthe membraneux*

Étrier: *Un des trois osselets de l'oreille moyenne, il s'articule avec l'enclume et s'insère par sa base dans la fenêtre ovale.*

GLOSSAIRE (suite)

Fenêtre ovale: *Ouverture ovale de l'oreille moyenne*

Labyrinthe membraneux: *Partie moyenne de l'oreille interne comprenant certains éléments membraneux: le saccule, l'utricule et les canaux semi-circulaires; le labyrinthe membraneux perçoit les changements dans l'équilibre.*

Labyrinthe osseux: *Ensemble des cavités osseuses de l'oreille interne*

Marteau: *Le plus gros des trois osselets de l'oreille moyenne; fixé à la membrane du tympan, il s'articule avec l'enclume.*

Mastoïde: *Extrémité postéro-inférieure de l'os temporal*

Membrane du tympan: *Membrane qui forme la paroi latérale de la caisse du tympan et qui la sépare de l'oreille externe.*

Nerf auditif (nerf vestibulocochléaire): *Huitième nerf crânien formé de deux parties distinctes, soit le nerf vestibulaire et le nerf cochléaire*

Oreille externe: *Partie de l'oreille qui comprend le pavillon de l'oreille et le conduit auditif externe; l'oreille externe est séparée de l'oreille moyenne par la membrane du tympan*

Oreille interne (labyrinthe osseux): *Organe de perception des sons et de l'équilibre constitué du labyrinthe osseux (dans lequel est situé le labyrinthe membraneux). Ses cavités se divisent en trois parties: le vestibule, les canaux semi-circulaires (organe de l'équilibre) et la cochlée.*

Oreille moyenne: *Minuscule cavité remplie d'air située dans l'os temporal et contenant les trois osselets: le marteau, l'enclume et l'étrier*

Organe de Corti (papille spirale de Huschke): *Organe de l'audition situé dans le fond du canal cochléaire*

Pavillon de l'oreille: *Partie extérieure de l'oreille externe, qui reçoit les sons et les dirige dans le conduit auditif externe jusqu'au tympan.*

Presbyacousie: *Surdité progressive liée au vieillissement*

Trompe d'Eustache: *Conduit auditif de trois à quatre centimètres de longueur reliant l'oreille moyenne au rhinopharynx*

AFFECTIONS DE L'OREILLE ET TRAITEMENTS

Acouphène: *Perception d'un bruit en l'absence de stimulus sonore*

Labyrinthite: *Inflammation du labyrinthe*

Maladie de Ménière: *Maladie caractérisée par des vertiges, une surdité de perception et des acouphènes, associée à une dilatation du labyrinthe membraneux*

Otalgie: *Douleur localisée à l'oreille*

Otite moyenne: *Infection de l'oreille moyenne*

Otospongiose: *Affection caractérisée par une surdité progressive chronique et due à la formation d'un os spongieux anormal dans le labyrinthe entraînant l'ankylose de l'étrier et entravant la transmission des sons*

Paracentèse (ou myringotomie): *Incision pratiquée dans la membrane du tympan pour évacuer le pus provenant d'une infection de l'oreille moyenne et pour soulager la pression.*

Tympanoplastie: *Toute opération de réparation de la membrane du tympan*

L'oreille est l'organe sensoriel de l'audition et de l'équilibre. Il est important de dépister rapidement et de diagnostiquer correctement les troubles de l'oreille et de l'audition. Ceux qui contribuent au dépistage de ces troubles sont notamment les pédiatres, les otorhinolaryngologistes, les psychiatres, les neurologues, les infirmières, les psychologues, les orthophonistes, les enseignants et les audiologistes. Il existe de nombreux troubles de l'oreille et de l'audition qui exigent une évaluation, un traitement et une réadaptation. Ils peuvent être causés, notamment, par une malformation congénitale, par une infection contractée durant l'enfance, par un médicament toxique et par le vieillissement.

Physiologie de la transmission du son

Le tympan et les osselets ont pour fonction de transformer les ondes acoustiques provenant des vibrations aériennes et de les acheminer vers l'endolymphe. Les vibrations frappent la membrane du tympan, qui est relativement grande, et se propagent grâce au jeu de leviers de la chaîne des osselets vers une structure plus petite, la fenêtre ovale, puis jusqu'au liquide du labyrinthe (figure 56-1). Au cours de cette transmission, les ondes sonores convergent donc pour produire un son d'une amplitude de plus en plus grande. Une anomalie de la membrane du tympan ou une brisure dans la chaîne ossiculaire perturbe le rapport de surface entre les différentes parties de l'oreille et entraîne une baisse du rapport son-pression. Il en résulte une perte d'audition.

La physiologie fonctionnelle des fenêtres ronde et ovale a aussi de l'importance. La fenêtre ovale est entourée par le ligament annulaire du muscle de l'étrier. La base de l'étrier, quand sa mobilité n'est pas entravée, reçoit de l'enclume et du marteau les influx qui ont traversé la membrane du tympan. La fenêtre ronde, elle, s'ouvre de l'autre côté du conduit cochléaire et permet aux ondes acoustiques de venir frapper le liquide du labyrinthe. Quand la membrane du tympan est intacte, les ondes sonores stimulent d'abord la fenêtre ovale puis, après un temps mort, atteignent la fenêtre ronde. Une perforation de la membrane du tympan supprime le temps mort, ce qui entraîne la stimulation simultanée des deux fenêtres et réduit l'oscillation du liquide labyrinthique et, subséquemment, la stimulation des poils de l'organe de Corti. Les capacités auditives en sont diminuées.

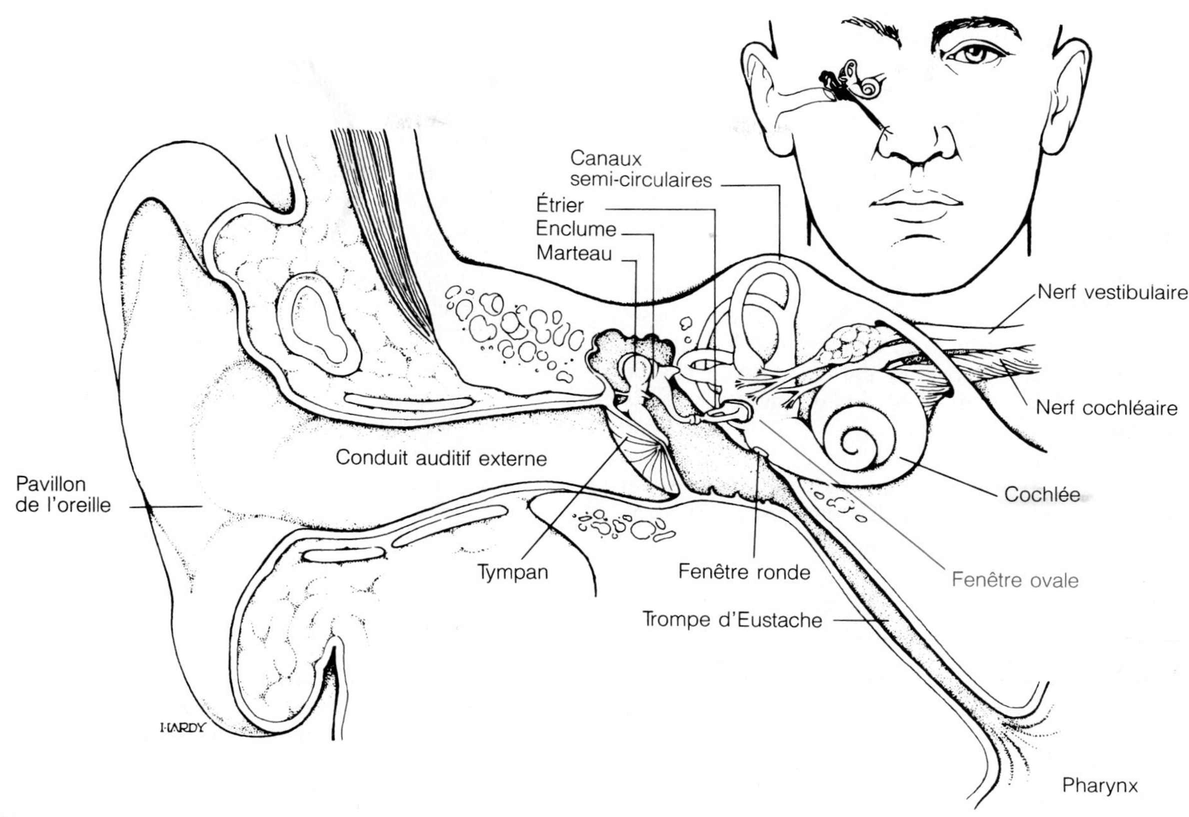

Figure 56-1. Anatomie de l'oreille

Physiopathologie. Les affections de l'oreille entraînent des lésions de gravité variable de la membrane du tympan. Les infections virulentes ou de longue durée peuvent aboutir à une nécrose des osselets. Cette nécrose peut entraver la liberté de mouvement d'un ou de plusieurs osselets. Le marteau est souvent touché au niveau du manche. La nécrose peut également détruire toute la chaîne ossiculaire de sorte que seule la base de l'étrier reste intacte. Quant aux fenêtres ovale et ronde, leur fonctionnement peut être perturbé par des granulomes, des polypes et des plaques fibreuses ou osseuses. Dans certains cas, une otospongiose accompagne les séquelles d'une otite moyenne. Enfin, une obstruction du conduit auditif par des dépôts tissulaires ou une sténose fibreuse peuvent aboutir à une dysfonction du conduit auditif.

ÉVALUATION DE L'AUDITION

EXAMEN DE L'OREILLE

L'examen de l'oreille comprend une inspection et une palpation de l'oreille externe et moyenne, de même qu'une évaluation de l'acuité auditive.

Acuité auditive. Pour obtenir une évaluation générale de l'acuité auditive, on évalue la capacité d'entendre une phrase chuchotée ou le tic tac d'une montre. On peut produire un faible chuchotement en prononçant une phrase après avoir expiré tout l'air de ses poumons. On examine une oreille à la fois. Pour isoler une oreille on couvre l'autre oreille avec la paume de la main. Quand on chuchote la phrase, on doit être hors du champ visuel du patient, à une distance de 30 à 60 cm de l'oreille. Le patient possédant une acuité auditive normale est capable de répéter correctement la phrase chuchotée. Si on utilise le tic tac d'une montre, il faut tenir la montre à environ 10 cm du pavillon de l'oreille. On obtient toutefois ainsi une évaluation moins fiable de l'acuité auditive.

Dans l'oreille normale, la transmission des sons se fait de deux façons: par conduction aérienne et par conduction osseuse. Les sons transmis à l'oreille externe et à l'oreille moyenne sont propagés par *conduction aérienne*. Les sons transmis par les os directement à l'oreille interne sont propagés par *conduction osseuse*. La conduction aérienne est normalement la voie de transmission la plus efficace.

Les pertes auditives sont de deux types: la surdité *de transmission* ou la surdité *de perception* (ou neurosensorielle). La surdité de transmission est généralement due à une affection de l'oreille externe, comme la présence d'un bouchon de cérumen, ou à une affection de l'oreille moyenne, comme une otite moyenne ou une perforation du tympan. Elle se caractérise par une obstruction à la propagation des sons jusqu'à l'oreille interne, où ils sont convertis en influx nerveux. La surdité de perception témoigne d'une perte neurosensorielle et d'une atteinte du huitième nerf crânien. Pour différencier la surdité de transmission de la surdité de perception, on effectue certaines mesures à l'aide d'un diapason produisant des fréquences se situant dans le domaine de la parole (500 ou 2000 cycles par seconde [cps] ou Hertz [Hz]).

Il existe aussi des surdités mixtes ainsi que des surdités psychogènes. La surdité mixte (ou composée) est l'association d'une perte de perception et une perte de transmission. La surdité psychogène est une perte auditive qui n'est ni d'origine organique ni d'origine fonctionnelle. Elle est due à une perturbation émotive et est souvent totale.

L'*épreuve de Weber* sert à évaluer la latéralisation du son. Pour procéder à ce test, on tient le diapason par le talon, on le percute doucement pour le faire vibrer, puis on le place sur le front du patient ou au centre de sa tête. On pose ensuite plusieurs questions au patient: Entend-il un bruit? Où le perçoit-il? Dans une oreille ou dans les deux oreilles? S'il existe une surdité de transmission dans une oreille (due à un bouchon de cérumen ou à une otite moyenne par exemple), le patient percevra un son plus fort du côté de l'oreille atteinte. Ce phénomène apparemment contradictoire serait dû au fait que l'obstruction empêche le bruit ambiant de pénétrer dans l'oreille interne, ce qui accroîtrait la conduction osseuse. Si le patient souffre plutôt d'une surdité de perception, il ne percevra pas le son dans l'oreille malade car celui-ci sera latéralisé vers l'oreille saine.

L'épreuve de Rinne sert à comparer la capacité d'audition par conduction aérienne et osseuse. Elle consiste à placer le talon du diapason sur la mastoïde de l'os temporal jusqu'à ce que le patient n'entende plus le son produit. Puis on place rapidement les branches du diapason à environ 2,5 cm de l'ouverture du conduit auditif externe. Le patient devrait normalement continuer d'entendre le son, puisque la conduction aérienne dure plus longtemps que la conduction osseuse.

Si le patient souffre d'une surdité de transmission, la conduction osseuse durera plus longtemps que la conduction aérienne, c'est-à-dire que le patient n'entendra pas les sons transmis par le diapason placé à 2,5 cm de son oreille. Les épreuves de Weber et de Rinne servent donc à distinguer la surdité de transmission de la surdité de perception. Elles ne font pas partie de l'examen physique habituel mais elles sont utilisées quand une évaluation plus approfondie est nécessaire.

Résumé: La surdité de transmission est causée par une affection de l'oreille externe ou de l'oreille moyenne. (Elle ne touche pas l'oreille interne, laquelle continue d'analyser avec précision les sons qui lui parviennent.) La surdité de perception est due à une lésion de l'oreille interne ou des voies nerveuses. Dans ce cas, les ondes sonores sont transmises correctement par l'oreille externe et l'oreille moyenne, mais elles ne sont pas bien analysées dans l'oreille interne. On a recourt à différentes épreuves au moyen d'un diapason pour distinguer ces deux types de surdité.

Oreille externe. L'inspection de l'oreille externe est une étape simple mais souvent négligée de l'examen physique. Il faut d'abord examiner le pavillon de l'oreille et les tissus avoisinants pour déceler les déformations, les lésions ou les écoulements. Normalement, la manipulation du pavillon ne provoque pas de douleur. Si elle est douloureuse, on peut soupçonner une otite externe aiguë. La sensibilité de la mastoïde peut indiquer une mastoïdite ou une inflammation des ganglions rétroauriculaires. Parfois, le pavillon de l'oreille présente des kystes sébacés et des tophus (dépôts minéraux sous-cutanés). La présence d'une desquamation sur la face antérieure ou postérieure du pavillon témoigne habituellement d'un eczéma séborrhéique qui peut s'étendre au cuir chevelu et au visage.

Examen à l'aide d'un otoscope. Pour permettre un bon examen du conduit auditif et de la membrane du tympan, il doit y avoir absence de cérumen. Pour retirer le cérumen, on peut irriguer doucement l'oreille avec de l'eau tiède du robinet. Si le cérumen adhère aux parois du conduit auditif, on peut instiller quelques gouttes d'huile minérale ou d'une préparation appropriée et donner au patient un autre rendez-vous pour retirer le cérumen et examiner l'oreille. (À cause du risque de perforation de la membrane tympanique, le retrait du cérumen au moyen d'une curette est réservé aux médecins, ou à des infirmières spécialement formées.) Les accumulations de cérumen méritent une attention particulière, car elles sont souvent à l'origine d'une perte auditive ou d'une irritation locale.

Pour examiner le conduit auditif et la membrane tympanique, on demande au patient de pencher la tête sur le côté. On saisit fermement le pavillon de l'oreille et on le tire vers le haut, vers l'arrière et légèrement vers l'extérieur (figure 56-2), dans le but d'éliminer les sinuosités du conduit et d'en exposer le fond. On fait ensuite pénétrer doucement dans le conduit un spéculum de taille appropriée. Étant donné que la partie distale du conduit est osseuse et tapissée d'un épithélium sensible, une pression trop forte peut causer de la douleur.

On note les signes d'écoulement, d'inflammation ou de corps étranger. Normalement, la membrane du tympan est gris perle et placée obliquement à la base du conduit auditif. Si les repères anatomiques sont visibles, on les note (figure 56-3): le pars tensa et le triangle lumineux, l'ombilic, le manche du marteau et sa courte apophyse. En avançant lentement le spéculum, on pourra voir les ligaments tympanomalléolaires et leurs contours. On doit noter la position et la couleur de la membrane de même que les marques ou déviations anormales dans le triangle lumineux.

Audiogramme

L'audiomètre est l'appareil le plus utilisé pour le dépistage de la surdité. L'unité de mesure de l'intensité sonore est le décibel (db).

Le patient porte des écouteurs; il doit indiquer quand il entend le stimulus acoustique et quand il ne l'entend plus. Pour mesurer la conduction aérienne, on applique le stimulus directement au-dessus de l'ouverture du conduit auditif externe. Pour mesurer la conduction osseuse on l'applique sur la mastoïde, contournant ainsi la conduction aérienne. Pour plus de précision, les examens audiométriques se font dans une pièce insonorisée.

L'oreille humaine normale peut percevoir des sons de 20 à 20 000 Hz, mais la capacité d'entendre les fréquences situées entre 500 et 2000 Hz est suffisante pour comprendre le langage parlé ordinaire. En clinique, cette plage de fréquences est appelée *domaine de la parole.* L'intensité critique est d'environ 30 db. Quand on opère un patient pour améliorer son audition, on vise à augmenter son seuil de perception à 30 db ou plus à l'intérieur du domaine de la parole.

Gérontologie

Le vieillissement entraîne des changements dans l'oreille qui peuvent aboutir à une perte auditive. L'oreille externe subit peu de changements à part le fait que le cérumen a tendance à durcir et à s'accumuler en bouchon. Dans l'oreille moyenne,

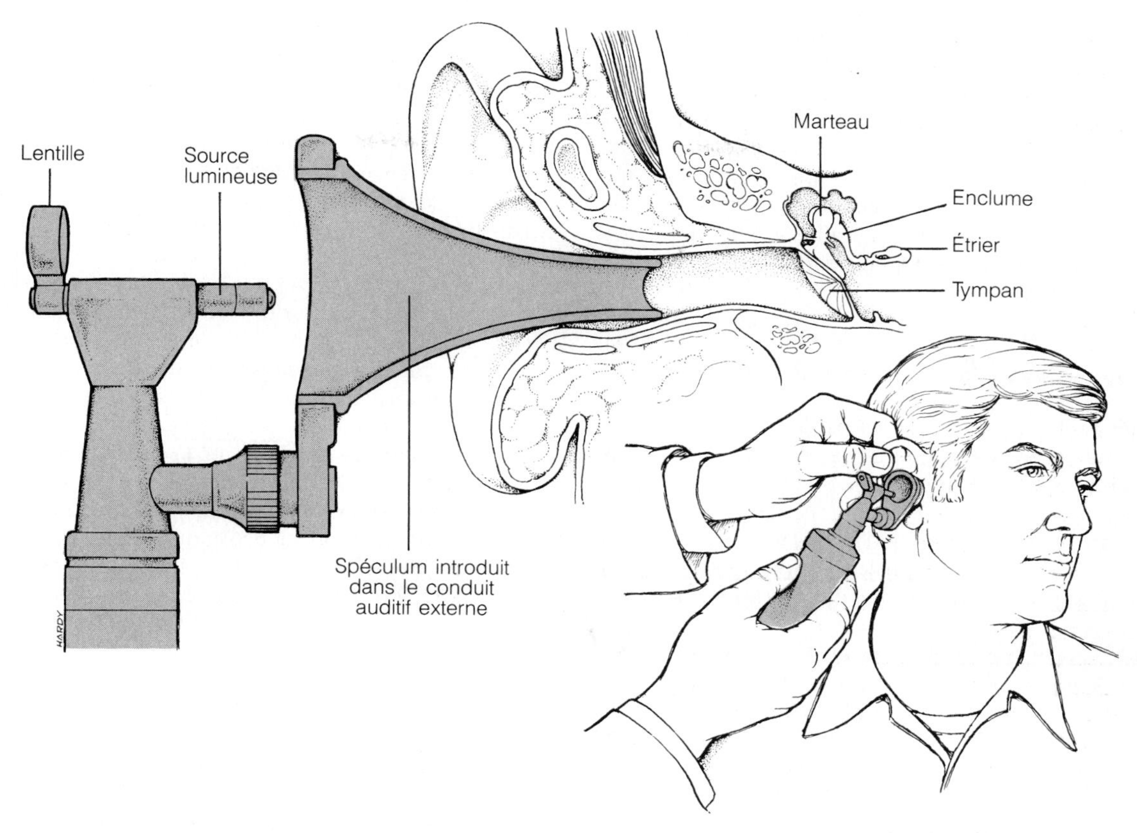

Figure 56-2. Utilisation de l'otoscope

la membrane du tympan peut s'atrophier ou se scléroser. Dans l'oreille interne, enfin, il peut se produire une dégénérescence des cellules situées à la base de la cochlée. Ce trouble se manifeste par une diminution de l'acuité auditive pour les sons de haute fréquence, puis pour les sons de fréquence moyenne et, plus tard, pour les sons de basse fréquence. Le terme *presbyacousie* désigne cette surdité progressive due au vieillissement.

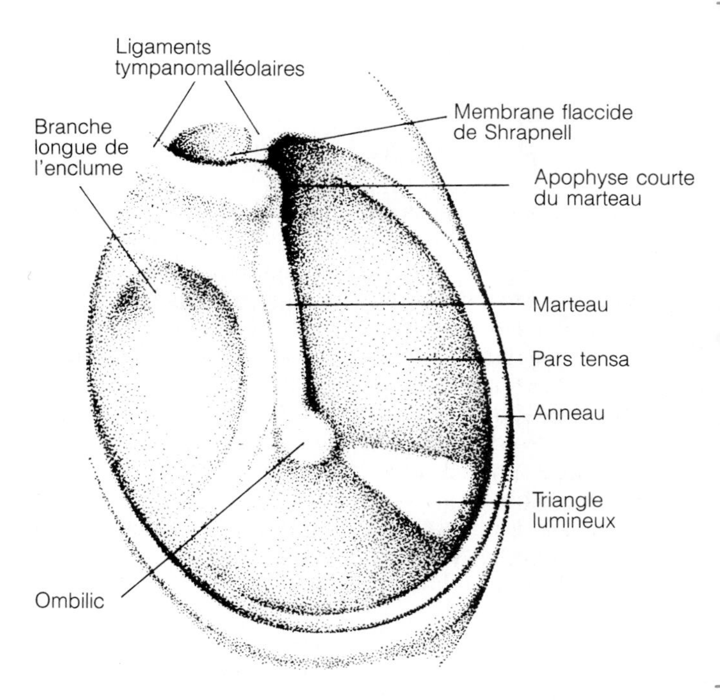

Figure 56-3. Tympan de l'oreille droite comme on le voit à travers l'otoscope

Les premiers signes de surdité sont notamment les acouphènes (sensation auditive anormale), la diminution graduelle de l'acuité auditive en présence de plusieurs personnes et le besoin de monter le volume de la télévision. La presbyacousie peut évoluer rapidement sur une période de quelques années, ou plus lentement sur une dizaine d'années.

D'autres facteurs influencent l'audition chez la personne âgée, comme l'exposition prolongée à un niveau sonore élevé en milieu de travail. Certains médicaments, dont la streptomycine, la néomycine ou même l'aspirine, peuvent devenir ototoniques quand leur excrétion est ralentie en raison d'une altération de la fonction rénale. Certains facteurs psychologiques et certaines maladies (le diabète par exemple) peuvent également contribuer à une baisse d'audition chez les personnes âgées.

Il ne faut cependant pas considérer la surdité comme une conséquence normale du vieillissement et négliger pour cette raison de procéder à une évaluation audiométrique. Les prothèses auditives ne doivent pas être utilisées sans ordonnance.

La personne âgée doit apprendre à vivre avec sa perte auditive. Il est important que l'infirmière connaisse les réactions émotionnelles courantes du patient qui souffre de surdité: (1) méfiance envers les autres; (2) contrariété et colère quand il doit faire répéter plusieurs fois; (3) insécurité parce qu'il ne peut entendre le téléphone ou les sonnettes d'alarme.

Les prothèses auditives peuvent être utiles à moins que les problèmes auditifs ne se doublent d'une difficulté à discriminer les mots.

Pour communiquer efficacement avec le patient, l'infirmière doit connaître le type de surdité dont il souffre. Il ne sert à rien, par exemple, de parler très fort à une personne qui n'entend pas bien les sons de haute fréquence. Il faut dans ce cas parler du côté de la meilleure oreille et recourir au langage gestuel et aux expressions faciales.

EFFETS DU BRUIT SUR L'AUDITION

Le bruit (inévitable) figure parmi les risques environnementaux du XXe siècle. Avec les années, le bruit ambiant a augmenté au point de devenir une source de troubles physiques et psychologiques.

Sur le plan physique, il a été démontré qu'un bruit fort et persistant peut provoquer la constriction des vaisseaux sanguins périphériques, augmenter la pression artérielle et la fréquence cardiaque (à cause d'une sécrétion accrue d'adrénaline), perturber le sens de l'équilibre et accroître l'activité gastro-intestinale. Les effets du bruit sur l'organisme humain ne sont pas encore tous connus. Une chose semble certaine cependant: le silence favorise la tranquillité d'esprit et contribue au bien-être de la personne malade.

Intensité et fréquence sonores. L'unité de mesure de l'*intensité* sonore est le décibel (db). Par exemple, le bruit produit par des papiers que l'on déplace représente environ 15 db, le bruit d'une conversation à voix basse, 40 db et le passage d'un avion à 150 mètres d'altitude, 140 db.

À partir de 80 db, les sons commencent à «écorcher» sérieusement l'oreille humaine. En fait, tous les sons qui dérangent peuvent léser l'oreille.

Au cours des dernières décennies, l'intensité sonore maximale à laquelle les humains sont exposés est passée de 120 db (grondement d'un petit bimoteur à hélices) à plus de 150 db (vrombissement d'un énorme quadriréacteur). Dans certains concerts, l'intensité sonore dépasse les 180 db. Des études ont démontré qu'un son de 160 db peut tuer certains petits animaux, et une exposition à un bruit de 90 db ou plus peut provoquer une rougeur de la peau, une constriction des muscles abdominaux et de l'irritabilité.

La *fréquence* est le nombre de cycles par seconde d'une onde sonore exprimée en Hertz. La *hauteur d'un son* se rapporte à sa fréquence plus ou moins élevée; ainsi, un son de 100 Hz est dit grave alors qu'un son de 10 000 Hz est dit aigu.

SURDITÉ

Considérations d'ordre psychosocial

Une perte auditive peut altérer la personnalité et l'attitude, l'aptitude à communiquer, la conscience de l'environnement et même la capacité de se protéger. À l'école, l'enfant malentendant est peu intéressé et inattentif, il présente des troubles d'apprentissage. Chez lui, le malentendant se sent isolé parce qu'il n'entend plus le carillon de l'horloge, le ronflement du réfrigérateur, le chant des oiseaux ou le bourdonnement de la circulation. Dans la rue, il risque des accidents parce qu'il n'entend pas le bruit des voitures. En groupe, quand il ne peut suivre la conversation, il croit souvent que l'on parle de lui. Beaucoup de gens ne se rendent pas compte qu'ils entendent de moins en moins.

En Amérique du Nord, des millions de personnes souffrent d'une perte auditive plus ou moins importante, mais la plupart d'entre elles peuvent bénéficier d'un traitement médical ou chirurgical, ou encore d'une prothèse. L'infirmière et le médecin de famille jouent un rôle majeur dans le diagnostic de la surdité et dans l'orientation des patients vers les organismes qui peuvent leur venir en aide. Les personnes qui souffrent d'un trouble auditif doivent consulter un otologiste.

L'*otologiste* est un médecin spécialisé dans le diagnostic et le traitement des affections de l'oreille. L'*otorhinolaryngologiste* est un médecin spécialisé dans les maladies de l'oreille, du nez et de la gorge. L'*audiologiste*, enfin, est une personne spécialisée dans l'évaluation et la rééducation des malentendants.

Comme on peut le voir en se reportant à l'encadré 56-1, les symptômes de la déficience auditive sont variés, complexes et souvent subtils. Voici les signes de troubles auditifs sérieux qui exigent une évaluation par un otorhinolaryngologiste:

1. Déformation congénitale ou traumatique visible de l'oreille
2. Écoulement actif de l'oreille au cours des 90 jours précédents
3. Perte d'audition soudaine ou rapide
4. Étourdissements ou acouphènes aigus ou chroniques
5. Perte auditive unilatérale soudaine ou récente
6. Important trouble de la conduction aérienne ou osseuse
7. Présence d'un bouchon de cérumen ou d'un corps étranger dans le conduit auditif
8. Douleur ou malaise dans l'oreille

Beaucoup de malentendants refusent de consulter le médecin. Certains refusent de porter une prothèse auditive par gêne, ou parce qu'ils l'associent au vieillissement. Les membres du personnel soignant doivent donc tenir compte de ces attitudes.

RÉADAPTATION

Pour que la réadaptation réponde aux besoins précis du patient, il faut d'abord déterminer la nature de la perte auditive. S'il s'agit d'une surdité de transmission, une correction médicale ou chirurgicale peut apporter une amélioration. Si le trouble auditif ne peut être corrigé, les prothèses auditives sont utiles dans les cas où une amplification des sons est nécessaire. Elles sont peu utiles toutefois dans la surdité de perception (neurosensorielle), car la sensibilité aux sons est mauvaise au départ. Toutefois, avant d'écarter l'utilisation d'un appareil auditif, il faut prendre le temps d'évaluer l'audition et d'essayer plusieurs sortes de prothèses.

Voici une classification des personnes atteintes de déficience auditive selon le moment d'apparition de la perte d'audition et le degré d'audition fonctionnelle:

1. Sourd: désigne une personne dont l'audition est insuffisante pour l'exécution des tâches quotidiennes. La surdité se divise en deux groupes:
   a) la surdité congénitale: perte de l'ouïe avant d'apprendre à parler;

b) la surdité accidentelle: surdité acquise à la suite d'une maladie ou d'un accident.
2. Malentendant: désigne les personnes chez qui on observe un certain degré d'ouïe fonctionnelle avec ou sans prothèse auditive.

PROTHÈSES AUDITIVES

Une prothèse auditive est un appareil qui perçoit les sons par un microphone pour les convertir en signaux électriques, les amplifier et les reconvertir en signaux sonores. Beaucoup d'appareils conçus pour corriger la surdité nerveuse atténuent les sons graves et amplifient les sons aigus. Si la perte auditive dans la meilleure oreille est supérieure à 30 db dans la plage des 500 à 2000 Hz, on peut améliorer l'audition par une prothèse auditive. Il existe toute une variété de prothèses parmi lesquelles il faut choisir celle qui convient le mieux au patient (tableau 56-1). Même si un patient porte une prothèse auditive bien adaptée, certains facteurs psychologiques (comme la vanité) peuvent l'empêcher d'en profiter au maximum.

Les prothèses auditives amplifient les sons parlés mais ne les rendent pas toujours assez nets pour que le malentendant comprenne ce qui se dit. De plus, elles amplifient même le bruit de fond, ce qui peut nuire à l'audition. Les prothèses auditives stéréophoniques (c'est-à-dire une dans chaque oreille) sont parfois indiquées. Le malentendant doit faire des essais et régler son appareil de façon à obtenir les meilleurs résultats possibles. Il peut aussi choisir de suivre une éducation auditive ainsi que des cours de lecture labiale afin de tirer encore plus de profit de sa prothèse. L'éducation auditive permet d'améliorer la discrimination des mots et la capacité d'écoute, tandis que la lecture labiale aide à mieux comprendre ce que dit un interlocuteur.

Le patient doit comprendre que la prothèse ne rétablit pas l'audition à son niveau normal, mais qu'elle améliore l'acuité auditive dans la plage des fréquences situées entre 500 et 2000 Hz (domaine de la parole).

Soins de la prothèse auditive. La prothèse auditive doit être entretenue avec soin. Le moulage doit être lavé tous les jours à l'eau savonneuse. Il faut aussi nettoyer la canule à l'aide d'un petit applicateur ou d'un cure-pipe. (On doit bien assécher le moulage avant de le fixer au récepteur.) Le patient devrait avoir chez lui des pièces de rechange.

Quand la prothèse auditive ne fonctionne pas correctement, elle peut fournir une mauvaise amplification ou produire des sifflements; de plus, le moulage peut blesser l'oreille (encadré 56-2). Si la prothèse fonctionne mal après vérification de la mise en marche, de la position des piles et de l'intégrité et du bon raccordement du cordon, il faut communiquer avec son audioprothésiste. Si la réparation exige plusieurs jours, on peut prêter un appareil au patient.

COMMUNICATION AVEC UN MALENTENDANT

Voici quelques suggestions pour communiquer plus efficacement avec les malentendants souffrant de troubles d'élocution*

1. Accordez toute votre attention à ce que dit le malentendant. Regardez-le et écoutez-le.
2. Conversez avec lui quand il vous est possible d'anticiper ses répliques, ce qui vous permettra de vous habituer aux particularités de son élocution.
3. Essayez de saisir le contexte, ce qui vous aidera à deviner les détails.
4. Ne feignez pas de comprendre.

* (Source: F. J. Terry et coll., *Rehabilitation Nursing*, St-Louis, CV Mosby)

Encadré 56-1
Symptômes de perte auditive

Détérioration de la parole: La personne qui articule mal, qui escamote la fin des mots ou qui a une voix monocorde a probablement des problèmes d'audition. L'audition guide la voix, autant pour la force que pour la prononciation.

Fatigue: Une fatigue rapide au cours d'une conversation peut signifier qu'écouter lui demande trop d'effort. Dans ce cas, la personne devient vite irritable.

Indifférence: Une personne qui n'entend pas bien est davantage sujette à se désintéresser de la vie en général.

Isolement social: La personne qui est incapable d'entendre ce qui se passe autour d'elle a tendance à s'isoler pour ne pas se trouver dans une situation embarrassante.

Sentiment d'insécurité: Beaucoup de malentendants ne sont pas sûrs d'eux parce qu'ils craignent de faire des erreurs. Personne n'aime se ridiculiser.

Indécision: À cause du manque de confiance en soi, le malentendant a de la difficulté à prendre des décisions.

Méfiance: Étant donné qu'il ne peut pas suivre les conversations, le malentendant a souvent l'impression qu'on chuchote délibérément pour ne pas qu'il entende.

Orgueil: Le malentendant veut cacher son handicap en prétendant qu'il entend alors qu'il n'entend pas.

Solitude et tristesse: Même si le silence fait beaucoup de bien de temps à autre, le silence forcé peut entraîner de l'ennui ou même de la peur. Le malentendant se sent souvent seul.

Tendance à dominer la conversation: Le malentendant a souvent tendance à diriger la conversation pour éviter les erreurs.

parler bcp. –

(Source: Maico Hearing Instruments)

TABLEAU 56-1. *Types de prothèses auditives*

Modèle/Marge de la perte auditive	*Avantages*	*Inconvénients*
De type boîtier, se porte à la ceinture ou dans une poche (40-110 db)	La séparation du récepteur et du microphone prévient l'effet Larsen et donne une forte amplification.	Appareil encombrant; exige de longs fils parfois inesthétiques; perte de certains sons de haute fréquence.
De type rétroauriculaire; se porte derrière l'oreille (25-80 db)	Cette prothèse se camoufle facilement sous les cheveux et est confortable; pas de longs fils.	Amplification restreinte parce que le microphone est très près du récepteur.
De type intraauriculaire, se porte dans l'oreille (25-55 db)	Il s'agit de la plus petite prothèse; c'est celle qui se camoufle le mieux.	La taille de cet appareil en restreint la puissance et l'amplificateur est très près du microphone. Il ne convient qu'aux personnes qui souffrent d'une perte auditive légère ou moyenne.
Se porte sur les branches de lunettes (25-70 db; possibilité d'élargissement de la marge par certaines modifications)	La prothèse est presque entièrement camouflée par les branches des lunettes; les fils reliant le microphone et le récepteur peuvent être dissimulés dans la monture des lunettes.	La personne qui porte cette sorte de prothèse doit porter des lunettes aux montures souvent encombrantes et peu attrayantes.

(Source: R. T. Sataloff, «Choosing the right hearing aid», *Hosp Pract,* 16 [5]:32E)

5. Si vous ne pouvez pas comprendre le malentendant ou que vous doutez sérieusement de vos capacités à cet égard, demandez-lui d'écrire son message. Vous pourrez ensuite lui faire dire ce qu'il a écrit afin de vous habituer à son élocution.

Voici maintenant quelques suggestions pour communiquer avec un malentendant qui lit sur les lèvres:

1. Placez-vous face au malentendant.
2. Assurez-vous que votre visage est bien éclairé; évitez de vous placer en contre-jour par rapport au malentendant; évitez de parler avec quelque chose dans la bouche.
3. Assurez-vous que le malentendant connaît le sujet dont vous allez l'entretenir; il pourra ainsi utiliser le contexte comme repère dans sa lecture labiale.
4. Parlez lentement, prononcez bien et faites plus de pauses que d'habitude.
5. Si vous croyez que le patient a mal compris un point important ou une directive essentielle, vérifiez si tel est le cas avant de poursuivre.
6. Si, pour une raison ou une autre, votre bouche doit être couverte (par un masque, par exemple) et que vous devez guider le patient ou lui donner des directives, la seule solution est d'écrire votre message.

AFFECTIONS DE L'OREILLE EXTERNE

Le pavillon de l'oreille ou oreille externe sert à capter les ondes sonores et à les faire passer dans le conduit auditif externe. Le *conduit auditif externe* est un canal fibrocartilagineux élastique et dense aux parois tapissées d'une fine membrane. Il se termine par une membrane en forme de disque: la membrane du tympan. La peau du conduit auditif externe contient des glandes hautement spécialisées qui sécrètent une substance brunâtre et cireuse appelée *cérumen.* L'oreille est dotée d'un mécanisme d'autonettoyage qui expulse les vieilles cellules cutanées et le cérumen vers l'extérieur. Le cérumen semble posséder des propriétés antibactériennes et jouer un rôle protecteur pour la peau.

Une *otalgie* est une douleur à l'oreille. Comme l'oreille est innervée par un dense réseau de nerfs (les nerfs crâniens V, VII, IX et X ainsi que les racines des deuxième et troisième nerfs cervicaux), sa peau y est extrêmement sensible. L'otalgie est un symptôme qui peut se manifester dans diverses affections, y compris dans les affections du larynx et du pharynx, où la douleur irradie dans l'oreille.

INFECTIONS (OTITE EXTERNE)

Les infections d'origine bactérienne ou fongique peuvent provenir d'une égratignure du conduit auditif ou d'une baignade dans des eaux contaminées. Elles sont plus fréquentes au cours de l'été et sont douloureuses.

Le traitement vise à soulager la douleur, à réduire l'œdème du conduit auditif et à supprimer l'infection. Le simple fait de toucher ou de manipuler le pavillon de l'oreille exacerbe la douleur. (Dans les infections de l'oreille moyenne, le mouvement du pavillon n'exacerbe pas la douleur.) L'aspirine, la codéine et les compresses chaudes aident à soulager la douleur. Quand les tissus sont oedématiés, il est parfois nécessaire d'insérer doucement une mèche d'ouate jusqu'au tympan pour administrer les médicaments liquides (comme la solution de Burow [acétate d'aluminium à 5 %] ou les antibiotiques). On peut également administrer les médicaments au moyen d'un compte-gouttes. Les médicaments doivent être à la température ambiante. Ils se composent habituellement d'un antibiotique et d'un anti-inflammatoire. Dans certains cas, on doit avoir recours à une antibiothérapie par voie générale. Le patient ne doit pas se nettoyer lui-même l'oreille (l'utilisation du coton-tige est contre-indiquée).

Il doit de plus éviter de nager et protéger son oreille de l'eau quand il se lave les cheveux ou prend une douche. Les personnes sujettes à l'«otite des piscines» devraient porter des protège-tympans en plastique adaptés à leurs oreilles.

Encadré 56-2
Problèmes et solutions reliés aux prothèses auditives et raisons de ces problèmes

Perception d'un bruit sifflant

Moulage trop lâche
- Fabrication inadéquate
- Port inadéquat
- Usure

Ajustement inadéquat
- Trop de puissance par rapport à la distance entre le microphone et le récepteur
- Moulage mal utilisé

Mauvaise amplification
- Piles épuisées
- Accumulation de cérumen dans l'oreille
- Présence de cérumen ou d'une autre substance dans le moulage
- Fils ou tubes débranchés
- Prothèse éteinte ou volume trop bas
- Moulage inadéquat
- Prothèse ne convenant pas au degré de perte auditive

Douleur due au moulage
- Moulage de forme inadéquate
- Infection de la peau ou du cartilage de l'oreille
- Infection de l'oreille moyenne
- Tumeur de l'oreille

(Source: R. T. Sataloff, «Choosing the right hearing aid», *Hosp Prac,* 16[5]:32A)

L'otite externe chronique est souvent due à une dermatose comme le psoriasis, l'eczéma ou la dermatite séborrhéique. Une réaction allergique aux fixatifs, teintures et solutions à permanente pour les cheveux peut se manifester par une dermatite, qui disparaît quand on élimine l'agent irritant.

FURONCLE DU CONDUIT AUDITIF EXTERNE

Le furoncle est une infection de la peau et du tissu sous-cutané du conduit auditif externe. Il est généralement très douloureux. Il se manifeste par de la fièvre, des maux de tête intenses et une tuméfaction des ganglions locaux. On le confond parfois avec la mastoïdite. Habituellement, l'administration d'antibiotiques et l'application de compresses chaudes dès son apparition suffisent à le faire disparaître. À cause des risques de périchondrite ou de chondrite, on a rarement recours à l'incision et au drainage. Il est préférable de le laisser évoluer, crever spontanément et se résorber de lui-même.

CÉRUMEN DANS LE CONDUIT AUDITIF

Il est normal que du cérumen s'accumule dans l'oreille. Sa quantité et sa couleur varient. Il n'est généralement pas nécessaire de le retirer, sauf s'il forme un bouchon et cause une *otalgie* (mal d'oreille), des étourdissements, une sensation de plénitude dans l'oreille ainsi qu'une perte de l'audition. Des études ont démontré que l'accumulation de cérumen est une cause fréquente de perte auditive chez les personnes âgées. Il est dangereux d'essayer de nettoyer le conduit auditif externe à l'aide d'allumettes, de pinces à cheveux ou autres objets, car on peut provoquer ainsi des lésions, une infection cutanée ou une lésion du tympan.

Traitement. On peut enlever les accumulations de cérumen par irrigation, par aspiration ou à l'aide d'un instrument spécial. L'irrigation est l'intervention de choix, sauf si le patient a déjà subi une perforation du tympan ou souffre d'une inflammation de l'oreille externe (otite externe). Si l'irrigation ne donne pas les résultats escomptés, on peut retirer mécaniquement le cérumen sous visualisation directe. Cette intervention exige toutefois une bonne collaboration de la part du patient.

Trente minutes avant de retirer le bouchon, on peut ramollir le cérumen en instillant quelques gouttes de glycérine, d'huile minérale, d'eau oxygénée à 50 % ou de bicarbonate de sodium. Ces produits doivent être tièdes. On peut également avoir recours à de l'eau oxygénée dans de la glycérine, mais à cause d'un risque de réaction allergique (dermatite), on ne doit pas laisser ce produit agir trop longtemps. Si le cérumen est très dur, on instille généralement de l'huile minérale que l'on laisse agir pendant deux ou trois jours. Si ces méthodes ne donnent pas de résultats, le médecin peut retirer le cérumen sous grossissement, à l'aide d'un instrument spécial, comme une curette.

CORPS ÉTRANGER DANS LE CONDUIT AUDITIF EXTERNE

Il arrive qu'un objet soit introduit dans le conduit auditif externe, de façon accidentelle par un adulte qui essaie de se nettoyer l'oreille ou de soulager une démangeaison, ou de façon délibérée par un enfant. La présence d'un corps étranger dans l'oreille peut ne causer aucun symptôme ou alors entraîner une douleur intense et une diminution de l'acuité auditive. La présence d'un insecte dans le conduit auditif externe est désagréable, mais il suffit généralement de quelques gouttes d'huile pour le ramollir et l'expulser.

Il existe trois façons types de retirer un corps étranger de l'oreille externe: par irrigation, par aspiration ou à l'aide d'un instrument. L'irrigation est la méthode de choix pour la plupart des patients qui se présentent au service des urgences. Elle est toutefois contre-indiquée si le corps étranger est un légume (par exemple un haricot ou un pois), car les légumes ont tendance à se gonfler au contact de l'eau. Quand on ne peut avoir recours à l'irrigation, on utilise le plus souvent l'aspiration. Enfin, s'il faut retirer le corps étranger à l'aide d'un instrument, on doit le faire sous visualisation directe du conduit afin de prévenir les lésions. On ne doit jamais tenter de retirer un corps étranger du conduit auditif externe si on n'a pas la compétence pour le faire, car on risque de le pousser dans la partie osseuse du conduit, de lacérer la peau et de perforer le tympan, ce qui peut entraîner une grave infection de l'oreille moyenne et de la mastoïde, et conséquemment, la surdité.

Irrigation du conduit auditif externe

L'irrigation du conduit auditif externe est moins pratiquée qu'auparavant. On l'utilise pour effectuer l'épreuve calorique destinée à l'évaluation de la fonction vestibulaire, pour faciliter une intervention chirurgicale de l'oreille externe et pour retirer un bouchon de cérumen.

La température de la solution utilisée pour irriguer l'oreille devrait se situer entre 40 et 45 °C. Les solutions trop chaudes ou trop froides ou celles introduites sous une trop forte pression peuvent provoquer des douleurs ou des étourdissements. Pour procéder à une irrigation, on installe le patient en position assise ou couchée, la tête penchée vers le côté de l'oreille atteinte. On peut placer sous l'oreille un bassin pour recueillir le liquide. Pour être efficace, le liquide doit se rendre au tympan. On doit donc tirer le pavillon de l'oreille vers le haut et vers l'arrière afin de redresser le conduit auditif externe. (Chez l'enfant, on peut tirer vers le bas et vers l'arrière.) Il faut y aller avec énormément de douceur et veiller à ce que le liquide ressorte librement sans pénétrer dans l'oreille moyenne. Après l'irrigation, on bouche partiellement l'ouverture du conduit avec de la ouate stérile que l'on change au besoin. On demande ensuite au patient de se coucher sur le côté atteint pour favoriser le drainage.

- Si on soupçonne une lésion de la membrane du tympan, il faut éviter l'irrigation.

Affections de l'oreille moyenne

L'oreille moyenne joue un rôle essentiel dans l'audition. Elle communique avec la partie postérieure des fosses nasales par la trompe d'Eustache. Celle-ci est normalement fermée, mais elle s'ouvre sous l'action des muscles du palais lors du bâillement ou de la déglutition. Elle sert à évacuer les sécrétions normales et anormales de l'oreille moyenne et à ajuster la pression de l'oreille moyenne en fonction de la pression atmosphérique. Une inflammation de la muqueuse de la trompe d'Eustache favorise l'infection de l'oreille moyenne.

Les ondes acoustiques que le tympan transmet aux osselets de l'oreille moyenne se rendent à la *cochlée,* c'est-à-dire à l'organe de l'audition situé dans le labyrinthe osseux (oreille interne). L'étrier est un osselet important; il se balance pour provoquer des oscillations (ondes) dans le liquide du labyrinthe. Ces ondes font bouger la membrane basilaire qui, elle, stimule les cils auditifs de l'organe de Corti. Le mouvement de l'organe de Corti déclenche des courants électriques qui stimulent les différentes parties de la cochlée. Enfin, les cils auditifs envoient un influx nerveux qui est encodé et transmis au cerveau par le cortex auditif, qui le décode en un message sonore.

Lésions du tympan (perforations)

La perforation permanente de la membrane du tympan peut avoir diverses causes: fracture du crâne, infection de l'oreille, pression intense due par exemple au bruit d'une explosion. Les perforations qui ne guérissent pas sont souvent dues à une otite moyenne suppurée chronique. Le tympan peut aussi être brûlé par une étincelle provenant d'une machine à souder.

Plus rarement, la perforation du tympan est due à la pénétration d'un objet, à une brûlure au visage touchant aussi l'oreille externe et le tympan ou à un accident de plongée sous-marine. Elle peut aussi avoir pour cause l'introduction d'un coton-tige trop profondément dans l'oreille jusque dans le conduit auditif. Il ne faut donc jamais nettoyer le conduit auditif avec un coton-tige.

Traitement. La plupart des perforations accidentelles de la membrane du tympan guérissent spontanément. Certaines peuvent toutefois persister à cause de la formation de tissu cicatriciel sur les lèvres de la plaie, ce qui empêche la régénérescence de l'épithélium.

- Si on soupçonne une perforation du tympan, il faut prévenir le patient de ne pas irriguer son oreille. Il doit en nettoyer avec soin le pavillon à l'aide de ouate stérile, mais il ne doit pas toucher au conduit auditif jusqu'à ce que le tympan ait été examiné par un otologiste.

Si le patient a subi un traumatisme crânien, il faut le garder sous observation pour dépister les écoulements de liquide céphalorachidien (écoulement aqueux et clair).

Épanchements de l'oreille moyenne

Otite moyenne séreuse. Comme cette affection touche principalement les enfants, consulter les manuels de soins infirmiers en pédiatrie.

Otite moyenne barotraumatique. L'*otite barotraumatique* est une forme d'otite séreuse. Elle est due à une rétention de liquide dans l'oreille moyenne à cause de brusques variations de pression, par exemple lors de l'atterrissage d'un avion (barotraumatisme). Comme les infections des

TABLEAU 56-2. *Comparaison des manifestations cliniques de l'otite externe et de l'otite moyenne*

Manifestation	*Otite externe*	*Otite moyenne*
Douleur	Persistante; exacerbée par le mouvement de la mâchoire	Disparaît six à neuf heures après son apparition; soulagée immédiatement si le tympan se rupture; exacerbée par la déglutition et l'éructation.
Sensibilité	Importante	Absente
Symptômes généraux	Habituellement absents	Fièvre, rhinite, mal de gorge
Perte auditive	De transmission	De transmission
Œdème du conduit auditif	Important	Absent
Écoulement	Odeur nauséabonde; purulent, jamais abondant	Aucune odeur
Membrane du tympan	Enflammée mais non perforée; absence de liquide dans l'oreille moyenne	Peut être perforée; présence de liquide dans l'oreille moyenne

(Source: H. S. Farmer, «A guide for the treatment of external otitis», *Am Fam Physician,* 21[6]:98, publié par l'American Academy of Family Physicians)

voies respiratoires entravent le fonctionnement de la trompe d'Eustache à cause de l'œdème des muqueuses, les personnes qui en souffrent doivent éviter de prendre l'avion. Il existe des mesures qui permettent d'ajuster la pression de l'oreille moyenne en fonction de la pression atmosphérique lors de l'atterrissage: mâcher de la gomme, sucer un bonbon dur, bâiller ou avaler.

OTITE MOYENNE AIGUË

L'otite moyenne aiguë est une infection aiguë de l'oreille moyenne (tableau 56-2), le plus souvent causée par la pénétration de germes pathogènes dans la cavité de l'oreille moyenne. Cette pénétration survient quand les résistances de l'organisme sont diminuées, quand le germe est suffisamment virulent pour provoquer une inflammation ou quand une obstruction de la trompe d'Eustache empêche le drainage de l'oreille moyenne. L'obstruction de la trompe d'Eustache peut être due à une infection des voies respiratoires supérieures, à une inflammation des membranes avoisinantes (par exemple, une sinusite ou une adénoïdite) ou à une réaction allergique (par exemple une rhinite allergique). Les bactéries les plus souvent en cause sont *Streptococcus Pneumoniae, Hemophilus influenzae, Branhamella catarrhalis* et les staphylocoques. L'infection peut aussi être d'origine virale, mais les virus sont difficiles à cultiver. La plupart du temps, la porte d'entrée des bactéries est le conduit auditif externe ou la trompe d'Eustache (par les sécrétions contaminées du rhinopharynx).

Manifestations cliniques. Les symptômes de l'otite moyenne dépendent de la gravité de l'infection; ils peuvent être très bénins et de courte durée ou alors très graves. Chez l'adulte, l'infection est généralement unilatérale. Un de ses premiers symptômes est la douleur, parfois très intense, dans l'oreille et autour de l'oreille. Cette douleur s'atténue lors de la perforation spontanée du tympan ou après une myringotomie (voir ci-dessous). On observe souvent une fièvre qui peut atteindre 40,0 à 40,6 °C dans les cas graves. Souvent, la membrane du tympan fait saillie, elle est opaque et sa mobilité est réduite. Cependant, l'examen otoscopique met parfois en évidence une membrane rétractée ou concave. L'otite moyenne aiguë peut aussi s'accompagner de surdité, d'acouphènes, de maux de tête, d'une perte d'appétit, de nausées et de vomissements.

Traitement. La guérison de l'otite moyenne dépend de l'efficacité du traitement suivi (c'est-à-dire de la posologie et de la durée de l'antibiothérapie), de la virulence du germe et de la résistance du patient. Si on administre rapidement un bon antibiotique à large spectre, l'otite peut disparaître sans laisser de séquelles graves.

Il importe de noter que l'antibiothérapie peut masquer certains des symptômes. Les céphalées, un ralentissement du pouls, les vomissements et les vertiges exigent une consultation auprès d'un otologiste. Il faut exhorter le patient à ne pas cesser son traitement même si les symptômes disparaissent. Des études ont démontré que certains antibiotiques ont du mal à pénétrer dans la région atteinte parce que la perméabilité des capillaires diminue à mesure que l'inflammation se résorbe. Il faut donc s'assurer que la posologie est adéquate.

L'otite peut devenir subaiguë (c'est-à-dire durer de trois semaines à trois mois) et s'accompagner d'un écoulement (otorrhée) purulent. Elle peut alors entraîner une surdité permanente.

Si la perforation du tympan persiste, l'otite peut devenir chronique et entraîner des complications touchant la mastoïde ou des complications neurologiques graves comme la méningite ou l'abcès cervical.

Myringotomie (paracentèse du tympan). Il s'agit de l'incision de la membrane du tympan, avec insertion d'un tube, pour soulager la pression dans l'oreille moyenne et drainer le liquide séreux ou purulent qui s'y trouve. Si l'otite moyenne est peu grave et répond bien au traitement, la myringotomie n'est pas essentielle. Si toutefois la douleur persiste, elle contribue à la guérison. Elle permet également d'identifier l'agent pathogène présent dans le liquide et sa sensibilité aux antibiotiques.

L'incision du tympan guérit rapidement et n'entrave habituellement pas l'audition. Depuis l'apparition des antibiotiques, la myringotomie est moins souvent pratiquée.

Résumé: L'otite moyenne aiguë est due à l'introduction de bactéries dans l'oreille moyenne, normalement stérile.

Ses symptômes sont variables mais comprennent souvent la douleur et parfois une perte auditive. L'antibiothérapie est le traitement de choix; elle doit débuter dès l'apparition de l'infection. La perforation de la membrane du tympan (spontanée ou chirurgicale) soulage la douleur et assure l'écoulement du liquide accumulé. L'otite moyenne aiguë non traitée peut évoluer vers une otite subaiguë ou chronique entraînant de sérieuses complications.

OTITE MOYENNE CHRONIQUE

L'otite moyenne chronique est due à des poussées répétées d'otites moyennes qui provoquent la perforation permanente du tympan. Ces poussées sont dues à la virulence du microorganisme en cause ou à sa résistance aux antibiotiques. Elle se manifeste notamment par un écoulement purulent persistant ou récurrent, une douleur et une surdité (habituellement de transmission ou mixte). La plupart du temps, elle apparaît au cours de l'enfance. Elle peut persister durant l'âge adulte.

Manifestations cliniques. Les symptômes de l'otite moyenne chronique sont parfois bénins; la perte auditive peut être plus ou moins grave et l'écoulement plus ou moins abondant; il peut être persistant ou récurrent. La douleur n'est pas toujours présente. Certains symptômes peuvent annoncer une méningite ou un abcès cervical ou encore une érosion à l'intérieur des canaux semi-circulaires: paralysie faciale soudaine, surdité anormalement profonde ou vertiges, maux de tête accompagnés d'étourdissements et d'une raideur de la nuque. Le diagnostic s'appuie sur les données de l'examen physique et sur les radiographies de la mastoïde, qui révèlent habituellement des anomalies.

Traitement. Le traitement local comprend le nettoyage minutieux de l'oreille et l'instillation de gouttes antibiotiques ou l'application d'une poudre antibiotique. Une tympanoplastie est parfois nécessaire au début de la maladie afin de prévenir l'aggravation de perte auditive et les complications graves.

Résumé: L'otite moyenne peut devenir chronique à la suite d'infections répétées qui causent la perforation permanente du tympan et un écoulement purulent. La douleur ne fait pas toujours partie des symptômes. Une surdité de profondeur et de gravité variables peut s'installer. Des céphalées accompagnées de vertiges et d'une raideur de la nuque peuvent témoigner d'une complication neurologique comme la méningite. Le traitement comprend un nettoyage minutieux de l'oreille et l'administration d'antibiotiques. On peut prendre des radiographies pour évaluer l'atteinte des tissus avoisinants. La tympanoplastie peut prévenir les complications graves.

MASTOÏDITE ET MASTOÏDECTOMIE

La mastoïdite est une inflammation de la mastoïde due à une infection de l'oreille moyenne. En l'absence de traitement, elle peut se compliquer d'une ostéomyélite. Elle se manifeste par une douleur et une sensibilité derrière l'oreille, un écoulement de l'oreille moyenne et un œdème de la mastoïde. Dans la plupart des cas, l'antibiothérapie suffit à juguler l'infection, mais il faut parfois avoir recours à la myringotomie.

Quand la douleur revient ou persiste et que le patient présente de la fièvre, des céphalées et une otorrhée, il faut parfois procéder à l'ablation de la mastoïde (mastoïdectomie).

Traitement préopératoire. La préparation du patient est importante. L'enseignement préopératoire et postopératoire dépend de la technique chirurgicale utilisée. On doit hospitaliser le patient si sa santé laisse à désirer ou si des opérations ou des traitements antérieurs en consultation externe n'ont pas réussi à éliminer l'infection.

La mastoïdectomie permet d'éliminer tout le tissu infecté et d'empêcher l'infection de se propager dans les tissus avoisinants.

Traitement postopératoire. Immédiatement après l'intervention chirurgicale et au cours des deux jours qui suivent, des analgésiques sont habituellement nécessaires pour atténuer la douleur et l'agitation. Le patient doit boire beaucoup de liquide. Le pansement qui recouvre la mastoïde doit être changé lors du retrait des points de suture; s'il y a encore présence d'un écoulement, on applique un pansement plus petit que le patient devra changer au besoin. Celui-ci doit aussi poursuivre son antibiothérapie pendant plusieurs jours.

Une des complications de la mastoïdectomie est la paralysie faciale. L'infirmière est souvent la première personne à remarquer cette paralysie, qui est un signe important d'inflammation ou de lésion du nerf facial, et se manifeste par l'incapacité de fermer l'œil et d'abaisser la mâchoire du côté atteint, l'incapacité de siffler et l'incapacité de boire sans laisser échapper du liquide. L'infirmière doit faire part immédiatement au médecin du moindre signe de paralysie faciale. Il sera peut-être nécessaire de ramener le patient à la salle d'opération pour rouvrir la plaie et réparer le nerf facial. La méningite et l'abcès cervical sont d'autres complications de la mastoïdectomie.

Résumé: La mastoïdite est le plus souvent traitée en clinique ou en consultation externe. Généralement, une antibiothérapie suffit à juguler l'infection, mais il faut parfois pratiquer une intervention chirurgicale. Dans ce cas on doit préparer le patient à l'opération et lui expliquer clairement ce à quoi il doit s'attendre après l'intervention chirurgicale. Il devra notamment prendre des analgésiques pour atténuer la douleur et l'agitation et des antibiotiques pour empêcher l'apparition d'une nouvelle infection. Les pansements doivent être changés au besoin après le retrait des points de suture. Parmi les complications de l'opération figurent la paralysie faciale, la méningite et l'abcès cervical.

TYMPANOPLASTIE

La tympanoplastie est une intervention chirurgicale qui sert à réparer les osselets. Elle vise à améliorer la continuité entre le tympan et la fenêtre ovale pour favoriser le passage des ondes acoustiques. Elle se fait à l'aide d'instruments spéciaux et d'un microscope à éclairage.

Technique. La tympanoplastie sert à rétablir le fonctionnement de l'oreille moyenne. Ses résultats dépendent de l'étendue de l'atteinte, mais aussi du maintien de trois aspects de la physiologie de l'oreille moyenne: la transmission des sons, la protection de la fenêtre ovale (amortissement des sons), et la taille de la cavité de l'oreille moyenne. Pour assurer le succès de la tympanoplastie, l'oreille doit rester sèche et libre d'infection.

Indications. L'intervention la plus simple (la myringoplastie) vise à refermer la perforation de la membrane du tympan et se fait en une seule étape. Les autres formes de tympanoplastie impliquent une réparation de diverses parties de l'oreille moyenne, elles peuvent être pratiquées en deux étapes (une première étape pour éliminer l'infection et une deuxième pour faire la réparation). Toutes les formes de tympanoplastie visent à rétablir la continuité du mécanisme de transmission du son. Une des indications de la tympanoplastie est la rupture de la chaîne ossiculaire due le plus souvent à une otite moyenne, mais pouvant aussi provenir d'une malformation de l'oreille moyenne ou d'une luxation des osselets causée par un traumatisme crânien.

Si les osselets ne sont pas endommagés, la fermeture de la perforation du tympan peut grandement améliorer l'audition. Par conséquent, si la fermeture de la perforation n'améliore pas l'audition, on peut soupçonner une rupture de la chaîne ossiculaire. Pendant la réparation chirurgicale d'une perforation du tympan, le chirurgien doit examiner attentivement l'oreille moyenne pour vérifier la continuité du jeu d'articulation des osselets.

La tympanoplastie est presque toujours pratiquée en consultation externe. Cependant, si le patient a déjà subi une intervention chirurgicale à son oreille ou s'il souffre d'une maladie chronique (par exemple, le diabète), on peut décider de l'hospitaliser.

Contre-indications. Il est généralement admis que la fermeture d'une perforation du tympan est contre-indiquée en présence d'une infection active. Elle l'est également chez les patients qui présentent un écoulement infectieux chronique de l'oreille moyenne causé par une atteinte du conduit auditif (trompe d'Eustache). Enfin, elle peut être contre-indiquée dans les cas d'atteinte du rhinopharynx due à un écoulement infectieux chronique provenant d'une sinusite allergique et accompagnée de poussées d'otite moyenne.

Traitement. La tympanoplastie a pour but d'améliorer l'audition. Elle doit être suivie pendant un certain temps d'une antibiothérapie. Les pansements doivent rester en place, sauf le pansement externe qu'on peut changer s'il est souillé par des écoulements.

Il importe d'assurer la sécurité du patient car celui-ci peut présenter des étourdissements et un nystagmus. On doit donc l'aider à se lever au besoin. Le médecin prescrit parfois des médicaments contre le vertige et les nausées. Il importe de recommander au patient d'éviter de se moucher et de mouiller ses pansements lors du bain. Une fois de retour à la maison, il doit protéger de l'eau son oreille opérée pendant un certain temps. Plus tard, il pourra prendre des douches et reprendre ses activités normales.

Résultats cliniques. Les résultats de la tympanoplastie sont généralement meilleurs chez les personnes jeunes que chez les personnes âgées. Plus l'opération exigée est simple, plus les chances d'amélioration de l'audition sont grandes. Bien sûr, le succès de l'opération dépend directement de l'intégrité fonctionnelle de la chaîne ossiculaire et de l'efficacité du greffon utilisé pour fermer la perforation.

Les échecs sont dûs à l'infection et au rejet du greffon. La recherche actuelle dans le domaine vise le perfectionnement des techniques de tympanoplastie.

OTOSPONGIOSE

L'otospongiose est une forme de surdité progressive causée par l'apparition, dans le labyrinthe, d'os spongieux anormal qui ankylose l'étrier, ce qui empêche la transmission aux liquides de l'oreille interne des stimuli sonores envoyés par le marteau et l'enclume.

Étiologie. Les causes de l'otospongiose sont inconnues, mais on a observé une tendance familiale. L'hypovitaminose et l'otite moyenne pourraient également être en cause. Plus fréquente chez les femmes, l'otospongiose commence au début de l'adolescence et semble s'aggraver pendant la grossesse.

Elle est bilatérale mais l'atteinte est inégale. Elle commence par une perte insidieuse de l'audition et un acouphène. Elle est la cause la plus fréquente de surdité progressive en l'absence d'infection de l'oreille moyenne. La conduction aérienne des sons est grandement réduite, ce que l'on peut mettre en évidence par l'épreuve de Rinne. Le diagnostic est basé sur les résultats des épreuves audiométriques.

Stapédectomie. La stapédectomie et l'amplification des sons par une prothèse auditive sont les seuls traitements de la surdité associée à l'otospongiose. La stapédectomie est l'ablation de l'étrier et son remplacement par une prothèse (figure 56-4). Pour effectuer cette intervention, le microscope binoculaire otologique raccordé à un laser est d'une très grande utilité. Les matériaux utilisés dans la fabrication des prothèses comprennent le fil d'acier avec boulette de graisse, le Gelfoam ou les segments de veine. La prothèse sert à combler l'espace auparavant occupé par l'étrier afin d'améliorer la transmission du son.

DÉMARCHE DE SOINS INFIRMIERS
PATIENTS SUBISSANT UNE OPÉRATION À L'OREILLE

Un grand nombre d'opérations de l'oreille sont pratiquées sous anesthésie locale en consultation externe.

Collecte des données

Le profil du patient comprend une description du problème: mal d'oreille, otorrhée, perte d'audition. Il faut aussi recueillir des données sur la cause, la gravité et la durée du problème ainsi que sur les traitements antérieurs, de même que sur les autres problèmes de santé et la prise de médicaments. Si le patient a mal, l'examen de l'oreille doit se faire avec douceur. Il faut aussi noter l'œdème, la rougeur, les lésions, les écoulements et l'odeur, et comparer les deux oreilles.

Analyse et interprétation des données

Selon les données recueillies, voici les principaux diagnostics infirmiers possibles:

- Anxiété reliée à la crainte de l'intervention chirurgicale et de la période postopératoire
- Douleur reliée à l'intervention chirurgicale
- Risque élevé d'accident relié aux vertiges
- Risque élevé d'infection
- Altération de la perception auditive reliée à une perte auditive préopératoire et aux facteurs postopératoires qui nuisent à la transmission des sons (pansements, sang, écoulement, méchage)
- Manque de connaissances sur la nature de l'opération ainsi que sur les soins et les attentes postopératoires

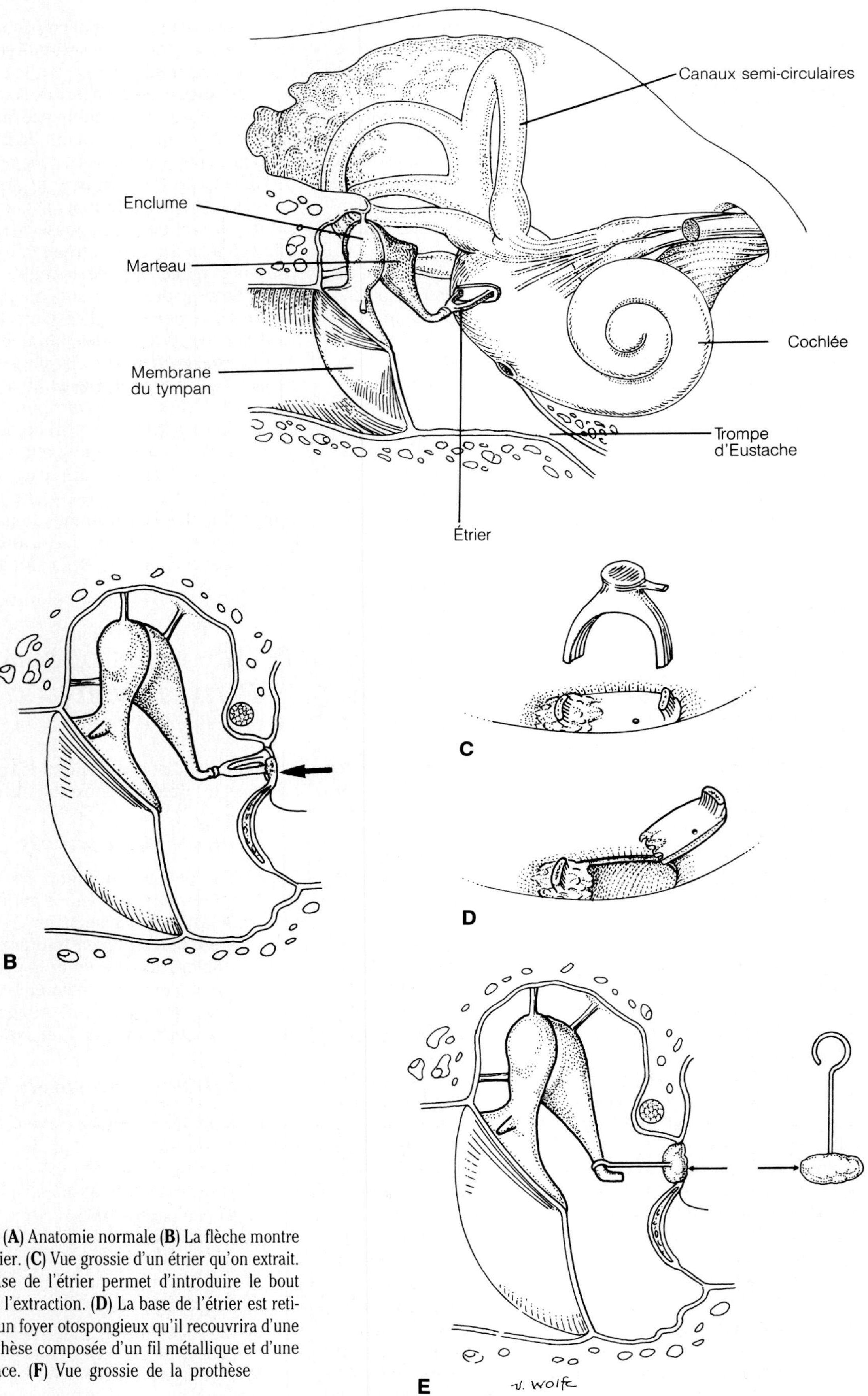

Figure 56-4. Stapédectomie (**A**) Anatomie normale (**B**) La flèche montre l'os spongieux à la base de l'étrier. (**C**) Vue grossie d'un étrier qu'on extrait. Le trou qui se trouve à la base de l'étrier permet d'introduire le bout d'un instrument, ce qui facilite l'extraction. (**D**) La base de l'étrier est retirée. (Le chirurgien peut laisser un foyer otospongieux qu'il recouvrira d'une boulette de graisse.) (**E**) La prothèse composée d'un fil métallique et d'une boulette de graisse est en place. (**F**) Vue grossie de la prothèse (Source: J. Wolfe, 1987)

▷ *Planification et exécution*

▷ ***Objectifs de soins:*** Réduction de l'anxiété et acquisition de connaissances; soulagement de la douleur et des malaises; prévention des infections et des blessures; amélioration de l'audition

▷ *Interventions infirmières*

▷ ***Réduction de l'anxiété.*** L'infirmière reprend l'information donnée au patient par le chirurgien sur la nature de l'anesthésie, le siège de l'incision et les résultats escomptés. Elle doit également expliquer au patient le déroulement de l'opération et ce à quoi il doit s'attendre après l'opération, afin de réduire sa crainte de l'inconnu. Elle lui explique également qu'il devra rester couché sur le côté indemne durant les 24 premières heures de la période postopératoire, afin de prévenir le déplacement de la prothèse.

▷ ***Soulagement de la douleur et prévention des blessures.*** Si le patient ressent de la douleur dans les heures qui suivent l'opération, il doit prendre les analgésiques prescrits.

Les vertiges sont dus à la manipulation des canaux semicirculaires et du nerf pneumogastrique stimulés pendant l'intervention chirurgicale. Après une stapédectomie, les étourdissements sont donc fréquents mais ils disparaissent habituellement dans les trois premiers jours. En général, on surélève la tête du lit pour favoriser le drainage de l'oreille. Le patient doit éviter les mouvements brusques de la tête; il doit se lever lentement et éviter d'éternuer et de tousser. (S'il ne peut retenir la toux et les éternuements, il doit tousser le plus doucement possible et éternuer en gardant la bouche ouverte.) Il doit également éviter de se moucher, de forcer quand il va à la selle et de se pencher à partir de la taille. Il doit faire tous ses mouvements lentement. S'il souffre de nausées et d'étourdissements, on peut lui prescrire un antiémétique ou un médicament contre le mal des transports. L'infirmière doit surveiller le patient et s'assurer que les médicaments donnent les effets voulus. Elle doit prévenir le patient de ces effets. Elle doit aussi assurer la sécurité du patient, si celui-ci souffre de vertiges ou de déséquilibre.

▷ ***Prévention des infections.*** Il faut prendre des mesures pour prévenir les infections dans l'oreille opérée. On peut, par exemple, imbiber la mèche dans une solution antibiotique avant son insertion. On doit aussi administrer des antibiotiques à titre prophylactique selon l'ordonnance. Il faut interdire la visite des personnes atteintes d'une infection des voies respiratoires supérieures. Le respect des règles de l'asepsie est essentiel lors du changement des pansements. Il faut aussi recommander au patient de ne pas toucher ses pansements afin d'éviter les contaminations. Le patient doit aussi éviter de mouiller son oreille ou ses pansements, car l'humidité favorise la transmission des contaminants. Les shampoings sont interdits tant que le médecin n'en a pas donné l'autorisation, soit pendant deux semaines environ. On doit rappeler au patient d'éviter de se moucher ou d'éternuer, car il risque ainsi de faire pénétrer des microorganismes par la trompe d'Eustache jusque dans l'oreille moyenne. Il faut également être à l'affût des signes d'infection comme la fièvre et la présence d'un écoulement purulent et nauséabond. On doit recommander au patient de prévenir le personnel soignant s'il ressent une pression accrue dans l'oreille ou une douleur, ou s'il présente des signes de paralysie faciale: chute de la mâchoire du côté opéré, altération du goût, incapacité de boire sans laisser échapper du liquide, sécheresse excessive de la bouche. Ces signes peuvent témoigner d'une atteinte du VIIe nerf crânien.

▷ ***Amélioration de la communication.*** Il faut prévenir le patient que l'audition dans son oreille opérée sera diminuée pendant quelques semaines à cause de l'œdème, de la présence d'écoulements et de sang, de même que de pansements ou de mèches. L'infirmière doit donc prendre certaines mesures pour améliorer la communication: réduire le bruit ambiant, se placer face au patient quand elle lui parle, parler fort et lentement, parler du côté de la meilleure oreille, assurer un bon éclairage si le patient doit lire sur les lèvres, et exploiter les méthodes de communication non verbale Elle doit également expliquer ces mesures à la famille et aux amis du patient.

▷ ***Enseignement des autosoins à domicile.*** Habituellement, le patient retourne à la maison quelques heures après l'opération et il peut avoir besoin d'aide pendant quelque temps. La personne qui s'occupe du patient à la maison doit donc être présente lors de l'enseignement de l'infirmière. Voici quelques exemples de directives à donner à un patient qui vient de subir une opération à l'oreille:

Pour prévenir le déplacement de la prothèse

- Ne pas se moucher ou éternuer durant la première semaine afin d'éviter les changements de pression.
- Éviter les mouvements brusques.
- Éviter de se pencher à partir de la taille; éviter les efforts de défécation; éviter de soulever des objets de plus de cinq livres.

Pour prévenir une infection de l'oreille

- Éviter de toucher ses pansements.
- Changer ses pansements selon les recommandations.
- Ne pas se laver les cheveux avant d'avoir obtenu l'autorisation du médecin.
- Éviter de prendre des douches, de prendre l'avion ou de nager avant d'avoir obtenu l'autorisation du médecin.
- Couvrir l'oreille opérée quand on est à l'extérieur.
- Éviter les contacts avec les personnes enrhumées.
- Signaler tout signe ou symptôme inhabituel.

▷ *Évaluation*

Résultats escomptés

1. Le patient se dit moins anxieux et connaît les justifications du traitement.
   a) Il discute de son traitement avec sa famille.
   b) Il se dit prêt à accepter les résultats de l'intervention chirurgicale et à s'adapter à une perte auditive temporaire s'il y a lieu.
   c) Il décrit le traitement reçu.
   d) Il accepte le plan de congé qu'il a préparé en collaboration avec l'infirmière pour ce qui concerne les périodes de repos, les médicaments et les activités permises et interdites.
2. Le patient ne présente pas de douleur ni de complications.
   a) Il connaît et utilise adéquatement les analgésiques prescrits.
   b) Il connaît les signes de complications qu'il doit signaler au personnel soignant.
   c) Il explique les façons de prévenir les infections de l'oreille.
3. Le patient ne présente pas d'infections ou de blessures.
   a) Il utilise la technique appropriée pour changer ses pansements.

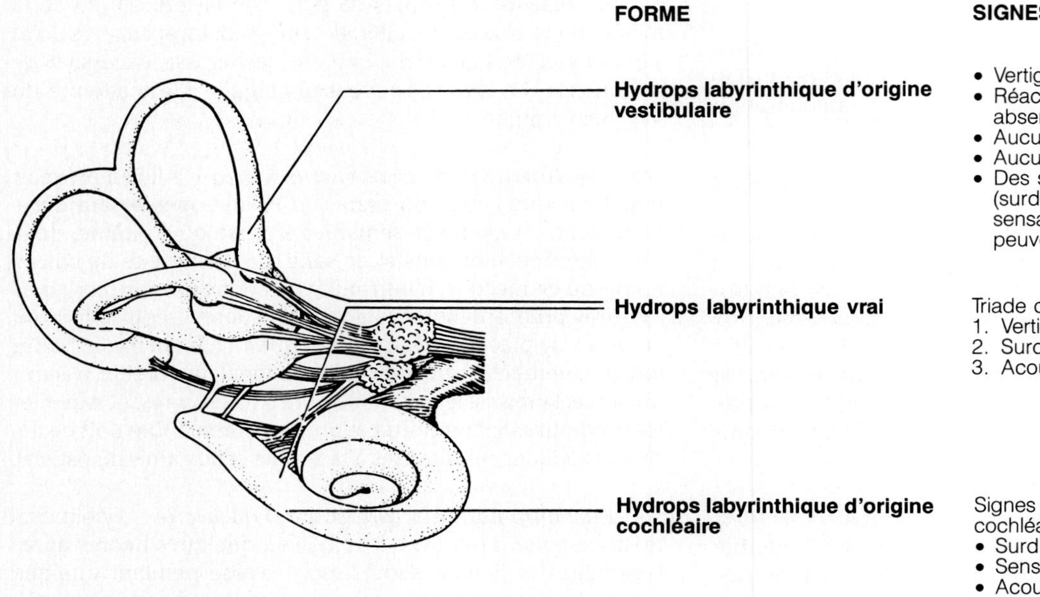

Figure 56-5. Classification pratique de la maladie de Ménière

   b) Il ne fait pas de fièvre au moment de son congé.
   c) Il ne prend pas de douches et ne se fait pas de shampoings avant d'avoir obtenu l'autorisation du médecin.
   d) Il prend les mesures nécessaires pour prévenir les chutes (par exemple, il ouvre les lumières le soir, ne laisse rien traîner dans les escaliers, etc.).
4. Le patient présente une amélioration de son audition.
   a) Il dit percevoir des sons qu'il ne pouvait percevoir avant l'opération.
   b) Il se dit heureux de l'amélioration graduelle de son audition.
5. Le patient comprend l'importance des autosoins et des visites postopératoires.
   a) Il sait quelles activités lui sont permises et quelles activités lui sont interdites et pour combien de temps.
   b) Il sait comment se lever du lit et se mettre au lit.
   c) Il peut énumérer les symptômes à signaler au personnel soignant.
   d) Il se rend à ses consultations postopératoires.

AFFECTIONS DE L'OREILLE INTERNE

Le corps maintient son équilibre grâce à l'action conjointe des muscles, des tendons, des sensations viscérales et de l'oreille interne (ou appareil vestibulaire). L'oreille interne informe le cerveau des mouvements et de la position de la tête dans l'espace, coordonne tous les muscles et place les yeux lors des mouvements rapides ou quand la tête bouge.

L'appareil vestibulaire se compose de l'utricule, du saccule et des canaux semi-circulaires, qui sont au nombre de trois dans chaque oreille. Les canaux sont situés à angle droit l'un par rapport à l'autre, et agissent en groupes de deux pour accomplir leurs fonctions complexes (l'équilibration). Le mécanisme d'action des canaux semi-circulaires s'apparente à celui de la cochlée. En effet, ici aussi le mouvement du corps ou de la tête fait bouger des liquides qui stimulent des fibres nerveuses extrêmement délicates qui, à leur tour, transmettent des messages sous forme d'impulsions électriques jusqu'au centre auditif, où ils sont interprétés.

MAL DES TRANSPORTS

Le mal des transports est un trouble de l'équilibre causé par un mouvement constant. Il se manifeste par exemple lors d'un voyage en bateau, dans les manèges ou les balançoires ou même lors d'une simple promenade sur le siège arrière d'une voiture. Ses symptômes sont des étourdissements, des nausées et, très souvent, des vomissements; ils peuvent persister plusieurs heures après l'arrêt de la stimulation. Les médicaments contre le vertige et le mal des transports peuvent apporter un certain soulagement. Les antivertigineux ont toutefois des effets secondaires, dont la sécheresse de la bouche, la cycloplégie (paralysie de l'accommodation) et la somnolence. Ces effets sont moins importants si on utilise un antivertigineux topique (Transderm V) qui contient de la scopolamine. On peut réduire la sécheresse de la bouche par des pastilles. Il faut recommander au patient d'éviter les activités qui exigent de l'attention, comme la conduite automobile, s'il éprouve de la somnolence.

MALADIE DE MÉNIÈRE (HYDROPS ENDOLYMPHATIQUE)

La maladie de Ménière est une affection de l'oreille interne causée par une dysfonction du labyrinthe. On en connaît mal les causes. Il existe différentes théories à ce sujet: influence hormonale ou neurochimique anormale sur le flux sanguin au labyrinthe; déséquilibre électrolytique dans les liquides labyrinthiques; réaction allergique ou réaction auto-immunitaire. Certains attribuent la perturbation du système microvasculaire de l'oreille interne à la présence de métabolites anormaux dans la circulation sanguine (glucose, insuline, triglycérides et cholestérol).

Manifestations cliniques. La maladie de Ménière se caractérise par trois symptômes: des vertiges rotatoires accompagnés de nausées et de vomissements, des acouphènes et une surdité de perception. Certains auteurs ajoutent un quatrième symptôme, soit une sensation de pression dans l'oreille. Au début de la maladie, le patient peut ne présenter qu'un ou deux de ces symptômes; toutefois, les trois symptômes doivent être présents pour que l'on pose le diagnostic (figure 56-5).

Les vertiges sont le symptôme le plus marquant de la maladie de Ménière. Ils apparaissent soudainement, reviennent à intervalles réguliers et persistent souvent pendant quelques heures. Au début de la maladie, les crises de vertiges sont espacées de plusieurs semaines ou de plusieurs mois; peu à peu, toutefois, elles se rapprochent et peuvent survenir tous les deux ou trois jours. Elles peuvent durer plusieurs heures, avec des symptômes résiduels qui persistent pendant quelques jours. L'atteinte est habituellement unilatérale. Un nystagmus et une ataxie peuvent également se manifester. L'acouphène caractéristique est un bourdonnement fluctuant de faible intensité; il s'intensifie souvent pendant les crises de vertiges. La surdité de perception, généralement unilatérale, touche les sons graves. Elle s'aggrave progressivement. En l'absence de traitement, on peut observer une atteinte grave de la cochlée.

Examens diagnostiques. Étant donné que la maladie de Ménière simule les signes et symptômes du neurinome de l'acoustique et d'autres tumeurs de l'angle ponto-cérébelleux, le diagnostic doit être basé sur des examens diagnostiques minutieux dont un audiogramme, une tomodensitométrie de la tête ou un examen par résonance magnétique nucléaire et un bilan allergologique. Au début de la maladie, on procède à une hyperglycémie provoquée et à un dosage d'insuline. Si les résultats sont anormaux, le patient est considéré comme prédiabétique et doit se soumettre à un régime amaigrissant hypoglucidique.

L'électronystagmographie est l'épreuve de choix pour le diagnostic de la maladie de Ménière. Elle mesure le potentiel électrique des mouvements oculaires au cours d'un nystagmus provoqué et fournit un graphique de la fonction labyrinthique.

Test osmotique. La présence d'un hydrops labyrinthique est confirmée quand l'administration d'une substance hyperosmolaire (glycérine ou urée) améliore l'audition. Il s'agit du test osmotique, qui se fait comme suit. On effectue d'abord un audiogramme ainsi qu'une mesure de l'osmolarité sérique. On sert ensuite au patient un petit déjeuner léger, puis on lui fait boire, environ deux heures plus tard, une quantité prescrite d'une substance hyperosmolaire, généralement dans du jus de fruit non sucré. On procède ensuite, toutes les heures, à une mesure de l'osmolarité sérique. L'épreuve est positive si on constate une fluctuation à un moment ou à un autre du test.

Traitement. Le traitement vise à faire disparaître les vertiges et à améliorer ou stabiliser l'audition du patient. Selon la cause possible de la maladie, il peut comprendre des interventions médicales ou chirurgicales, un programme de rééducation et un régime alimentaire. On peut utiliser des médicaments pour inhiber la fonction vestibulaire (comme les benzodiazépines [anxiolytiques], les anticholinergiques et les antihistaminiques), augmenter le débit urinaire et soulager les nausées. On peut aussi administrer des stéroïdes comme la prednisone pour maintenir l'audition et diminuer les étourdissements. Certains auteurs ont fait état de l'usage de sulfate

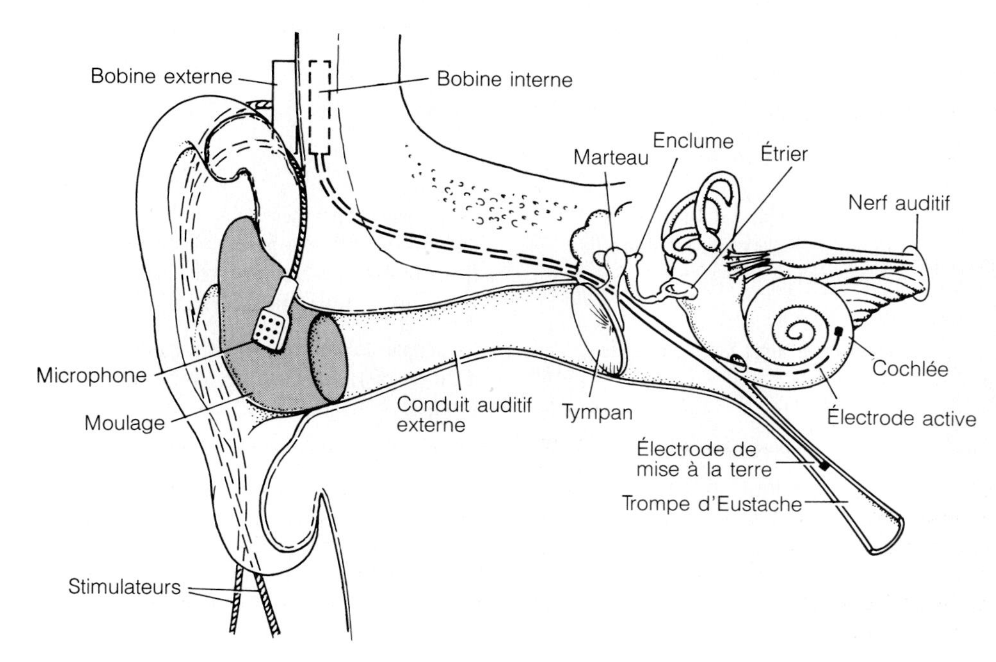

Figure 56-6. Implant cochléaire
La bobine interne est dotée d'une électrode de conduction. Cette électrode est introduite par la fenêtre ronde jusque dans le scala tympani de la cochlée. Un aimant sert à maintenir la bobine externe (l'émetteur) alignée avec la bobine interne (le récepteur). Le microphone reçoit les sons. Les stimulateurs reçoivent le signal une fois que celui-ci a été filtré, réglé et modifié selon l'intensité du son voulue. La bobine externe (l'émetteur) transmet le son à la bobine interne (récepteur) par conduction magnétique, puis le son se propage par l'électrode jusqu'à la cochlée.

Plan de soins infirmiers 56-1

Patient atteint de la maladie de Ménière

Interventions infirmières	Justification	Résultats escomptés
Diagnostic infirmier: Risque élevé d'accident relié à la dysfonction labyrinthique		
Objectif: Réduction des vertiges et prévention des chutes		
1. Recommander au patient de s'étendre; relever les ridelles quand il se sent étourdi.	1. Ces mesures diminuent les risques de chute et de blessure.	• Le patient se couche quand il se sent étourdi.
2. Placer un oreiller de chaque côté de sa tête pour l'immobiliser.	2. Le mouvement favorise les vertiges.	• Il garde la tête immobile.
3. Aider le patient à reconnaître les symptômes précurseurs d'une crise de vertiges.	3. On permet ainsi au patient de réagir rapidement et de réduire la gravité et les effets des crises.	• Il est capable de reconnaître la sensation caractéristique de plénitude ou de pression dans l'oreille avant l'apparition d'une crise.
4. Recommander au patient de fermer les yeux quand il s'étend et quand il souffre de vertiges.	4. Si le patient garde les yeux fermés, les vertiges diminuent et les mouvements ralentissent.	• Il dit que ses vertiges s'atténuent quand il ferme les yeux.
Diagnostic infirmier: Isolement social relié aux crises de vertiges et à la déficience auditive		
Objectif: Reprise de la vie sociale; stabilisation et, si possible, élimination des vertiges et des acouphènes; reprise du mode de vie habituel		
1. Administrer les médicaments prescrits contre le mal des transports et les vertiges.	1. La diminution des crises de vertiges permet au patient de bouger davantage et l'aide à reprendre sa vie sociale.	• Le patient prend les médicaments prescrits. Il dit ressentir moins de vertiges.
2. Revoir avec le patient le régime hyposodique recommandé.	2. Un régime à faible teneur en sel atténue les symptômes chez certains patients.	• Il suit le régime hyposodique recommandé. Il dit avoir moins de vertiges.
3. Renseigner le patient sur la prise et sur les effets des différents médicaments: diurétiques, vasodilatateurs et autres.	3. La connaissance de l'action des médicaments favorise l'observance du traitement.	• Il reprend ses activités habituelles. Il connaît l'action des médicaments et il sait à quel moment il doit les prendre.
Diagnostic infirmier: Déficit d'autosoins relié à la dysfonction du labyrinthe et aux crises de vertiges		
Objectif: Capacité d'effectuer ses autosoins		
1. Administrer des antiémétiques et autres médicaments prescrits pour soulager la nausée et les vomissements.	1. Les antiémétiques et les sédatifs diminuent les stimuli au centre du vomissement.	• Le patient assume ses soins de base quand il ne présente pas de symptômes. Il prend des médicaments pour soulager la nausée ou les vomissements.
2. Encourager le patient à assumer ses soins de base quand il ne souffre pas de vertiges.	2. On favorise ainsi son autonomie	• Le patient assume ses activités quotidiennes lorsqu'il ne souffre pas de vertiges.

Plan de soins infirmiers 56-1 (suite)

Patient atteint de la maladie de Ménière

Interventions infirmières	Justification	Résultats escomptés
Diagnostic infirmier: Anxiété reliée aux effets invalidants de la maladie et à l'inquiétude concernant la surdité progressive		
Objectif: Diminution de l'anxiété et meilleure compréhension de l'évolution de la maladie		
1. Essayer de réconforter le patient et éviter les activités qui provoquent du stress.	1. Le stress peut exacerber les symptômes de la maladie.	• Le patient évite les situations qui provoquent du stress.
2. Informer le patient sur tous les aspects de son traitement.	2. Le patient bien informé est moins anxieux.	• Il répète l'information donnée et montre qu'il comprend les traitements.
3. Encourager le patient à utiliser des techniques de relaxation simples.	3. Ces techniques peuvent réduire l'anxiété.	• Il connaît et utilise au besoin des techniques de relaxation simples.

de streptomycine chez des patients souffrant d'une maladie auto-immunitaire qui provoque des symptômes auditifs bilatéraux. Les vasodilatateurs comme l'acide nicotinique, le chlorhydrate de tolazoline et le bromure de méthanthélinium atténuent les acouphènes. L'infirmière doit surveiller les signes vitaux et l'état général du patient, et être à l'affût des signes d'effets secondaires des médicaments (comme l'ataxie et l'altération de la fonction rénale).

La valeur du traitement diététique est controversée, mais beaucoup de patients réagissent favorablement à un régime sans sel avec prise de diurétiques. L'alcool, le tabac et la caféine sont interdits. On se sert des résultats du bilan allergologique pour déterminer les aliments à éliminer du régime alimentaire.

Traitement chirurgical. Il existe plusieurs traitements chirurgicaux pour la maladie de Ménière. Des recherches se poursuivent dans le but de trouver la cause de ce syndrome, ce qui permettrait de mettre au point un traitement définitif. Voici quelques-unes des interventions chirurgicales pratiquées pour traiter la maladie de Ménière.

Le shunt endolymphatique sous-arachnoïdien est une intervention que beaucoup d'otorhinolaryngologistes privilégient. Il peut soulager les symptômes sans supprimer la fonction du labyrinthe. Il consiste à décomprimer le cul-de-sac endolymphatique et à sectionner le nerf vestibulaire.

Le shunt endolymphatique / mastoïdien avec valve permet dans certains cas d'éviter la labyrinthectomie. Il a été pratiqué pour la première fois en Suède, puis en Amérique du Nord à partir de la fin des années 1970. Ses résultats semblent particulièrement prometteurs chez les patients qui ne présentent pas encore d'oblitération du cul-de-sac endolymphatique.

On a également recours à la chirurgie ultrasonique pour traiter la maladie de Ménière. On pratique d'abord une incision de mastoïdectomie pour avoir accès au canal semi-circulaire horizontal, puis on dirige des vibrations ultrasoniques directement sur l'os du canal défectueux. Les effets destructeurs des vibrations ne durent que quelques jours. Les partisans de la méthode ultrasonique affirment qu'elle permet d'éliminer les vertiges tout en préservant l'audition.

On a recours à la labyrinthectomie totale (destruction de l'oreille interne) quand le traitement médical a échoué chez les patients qui présentent une importante perte auditive et des crises de vertiges graves. Elle se pratique par le conduit auditif et consiste à retirer l'étrier et à évider le labyrinthe par aspiration.

Le patient qui vient de subir une labyrinthectomie peut souffrir de vertiges pendant quelques jours; ces vertiges disparaissent graduellement, ce qui lui permet de se lever. Dans certains cas, les vertiges et le déséquilibre persistent pendant un ou deux mois, mais le patient peut en éviter les effets en se déplaçant lentement. Voir le plan de soins infirmiers 56-1 pour les soins aux patients souffrant de la maladie de Ménière.

Implant cochléaire

L'implant cochléaire (figure 56-6) est une prothèse auditive destinée aux sourds profonds dont la surdité ne peut être traitée autrement. Il s'agit d'un appareil adapté à l'oreille interne, qui aide à percevoir les sons ambiants d'intensité moyenne à forte et parfois des bribes de conversation. Il ne rétablit pas l'audition.

Les candidats à l'implant cochléaire sont choisis rigoureusement selon leurs antécédents otologiques et les résultats de l'examen physique et de l'évaluation audiométrique. Pour certains patients, il est préférable d'utiliser une prothèse auditive dans une oreille et un implant dans l'autre oreille. Les études actuelles sur les implants cochléaires pourraient modifier la façon de les utiliser dans l'avenir. Par exemple, les chercheurs comparent l'efficacité de la rééducation orthophonique avant la mise en place de l'implant à celle de la rééducation après la mise en place de l'implant, et ils essaient de déterminer si l'implant devrait idéalement aller dans l'oreille la plus touchée ou dans l'oreille la moins touchée. Il faut également normaliser la façon d'évaluer l'efficacité des implants cochléaires.

La mise en place d'un implant cochléaire exige une intervention chirurgicale, selon laquelle on place un petit récepteur dans l'os situé derrière l'oreille et on insère des électrodes dans l'oreille interne. Quelques semaines après cette opération, on met en place le microphone et l'émetteur, qui sont les parties externes du système. Par le biais d'un transformateur qui analyse et traite les signaux, les sons sont transmis à l'oreille interne où une électrode aide les cellules sensorielles à stimuler le nerf auditif. Les signaux sonores sont ensuite envoyés au cerveau, où ils sont interprétés. L'interprétation correcte des sons par le patient peut exiger un apprentissage de plusieurs semaines ou de plusieurs mois.

Pendant la période de rééducation, le patient apprend à utiliser et entretenir l'implant, détermine le réglage du transformateur et participe à des séances d'exercices auditifs. Dirigées par une équipe multidisciplinaire, ces séances occupent une place importante dans la réadaptation du patient. Elles permettent de s'assurer que l'implant est utilisé correctement et que le patient discrimine de mieux en mieux les différents sons. Avec un implant cochléaire, le patient est capable de faire la distinction entre deux sons (par exemple la sonnette de la porte d'entrée et la sonnerie du téléphone). Le taux de succès varie cependant beaucoup.

Bibliographie

Ouvrages

Alberti PW and Ruben RJ (eds). Otologic Medicine and Surgery. Vols 1 and 2. New York, Churchill Livingstone, 1988.

Ballenger JJ. Diseases of the Nose, Throat, Ear, Head and Neck. Philadelphia, Lea & Febiger, 1985.

Bates B. A Guide to Physical Examination and History Taking, 5th ed. Philadelphia, JB Lippincott, 1991.

Bernard P et coll. Les affections O.R.L. courantes. Saint-Hyacinthe, Québec, EDISEM, 1984.

Bernstein JM and Ogra P (eds). Immunology of the Ear. New York, Raven Press, 1987.

Bluestone CD and Klein JO. Otitis Media in Infants and Children. Philadelphia, WB Saunders, 1988.

Brooks DN (ed). Adult Aural Rahabilitation. London, Chapman & Hall, 1989.

Halper AS and Burns MS. Treatment materials for auditory comprehension and reading comprehension. Rockville, MD, Aspen Publishers, 1989.

Lubin MF et al. Medical Management of the Surgical Patient, 2nd ed. Stoneham, MA, Butterworths, 1988.

Noble J (ed). Textbook of General Medicine and Primary Care. Boston, Little, Brown, 1987.

Olin BR (ed). Drug Facts and Comparisons. Philadelphia, JB Lippincott, 1988.

Portmann M et coll. Oto-rhino-laryngologie. Paris, Masson, 1991.

Santé et Bien-être social Canada. La déficience auditive acquise chez l'adulte. Ministère des Approvisionnement et Services Canada, 1988.

Swartz JD (ed). Imaging of the Temporal Bone. New York, Thieme Medical Publishers, 1986.

Revues

Les articles de recherche en sciences infirmières sont marqués d'un astérisque

Généralités

Abbas PJ. Electrophysiology of the auditory system. Clin Phys Physiol Meas 1988, 9(1):1-31.

Achouche J et coll. Ototoxité des aminoglycosides. Revue de l'infirmière 1990; 40(15):39-42.

Adamson PA et al. Otoplasty: An update. J Otolaryngol 1987 Aug; 16(4): 258-262.

Bailie GR and Neal D. Vancomycin ototoxicity and nephrotoxicity: A review. Med Toxicol Adverse Drug Exp 1988 Sep/Oct; 3(5):376-386.

Bailey BJ. Otolaryngology—Head and neck surgery. JAMA 1989 May 19; 261(19):2870-2872.

Baker MD. Foreign bodies of the ears and nose in childhood. Pediatr Emerg Care 1987 Jun; 3(2):67-70.

Barrlere SL. Aminoglycosides: A reassessment of their therapeutic role. Clin Pharm 1988; 7(5):385-390.

Boissay D. Une bonne oreille pour mieux entendre. Vie et Santé 1991; 1173:46-47

Crabtree JA and Maceri DR. Tympanoplasty and ossicular reconstruction: An update. Am J Otolaryngol 1988 Jul; 9(4):334-339.

Dobbin M. Loud noise from little headphones. US News World Rep 1987 Oct 12; 103(15):77-78.

Dreschler WA et al. Role of high-frequency audiometry in the early detection of ototoxicity. II. Clinical aspects. Audiology 1989; 28(4):211-220.

Hagerty JW. The amino-glycosides. Focus Crit Care 1989 Apr; 16(2):104-108.

Harrison RK. Hearing conservation: Implementing and evaluating a program. AAOHN J 1989 Apr; 37(4):107-111.

Hazel JW. Tinnitus: II. Surgical management of conditions associated with tinnitus and somatosounds. J Otolaryngol 1990 Feb; 19(1):6-10.

Hollinger LM. Communicating with the elderly: Nurse's touch and the verbal responses of the hospitalized elderly. J Gerontol Nurs 1986 Dec; 44(3):8-13.

Jackson CG. Antimicrobial prophylaxis in ear surgery. Laryngoscope 1988 Oct; 98(10):1116-1123.

Jahnke K. Advances in middle ear surgery. Adv Otorhinolaryngol 1988 Jan; 39:65-82.

Jones IH. Military medicine and surgery: The ear and aviation. 1917 [reprint]. Aviat Space Environ Med 1989 Apr; 60(4):378-382.

Kerr AG. Blast injury to the ear: A review. Rev Environ Health 1987 Jan/Jun; 7(1-2):65-79.

Luxford WM et al. Otoscope update. Patient Care 1987 Sep 15; 21(14): 85-107.

Mahoney DF. One simple solution to hearing impairment. Geriatr Nurs 1987 Sep/Oct; 8(5):242-245.

Mancino DJ. Overview of occupational safety and health hazards and right to know legislation. J NY State Nurs Assoc 1987 Aug; 18(3):4-10.

Moloy PJ and Brackmann DE. Control of venous bleeding in otologic surgery. Laryngoscope 1986 May; 96(5):580-582.

Murphy JE. Aminoglycosides: Another look at current and future roles in antimicrobial therapy. Pharmacotherapy 1990; 10(3):217-221.

Rabinowitz J. Les effets psychologiques du bruit. La recherche 1991; 229:178-187.

Sheehy JL. Acquired cholesteatoma in adults. Otolaryngol Clin North Am 1989 Oct; 22(5):967-979.

Simon C et al. Bacteriological findings after premature rupture of the membranes. Arch Gynecol Obstet 1989; 244(2):69-74.

Song YG and Zhuang HX. One-stage total reconstruction of the ear with simultaneous tympanoplasty. Clin Plast Surg 1990 Apr; 17(2):251-261.

Stefanatos GA et al. Neurophysiological evidence of auditory channel anomalies in developmental dysphasia. Arch Neurol 1989 Aug; 46(8): 871-875.

Timms MS et al. Experience with a new topical anaesthetic in otology. Clin Otolaryngol 1988 Dec; 13(6):485-490.

Votey S and Dudley JP. Emergency ear, nose, and throat procedures. Emerg Med Clin North Am 1989 Feb; 7(1):117-154.

Évaluation

Bellucci RJ. Selection of cases and classification of tympanoplasty. Otolaryngol Clin North Am 1989 Oct; 22(5):911-926.

Blair KA. Aging: Physiological aspects and clinical implications. Nurs Pract 1990 Feb; 15(2):14-23.

Cook N and Hopson B. Pearls for practice: Quick and easy ear cleaning. J Am Acad Nurse Pract 1989 Jul/Sept; 1(3):98.

Karmy SJ. Audiometry: Why and how. Occup Health 1990 Feb; 42(2):39-43.

Nelson GB. Assessment and intervention for communication problems in home health care. J Home Health Care Pract 1988 Nov; 1(1):61-76.

Nomura Y et al. Walking through a human ear. Acta Otolaryngol (Stockh) 1989 May/Jun; 107(5-6):366-370.

Rambur BA. Sudden hearing loss. Nurs Pract 1989 Jan; 14(1):8-14.

Reich ND. Ear infections. Emerg Med Clin North Am 1987; 5(2):227.

Regan D and Regan MP. The transducer characteristic of hair cells in the human ear; A possible objective measure. Brain Res 1988 Jan 12; 438(1-2):363-365.

Turkiak TW. Ear trauma. Emerg Med Clin North Am 1987 May; 5(2):243-251.

Warwick-Brown NP. Wax impaction in the ear. Practitioner 1986 Apr; 230(1414):301.

Troubles de l'audition

Belal A Jr and Glorig A. The aging ear. A clinico-pathological classification. J Laryngol Otol 1987 Nov; 101(11):1131-1135.

Bernstein LE et al. Speech training aids for hearing-impaired individuals: I. Overview and aims. J Rehabil Res Dev 1988 Fall; 25(4):53-62.

Bluestone CD. Modern management of otitis media. Pediatr Clin North Am 1989 Dec; 36(6):371-387.

Chovaz C. Nursing the hearing impaired patient. Can Nurse 1989 Mar; 85(3):34-36.

Cunha BA. Case studies in infectious diseases: Otitis media. Emerg Med 1988 May 15; 20(9):164-172.

Curtis HD. Congenital malformations of the ear. Otolaryngol Clin North Am 1988 May; 21(2):317-336.

Dudley JP. Ear, nose, throat, and sinus infections. Top Emerg Med 1989 Jan; 10(4):43-51.

Farrior JB. Surgical approaches to cholesteatoma. Otolaryngol Clin North Am 1989 Oct; 22(5):1015-1028.

Fireman P. Newer concepts in otitis media. Hosp Pract 1987 Nov 30; 22(11):85-91.

Flood J. Glue-ear: Accumulation of fluid in the middle ear. Nurs Times 1989 Sep; 85(36):38-41.

Goldsmith MM. The punch myringotomy system. Otolaryngol Head Neck Surg 1989 Jun; 100(6):642-643.

Harrison CJ. Tympanostomy tubes: To use or not to use. Consultant 1987 Mar; 27(3):143-144.

LaMarte FP and Tyler RS. Noise-induced tinnitus. AAOHN J 1987 Sep; 35(9):403-406.

Lambert PR. Major congenital ear malformations: Surgical management and results. Ann Otorhinolaryngol 1988 Nov/Dec; 97(6):641-649.

*Lewis-Cullinan C and Jankin JK. Effect of cerumen removal on the hearing ability of geriatric patients. J Adv Nurs 1990 May; 15(5):594-600.

Mandel EM et al. Myringotomy with and without tympanostomy tubes for chronic otitis media with effusion. Arch Otolaryngol Head Neck Surg 1989 Oct; 115(10):1217-1224.

Muchnik C et al. Validity of tympanometry in cases of confirmed otosclerosis. J Laryngol Otol 1989 Jan; 103(1):36-38.

Paparella MM et al. Dizziness. Primary Care 1990 Jun; 17(2):299-308.

Paparella MM et al. Survey of interactions between middle ear and inner ear. Acta Otolaryngol Suppl (Stockh) 1989; 457:9-24.

Rubin W. Noise-induced deafness: Major environmental problem. Hosp Med 1987 Jul; 23(7):19-32.

Schwartz RH. A practical approach to chronic otitis. Patient Care 1987 Jul 15; 21(12):91-103.

Silverstein H et al. Routine intraoperative facial nerve monitoring during otologic surgery. Am J Otol 1988 Jul; 9(4):269-275.

Tonkin JP. Deafness: Diagnosis and management. Med J Aust 1990 Jun; 152(12):659-663.

Tortora ML. Noise-induced hearing loss: Prevention and environment. AAOHN J 1987 Jun; 35(6):271-273.

Verney A. The patient with hearing impairment. J Clin Practice Educ Management 1989 Mar; 3(35):17-19.

Whittet HB et al. An evaluation of topical anaesthesia for myringotomy. Clin Otolaryngol 1988 Dec; 13(6):481-484.

Stapédectomie

Dickins JRE and Graham SS. Otologic surgery in the outpatient versus the hospital setting. Am J Otol 1989 May; 19(3):252-255.

Lesinsik SG and Stein JA. Stapedectomy revision with the CO_2 laser. Laryngoscope 1989; 99(Suppl 46):13-20.

Ross JK et al. A silastic foam dressing for the protection of the post-operative ear. Br J Plast Surg 1987 Mar; 40(2):213-214.

Smalley PJ. Lasers in otolaryngology. Nurs Clin North Am 1990 Sep; 25(3): 645-656.

Williams L and Peters CR. Otoplasty. Plast Surg Nurs 1989 Fall; 9(3):132-135.

Maladie de Ménière

Barna BP and Hughes GB. Autoimmunity and otologic disease: Clinical and experimental aspects. Clin Lab Med 1988 Jun; 8(2):385-398.

Cleveland PJ and Morris J. Ménière's disease: The inner ear out of balance. RN 1990 Aug; 53(8):28-32.

Darmstadt GL and Harris JP. Luetic hearing loss: Clinical presentation, diagnosis, and treatment. Am J Otolaryngol 1989 Nov/Dec; 10(6): 410-421.

Dickins JR and Graham SS. Ménière's disease—1983-1989. Am J Otol 1990 Jan; 11(1):51-65.

Estrem SA and Davis WE. Ménière's disease: Recent advances. Mod Med 1988 Mar; 85(3):151-154.

Farber SD. Living with Ménière's disease: An occupational therapist's perspective. Am J Occup Ther 1989 May; 43(5):341-343.

Horowitz M et al. Cryosurgical treatment of endolymphatic hydrops. J Laryngol Otol 1989 May; 103(5):481-484.

Jackler RK and Dillon WP. Computed tomography and magnetic resonance imaging of the inner ear. Otolaryngol Head Neck Surg 1988 Nov; 99(5):494-504.

McKennis AT. Vestibular neurectomy: Midfossa approach for Ménière's disease. AORN J 1989 Oct; 50(4):784-795.

Pesznecker S et al. Vestibular disorders: A common cause of dizziness. J Soc Otorhinolaryngol Head Neck Nurs 1989 Spring; 7(2):6-11.

Slater R. Vertigo. How serious are recurrent and single attacks? Postgrad Med 1988 Oct; 84(5):58-67.

Smith WC and Pillsbury HC. Surgical treatment of Ménière's disease since Thomsen. Am J Otol 1988 Jan; 9(1):39-43.

Wackym PA et al. Re-evaluation of the role of the human endolymphatic sac in Ménière's disease. Otolaryngol Head Neck Surg 1990 Jun; 102(6):732-744.

Ylikoski J. Delayed endolymphatic hydrops syndrome after heavy exposure to impulse noise. Am J Otol 1988 Jul; 9(4):282-285.

Prothèses auditives et implants cochléaires

Bennington S. Cochlear implants. Can Oper Room Nurs J 1987 Oct; 5(5): 6-11.

Henrichsen J et al. In-the-ear hearing aids. The use and benefit in the elderly hearing-impaired. Scand Audiol 1988; 17(4):209-212.

Mahshie JJ et al. Speech training aids for hearing-impaired individuals: III. J Rehabil Res Dev 1988 Fall; 25(4):69-82.

Mitchell VL. Cochlear implantation: A nursing perspective. J Soc Otorhinolaryngol 1987 Summer; 5(2):11-15.

National Institutes of Health. Cochlear Implants. Consensus Development Conference Statement. 1988 May 4; 7(4):1-9.

Page JC. Selecting a hearing protective device. AAOHN J 1988 Jan; 36(1): 40-41.

Pulec JL et al. Multichannel extracochlear implant. Am J Otol 1989 Mar; 10(2):84-90.

Weinstock CP. Hearing aids: A link to the world. A reprint from FDA consumer magazine, 1990 Feb DHHS Publ No. (FDA) 90-4242.

Youngblood J and Robinson S. Ineraid (Utah) multichannel cochlear implants. Laryngoscope 1988 Jan; 98(1):5-10.

Information/Ressources

Organismes

Alexander Graham Bell Association for the Deaf, Inc
3417 Volta Place NW, Washington, DC 20007
American Academy of Facial Plastic and Reconstructive Surgery
1101 Vermont Ave NW, Suite 304, Washington, DC 20005
American Academy of Otolaryngology—Head and Neck Surgery
One Prince St, Alexandria, VA 22314
American Speech-Language-Hearing Association
10801 Rockville Pike, Rockville, MD 20852
American Tinnitus Association
PO Box 5, Portland, OR 97207
Association des sourds du Canada
2435 Holly Lane, bureau 205, Ottawa, Ontario, K1V 7P2
Association du Québec pour enfants avec problèmes auditifs
3700, rue Berri, bureau 427, Montréal, Québec, H2L 4G9
Canadian Cultural Society of the Deaf
61 avenue House 144, bureau 337, Edmonton, Alberta, T6H 1M3
Confédération des sourds et des malentendants du Canada
2435 Holly Lane, bureau 205, Ottawa, Ontario, K1V 7P2
International Hearing Dog Inc.
5901 East 89th Avenue, Henderson, CO 80640
National Association for Hearing and Speech Action
10801 Rockville Pike, Rockville, MD 20852
National Association for the Deaf
814 Thayer Ave, Silver Spring, MD 20910
National Bureau of Standards and FDA
1390 Piccard Dr, Rockville, MD 20850
National Hearing Aid Society (NHAS)
20361 Middlebelt, Livonia, MI 48152
National Hearing Association (DEAF) (NHA)
Butterfield Ridge Office Center, 1430 Branding Lane, Suite 122, Downers Grove, IL 60515
Self-Help for Hard of Hearing People (DEAF) (SHHH)
7800 Wisconsin Ave, Bethesda, MD 20814
The National Hearing Conservation Association
900 Des Moines St, Suite 200, Des Moines, IA 50309
The Deafness Research Foundation
55 East 34th St, New York, NY 10016
US Department of Health and Human Services
Public Health Service, National Institute of Health,
Bethesda, MD 20892

57 ÉVALUATION DE LA FONCTION NEUROLOGIQUE

SOMMAIRE

OBJECTIFS D'APPRENTISSAGE

Après avoir étudié ce chapitre, vous devriez être en mesure de réaliser ce qui suit:

1. *Expliquer la différence entre les changements pathologiques qui touchent les centres moteurs et ceux qui touchent les voies sensitives.*
2. *Comparer le fonctionnement du système nerveux sympathique avec celui du système nerveux parasympathique.*
3. *Décrire l'importance de l'examen physique dans le diagnostic des dysfonctions neurologiques.*
4. *Décrire les changements que le vieillissement entraîne dans la fonction neurologique ainsi que leur incidence sur les données de l'évaluation neurologique.*
5. *Décrire les examens diagnostiques nécessaires à l'évaluation de la fonction neurologique ainsi que les soins infirmiers qui s'y rapportent.*

GLOSSAIRE

ANATOMIE DU SYSTÈME NERVEUX

Bulbe rachidien: *Partie inférieure du tronc cérébral*

Centre de Broca: *Centre du langage situé dans le lobe frontal*

Cervelet: *Deuxième plus grande partie du cerveau, il assure principalement la coordination des mouvements du corps.*

Chiasma optique: *Entrecroisement des deux nerfs optiques dans le prosencéphale (cerveau antérieur)*

Corps calleux: *Grosse masse de substance blanche, située à la base de la scissure interhémisphérique qui sépare les deux hémisphères cérébraux.*

Faisceau: *Ensemble de fibres nerveuses du système nerveux central qui ont des fonctions semblables.*

Hémisphère dominant: *Hémisphère cérébral qui contrôle la phonation.*

Hexagone artériel de Willis: *Système anastomotique des grands axes artériels de la base du cerveau*

Moelle épinière: *Partie du système nerveux central située dans le canal rachidien; composée de substance grise à l'intérieur et de substance blanche à l'extérieur*

Neurone: *Cellule nerveuse accompagnée de ses fibres et de ses ramifications*

Neurone moteur inférieur: *Cellules et fibres du système nerveux qui vont de la corne antérieure jusqu'aux muscles.*

Neurone moteur supérieur: *Ensemble des cellules et fibres motrices qui vont du cortex cérébral aux noyaux des nerfs crâniens et aux cellules de la corne antérieure.*

Protubérance (pont de Varole): *Partie du tronc cérébral située entre le bulbe rachidien et le mésencéphale*

Synapse: *Point de contact entre deux neurones, où l'activité de l'un entraîne l'excitation ou l'inhibition de l'autre.*

Système limbique (rhinencéphale): *Ensemble d'éléments habituellement considérés comme partie intégrante du lobe temporal et jouant un rôle important dans la mémoire, l'attention, les émotions et le comportement*

Système nerveux: *Ensemble des tissus nerveux et des tissus de soutien adjacents; comprend le système nerveux central et le système nerveux périphérique.*

GLOSSAIRE (suite)

Système nerveux autonome (ou végétatif): *Partie du système nerveux qui n'est pas sous la dépendance de la conscience; il régit l'innervation des muscles lisses incluant le muscle cardiaque et les sécrétions des glandes.*

Système nerveux central: *Partie du système nerveux qui comprend la moelle épinière et le cerveau.*

Trou occipital: *Orifice creusé dans la base du crâne (os occipital) où le cerveau entre en contact avec la moelle épinière.*

Ventricule: *Chacune des quatre cavités interreliées dans le cerveau et contenant le liquide céphalorachidien*

CARACTÉRISTIQUES, RÉFLEXES ET AFFECTIONS ASSOCIÉS AU SYSTÈME NERVEUX

Acouphène: *Perception d'un bruit en l'absence d'un stimulus sonore*

Agnosie: *Incapacité de reconnaître les objets perçus par les sens. L'agnosie visuelle désigne l'impossibilité de nommer un objet malgré son caractère familier. L'agnosie auditive et l'agnosie digitale existent également.*

Agraphie: *Incapacité de s'exprimer par écrit due à une lésion du système nerveux central*

Anévrisme: *Dilatation locale qui se forme dans une zone affaiblie de la paroi d'une artère.*

Aphasie: *Incapacité partielle ou totale de s'exprimer ou de comprendre le langage. L'aphasie* de Wernicke *désigne l'incapacité de comprendre ce que les autres disent. Cette forme d'aphasie est souvent reliée à une lésion du lobe temporal. L'aphasie* de Broca *est l'incapacité de s'exprimer. Dans beaucoup de cas, le patient sait ce qu'il veut dire mais est incapable de former les mots. Cette forme d'aphasie est souvent associée à une atteinte du lobe frontal gauche.*

Anopsie: *Non-utilisation ou suppression de la vue dans un œil*

Apoplexie cérébrale: *Voir «hémorragie cérébrale»*

Apraxie: *Incapacité d'exécuter des mouvements volontaires en l'absence de paralysie.*

Ataxie: *Incapacité de coordonner les mouvements musculaires entraînant une difficulté à marcher, à parler et à s'occuper de sa personne.*

Démence: *Diminution organique de la fonction intellectuelle*

Diplopie (vision double): *Perception visuelle en double d'un objet unique.*

Dysarthrie: *Trouble de la formation ou de l'articulation des mots. La dysarthrie peut être causée par une lésion des zones motrices du cerveau ou par une lésion du tronc cérébral. On regroupe sous ce terme les troubles d'élocution, l'expression verbale trop rapide ou trop lente, trop grave ou trop aiguë.*

Électro-encéphalographie (EEG): *Méthode d'enregistrement graphique de l'activité électrique du cerveau*

Électromyographie (EMG): *Méthode d'enregistrement graphique de l'activité électrique des muscles*

En foyer: *Se dit d'un trouble qui provient d'une certaine zone ou se limitant à celle-ci.*

Flaccidité: *État de ce qui est flasque, mou, sans tonus.*

Hémiplégie: *Faiblesse dans un côté du corps ou une partie d'un côté du corps, due à une lésion des voies motrices du cerveau*

Hémorragie cérébrale: *Hémorragie se produisant dans une région du cerveau et entravant le fonctionnement de cette région; couramment appelée «accident vasculaire cérébral» ou «apoplexie»*

Infarcissement: *Zone de tissu privée d'apport sanguin*

Monoplégie: *Paralysie (faiblesse) d'un membre*

Myélographie (myélogramme): *Examen radiologique de la moelle épinière après injection d'un produit de contraste dans l'espace sous-arachnoïdien*

Myopathie: *Toute affection dégénérative d'un muscle*

Névralgie: *Douleur dans un nerf ou le long d'un ou de plusieurs nerfs*

Oculomoteur: *Relatif au mouvement de l'œil*

Otorrhée: *Écoulement (de liquide céphalorachidien le plus souvent) provenant de l'oreille*

Paraplégie: *Paralysie (faiblesse) des deux jambes et de la partie inférieure du tronc*

Photophobie: *Incapacité de supporter la lumière*

Ptosis: *Chute de la paupière supérieure*

Raideur de la nuque: *Signe d'irritation ou d'infection des méninges*

Réflexe: *Mouvement automatique en réponse à un stimulus*

Réflexe cornéen: *Clignement palpébral normal en réaction au toucher de la cornée*

Rhinorrhée: *Écoulement (de liquide céphalorachidien le plus souvent) provenant du nez*

Sclérose en plaques: *Affection caractérisée par une démyélinisation de la substance blanche du cerveau et de la moelle épinière*

Sensibilité posturale: *Forme particulière de sensibilité musculaire qui permet de se rendre compte de la position de chaque partie du corps sans avoir à regarder.*

Signe de Babinski: *Mouvement réflexe des orteils témoignant d'une levée de l'inhibition pyramidale, qui est normalement présente; pathologique chez les adultes.*

Spasticité: *Augmentation anormale de la tonicité musculaire qui empêche les muscles de s'étirer. Le patient souffrant de spasticité peut sembler ridige, ou «recroquevillé» parce qu'il tient les bras près de sa poitrine.*

Tonus musculaire: *Tension présente dans un muscle au repos.*

Xanthochromique: *Terme utilisé pour décrire la coloration jaune ou orangée du liquide céphalorachidien*

PHYSIOLOGIE

Le système nerveux comprend le cerveau, la moelle épinière et les nerfs périphériques. Il a pour fonction de régulariser et de coordonner l'activité cellulaire de tout l'organisme par la transmission d'impulsions électriques. Ces impulsions passent par des fibres nerveuses et des voies nerveuses qui sont directes et continues. Les réactions déclenchées par ces impulsions sont pratiquement instantanées, car des changements dans le potentiel électrique transmettent les signaux.

Cerveau

Le cerveau a été décrit de multiples façons. On peut en définir les parties selon l'anatomie ou selon les fonctions. Si on choisit la perspective anatomique, on peut diviser le cerveau en trois grandes catégories de fosses (une fosse est un repère anatomique qui permet de désigner clairement les différentes parties du cerveau):

- La fosse cérébrale antérieure (contenant les lobes frontaux)
- La fosse cérébrale moyenne (contenant les lobes pariétal, temporal et occipital)
- La fosse cérébrale postérieure (contenant le tronc cérébral et le bulbe rachidien)

Les fosses antérieure et moyenne se trouvent au-dessus de la tente du cervelet. La tente du cervelet est une structure membraneuse qui sépare les hémisphères cérébraux du tronc cérébral et du cervelet.

Le cerveau est enfermé dans une boîte osseuse rigide appelée «crâne» (figure 57-1). Pour évaluer la fonction neurologique, il faut absolument comprendre les différentes fonctions du cerveau. La section qui suit décrit les parties du cerveau et leurs fonctions, en commençant par la zone la plus près du crâne.

Sous le crâne, le cerveau est recouvert de trois membranes appelées «méninges». Les méninges sont constituées de tissu conjonctif fibreux et servent à protéger et à supporter le cerveau ainsi qu'à lui apporter de petites quantités de nutriments. Les trois membranes qui forment les méninges sont:

La dure-mère: La dure-mère constitue la membrane externe. Elle enveloppe le cerveau et la moelle épinière. Son nom vient du latin *dura mater.* Elle est résistante, épaisse, non élastique, fibreuse et de couleur grise. Elle est dotée de deux expansions: la faux du cerveau, qui sépare les deux hémisphères dans un plan longitudinal, et la tente du cervelet, un repli de la dure-mère qui crée une plate-forme membraneuse résistante. Cette plateforme soutient les hémisphères et les garde séparés de la partie inférieure du cerveau (la fosse postérieure). Une hernie apparaît quand l'affaiblissement de la tente du cervelet entraîne l'affaissement des hémisphères sur le tronc cérébral.

L'arachnoïde: L'arachnoïde est la membrane moyenne. Mince et délicate, elle ressemble à une toile d'araignée, d'où le terme «arachnoïde». Elle est de couleur blanche parce qu'elle n'est pas irriguée de sang. L'espace arachnoïdien contient les plexus choroïdes qui produisent le liquide céphalorachidien. L'arachnoïde est dotée de villosités appelées «granulations de Pacchioni» (ou granulations arachnoïdiennes) qui ont pour fonction de réabsorber le liquide céphalorachidien. Chez l'adulte normal, les plexus choroïdes produisent quelque 500 mL de liquide céphalorachidien par jour; les granulations de Pacchioni absorbent presque les trois quarts de ce volume. Étant donné que les granulations arachnoïdiennes absorbent le liquide céphalorachidien, elles s'obstruent quand du sang pénètre dans le système (à cause d'un trauma, d'une

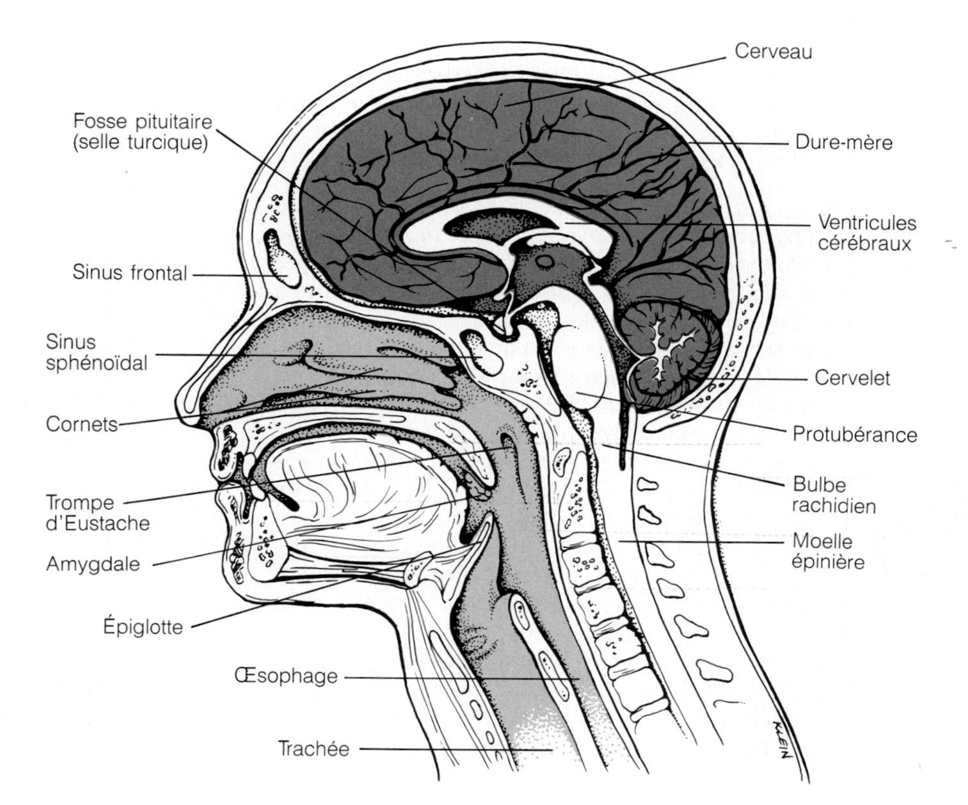

Figure 57-1. Vue en coupe de la position anatomique du cerveau et de sa position par rapport aux structures de la tête et du cou

rupture d'anévrisme, d'un accident vasculaire cérébral, etc.). Quand les granulations sont obstruées, une hydrocéphalie (tuméfaction des ventricules cérébraux) peut apparaître.

La pie-mère: La pie-mère est la couche la plus profonde. Son nom vient du latin *pia mater.* La pie-mère est une membrane mince et transparente qui enveloppe étroitement le cerveau et s'invagine dans chaque sillon de la surface cérébrale.

Le *cerveau* comprend deux hémisphères et quatre lobes. La substance grise constitue la couche externe ou superficielle du cerveau, alors que la substance blanche compose la couche interne. La *substance grise* est faite principalement de corps cellulaires nerveux concentrés dans le cortex cérébral, les noyaux et les noyaux gris centraux. La *substance blanche* est composée d'axones qui forment des faisceaux ou commissures reliant les différentes parties du cerveau. Les deux hémisphères cérébraux contiennent la majeure partie des tissus du système nerveux central; ils assurent les fonctions de l'organisme et l'intelligence. Ils régissent également la motricité fine. Voici une description des quatre lobes du cerveau:

Lobe frontal: Situé dans la fosse antérieure, le lobe frontal est le plus gros des quatre lobes. Il régit l'affect, le jugement, la personnalité et les inhibitions.

Lobe pariétal: Le lobe pariétal joue un rôle d'ordre exclusivement sensoriel. Il régit l'interprétation des perceptions sensorielles, à l'exception de l'odorat. Il permet également à l'être humain de se représenter la position de son propre corps dans l'espace. Ainsi, le patient atteint d'une lésion du lobe pariétal peut présenter un déni de l'hémiplégie controlatérale à la lésion.

Lobe temporal: Le lobe temporal régit le goût, l'odorat et l'audition. Il régit également la mémoire à court terme.

Lobe occipital: Le lobe occipital est le lobe postérieur de l'hémisphère cérébral. Il assure l'interprétation de l'information visuelle.

La *fosse moyenne* (ou le diencéphale) comprend le thalamus, l'hypothalamus et l'hypophyse. Le *thalamus,* situé de part et d'autre du troisième ventricule cérébral, fait office de point de relais pour toutes les perceptions sensorielles à l'exception de l'odorat. Toutes les impulsions concernant la mémoire, les sensations et la douleur passent par le thalamus.

L'*hypothalamus* intervient dans un grand nombre de fonctions. Il régularise le système nerveux autonome. Il aide l'hypophyse à maintenir l'équilibre hydrique et il assure la thermorégulation en déclenchant la vasoconstriction ou la vasodilatation. L'hypothalamus abrite également le centre de la faim et participe au maintien du poids. Il comprend en outre le régulateur du sommeil, le régulateur de la pression artérielle et le centre des réactions émotionnelles (rougissement des joues, sentiments de rage, de dépression, de panique, de peur, etc.).

L'*hypophyse* est considérée comme la glande maîtresse parce qu'elle régit la production d'un grand nombre d'hormones et de nombreuses fonctions. Les hormones hypophysaires ont notamment une action sur le fonctionnement des reins, du pancréas et des organes de reproduction. Chez l'adulte, les tumeurs hypophysaires viennent au troisième rang parmi les tumeurs du cerveau. Le lobe antérieur de l'hypophyse produit l'hormone de croissance ainsi que la corticotrophine (ACTH). Le lobe postérieur, lui, emmagasine l'hormone antidiurétique (ADH) qui régit la libération ou la rétention de l'eau par les reins. Parmi les affections causées par des anomalies de l'ADH, les plus connues sont le diabète insipide et le syndrome d'antidiurèse inadéquate.

La *fosse postérieure* contient le tronc cérébral et le bulbe rachidien. Le *tronc cérébral* est composé du mésencéphale et de la protubérance. Le *mésencéphale* relie la protubérance et le cervelet aux hémisphères cérébraux. Quant à la *protubérance,* elle se trouve à l'avant du cervelet entre le mésencéphale et le bulbe rachidien; elle met en communication les deux moitiés du cervelet ainsi que le bulbe rachidien et le cerveau.

Le *bulbe rachidien* transmet des fibres motrices depuis le cerveau jusqu'à la moelle épinière, et des fibres sensitives depuis la moelle épinière jusqu'au cerveau. La plupart de ces fibres se croisent (décussation des pyramides) à ce niveau. Le bulbe rachidien contient également des centres importants dont dépendent le cœur, la respiration et la pression artérielle. Enfin, il abrite les cinquième, sixième, septième et huitième nerfs crâniens.

Cortex cérébral. Même si les différentes cellules qui composent le cortex cérébral se ressemblent beaucoup, leurs fonctions varient grandement selon la zone où elles se trouvent. La figure 57-2 illustre la topographie du cortex cérébral et en donne les fonctions. La partie postérieure de chaque hémisphère (c'est-à-dire le lobe occipital) correspond à tous les aspects de la perception visuelle. La région latérale (le lobe temporal) comprend le centre auditif. Quant à la zone médiane (le lobe pariétal), située derrière la scissure centrale, elle abrite le centre des sensations; sa partie antérieure correspond aux mouvements des muscles volontaires. Enfin, la grande région se trouvant au niveau du front (le lobe frontal) contient les fibres d'association qui déterminent les attitudes et réactions émotionnelles et contribuent à la formation de la pensée. Les lésions des lobes frontaux causées par un traumatisme ou une maladie n'entravent pas le contrôle ou la coordination des muscles, mais elles nuisent considérablement à la personnalité car elles perturbent les attitudes fondamentales, le sens de l'humour, la maîtrise de soi et les motivations.

Capsule interne, protubérance et bulbe rachidien. Les fibres nerveuses de toutes les parties du cortex confluent dans chaque hémisphère et en sortent sous la forme de faisceaux étroits appelés *capsules internes.* Après avoir pénétré dans la protubérance et le bulbe rachidien, chaque faisceau croise le faisceau correspondant du côté opposé. Certaines de ces fibres communiquent avec des fibres du cervelet, des noyaux gris centraux, du thalamus et de l'hypothalamus; d'autres sont en contact avec les cellules nerveuses des nerfs crâniens. D'autres fibres du cortex et des centres souscorticaux traversent la protubérance et le bulbe rachidien et vont dans la moelle épinière.

La moelle épinière et ses ramifications

La moelle épinière et le tronc cérébral forment une structure continue qui émerge des hémisphères cérébraux et qui sert de lien entre le cerveau et la périphérie (dont la peau et

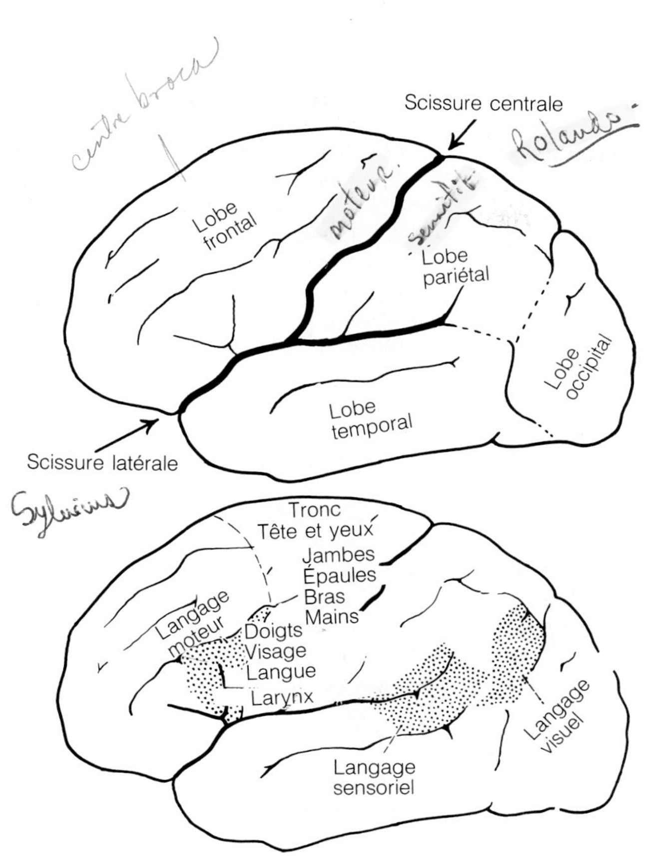

Figure 57-2. **(En haut)** Représentation graphique du cerveau illustrant l'emplacement relatif des différents lobes et des principales scissures **(En bas)** Représentation graphique des zones qui correspondent aux mouvements moteurs des différentes parties du corps

les muscles). Longue d'environ 45 cm et épaisse comme un doigt, la moelle épinière va du trou occipital, à la base du crâne, jusqu'à la partie supérieure de la deuxième vertèbre lombaire, où elle se termine en une bandelette fibreuse rattachée au coccyx. Elle compte 31 segments: huit segments cervicaux, douze segments thoraciques, cinq segments lombaires, cinq segments sacraux et un segment coccygien. De chaque côté de la moelle épinière partent 31 paires de nerfs rachidiens, c'est-à-dire une paire par segment (figure 57-3). À l'instar du cerveau, la moelle épinière est faite de substance grise et de substance blanche. Dans le cerveau, la substance grise se trouve à l'extérieur alors que la substance blanche est à l'intérieur. Dans la moelle épinière, cependant, la substance grise se trouve au centre et est entourée de toute part de fibres blanches.

La moelle épinière est une formation en «H» dans laquelle des corps cellulaires (substance grise) sont bordés par des faisceaux ascendants et descendants (substance blanche) (figure 57-4). La partie inférieure du H, plus large que la partie supérieure, correspond aux cornes antérieures. C'est dans ces cornes antérieures que se trouvent les fibres, qui sont essentielles à l'activité volontaire et réflexe des muscles correspondants. La partie postérieure du H est plus mince; elle contient des cellules dont les fibres passent par les cornes postérieures et constituent par conséquent un point de relais dans la voie sensitive et réflexe.

Dans la zone thoracique de la moelle épinière, de chaque côté de la barre horizontale du H, se trouve un prolongement

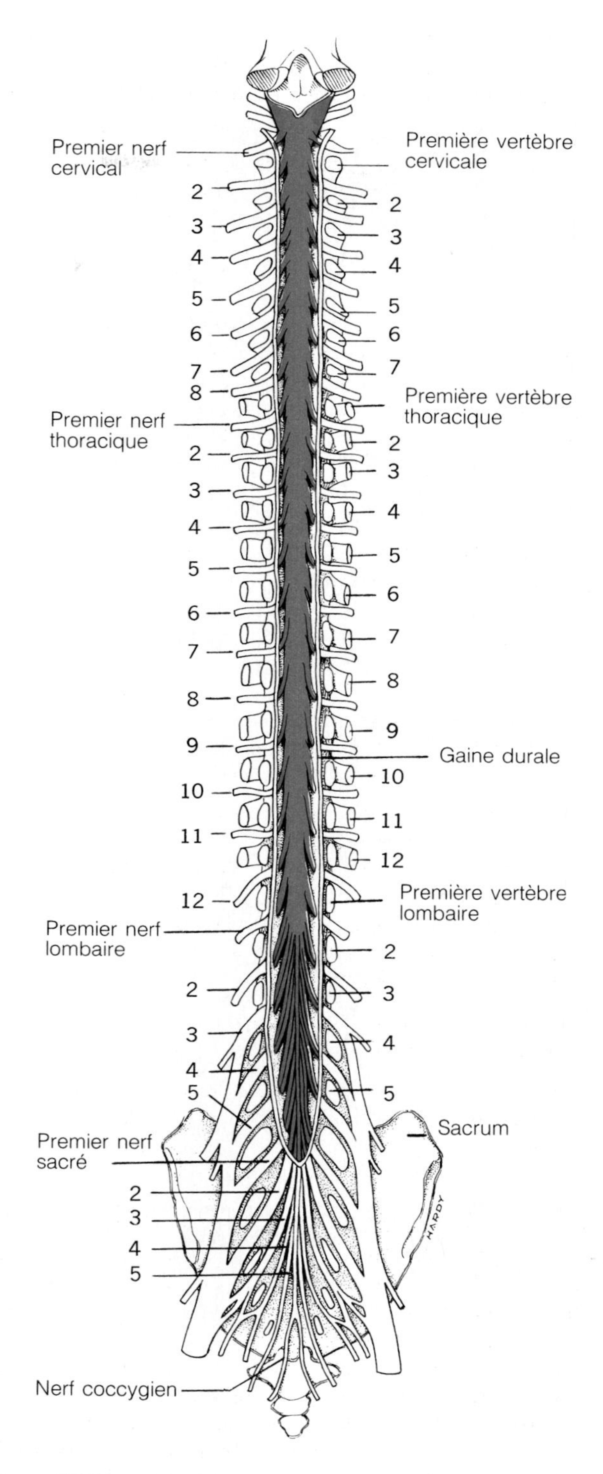

Figure 57-3. Moelle épinière enfermée dans le canal rachidien. On a enlevé les apophyses épineuses et les lames des vertèbres, et on a ouvert la dure-mère et l'arachnoïde. Les nerfs rachidiens sont numérotés du côté gauche, les vertèbres du côté droit.
(Source: E. E. Chaffee et E. M. Greisheimer, *Basic Physiology and Anatomy,* 4e éd., Philadelphia, J. B. Lippincott)

de substance grise, la corne latérale. Cette corne contient les cellules qui donnent naissance aux fibres autonomes de la division sympathique du système nerveux. Ces fibres sortent

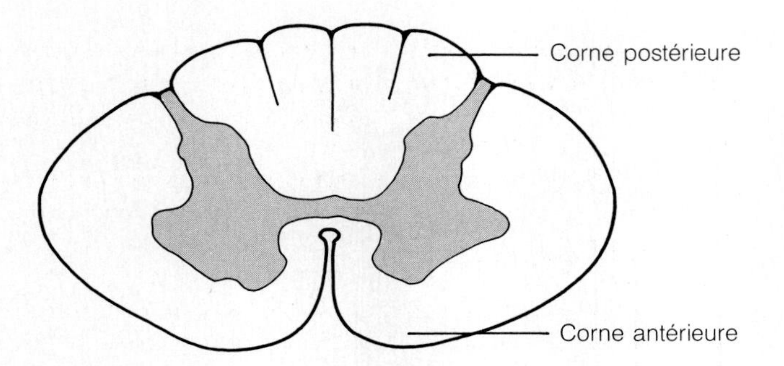

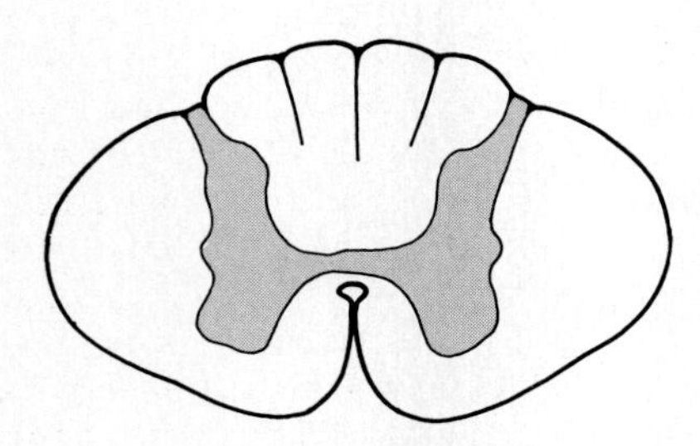

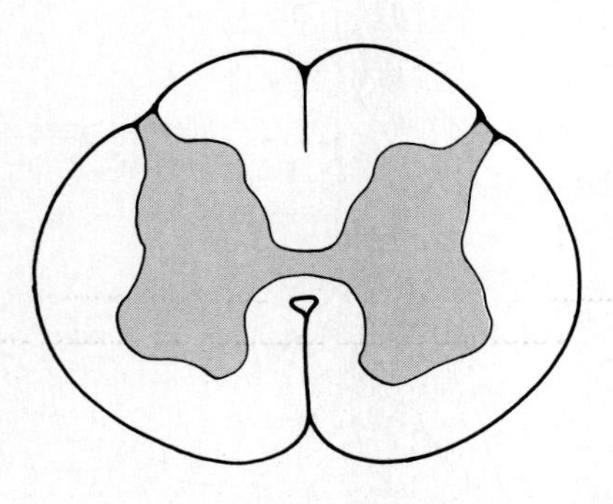

Figure 57-4. Vue en coupe de la moelle épinière à la hauteur du cou, à la hauteur du thorax et à la hauteur des vertèbres lombaires

de la moelle épinière par les racines antérieures des segments thoraciques et des segments lombaires supérieurs.

La substance blanche constitue la majeure partie de la moelle épinière. On peut la diviser en trois groupes de fibres appelés cordons. Le *cordon postérieur* transmet les sensations, surtout la perception du toucher, de la pression, de la vibration, de la position, et les mouvements passifs du même côté du corps. Le *cordon antérieur* transmet les influx de douleur et de température au thalamus et au cortex. Enfin, le *cordon latéral* achemine les influx moteurs aux cellules de la corne antérieure vers le côté opposé du cerveau. Les fibres descendantes du cordon latéral, dont les cellules nerveuses, sont dans le cortex précentral, se croisent dans le bulbe rachidien dans ce qu'on appelle la décussation pyramidale.

Liquide céphalorachidien

Dans chaque hémisphère cérébral se trouve une cavité centrale appelée ventricule latéral qui est remplie de liquide céphalorachidien (LCR) limpide. Le LCR est extrait du sang au cours de sa circulation dans les capillaires des plexus choroïdes. Il chemine ensuite dans des réseaux bien définis depuis les ventricules latéraux jusqu'aux troisième et quatrième ventricules, en passant par d'étroites ouvertures tubulaires, puis il s'écoule dans l'espace sous-arachnoïdien où il mouille toute la surface du cerveau et de la moelle épinière.

Le liquide céphalorachidien normal est limpide et incolore. Il a une densité de 1,007. Les systèmes ventriculaire et sous-arachnoïdien contiennent en moyenne 150 mL de liquide céphalorachidien.

La maladie peut entraîner des changements dans la composition du liquide céphalorachidien. Les principales épreuves biochimiques effectuées sur le LCR sont la détermination de sa teneur en protéines, ainsi que la mesure du taux de glucose et de chlore. On peut aussi mesurer les immunoglobines. Le LCR normal contient un petit nombre de globules blancs et aucun globule rouge.

Circulation cérébrale

Le fonctionnement du tissu cérébral exige un apport sanguin constant, car c'est le sang qui apporte l'oxygène et les éléments nutritifs essentiels. La débit cérébral doit être de 15 % du débit cardiaque, soit un volume de 50 mL de sang par 100 g de tissu par minute. La circulation sanguine du cerveau a la particularité de se faire contre les forces de la gravité; les artères alimentent le cerveau à partir du bas et les veines le drainent à partir du haut.

Flux sanguin cérébral. Le sang artériel est acheminé au cerveau par deux artères carotides internes et deux artères vertébrales, ainsi que leurs nombreuses ramifications. Les artères carotides internes sont des branches de l'artère carotide primitive; elles assurent une grande part de l'irrigation de la région antérieure du cerveau. Les artères vertébrales, elles, émergent des artères sous-clavières, cheminent de chaque côté des vertèbres cervicaux et pénètrent dans le crâne par le trou occipital. Les deux artères vertébrales se rejoignent au niveau du tronc cérébral pour former le tronc basilaire et irriguent la majeure partie de la région postérieure du cerveau. Le tronc basilaire se divise ensuite pour former les deux artères cérébrales postérieures.

À la base du cerveau, autour de l'hypophyse et entre les chaînes des artères vertébrales et des artères carotides internes, se trouve un anneau d'artères. Il s'agit de l'hexagone artériel de Willis, formé des artères carotides internes, des artères cérébrales antérieures et moyennes, ainsi que des artères communicantes antérieures et postérieures. Le flux sanguin provenant de l'hexagone artériel de Willis influence directement la circulation cérébrale antérieure et postérieure, et les artères qui le composent peuvent devenir des voies de circulation sanguine de remplacement si une des artères principales s'obstrue.

L'anastomose artérielle de l'hexagone de Willis est fréquemment le siège d'anévrismes. L'anévrisme peut être congénital. Il s'agit de la dilatation, généralement sous l'effet de la pression sanguine, d'un point faible de la paroi d'une artère. L'anévrisme peut comprimer les structures cérébrales voisines (par exemple, le chiasma optique) et entraîner des troubles visuels. Si une artère s'obstrue à cause d'un vasospasme, d'un embole ou d'un thrombus, les neurones situés en aval de l'occlusion ne sont plus irrigués et meurent rapidement, ce qui peut provoquer un accident vasculaire cérébral (ou infarctus cérébral). Les conséquences d'une obstruction artérielle dépendent des artères atteintes et de la région du cerveau que ces artères irriguent.

Contrairement à ce qui se passe dans les autres parties du corps, le drainage veineux du cerveau n'est pas relié à la circulation artérielle. Les veines du cerveau se rendent à la surface du cerveau où elles rejoignent de plus grosses veines. Ces dernières traversent l'espace sous-arachnoïdien et se déversent dans les volumineux sinus de la dure-mère, un canal veineux compris dans un dédoublement de la dure-mère. Les sinus assurent le drainage veineux cérébral et se vident dans la veine jugulaire interne en direction de la circulation centrale. Les veines du cerveau, contrairement aux autres veines, ne sont pas dotées de valvules pour empêcher le flux rétrograde.

Le système nerveux central est inaccessible à un grand nombre de substances qui circulent dans le sang (colorants, médicaments, antibiotiques), grâce à un mécanisme naturel appelé *barrière hémato-encéphalique.* Cette barrière est formée des cellules endothéliales des capillaires cérébraux qui forment des jonctions occlusives continues faisant obstacle aux macromolécules et à un grand nombre de composés. De plus, la faible perméabilité des cellules des plexus choroïdes réduit la diffusion des grosses molécules dans le liquide céphalorachidien, car toutes les substances qui pénètrent dans le liquide céphalorachidien doivent d'abord être filtrées par les membranes capillaires des plexus choroïdes. Souvent altérée dans les cas de traumatisme, d'œdème cérébral et d'hypoxie cérébrale, la barrière hémato-encéphalique influence le traitement des affections du système nerveux central, notamment le choix des médicaments.

PHYSIOPATHOLOGIE

Vision et cécité corticale

Les yeux sont le miroir de l'âme a-t-on affirmé, mais on a dit aussi que les yeux sont le miroir du cerveau. Pour le clinicien expérimenté, l'examen des yeux révèle parfois des indices subtils sur l'état neurologique. Derrière chaque hémisphère cérébral se trouve une zone bien définie qui contient les terminaisons des fibres du nerf optique correspondant. C'est grâce à ces cellules réceptrices que la vision est possible. Quand les cellules du nerf optique de l'un des hémisphères sont atteintes, on parle de cécité corticale. Ce trouble visuel se caractérise par la perte de la vision dans une moitié du champ visuel périphérique et s'appelle *hémianopsie*.

Pour évaluer l'acuité visuelle du patient, on se sert de l'échelle de Snellen (E test) et d'imprimés ordinaires. Si le patient porte des verres correcteurs, on doit évaluer sa vision avec et sans verres.

Pour l'examen des champs visuels, le patient doit se couvrir un œil et regarder le nez de l'examinatrice. Celle-ci promène son doigt ou un coton-tige devant le patient, depuis la périphérie de chacun des quadrants visuels jusqu'au centre du champ visuel. Le patient doit dire quand il voit le doigt ou le coton-tige apparaître. L'examen des champs visuels permet de déceler les anomalies flagrantes; pour obtenir des données plus précises, il faut adresser le patient à un spécialiste qui lui fera subir un examen plus approfondi. On peut évaluer l'extinction visuelle en bougeant les doigts simultanément à la périphérie de chaque moitié des champs visuels.

La cécité corticale d'une région optique (de l'extrémité postérieure d'un hémisphère, par exemple) est toujours bilatérale et égale. La cécité totale d'un seul œil peut être due à une maladie de l'œil lui-même ou de son nerf optique.

Juste derrière les deux yeux, se trouve le chiasme optique, où se rejoignent les deux bandelettes optiques qui se séparent de nouveau avant de se rendre au cerveau. Dans chacune de ces bandelettes optiques se trouve la moitié de chacun des deux nerfs optiques; par conséquent, la lésion d'une bandelette provoque la cécité d'exactement la moitié de chaque œil. Par exemple, si la bandelette droite est atteinte, le patient devient aveugle dans la moitié droite de chaque rétine; il ne voit rien à sa gauche mais voit parfaitement bien à sa droite. L'atteinte d'un nerf optique entraîne une cécité partielle ou totale dans l'œil auquel le nerf atteint correspond. Les anomalies du lobe temporal peuvent causer la cécité dans les quadrants supérieurs des deux champs visuels du côté opposé à la lésion. Les lésions du lobe pariétal, elles, peuvent provoquer la cécité dans les quadrants inférieurs correspondants des deux yeux. Quant aux lésions du lobe occipital, elles peuvent entraîner une cécité controlatérale dans la moitié correspondante de chaque champ visuel, mais ne touchent pas la vision centrale (figure 57-5).

Centres moteurs: paralysie et dyskinésie

Les mouvements volontaires relèvent d'une bande verticale de cortex située sur chaque hémisphère cérébral. Il est possible de localiser très précisément cette région, appelée *cortex moteur.*

On sait exactement où, dans le cerveau, sont déclenchés les mouvements volontaires des muscles du visage, du pouce, de la main, du bras, du tronc ou de la jambe. Pour qu'un muscle effectue un mouvement, certaines cellules doivent envoyer un stimulus le long de ses fibres. Si on stimule ces cellules au moyen d'un courant électrique, les muscles correspondants se contractent.

Pendant le trajet qui les mène à la protubérance, les fibres motrices, comme on l'a vu, convergent en un étroit faisceau appelé *capsule.* Par comparaison, une petite lésion de cette capsule provoque la paralysie d'un plus grand nombre de muscle qu'une grosse lésion du cortex lui-même. C'est un peu comme dans une centrale téléphonique, où un coup de hache donné sur le câble qui réunit tous les fils à la sortie de l'édifice fait beaucoup plus de dommage qu'un coup de hache sur plusieurs fils du standard téléphonique.

L'accident vasculaire cérébral suivi d'une paralysie de la moitié du corps (hémiplégie) est souvent causé par une petite hémorragie provenant d'un vaisseau sanguin de la capsule. Par comparaison, une hémorragie beaucoup plus abondante dans le cortex ou les régions voisines peut ne paralyser qu'un seul membre. L'hémiplégie peut aussi être due à la rupture d'un microanévrisme d'une minuscule artère se dirigeant vers la capsule interne, ou à l'occlusion de cette même petite artère par un thrombus ou un embole. Dans les deux cas, les fibres irriguées par l'artère touchée finissent par mourir.

Souvent, la personne souffrant d'une hémiplégie due à un accident vasculaire cérébral recouvre peu à peu l'usage

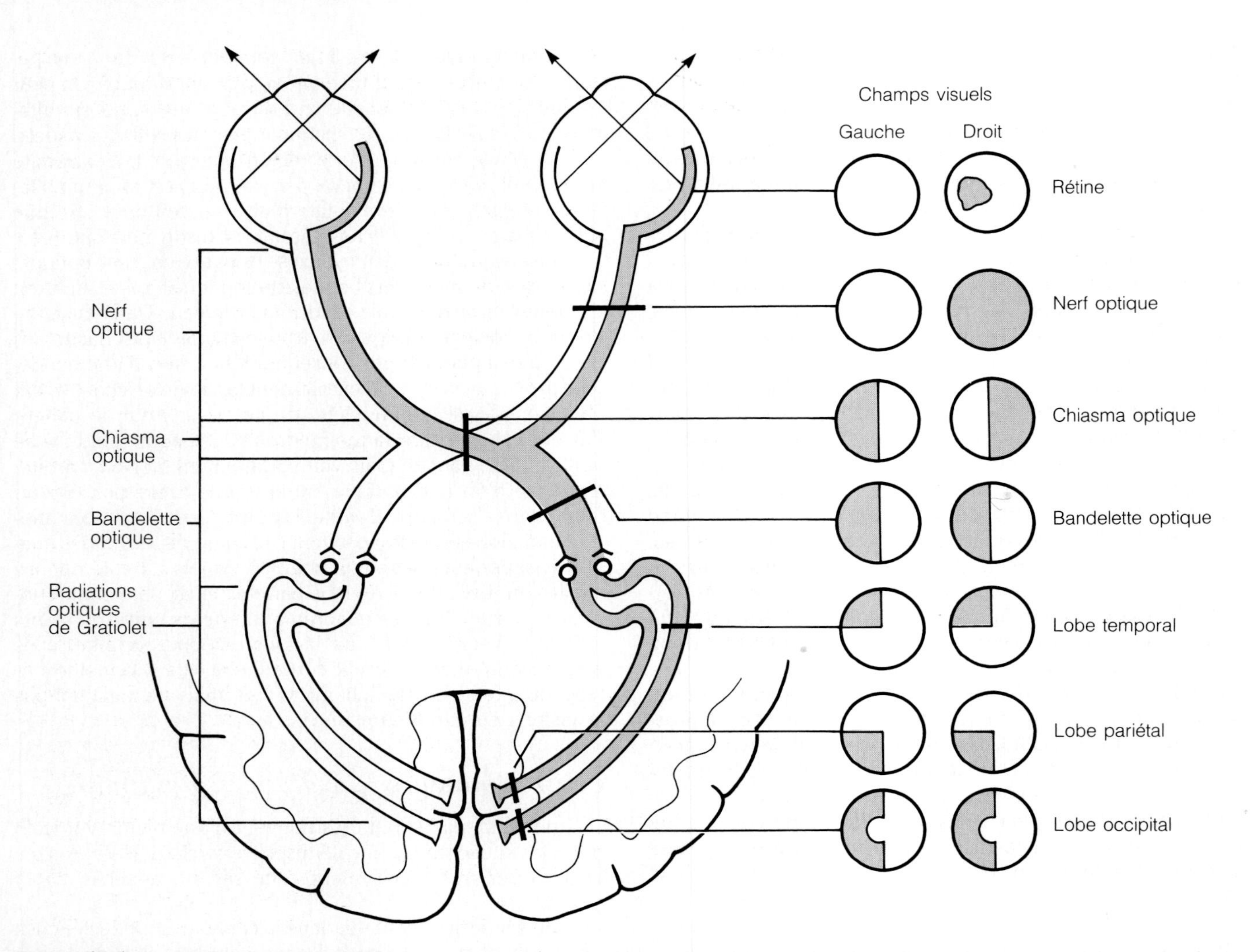

Figure 57-5. Anomalies du champ visuel par rapport aux sièges des lésions. Les régions ombragées indiquent les zones touchées par la cécité.

de certains muscles, habituellement ceux de la jambe, parfois ceux du haut du bras et, moins souvent, ceux de la main. Même si en réalité l'hémorragie détruit les fibres de quelques nerfs seulement, elle lèse temporairement tous les nerfs avoisinants, peut-être à cause de la pression du sang qui s'échappe ou de l'œdème. À mesure que l'œdème dû à l'hémorragie diminue, les fibres des nerfs adjacents reprennent leur fonction, mais les fibres des nerfs directement touchés sont à jamais détruites.

Dans le bulbe rachidien, les axones moteurs du cortex forment deux bandes bien définies appelées *faisceaux pyramidaux* ou *faisceaux corticospinaux*. Ici, la majorité des fibres se croisent et traversent du côté opposé (décussation) avant de poursuivre leur trajet en faisceau pyramidal *croisé*. Les autres fibres restent du même côté et pénètrent dans la moelle épinière en faisceau pyramidal *direct*. Vers la fin de la moelle épinière, les fibres de ce faisceau pyramidal direct traversent finalement du côté opposé et s'arrêtent dans la substance grise qui compose la corne antérieure de ce côté. Quant aux fibres du faisceau pyramidal croisé, elles terminent leur parcours dans la corne antérieure et entrent en contact avec les cellules de la corne antérieure du même côté. Toutes les fibres motrices des nerfs rachidiens représentent un prolongement des cellules de ces cornes antérieures, chacune de ces cellules communiquant avec une seule fibre motrice bien spécifique.

Par conséquent, chaque fibre motrice obéit à un contrôle volontaire par le biais d'une combinaison de deux cellules nerveuses. L'une de ces cellules est située dans le cortex moteur et sa fibre est dans le faisceau pyramidal direct ou croisé, et l'autre cellule se trouve dans la corne antérieure de la moelle épinière et sa fibre chemine jusqu'au muscle. La première cellule s'appelle *motoneurone supérieur* et l'autre, *motoneurone inférieur*. Chaque nerf moteur correspondant à un muscle est un faisceau composé de plusieurs milliers de motoneurones inférieurs.

Paralysie motrice. La paralysie d'un muscle peut être due à une lésion d'un motoneurone supérieur ou d'un motoneurone inférieur. Les voies motrices qui vont du cerveau à la moelle épinière et du cerveau au tronc cérébral sont formées de motoneurones supérieurs. Les motoneurones supérieurs sont entièrement dans le système nerveux central, comparativement aux motoneurones inférieurs qui prennent naissance dans le système nerveux central mais se terminent dans le muscle. On dit qu'il y a lésion d'un *motoneurone inférieur* quand un nerf moteur est sectionné quelque part entre le muscle et la moelle épinière, ce qui détruit la voie commune finale qui se rend au muscle. La lésion du motoneurone inférieur aboutit à la paralysie du muscle correspondant. En outre, le nerf ne participe plus aux mouvements réflexes; le muscle devient mou, se dégénère ou s'atrophie parce qu'il n'est plus utilisé. La lésion du tronc du nerf rachidien peut guérir. Le patient recouvre alors l'usage des muscles reliés à la région atteinte de la moelle. Si toutefois les cellules motrices de la corne antérieure sont détruites, les nerfs ne peuvent plus se régénérer et les muscles ne pourront plus jamais être utilisés. C'est ce qui se produit chez le patient atteint de poliomyélite antérieure. La paralysie flasque et l'atrophie des muscles atteints sont les principaux signes d'une lésion du motoneurone inférieur.

Si c'est le *motoneurone supérieur* qui est détruit, l'atteinte musculaire est différente. Le muscle est paralysé pour les mouvements volontaires mais pas nécessairement pour les mouvements réflexes (involontaires), car cette dernière forme de mouvement prend naissance dans les cellules nerveuses de la moelle ou du bulbe rachidien. En outre, le muscle atteint ne s'atrophie pas et ne devient pas flasque; au contraire, il devient plus tendu de façon permanente. Cette forme de paralysie touche rarement une seule partie d'un muscle, un seul muscle ou quelques muscles uniquement; elle affecte habituellement tout un membre, les deux membres ou toute une moitié du corps.

On peut citer comme exemple de lésion du motoneurone supérieur la paralysie spasmodique des nouveau-nés ayant subi à leur naissance une blessure mécanique qui a entraîné une hémorragie cérébrale ou un hématome. La pression continue et prolongée exercée par le sang peut léser de grandes parties du cerveau et entraîner des déficiences neurologiques et des troubles d'apprentissage chez ces enfants. Quand ils apprennent à marcher, on constate que leurs jambes et leurs bras sont raides. Toute leur vie durant, les mouvements de leur corps seront gauches, raides et faibles. Étant donné que les muscles qui rapprochent la jambe de l'axe médian du corps (muscles adducteurs) sont naturellement plus forts que ceux qui l'éloignent (muscles abducteurs), la personne atteinte de paralysie spasmodique marche en croisant les genoux à chaque pas; c'est ce que l'on appelle la *démarche en ciseaux*. Quand les deux jambes sont paralysées, on parle de *paraplégie*, tandis qu'on utilise le terme *hémiplégie* pour désigner la paralysie du bras et de la jambe du même côté. La paralysie des quatre membres est appelée *quadriplégie*.

L'hémiplégie est un exemple de paralysie causée par une lésion d'un motoneurone supérieur. Si une hémorragie, un embole ou un thrombus détruit les fibres de la zone motrice de la capsule interne, le bras et la jambe du côté opposé se raidissent rapidement et deviennent plus ou moins paralysés, et les réflexes sont exagérés. La paraplégie spasmodique de l'adulte est un autre exemple d'atteinte d'un motoneurone supérieur. Il s'agit d'une paraplégie qui se caractérise par une raideur chronique des deux jambes causée par une dégénérescence graduelle des fibres du faisceau pyramidal. La personne atteinte marche avec raideur, comme si elle avançait dans l'eau, les genoux toujours collés l'un à l'autre et les pieds à peine soulevés du sol (démarche spasmodique).

Il existe également une forme de paralysie causée par la lésion d'un motoneurone inférieur et d'un motoneurone supérieur. Cette sorte de lésion peut provenir d'un accident qui écrase, sectionne ou détruit de quelque façon la moelle épinière. Par exemple, une personne qui plonge dans des eaux peu profondes peut se heurter la tête contre le fond, se fracturer les vertèbres cervicales et subir une section de la moelle épinière par un fragment d'os; dans ce cas, la lésion touche à la fois les motoneurones supérieurs et les motoneurones inférieurs. Les vertèbres ne sont plus alignées correctement et la moelle épinière est perturbée d'une façon telle que les faisceaux moteurs et sensitifs ne peuvent plus recevoir de stimuli, en transmettre ou y réagir. L'affaiblissement des corps vertébraux dû à une destruction osseuse par le bacille tuberculeux entraîne la même forme de paralysie mais de façon plus graduelle. On rencontre encore aujourd'hui ce genre d'affection, surtout chez les personnes âgées qui ont contracté la tuberculose avant l'apparition des antituberculeux, et chez les gens venant de pays où il n'existe pas de normes strictes pour la pasteurisation du lait et le dépistage de la tuberculose bovine. Cette sorte de déformation de la moelle épinière aboutit à une paralysie rigide bilatérale de tous les muscles dont les nerfs quittent la moelle épinière à partir de la région atteinte. La paralysie flasque peut également toucher les muscles dont les fibres nerveuses motrices émergent des cellules de la région touchée. La personne atteinte présente aussi une perte de sensation tactile en dessous de la zone lésée car les fibres sensitives situées sous la blessure ne peuvent plus atteindre le cerveau. La lésion complète de la moelle épinière s'accompagne de spasmes parfois violents dans les jambes, à cause des capacités résiduelles de l'arc réflexe le long de la moelle épinière sous la lésion. Il s'agit d'un signe d'atteinte du motoneurone supérieur. On peut retrouver ce même tableau clinique dans les cas de tumeur avancée de la moelle épinière. Au stade initial de la croissance d'une tumeur, seule la région directement touchée est perturbée; mais on grossissant, la tumeur peut détruire complètement la moelle épinière.

Centres moteurs extrapyramidaux. Si les mouvements musculaires du corps humain sont aussi harmonieux, aussi précis et aussi puissants, c'est grâce à l'activité du cervelet et des noyaux gris centraux.

Niché sous le lobe postérieur du cerveau, le cervelet (voir figure 57-1) assure avec précision la coordination, l'équilibre, la synchronisation et la synergie de tous les mouvements musculaires, qui ont leur origine dans les centres moteurs du cortex cérébral. Grâce à l'activité du cervelet, les contractions des groupes musculaires opposés sont réglées les unes par rapport aux autres pour un maximum d'efficacité; les muscles peuvent rester contractés de façon égale, à la tension voulue et sans grande fluctuation, et les mouvements réciproques peuvent être répétés à une vitesse rapide et constante, de façon stéréotypée et sans grand effort.

Les noyaux gris centraux sont des masses de substance grise situées dans le mésencéphale sous les hémisphères cérébraux. Ils bordent les ventricules latéraux ou s'avancent dans ces mêmes ventricules, et se trouvent près de la capsule interne. Leur fonction est de diriger les mouvements automatiques et d'assurer une «position de base» selon laquelle le corps exécute les mouvements volontaires. Par l'intermédiaire d'organes sensoriels spécifiques, ces noyaux maintiennent le tonus musculaire du tronc et des extrémités en constant état d'adaptation; de cette façon, il est possible de garder son équilibre indépendamment de la position du corps, dans l'obscurité comme à la lumière. Grâce aux noyaux gris centraux, on peut également réagir de façon rapide, appropriée et automatique aux odeurs, aux images ou aux sons qui exigent une réaction immédiate.

Dyskinésies. L'altération de la fonction cérébelleuse, causée par une lésion intracrânienne ou une masse en expansion (hémorragie, abcès, tumeur, etc.), entraîne la diminution du tonus musculaire, la faiblesse et la fatigue. Le patient présente un tremblement involontaire accusé qui s'accentue lors de l'exécution de mouvements volontaires. Il est incapable de diriger ses mouvements avec précision ou de coordonner ses muscles de manière efficace ou harmonieuse; il exécute tous ses mouvements de façon incohérente. En outre, il est incapable de répéter rapidement ou uniformément des mouvements coordonnés précis. Ces caractéristiques forment le tableau clinique de l'*adiadococinésie* et indiquent la présence de troubles cérébelleux. De plus, la démarche est chancelante, ressemblant à celle d'une personne ivre (c'est-à-dire avec jambes largement écartées et petits pas incertains).

La destruction ou un mauvais fonctionnement des noyaux gris centraux n'aboutit pas à une paralysie mais plutôt à une raideur musculaire (hypertonie) accompagnée des troubles subséquents de la posture et de la motricité. Le patient souffrant de cette forme de raideur musculaire présente des mouvements involontaires: tremblements accusés (environ six oscillations par seconde), *athétose* (exécution involontaire de mouvements lents, arythmiques et irréguliers), ou *chorée* (grimaces faciales et mouvements spasmodiques, involontaires et grotesques du tronc et des membres). Parmi les maladies cliniques associés à la lésion des noyaux gris centraux figurent la maladie de Parkinson (voir chapitre 59), la chorée de Huntington (voir chapitre 59), la maladie de Wilson ou dégénérescence hépatolenticulaire, et le torticolis spasmodique.

Voies sensitives et troubles de la sensibilité

Thalamus. Le thalamus est un des principaux centres de réception et de transmission des nerfs sensitifs afférents. Il s'agit d'un gros noyau situé dans la fosse moyenne (mésencéphale), à côté du troisième ventricule dont il constitue la paroi latérale, et formant le plancher du ventricule latéral. Il se trouve également tout près des noyaux gris centraux, à proximité de la capsule interne. Il a pour fonction d'intégrer les influx sensitifs (par exemple les stimuli tactiles ou la reconnaissance de la douleur ou d'un changement de température). Il assure également la sensibilité posturale et motrice, ainsi que la capacité de reconnaître les dimensions, les formes et les caractéristiques des objets. Enfin, il s'occupe d'aiguiller tous les stimuli sensoriels vers leur destination, notamment vers le cortex cérébral qui les reçoit et déclenche automatiquement les réactions appropriées.

Voies sensitives. La transmission des influx sensitifs depuis leur point d'origine jusqu'à leur zone d'arrivée dans le cerveau fait appel à trois relais de neurones. Ces influx peuvent passer par trois voies principales, selon le type de la sensation enregistrée. La connaissance approfondie de ces voies est essentielle au diagnostic neurologique; chez beaucoup de patients, il est en effet indispensable de localiser avec précision les lésions du cerveau et de la moelle épinière.

L'axone du nerf dans lequel prend naissance l'influx sensitif pénètre dans la moelle épinière par la racine postérieure. Les fibres qui transportent les sensations de chaleur, de froid et de douleur vont immédiatement dans la corne postérieure de la moelle et entrent en contact avec les cellules de neurones secondaires. Les fibres transportant les stimuli de la douleur et de la température traversent immédiatement de l'autre côté de la moelle et montent jusqu'au thalamus. Quant aux fibres transportant les sensations de toucher, de pression légère et de localisation, elles n'entrent pas immédiatement en contact avec le deuxième neurone; elles remontent plutôt la moelle épinière jusqu'à une hauteur variable avant de pénétrer dans la substance grise et d'y compléter la communication. L'axone du deuxième neurone traverse alors la moelle et monte jusqu'au thalamus.

La troisième catégorie de sensation est produite par les stimuli provenant des muscles, des articulations et des os. Elle comprend la sensibilité posturale et la sensibilité vibratoire. Les stimuli de cette catégorie sont transportés jusqu'au tronc cérébral par l'axone du neurone primaire, sans traverser la moelle. Dans le bulbe rachidien, l'axone du neurone primaire entre en contact synaptique avec les cellules des neurones secondaires, dont les axones traversent ensuite de l'autre côté de la moelle pour se rendre au thalamus.

Pertes sensorielles. La section d'un nerf sensitif provoque la perte totale de la sensibilité dans la région correspondante. Si la moelle épinière est sectionnée, la sensibilité disparaît dans les régions inférieures à la lésion. La destruction ou dégénérescence sélective des cornes postérieures de la moelle est caractéristique de la myélose funiculaire (dégénérescence combinée subaiguë de la moelle); elle entraîne une perte de la sensibilité posturale dans les segments situés en aval de la lésion, mais ne s'accompagne pas d'une disparition de la perception du toucher, de la douleur et de la température. La personne atteinte d'une affection des cornes postérieures est incapable, sans regarder, de dire où se trouvent ses pieds ou dans quelle direction ils pointent. Elle est également incapable de percevoir les vibrations dans les régions atteintes. Une lésion (par exemple, un kyste) située au centre de la moelle épinière provoque une dissociation de la sensibilité, c'est-à-dire la disparition de la perception de la douleur au niveau de la lésion. Cette perte s'explique par le fait que les fibres qui transportent les stimuli de douleur et de température traversent la moelle épinière dès leur entrée; par conséquent, toutes les lésions qui sectionnent la moelle sur le plan longitudinal sectionnent ces fibres de la même façon. Par contre, d'autres fibres sensitives remontent la moelle épinière sur une certaine distance (parfois jusqu'au bulbe rachidien lui-même) avant de traverser de l'autre côté; ces fibres évitent la destruction en contournant ainsi la lésion.

Système nerveux autonome

La contraction des muscles involontaires (comme le muscle cardiaque), les sécrétions de toutes les glandes digestives et sudoripares ainsi que l'activité de certaines glandes endocrines sont régies par une partie importante du système nerveux appelée «système nerveux autonome». Ce système est qualifié d'*autonome* parce que ses opérations sont indépendantes du monde extérieur.

Le système nerveux autonome ressemble aux systèmes extrapyramidaux situés dans le cervelet et les noyaux gris centraux en ce qu'il ne relève pas du cortex cérébral. Sous d'autres aspects, cependant, il est unique. Premièrement, il exerce ses effets régulateurs non pas sur des cellules individuelles mais sur de grandes étendues de tissu et sur des organes entiers. Deuxièmement, les réactions qu'il provoque ne se produisent qu'après un certain laps de temps. En outre, ces réactions se maintiennent beaucoup plus longtemps que

TABLEAU 57-1. ***Comparaison des effets parasympathiques et sympathiques sur certains organes et tissus***

Organe ou tissu	*Effet parasympathique (cholinergique)*	*Effet sympathique (adrénergique)*
VAISSEAUX		
Cutanés		Constriction
Musculaires		Variable
Coronaires	Constriction	Dilatation
De la glande salivaire	Dilatation	Constriction
De la muqueuse buccale		Dilatation
Pulmonaires	Variable	Variable
Cérébraux	Dilatation	Constriction
Des viscères abdominaux et pelviens		Constriction
Des organes génitaux externes	Dilatation	Constriction
COEUR	Inhibition	Accélération
ŒIL		
Iris	Constriction	Dilatation
Muscle ciliaire	Contraction	Décontraction
Muscle lisse de l'orbite et de la paupière supérieure		Contraction
BRONCHES	Constriction	Dilatation
GLANDES		
Sudoripares		Sécrétion
Salivaires	Sécrétion	
Gastriques	Sécrétion	Inhibition
		Sécrétion de mucus
PANCRÉAS		
Acini	Sécrétion	
Îlots de Langerhans	Sécrétion	
FOIE		Glycogénolyse
PORTION MÉDULLAIRE DE LA GLANDE SURRÉNALE		Sécrétion
MUSCLES LISSES		
Peau		Contraction
Paroi stomacale	Contraction de manière prédominante	Inhibition de manière prédominante
Intestin grêle	Augmentation du tonus et de la motilité	
Gros intestin	Augmentation du tonus et de la motilité	
Calotte vésicale (detrusor)	Contraction	Inhibition
Trigone et sphincter	Inhibition	Contraction
Utérus (gravide)		Contraction
Utérus (non gravide)		Inhibition

(Source: C. H. Best et N. B. Taylor, *Physiological Basis of Medical Practice,* 6e éd., Baltimore, Williams & Wilkins)

les autres réactions neurologiques et elles sont régies de façon à assurer l'efficacité fonctionnelle maximale des organes récepteurs (par exemple, les vaisseaux sanguins et les viscères creux). Le système nerveux autonome assure en outre la régulation des effecteurs viscéraux de façon à maintenir ou rétablir rapidement l'homéostasie.

Le caractère des réactions déclenchées s'explique par la façon dont le système nerveux autonome transmet ses influx: une partie seulement de ceux-ci se propagent par les voies nerveuses et le reste est transmis par des médiateurs chimiques. Le système nerveux autonome ressemble en cela au système endocrinien. Transmis par des fibres nerveuses, les influx électriques déclenchent la formation d'agents chimiques spécifiques dans des zones stratégiques de la masse musculaire; c'est la diffusion de ces substances chimiques qui assure la contraction du muscle.

L'hypothalamus. L'hypothalamus a notamment pour fonction de superviser le fonctionnement global du système nerveux autonome. Il fait partie du diencéphale (cerveau intermédiaire) et est situé de façon latéro-inférieure par rapport à la portion inférieure de la paroi du troisième ventricule. Il se compose notamment du chiasma optique, du tuber cinereum, de la tige pituitaire qui émerge du tuber cinereum, et de l'hypophyse. Dans les régions voisines de l'hypothalamus se trouvent de volumineux groupes de cellules qui agissent comme centres régulateurs autonomes. Ces centres possèdent de nombreux faisceaux qui permettent au système autonome de communiquer avec le thalamus, le cortex, l'appareil olfactif et l'hypophyse. Ils sont le siège de plusieurs mécanismes: le régulateur des réactions viscérales et somatiques qui étaient à l'origine importantes pour la défense ou l'attaque et qui sont aujourd'hui associées aux états émotionnels (comme la peur, la colère ou l'anxiété); le régulateur des processus métaboliques, (y compris ceux des graisses, des glucides et de l'eau); le régulateur de la température corporelle, de la pression artérielle et de toutes les activités musculaires et glandulaires du tube digestif; le régulateur des fonctions génitales; et le régulateur des rythmes du sommeil. Comme l'hypothalamus et l'hypophyse (la glande maîtresse du système endocrinien) sont reliés, et comme ils se ressemblent du point de vue histologique et ont de nombreux liens, on peut présumer que l'hypothalamus dirige le système endocrinien et le système nerveux autonome, régissant tous les processus vitaux.

Systèmes nerveux sympathique et parasympathique

Le système nerveux autonome se divise en deux parties qui diffèrent par leur anatomie et leur fonctionnement: le système sympathique et le système parasympathique, qui innervent ensemble la plupart des tissus et organes relevant du système nerveux autonome. Les stimuli sympathiques sont transportés par la noradrénaline, alors que les stimuli parasympathiques sont transportés par l'acétylcholine. Comme on peut le voir dans le tableau 57-1, ces médiateurs chimiques ont des effets antagonistes.

Système nerveux sympathique. Le système nerveux sympathique a notamment pour fonction de parer aux situations d'urgence. Lors d'un stress physique ou émotionnel, ses influx nerveux augmentent considérablement pour provoquer une réaction de lutte ou de fuite (fight or flight reflex) qui déclenche plusieurs mécanismes: les bronchioles se dilatent pour faciliter les échanges gazeux; les contractions du cœur sont plus fortes et plus rapides; les artères menant au cœur et aux muscles volontaires se dilatent et augmentent l'apport sanguin à ces derniers; les vaisseaux sanguins périphériques se contractent, ce qui rend la peau fraîche au toucher mais dérive le sang vers les organes actifs essentiels; les pupilles se dilatent; le foie libère du glucose pour fournir rapidement de l'énergie; le péristaltisme ralentit; la racine des cheveux se raidit; la transpiration augmente. Cette soudaine décharge du système sympathique ressemble à celle qui se produit lors d'une injection d'adrénaline. C'est pourquoi on utilise parfois l'expression «système adrénergique» pour désigner le système sympathique.

Les neurones sympathiques sont situés dans les segments thoraciques et lombaires de la moelle épinière. Leurs axones, appelés *fibres préganglionnaires,* émergent de toutes les racines antérieures des nerfs depuis le huitième segment cervical ou premier segment thoracique jusqu'au deuxième ou troisième segment lombaire inclusivement. Un peu avant d'arriver à la moelle, ces fibres divergent pour rejoindre une chaîne de 22 ganglions qui s'étend sur toute la longueur de la colonne vertébrale de chaque côté des vertèbres. Certaines de ces fibres forment de multiples synapses avec des cellules nerveuses de la chaîne, alors que d'autres traversent la chaîne, sans établir de contact ou sans en interrompre la continuité, pour aller rejoindre de volumineux ganglions «prévertébraux» dans le thorax, l'abdomen ou le bassin, ou pour atteindre un des ganglions «terminaux» situé près d'un organe (comme la vessie ou le rectum). Quant aux fibres *post*ganglionnaires provenant de la chaîne sympathique, elles rejoignent les nerfs rachidiens correspondant aux membres et se répartissent dans les vaisseaux sanguins, les glandes sudoripares et le tissu musculaire lisse de la peau. Les fibres postganglionnaires émergeant des plexus prévertébraux (c'est-à-dire des plexus cardiaque, pulmonaire, splanchnique et pelvien) se rendent, respectivement, dans la tête et le cou, dans le thorax, dans l'abdomen et dans le bassin. Elles sont rejointes dans ces plexus par des fibres du système parasympathique.

Les glandes surrénales, les reins, le foie, la rate, l'estomac et le duodénum sont sous la dépendance d'un plexus géant appelé *plexus solaire.* Ce plexus reçoit ses composantes sympathiques par l'intermédiaire des trois nerfs splanchniques, composés de fibres préganglionnaires provenant de neuf segments de la moelle épinière (c'est-à-dire T4 à L1). Le nerf vague, qui représente la division parasympathique, vient rejoindre le plexus solaire. Depuis le plexus solaire, des fibres appartenant aux divisions sympathique et parasympathique s'acheminent dans les vaisseaux sanguins vers leurs organes cibles.

Système nerveux parasympathique. La plupart du temps, le système nerveux parasympathique est le principal régulateur de la majorité des effecteurs viscéraux. Dans des conditions de calme, les influx des fibres parasympathiques (cholinergiques) prédominent. Les fibres parasympathiques sont situées dans deux sections: le tronc cérébral et les segments médullaires situés en aval de L2, d'où l'utilisation du terme «crâniosacre» pour qualifier le système parasympathique et le distinguer de la division *thoracolombaire* du système nerveux autonome.

Les nerfs crâniens du système parasympathique prennent naissance dans le mésencéphale et le bulbe rachidien. Les fibres provenant du mésencéphale se déplacent avec le nerf moteur oculaire commun (III) jusqu'aux ganglions ciliaires où des fibres postganglionnaires parasympathiques sont rejointes par des fibres du système sympathique. Ensemble, ces fibres constituent le nerf ciliaire qui innerve les muscles ciliaires de l'œil pour régir le diamètre de la pupille. Quant aux fibres parasympathiques provenant du bulbe rachidien, elles sont transportées par trois nerfs crâniens: le nerf facial (VII), le nerf glossopharyngien (IX) et le nerf vague (X). Les fibres du nerf facial aboutissent dans le ganglion sphénopalatin, duquel émergent les fibres innervant les glandes lacrymales, le muscle ciliaire et le sphincter pupillaire. Les fibres du nerf glossopharyngien, elles, innervent la glande parotide. Le nerf vague transporte des fibres préganglionnaires parasympathiques sans interruption jusqu'aux organes qu'il innerve, en se joignant aux cellules ganglionnaires situées dans le myocarde et dans les parois de l'œsophage, de l'estomac et de l'intestin.

Les fibres parasympathiques préganglionnaires provenant des racines antérieures des nerfs sacrés fusionnent pour former les nerfs pelviens; elles se consolident et se regroupent dans le plexus pelvien et s'arrêtent autour de cellules ganglionnaires dans les muscles des organes pelviens. Ces fibres innervent le côlon, le rectum et la vessie, inhibant le tonus musculaire des sphincters anal et vésical et dilatant les vaisseaux sanguins de la vessie, du rectum et des organes génitaux.

Le nerf vague, le nerf splanchnique, le nerf pelvien et d'autres nerfs du système autonome transportent les influx des viscères jusqu'au noyau dorsal du nerf vague, où s'établissent des contacts avec les neurones parasympathiques efférents. Ces contacts créent une série d'arcs réflexes, constituant les fondements de l'autorégulation, la caractéristique essentielle du système nerveux autonome.

Fonctions du système nerveux autonome. On trouvera dans le tableau 57-1 une liste détaillée des effets produits par chacune des deux parties du système nerveux autonome. On y décrit la portée et l'importance de l'activité du système nerveux autonome en relation avec les fonctions corporelles vitales. L'activité du système sympathique et l'activité du système parasympathique sont constantes et toujours antagonistes, dans le but de maintenir un équilibre fragile.

Signes d'atteinte du système sympathique. L'atteinte du tronc nerveux se caractérise par certains signes, dont la dilatation de la pupille du même côté qu'une blessure pénétrante au cou (signe d'une perturbation de la moelle cervicale sympathique); la paralysie temporaire de l'intestin (caractérisée par l'absence d'ondes péristaltiques et une distension) à la suite d'une fracture de n'importe quelle vertèbre lombaire supérieure ou dorsale inférieure avec hémorragie à la base du mésentère; et les variations prononcées de la fréquence et du rythme du pouls qui apparaissent souvent à la suite de fractures par tassement des six vertèbres thoraciques supérieures.

EXAMEN NEUROLOGIQUE

L'examen neurologique est souvent complexe et hautement spécialisé. Il peut aller du simple dépistage, à un examen approfondi lorsque les antécédents ou les données de l'examen physique le justifient.

Le cerveau et la moelle épinière ne peuvent pas être inspectés, percutés, palpés et auscultés de manière aussi directe que les autres organes. L'examen neurologique comprend cinq aspects du système nerveux: la fonction cérébrale (état mental), les nerfs crâniens, le système moteur, le système sensoriel et les réflexes. Comme pour les autres volets de l'examen physique, l'examen neurologique se fait de façon logique et systématique, en commençant par les niveaux les plus élevés de la fonction corticale et en terminant par l'appréciation de l'intégrité des nerfs périphériques.

L'établissement du profil du patient et la première partie de l'examen physique donnent une excellente idée de l'élocution, de l'état mental, de la démarche, de la posture, de la force motrice et de la coordination. Une simple poignée de main peut transmettre une foule de renseignements à l'observateur attentif.

Fonction cérébrale

Les anomalies cérébrales peuvent perturber la communication, le fonctionnement intellectuel et les comportements émotionnels. Pour apprécier la fonction cérébrale, il faut évaluer l'*état mental*. Pour ce faire, on observe l'aspect et le comportement du patient et on note son habillement, sa mise et son hygiène extérieure. L'observation de la posture, des gestes, de la façon de bouger, des expressions faciales et de l'activité motrice peut donner d'importants renseignements. On doit également noter la clarté et la cohérence du discours, de même que le niveau de conscience.

On évalue la *fonction intellectuelle* quand on a des doutes sur les capacités intellectuelles du patient. Souvent, le patient intoxiqué ou souffrant d'une destruction du cortex frontal semble normal jusqu'au moment où on lui fait subir un ou plusieurs tests d'aptitude. Tout d'abord, on évalue son orientation spatiotemporelle et on vérifie s'il reconnaît ceux qui l'entourent. Par exemple, le patient connaît-il le jour et l'année ou le nom du premier ministre du Canada? Sait-il où il se trouve? Sait-il qui vous êtes et pourquoi il est dans cette pièce? Sa mémoire immédiate est-elle intacte? Le patient ayant un QI moyen peut répéter sans hésiter une série de sept chiffres en ordre croissant ou une série de cinq chiffres en ordre décroissant. On peut demander au patient de compter en ordre décroissant à partir de 100, ou encore de soustraire sept de 100, puis de soustraire sept du résultat obtenu, puis encore sept du résultat obtenu, et ainsi de suite. On peut aussi lui demander d'interpréter des proverbes bien connus afin d'évaluer son raisonnement abstrait, qui fait partie des fonctions intellectuelles supérieures. Par exemple, le patient peut-il expliquer le proverbe «l'avenir appartient à qui se lève tôt»?

Pour évaluer la fonction cérébrale il faut également tenir compte de l'état émotionnel du patient. Le patient a-t-il un affect naturel et égal? Est-il irritable et coléreux, anxieux, apathique ou euphorique? Est-il d'humeur égale ou passe-t-il brusquement de la joie à la tristesse pendant la consultation? Son affect est-il approprié aux mots qu'il emploie et au contenu de ce qu'il exprime? Son expression verbale correspond-elle à son expression non verbale?

On peut ensuite évaluer des aspects plus précis de la fonction corticale supérieure. L'*agnosie* est l'incapacité de reconnaître des objets par un des cinq sens. Le patient peut par exemple voir un objet mais ne pas savoir comment s'appelle cet objet ni à quoi il sert. Il peut même être capable de le décrire mais pas de définir son utilité. L'agnosie peut être auditive, tactile ou visuelle, selon la partie du cortex où elle a son origine (voir l'encadré 57-1).

Encadré 57-1
Formes d'agnosie et sièges des lésions

Forme d'agnosie	Région atteinte
Visuelle	Lobe occipital
Auditive	Lobe temporal (zones latérale et supérieure)
Tactile	Lobe pariétal
Parties du corps et personnes	Lobe pariétal (zones postéro-inférieures)

Encadré 57-2
Formes d'aphasie et régions atteintes

Forme d'aphasie	*Région atteinte*
Audition-compréhension	Lobe temporal
Expression verbale	Zones postéro-inférieures du lobe frontal
Vision-interprétation	Région pariétale-occipitale
Expression écrite	Zone postérieure du lobe frontal

Pour dépister l'agnosie, on vérifie l'interprétation sensorielle corticale. Ainsi, pour vérifier l'interprétation visuelle, on montre au patient un objet familier et on lui demande de le nommer. Par ailleurs, pour vérifier l'interprétation auditive, on demande au patient d'identifier un bruit familier (son de cloche). Enfin, on peut vérifier l'interprétation tactile en demandant au patient de fermer les yeux, de prendre dans sa main un objet familier (une clé ou une pièce de monnaie, par exemple) et de le nommer.

Pour évaluer l'intégration motrice corticale, on demande au patient de faire une action (comme de lancer une balle ou de déplacer une chaise). Le patient qui exécute correctement l'action montre qu'il comprend bien ce qu'on lui demande de faire. On observera également sa force motrice, car une faiblesse motrice peut indiquer une dysfonction cérébrale.

Pour terminer l'examen de la fonction cérébrale, on évalue le langage. La personne dont la fonction neurologique est normale est capable de comprendre le langage oral et écrit et de communiquer par le langage. Le patient répond-il aux questions de façon pertinente? Peut-il lire une phrase tirée du journal et expliquer ce qu'elle signifie? Peut-il écrire son nom ou copier une forme simple dessinée par l'examinateur? L'altération de la fonction du langage est appelée *aphasie*. L'aphasie peut prendre différentes formes selon la région du cerveau touchée par la lésion (voir encadré 57-2).

L'interprétation des troubles neurologiques se fait selon un procédé très complexe et très technique. L'examinateur doit noter les résultats des examens qui sont ensuite analysés par un médecin à la lumière de ses connaissances en neuroanatomie, en neurophysiologie et en neuropathologie.

Quand elle évalue la fonction neurologique, l'infirmière doit noter les répercussions que le trouble neurologique entraîne sur le mode de vie actuel du patient. Ce volet de l'évaluation comporte deux aspects: les limites que la dysfonction neurologique impose au patient dans l'exercice de son rôle social; et l'établissement d'un plan de soins qui favorisera l'adaptation du patient en tenant compte de son réseau de soutien. Il est également très important de parler avec les membres de la famille, qui peuvent avoir noté des éléments importants (changement d'humeur brusque, somnolence accrue, etc.).

Examen des nerfs crâniens

Les nerfs crâniens émergent de la face intérieure du cerveau. Ils sont groupés par paires et numérotés de I à XII selon l'ordre dans lequel ils se trouvent. Souvent, les paires de nerfs crâniens sont évaluées lors d'un examen complet de la tête et du cou. Voir le tableau 57-2 pour les fonctions des nerfs crâniens et les façons d'en évaluer le fonctionnement.

Examen du système moteur

Le système moteur est complexe; sa fonction relève de l'intégrité des faisceaux pyramidaux, du système extrapyramidal et de la fonction cérébelleuse. Tout d'abord, l'influx moteur traverse deux neurones. Le *motoneurone supérieur* prend naissance dans le cortex du côté opposé du cerveau, descend par la capsule interne, traverse du côté opposé dans le tronc cérébral, descend par le faisceau pyramidal et entre en contact synaptique avec le *motoneurone inférieur* dans la moelle épinière. Le motoneurone inférieur reçoit l'influx dans la région postérieure de la moelle et chemine jusqu'à la plaque motrice (jonction neuromusculaire).

Un examen approfondi de la motricité comprend l'évaluation du volume, du tonus et de la force des muscles, de même que de la coordination et de l'équilibre. Tout d'abord, on fait marcher le patient pendant que l'on examine sa posture et sa démarche. On doit ensuite inspecter les muscles (et les palper au besoin) pour vérifier leur volume et leur symétrie. On note également tout signe d'atrophie ou de mouvement involontaire (tremblements, tics). Pour évaluer le tonus musculaire, on palpe les différents groupes musculaires en deux temps: au repos et au cours de mouvements passifs. On doit aussi évaluer la résistance aux mouvements passifs. La spasticité, la raideur et la flaccidité font partie des anomalies possibles du tonus musculaire.

Pour évaluer la force musculaire, on vérifie si le patient est capable de fléchir ou d'étirer chacun de ses membres contre résistance. Pour évaluer la fonction d'un seul muscle ou groupe musculaire, on place le muscle ou le groupe musculaire visé en désavantage. Par exemple, le quadriceps crural est un muscle puissant qui assure l'extension de la jambe. Quand la jambe est en extension, le muscle est à son avantage. Par contre, quand le genou est fléchi et que l'on demande au patient de faire une extension de la jambe contre résistance, le muscle est en désavantage, ce qui permet de dépister des anomalies plus subtiles. Il est essentiel de comparer les deux côtés du corps pour dépister les différences subtiles dans la force musculaire.

La plupart des experts préconisent l'utilisation d'une échelle de 0 à 5 pour évaluer la force motrice. Un 5 correspond à une force de contraction complète; un 4 à une force suffisante mais non intégrale; un 3 à une force tout juste suffisante pour opposer la force de gravité; un 2 à la capacité de bouger mais seulement en l'absence de gravité; un 1 à une contractilité minimale; et un 0 à une absence de contraction.

L'évaluation de la force motrice peut être plus détaillée, selon les besoins. On peut vérifier rapidement la force des muscles proximaux des membres supérieurs en comparant le triceps droit au triceps gauche, ou évaluer la capacité motrice des muscles plus fins qui régissent les mouvements de la main et du pied.

L'efficacité du cervelet dans le système moteur est reflétée par l'équilibre et la coordination. Pour évaluer la coordination

TABLEAU 57-2. *Nerfs crâniens*

Nerf crânien	*Fonction*	*Examen clinique*
I (olfactif)	Odorat	Les yeux fermés, le patient doit identifier des odeurs familières (café, tabac). Il faut tester chaque narine séparément.
II (optique)	Acuité visuelle	Échelle de Snellen; examen des champs visuels; examen ophtalmoscopique
III (moteur oculaire commun) IV (pathétique) VI (moteur oculaire externe)	Les nerfs crâniens III, IV et VI assurent les mouvements oculaires; le nerf crânien III innerve également le muscle releveur de la paupière, le muscle constricteur de la pupille, et le muscle ciliaire qui régit l'accommodation.	Vérifier s'il y a rotation oculaire mouvements conjugués ou nystagmus. Évaluer les réflexes pupillaires et vérifier si les paupières présentent un ptosis.
V (trijumeau)	Sensation faciale	Demander au patient de fermer les yeux. Toucher le front, les joues et la mâchoire avec de la ouate. Comparer les deux côtés du visage. Pour vérifier la sensibilité à la douleur superficielle, on casse un bout d'un abaisse-langue et on touche successivement le visage du patient avec le bout cassé et le bout arrondi. Le patient doit indiquer chaque fois quel bout touche son visage. S'il ne répond pas correctement, on doit vérifier sa sensibilité à la température en utilisant tour à tour un tube d'eau froide et un tube d'eau chaude.
	Réflexe cornéen	Demander au patient de regarder au plafond et de toucher *légèrement* chaque cornée à l'aide d'une mèche d'ouate. Le clignement et le larmoiement sont des réactions normales.
	Mastication	Demander au patient de serrer la mâchoire et de la bouger d'un côté et de l'autre. Palper les muscles masséter et temporal pour en vérifier la force et la symétrie.
VII (facial)	Mouvement des muscles de la face; expressions faciales; sécrétion des larmes et de la salive	Vérifier la symétrie des muscles au cours de mouvements faciaux (sourire, sifflement, élévation des sourcils, froncement des sourcils, fermeture des paupières contre résistance). Rechercher les signes de paralysie flasque (plis nasolabiaux peu profonds).
	Goût (sur les deux tiers antérieurs de la langue)	Demander au patient de tirer la langue et vérifier sa capacité de distinguer le salé du sucré.
VIII (auditif ou vestibulocochléaire)	Audition et équilibre	Test du chuchotement ou du tic tac d'une montre. Vérifier la latéralisation (épreuve de Weber) ainsi que la conduction aérienne et osseuse (épreuve de Rinne).
IX (glossopharyngien)	Goût (sur le tiers postérieur de la langue)	Vérifier la capacité du patient de distinguer le sucré du salé sur le tiers postérieur de la langue.
X (vague, pneumogastrique)	Contraction paryngée	Appliquer un abaisse-langue sur la région postérieure de la langue ou stimuler l'arrière-gorge pour provoquer le réflexe nauséeux.
	Mouvement symétrique des cordes vocales	Noter si la voix est grave et voilée.
	Mouvement symétrique du voile du palais	Demander au patient de dire «Ah» et vérifier l'élévation symétrique de la luette et du voile du palais.
	Mouvements et sécrétions des viscères thoraciques et abdominaux	
XI (spinal)	Mouvement des muscles sternomastoïdien et trapèze	Demander au patient de soulever ses épaules contre résistance, palper le muscle trapèze et noter sa force. Palper le muscle sternomastoïdien et noter sa force en demandant au patient de tourner la tête contre la résistance de la main de l'examinateur.
XII (hypoglosse, lingual)	Mouvement de la langue	Demander au patient de tirer la langue et noter les déviations ou les tremblements. Vérifier la force de la langue en demandant au patient de tirer la langue et de la bouger d'un côté et de l'autre contre la résistance fournie par un abaisse-langue.

des mains et des membres supérieurs, on demande au patient d'exécuter des *mouvements alternatifs rapides* et de se soumettre à l'*épreuve de l'indication*. Tout d'abord, le patient doit se tapoter la cuisse avec la main aussi rapidement que possible. Il faut vérifier chaque main séparément. Le patient doit ensuite tourner la paume des mains vers le haut et vers le bas le plus rapidement possible. Enfin, il doit toucher successivement chacun des doigts de sa main avec le pouce de la même main. L'examinateur note la rapidité, la symétrie et le degré de difficulté.

Pour l'épreuve de l'indication, le patient doit toucher le doigt pointé de l'examinateur puis son propre nez. Il répète ce geste plusieurs fois. Il doit ensuite refaire l'épreuve les yeux fermés.

Pour évaluer la coordination des membres inférieurs, on demande au patient de faire glisser son talon de haut en bas sur le tibia de la jambe opposée (épreuve talon-genou). On parle d'*ataxie* quand il y a incapacité d'exécuter ce mouvement. L'existence d'une ataxie ou de tremblements (mouvements involontaires et rythmiques) au cours de l'épreuve talon-genou peut être un signe d'atteinte cérébelleuse.

Pour évaluer la coordination, il n'est pas nécessaire de faire toutes ces épreuves. Au cours d'un examen courant, on doit tout simplement vérifier la coordination des membres inférieurs et supérieurs en demandant au patient de faire soit des mouvements alternatifs rapides, soit l'épreuve de l'indication (doigt-nez). Si on découvre une anomalie, on peut alors procéder à une évaluation plus approfondie.

L'*épreuve de Romberg* permet d'évaluer l'équilibre. Le patient doit se tenir debout, les pieds joints, les bras en extension vers l'avant et les yeux fermés. L'examinateur doit se placer tout près du patient et le rassurer en lui disant qu'il sera supporté s'il perd l'équilibre. Un léger balancement est normal. On peut faire d'autres tests en clinique externe pour évaluer l'équilibre: sautillement sur place, flexion alternative des genoux, marche talon-orteil.

Examen des réflexes

Les réflexes moteurs entraînent la contraction involontaire d'un muscle ou d'un groupe musculaire en réaction à une brusque extension près de la zone d'insertion de ce muscle ou groupe musculaire. Pour provoquer un réflexe, on percute le tendon de façon directe avec un marteau à réflexes ou de façon indirecte en frappant son pouce posé fermement sur le tendon. L'examen des réflexes moteurs permet d'évaluer les arcs réflexes involontaires qui dépendent de l'activité des mécanocepteurs afférents, des synapses spinaux, des fibres motrices efférentes et de différents mécanismes d'influence à un niveau supérieur. Les réflexes couramment examinés sont le réflexe bicipital (biceps brachial), le réflexe styloradial (long supinateur), le réflexe olécrânien (triceps brachial), le réflexe rotulien (quadriceps crural) et le réflexe achilléen (triceps sural). Voir la figure 57-6 pour l'examen de ces cinq réflexes.

Pour solliciter les réflexes ostéotendineux, on se sert d'un marteau à réflexes. Il faut tenir le marteau entre le pouce et l'index sans le serrer pour lui permettre de se balancer librement. Le mouvement du poignet ressemble à celui qu'on exécute lors de la percussion. On place le membre du patient de façon que le tendon soit un peu en extension, ce qui exige une excellente connaissance de l'emplacement des muscles et de leurs tendons. Une fois le membre en position, on percute vivement le tendon. On répète l'examen dans l'autre membre pour comparaison. Dans la plupart des cas, une variation importante dans les réflexes est normale. Ce qu'il est important de vérifier, cependant, c'est la symétrie des réflexes. Pour que la comparaison entre les deux membres soit valable, ceux-ci doivent être également décontractés et l'examinateur doit frapper les tendons avec la même force.

La validité des résultats dépend donc de trois facteurs: l'utilisation correcte du marteau, la position du membre examiné et le degré de relaxation du patient. Si les réflexes sont symétriquement diminués ou absents, on peut avoir recours à une technique appelée «facilitation des réflexes», qui a pour effet d'augmenter l'activité réflexe. Cette méthode fait appel à la contraction isométrique de groupes musculaires autres que ceux examinés. Par exemple, quand les réflexes des membres inférieurs sont diminués ou absents, on demande au patient de replier les doigts des deux mains en crochet, d'«accrocher» ses mains ensemble et de tirer vers les côtés. De même, pour activer les réflexes bicipital, tricipital et styloradial, on peut demander au patient de serrer la mâchoire, ou d'appuyer les talons contre le plancher ou la table d'examen.

L'absence de réflexes est révélatrice, mais il faut se rappeler que le réflexe achilléen est parfois absent chez les personnes âgées. Les réflexes sont souvent évalués sur une échelle de 0 à 4:

4: hyperactif avec clonus permanent
3: hyperactif
2: normal
1: hypoactif
0: absent

À moins d'en expliquer clairement la signification, l'ajout des signes + ou − à ces valeurs ne fait que nuire à la clarté des résultats.

Comme il a déjà été mentionné, les échelles d'appréciation sont très subjectives. Quand on les utilise, il faut exprimer le résultat sous la forme d'un rapport entre la valeur obtenue et la valeur maximale. (par exemple: $^{2}/_{4}$). Certains examinateurs préfèrent utiliser les termes *présents, absents* ou *diminués* pour décrire les réflexes.

Pour déclencher le *réflexe bicipital,* le coude du patient doit être en flexion et son avant-bras doit être soutenu par l'avant-bras de l'examinateur. Celui-ci place ensuite son pouce sur le tendon du biceps brachial et le percute avec le marteau à réflexes. La réaction normale est la flexion de l'avant-bras (contraction du biceps brachial).

Pour déclencher le *réflexe tricipital,* le patient fléchit son avant-bras et le place devant sa poitrine. L'examinateur soutient le bras du patient et cherche le tendon du triceps par palpation. Ce tendon se situe entre 2,5 et 5 cm au-dessus du coude. Normalement, la percussion directe de ce tendon provoque l'extension de l'avant-bras (contraction du triceps brachial).

Pour évaluer le *réflexe styloradial,* l'examinateur demande au patient de laisser son bras reposer sur sa cuisse ou sur sa poitrine. Puis il percute légèrement le tendon du long supinateur avec le marteau, en un point situé entre 2,5 et 5 cm au-dessus du poignet. La réaction normale est une flexion et une supination de l'avant-bras.

Le *réflexe rotulien* est déclenché par la percussion du tendon rotulien, juste sous la rotule. Le patient peut être assis ou couché. Si celui-ci est couché, on lui soutient la jambe afin

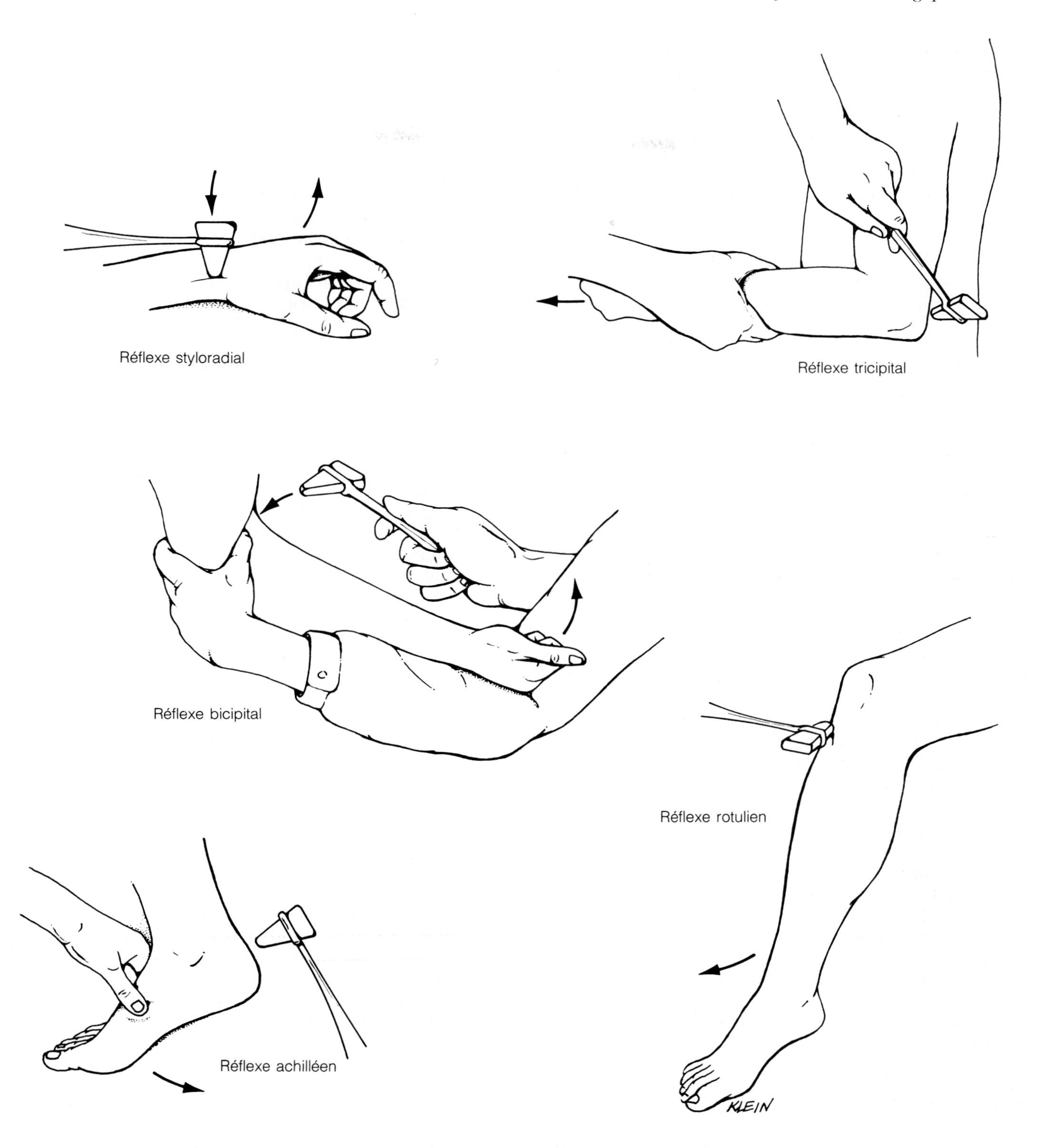

Figure 57-6. Technique de déclenchement des principaux réflexes ostéotendineux. On peut percuter le tendon *directement* avec un marteau à réflexes ou *indirectement* en frappant son pouce posé sur le tendon. Les flèches indiquent le mouvement prévu du membre.

de favoriser le relâchement des muscles. La réaction normale est une extension de la jambe (contraction du quadriceps crural).

Pour déclencher le *réflexe achilléen,* l'examinateur place le pied du patient en dorsiflexion et percute avec le marteau le tendon d'Achille en extension. Normalement, ce réflexe entraîne une flexion plantaire. Si on est incapable de déclencher le réflexe achilléen et si on croit que le patient est incapable de se détendre, on demande à celui-ci de se mettre à genoux sur une chaise ou sur une autre surface plane élevée, en laissant dépasser ses pieds. Cette position place les chevilles en dorsiflexion et diminue la tension dans les muscles jumeaux.

Quand les réflexes sont extrêmement hyperactifs, on peut observer un *clonus.* Il s'agit de contractions réflexes et irrépressibles du muscle brusquement étiré. Dans certaines affections du système nerveux central, le clonus persiste. Par exemple, le pied ne revient pas en position de repos, le muscle continuant de se contracter et de se décontracter successivement. On ne considère pas comme un signe pathologique le clonus non persistant qui accompagne parfois le déclenchement des réflexes normalement hyperactifs. Par contre, le clonus permanent témoigne toujours d'une affection du système nerveux central et justifie une évaluation par un médecin.

Le *signe de Babinski* est un réflexe bien connu qui témoigne d'une lésion nerveuse des faisceaux pyramidaux. Pour rechercher le signe de Babinski, on percute la face latérale de la plante du pied. Chez la personne normale, les orteils se contractent et se rapprochent. Chez le patient atteint d'une lésion du système moteur, les orteils s'écartent en éventail. Le signe de Babinski est normal chez le nouveau-né, mais il témoigne d'anomalies graves chez l'adulte. D'autres réflexes peuvent fournir des données semblables sur le fonctionnement du système nerveux. Certains de ces réflexes sont intéressants mais ont peu de signification.

Examen de la sensibilité

Le système sensoriel est encore plus complexe que le système moteur car les modes de la sensibilité se déplacent selon différentes voies situées dans différentes régions de la moelle épinière. L'évaluation de la sensibilité est très subjective et elle exige la collaboration du patient. Pour arriver à mener à bien cette évaluation, il faut se familiariser avec les dermatomes qui représentent la répartition des nerfs périphériques émergeant de la moelle épinière. La plupart des pertes sensorielles proviennent d'une neuropathie périphérique et correspondent à certains dermatomes anatomiques. Il existe toutefois certaines exceptions. Des lésions destructrices majeures du cerveau peuvent entraîner une perte de sensibilité de tout un côté du corps. Les neuropathies associées à l'alcoolisme, qui touchent les nerfs périphériques, en sont un autre exemple.

Lors de l'évaluation du système sensoriel, on vérifie la sensibilité au toucher, à la douleur superficielle et à la vibration, ainsi que la sensibilité proprioceptive. Pour obtenir la collaboration du patient, on doit lui donner des directives simples et l'assurer que l'examen ne provoque ni douleurs ni sursauts.

Pour évaluer la *sensibilité tactile,* on touche légèrement avec un morceau d'ouate les parties correspondantes des deux côtés du corps. On compare la sensibilité des parties proximales des membres avec la sensibilité des parties distales.

Les *sensations thermiques* et *douloureuses* sont transmises dans la partie latérale de la moelle épinière. Par conséquent, dans la plupart des cas, l'examen de la sensibilité douloureuse suffit. Pour évaluer la sensibilité à la douleur superficielle, on utilise un objet pointu. On peut par exemple demander au patient de différencier le bout arrondi et le bout cassé en pointe d'un abaisse-langue. Il est préférable de ne pas utiliser une aiguille, car on risque ainsi de porter atteinte à l'intégrité de la peau. L'examinateur doit appliquer le bout émoussé et le bout pointu avec la même force et vérifier s'il y a symétrie dans les deux côtés du corps.

Les *sensations vibratoires et proprioceptives* (sens de la position des articulations) sont transmises dans la partie postérieure de la moelle épinière. Pour évaluer la sensibilité vibratoire, on peut utiliser les basses fréquences d'un diapason. On place alors le manche du diapason contre la saillie d'un os, on le percute, et on demande au patient s'il perçoit quelque chose. Le patient doit prévenir l'examinateur aussitôt qu'il ne sent plus rien. Si le patient ne perçoit pas les vibrations quand le diapason est posé sur la partie distale d'un os, l'examinateur doit se rapprocher peu à peu des zones proximales jusqu'à ce que le patient perçoive les vibrations. Comme dans les autres évaluations de la sensibilité, la symétrie a de l'importance.

Pour évaluer le sens postural, on demande au patient de fermer les yeux, puis on lui bouge les orteils. Le patient doit indiquer dans quelle direction les orteils sont bougées. La perte du sens postural s'accompagne souvent d'une perte de la sensation vibratoire, en l'absence d'autres troubles sensitifs.

Après avoir évalué la sensibilité périphérique, on peut vérifier l'*intégration des sensations* dans le cerveau. Pour ce faire, on examine la discrimination spatiale, en touchant le patient simultanément en deux points du corps avec deux objets pointus; le patient doit indiquer s'il perçoit les deux sensations. S'il ne perçoit qu'une seule sensation, on dit que la sensation non perçue révèle une *extinction.* La *stéréognosie* reflète les fonctions corticales supérieures. Pour l'évaluer, on demande au patient de fermer les yeux, on lui met différents objets dans la main (une clé, une pièce de monnaie, etc.) et on lui demande de reconnaître ces objets.

GÉRONTOLOGIE

Le vieillissement altère le système nerveux et le rend très vulnérable. L'ampleur des altérations varie selon l'âge. Les fibres nerveuses directement reliées aux muscles sont peu touchées par le vieillissement, à l'encontre des fonctions neurologiques simples qui font appel à un plus grand nombre de liaisons dans la moelle épinière. À cause des maladies normalement associées au vieillissement, il est souvent difficile de distinguer les changements normaux des changements anormaux.

Souvent, la personne âgée se tient courbée et présente une raideur musculaire, des tremblements et une certaine lenteur dans ses mouvements. La diminution du poids du cerveau et la réduction du nombre de synapses font partie des changements structurels connus qui accompagnent le vieillissement. La perte de neurones se produit dans certaines couches et régions du cerveau, mais non de façon uniforme dans tout le système nerveux central. Les pertes de mémoire (surtout de la mémoire récente) et l'augmentation du temps de réaction peuvent être incommodantes pour la personne âgée, qui a alors besoin de plus de temps pour décider de la façon de réagir à une situation. Il y a aussi l'isolement causé par les troubles visuels et auditifs qui peut entraîner de la confusion, de l'anxiété, une désorientation, des erreurs d'interprétation et un sentiment d'incompétence. Les problèmes sensoriels peuvent exiger certaines modifications dans l'organisation de la maison. Pour la personne souffrant de troubles sensoriels, un changement d'environnement exige une plus longue adaptation. Par exemple, la personne âgée hospitalisée aura besoin qu'on lui explique clairement les soins courants, qu'on lui indique où se trouvent les toilettes, qu'on lui explique comment utiliser la sonnette d'appel, etc.

D'autres altérations neurologiques se produisent avec l'âge. Par exemple, le réflexe pupillaire devient plus lent; il disparaît parfois complètement si le patient a des cataractes. Parmi les autres changements possibles figurent la diminution ou la disparition du réflexe achilléen, de même que la diminution de la force et du volume des muscles. On peut aussi observer une altération de la thermorégulation et de la sensibilité douloureuse. Ainsi, le patient âgé est plus sensible au froid qu'à la chaleur; il peut donc avoir besoin d'une couverture supplémentaire et d'une température ambiante un peu plus élevée. De même, il est parfois moins sensible à la douleur. L'infirmière doit donc faire preuve de prudence quand elle utilise par exemple des applications chaudes ou froides, car la douleur peut ne se manifester qu'une fois la peau brûlée ou gelée.

Il est parfois nécessaire de faire une évaluation plus approfondie des signes et symptômes physiques des troubles qui s'accompagnent de douleurs (abdominales ou thoraciques, par exemple), car ces troubles sont parfois plus graves que le ne laisse présumer la douleur.

L'acuité des papilles gustatives diminue avec l'âge, ce qui, associée à une altération de l'odorat, entraîne une perte d'appétit. Les assaisonnements peuvent raviver l'appétit, à condition toutefois qu'ils ne causent pas d'irritation gastrique. L'altération de l'odorat est due à l'atrophie des organes olfactifs et à la multiplication des poils dans les narines.

La diminution de l'odorat représente un danger pour la personne âgée qui vit seule, car celle-ci sera incapable de percevoir les odeurs de gaz ou de fumée.

La baisse de la sensibilité tactile fait également partie des altérations neurologiques associées au vieillissement. Cette baisse est due à une diminution du nombre des régions du corps qui réagissent aux stimuli; les récepteurs sensoriels sont également moins nombreux et moins sensibles. Par exemple, la personne âgée peut avoir de la difficulté à reconnaître les objets par le toucher. Son sens postural peut aussi être altéré parce que la plante des pieds reçoit moins de signaux sensoriels. À cause de ces facteurs et aussi en raison d'une sensibilité accrue aux reflets éblouissants, d'une baisse de la vision périphérique et d'un rétrécissement du champ visuel, le patient âgé peut devenir désorienté, surtout la nuit dans une pièce peu ou pas éclairée. Étant donné que la personne âgée met plus de temps à recouvrer son acuité visuelle quand elle passe d'un endroit éclairé à un endroit sombre, elle a absolument besoin de veilleuses. Il faut également placer les meubles de façon à éviter qu'elle ne s'y heurte, et les replacer quand on les déplace.

L'évaluation de l'état mental du patient se fait dans le cadre de l'établissement du bilan de santé et tient compte, notamment, des aspects suivants: jugement, intelligence, mémoire, affect, humeur, orientation, élocution et mise personnelle. Dans certains cas, ce sont des membres de la famille qui amènent le patient en consultation après avoir remarqué une perturbation de son état mental. On devrait toujours penser à une intoxication médicamenteuse quand on reçoit un patient présentant une altération de l'état mental. Le délire (confusion habituellement accompagnée d'hallucinations) peut se manifester chez un patient âgé souffrant d'une lésion du système nerveux central ou d'une affection aiguë (infection ou déshydratation, par exemple). La démence (détérioration de la fonction intellectuelle) est parfois réversible (si elle est due par exemple à une intoxication médicamenteuse ou à une affection thyroïdienne), mais elle peut être irréversible. La dépression peut entraîner une baisse de l'attention et de la mémoire.

Les soins infirmiers au patient âgé doivent tenir compte des changements qui accompagnent le vieillissement. L'enseignement fait partie des aspects qui exigent une adaptation, car les réactions du patient âgé sont plus lentes et ses besoins sont différents de ceux des personnes plus jeunes.

Quand elle s'occupe d'un patient âgé, l'infirmière adapte ses interventions en fonction des changements qui se produisent dans tout le corps, mais aussi dans le système nerveux. Elle doit entre autres adapter l'enseignement préopératoire, le régime alimentaire, ainsi que les explications concernant les nouveaux médicaments, le moment pour les prendre et la posologie. Elle doit aussi tenir compte des problèmes de motricité fine et de la baisse de l'acuité visuelle. Si le patient a recours à des aides visuelles, on doit lui fournir un bon éclairage sans reflets éblouissants, et utiliser des couleurs contrastantes ainsi que des gros caractères. On peut ainsi pallier la perte de vision causée par la rigidité et l'opacité du cristallin et par la lenteur de la réaction pupillaire. Quand l'infirmière explique au patient âgé les interventions nécessaires aux examens diagnostiques, elle doit se demander si celui-ci présente un trouble auditif ou un retard dans ses réactions. Même s'il est atteint d'un problème auditif, le patient âgé est souvent capable d'entendre quand on lui parle d'une voix claire et grave. *Crier ne peut qu'empirer les choses.* On peut aussi l'aider en lui donnant des repères auditifs ou visuels. L'infirmière peut aussi favoriser l'apprentissage et la mémorisation en dispensant son enseignement lentement et en utilisant des techniques de renforcement. En outre, l'information présentée doit être brève, concise et concrète. L'infirmière doit utiliser un langage que le patient peut comprendre et expliquer clairement les termes importants ou techniques. Il faut aussi donner au patient âgé le temps dont il a besoin pour recevoir les stimuli et y répondre, pour apprendre et pour réagir. Toutes ces mesures favorisent la compréhension, la mémorisation ainsi que la formation d'associations et de notions.

Grâce à la recherche portant sur les personnes âgées en bonne santé, on arrive à distinguer de mieux en mieux les effets normaux du vieillissement sur le système nerveux des effets pathologiques. Quand on connaîtra bien le processus normal du vieillissement, on pourra trouver les moyens de prévenir les altérations du système nerveux qui perturbent les fonctions motrices.

EXAMENS ET TECHNIQUES DIAGNOSTIQUES

TECHNIQUES D'IMAGERIE

Examen tomodensitométrique (TDM, scanner). La tomodensitométrie fait appel à d'étroits faisceaux de rayons X pour visualiser la tête en couches successives. Les images obtenues fournissent des vues transversales du cerveau grâce auxquelles on peut distinguer les différences de densité des tissus du crâne, du cortex, des zones subcorticales et des ventricules. Le rayonnement de chaque portion (ou «tranche») du cerveau dans l'image finale est proportionnel au degré d'absorption des rayons X. L'image produite apparaît sur un oscilloscope ou sur un écran de télévision et est photographiée.

Les lésions du cerveau apparaissent comme des tissus dont la densité diffère de la densité des tissus voisins. Les anomalies que l'on peut observer sont les tumeurs, les infarcissements, les déplacements des ventricules ou l'atrophie du cortex. La tomodensitométrie du corps entier permet d'observer différentes sections de la moelle épinière. L'injection par ponction lombaire d'un produit de contraste iodé et hydrosoluble dans l'espace sous-arachnoïdien fait ressortir les différentes composantes de la moelle et du crâne sur les clichés radiographiques. La tomodensitométrie remplace maintenant la myélographie pour le diagnostic des hernies discales.

On procède généralement à un premier examen tomodensitométrique sans injection d'un produit de contraste, puis à un second examen avec injection d'un produit de contraste. Le patient est couché sur une table réglable et sa tête est gardée immobile, pendant que le tomodensitomètre en fait le tour. (Le patient est comme un axe autour duquel tourne l'appareil, ce qui donne l'image en coupe.) Le patient doit absolument garder la tête immobile, et éviter de parler et de bouger le visage; le moindre mouvement de la tête peut déformer considérablement l'image.

Non effractive et indolore, la tomodensitométrie permet un dépistage très sensible des lésions. Grâce à des appareils toujours plus perfectionnés et à l'amélioration de la compétence des médecins dans ce domaine, on peut maintenant dépister plus de maladies et de lésions en ayant de moins en moins recours à des méthodes effractives.

Tomographie par émission de positons. La tomographie par émission de positons (TEP) est une technique d'exploration visuelle informatisée qui fait appel aux radioisotopes. Elle peut produire des images d'un organe en fonctionnement. Pour procéder à cet examen, on fait inhaler au patient un gaz radioactif ou on lui injecte un produit radioactif. Ce gaz ou ce produit émet des électrons de charge électrique positive, appelés positons. Quand ces positons se lient avec les électrons à charge négative (négatons) qui se trouvent normalement dans les cellules de l'organisme, des rayons gamma sont générés et détectés par un scanner dont les détecteurs sont disposés en cercle et produisent une série de plans bidimensionnels des différentes couches du cerveau. Ces données sont intégrées par ordinateur et forment une image composite du cerveau en fonctionnement.

La tomographie par émission de positons permet de mesurer le débit sanguin, la composition des tissus et le métabolisme du cerveau. Le cerveau est un des organes les plus actifs sur le plan métabolique; il consume 80 % du glucose utilisé par l'organisme. Grâce à la tomographie par émission de positons, on peut mesurer l'activité des différentes parties du cerveau et déceler des variations dans le métabolisme du glucose. Cet examen permet aussi de dépister les changements métaboliques observés dans la maladie d'Alzheimer, de localiser des lésions (tumeurs, lésions épileptogènes), de mesurer le débit sanguin et le métabolisme de l'oxygène chez le patient souffrant d'un accident vasculaire cérébral, d'évaluer de nouveaux traitements contre les tumeurs du cerveau et de dépister les anomalies biochimiques associées à certaines maladies mentales.

En guise de préparation, l'infirmière montre au patient comment inhaler le gaz radioactif et le prévient de ses effets possibles (étourdissements, sensation ébrieuse, céphalée). L'injection du produit radioactif provoque des effets semblables à l'inhalation.

Tomographie monophotonique d'émission. La tomographie monophotonique d'émission est une méthode d'imagerie tridimensionnelle qui fait appel à des radionucléides et à des instruments qui, respectivement, émettent et détectent les photons. Les photons gamma sont émis par un agent radiopharmaceutique administré au patient et sont détectés par une ou plusieurs caméras rotatives. L'image obtenue est ensuite transmise à un miniordinateur. Cette méthode permet de voir les structures même si elles sont superposées, ce qui augmente considérablement la différenciation entre les tissus normaux et anormaux.

La tomographie monophotonique d'émission est relativement peu coûteuse, et exige du patient la même durée de participation que la tomodensitométrie. Elle est utile pour visualiser les régions ischémiques du cerveau et établir leur étendue. Elle permet donc de dépister un accident vasculaire cérébral (avant que celui-ci ne soit visible à la tomodensitométrie) et d'en déterminer le siège et la gravité, de mettre en évidence les foyers épileptiques, et d'évaluer l'irrigation sanguine avant et après une intervention neurochirurgicale.

Imagerie par résonance magnétique (IRM). L'imagerie par résonance magnétique (IRM) fait appel à un champ magnétique puissant pour produire des images de différentes parties du corps (figure 57-7). Les protons magnétisés (noyaux d'hydrogène) se trouvant à l'intérieur de l'organisme s'alignent comme de petits aimants dans ce champ magnétique. Après un bombardement d'impulsions de haute fréquence, les protons émettent des signaux qui sont convertis en images. L'IRM permet de déceler les anomalies du cerveau plus tôt et avec plus de précision que les autres examens diagnostiques. Comme elle fournit des données sur les changements chimiques qui se produisent à l'intérieur des cellules, elle permet au médecin de vérifier les effets d'un traitement sur une tumeur. L'IRM n'utilise pas de rayons ionisants.

Le patient qui subit une IRM ne doit avoir sur lui aucun objet métallique (bijoux, montre, épingles à cheveux, etc.), ni carte de crédit (que le champ magnétique peut démagnétiser). Avant l'examen, l'infirmière doit recueillir tous les antécédents médicaux du patient pour s'assurer qu'il ne porte aucun implant métallique (pince à anévrisme, matériel orthopédique, valvule cardiaque artificielle, stérilet). Quand le patient est prêt, on le fait étendre sur une table que l'on fait glisser dans un appareil de forme cylindrique qui contient un aimant. L'examen est indolore, mais le patient peut entendre le martèlement des bobines magnétiques. Comme l'appareil à IRM est un tube étroit, le patient peut souffrir de claustrophobie. Il est donc important de le préparer en lui enseignant des techniques de relaxation et en lui expliquant qu'il pourra parler au personnel durant l'examen, grâce à un microphone situé à l'intérieur du tube.

Angiographie cérébrale

L'angiographie cérébrale est un examen radiologique de la circulation cérébrale après injection d'un produit de contraste

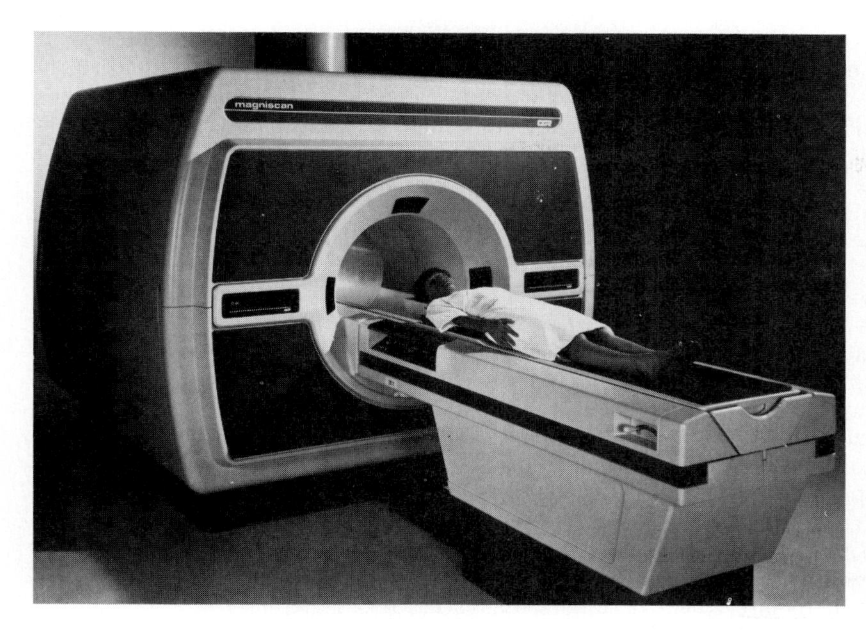

Figure 57-7. Imagerie par résonance magnétique (IRM); l'IRM permet de déceler les lésions cérébrales plus tôt et plus nettement que les autres méthodes d'imagerie. (Source : Thomson-CGR Corporation)

dans une artère. Elle est utilisée pour dépister les troubles vasculaires, les anévrismes et les malformations artérioveineuses. On y a souvent recours avant de pratiquer une craniotomie, pour bien visualiser les artères et les veines cérébrales et pour déterminer le siège, l'ampleur et la nature de la lésion. L'angiographie cérébrale permet également de voir si la circulation cérébrale se fait librement et adéquatement.

Pour pratiquer une angiographie, on introduit habituellement un cathéter par l'artère fémorale, dans l'aine, jusque dans le vaisseau que l'on veut étudier. On peut aussi faire une angiographie par ponction directe de l'artère carotide ou vertébrale ou par injection rétrograde d'un produit de contraste dans l'artère humérale.

Préparation du patient. Avant l'angiographie, l'infirmière veille à bien hydrater le patient. (Celui-ci peut boire des liquides clairs jusqu'au moment de l'examen, mais doit uriner juste avant de se rendre à la salle de radiologie.) À l'aide d'un crayon feutre, elle marque l'emplacement des pouls périphériques qui seront palpés régulièrement après l'examen. Elle explique au patient qu'il devra rester immobile durant l'angiographie et lui décrit ce qu'il ressentira durant l'injection du produit de contraste : une brève sensation de chaleur au visage, derrière les yeux ou dans la mâchoire, les dents, la langue et les lèvres, ainsi qu'un goût de métal dans la bouche. Après avoir rasé et préparé l'aine, on administre un anesthésique local pour favoriser le bien-être du patient et pour atténuer le spasme de l'artère. Puis on introduit le cathéter dans l'artère fémorale, on le rince à l'aide d'une solution salée héparinée et on injecte le produit de contraste. À l'aide d'un fluoroscope, on avance ensuite le cathéter jusqu'aux vaisseaux visés. Durant l'injection du produit de contraste, on prend des radiographies des temps artériel et veineux de la circulation cérébrale.

Soins infirmiers après l'angiographie cérébrale. Après une angiographie, le patient peut présenter une occlusion artérielle bénigne ou grave causée par une embolie, une thrombose ou une hémorragie et entraînant une déficience neurologique. Les principaux signes d'occlusion artérielle sont une altération de la conscience et de la réactivité, une faiblesse d'un côté du corps, une déficience motrice ou sensorielle, et des troubles de l'élocution. L'infirmière doit donc surveiller de près le patient à la recherche de ces signes afin de pouvoir les signaler rapidement s'ils apparaissent.

Elle doit examiner le point d'introduction du cathéter et y dépister les signes d'hématome (accumulation localisée de sang). Elle peut appliquer un sac de glace de temps à autre sur ce point pour atténuer l'œdème et la douleur. Elle doit aussi vérifier régulièrement les pouls périphériques, car la formation d'un hématome au point de ponction ou l'embolisation d'une artère distante peut perturber la circulation et donc modifier les pouls périphériques. Enfin, l'infirmière observe régulièrement la couleur et la température du membre touché pour dépister l'apparition d'une embolie.

Angiographie numérique avec soustraction

Dans l'angiographie numérique avec soustraction, on prend des images radiologiques successives de la région étudiée avant et après l'injection d'un produit de contraste. Un ordinateur « soustrait » la seconde série de clichés et produit une image amplifiée des artères carotide et vertébrale. Cette technique d'imagerie est moins effractive que l'artériographie, car l'injection peut se faire dans une veine périphérique.

Myélographie

La myélographie est la radiographie de l'espace sous-arachnoïdien après injection d'air ou d'un produit de contraste dans ce même espace. L'injection se fait par ponction lombaire. La myélographie permet de visualiser l'espace sous-arachnoïdien et de mettre en évidence les distorsions de la moelle épinière ou de la dure-mère dues à une tumeur, un kyste, une hernie discale ou une autre lésion.

Après l'injection du produit de contraste, on incline la table de façon à placer la tête du patient vers le bas et on observe par radioscopie le déplacement du produit. Le produit de contraste peut être hydrosoluble ou à base d'huile. Le métrizamide est un produit de contraste hydrosoluble qui est absorbé par l'organisme et excrété par les reins. Il n'a pas besoin d'être retiré du canal rachidien, car à cause de sa grande solubilité, il s'élimine assez rapidement. Parmi ses effets secondaires figurent les maux de tête, probablement dus à l'irritation du système nerveux central.

Si le radiologiste fait la myélographie avec un composé à base d'huile et d'iode comme le pantopaque, il doit retirer le produit à l'aide d'une seringue. Si un nerf est touché, le patient se plaindra d'une douleur vive au bas de la jambe pendant l'aspiration. Le radiologue doit alors déplacer la pointe de l'aiguille ou en modifier la profondeur.

Soins infirmiers. Comme la plupart des patients ont des idées fausses sur la myélographie, l'infirmière doit répondre à leurs questions et éclaircir au besoin l'information donnée par le médecin. Elle doit aussi les prévenir qu'on inclinera à différents angles la table sur laquelle ils seront couchés durant l'examen. Le patient doit sauter le repas qu'il aurait normalement pris avant la myélographie. Enfin, on peut lui administrer un léger sédatif pour l'aider à se détendre pendant cet examen qui est plutôt long.

Après une myélographie effectuée avec un produit de contraste hydrosoluble, on aide le patient à se coucher dans son lit et on monte la tête du lit de 15 à 30° afin de réduire la dispersion vers le haut du produit de contraste. Le patient doit garder le lit si le médecin le recommande.

Après une myélographie effectuée avec un produit de contraste à base d'huile, le patient devra rester couché aussi longtemps que le médecin l'exige (généralement de 12 à 24 heures) afin de réduire les fuites de liquide céphalorachidien et d'atténuer les maux de tête. Habituellement, le patient a la permission de se tourner d'un côté à l'autre.

L'infirmière encourage le patient à boire beaucoup de liquide pour favoriser la réhydratation et le remplacement du liquide céphalorachidien perdu, et aussi pour prévenir les maux de tête causés par la ponction lombaire. Elle surveille la pression artérielle du patient, son pouls, sa fréquence respiratoire, sa température, ainsi que sa capacité d'uriner. Les principaux effets indésirables de cet examen sont la fièvre, la raideur de la nuque, la photophobie (sensibilité excessive à la lumière) et la méningite chimique ou bactérienne.

En raison de la sensibilité de la tomodensitométrie et de l'IRM, la myélographie est de moins en moins utilisée.

Phlébographie épidurale lombaire

Pour pratiquer une phlébographie épidurale lombaire, on introduit un cathéter par voie percutanée dans la veine fémorale et on le déplace le long de la veine lombaire ascendante ou de la veine hypogastrique. On injecte ensuite un produit de contraste pour remplir les veines épidurales recouvrant les espaces discaux et pour opacifier le plexus veineux épidural. La phlébographie épidurale lombaire peut servir à diagnostiquer une hernie discale non révélée par la myélographie. Elle permet de mettre en évidence la déviation ou la compression des veines épidurales causée par une hernie ou une tumeur. Elle est relativement facile à réaliser, et elle est bien tolérée par le patient. Presque indolore, elle ne provoque pas d'arachnoïdite. Elle peut être utilisée comme complément de la myélographie. Après la phlébographie, on doit examiner le point d'insertion du cathéter et rechercher les signes d'hématome.

Scintigraphie

La scintigraphie repose sur le principe selon lequel un agent radiopharmaceutique peut franchir la barrière hémato-encéphalique en des points où cette barrière est altérée, et s'acculumer dans le tissu cérébral anormal. (Le tissu cérébral normal est relativement imperméable.) Il se forme alors des zones d'hyperfixation qui correspondent aux lésions.

Pour pratiquer cet examen, on injecte au patient un agent radiopharmaceutique par voie intraveineuse. La radioactivité qui se propage ensuite dans tout le cerveau est repérée par un scintigraphe qui imprime l'image obtenue; on peut aussi utiliser une caméra gamma et observer le passage de l'agent radiopharmaceutique dans la circulation cérébrale afin de recueillir des données sur le débit sanguin du cerveau.

La scintigraphie cérébrale est particulièrement utile pour évaluer les lésions vasculaires du cerveau et des méninges et pour déterminer le siège d'une tumeur vasculaire ou cérébrale. On s'en sert également pour le dépistage précoce des accidents vasculaires cérébraux et des abcès du cerveau, et aussi pour évaluer les résultats d'une intervention chirurgicale ou d'une radiothérapie du cerveau. De nouvelles techniques permettent en outre d'observer la circulation cérébrale pendant la scintigraphie. De plus en plus, toutefois, la tomodensitométrie tend à remplacer la scintigraphie traditionnelle.

ÉCHO-ENCÉPHALOGRAPHIE

L'*écho-encéphalographie* est une méthode d'imagerie selon laquelle on enregistre les ondes sonores réfléchies par les structures du cerveau en réponse aux signaux ultrasoniques émis par un transducteur placé sur une région précise de la tête. Il s'agit d'une technique rapide et pratique pour déterminer la position des structures moyennes du cerveau ainsi que pour mesurer la distance entre le milieu du crâne et la paroi du ventricule latéral ou du troisième ventricule. On utilise donc cet examen pour dépister le déplacement des structures moyennes du cerveau causé par un hématome sous-dural, une hémorragie intracérébrale, un infarcissement cérébral important ou une tumeur. L'écho-encéphalographie sert aussi à évaluer l'hydrocéphalie car elle permet de mettre en évidence la dilatation des ventricules.

L'infirmière doit expliquer au patient qu'il s'agit d'un examen non effractif et qu'on utilise un gel hydrosoluble pour éliminer l'air entre le transducteur manuel et sa tête.

L'examen Doppler de la carotide, l'échographie de la carotide, l'oculopléthysmographie et l'ophtalmodynamométrie sont quatre examens courants non effractifs de la circulation qui permettent l'étude du débit sanguin artériel et le dépistage des sténoses, des occlusions et des plaques artérielles. On y a souvent recours avant une artériographie, car celle-ci comporte un risque d'accident vasculaire cérébral et de décès (0,5 à 2 %). Ils n'exigent aucune préparation particulière à l'exception de l'enseignement. Pour réduire l'anxiété du patient, l'infirmière doit le prévenir qu'on appliquera un transducteur sur son cou et ses yeux et que le transducteur sera enduit d'un gel hydrosoluble.

Examens par injection d'air

Quand on remplace le liquide céphalorachidien par un gaz, on peut visualiser les espaces sous-arachnoïdiens sur les clichés radiographiques. En effet, le gaz injecté dans les cavités ventriculaires et les espaces sous-arachnoïdiens agit comme un produit de contraste puisque l'air absorbe moins bien les rayons X que le liquide. Les deux principaux examens par injection d'air sont l'*encéphalographie gazeuse* et la *ventriculographie*.

L'encéphalographie gazeuse est un examen diagnostique qui consiste à instiller par ponction lombaire de l'air ou un autre gaz afin de mettre en évidence les ventricules et les espaces sous-arachnoïdiens qui surplombent les hémisphères et les citernes interpédonculaires. On enlève donc une petite quantité de liquide céphalorachidien et on injecte une quantité équivalente d'air. Le patient est assis sur une chaise spéciale qu'on peut tourner dans toutes les directions afin de distribuer l'air dans les cavités désirées. On prend ensuite les radiographies.

La ventriculographie consiste à prendre des radiographies des ventricules latéraux après avoir retiré du liquide céphalorachidien et injecté de l'air ou un gaz dans les ventricules latéraux par des ouvertures du crâne.

Depuis l'apparition de la tomodensitométrie et de l'IRM, on a rarement recours à l'encéphalographie gazeuse et à la ventriculographie.

EXAMENS ÉLECTROPHYSIOLOGIQUES

Électro-encéphalogramme (EEG)

L'électro-encéphalogramme est l'enregistrement de l'activité électrique du cerveau après avoir placé des électrodes sur le cuir chevelu du patient ou inséré des microélectrodes à l'intérieur du tissu cérébral. Il permet d'obtenir une évaluation physiologique de l'activité cérébrale. On l'utilise pour le diagnostic des troubles qui se manifestent par des convulsions (comme l'épilepsie), pour évaluer le coma ou le syndrome du cerveau végétatif et pour diagnostiquer la mort cérébrale. Les tumeurs, les abcès, les cicatrices cérébrales, les caillots de sang et les infections peuvent altérer le rythme et la fréquence de l'activité électrique.

On doit d'abord placer les électrodes sur le cuir chevelu pour enregistrer l'activité électrique de différentes régions du cerveau. L'activité des neurones est amplifiée et enregistrée sur une feuille de papier en mouvement constant. Le tracé ainsi obtenu constitue l'encéphalogramme. Quand on enregistre les valeurs de base, le patient doit s'étendre et fermer les yeux. On peut ensuite lui demander de s'hyperventiler pendant trois ou quatre minutes, puis de regarder une lumière vive clignotante afin de recevoir une stimulation lumineuse. Il s'agit là de techniques d'activation qui visent à provoquer des décharges électriques anormales et surtout d'éventuelles crises épileptiques. On peut aussi administrer un sédatif au patient en vue d'enregistrer un EEG de sommeil, car dans certains cas, les tracés anormaux n'apparaissent qu'au cours du sommeil. S'il est impossible d'accéder à la zone épileptogène par l'application d'électrodes sur le cuir chevelu, on peut insérer des électrodes dans le rhinopharynx.

On obtient un enregistrement en profondeur en introduisant les électrodes dans une zone cible de l'encéphale, que l'on détermine en fonction du genre de crise que présente le patient et de son EEG de base. Cette technique permet de déterminer si le patient pourrait bénéficier de l'excision chirurgicale de ses foyers épileptiques.

Préparation du patient. Pour augmenter les chances d'enregistrer l'activité du cerveau en pleine crise, on recommande parfois au patient de ne pas dormir la nuit précédant l'EEG. Il est également conseillé de ne pas lui administrer de tranquillisants ou de stimulants dans les 24 à 48 heures avant l'EEG, car ces médicaments peuvent faire varier les tracés de l'EEG ou masquer les tracés anormaux qui sont associés aux troubles convulsifs. À cause de leurs effets stimulants, le patient doit aussi éviter le café, le thé, le chocolat et les autres boissons contenant de la caféine au cours du repas précédant l'examen. Il est toutefois important que celui-ci mange avant l'EEG, car une glycémie altérée par le jeûne peut fausser les résultats de l'examen.

L'infirmière prévient le patient que l'EEG ordinaire dure de 45 à 60 minutes; l'EEG de sommeil est plus long. Elle le rassure en lui expliquant que l'enregistrement d'un EEG ne provoque pas de choc électrique et qu'il s'agit non pas d'un traitement mais d'un examen diagnostique. En milieu hospitalier, on a recours à l'enregistrement vidéo jumelé au monitorage de l'EEG et à la télémesure pour capter les anomalies épileptiformes et leurs conséquences. Certains centres spécialisés en épilepsie font l'enregistrement permanent de l'EEG à l'aide d'appareils portatifs.

Potentiels évoqués

On utilise les potentiels évoqués pour évaluer les changements et les réponses des ondes cérébrales à des stimuli des récepteurs sensitifs périphériques. Les potentiels évoqués sont détectés grâce à un appareil informatisé qui extrait le signal, l'affiche sur un oscilloscope et enregistre les données sur ruban magnétique ou sur disque. La méthode des potentiels évoqués se base sur le principe selon lequel toute agression ou dysfonction perturbant le métabolisme neuronal ou la fonction membranaire peut aussi modifier les potentiels évoqués dans les ondes de l'activité électrique cérébrale. Dans le diagnostic neurologique, les potentiels évoqués traduisent les temps de conduction dans le système nerveux périphérique. En clinique, les potentiels évoqués visuels, auditifs et somesthésiques sont les plus souvent évalués.

Pour évaluer les *potentiels évoqués visuels,* on demande au patient de regarder un stimulus lumineux (lumière clignotante, motifs à damier sur écran). Une moyenne de quelques centaines de stimuli est enregistrée par des électrodes d'EEG placés sur l'occiput. Pour mesurer le temps de conduction de la rétine à l'occiput, on se sert de méthodes de moyennage par ordinateur.

Pour évaluer les *potentiels évoqués auditifs* ou les potentiels évoqués du tronc cérébral, on a recours à un stimulus sonore (clic acoustique) et on mesure le temps de conduction depuis le tronc cérébral jusqu'au cortex. La réponse sera retardée ou altérée s'il existe des lésions dans les voies auditives.

Pour évaluer les *potentiels évoqués somesthésiques,* on stimule les nerfs périphériques en appliquant des électrodes sur la peau, on mesure le temps de conduction depuis la moelle épinière jusqu'au cortex et on l'enregistre au moyen d'électrodes placées sur le cuir chevelu. On peut ainsi dépister les troubles de la conduction au niveau de la moelle épinière et surveiller la fonction médullaire durant certaines interventions chirurgicales. Étant donné que les fibres nerveuses myélinisées transmettent les influx plus rapidement, les nerfs dont la gaine myélinique est intacte sont les plus rapides. La démyélinisation des fibres nerveuses entraîne donc un ralentissement du temps de conduction. C'est ce que l'on observe dans le syndrome de Guillain-Barré, la sclérose en plaque et la polynévrite.

Aucune préparation particulière du patient n'est nécessaire, mais l'infirmière doit le rassurer et l'aider à se détendre. Durant l'enregistrement, le patient doit rester parfaitement immobile afin d'éviter les artefacts (potentiels non générés par le cerveau) qui nuisent à l'enregistrement et à l'interprétation des résultats.

Électromyographie

Pour faire une électromyographie (EMG), on introduit des aiguilles-électrodes dans les muscles squelettiques en vue de mesurer les changements de potentiel électrique de ces muscles et des nerfs qui y conduisent. Les potentiels électriques sont affichés sur un oscilloscope et amplifiés par un haut-parleur de sorte qu'on peut analyser et comparer simultanément le son et l'aspect des ondes électriques. L'EMG sert à diagnostiquer les troubles neuromusculaires et les myopathies. Elle aide à distinguer la faiblesse musculaire due à une neuropathie (changements fonctionnels ou pathologiques dans le système nerveux périphérique) de la faiblesse musculaire due à une autre cause.

Elle n'exige aucune préparation spéciale. L'infirmière doit simplement prévenir le patient que l'introduction de l'aiguille-électrode dans le muscle produira une sensation semblable à celle causée par une injection intramusculaire. Les muscles examinés sont parfois douloureux pendant un certain temps après l'intervention.

Évaluation de la conduction nerveuse

Pour faire une évaluation de la conduction nerveuse, on doit stimuler un nerf périphérique en plusieurs points le long de son trajet et enregistrer le potentiel d'action du muscle ou le potentiel d'action sensitif qui résulte de cette stimulation. Pour stimuler les fibres nerveuses, on place des électrodes de surface ou des aiguilles-électrodes sur la région cutanée se trouvant au niveau du nerf. Cet examen est utile dans l'étude des neuropathies périphériques.

Techniques spéciales

Ponction lombaire et examen du liquide céphalorachidien

La ponction lombaire (ou rachicentèse) est l'introduction d'une aiguille dans un espace lombaire sous-arachnoïdien pour le prélèvement de liquide céphalorachidien. On prélève du liquide céphalorachidien pour l'analyser, pour mesurer ou soulager la pression qu'il exerce, pour dépister une obstruction sous-arachnoïdienne, et pour administrer des antibiotiques en intrathécal dans certains cas d'infection.

Habituellement, on introduit l'aiguille dans l'espace sous-arachnoïdien situé entre la troisième et la quatrième vertèbre lombaire. Étant donné que la moelle épinière se sépare en un faisceau de nerfs au niveau de la première vertèbre lombaire, on introduit l'aiguille sous la troisième vertèbre lombaire afin de ne pas ponctionner la moelle (figure 57-8).

Pour réussir une ponction lombaire, il faut que le patient soit détendu, car la tension peut faire augmenter les valeurs de la pression. Chez le patient en décubitus latéral, la pression du liquide céphalorachidien se situe normalement entre 70 et 200 mm H_2O. Les pressions supérieures à 200 mm H_2O sont jugées anormales.

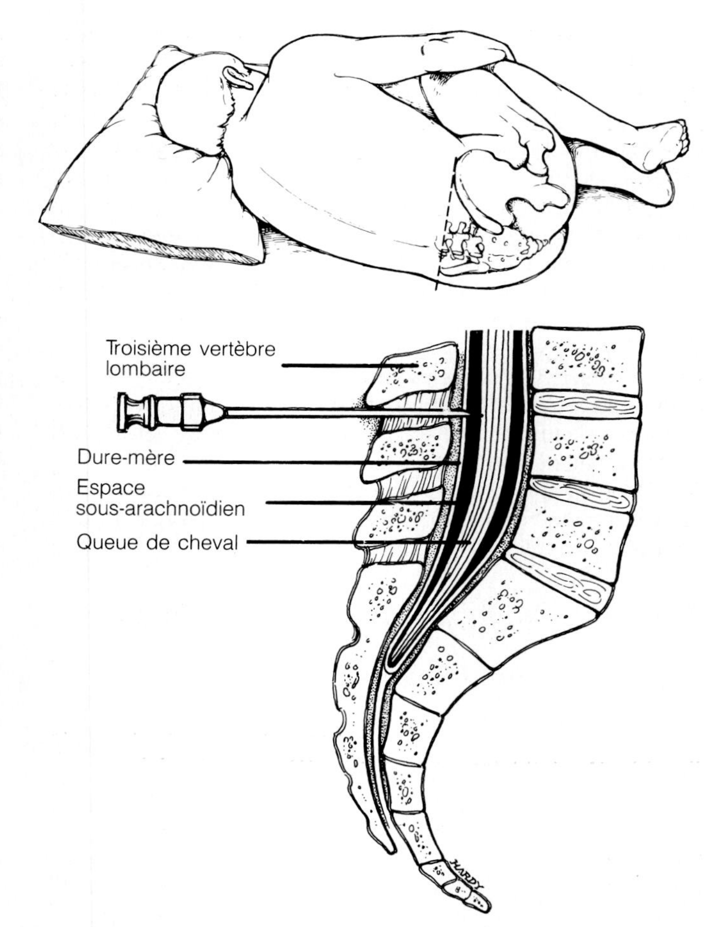

Figure 57-8. Technique de la ponction lombaire. Les espaces intercostaux situés entre L3 et L5 se trouvent juste en dessous de la ligne reliant les épines iliaques antérosupérieures.

La ponction lombaire peut être dangereuse chez le patient atteint d'une lésion intracrânienne expansive, car la diminution de la pression intracrânienne qui accompagne le prélèvement de liquide céphalorachidien peut provoquer une hernie transtentorielle.

Lors de la ponction lombaire, on procède parfois à une épreuve de Queckenstedt-Stookey, qui consiste à comprimer les veines jugulaires de chaque côté du cou et à noter l'augmentation de la pression causée par la compression. On arrête ensuite la compression et on mesure la pression toutes les dix secondes. Normalement, la pression du liquide céphalorachidien augmente rapidement quand on comprime les veines jugulaires et revient vite à la normale quand on cesse la compression. Un ralentissement de l'augmentation et de la diminution indique un blocage partiel causé par une lésion qui comprime les voies sous-arachnoïdiennes de la moelle. L'absence de variation de la pression traduit un blocage complet. On ne doit pas effectuer l'épreuve de Queckenstedt-Stookey si on soupçonne l'existence d'une lésion intracrânienne.

Interventions infirmières. L'infirmière doit d'abord rassurer le patient et lui expliquer que l'introduction d'une aiguille dans la moelle épinière n'entraîne pas de paralysie. Avant la ponction lombaire, le patient doit vider sa vessie et ses intestins. Il s'étend ensuite sur le côté en tournant le dos au médecin. Il fléchit la tête et les hanches le plus possible pour agrandir l'espace entre les apophyses épineuses des vertèbres et pour faciliter la pénétration de l'aiguille dans l'espace sous-arachnoïdien. L'infirmière peut placer un oreiller entre les cuisses du patient pour empêcher la jambe du dessus de tomber vers l'avant, et en placer un autre sous sa tête pour maintenir la colonne en position horizontale. Elle doit aider le patient à rester calmement dans cette position, car les mouvements brusques peuvent provoquer une ponction traumatique (hémorragique). En outre, elle doit l'inciter à respirer normalement car l'hyperventilation peut faire baisser une pression autrement élevée. Après l'intervention, elle recommande au patient de s'étendre sur le ventre pendant trois heures pour réduire les fuites de liquide céphalorachidien. Certains croient qu'il faut également inciter le patient à boire beaucoup pour prévenir les céphalées, quoique rien ne prouve que cette mesure soit efficace.

Examen du liquide céphalorachidien. Le liquide céphalorachidien normal est limpide et incolore. S'il est rose, teinté de sang ou carrément sanguinolent, le patient souffre peut-être d'une contusion cérébrale, d'une lacération ou d'une hémorragie sous-arachnoïdienne. Dans les cas où la ponction lombaire a été difficile, le liquide céphalorachidien est sanguinolent au début de l'aspiration, mais est ensuite limpide. On doit faire parvenir le prélèvement au laboratoire pour que soient effectués une numération cellulaire, une culture, et un dosage du glucose et des protéines. Il est important de ne pas retarder l'envoi du prélèvement, car des changements peuvent se produire dans la composition du liquide, ce qui risque de fausser les résultats. (Consulter l'appendice pour connaître les valeurs normales de l'analyse du liquide céphalorachidien.)

Céphalées causées par une ponction lombaire. Quelques heures à quelques jours après une ponction lombaire, le patient peut souffrir de céphalées de légères à intenses. C'est la complication la plus fréquente de cette intervention; elle touche 11 à 25 % des patients. Il s'agit d'une céphalée pulsatile bifrontale ou occipitale, sourde et profonde, qui s'intensifie quand le patient s'assoit ou se lève et qui s'atténue ou disparaît quand il se couche.

Les céphalées sont dues à une fuite de liquide céphalorachidien au point de ponction, c'est-à-dire que le liquide pénètre dans les tissus par le passage laissé par l'aiguille dans le canal rachidien. Il est ensuite absorbé rapidement par les vaisseaux lymphatiques et ne s'accumule jamais en quantité suffisante pour qu'on puisse le déceler. À cause de cette fuite, la quantité de liquide céphalorachidien dans le crâne diminue au point de ne plus assurer une bonne stabilisation mécanique du cerveau. Le cerveau retombe donc quand le patient passe en position verticale, ce qui entraîne une tension et un étirement des sinus veineux et des structures sensibles à la douleur. Quand le patient se couche, la tension, la douleur et la fuite de liquide diminuent.

Le traitement habituel des céphalées dues à la ponction lombaire comprend le repos au lit, l'administration d'analgésiques et l'augmentation de l'apport liquidien. Parfois, quand les céphalées persistent, on a également recours à la technique de colmatage sanguin épidural. Cette technique consiste à prélever du sang dans la veine médiane cubitale du patient et à l'injecter dans l'espace épidural, habituellement au point où l'aiguille de ponction lombaire a été introduite. L'effet visé est simple: le sang injecté agit comme un bouchon gélatineux, bouche le trou dans la dure-mère et empêche le liquide céphalorachidien de s'échapper davantage.

On peut prévenir les céphalées en utilisant une aiguille de petit calibre et en encourageant le patient à rester couché sur le ventre après l'intervention. Quand on prélève une grande quantité de liquide (plus de 20 mL), le patient doit rester en décubitus ventral pendant deux heures, puis en décubitus latéral pendant deux autres heures et, enfin, en décubitus ventral ou dorsal pendant six autres heures. On peut réduire l'incidence des céphalées en gardant le patient en position couchée pendant toute une nuit.

Parmi les autres complications de la ponction lombaire, on compte l'engagement des contenus intracrâniens, les troubles reliés à une ponction traumatique, les abcès rachidiens épiduraux, les hématomes rachidiens épiduraux et la méningite.

RÉSUMÉ

Le système nerveux est un des systèmes les plus complexes et les plus fascinants du corps humain. L'évaluation neurologique fait partie intégrante de l'examen effectué par l'infirmière. Les troubles neurologiques sont un aspect très exigeant de la pratique des soins infirmiers. Pour être en mesure de faire une évaluation neurologique précise, l'infirmière doit en effet posséder de bonnes connaissances de base en anatomie et en physiologie du système nerveux, et bien connaître les différentes étapes de cette évaluation. Dans beaucoup de cas, les signes témoignant d'une perturbation du système nerveux sont subtils et l'infirmière est souvent la première à les remarquer, car plus que les autres membres de l'équipe de soins elle est en contact direct avec le patient et prodigue ses soins selon une démarche holistique.

Dans le présent chapitre, on a passé en revue l'anatomie et la physiologie de base du système nerveux et décrit l'évaluation des troubles neurologiques les plus courants. On a également expliqué les différentes épreuves diagnostiques car l'infirmière, par la préparation du patient et l'enseignement, joue un rôle clé dans la réussite de ces épreuves. Le système nerveux évolue avec l'âge; lors de l'évaluation du patient, l'infirmière doit donc tenir compte non seulement des changements reliés au développement mais aussi de ceux associés au vieillissement.

Bibliographie

Ouvrages

Augustin P. Nursing en neurologie. Paris, Masson, 1984.

Bernat JL and Vincent FM. Neurology Problems in Primary Care. Oradell, NJ, Medical Economics Books, 1987.

Burggraf V and Stanley M. Nursing the Elderly: A Care Plan Approach. Philadelphia, JB Lippincott, 1989.

Curtis BA. Neurosciences: The Basics. Philadelphia, Lea & Febiger, 1990.

Davis RL and Robertson DM. Textbook of Neuropathology. Baltimore, Williams & Wilkins, 1990.

DeGroot J. Correlative Neuroanatomy, 20th ed. East Norwalk, CT, Appleton & Lange, 1988.

Godwin-Austen RB. The Neurology of the Elderly. London, Springer-Verlag, 1990.

Guaze A. La neuroanatomie clinique. Paris, Expansion scientifique française, 1988.
Joseph R. Neuropsychology, Neuropsychiatry and Behavioral Neurology. New York, Plenum Press, 1990.
Lechtenberg R. Synopsis of Neurology. Philadelphia, Lea & Febiger, 1991.
Marshall S et al. Neuroscience Critical Care: Pathophysiology and Patient Management. Philadelphia, WB Saunders, 1990.
Mettler F. Imaging 1990. Boston, Little, Brown, 1990.
Mettler F et al. Clinical Magnetic Resonance: Imaging and Spectroscopy. Chichester, NY, Wiley, 1990.
Mitchell P et al. AANN's Neuroscience Nursing-Phenomena and Practice. Norwalk, CT, Appleton & Lange, 1988.
Olson WH et al. Handbook of Symptom-Oriented Neurology. Chicago, Yearbook Medical Publishers, 1989.
Pansky B and Allen D. Review of Neuroscience. New York, Macmillan, 1980.
Redondo J. L'opéré en neurochirurgie. Paris, Masson, 1989.
Serratrice G. et Gastant JL. Les neuropathies périphériques. Marseille, Diffusion générale des librairies.
Swearingen PL et al. Manual of Critical Care Nursing, 2nd ed. St Louis, CV Mosby, 1990.
Wasserman P and Grefsheim S. Encyclopedia of Health Information Sources. Detroit, Gale Research Company, 1987.
Williams A and Haughton V. Cranial Computer Tomography: A Comprehensive Test. St Louis, CV Mosby, 1985.
Wood JH. Cerebral Blood Flow. Physiologic and Clinical Aspects. New York, McGraw-Hill, 1987.
Yurick A et al. The Aged Person and the Nursing Process, 3rd ed. Norwalk, CT, Appleton & Lange, 1989.

Revues

Les articles de recherche en sciences infirmières sont marqués d'un astérisque.

Bass B and Vandervoost MK. Post-lumbar puncture headache: Review of the literature and nursing implications. Axon 1988 Mar; 9(3):30–34.
Chaudhuri G et al. Computerized axonal tomography head scans as predictors of functional outcome of stroke patients. Arch Phys Med Rehabil 1988 Jul; 69(7):496–498.
Clave M. Ponctions lombaires. Rev. Infirm. 1987; 37(5)17-20.
Cook T et al. Bed rest and post-lumber puncture headache: The effectiveness of 24 hours recumbency in reducing the post-lumber puncture headache. Anesthesia 1989 May; 44(5):389–391
*Dilorio C. An analysis of trends in neuroscience research. J Neurosci Nurs 1990 Jun; 22(3):139–146.
Evans RL et al. Family intervention after stroke: Does counseling or education help? Stroke 1988 Oct; 19(10):1243–1249.
Flaaten H et al. Postdural puncture headache: A comparison between 26- and 29-gauge needles in young patients. Anesthesia 1989 Dec; 35(12): 1052–1054.
Ford CD et al. A simple treatment of post lumbar-puncture headache. J Emerg Med 1989 Jan/Feb; 7(1):29–31.
*Foreman MD. Reliability and validity of mental status questionnaires in elderly hospitalized patients. Nurs Res 1987 Jul/Aug; 36(4):216–220.
Frawley P. Neurological observations. Nurs Times 1990 Aug/Sep; 86(35): 29–32.
Frost EAM. Controversies in neuroanesthesia. Curr Rev Nurse Anesth 1989 Dec 14; 12(14):111–120.
Kalbach LR. Spinal headache: Cause and care. Orthop Nurse 1989 Mar/ Apr; 8(2):51–55.
Kaufman J. Nurse's guide to assessing the 12 cranial nerves. Nursing 1990 Jun; 20(6):56–58.
Kernich CA and Robb G. Development of a stroke family support and education program. J Neurosci Nurs 1988 Jun; 20(3):193–197.
Lundgren JP. Computerized EEG: Applications and interventions. J Neurosci Nurs 1990 Apr; 22(2):100–112.
March K. Transcranial Doppler sonography: Noninvasive monitoring of intracranial vasculature. J Neurosci Nurs 1990 Apr; 22(2):113–116.
National Institutes of Health. Magnetic resonance imaging. Consensus Development Conference Statement. 1987 Oct; 6(14):1–10.
Neron C et Bor Y. Anatomie de la douleur. Soins 1988; 510:4-8.
Osberg JS et al. Predicting long-term outcome among post rehabilitation stroke patients. Am J Phys Med Rehabil 1988 Jun; 67(3):94–103.
Richmond TS. Spinal cord injury. Nurs Clin North Am 1990 Mar; 25(1): 57–69.
Rocca B. Physiopathologie des lésions cérébrales traumatiques. Soins chirurgie 1989; 105:4-7.
Roumier G, Girard N et Farnarier P. Scanner des traumatismes crâniens. Soins chirurgie 1989; 105:19-21.
Sand T. Which factors affect reported headache incidences after lumbar myelography? A statistical analysis of publications in the literature. Neuroradiology 1989; 31(1):55–59.
Sceamana F. Bilan initial du traumatisé crânien grave. Soins chirurgie 1984; 105:8-12.
*Smith CA. The effect of ambulation on post-myelography headache in patients injected with metrizamide. J Neurosci Nurs 1990 Feb; 22(1): 32–35.
Sullivan J. Neurologic assessment. Nurs Clin North Am 1990 Dec; 25(4): 795–809.
Vilming ST et al. The significance of age, sex and cerebrospinal fluid pressure in post-lumbar-puncture headache. Cephalagia 1989 Jun; 9(2):99–106.
Wahlquist GL. Evaluation and primary management of spasticity. Nurse Pract 1987 Mar; 12(3):27–32.

58
TRAITEMENT DES PATIENTS ATTEINTS D'UNE DYSFONCTION NEUROLOGIQUE

SOMMAIRE

OBJECTIFS D'APPRENTISSAGE

Après avoir étudié ce chapitre, vous devriez être en mesure de réaliser ce qui suit:

1. *Décrire les soins infirmiers particuliers à prodiguer aux patients atteint d'une dysfonction neurologique.*
2. *Appliquer la démarche de soins infirmiers pour intervenir auprès du patient atteint d'une dysfonction neurologique.*
3. *Reconnaître les signes cliniques précoces et tardifs de l'hypertension intracrânienne.*
4. *Appliquer la démarche de soins infirmiers pour intervenir auprès des patients atteints d'hypertension intracrânienne.*
5. *Décrire les nombreux besoins du patient inconscient.*
6. *Appliquer la démarche de soins infirmiers pour intervenir auprès des patients inconscients.*
7. *Décrire les différentes formes d'aphasie ainsi que les soins infirmiers à donner aux patients aphasiques.*
8. *Reconnaître les facteurs de risques et les mesures de prévention de l'accident vasculaire cérébral.*
9. *Comparer les différentes formes d'accident vasculaire cérébral: causes, manifestations cliniques, ainsi que les soins infirmiers et le traitement médical qui s'y rapportent.*
10. *Appliquer la démarche de soins infirmiers pour intervenir auprès du patient ayant subi un accident vasculaire cérébral.*
11. *Appliquer la démarche de soins infirmiers pour intervenir auprès du patient subissant une opération intracrânienne.*
12. *Comparer les différentes interventions neurochirurgicales utilisées pour traiter la douleur irréductible.*

SOINS INFIRMIERS EN NEUROLOGIE

Les troubles neurologiques sont la principale cause de maladie chronique dans les pays occidentaux. Dans beaucoup de cas, ils aboutissent à des troubles musculosquelettiques. Ils peuvent alors s'accompagner d'une décompensation qui aggrave la déficience fonctionnelle causée par la faiblesse, l'immobilité, la perturbation du réflexe de posture, les douleurs articulaires, de même que la dépression ressentie par le patient et sa famille.

On ne peut rétablir complètement le fonctionnement d'un cerveau lésé. Quand des tissus nerveux sont atteints par un traumatisme ou une hémorragie, ils ne peuvent supporter une trop forte pression par des caillots de sang ou un œdème. Une pression s'exerce alors sur les tissus adjacents, ce qui peut déplacer des centres vitaux ou en perturber le fonctionnement. Les lésions du système nerveux central (SNC) entraînent souvent une douleur chronique, une paralysie et un coma. Un grand nombre de lésions cérébrales se manifestent par des troubles de comportement et, très souvent, par des troubles psychiatriques. La guérison est lente et imprévisible. En outre, les troubles neurologiques évoluent avec le temps et influencent la vie quotidienne dans tous ses aspects.

Les soins infirmiers en neurologie sont devenus un domaine spécialisé et exigent une bonne connaissance de la neuroanatomie, de la neurophysiologie, des examens diagnostiques, de la réanimation et de la réadaptation. En plus d'effectuer une évaluation continue de la fonction neurologique du patient et de ses besoins en matière de santé, l'infirmière doit aider celui-ci à reconnaître ses difficultés et à se fixer des objectifs réalistes; elle doit en outre, coordonner la marche à suivre, recourir aux interventions infirmières appropriées (dont l'enseignement, le counseling et la coordination des activités) et évaluer les résultats des soins.

Dans certains cas, le corps du patient est atteint, son cerveau est déficient, sa vision et son élocution sont perturbées et son estime de soi est altérée. Malgré tout cela, l'infirmière et les autres membres de l'équipe de soins peuvent essayer de porter un regard nouveau sur la situation, de redéfinir les problèmes, de suggérer d'autres solutions et d'aider le patient à se prendre en main en exploitant les sources d'information et de soutien. Dans le domaine de la neurologie, il est nécessaire de se fixer d'abord pour objectif d'aider le patient à recouvrer la plus grande partie possible de ses fonctions cérébrales et à améliorer sa qualité de vie ainsi que celle de ses proches.

DÉMARCHE DE SOINS INFIRMIERS PATIENTS ATTEINTS D'UNE DYSFONCTION NEUROLOGIQUE

Collecte des données

Le patient atteint d'une dysfonction du système nerveux doit subir un examen neurologique approfondi (voir le chapitre 57). L'examen neurologique comprend des épreuves destinées à évaluer, notamment, la fonction cérébrale (état mental), les nerfs crâniens, le système moteur, le système sensitif et les réflexes. Il faut observer les mouvements du patient et l'interroger sur les changements qu'il perçoit. L'infirmière doit aussi déterminer son degré de lucidité et d'altération de son état mental et émotionnel. Pour évaluer la fonction cognitive, elle vérifie si le patient est orienté dans le temps et dans l'espace et s'il est capable de reconnaître ceux qui l'entourent. Pour évaluer la fonction intellectuelle, elle pose des questions de connaissances générales et vérifie la capacité de raisonnement, de même que la mémoire récente et ancienne. Elle doit également évaluer le langage. Si elle constate qu'une de ces fonctions est altérée, elle doit en faire part au médecin. Les fonctions à évaluer sont décrites plus en détail dans les sections suivantes, qui portent sur les différentes formes de dysfonction neurologique.

Analyse et interprétation des données

Beaucoup d'affections neurologiques ne peuvent être guéries. Les soins infirmiers visent alors à aider le patient à s'adapter à sa maladie et à conserver dans toute la mesure du possible sa qualité de vie. L'infirmière doit entre autres reconnaître et accepter les réactions d'autoprotection du patient, lui donner de l'information, l'aider à se fixer des objectifs réalisables, renforcer ses mécanismes d'adaptation positifs et lui apporter un soutien continu.

Selon les données recueillies, voici les principaux diagnostics infirmiers possibles:

- Mode de respiration inefficace
- Incapacité partielle ou totale d'avaler
- Atteinte à l'intégrité de la peau
- Altération de la mobilité physique
- Déficit d'autosoins
- Douleur
- Atteinte à l'intégrité de la muqueuse buccale
- Atteinte à l'intégrité des tissus: cornée
- Déficit nutritionnel
- Altération de l'élimination urinaire et intestinale
- Altération des opérations de la pensée
- Dysfonctionnement sexuel
- Stratégies d'adaptation individuelle inefficaces
- Perturbation de la dynamique familiale

Interventions infirmières

Mode de respiration. Le patient atteint d'une maladie neuromusculaire (comme le syndrome de Guillain-Barré ou la myasthénie grave) ou de troubles neurologiques (comme une lésion de la colonne cervicale) peut présenter des troubles respiratoires dus à une faiblesse du diaphragme, des muscles intercostaux et des muscles respiratoires accessoires. Si le diaphragme est paralysé, on doit éviter de placer le patient en décubitus dorsal, en raison d'un risque l'hypoventilation importante. En outre, l'incapacité du patient de respirer profondément et de tousser entraîne une accumulation de sécrétions et une atélectasie, ce qui peut entraîner une insuffisance respiratoire.

Les interventions infirmières comprennent notamment la surveillance de la ventilation alvéolaire. L'infirmière doit pour cela vérifier régulièrement la fréquence respiratoire, la capacité vitale et la force inspiratoire. Pour favoriser l'amplitude thoracique, elle peut relever la tête du lit à 30° et travailler en collaboration avec un inhalothérapeute pour évaluer l'efficacité de la spirométrie de stimulation et de la ventilation en pression positive. Si les difficultés respiratoires semblent s'aggraver (augmentation croissante de la fréquence respiratoire, capacité vitale inférieure à 15 mL/kg de masse corporelle, ou force inspiratoire inférieure à −25 cm H_2O), il sera peut-être nécessaire d'intuber le patient et de recourir à la ventilation assistée. La faiblesse neuromusculaire est réversible dans bien des cas, mais le patient a souvent besoin d'une assistance respiratoire prolongée.

Chez le patient inconscient ou comateux, l'obstruction des voies respiratoires est souvent due au déplacement vers l'arrière des tissus mous de l'oropharynx: la langue devient flasque et tombe vers l'arrière contre la paroi postérieure du pharynx. Dans ce cas, l'infirmière doit immédiatement redresser la tête du patient ou lui relever la mâchoire. Il est parfois nécessaire d'insérer une canule oropharyngée. En plaçant le patient en décubitus latéral, la langue tombe vers le côté et s'éloigne ainsi du pharynx.

▷ *Déglutition.* Souvent, les troubles neurologiques qui entravent la respiration nuisent également à la déglutition. Le patient atteint de problèmes de déglutition risque d'aspirer ses sécrétions ou ses régurgitations. L'infirmière doit donc vérifier s'il présente des accès de toux ou des régurgitations nasales quand il avale des liquides. Si elle note une altération de la déglutition, de la fonction laryngée ou du réflexe de toux, elle doit le placer en décubitus latéral. Pour améliorer la fonction respiratoire, elle peut libérer les voies respiratoires par des aspirations et soulager l'hypoxie par la ventilation assistée. Si le patient souffre de troubles de déglutition, il faudra peut-être l'alimenter par sonde nasogastrique pour prévenir les aspirations et lui assurer un apport nutritionnel suffisant. Avant de procéder à l'alimentation, l'infirmière doit installer le patient en position assise, le dos droit, vérifier la position de la sonde et s'assurer que le ballonnet est gonflé. L'alimentation par sonde nasogastrique doit être administrée lentement.

▷ *Intégrité de la peau.* Les soins infirmiers sont encore plus exigeants dans les cas de paralysie ou de troubles sensitifs ou mentaux (confusion, dépression, stupeur ou coma). Habituellement, le patient souffrant d'une affection neurologique chronique présente des troubles physiques et est sujet aux escarres de décubitus. Les mesures de prévention sont ici essentielles: examiner régulièrement la peau et rechercher les signes de pression sur les points d'appui; bien disposer les coussins dans le fauteuil roulant du patient; faire porter au patient une montre dotée d'une sonnerie lui rappelant de changer de position pour soulager la pression. Voir le chapitre 42 pour d'autres mesures de prévention des escarres de décubitus.

▷ *Mobilité physique.* L'infirmière doit accorder une attention particulière aux membres paralysés. Elle doit notamment s'assurer que le patient ne reste pas trop longtemps couché sur son membre paralysé et que la circulation n'y est pas entravée. Pour prévenir les contractures, elle doit s'assurer que la position du patient est correcte et que des exercices passifs ou actifs d'amplitude des mouvements articulaires sont effectués.

La faiblesse musculaire se manifeste dans les affections causées par des lésions du cortex, du tronc cérébral, de la moelle épinière, des cellules de la corne antérieure, d'un nerf périphérique, d'une plaque motrice ou d'un muscle. En général, le patient peut augmenter sa force musculaire par des exercices de physiothérapie. Il doit toutefois veiller à ne pas s'épuiser car la fatigue peut aggraver sa faiblesse musculaire. Le patient souffrant d'une affection neurologique dépense plus d'énergie qu'une personne normale à cause de l'atteinte du système moteur, des effets de la décompensation, et du stress émotionnel relié à son handicap.

▷ *Autosoins.* Les troubles neuromusculaires peuvent empêcher le patient d'accomplir les tâches inhérentes à ses soins personnels. En collaboration avec les membres de l'équipe de réadaptation, l'infirmière évalue l'amplitude des mouvements articulaires du patient, ses sensations, sa force musculaire, son endurance, sa coordination, ainsi que sa capacité d'apprentissage. Elle peut ensuite enseigner à celui-ci des techniques qui l'aideront à effectuer ses autosoins et à surmonter son handicap (voir le chapitre 42).

▷ *Soulagement de la douleur.* Comme pour toute autre douleur, l'infirmière se base sur le fonctionnement du patient pour évaluer la douleur due à un trouble neurologique. Elle doit d'abord déterminer avec le patient le siège, l'irradiation et l'intensité de la douleur, de même que l'invalidité et les autres effets qu'elle entraîne. L'infirmière note la description que le patient fait de la douleur, ainsi que les facteurs qui l'exacerbent et l'atténuent. Le patient souffrant d'une douleur chronique associée à une affection neurologique peut devenir déprimé, anxieux et sujet à l'insomnie. Dans certains cas, il doit réduire ses activités parce que la douleur entraîne une fatigue généralisée.

Le rôle de l'infirmière est multiple: établir une relation de confiance avec le patient; l'informer sur la douleur et les mesures de soulagement; réduire les stimuli défavorables; aider le patient à se distraire de sa douleur; être à sa disposition; et travailler en collaboration avec d'autres professionnels de la santé. L'infirmière doit en outre administrer les médicaments prescrits et surveiller la réaction du patient. Elle doit aussi le rassurer au besoin pour réduire l'anxiété qui accompagne la douleur. Enfin, elle doit l'encourager à exploiter au maximum ses capacités et lui expliquer les effets néfastes de l'inactivité prolongée.

Le patient atteint d'une dysfonction neurologique est sujet aux contractures douloureuses: contracture en flexion plantaire du pied s'il doit garder le lit et contracture en flexion des genoux et des hanches si la tête du lit est surélevée. Les contractures sont dues à la perte de souplesse du tissu fibreux des muscles, aggravée par une spasticité douloureuse. La prévention est la meilleure façon d'éviter cette forme de douleur; on peut notamment aider le patient à s'installer correctement et à faire des exercices d'amplitude des mouvements articulaires plusieurs fois par jour. Il importe aussi de l'inciter à participer à ses soins.

Pour connaître les interventions infirmières qui se rapportent précisément au soulagement de la douleur et des malaises, consulter les sections portant sur les maux de tête, les interventions chirurgicales intracrâniennes et de la moelle épinière, les traumatismes crâniens et le soulagement neurochirurgical de la douleur.

▷ *Hygiène buccale.* Le patient inconscient dont l'hygiène buccale est négligée est sujet à la parotidite (inflammation de la glande parotide). L'infirmière doit donc examiner régulièrement l'état de la muqueuse buccale, qui peut s'assécher rapidement si le patient respire par la bouche. Il faut donc nettoyer et lubrifier souvent les lèvres, la langue et les gencives, et s'assurer que l'apport liquidien est suffisant. Pour prévenir les ulcères chez le patient intubé, il faut lui administrer fréquemment des soins buccodentaires, aspirer souvent ses sécrétions et changer régulièrement la position de la sonde endotrachéale.

▷ *Soins oculaires.* Chez le patient qui ne peut fermer les yeux à cause d'une paralysie faciale ou dont le réflexe cornéen est aboli, la cornée non protégée est vulnérable à la kératite et aux ulcères. Toutes les deux ou trois heures, l'infirmière doit donc nettoyer doucement les paupières avec de l'eau stérile tiède ou une solution physiologique salée pour retirer les sécrétions et les débris. Elle peut aussi instiller des larmes artificielles ou un lubrifiant selon l'ordonnance du médecin. Dans certains cas, le patient doit porter un cache-œil.

Si le patient porte un cache-œil, l'infirmière doit s'assurer que la paupière recouverte est fermée afin d'empêcher que le frottement du cache-œil contre la cornée ne cause une ulcération. Elle examine les yeux du patient régulièrement et recherche les signes d'inflammation. Le patient conscient qui en est capable peut assumer lui-même ses soins oculaires si on lui apprend comment le faire et qu'on le supervise.

▷ *Alimentation.* Les patients atteints de troubles neurologiques peuvent présenter un déficit nutritionnel, car ces troubles s'accompagnent souvent d'une dépression qui a pour effet de supprimer l'appétit. Des problèmes de mastication et de déglutition peuvent aussi être à l'origine du déficit nutritionnel.

Dans certains cas, il faut alimenter le patient par gastrostomie, avec des aliments préparés au mélangeur. Les aliments ainsi préparés sont bien tolérés. En plus d'adresser le patient à une diététicienne, l'infirmière consulte une ergothérapeute pour obtenir des ustensiles qui peuvent aider le patient à surmonter son incapacité physique.

▷ *Élimination urinaire et intestinale.* Tôt ou tard, le patient atteint d'une maladie du système nerveux souffrira d'incontinence urinaire ou fécale de façon temporaire ou permanente. Les soins d'hygiène dispensés au patient incontinent font partie des tâches prioritaires de l'infirmière.

Le traitement des troubles vésicaux causés par une lésion du système nerveux est décrit au chapitre 42, de même que la technique de rééducation vésicale. L'incontinence urinaire due à d'autres types de troubles est traitée au chapitre 36.

▷ *Fonction cognitive.* Une tumeur au cerveau, un traumatisme crânien ou un accident vasculaire cérébral peuvent provoquer des troubles cognitifs : perturbation de la mémoire, de la pensée abstraite, du jugement et du rendement intellectuel. Ces troubles ont des répercussions profondes non seulement sur le patient mais aussi sur ses proches.

Généralement, l'infirmière conseille à la famille d'assurer au patient un milieu de vie stable, de lui parler avec des mots simples et d'adapter ses tâches en fonction de ses capacités. Quand le patient est agité ou présente un comportement indésirable, on peut l'aider en lui offrant une distraction d'ordre motrice (par exemple en lui donnant quelque chose à tenir) et en diminuant les stimuli externes (par exemple en fermant la télévision). Les soins infirmiers à donner au patient souffrant d'une lésion au cerveau relèvent aussi bien de la psychiatrie que de la neuroscience.

▷ *Dysfonction sexuelle.* Les lésions du système nerveux s'accompagnent parfois d'une dysfonction sexuelle avec perte de l'érection, de la lubrification ou de l'éjaculation. L'infirmière peut aider le patient en l'encourageant à exprimer ses croyances et ses sentiments et en le dirigeant vers une personne spécialisée dans le domaine des difficultés sexuelles (voir le chapitre 45).

▷ *Stratégies d'adaptation.* Le patient souffrant d'une affection neurologique est soumis à plusieurs facteurs de stress : maladie grave dont l'évolution est souvent imprévisible, perturbation de l'image de soi, etc. Le patient peut réagir à ce stress de diverses façons : régression, dépression, colère, déni et anxiété.

▷ *Dynamique familiale.* La famille aussi doit faire face à des chambardements causés par la maladie : transformation du mode de vie, perturbation de l'exercice des rôles, conflits familiaux. La famille qui réagit par le déni impose d'énormes tensions à chacun de ses membres. Les proches du patient ont besoin de temps pour surmonter leurs sentiments d'impuissance, d'ambivalence, de colère et de culpabilité. Il faut donc les faire participer aux soins et les informer du traitement, de la nature de l'affection neurologique et de son évolution actuelle et future, de même que de la signification des rémissions et des poussées.

Voir le plan de soins infirmiers 58-1 pour les principaux diagnostics infirmiers, les interventions infirmières et leur justification, ainsi que les résultats escomptés dans le cas des patients atteints d'une dysfonction neurologique.

PROBLÈMES PARTICULIERS DES PATIENTS ATTEINTS D'UNE DYSFONCTION NEUROLOGIQUE

PATIENTS ATTEINTS D'HYPERTENSION INTRACRÂNIENNE

Physiopathologie

La pression intracrânienne est tributaire de la quantité de tissu cérébral, du volume sanguin intracrânien et du liquide céphalorachidien. Elle varie en fonction de la position et devrait être inférieure ou égale à 15 mm Hg.

La voûte crânienne renferme le tissu cérébral (1400 g), du sang (75 mL) et le liquide céphalorachidien (75 mL). Habituellement, le volume et la pression de ces trois composantes sont en équilibre. Étant donné que le crâne contient peu d'espace libre, l'augmentation du volume d'une des trois composantes fait changer le volume des deux autres composantes, c'est-à-dire qu'il se produit soit un déplacement du liquide céphalorachidien, soit une augmentation de l'absorption du liquide céphalorachidien, soit une diminution du volume sanguin cérébral. Normalement, on observe une faible variation du volume sanguin et du volume du liquide céphalorachidien quand il y a variation de la pression intrathoracique (due à la toux, à des éternuements ou à un effort), de la position et de la pression artérielle, ou des valeurs des gaz du sang artériel.

(*suite à la page 1864*)

Plan de soins infirmiers 58-1

Patient atteint d'une dysfonction neurologique

Interventions infirmières	Justification	Résultats escomptés
Diagnostic infirmier: Mode de respiration inefficace relié à des difficultés respiratoires neurogènes (traumatisme crânien, hypertension intracrânienne)		
Objectif: Rétablissement et maintien d'un mode de respiration efficace		
1. Évaluer le mode de respiration. a) Ausculter les poumons. b) Évaluer la ventilation et la capacité de dégagement des voies respiratoires.	1. La fonction respiratoire est atteinte si le mode de respiration est inefficace et que le patient présente de longues périodes d'apnée (dyspnée de Cheyne-Stokes, respiration ataxique).	• Le patient respire mieux. • Sa fonction ventilatoire est suffisante. • Les résultats des mesures des gaz artériels sont dans les limites de la normale. • Il ne présente pas de bruits respiratoires anormaux. • Il signale les signes et symptômes avant-coureurs d'insuffisance respiratoire.
2. Être prête à recourir à la ventilation assistée pour traiter les difficultés respiratoires.	2. La ventilation assistée assure la perméabilité des voies respiratoires, favorise la captation de l'oxygène dans les poumons, prévient la rétention de gaz carbonique et diminue le travail ventilatoire.	
a) Ventilation contrôlée (habituellement utilisée dans les cas de traumatisme crânien grave)	a) La ventilation contrôlée permet de régler et d'assurer la ventilation.	
b) Ventilation contrôlée intermittente (permet de passer graduellement de la ventilation contrôlée par respirateur à la respiration spontanée)	b) De bons échanges gazeux sont essentiels pour maintenir une homéostasie intracrânienne aussi près de la normale que possible.	
c) Ventilation mécanique à pression expiratoire positive (utilisée quand le patient présente une ventilation alvéolaire inadéquate et quand une intubation est nécessaire pour maintenir les voies respiratoires libres).	c) La pression expiratoire positive sert à prévenir l'affaissement des alvéoles et l'atélectasie.	
Diagnostic infirmier: Risque d'obstruction des voies respiratoires relié à une incapacité partielle ou totale d'avaler		
Objectif: Maintien de la liberté des voies respiratoires		
1. Évaluer la capacité du patient de se débarrasser de ses sécrétions; placer le patient en décubitus latéral ou en semi-Fowler.	1. Le patient qui bave ou avale mal peut aspirer ses sécrétions et s'étouffer.	• Le patient maintient ses voies respiratoires libres de sécrétions et ne présente pas d'aspiration.
2. Utiliser l'aspiration au besoin et avec beaucoup de précautions.	2. L'aspiration doit être effectuée avec précaution car elle peut augmenter la pression intracrânienne.	
3. Avant d'aspirer les sécrétions, hyperventiler et hyperoxygéner le patient.	3. L'hyperventilation et l'hyperoxygénation entraînent une alcalose respiratoire, une augmentation du taux d'O_2 et une diminution des effets négatifs de l'aspiration sur la pression intracrânienne.	
4. Veiller à ce que le patient soit bien hydraté.	4. L'hydratation permet d'éclaircir les sécrétions.	

Plan de soins infirmiers 58-1 (suite)

Patient atteint d'une dysfonction neurologique

Diagnostic infirmier: Risque élevé d'atteinte à l'intégrité de la peau relié au déficit neurologique (incapacité de changer de position, immobilité, paralysie motrice, diminution de la perception sensorielle, posture anormale due à la spasticité)

Objectif: Maintien de l'intégrité de la peau

Interventions infirmières	Justification	Résultats escomptés
1. Rechercher les signes de compression des tissus, surtout sur les points d'appui.	1. Une pression excessive sur les points d'appui est le facteur déclenchant des escarres de décubitus. La pression est néfaste pour les tissus parce qu'elle obstrue les vaisseaux sanguins et entraîne une nécrose ischémique.	• Le patient maintient l'aspect sain et l'intégrité de sa peau. • Il surveille lui-même si possible la compression des points d'appui. • Il change de position régulièrement.
2. Rechercher les signes et symptômes de pression sur les points d'appui (rougeur, chaleur, sensibilité, œdème) après avoir changé le patient de position.	2. Les escarres de décubitus apparaissent sur les points d'appui.	
3. Prendre les mesures appropriées pour soulager la pression (changer le patient de position toutes les deux heures; utiliser des coussins, un lit ou matelas spécial; établir un horaire de changements de position).	3. Ces mesures soulagent la pression sous-cutanée, l'obstruction de la circulation sanguine et l'ischémie tissulaire. Les coussins et matelas spéciaux aident à mieux répartir la pression.	
4. Montrer au patient, dans la mesure du possible, comment déceler les signes de pression.		

Diagnostic infirmier: Altération de la mobilité physique reliée à la lésion du système nerveux central, à la faiblesse et à la fatigue

Objectif: Rétablissement de la mobilité physique dans les limites permises par la maladie

Interventions infirmières	Justification	Résultats escomptés
1. Déterminer le niveau d'activité du patient.		• Le patient présente une plus grande amplitude des mouvements articulaires. • Il ne souffre pas de contractures. • La personne qui prend soin de lui est capable de lui faire faire ses exercices. • Il utilise des appareils adaptés.
2. Commencer les exercices actifs et passifs d'amplitude des mouvements articulaires; enseigner à la famille comment faire exécuter au patient ses exercices.	2. Les exercices passifs aident à prévenir les contractures douloureuses. Ils contribuent aussi à maintenir la longueur des muscles et la souplesse des articulations, à stimuler la circulation et à fournir au patient une stimulation sensorielle.	
3. Enseigner au patient comment faire lui-même les exercices et lui enseigner les techniques de mobilisation.		
4. Travailler en collaboration avec les ergothérapeutes et les physiothérapeutes pour stimuler le patient (voir le chapitre 42).	4. Les lésions du système nerveux entraînent souvent une baisse des facultés mentales ainsi qu'une perte d'initiative. La force musculaire diminue rapidement. Pour ne pas que l'état du patient se détériore, l'équipe de soins doit recourir à la stimulation délibérée et intervenir de façon concertée.	

Plan de soins infirmiers 58-1 (suite)

Patient atteint d'une dysfonction neurologique

Diagnostic infirmier: Déficit d'autosoins relié à l'atteinte neurologique

Objectif: Capacité d'effectuer ses autosoins

Interventions infirmières	Justification	Résultats escomptés
1. Évaluer dans quelle mesure le patient est capable d'accomplir les activités de la vie quotidienne (AVQ).	1. On doit viser à long terme une autonomie maximale dans le plus grand nombre de tâches possible. Il faut toutefois tenir compte des limites fonctionnelles du patient.	• Le patient fait preuve de toute l'autonomie dont il est capable compte tenu des limites imposées par sa maladie. • Il se fixe des objectifs quant aux autosoins. • Il commence à améliorer sa capacité d'effectuer ses autosoins.
2. Aider le patient à se fixer des objectifs modestes et réalisables.		
3. Expliquer au patient les tâches à accomplir et en faire une démonstration.		
4. Discuter avec le patient de la possibilité d'utiliser des appareils adaptés à son état.		
5. Encourager le patient et noter dans un journal les résultats de ses efforts pour lui faire voir ses progrès.	5. Les encouragements valorisent le patient et améliorent sa confiance en lui-même.	

Diagnostic infirmier: Isolement social relié aux limites imposées par la dysfonction neurologique

Objectif: Participation à la vie sociale

Interventions infirmières	Justification	Résultats escomptés
1. Déterminer le mode de vie du patient avant sa maladie, ainsi que ses capacités d'adaptation.	1. La maladie augmente les risques de solitude et d'isolement. Le patient qui s'isole reçoit moins de stimulations sensorielles et sociales.	• Le patient cherche à se divertir. • Il travaille avec un ergothérapeute. • Il reste en contact avec son entourage par téléphone. • Il note les coordonnées de personnes et de groupes qui peuvent lui venir en aide.
2. Être attentive aux signes de solitude, de peur, de tristesse, d'ennui, de crainte; surveiller les comportements qui traduisent ces sentiments.	2. Le patient peut rechercher l'isolement social parce qu'il a peur de perdre son estime de soi, et de se sentir rejeté et dévalorisé.	
3. Encourager le patient à discuter de ses problèmes avec une personne en qui il a confiance.	3. Le patient qui entretient une bonne relation avec une personne de confiance peut éprouver moins de stress psychologique.	
4. Encourager le patient à se créer un réseau social.	4. Les relations sociales favorisent l'harmonie et l'équilibre.	
5. Encourager le patient à recourir à un counseling individuel ou de groupe et à se joindre à différents groupes sociaux et communautaires.	5. Le patient peut ainsi entrer en contact avec des personnes qui l'aideront à mieux vivre avec sa maladie.	

Plan de soins infirmiers 58-1 (suite)

Patient atteint d'une dysfonction neurologique

Diagnostic infirmier: Douleur reliée à l'atteinte des structures neuronales, à la stimulation des récepteurs de la douleur, à la pression ou à l'infiltration associées à une tumeur, à l'étirement ou à la compression des racines nerveuses, aux effets du traitement (intervention chirurgicale, radiothérapie, chimiothérapie)

Objectif: Soulagement de la douleur

Interventions infirmières	Justification	Résultats escomptés
1. Évaluer la douleur (établir notamment les antécédents de douleur et évaluer les facteurs physiques et psychosociaux associés à la douleur).	1. Cette évaluation permet à l'infirmière de recueillir les données de base qui détermineront ses interventions.	• Le patient est soulagé. • Il détermine les facteurs et les situations qui contribuent à atténuer ou à exacerber la douleur. • Il utilise des mesures de prévention. • Il semble plus détendu.
2. Encourager le patient à parler de ses peurs et de ses préoccupations.	2. Souvent, la douleur s'accompagne d'anxiété, de dépression et d'insomnie.	
3. Administrer les analgésiques prescrits contre la douleur aiguë.	3. Il faut habituellement recourir aux médicaments pour soulager la douleur neurogène aiguë.	
4. Enseigner au patient des méthodes douces de soulagement de la douleur (exercices de relaxation).	4. Le soulagement de la douleur neurogène exige une approche multidisciplinaire comprenant l'administration d'analgésiques, le recours à des techniques comportementales et à des interventions neurochirurgicales (mise en place d'un cathéter épidural, intrathécal ou intraventriculaire pour l'administration de narcotiques), et des soins de soutien. Les méthodes comportementales visent à réduire les sentiments d'impuissance et de désespoir.	

Diagnostic infirmier: Perturbation de la dynamique familiale reliée à l'incertitude, aux changements survenus dans la capacité fonctionnelle du patient, aux problèmes interpersonnels préexistants et à l'insuffisance des ressources financières

Objectif: Stabilisation de la situation familiale

Interventions infirmières	Justification	Résultats escomptés
1. Évaluer les forces de la famille en tant que groupe, les signes de stress, les interactions avec le patient ainsi que les interactions entre chacun des membres de la famille.	1. On peut répondre aux besoins de la famille en adoptant une attitude de coopération et en misant sur les forces de chacun. La famille qui se sent soutenue peut à son tour soutenir le patient et lui permettre de continuer à assumer son rôle. Pour le patient, le fait de prendre part aux décisions l'encourage à observer son traitement.	• La famille se montre de plus en plus capable de passer à travers l'épreuve. • Elle entrevoit l'avenir de façon plus positive. • Elle maintient un contact positif et constant avec le patient. • Elle est capable de décrire correctement la maladie du patient. • Elle se montre de plus en plus capable de participer aux soins du patient quand il le faut. • Elle va chercher du soutien auprès de spécialistes si elle en a besoin. • Elle consulte les organismes recommandés et utilise les ressources communautaires.
2. Donner aux membres de la famille l'occasion de parler de leurs peurs et de leurs préoccupations.		

Plan de soins infirmiers 58-1 (suite)

Patient atteint d'une dysfonction neurologique

Interventions infirmières	*Justification*	*Résultats escomptés*
3. Reconnaître les peurs de la famille; lui donner espoir. Communiquer l'information de façon claire et précise. Adopter un comportement sur lequel la famille peut prendre exemple lors des interactions avec le patient ou les membres de la famille.	3. L'information est essentielle à la résolution des problèmes.	
4. Rassurer la famille quant à l'accessibilité des membres de l'équipe de soins.	4. La famille se sent ainsi moins isolée.	
5. Encourager la famille à se reposer suffisamment et à bien dormir.	5. Le manque de sommeil entraîne des sautes d'humeur, de l'irritabilité et une altération des fonctions cognitives.	
6. Adresser la famille aux services d'aide financière appropriés et à un psychologue.	6. La famille peut s'éloigner du patient, ou le surprotéger. Elle peut le négliger ou le punir ou encore se refermer. Il faut parfois encourager la famille à trouver de l'aide au moment opportun.	
7. Organiser des rencontres avec d'autres patients, d'autres familles ou des groupes de soutien.	7. Le fait de rencontrer d'autres personnes dans la même situation permet à la famille d'échanger des renseignements et d'obtenir de l'attention et de l'aide.	

Diagnostic infirmier: Dysfonction sexuelle reliée à un accident vasculaire cérébral, à un accident ischémique transitoire, à une opération intracrânienne, à des hématomes ou à un traumatisme crânien

Objectif: Rétablissement de la vie sexuelle selon les capacités et l'intérêt

Interventions infirmières	*Justification*	*Résultats escomptés*
1. Évaluer les antécédents du patient en matière de sexualité.	1. En obtenant ces données, l'infirmière peut aider le patient et son conjoint à répondre à leurs besoins sexuels ou à découvrir de nouvelles façons d'y répondre.	• Le patient se dit intéressé à reprendre sa vie sexuelle. • Il connaît les différentes positions possibles et trouve de nouvelles manières de répondre à ses besoins. • Il exprime ce qu'il ressent vis-à-vis de son corps. • Il parle des résultats des nouvelles méthodes.
2. Encourager le patient à exprimer ce qu'il ressent au sujet des changements physiques qu'il a subis.	2. Le patient a besoin de dire ce qu'il ressent au sujet de son corps. Il a parfois l'impression qu'il ne pourra plus avoir de vie sexuelle.	
3. Reconnaître les peurs et la frustration du patient en ce qui concerne ses capacités sexuelles.	3. Le patient se sentira ainsi plus à l'aise pour parler de ses préoccupations, qui pourront peut-être alors se dissiper.	
4. Parler avec le patient des façons de répondre à ses besoins sexuels.	4. En trouvant de nouvelles façons de répondre à ses besoins sexuels, le patient aura plus de chances de s'adapter et d'avoir une vie sexuelle satisfaisante.	

TABLEAU 58-1. ***Hypertension intracrânienne et interventions infirmières***

Cause	*Physiologie*	*Intervention infirmière*	*Justification*
Œdème cérébral	L'œdème peut être causé par une intoxication par l'eau (hypo-osmolalité); par l'altération de la barrière hémato-encéphalique (fuite de protéines dans les tissus, causant une perte d'eau); ou par une contusion, une tumeur ou un abcès.	Administrer des diurétiques osmotiques selon l'ordonnance (surveiller l'osmolalité sérique).	On favorise ainsi le retour veineux.
		Maintenir la tête du lit surélevée à 30°.	On évite ainsi d'entraver le retour veineux par les veines jugulaires.
		Maintenir l'alignement de la tête du patient.	
Hypoxie	Une baisse de la PaO_2 à 60 mm Hg et moins entraîne une vasodilatation cérébrale.	Maintenir la PaO_2 à plus de 60 mm Hg. Surveiller l'oxygénothérapie. Vérifier les valeurs des gaz artériels.	Ces interventions aident à prévenir l'hypoxie et la vasodilatation.
Hypercapnie (augmentation du taux de CO_2)	L'hypercapnie entraîne une vasodilatation.	Maintenir la $PaCO_2$ au niveau recommandé (normalement entre 25 et 30) au moyen de l'hyperventilation.	On évite ainsi une vasoconstriction et une réduction du volume sanguin cérébral.
Insuffisance du retour veineux	Cette insuffisance augmente le volume sanguin cérébral.	Maintenir l'alignement de la tête du patient. Surélever la tête du lit à 30°.	L'hyperextension, la rotation et l'hyperflexion de la tête réduisent le retour veineux.
Augmentation de la pression intrathoracique ou abdominale	L'augmentation de ces pressions (due à la toux, à la pression expiratoire positive et à la manœuvre de Valsalva) entraîne une diminution du retour veineux.	Vérifier la valeur des gaz du sang artériel et maintenir la pression expiratoire positive au plus bas niveau possible. Administrer de l'oxygène humidifié.	De cette façon, les sécrétions se détachent mieux et sont plus faciles à aspirer ou à expectorer.
		Administrer des laxatifs selon l'ordonnance.	L'élimination de selles molles permet d'éviter l'effort de défécation et par conséquent, la manœuvre de Valsalva.

Dans certains cas (traumatisme crânien, accident vasculaire cérébral, lésion inflammatoire, tumeur cérébrale ou une intervention chirurgicale intracrânienne, par exemple), le rapport entre le volume et la pression change. L'hypertension intracrânienne peut réduire le débit sanguin cérébral de façon considérable. L'ischémie qui en résulte stimule les centres vasomoteurs, et la pression générale monte pour maintenir le débit sanguin. Cette hausse de pression s'accompagne habituellement d'un pouls lent et bondissant ainsi que d'irrégularités respiratoires; ce sont là en fait les signes cliniques de l'hypertension intracrânienne. L'hypertension intracrânienne peut aboutir à une ischémie cérébrale. Or, le cerveau est tout particulièrement sensible à l'ischémie et ne recouvre généralement pas sa fonction s'il est soumis à une ischémie complète pendant plus de trois à cinq minutes.

Le taux de gaz carbonique du sang et des tissus cérébraux joue également un rôle dans la régulation du débit sanguin cérébral. Ainsi, l'augmentation de la pression partielle du gaz carbonique (PCO_2) entraîne une dilatation des vaisseaux sanguins cérébraux et, par conséquent, une augmentation du débit sanguin cérébral et une hausse de la pression intracrânienne. Par contre, une baisse de la PCO_2 a un effet vasoconstricteur. La diminution du débit veineux peut également accroître le volume sanguin cérébral et, par le fait même, la pression intracrânienne.

L'augmentation du volume d'eau dans le système nerveux central peut causer une tuméfaction du cerveau ou un œdème. Certaines tumeurs du cerveau sont associées à une augmentation du volume d'eau. Même une tumeur de petite taille peut faire augmenter la pression intracrânienne. Voir le tableau 58-1 pour les causes possibles de l'hypertension intracrânienne, la physiologie associée à chacune d'elles et les interventions infirmières qui s'y rapportent.

L'hypertension intracrânienne est le plus souvent associée aux traumatismes crâniens, mais elle peut également être un effet secondaire de diverses affections: tumeur du cerveau, hémorragie sous-arachnoïdienne, encéphalopathie toxique ou virale. Toutefois, peu importe sa cause, elle influe sur l'irrigation du cerveau et provoque des déformations ou des déplacements des tissus cérébraux.

Pour s'adapter à l'hypertension intracrânienne, le cerveau passe par deux stades: la compensation et la décompensation. Au cours du stade de compensation, le cerveau et ses composantes sont capables de modifier leur volume pour laisser de la place aux tissus tuméfiés. Comme la pression intracrânienne est inférieure à la pression artérielle durant ce stade, la pression de l'irrigation cérébrale se maintient et le patient ne montre aucun changement dans son état mental.

Lorsque les tissus en expansion atteignent un certain volume, le cerveau n'est plus capable de compenser l'augmentation de la pression intracrânienne. C'est alors que débute le stade de décompensation, au cours duquel on observe manifeste un changement dans son état mental ainsi que dans ses signes vitaux: bradycardie, augmentation de la pression différentielle et irrégularités respiratoires. Il se produit alors un engagement du tronc cérébral; si on n'intervient pas, une occlusion du débit sanguin cérébral peut se produire.

Manifestations cliniques

Quand l'hypertension intracrânienne atteint un point où le cerveau ne peut plus s'adapter, la fonction neurologique est atteinte. Cela peut se manifester par une altération de la conscience et par des réponses respiratoires et vasomotrices anormales.

Le niveau de réactivité et de conscience est l'indicateur le plus important de l'état du patient.

- Le tout premier signe d'hypertension intracrânienne est la *léthargie.* Une élocution lente et un ralentissement de la réaction aux suggestions verbales se manifestent aussi aux premiers stades de la décompensation.

On peut aussi observer des changements soudains. Par exemple le patient peut passer du calme à l'agitation (sans cause apparente) ou devenir brusquement confus ou somnolent. Ces signes peuvent indiquer que le cerveau est comprimé à cause de tissus tuméfiés par une hémorragie ou un œdème, à cause d'un processus intracrânien expansif (hématome ou tumeur), ou à cause d'une combinaison des deux.

À mesure que la pression augmente, le patient ne réagit parfois plus qu'aux stimuli douloureux ou auditifs intenses. À ce stade, la circulation cérébrale est sérieusement compromise et une opération d'urgence peut être nécessaire. Si la stupeur s'aggrave, le patient réagira aux stimuli douloureux en gémissant mais n'aura pas de réflexe d'évitement. Par la suite, les membres deviennent flasques et les réflexes disparaissent. La mâchoire s'affaisse et la langue devient flasque; il y a alors un risque d'obstruction des voies respiratoires et de perturbation des échanges gazeux. Quand le coma est profond, que les pupilles sont dilatées et fixes, et que la respiration est entravée, la mort est généralement inévitable.

Traitement

L'hypertension intracrânienne est une situation d'urgence, car la compression des tissus cérébraux peut entraîner une ischémie fatale. Le traitement immédiat vise à réduire la taille du cerveau en réduisant l'œdème cérébral, le volume du liquide céphalorachidien ou le volume sanguin. Pour ce faire, plusieurs interventions sont nécessaires: administration de diurétiques osmotiques et de corticostéroïdes, diminution de l'apport liquidien, drainage du liquide céphalorachidien, hyperventilation du patient, soulagement de la fièvre, et réduction de la demande métabolique des cellules.

L'administration de diurétiques osmotiques (mannitol, glycérine) permet de déshydrater le cerveau et de réduire l'œdème, car ces médicaments ont pour action de retirer l'eau des membranes intactes et, par conséquent, de diminuer le volume du liquide cérébral et extracellulaire. Habituellement, on a recours à une sonde vésicale pour surveiller le début urinaire. Quand on administre des diurétiques osmotiques, on doit obtenir la mesure de l'osmolalité sérique afin d'évaluer l'hydratation.

Si l'hypertension intracrânienne est due à une tumeur, on peut administrer des corticostéroïdes (comme la dexaméthasone) pour réduire l'œdème qui entoure la tumeur.

On a souvent recours à la ponction du liquide céphalorachidien. En retirant ne serait-ce qu'une petite quantité de liquide céphalorachidien, on peut réussir à diminuer énormément la pression intracrânienne et à rétablir la pression de la circulation cérébrale.

Quant à l'hyperventilation (au moyen d'un respirateur à réglage de volume), elle provoque une alcalose respiratoire qui entraîne une vasoconstriction cérébrale. On obtient donc une diminution du volume sanguin du cerveau ainsi qu'une baisse de la pression intracrânienne. L'hyperventilation est considérée comme une solution à court terme.

Le traitement de l'hypertension intracrânienne comprend aussi la surveillance de la température, car la fièvre accélère le métabolisme cérébral ainsi que la vitesse à laquelle l'œdème cérébral se forme. Si on doit intervenir pour abaisser la température, il faut surveiller le débit cardiaque.

Enfin, si le patient ne répond pas au traitement conventionnel, on peut tenter de diminuer la demande métabolique cellulaire. Pour ce faire, on administre de fortes doses de barbituriques. On ne connaît pas encore très bien le mécanisme selon lequel ce traitement diminue la pression intracrânienne et protège le cerveau. Certains en attribuent les effets à une baisse des demandes métaboliques due à l'absence de réaction aux stimuli externes.

- Le patient à qui on administre de fortes doses de barbituriques perd tous les paramètres cliniques neurologiques puisque les barbituriques sont des puissants dépresseurs du SNC. Ils sont également de puissants dépresseurs cardiorespiratoires. Quand un patient est sous l'effet anesthésique prolongé des barbituriques, il doit être suivi de très près et soutenu car il est entièrement dépendant et sujet à de nombreuses complications. Il faut donc le muter à l'unité des soins intensifs et surveiller les paramètres suivants: pression intracrânienne, électroencéphalogramme (EEG), électro-cardiogramme (ECG), pression artérielle, et taux sanguin de barbituriques. On doit aussi introduire une sonde endotrachéale et utiliser la ventilation assistée.

DÉMARCHE DE SOINS INFIRMIERS
PATIENTS ATTEINTS D'HYPERTENSION INTRACRÂNIENNE

Collecte des données

L'échelle de Glasgow sert à évaluer la profondeur d'un coma selon trois critères: la réponse verbale, la réponse motrice et l'ouverture des yeux. On note chacun de ces critères et on additionne les trois notes pour obtenir le score de Glasgow qui se situe entre 3 et 15. Un score de 3 indique une déficience sérieuse de la fonction neurologique, tandis qu'un score de 15 signifie que le patient réagit normalement aux trois critères (voir page 1959 et figure 59-10).

L'ouverture des yeux est un critère qui peut aider à déterminer la cause de la déficience neurologique. Si le patient est dans le coma mais qu'il ouvre les yeux spontanément, le problème est peut-être d'origine métabolique. Par contre, s'il n'ouvre pas les yeux, il peut s'agir d'un trouble neurologique.

Lors de l'évaluation de la réponse verbale, il faut tenir compte du fait qu'une réaction ne signifie pas nécessairement que le patient est lucide. L'examinateur doit évaluer plus à fond l'orientation temporelle, spatiale et personnelle.

L'évaluation de la réponse motrice comprend l'examen des mouvements spontanés, des mouvements causés par des stimuli désagréables (une piqûre ou un pincement par exemple) et de la posture. Les deux postures significatives sont la décérébration et la décortication. Elles sont décrites un peu plus loin dans ce chapitre.

Il est parfois impossible d'évaluer la réponse motrice parce que le patient est intubé, qu'il a les yeux fermés ou qu'il ne peut parler. Dans ce cas, l'évaluation est incomplète et on explique pourquoi dans le dossier du patient.

Chez le patient souffrant d'hypertension intracrânienne, une aggravation de l'état se manifeste par certains signes: changements subtils, changements dans les signes vitaux, céphalées, changements pupillaires et vomissements.

▷ *Changements subtils.* L'agitation, les céphalées, la respiration forcée, les mouvements involontaires et la désorientation sont des signes cliniques précoces d'une augmentation de la pression intracrânienne.

▷ *Changements dans les signes vitaux.* Les changements dans les signes vitaux peuvent être des signes tardifs d'hypertension intracrânienne. À mesure que la pression intracrânienne s'accroît, la fréquence du pouls et la fréquence respiratoire diminuent tandis que la pression artérielle et la température augmentent. On surveillera tout particulièrement l'hypertension artérielle, la bradycardie et l'irrégularité respiratoire; l'apparition d'un de ces signes exige un examen plus approfondi du patient. Parmi les anomalies respiratoires courantes se trouvent la dyspnée de Cheyne-Stokes (augmentation et diminution rythmiques de la fréquence et de l'amplitude de la respiration, séparées par de courtes périodes d'apnée) et la respiration ataxique (respiration irrégulière avec une alternance irrégulière de respirations profondes et superficielles).

Les signes vitaux demeurent stables tant et aussi longtemps que la circulation principale du cerveau reste intacte. Si la circulation est perturbée par une pression, le pouls et la respiration s'accélèrent; en général, la température augmente mais non de façon caractéristique. La pression différentielle (c'est-à-dire la différence entre la pression systolique et la pression diastolique) s'accroît, ce qui révèle une aggravation sérieuse. Immédiatement avant ces changements cliniques, on peut habituellement constater une période de fluctuations rapides du pouls, qui passe d'une fréquence lente à une fréquence rapide. Il faut opérer le patient d'urgence, sinon la mort s'ensuit.

L'augmentation de la pression intracrânienne n'entraîne pas toujours une altération des signes vitaux. Il faut donc évaluer la réactivité du patient et rechercher les signes de choc.

▷ *Céphalées.* Les céphalées causées par l'hypertension intracrânienne sont constantes, d'intensité croissante et exacerbées par le mouvement ou l'effort.

▷ *Changements pupillaires.* Une augmentation de pression ou l'expansion d'un caillot peut comprimer le cerveau contre le nerf moteur oculaire commun ou le nerf optique, et provoquer des changements pupillaires.

- On examine les pupilles régulièrement à l'aide d'un crayon lumineux afin d'en évaluer le diamètre et la forme, de même que la réaction à la lumière. On compare les deux yeux pour déceler les différences et les similitudes.
- On examine le regard pour voir si les mouvements des yeux sont parallèles.
- On évalue la fonction du nerf optique en vérifiant la capacité d'abduction et d'adduction des yeux.
- On examine la rétine et le nerf optique à la recherche de signes d'hémorragie et d'œdème papillaire.

▷ *Vomissements.* Le patient peut souffrir de vomissements cycliques à cause de la pression accrue du cerveau sur le centre réflexe du vomissement situé dans le bulbe rachidien.

On ne peut pas toujours se fier à l'évaluation clinique pour dépister l'hypertension intracrânienne, surtout si le patient est dans le coma. Dans certains cas, il faut absolument avoir recours au monitorage électronique de la pression intracrânienne (voir page 1868).

▷ *Analyse et interprétation des données*

Selon les données recueillies, voici les principaux diagnostics infirmiers possibles:

- Diminution de l'irrigation tissulaire cérébrale reliée à l'hypertension intracrânienne
- Mode de respiration inefficace relié à une dysfonction neurologique (compression du tronc cérébral, déplacement des tissus)
- Dégagement inefficace des voies respiratoires relié à l'accumulation de sécrétions qui accompagne la diminution des réactions
- Risque élevé de déficit de volume liquidien relié aux mesures de déshydratation
- Altération de l'élimination urinaire et fécale reliée aux effets des médicaments, et à l'apport réduit de liquide et de nourriture
- Risque élevé d'infection relié au dispositif de monitorage de la pression intracrânienne (sonde intraventriculaire)

D'autres diagnostics infirmiers sont possibles: atteinte à l'intégrité de la muqueuse buccale reliée à la respiration par la bouche, à l'abolition du réflexe pharyngé et à l'incapacité d'ingérer des liquides; risque d'atteinte à l'intégrité de la peau relié à l'immobilité et à la contrainte du système de monitorage de la pression intracrânienne; atteinte à l'intégrité des tissus cornéens reliée à la diminution ou à l'abolition du réflexe cornéen; et perturbation de la dynamique familiale reliée à la situation de crise. (Ces diagnostics sont décrits dans la section portant sur le patient subissant une opération intracrânienne, à la page 1898, et dans la section portant sur le patient ayant subi un traumatisme crânien, au chapitre 59.)

▷ *Planification et exécution*

▷ *Objectifs de soins:* Amélioration de l'irrigation tissulaire cérébrale par la diminution de la pression intracrânienne; stabilisation de la respiration; dégagement des voies respiratoires; rétablissement de l'équilibre hydrique; rétablissement de l'élimination urinaire et fécale; prévention de l'infection

▷ *Interventions infirmières*

▷ *Irrigation tissulaire cérébrale.* En plus de garder le patient en observation constante, voici ce que le personnel infirmier peut faire pour atténuer les facteurs qui contribuent à l'augmentation de la pression intracrânienne:

- Rechercher les signes de bradycardie et d'hypertension artérielle, car ils témoignent d'une augmentation de la pression intracrânienne.
- Éviter tout ce qui peut entraver le drainage du sang veineux du cerveau pour prévenir une augmentation de la pression veineuse jugulaire et, par le fait même, de la pression intracrânienne.
  Garder la tête du patient en position neutre, à l'aide d'un collet cervical s'il le faut.
  À moins d'indication contraire, maintenir la tête du patient légèrement surélevée pour favoriser le drainage veineux.
  Éviter les rotations ou les flexions extrêmes du cou car la compression ou la déformation des veines jugulaires augmente la pression intracrânienne.
- Éviter la flexion extrême des hanches qui entraîne une augmentation des pressions intra-abdominale et intrathoracique, ce qui peut s'accompagner d'une hausse de la pression intracrânienne.
- Éviter la manœuvre de Valsalva (qui peut être provoquée par un effort de défécation ou même par le simple fait de se déplacer dans le lit). On prescrit parfois des laxatifs émollients. Si le patient est conscient et capable de s'alimenter, un régime à haute teneur en fibres est souvent indiqué.
  On peut demander au patient d'expirer (pour ouvrir sa glotte) quand on le déplace ou qu'on le tourne.
- Éviter également les contractions musculaires isométriques car elles augmentent la pression artérielle générale et, par conséquent, la pression intracrânienne.
- Des changements relativement peu importants dans la position du patient ont parfois des conséquences importantes sur la pression intracrânienne. Si le système de monitorage indique que le fait de tourner le patient provoque une hausse de la pression intracrânienne, on peut utiliser un lit rotatif, ou soulever le patient à l'aide d'une alaise en lui soutenant la tête pour atténuer le mouvement qui fait monter la pression.
- Avant d'aspirer les sécrétions, hyperventiler le patient. L'aspiration des sécrétions ne devrait pas durer plus de 15 secondes.
- Si possible, éviter les interventions infirmières qui contribuent à l'augmentation de la pression intracrânienne. Le fait d'espacer certaines interventions peut prévenir une hypertension intracrânienne transitoire.
- Lors des interventions infirmières, la pression intracrânienne ne devrait pas dépasser 25 mm Hg et devrait retourner à sa valeur initiale dans les cinq minutes qui suivent.
- Éviter le stress émotionnel et les réveils fréquents. Favoriser le calme. Réduire au minimum les stimuli extérieurs (bruits, conversations).
- Noter la distension abdominale, car elle peut augmenter les pressions intra-abdominale et intrathoracique et ainsi augmenter la pression intracrânienne. Dans la mesure du possible, éviter les lavements et les purgatifs.

▷ *Mode de respiration.* L'infmière doit garder le patient en observation constante et rechercher les signes d'irrégularités respiratoires. La compression des lobes frontaux ou des structures médianes profondes peut causer une dyspnée de Cheyne-Stokes, tandis que la compression du mésencéphale peut entraîner une hyperventilation. Quand la partie inférieure du tronc cérébral est atteinte (protubérance et bulbe rachidien), la respiration devient irrégulière et, ultérieurement, cesse.

Quand on a recours à l'hyperventilation pour diminuer la pression intracrânienne (en provoquant une vasoconstriction cérébrale et une diminution du volume sanguin cérébral), l'infirmière aide l'inhalothérapeute à surveiller la pression partielle du gaz carbonique dans le sang artériel ($PaCO_2$), qu'on doit habituellement maintenir entre 25 et 30 mm Hg.

- L'infirmière doit tenir une grille d'évaluation neurologique (voir la figure 59-10) sur laquelle elle note toutes les variations des valeurs de base. Elle évalue le patient continuellement (parfois toutes les minutes) pour dépister immédiatement les signes d'amélioration ou de détérioration de son état. Si son état se détériore, elle le prépare pour une intervention chirurgicale.

▷ *Dégagement des voies respiratoires.* L'infirmière doit d'abord évaluer les voies respiratoires. Si des sécrétions les obstruent, elle a recours à l'aspiration. Elle doit procéder avec prudence toutefois, car cette intervention peut provoquer une augmentation transitoire de la pression intracrânienne. Il est parfois nécessaire d'oxygéner le patient avant et après l'aspiration, car une oxygénation insuffisante peut entraîner une hypoxie qui entravera l'irrigation cérébrale. L'infirmière recommande au patient de ne pas tousser car la toux et l'effort font monter la pression intracrânienne. Au moins une fois toutes les huit heures, elle ausculte les plages pulmonaires pour déceler les bruits adventices ou les signes de congestion. L'élévation de la tête du lit peut aider à dégager les sécrétions et favorise le drainage veineux du cerveau.

▷ *Équilibre hydrique.* Le traitement de l'hypertension intracrânienne comprend l'administration de divers agents, comme les corticostéroïdes, dans le but d'assécher l'œdème cérébral. Parfois, on doit également restreindre l'apport liquidien.

L'infirmière évalue l'élasticité de la peau et des muqueuses, en plus de vérifier les valeurs de l'osmolalité sérique et urinaire afin de dépister les signes de déshydratation. Si le patient reçoit des liquides par voie intraveineuse, elle veille à ce que l'administration se fasse à un rythme lent ou modéré. S'il reçoit du mannitol, elle doit surveiller les signes d'insuffisance cardiaque car ce médicament peut provoquer un déplacement du liquide intracellulaire dans le compartiment intravasculaire.

Quand un patient subit des interventions de déshydratation, l'infirmière surveille les signes vitaux, notamment la pression artérielle, afin d'évaluer le volume liquidien. Elle doit aussi donner des soins d'hygiène buccodentaire assidus car la déshydratation s'accompagne d'une sécheresse de la bouche. Pour favoriser son bien-être, elle doit lui rincer souvent la bouche, lubrifier ses lèvres et retirer les incrustations.

▷ *Élimination urinaire et fécale.* Il faut obtenir un échantillon d'urines pour la détermination de la densité et la recherche du glucose, car l'hyperglycémie est une des complications de la corticothérapie. On se sert habituellement d'une sonde vésicale pour évaluer la fonction rénale et l'hydratation. L'infirmière doit dans ce cas assumer plusieurs tâches: examiner le méat urinaire pour déceler les signes d'écoulement purulent et d'incrustation; assurer la perméabilité de la sonde et le libre écoulement de l'urine en plaçant correctement les tubes et le sac; prendre les précautions nécessaires pour prévenir les infections nosocomiales (par exemple se laver les mains, séparer des autres le patient infecté); et examiner les urines pour déceler les signes d'infection (turbidité, présence de sang ou odeur nauséabonde).

L'infirmière doit aussi examiner le bas-ventre du patient, pour déceler les signes de distension intestinale, et ausculter les bruits intestinaux. Si le patient reçoit de fortes doses de barbituriques, elle doit habituellement vérifier si ses selles contiennent du sang car les saignements gastro-intestinaux font partie des complications du traitement aux barbituriques.

▷ ***Prévention de l'infection.*** L'infirmière doit se rappeler que l'infection est la complication la plus importante du monitorage intraventiculaire de la pression intracrânienne. Dans la plupart des centres hospitaliers, des protocoles écrits régissent l'emploi de ces systèmes de monitorage, et il est important de les suivre à la lettre.

L'infirmière doit d'abord garder bien au sec le pansement qui recouvre le point d'entrée de la sonde intraventriculaire, car un pansement mouillé favorise la croissance bactérienne. Elle doit de plus toujours manipuler le système selon une technique aseptique. Elle doit aussi vérifier si les tubes sont bien raccordés afin d'éviter les fuites qui pourraient, d'une part, provoquer la contamination du système et du liquide céphalorachidien et, d'autre part, fausser les valeurs de la pression intracrânienne. Enfin, elle surveille les signes et symptômes de méningite: fièvre, frissons, raideur de la nuque, céphalées persistantes ou d'intensité croissante.

▷ *Évaluation*

Résultats escomptés

1. Le patient présente une meilleure irrigation cérébrale.
   a) Il retrouve progressivement son orientation spatiale, temporelle et personnelle.
   b) Il obéit à des ordres verbaux et répond correctement aux questions posées.
2. Le patient présente une respiration normale.
   a) Il respire selon un mode normal.
   b) Les résultats de l'analyse des gaz du sang artériel sont acceptables.
3. Les voies respiratoires du patient sont libres de sécrétions.
4. Le patient atteint un meilleur équilibre hydrique.
   a) Il prend des liquides par voie orale.
   b) Son osmolalité sérique et urinaire est acceptable.
5. Le patient a une élimination urinaire et fécale normale.
6. Le patient ne présente aucun signe d'infection.
   a) Il ne fait pas de fièvre.
   b) Aucun écoulement purulent ne sort du système de drainage ventriculaire.

Monitorage de la pression intracrânienne

Le monitorage de la pression intracrânienne consiste à enregistrer la pression exercée dans le crâne par le cerveau, le sang et le liquide céphalorachidien. Le volume d'un de ces trois éléments peut augmenter conséquemment à une tumeur, un traumatisme, un œdème, une hémorragie ou une dilatation des vaisseaux cérébraux.

Le monitorage de la pression intracrânienne permet (1) de dépister les augmentations de pression à leurs débuts (avant que les tissus cérébraux ne soient endommagés); (2) de déterminer l'ampleur de l'anomalie; (3) de commencer le traitement approprié; (4) d'avoir l'accès au liquide céphalorachidien pour un prélèvement; et (5) d'évaluer l'efficacité du traitement.

La pression intracrânienne normale fluctue, présentant des augmentations transitoires. Les ondes qui la représentent sont de trois types: les ondes A (ondes de plateau), les ondes B et les ondes C (figure 58-1). Les *ondes de plateau* (ou *ondes A*) représentent des augmentations transitoires, paroxystiques et répétées dont la durée varie entre cinq et vingt minutes et l'amplitude, entre 50 et 100 mm Hg. Les ondes de plateau sont importantes sur le plan clinique, car elles peuvent indiquer qu'il se produit des changements dans le volume vasculaire intracrânien qui commencent à entraver l'irrigation cérébrale. L'augmentation de l'amplitude et de la fréquence des ondes A permet de dépister l'ischémie cérébrale avant même que les signes et symptômes de l'hypertension intracrânienne soient cliniquement apparents. C'est ce qui se produit souvent chez le patient inconscient. Des variations rapides des ondes peuvent également témoigner de troubles intracrâniens potentiellement graves. Comparativement aux autres méthodes de surveillance de la pression intracrânienne, le monitorage permet une évaluation objective.

Les *ondes B* sont de plus courte durée que les ondes A (de trente secondes à deux minutes) et leur amplitude est moins forte (moins de 50 mm Hg). Elles ont également moins d'importance sur le plan clinique. Toutefois, si elles apparaissent en série chez le patient inconscient, elles peuvent annoncer l'arrivée d'ondes A. Les ondes B s'observent chez le patient atteint d'hypertension intracrânienne ou d'une diminution de la compliance intracrânienne.

Les *ondes C* sont des petites oscillations rythmiques d'une fréquence approximative de six par minute. Il semble qu'elles soient reliées aux variations rythmiques de la pression artérielle générale et de la respiration.

Systèmes de monitorage. Pour enregistrer la pression intracrânienne, il faut mesurer la pression du liquide céphalorachidien à l'intérieur du ventricule latéral, dans l'espace sous-arachnoïdien ou dans l'espace épidural. Il existe un grand nombre de dispositifs qui mesurent la pression intracrânienne, au moyen de capteurs qui sont soit reliés à une sonde intraventriculaire, soit insérés dans le crâne (figure 58-2). Les trois principaux systèmes sont la sonde intraventriculaire, la vis sous-arachnoïdienne et le capteur de pression épidural.

Sonde intraventriculaire. Pour le monitorage par sonde intraventriculaire (figure 58-2), on insère une sonde de petit calibre dans un ventricule latéral après avoir fait un trou de trépan. La sonde est raccordée à un capteur de pression par le biais d'une tubulure remplie d'une solution salée stérile. En plus d'enregistrer de façon continue la pression intracrânienne, la sonde intraventriculaire permet de retirer du liquide céphalorachidien, surtout quand la pression augmente beaucoup. Parfois, on a recours à une ventriculostomie pour retirer le sang du ventricule.

La méthode de la sonde intraventriculaire est utilisée chez le patient souffrant d'une tumeur cérébrale sous-tentorielle ou d'un anévrisme. En outre, le drainage continu du liquide ventriculaire est une façon efficace de traiter l'hypertension intracrânienne puisque l'on peut effectuer un drainage continu du liquide ventriculaire en surveillant la pression. La sonde intraventriculaire à demeure peut aussi servir de voie d'accès pour l'administration de médicaments ou pour l'instillation d'air ou d'une substance de contraste lors d'une

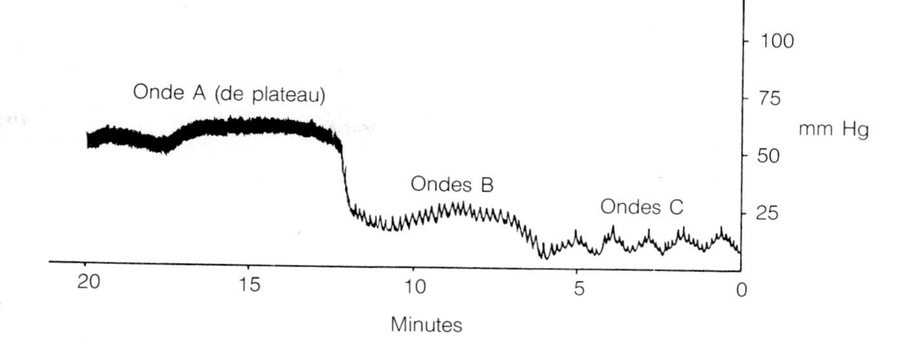

Figure 58-1. Ondes de pression intracrânienne Diagramme composé d'ondes A (de plateau), B et C (Source: N. M. Holloway, *Nursing the Critically Ill Adult,* 2e éd., Menlo Park, California, Addison-Wesley, 1984)

ventriculographie. Certaines complications y sont toutefois associées: infection du ventricule, méningite, collapsus ventriculaire, occlusion de la sonde par des tissus cérébraux ou du sang, et troubles reliés au système de monitorage.

Vis sous-arachnoïdienne. La vis sous-arachnoïdienne est une vis creuse qu'on insère dans le crâne et la dure-mère jusque dans l'espace sous-arachnoïdien du crâne (figure 58-2). Elle a l'avantage de ne pas exiger une ponction ventriculaire. Elle est introduite dans un petit orifice pratiqué dans le crâne sous anesthésie locale. Elle est raccordée à un capteur de pression ainsi qu'à un oscilloscope qui enregistre les données de façon continue. Elle est utile chez le patient souffrant d'un traumatisme crânien ou d'une tumeur cérébrale sus-tentorielle. Elle permet d'éviter les complications associées à un déplacement cérébral ou à la petite dimension des ventricules. Elle peut toutefois être obstruée par un caillot ou du tissu cérébral, ce qui provoque une perturbation des tracés et une diminution de la précision des lectures dans les valeurs élevées.

Avec la sonde intraventriculaire ou avec la vis creuse, la connexion entre le patient et le capteur de pression et l'oscilloscope se fait au moyen d'une série de robinets, dont un robinet à trois voies raccordé à la vis ou à la sonde. Dans le cas de la sonde, un tube semi-rigide rempli de solution salée va du robinet au capteur de pression. Le capteur de pression transmet des ondes à travers un circuit électrique jusqu'à un appareil d'affichage qui permet un monitorage continu. À intervalles réguliers, le système est rincé avec une solution saline stérile afin de prévenir les obstructions.

Capteur de pression épidural. Le capteur de pression épidural est une autre méthode de surveillance de la pression intracrânienne. Il exige l'insertion d'un capteur de pression miniature dans la cavité épidurale, le plus souvent par un orifice percé dans le crâne. Les capteurs épiduraux provoquent peu d'infections et de complications et semblent fournir des données précises. L'étalonnage se fait automatiquement et les ondes de pression anormales déclenchent une sonnette d'alarme. Un de ses inconvénients est l'impossibilité de prélever du liquide céphalorachidien pour analyse.

Interprétation des résultats. La pression intracrânienne s'exprime par la pression du liquide ventriculaire; elle fluctue normalement entre 0 et 10 mm Hg (110 à 140 mm H_2O). En général, une augmentation soutenue à plus de 15 mm Hg (200 mm H_2O) est jugée anormale.

Interventions infirmières. La tendance du tracé de la pression intracrânienne sur une période donnée peut donner une bonne idée de l'état du patient. Cependant, il ne faut pas oublier que la mesure de la pression intracrânienne est seulement un paramètre parmi d'autres, les examens neurologiques répétés et les examens cliniques étant également importants.

Quand elle manipule le dispositif de monitorage, l'infirmière utilise une technique aseptique rigoureuse. Elle inspecte le point d'insertion à la recherche de signes d'infection. Elle surveille également de près la température du patient, son pouls et sa respiration afin de déceler les signes d'infection systémique. Enfin, elle doit vérifier tous les raccords et robinets du système de monitorage car les fuites, même petites, peuvent fausser les résultats.

Quand on enregistre la pression intracrânienne, on doit placer le zéro du capteur à un point précis, le plus souvent à 2,5 cm au-dessus de l'oreille du patient en décubitus dorsal. Ce point correspond au trou de Monro (figure 58-3). (Les valeurs de la pression intracrânienne dépendent de la position du patient.) Pour tous les enregistrements subséquents, la tête du patient doit être dans la même position par rapport au capteur de pression.

Gérontologie. Les patients âgés atteints d'hypertension intracrânienne, peuvent présenter une altération de leur état mental due au vieillissement. L'infirmière a donc besoin de la famille pour procéder à l'évaluation initiale de l'état mental du patient. Parfois, les examens radiologiques du patient âgé révèlent un hématome chronique ou ancien. Cette découverte peut déconcerter les proches si elle révèle que le patient a fait une chute quand il était seul. La famille doit participer le plus possible au plan de traitement, car le patient aura possiblement besoin d'aide à la maison ou devra aller vivre dans un centre de soins de longue durée.

Autre méthode de monitorage (monitorage électrophysiologique). L'enregistrement des potentiels évoqués est une technique selon laquelle on mesure les potentiels électriques produits par les tissus nerveux en réponse à une stimulation externe. Cette stimulation peut être auditive, visuelle ou sensorielle. Il s'agit d'une technique diagnostique utile pour suivre l'évolution d'un patient qui est dans un coma médicamenteux, qui reçoit des myorelaxants ou qui se trouve dans un état qui ne permet pas des observations cliniques fiables. On utilise également des appareils d'électroencéphalographie spéciaux pour évaluer certaines formes anormales d'activité cérébrale. La tâche première de l'infirmière est alors de s'assurer que les électrodes ne se déplacent pas quand elle administre les soins.

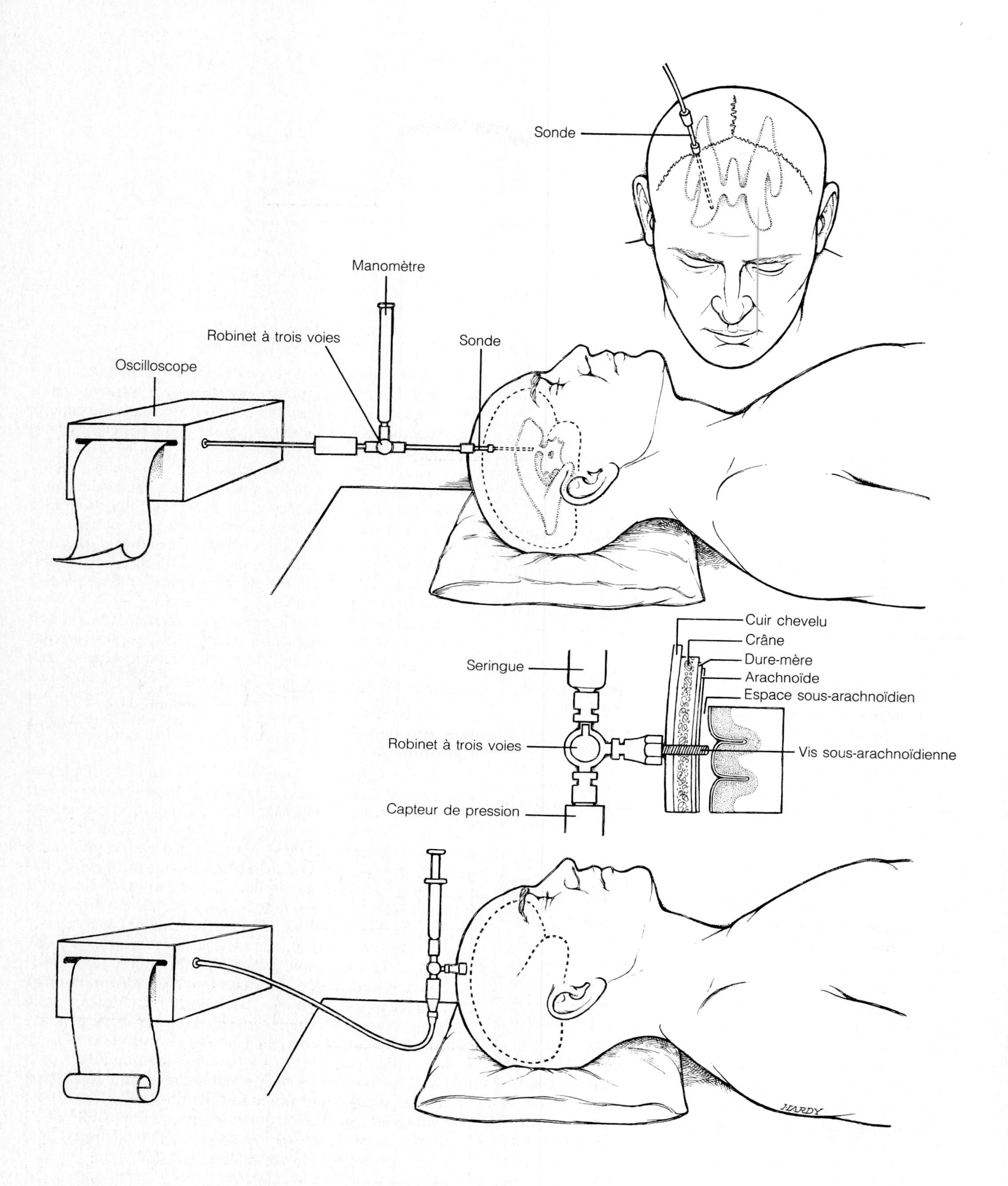

Figure 58-2. Monitorage de la pression intracrânienne (En haut) Sonde intraventriculaire (Au centre) Vis sous-arachnoïdienne ou creuse (En bas) Système de monitorage raccordé à un capteur de pression et à un système d'affichage

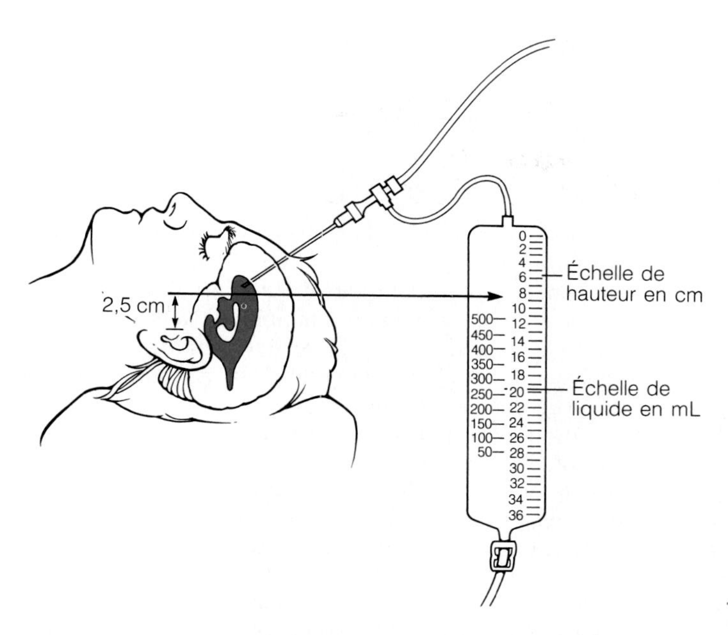

Figure 58-3. Trou de foramen pour l'étalonnage du système de monitorage

HYPERTHERMIE

Dans beaucoup de cas, à cause d'une atteinte du centre thermorégulateur du cerveau ou d'une grave infection intracrânienne, le patient présente une forte fièvre. Il est important alors de faire baisser sa température pour éviter que les besoins métaboliques du cerveau ne dépassent l'apport en sang et en oxygène, ce qui entraînera une détérioration de la fonction cérébrale. Une hyperthermie persistante témoigne d'une lésion du tronc cérébral et assombrit le pronostic.

L'hyperthermie peut également toucher le patient qui, en plus de souffrir d'un trouble neurologique, présente une infection du système nerveux central, des voies respiratoires, de l'appareil urinaire ou d'une plaie. Une réaction à certains médicaments peut aussi provoquer une hyperthermie. Il a été démontré que le fait de maintenir la température corporelle à un chiffre bien inférieur à la normale diminue l'œdème cérébral, réduit les besoins du cerveau en oxygène, et protège les tissus cérébraux de l'ischémie. De même, le ralentissement du métabolisme permet à la circulation collatérale d'alimenter le cerveau de façon adéquate.

Soins infirmiers. L'hypothermie provoquée est une intervention clinique délicate qui exige de l'expérience, des soins infirmiers spécialisés et une surveillance très étroite. Il est préférable de commencer le traitement quand la fièvre n'est pas encore trop élevée.

- L'infirmière enlève toutes les couvertures du patient (sauf peut-être un drap léger).
- Elle lui administre des doses répétées d'aspirine ou d'acétaminophène selon l'ordonnance.
- Elle peut aussi l'éponger à l'alcool ou à l'eau fraîche et diriger un ventilateur sur sa peau pour augmenter le refroidissement de surface.
- L'utilisation d'une couverture hypothermique est généralement efficace pour faire baisser la fièvre neurogène.

L'infirmière doit prendre la température du patient régulièrement pour évaluer sa réaction au traitement et pour prévenir les frissons ainsi qu'une trop forte baisse de la température.

PATIENTS INCONSCIENTS

L'inconscience est un état qui se caractérise par une dépression de la fonction cérébrale. À l'extrême, elle se manifeste par la stupeur et le coma. Dans les cas de *stupeur,* le patient réagit quand on le stimule désagréablement (en le piquant avec une épingle ou en frappant fort dans les mains par exemple); il peut reculer, grimacer ou produire des sons inintelligibles. Dans le *coma,* par contre, le patient n'a plus conscience de lui-même et de son environnement. Le *mutisme akinétique* est une absence de réaction à l'environnement; le patient ne bouge pas et ne produit aucun son mais a parfois les yeux ouverts. Dans l'*état végétatif persistant,* le patient est éveillé, mais non lucide; il est dépourvu de ses fonctions cognitives ou mentales.

L'inconscience peut être d'origine neurologique (traumatisme crânien, accident vasculaire cérébral) toxique (surdose, intoxication alcoolique) ou métabolique (insuffisance hépatique ou rénale, acidocétose diabétique).

Épreuves diagnostiques

Les examens de laboratoire qui peuvent aider à diagnostiquer la cause de l'inconscience sont la mesure de la glycémie, des électrolytes, de l'ammoniaque sérique, de l'azote uréique sanguin, de l'osmolalité, du calcium, de l'acétone sérique et des gaz du sang artériel, de même que la détermination du temps de prothrombine.

Traitement

On doit avant tout examiner les voies respiratoires et en maintenir la perméabilité pour préserver la respiration et la ventilation. On doit ensuite évaluer l'état de la circulation (pouls carotidien, fréquence et amplitude cardiaque, pression artérielle), car l'irrigation du cerveau dépend de la capacité du cœur de maintenir un bon débit. On doit aussi installer une ligne de perfusion intraveineuse et administrer du dextrose pour prévenir ou traiter l'hypoglycémie, qui peut entraîner une perturbation de l'état mental et une atteinte du système nerveux central.

On administre parfois de l'oxygène en attendant de connaître la cause de l'inconscience ou les résultats de l'analyse des gaz artériels. Habituellement, on pose également une sonde vésicale.

Il faut répéter plusieurs fois l'examen neurologique pour déterminer si le coma est dû à une hypertension intracrânienne ou à une encéphalopathie métabolique (réaction du cerveau à un changement généralisé de son métabolisme ou de son milieu extracellulaire) causée par une acidose, une surdose ou une intoxication. On doit ensuite traiter l'hypertension intracrânienne ou le trouble métabolique.

DÉMARCHE DE SOINS INFIRMIERS PATIENTS INCONSCIENTS

Collecte des données

Pour évaluer la réactivité (degré de conscience), l'infirmière se base sur la réaction d'ouverture des yeux, la réponse verbale et la réponse motrice à un ordre ou à un stimulus douloureux. Elle note ces paramètres à l'aide de l'échelle de Glasgow (voir page 1959). Elle peut ensuite examiner les pupilles (diamètre, symétrie et réaction à la lumière) ainsi que le mouvement des deux yeux. Elle évalue la symétrie du visage et sollicite le réflexe de déglutition de même que les réflexes ostéotendineux. Si le patient ne réagit pas aux ordres verbaux, l'infirmière vérifie la réponse motrice en appliquant un stimulus douloureux (une pression ferme mais *modérée*) sur l'échancrure sus-orbitale ou le lit de l'ongle, ou en pinçant un muscle. Si le patient réagit en repoussant l'infirmière ou par un mouvement de recul, la réaction est considérée comme volontaire ou adaptée. La réaction du patient est inadaptée ou involontaire quand elle se produit au hasard et sans raisons précises. Le patient inconscient dont la fonction cérébrale est gravement atteinte peut réagir à un stimulus en adoptant une posture de décortication (bras fléchis, en adduction et tournés vers l'intérieur; jambes en extension) ou une posture de décérébration (membres en extension et réflexes exagérés) (voir encadré 58-1). La posture de décérébration témoigne d'une altération plus grave de la réactivité. Les lésions neurologiques les plus graves se manifestent par une flaccidité: incapacité de bouger tous les membres et absence totale de tonus musculaire. La paralysie ou l'accident vasculaire cérébral doivent être mis hors de cause avant de penser à un autre type de lésion neurologique.

L'infirmière évalue les fonctions physiques (circulation, respiration, élimination, équilibre hydroélectrolytique) de façon systématique.

Les signes importants à rechercher lors de l'évaluation du patient inconscient sont décrits à l'encadré 58-1 et au chapitre 59 dans la section portant sur l'évaluation du patient souffrant d'un traumatisme crânien.

Analyse et interprétation des données

Selon les données recueillies, voici les principaux diagnostics infirmiers possibles:

- Dégagement inefficace des voies respiratoires relié à l'incapacité d'évacuer les sécrétions bronchiques
- Risque élevé de déficit de volume liquidien relié à l'incapacité d'ingérer des liquides
- Atteinte à l'intégrité de la muqueuse buccale reliée à la respiration par la bouche, à l'abolition du réflexe pharyngé et à l'incapacité d'ingérer des liquides
- Risque élevé d'atteinte à l'intégrité de la peau relié à l'immobilité ou à l'agitation
- Atteinte à l'intégrité des tissus cornéens reliée à la diminution ou à l'abolition du réflexe cornéen
- Thermorégulation inefficace reliée à l'atteinte du centre thermorégulateur
- Altération de l'élimination urinaire (incontinence ou rétention) reliée à l'inconscience
- Altération de l'élimination fécale (diarrhée et / ou constipation) reliée à l'inconscience
- Perturbation de la dynamique familiale reliée à l'apparition soudaine de l'inconscience

Planification et exécution

Objectifs de soins: Maintien de la perméabilité des voies respiratoires; équilibre du volume liquidien; intégrité de la muqueuse buccale; intégrité de la peau; absence d'irritation cornéenne ou de kératite; maintien de la thermorégulation; absence de rétention et d'infection urinaires; absence de diarrhée et de fécalome; intégrité de la dynamique familiale ou du réseau de soutien

Chez le patient inconscient, les réflexes protecteurs sont altérés. La qualité des soins infirmiers peut donc, littéralement, faire la différence entre la vie et la mort. L'infirmière doit assumer la responsabilité des fonctions du patient jusqu'à ce que les réflexes de base reviennent (toux, clignement et déglutition) et que le patient soit à nouveau conscient et lucide. Elle a pour principal objectif de compenser les réflexes absents jusqu'à ce que le patient reprenne conscience et puisse fonctionner.

Interventions infirmières

Dégagement des voies respiratoires. Dans le cas d'un coma, l'infirmière doit d'abord et avant tout veiller à rétablir la respiration et la ventilation. Le patient inconscient est sujet à l'obstruction des voies respiratoires parce que son épiglotte et sa langue peuvent se relâcher et obstruer l'arrière-gorge. De plus, il risque d'aspirer ses vomissements ou ses sécrétions rhinopharyngiennes.

- Mettre le patient en décubitus latéral ou en décubitus semi-ventral pour que sa mâchoire et sa langue retombent vers l'avant. On favorise ainsi l'écoulement des sécrétions.
- Le patient comateux ne doit pas rester couché sur le dos.
- L'accumulation de sécrétions dans le pharynx est dangereuse pour le patient parce qu'il est incapable d'avaler et de déglutir. Il faut donc aspirer ces sécrétions.
- Monter la tête du lit à un angle de 30° pour réduire les risques d'aspiration.
- Aspirer souvent les sécrétions du patient et maintenir une bonne hygiène buccodentaire.
- L'appareil d'aspiration sert à retirer les sécrétions de l'arrière-gorge et de la portion supérieure de la trachée. Avant de mettre l'appareil en marche, lubrifier la partie distale de la sonde à l'aide d'un lubrifiant hydrosoluble et l'introduire à la profondeur désirée. Mettre l'appareil d'aspiration en marche (pression négative) et retirer la sonde en la faisant tourner entre le pouce et l'index. Ce mouvement de rotation prévient l'irritation des muqueuses de la trachée et du pharynx par l'embout de la sonde, ce qui augmenterait les sécrétions et entraînerait une lésion et un saignement des muqueuses.
- Ausculter le thorax au moins toutes les huit heures pour déceler les bruits adventices ou l'absence de bruits respiratoires.
- Il faut parfois recourir à l'intubation et à la ventilation assistée. L'infirmière doit alors maintenir la perméabilité de la sonde endotrachéale ou de la canule trachéale, administrer des soins buccodentaires assidus, et obtenir régulièrement une analyse des gaz du sang artériel.

Encadré 58-1
Évaluation par l'infirmière du patient inconscient

Examen	***Résultat de l'examen***	***Signification sur le plan clinique***
Degré de réactivité ou de conscience	Ouverture des yeux; réponses verbale et motrice; pupilles (diamètre, symétrie, réaction à la lumière)	Le fait d'obéir à un ordre est une réaction favorable indiquant que le patient reprend conscience.
Mode de respiration		La perturbation des centres respiratoires du cerveau peut modifier le mode de respiration.
	Dyspnée de Cheyne-Stokes	Ce mode de respiration évoque des lésions profondes dans les deux hémisphères (région des noyaux gris centraux et partie supérieure du tronc cérébral).
	Hyperventilation	Ce mode de respiration peut indiquer l'apparition d'un problème métabolique ou d'une lésion du tronc cérébral.
	Respiration ataxique avec irrégularités de l'amplitude et de la fréquence	Ce mode de respiration assombrit le pronostic et indique une lésion du bulbe rachidien.
Yeux Pupilles (diamètre, symétrie, réaction à la lumière)	Pupilles symétriques qui réagissent normalement	Ce signe peut indiquer que le coma est d'origine toxique ou métabolique.
	Diamètre égal ou inégal	Signe de localisation
	Dilatation progressive	Ce signe indique une augmentation de la pression intracrânienne.
	Pupilles dilatées et fixes	Ce signe indique une lésion du mésencéphale.
Mouvements oculaires	Les yeux devraient normalement bouger d'un côté à l'autre.	On évalue l'intégrité fonctionnelle et structurelle du tronc cérébral en examinant les mouvements extraoculaires; ces mouvements sont habituellement inexistants quand le patient est dans un coma profond.
Réflexe cornéen 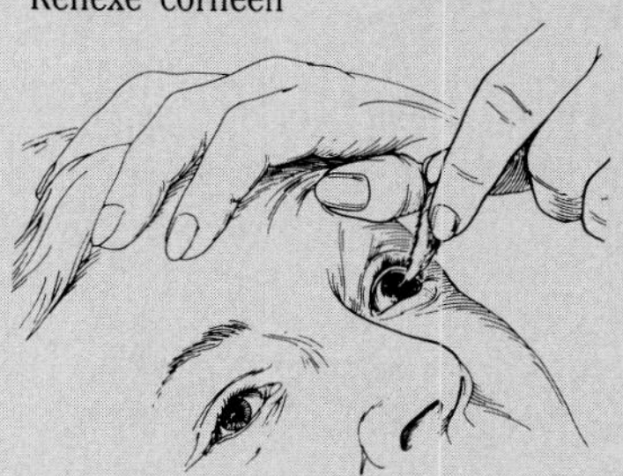	Quand on touche la cornée avec un bout de ouate propre, le patient réagit normalement en clignant la paupière.	Cet examen permet de vérifier l'intégrité des nerfs crâniens V et VII; signe de localisation si le clignement est unilatéral; le clignement est inexistant lors d'un coma profond.
Symétrie faciale	Asymétrie (affaissement, diminution des rides)	Signe de paralysie
Réflexe de déglutition	Déglutition spontanée ou écoulement de bave	Le réflexe de déglutition est inexistant lors d'un coma. Témoigne d'une lésion des nerfs crâniens X et XII
Cou	Raideur du cou	Hémorragie sous-arachnoïdienne, méningite

Encadré 58-1 (suite)

Examen	***Résultat de l'examen***	***Signification sur le plan clinique***
	Absence de mouvements spontanés du cou	Fracture ou déplacement de la colonne cervicale
Réaction des membres à un stimulus désagréable	Pression ferme sur l'articulation d'un membre supérieur et inférieur Observation des mouvements spontanés	Réaction asymétrique lors d'une paralysie Réaction inexistante lors d'un coma profond
Réflexes ostéotendineux 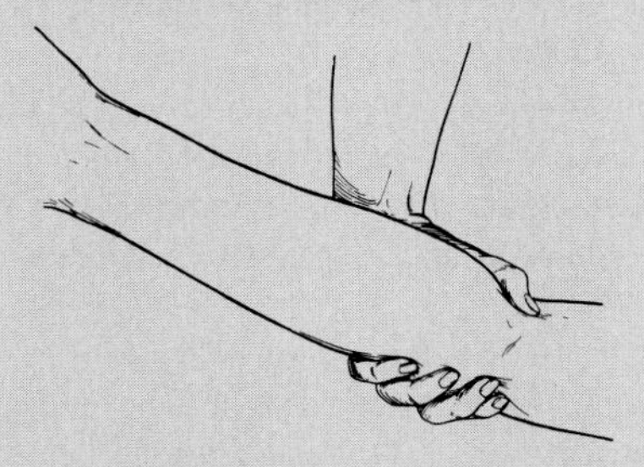	Déclencher le réflexe rotulien et le réflexe bicipital	Un réflexe vif peut être un signe de localisation. La réaction est asymétrique dans les paralysies. Le patient ne réagit pas lors d'un coma profond.
Réflexes pathologiques 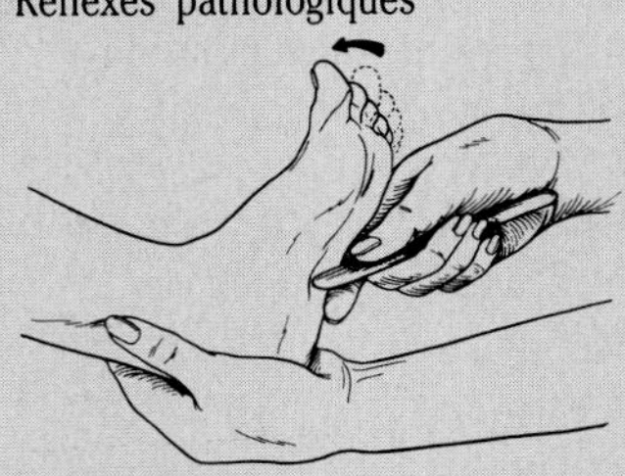	Pression ferme à l'aide d'un objet émoussé sur le côté de la plante du pied et au travers de l'avant-pied	La flexion des orteils (surtout le gros) est normale, sauf chez le nouveau-né. La dorsiflexion des orteils (surtout le gros) indique une lésion controlatérale du faisceau pyramidal (réflexe de Babinski). Signes de localisation
Posture anormale	Observation des postures (spontanées ou en réponse à un stimulus désagréable) Flaccidité accompagnée d'une absence de réponse motrice Posture de décortication (avant-bras et mains fléchis et tournés vers l'intérieur; voir l'illustration A ci-dessous) Posture de décérébration (extension et rotation vers l'intérieur; voir B ci-dessous)	 Lésion cérébrale importante et profonde Cette posture témoigne d'une lésion d'un hémisphère cérébral ou d'une dépression métabolique de la fonction cérébrale. Cette posture indique une dysfonction plus profonde et plus grave que la posture de décortication; signe de lésion du tronc cérébral, elle est d'un mauvais pronostic.

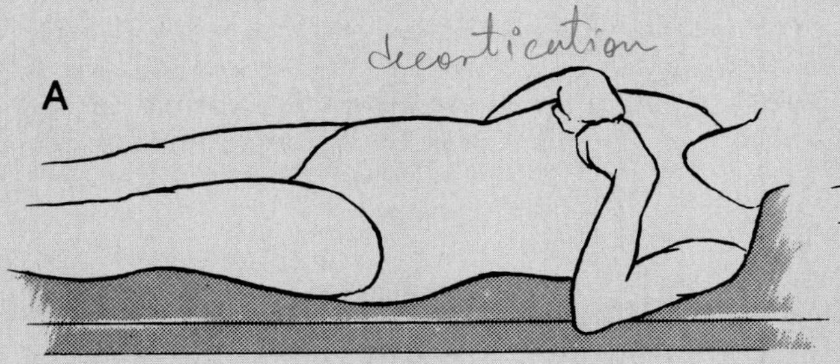

B

Tonus musculaire	Rigidité des muscles fléchisseurs et extenseurs ou flaccidité des membres	Témoigne d'une paralysie

▷ *Maintien de l'équilibre hydrique et nutritionnel.* Pour s'assurer que le patient est bien hydraté, on doit examiner ses membranes muqueuses et vérifier la turgescence de sa peau. On comble d'abord les besoins liquidiens du patient par voie intraveineuse, puis par sonde nasograstrique ou par gastrostomie.

- Il faut administrer lentement les solutions intraveineuses et les transfusions sanguines chez les patients qui présentent une atteinte cérébrale, pour éviter une augmentation de la pression intracrânienne. On doit parfois restreindre la quantité des liquides administrés pour réduire les risques d'œdème cérébral.

- Il ne faut jamais donner du liquide par voie orale à un patient incapable d'avaler. Pour vérifier si le patient est capable d'avaler sans s'étouffer, on doit lui donner à sucer un coton-tige mouillé.
- On peut avoir recours à une sonde nasograstrique pour l'administration de liquides et d'aliments passés au mélangeur.

▷ *Intégrité des muqueuses buccales.* L'infirmière doit examiner la bouche du patient pour y déceler la sécheresse, l'inflammation et la présence de croûtes. Le patient inconscient a besoin de soins d'hygiène buccale méticuleux, car il y a risque de parotidite si sa bouche n'est pas rigoureusement propre. L'infirmière doit donc nettoyer et rincer soigneusement la bouche du patient pour retirer les sécrétions et les croûtes ainsi que pour préserver l'hydratation des muqueuses. L'application d'une mince couche de vaseline sur les lèvres prévient l'assèchement, les gerçures et la formation de croûtes. Si le patient est intubé, l'infirmière doit être à l'affût des signes d'ulcération sur les côtés de la bouche et sur les lèvres.

▷ *Maintien de l'intégrité de la peau.* Le maintien de l'intégrité de la peau du patient inconscient exige des examens et des soins constants de la part de l'infirmière. Le patient inconscient a en effet besoin d'une attention particulière parce qu'il est insensible aux stimuli externes. L'infirmière doit donc, notamment, le changer régulièrement de position pour éviter la pression sur les points d'appui qui peut entraîner une nécrose de la peau. Les changements de position fournissent également une stimulation kinesthésique (sensation de mouvement), proprioceptive (conscience du mouvement) et vestibulaire (équilibre). Une fois le patient tourné, l'infirmière le place de façon à prévenir la nécrose ischémique aux points d'appui. Elle doit toujours soulever le patient quand elle le déplace, car le fait de le traîner sur le lit crée des forces de cisaillement et de friction.

Il est important de garder toujours le corps du patient dans une position correcte et de faire régulièrement des exercices passifs des articulations afin de prévenir les contractures. L'utilisation d'appui-pieds aide à prévenir le pied tombant et empêche la pression des draps et des couvertures sur les orteils. Les rouleaux trochantériens qui soutiennent l'articulation de la hanche aident à garder les jambes dans une bonne position. Les bras doivent être placés en abduction, les doigts un peu fléchis et la paume des mains légèrement vers le haut. L'infirmière doit rechercher les signes de pression sur les talons et les pieds du patient.

▷ *Maintien de l'intégrité des tissus cornéens.* Chez certains patients inconscients, les yeux restent ouverts, car le réflexe cornéen est inexistant ou inadéquat. La cornée est donc sujette à l'irritation ou aux égratignures qui peuvent entraîner une kératite ou une ulcération.

L'infirmière peut nettoyer les yeux du patient à l'aide de tampons d'ouate imbibés de solution physiologique afin de retirer les débris et les sécrétions. Il est parfois nécessaire d'obtenir une ordonnance du médecin pour l'instillation de larmes artificielles toutes les deux heures. Souvent, le patient souffre d'œdème périoculaire après une intervention chirurgicale intracrânienne. Le médecin peut alors prescrire des compresses froides et l'infirmière doit veiller à ce qu'elles ne touchent pas la cornée. Le cache-oeil aussi doit être utilisé avec précaution car il peut endommager la cornée s'il touche l'œil.

▷ *Maintien de la thermorégulation.* Le patient inconscient peut souffrir d'une forte fièvre causée par une infection des voies respiratoires ou urinaires, par une réaction médicamenteuse, ou par des lésions du centre thermorégulateur de l'hypothalamus. La déshydratation peut aussi entraîner une légère augmentation de la température. Le réglage de la température de la pièce dépend de l'état du patient; s'il est fiévreux, on doit le couvrir le moins possible, ne lui laissant qu'une seule couverture ou même un drap léger.

On peut baisser la température de la pièce à 18,3 °C. S'il s'agit d'une personne âgée qui ne présente pas de fièvre, on doit par contre augmenter la température. Peu importe la température ambiante, la pièce doit être aérée et exempte d'odeurs.

- Il ne faut *jamais* prendre la température d'un patient inconscient par voie orale. Il est préférable de la prendre par voie rectale, car la température rectale est plus fiable que la température axillaire.

Les mesures utilisées pour traiter l'hyperthermie sont décrites à la page 1871. Il faut éviter que le patient frissonne.

▷ *Prévention de la rétention urinaire.* Le patient inconscient peut souffrir soit d'incontinence, soit de rétention urinaire. L'infirmière doit donc lui palper régulièrement la vessie pour vérifier s'il y a rétention d'urine, ce qui peut aboutir à l'incontinence. Si le patient présente des signes de rétention urinaire, l'infirmière commence par introduire une sonde à demeure reliée à un système de drainage. Étant donné que le cathétérisme est une des principales causes d'infection urinaire, elle doit surveiller la fièvre et vérifier si les urines sont troubles. Elle examine également le pourtour du méat urinaire pour vérifier s'il y a suppuration. Habituellement, on retire la sonde quand la fonction cardiovasculaire est stable et s'il n'existait aucun problème de diurèse, de septicémie ou de dysfonction vésicale avant le coma. Même si beaucoup de patients comateux urinent spontanément une fois la sonde retirée, l'infirmière doit continuer à palper la vessie régulièrement pour s'assurer qu'il n'y a pas de rétention urinaire. Si la personne inconsciente peut uriner spontanément, on peut utiliser un étui pénien externe (condom Texas) s'il s'agit d'un homme ou des coussinets d'incontinence s'il s'agit d'une femme. Dès que le patient a repris conscience, on entreprend un programme de rééducation vésicale.

L'infirmière doit examiner régulièrement le patient incontinent pour déceler les signes d'irritation et de lésion de la peau. Elle doit administrer les soins de la peau appropriés pour prévenir ces complications.

▷ *Prévention de la diarrhée et de la constipation.* Pour évaluer le ballonnement abdominal, l'infirmière écoute les bruits intestinaux et mesure le périmètre abdominal à l'aide d'un ruban à mesurer. Le patient inconscient est sujet à la diarrhée causée par l'infection, les antibiotiques et les liquides hyperosmolaires. L'élimination fréquente de selles molles peut aussi être un signe de fécalome. Il existe sur le marché différentes sortes de sacs pour recueillir les selles du patient souffrant d'incontinence intestinale.

La constipation, elle, peut être causée par l'immobilité ou une carence en fibres alimentaires. L'infirmière doit d'abord évaluer la fréquence et la consistance des selles et effectuer un toucher rectal pour déceler les signes de fécalome. Le patient peut avoir besoin d'un lavement tous les deux jours pour évacuer le côlon inférieur. Cependant, les lavements peuvent être contre-indiqués si la manœuvre de Valsalva fait monter la pression intracrânienne chez un patient qui souffre déjà d'hypertension intracrânienne. On peut utiliser des suppositoires à la glycérine pour favoriser l'évacuation des selles. Enfin, le médecin peut prescrire des laxatifs émollients qui sont administrés par la sonde de gavage.

▷ *Soutien à la famille.* La famille du patient inconscient peut se retrouver dans une situation de crise soudaine et devoir traverser des périodes de forte anxiété, de déni, de colère, de remords, de tristesse et d'acceptation. Pour aider les membres de la famille à mobiliser leurs capacités d'adaptation, le personnel infirmier peut leur donner des explications claires sur l'état du patient, les laisser participer aux soins, les écouter et les encourager quand ils expriment leurs sentiments et leurs inquiétudes et, enfin, les aider à prendre les décisions concernant le traitement et le placement du patient après son départ du centre hospitalier.

▷ *Autres interventions infirmières*

▷ *Sécurité.* Par mesure de précaution, il faut placer chaque côté du lit des ridelles rembourrées. L'infirmière doit par ailleurs prendre toutes les mesures nécessaires pour calmer et rassurer le patient agité. Il faut éviter d'utiliser des moyens de contention qui peuvent provoquer une résistance accrue chez le patient, qui peut alors se blesser ou faire augmenter sa pression intracrânienne.

▷ *Stimulation sensorielle.* Il faut procurer au patient comateux une stimulation sensorielle constante pour compenser la privation sensorielle profonde dont il souffre. L'infirmière doit entre autres s'efforcer de respecter le rythme circadien du patient en lui assurant des habitudes normales de veille et de sommeil. Elle doit aussi le toucher et lui parler, et encourager sa famille et ses amis à faire de même. Il est extrêmement important de communiquer avec le patient par le toucher mais aussi en passant avec lui suffisamment de temps pour devenir sensible à ses besoins. Il importe également d'éviter de faire en présence du patient des commentaires négatifs au sujet de son état ou du pronostic. Au moins toutes les huit heures, on doit réorienter le patient dans les trois sphères : temps, espace et personnes. On peut aussi, à l'aide d'un magnétophone, faire écouter au patient les bruits usuels de son milieu familial ou professionnel. Les membres de la famille peuvent lire au patient des passages de son livre favori ou laisser à l'infirmière une liste des émissions de télévision ou de radio qu'il préfère ; on vise ainsi à enrichir l'environnement du patient et à l'entourer de choses qui présentent un intérêt particulier pour lui. Quand le patient a repris conscience, on peut lui présenter des enregistrements vidéo d'événements familiaux ou sociaux qui l'aideront à reconnaître sa famille et ses amis et à vivre à sa façon les événements qu'il a manqués.

▷ *Apprentissage des autosoins.* Le patient inconscient dépend entièrement du personnel infirmier dans toutes les activités de la vie quotidienne. Dès qu'il est de nouveau conscient, l'infirmière doit commencer à lui enseigner ces activités, à le soutenir, à l'encourager et à le superviser jusqu'à ce qu'il redevienne autonome. (Voir « Activités de la vie quotidienne » au chapitre 42.) Le plan de soins infirmiers 58-2 présente un résumé des soins infirmiers destinés au patient inconscient.

▷ *Évaluation*

Résultats escomptés

1. Les voies respiratoires du patient restent dégagées.
   a) Le patient ne présente aucun bruit respiratoire adventice.
2. Le patient recouvre son équilibre hydroélectrolytique et le maintient.
   a) Il ne présente aucun signe clinique de déshydratation.
   b) Ses électrolytes sériques sont dans les limites de la normale.
3. Le patient présente une muqueuse buccale saine.
   a) Sa muqueuse buccale est hydratée et intacte.
4. Le patient préserve l'intégrité de sa peau.
5. Le patient ne présente pas d'irritation de la cornée.
6. Le patient parvient à assurer sa thermorégulation.
   a) Sa température est dans les limites de la normale.
   b) La température et la texture de sa peau sont normales.
7. Le patient ne souffre pas de rétention urinaire.
8. Le patient ne souffre ni de diarrhée ni de constipation.
9. Les membres de la famille du patient s'adaptent à la situation de crise.
   a) Ils expriment leurs peurs et leurs préoccupations.
   b) Ils participent aux soins du patient.
   c) Ils fournissent au patient une stimulation sensorielle en lui parlant et en le touchant.

APHASIE

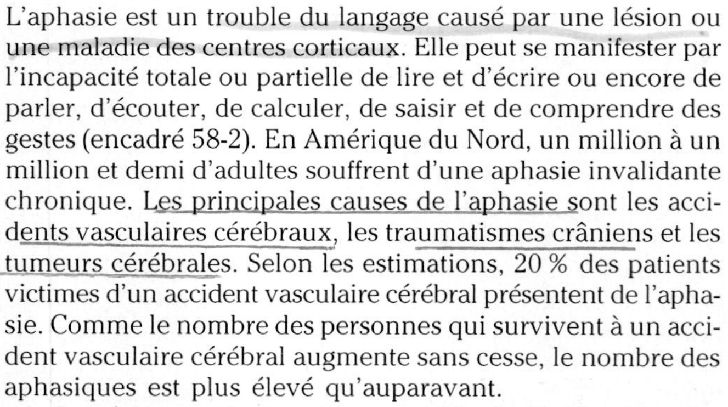

L'aphasie est un trouble du langage causé par une lésion ou une maladie des centres corticaux. Elle peut se manifester par l'incapacité totale ou partielle de lire et d'écrire ou encore de parler, d'écouter, de calculer, de saisir et de comprendre des gestes (encadré 58-2). En Amérique du Nord, un million à un million et demi d'adultes souffrent d'une aphasie invalidante chronique. Les principales causes de l'aphasie sont les accidents vasculaires cérébraux, les traumatismes crâniens et les tumeurs cérébrales. Selon les estimations, 20 % des patients victimes d'un accident vasculaire cérébral présentent de l'aphasie. Comme le nombre des personnes qui survivent à un accident vasculaire cérébral augmente sans cesse, le nombre des aphasiques est plus élevé qu'auparavant.

La région corticale est responsable de l'intégration des innombrables voies d'association nécessaires à la compréhension et à la formulation du langage. Elle mesure à peine plus de 2,5 cm^2. Le principal centre du langage, appelé *centre (ou circonvolution) de Broca,* est situé dans une circonvolution adjacente à l'artère cérébrale moyenne. C'est là que sont emmagasinées les combinaisons de mouvements musculaires nécessaires à l'articulation des mots. Les muscles de la phonation ne sont pas régis par les cellules du centre de Broca, mais plutôt par des cellules situées dans le centre moteur lui-même. L'articulation de chaque mot exige une combinaison ou une suite de combinaisons de contractions musculaires. La contraction des muscles des cordes vocales doit s'accompagner de la contraction des muscles de la gorge, de la langue, du palais mou, des lèvres et de la paroi thoracique. Toutes ces combinaisons de contractions musculaires sont emmagasinées dans les cellules du centre de Broca. Elles (les combinaisons) dirigent les cellules du centre moteur qui,

Encadré 58-2
*Glossaire de quelques termes reliés à l'aphasie**

Acalculie: trouble du calcul qui peut porter sur l'identification des chiffres ou leur manipulation

Agnosie: incapacité de reconnaître les objets familiers perçus par les sens

Agnosie auditive: incapacité de reconnaître la signification des sons

Agnosie pour les couleurs: incapacité de différencier les couleurs

Agnosie tactile: incapacité de reconnaître les objets familiers par le toucher ou la palpation

Agnosie visuelle: incapacité de reconnaître les objets perçus par la vue; l'acuité visuelle est parfois intacte, parfois déficiente

Agraphie; dysgraphie: perturbation de la capacité de s'exprimer par l'écriture

Alexie; dyslexie: perturbation de la capacité de lire

Anomie; dysnomie: difficulté à choisir les mots appropriés, surtout les noms

Apraxie: incapacité d'exécuter volontairement des mouvements moteurs déjà appris

Apraxie verbale: difficulté à former des mots intelligibles et à les organiser malgré une musculature intacte

Dysarthrie: trouble de l'articulation relié à une atteinte neurologique

Hémianopie: perte de la vision dans une moitié du champ visuel d'un œil ou des deux yeux

Paraphasie: trouble observé chez un grand nombre d'aphasiques; se caractérise par la substitution d'un moto ou d'un phonème à un autre, de même que par des erreurs grammaticales ou sémantiques; peut se manifester à la fois dans le langage parlé et écrit

Persévération: répétition continue et automatique d'une activité, d'un mot ou d'une expression inappropriés

* Le préfixe «a» signifie «sans» ou «privation». Le préfixe «dys» signifie «difficulté, perturbation». Ces deux préfixes sont souvent utilisés de façon interchangeable.

à leur tour, font contracter les muscles au bon moment et avec la force appropriée.

Le centre de Broca est très près du centre moteur gauche. C'est pourquoi les troubles du langage sont plus fréquents chez les patients paralysés du côté droit (à cause d'une atteinte ou d'une lésion du côté gauche du cerveau) que chez les patients paralysés du côté gauche. Par contre, les gauchers paralysés du côté droit sont souvent épargnés parce que leur centre du langage se trouve dans l'hémisphère droit.

DÉMARCHE DE SOINS INFIRMIERS PATIENTS ATTEINTS D'APHASIE

▷ *Collecte des données*

L'orthophoniste travaille en collaboration avec le neurologue pour évaluer l'aptitude à communiquer du patient. Ils doivent dresser le bilan des capacités de langage et des intérêts qu'avait le patient avant sa maladie. Au moyen de tests et de méthodes d'observation normalisés, ils évaluent aussi ses capacités de langage résiduelles, de compréhension, de calcul et de lecture. Pour l'infirmière qui prend soin d'un patient aphasique, l'évaluation consiste à *écouter* celui-ci, à lui demander d'exécuter des ordres simples (par exemple «prenez ce livre») et à observer la façon dont il s'adapte à sa dysfonction.

▷ *Analyse et interprétation des données*

Selon les données recueillies, voici les principaux diagnostics infirmiers possibles:

- Perturbation de l'estime de soi reliée à l'incapacité partielle ou totale de communiquer
- Altération de la communication verbale reliée à l'atteinte cérébrale
- Stratégies d'adaptation familiale inefficaces reliées au chambardement soudain du mode de vie et au manque de connaissances sur l'atteinte cérébrale et les méthodes de soutien

▷ *Planification et exécution*

▷ ***Objectifs de soins:*** Amélioration de l'estime de soi; amélioration de la capacité de communiquer; amélioration des stratégies d'adaptation familiale

▷ *Interventions infirmières*

▷ ***Amélioration de l'estime de soi.*** Le patient aphasique a besoin d'être sécurisé le plus possible. L'infirmière doit s'y prendre de la même façon qu'avec le jeune enfant qui apprend à parler, tout en le traitant comme un adulte. Elle doit prendre son temps et se montrer aimable, prodiguer des encouragements, faire preuve de patience et être prête à passer du temps avec lui. Il faut parfois plusieurs années pour réapprendre le langage.

Le patient aphasique peut devenir déprimé à cause de son incapacité de communiquer avec son entourage. Il peut éprouver de la colère et de la contrariété, craindre l'avenir et se sentir impuissant parce qu'il est incapable, par exemple, de parler au téléphone, de répondre à une question ou de prendre part à une conversation.

L'infirmière doit accepter les comportements et les sentiments du patient et l'aider à surmonter son embarras. Elle doit le soutenir en l'assurant que son intelligence n'est pas touchée et qu'elle ne doute pas du fait qu'il sait ce qu'il veut dire. On doit créer une atmosphère détendue et encourager le patient à avoir des contacts avec sa famille et ses amis. Comme le patient aphasique est souvent obsédé par l'ordre, les infirmières et les membres de la famille doivent remettre chaque chose à sa place dans sa chambre.

Plan de soins infirmiers 58-2
Patient inconscient

Interventions infirmières	Justification	Résultats escomptés

Note: Les principes de base qui régissent les soins infirmiers destinés au patient inconscient s'appliquent à tous les patients inconscients, indépendamment de la cause clinique de la maladie. Deux graves dangers menacent le patient inconscient: (1) la maladie ou le traumatisme à l'origine du coma et (2) le coma lui-même. Le principal problème réside dans le fait que les mécanismes de protection normaux sont altérés. Les soins infirmiers ont donc pour but de remplacer ces mécanismes de protection jusqu'à ce que le patient reprenne conscience et soit capable de fonctionner normalement.

Diagnostic infirmier: Mode de respiration inefficace relié au coma

Objectif: Rétablissement d'un mode de respiration normal

Interventions infirmières	Justification	Résultats escomptés
1. Rétablir et maintenir la respiration, les échanges respiratoires et la circulation.		• La respiration redevient normale. • La respiration est calme et ne semble pas exiger d'efforts de la part du patient. • Le patient ne présente pas une quantité excessive de sécrétions respiratoires. • Sa fréquence respiratoire est dans les limites de la normale. • L'amplitude des pouls périphériques est normale. • Le patient présente une pression artérielle acceptable compte tenu de son état. • Le contenu gastrique aspiré avant les séances d'alimentation nasogastrique est inférieur à 50 mL.
a) Placer le patient en décubitus semi-ventral ou en décubitus latéral, la tête tournée sur le côté. (Si le patient souffre d'hypertension intracrânienne, on peut monter la tête du lit selon les recommandations du médecin.)	a) La perturbation des échanges gazeux favorise la rétention de gaz carbonique, ce qui peut entraîner un œdème cérébral diffus. L'obstruction des voies respiratoires peut aggraver l'œdème cérébral et prolonger ou approfondir le coma.	
b) Noter la fréquence respiratoire et le cycle ventilatoire.	b) Le cycle ventilatoire reflète l'activité dans tout le cerveau et la moelle épinière. La perturbation de la respiration est un signe de dysfonction cérébrale, et exige sans délai le recours à la ventilation assistée.	
c) Introduire une canule oropharyngée si la langue est paralysée ou si elle bloque les voies respiratoires.	c) Une respiration bruyante est un signe d'obstruction des voies respiratoires. (L'obstruction augmente la pression intracrânienne.) L'utilisation d'une canule oropharyngée est une mesure à court terme.	
d) Donner de l'oxygène et administrer les autres traitements selon l'ordonnance.	d) L'oxygénothérapie augmente l'apport d'oxygène au cerveau et dans la circulation générale.	
e) Garder les voies respiratoires exemptes de sécrétions par des aspirations efficaces.	e) Étant donné que les réflexes de la toux et de la déglutition sont inhibés, les sécrétions s'accumulent rapidement dans l'arrière-gorge et la trachée supérieure ce qui peut entraîner des complications respiratoires fatales.	
f) Faire les préparatifs nécessaires pour l'introduction d'une sonde endotrachéale à ballonnet si l'état du patient l'exige (réflexe tussigène inefficace, insuffisance respiratoire).	f) L'intubation endotrachéale est plus efficace pour la ventilation en pression positive. La sonde à ballonnet prévient l'aspiration en bloquant le tube digestif et permet de retirer efficacement les sécrétions trachéobronchiques.	

Plan de soins infirmiers 58-2 (suite)

Patient inconscient

Interventions infirmières	*Justification*	*Résultats escomptés*
g) Utiliser de l'oxygène humidifié, la respiration assistée en pression positive ou la ventilation mécanique si une insuffisance respiratoire semble imminente.	g) Quand l'analyse des gaz du sang artériel indique que la ventilation et les échanges gazeux sont insuffisants, l'insuffisance respiratoire est imminente.	
h) Prendre les pouls (radial, carotidien, apexien, pédieux); mesurer la pression artérielle.	h) On peut ainsi évaluer l'état de la circulation.	
i) Collaborer à l'introduction de la sonde nasogastrique. (La sonde endotrachéale à ballonnet devrait être insérée avant la sonde nasogastrique.)	i) À cause de l'absence des réflexes pharyngés protecteurs, de la réduction de la motilité gastrique et de la régurgitation, le patient inconscient est sujet à l'aspiration du contenu de son estomac. L'introduction d'une sonde nasogastrique permet d'aspirer le contenu de l'estomac et d'alimenter le patient par voie orale.	

Diagnostic infirmier: Diminution de l'irrigation tissulaire cérébrale reliée au coma

Objectif: Irrigation adéquate des tissus du cerveau dans le but de maintenir l'homéostasie cérébrale

Interventions infirmières	*Justification*	*Résultats escomptés*
1. Évaluer régulièrement le niveau de conscience du patient ainsi que les changements dans ses réactions.	1. Le niveau de conscience est le signe qui reflète le mieux l'évolution de l'état du patient.	• Le patient commence à ouvrir les yeux et à réagir sur commande. • Le diamètre, la réactivité et la symétrie des pupilles sont normaux. • Le patient semble plus éveillé, moins agité. • Il bouge ses membres correctement en réponse à des ordres ou à des stimuli douloureux. • Ses signes vitaux sont dans les limites acceptables.
2. Noter les réactions exactes du patient: ouverture des yeux, réponse verbale, mouvements et qualité du langage. Décrire les stimuli qui ont été nécessaires pour provoquer la réaction.	2. L'échelle de Glasgow permet d'évaluer ces réactions. Le patient inconscient est incapable de réagir sur commande ou de prononcer des mots intelligibles.	
3. Examiner les pupilles et évaluer leur diamètre, leur forme et leur réaction à la lumière.	3. Les anomalies pupillaires sont importantes dans la recherche des causes du coma.	
4. Évaluer les mouvements des membres en réponse à un ordre verbal ou à un stimulus douloureux.	4. L'absence de réaction, les réactions à retardement et les réactions inégales sont des signes cliniques défavorables. Par contre, une réaction positive est un bon signe et indique que le patient reprend conscience.	
5. Suivre l'évolution des signes vitaux:		
a) Prendre les signes vitaux de base (initiaux) du patient et prévenir le médecin si la pression artérielle présente une fluctuation marquée et si le pouls et le cycle ventilatoire sont instables.	a) La fluctuation des signes vitaux traduit un changement dans l'homéostasie intracrânienne. La mesure des signes vitaux est également essentielle pour dépister l'hémorragie.	

Plan de soins infirmiers 58-2 (suite)

Patient inconscient

Interventions infirmières	*Justification*	*Résultats escomptés*
b) Évaluer la pression artérielle, le pouls, la fréquence respiratoire, le cycle ventilatoire et la température à la fréquence prescrite jusqu'à ce que l'état clinique du patient soit stable.	b) Il est impératif de prendre et de noter la température car les mécanismes de thermorégulation peuvent être perturbés. L'hyperthermie est de mauvais pronostic. La pression artérielle systolique doit être adéquate pour que la pression d'irrigation du cerveau se maintienne. Les lésions cérébrales peuvent aussi bien augmenter ou diminuer la pression artérielle. Un pouls lent, une augmentation de la pression artérielle et un ralentissement de la respiration sont associés aux atteintes cérébrales.	

Diagnostic infirmier: Déficit de volume liquidien relié à l'incapacité d'ingérer des liquides par voie orale en raison de l'état comateux

Objectif: Maintien de l'équilibre hydrique

1. Rechercher les signes d'hyperhydratation ou de déshydratation. Administrer des liquides intraveineux selon l'ordonnance.	1. Quand un patient reçoit des liquides intraveineux, on doit obtenir régulièrement des mesures des électrolytes sériques afin d'évaluer l'équilibre hydroélectrolytique.	• Les résultats des examens de laboratoire sont satisfaisants. • La peau du patient a une élasticité normale.

Diagnostic infirmier: Déficit nutritionnel relié à l'inconscience

Objectif: Satisfaction des besoins nutritionnels

1. Faire les préparatifs nécessaires à l'alimentation par sonde nasogastrique.	1. L'alimentation par sonde nasogastrique assure une meilleure nutrition que l'alimentation intraveineuse. L'iléus paralytique est assez fréquent chez le patient inconscient et la sonde nasogastrique peut être utilisée pour aspirer le contenu gastrique, ce qui peut se révéler nécessaire pour décomprimer l'estomac.	• Le patient tolère bien l'alimentation nasogastrique. • Il ne montre aucun signe d'aspiration.
a) Introduire la sonde gastrique par le nez jusqu'à l'estomac.		
b) Aspirer le contenu gastrique avant chaque repas.	b) Si le contenu aspiré excède 50 mL, le patient présente peut-être un début d'iléus pouvant entraîner une distension de l'estomac et des vomissements.	
c) Relever la tête et le thorax du patient et administrer lentement entre 100 et 150 mL d'aliments passés au mélangeur. Augmenter graduellement les quantités jusqu'à ce que le patient prenne entre 400 et 500 mL par repas.	c) En relevant la tête du patient avant, pendant et après le repas, on diminue les risques de reflux œsophagien, de régurgitation et d'aspiration.	

Plan de soins infirmiers 58-2 (suite)

Patient inconscient

Interventions infirmières	*Justification*	*Résultats escomptés*
d) Administrer quotidiennement entre 2000 et 2500 mL d'eau par la sonde.	d) Le patient inconscient a besoin de recevoir chaque jour une quantité suffisante d'eau. Une alimentation à forte teneur en protéines peut entraîner une diurèse osmotique pouvant provoquer une déshydratation et un coma hyperosmolaire si l'apport liquidien est insuffisant. La fièvre, la transpiration excessive et les pertes liquidiennes d'origines diverses augmentent aussi les besoins en liquide.	
e) Terminer chaque repas par de l'eau. Garder au réfrigérateur la nourriture destinée à l'alimentation nasogastrique.	e) L'administration d'eau empêche le tube de se bloquer et fournit au patient le liquide nécessaire pour prévenir la déshydratation.	
2. Préparer le patient pour une gastrostomie ou pour une alimentation parentérale totale si le coma semble vouloir se prolonger indéfiniment.	2. L'intubation nasogastrique prolongée peut causer une œsophagite (due aux reflux gastriques) et une érosion de la cloison des fosses nasales.	

Diagnostic infirmier: Incontinence reliée au coma

Objectif: Rétablissement rapide ou maintien du fonctionnement normal du sphincter vésical

Interventions infirmières	*Justification*	*Résultats escomptés*
1. Surveiller les signes de distension vésicale.	1. La plupart des patients comateux sont incontinents mais vident régulièrement leur vessie.	• Le patient ne souffre pas de distension vésicale. • Il ne présente pas de lésion de l'épiderme.
a) Utiliser un étui pénien (condom Texas) pour le patient de sexe masculin. Il faut éviter d'utiliser une sonde à demeure à cause des risques d'infection des voies urinaires.	a) L'utilisation d'un étui pénien pour recueillir les urines évite la macération de la peau et les lésions de l'épiderme.	
b) Envoyer un échantillon d'urines pour culture au laboratoire à intervalles réguliers.	b) La culture des urines permet de dépister l'infection des voies urinaires.	

Diagnostic infirmier: Constipation ou diarrhée reliée au coma

Objectif: Rétablissement du fonctionnement normal du sphincter vésical

Interventions infirmières	*Justification*	*Résultats escomptés*
1. Vérifier si le patient souffre de constipation ou de diarrhée.	1. La constipation est causée par l'immobilité et une carence en fibres alimentaires.	• Le patient a des selles molles et bien formées.
2. Faire suivre au patient un programme de rééducation vésicale dès que possible (chapitre 42).		

Plan de soins infirmiers 58-2 (suite)

Patient inconscient

Interventions infirmières	***Justification***	***Résultats escomptés***
Diagnostic infirmier: Risque élevé d'atteinte à l'intégrité de la peau relié à l'immobilité ou à l'agitation		
Objectif: Préservation de l'intégrité de la peau		
1. Garder la peau propre et sèche et prévenir la compression des points d'appui.	1. Le patient comateux est sujet aux escarres de décubitus. Les soins visent à prévenir la formation d'escarres aux points d'appui.	• Le patient ne présente aucune lésion de l'épiderme. • Sa peau est en bon état et d'une élasticité normale.
2. Tourner le patient régulièrement.	2. Les changements de position visent à soulager la compression des points d'appui.	
3. Lubrifier la peau à l'aide de lotions émollientes.	3. La lubrification prévient l'irritation causée par les draps, l'assèchement et l'irritation par frottement.	
4. Examiner les points d'appui à la recherche de rougeurs et de lésions cutanées.	4. Consulter le chapitre 42 pour connaître les autres mesures de prévention des escarres de décubitus.	
5. Couper les ongles du patient pour ne pas qu'il s'inflige des blessures en se grattant accidentellement ou par réflexe.		
Diagnostic infirmier: Risque d'atteinte à l'intégrité des tissus cornéens relié à un réflexe cornéen inexistant ou inadéquat		
Objectif: Préservation de l'intégrité de la cornée		
1. Protéger les yeux du patient contre l'irritation de la cornée.	1. La cornée sert d'écran protecteur. Si les yeux restent ouverts pendant de longues périodes, la cornée peut devenir sèche et s'écorcher; les yeux peuvent alors s'infecter et s'ulcérer.	• L'aspect des yeux du patient est normal: absence de rougeur, d'écoulement purulent ou de signes d'irritation ou d'infection.
a) S'assurer que les draps et couvertures ne frottent pas contre les yeux du patient.		
b) Examiner régulièrement le diamètre des pupilles et l'état des yeux à l'aide d'un crayon lumineux.		
c) Irriguer les yeux avec la solution prescrite.	c) On peut ainsi évacuer les sécrétions, et empêcher que la cornée ne s'ulcère et que l'œil ne devienne vitreux.	
d) Si le coma se prolonge, fermer les yeux du patient à l'aide de ruban ou préparer le patient pour une suture temporaire des paupières.		

Plan de soins infirmiers 58-2 (suite)

Patient inconscient

Interventions infirmières	Justification	Résultats escomptés
Diagnostic infirmier: Risque élevé d'accident relié aux convulsions et à l'agitation		
Objectif: Prévention des accidents		
1. Empêcher le patient de se blesser.	1. Le patient souffrant d'un traumatisme crânien est sujet aux convulsions.	• Le patient ne présente aucun signe de blessure ou de lésion.
a) Consulter le chapitre 59 pour les interventions infirmières appropriées. b) Observer le patient durant les convulsions et noter ses observations. c) Administrer les anticonvulsivants selon l'ordonnance.		
2. Administrer les soins infirmiers en fonction des changements dans l'état du patient. Connaître les différents degrés d'agitation.	2. Un certain degré d'agitation peut indiquer parfois que le patient reprend conscience. Toutefois, l'agitation est fréquemment un signe d'hypoxie cérébrale, d'obstruction partielle des voies respiratoires, de distension vésicale, d'hémorragie non décelée ou de fracture. L'agitation peut également indiquer une lésion cérébrale.	
a) Si le patient reprend conscience, bien éclairer la chambre pour éviter qu'il ait des hallucinations.		
b) Rembourrer les ridelles du lit, mettre au patient des mitaines.	b) On prévient ainsi les blessures.	
c) Éviter d'administrer trop de sédatifs.	c) Les sédatifs et les narcotiques diminuent la réactivité qui sert d'indicateur lors de l'examen clinique. De plus, certains médicaments influent sur le diamètre et le réflexe des pupilles, qui sont également des indicateurs importants.	
Diagnostic infirmier: Altération de la perception sensorielle reliée au coma		
Objectif: Favoriser la stimulation sensorielle		
1. Fournir au patient un environnement stimulant et favoriser les contacts sociaux.	1. L'écoute de sons familiers stimule les régions corticales.	• Les membres de la famille visitent le patient et communiquent avec lui. • Ils lui font des séances de lecture à haute voix ou suivent avec lui des émissions de télévision ou de radio en tenant compte de ses préférences. • Ils posent des questions et se montrent attentifs aux réponses.
a) Parler au patient; encourager la famille à faire de même.	a) La stimulation des sens aide à diminuer la privation sensorielle.	
b) Stimuler le patient; le toucher; stimuler ses sens.		
c) Au moyen d'un magnétophone, faire écouter au patient des sons familiers provenant de son milieu familial ou professionnel.	c) Ces sons familiers permettent de personnaliser l'environnement du patient.	
2. Expliquer au patient ce qui s'est passé durant son coma. Le laisser poser des questions et parler de son expérience du coma.	2. On aide ainsi le patient à surmonter son anxiété et à mobiliser ses mécanismes de défense, ce qui favorise son rétablissement sur le plan psychologique.	

▷ ***Amélioration de la capacité de communiquer.*** Il est essentiel de guider le patient aphasique dans ses efforts pour améliorer sa capacité de communiquer. Le programme de rééducation doit mettre l'accent autant sur la capacité de comprendre que sur la capacité de parler. Le patient peut aussi tirer avantage d'une planche de communication sur laquelle figurent les besoins courants et les expressions les plus utilisées. La planche de communication est disponible en plusieurs langues. L'infirmière doit encourager le patient à s'exprimer verbalement et à utiliser la planche quand il est incapable de communiquer ses besoins.

Augmentation de la stimulation auditive. On encourage d'abord le patient à *écouter*. Parler équivaut à penser tout haut et on doit mettre l'accent sur la capacité de *penser*. Le patient doit penser, faire le tri des messages qui lui parviennent et formuler sa réponse. L'écoute exige un effort mental; le patient doit donc combattre son inertie mentale et a besoin de temps pour organiser les éléments de sa réponse.

Quand elle prodigue des soins au patient aphasique, l'infirmière ne doit pas oublier de lui *parler*. Cela fait partie des contacts sociaux dont le patient a besoin.

- Pour communiquer avec le patient, il est préférable de lui faire face, de capter son regard et de lui parler normalement mais en utilisant des phrases courtes entrecoupées de pauses. L'important ici est de s'assurer que le patient comprend ce qu'on lui dit.
- La conversation doit se limiter à des choses pratiques et concrètes et l'infirmière doit préciser ses paroles par des gestes, des illustrations et des objets.
- Quand le patient prend un objet et l'utilise, l'infirmière doit nommer l'objet; elle aide ainsi le patient à faire correspondre les mots et les gestes.
- La cohérence est importante; l'infirmière doit reprendre les mêmes formulations et refaire les mêmes gestes quand elle donne des directives ou répond à des questions.
- Comme le patient est sujet à la fatigue et à l'inattention, il faut éviter le plus possible les bruits inutiles. Le patient ne pourra pas trier l'information qui lui parvient s'il y a trop de bruit ou de va-et-vient.

Rétablissement de la parole. Quand le patient essaie de communiquer, il est essentiel que l'infirmière essaie véritablement de le comprendre et qu'elle le traite en adulte intelligent. Elle doit aussi lui montrer qu'elle le considère comme une personne digne d'intérêt. Elle ne doit jamais forcer le patient à corriger ses erreurs car elle ne réussirait qu'à le contrarier davantage. Elle ne doit pas non plus terminer les phrases à sa place. Le patient aphasique est souvent frustré et déprimé. Durant les périodes d'instabilité émotionnelle, il faut donc l'aborder de façon calme et posée et lui montrer qu'on l'accepte. Les paroles motivées par les émotions (par exemple les jurons) sont souvent les premières à sortir; le personnel infirmier ne doit pas y prêter attention.

Le patient aphasique a besoin d'une stimulation à la fois interne et externe qui le pousse à réagir. Le traitement est donc basé sur les besoins du patient et sur ses motivations et ses intérêts antérieurs. Si le langage du patient est inintelligible ou déformé, il pourra utiliser des gestes pour aider l'infirmière à le comprendre.

- L'infirmière doit continuer à écouter le patient.
- Elle répond d'un signe de tête et fait des commentaires neutres de temps à autre.

S'il le faut, on change de sujet pour susciter un autre point d'intérêt et un nouveau cadre de référence.

L'environnement du patient doit être stimulant et les stimuli auditifs doivent être accompagnés de stimuli visuels. Le patient est encouragé à lire durant quelques minutes à la fois et peut regarder des illustrations pendant qu'une autre personne les lui décrit. Les jeux aussi stimulent l'esprit et aident le patient à organiser ses pensées. L'infirmière peut essayer de faire réagir le patient et lui demander de hocher la tête s'il comprend. Elle doit le féliciter chaque fois qu'il répond correctement. On peut également utiliser des moyens de communication moins formels comme la télévision, la radio, les jeux électroniques et le magnétophone. Il faut toutefois se rappeler qu'une stimulation sensorielle, auditive ou visuelle excessive peut surcharger les sens du patient et le contrarier davantage.

▷ ***Amélioration des stratégies d'adaptation familiale.*** Pour aider les membres de la famille à s'adapter à la perturbation irrévocable de leur mode de vie, l'infirmière les informe sur l'accident vasculaire cérébral ou le traumatisme crânien, reconnaît les changements survenus, met l'accent sur les capacités du patient et leur parle des différents réseaux de soutien. L'attitude de la famille joue un rôle important dans les efforts déployés pour aider le patient à s'adapter à son trouble neurologique. L'infirmière doit encourager la famille à se comporter de façon naturelle avec le patient et à le traiter comme auparavant. Les membres de la famille doivent aussi savoir que la capacité de parler du patient peut varier d'une journée à l'autre et être influencée par la fatigue. Ils doivent également s'attendre à ce que le patient se montre violent verbalement durant les périodes où il contrôle moins bien ses émotions. Le patient aphasique est souvent sujet à la contrariété. Il peut pleurer ou rire sans raison apparente et être en proie à de fréquentes sautes d'humeur.

Les groupes de soutien ainsi que les thérapies de groupe pour personnes aphasiques peuvent aider le patient à se faire des amis, à se motiver et à réduire son anxiété et sa tension. Certains facteurs peuvent rendre l'atmosphère familiale très tendue: les efforts constants que les membres de la famille doivent faire pour s'adapter à la maladie du patient, à ses demandes et à ses besoins; les coûts reliés aux soins; et la perturbation du mode de vie. Les membres de la famille doivent véritablement traverser une période de deuil. Ils doivent se renseigner le mieux possible sur les façons d'aider le patient aphasique. Enfin, il faut leur recommander de ne pas s'oublier et de rechercher l'aide d'un travailleur social, d'un membre du clergé ou d'un psychologue s'ils en éprouvent le besoin.

▷ *Évaluation*

Résultats escomptés

1. Le patient améliore son estime de soi.
   a) Il prend part aux décisions.
   b) Il reprend quelques-unes de ses activités habituelles.
   c) Il se joint à un groupe de soutien.
2. Le patient communique avec les autres dans la mesure de ses capacités.
   a) Il fait des exercices de relaxation.
   b) Il essaie de lire à haute voix; il répète les mots.

3. Les membres de la famille améliorent leurs stratégies d'adaptation.
   a) Ils incluent le patient dans leurs activités et sorties.
   b) Ils adoptent une attitude positive envers le patient.
   c) Ils modifient leurs attentes par rapport au patient.
   d) Ils se gardent du temps pour eux-mêmes.

DÉFICIENCES NEUROLOGIQUES CAUSÉES PAR UN ACCIDENT VASCULAIRE CÉRÉBRAL

L'accident vasculaire cérébral désigne toutes les anomalies de fonctionnement du système nerveux central provoquées par une perturbation de l'irrigation sanguine du cerveau. Il peut toucher une artère, une veine ou les deux à la fois. Lors d'un accident vasculaire cérébral, la circulation cérébrale se dérègle à cause d'une occlusion partielle ou totale d'un vaisseau sanguin ou à cause d'une hémorragie provoquée par la rupture de la paroi d'un vaisseau. Le vaisseau sanguin le plus souvent touché est l'artère carotide interne.

L'atteinte vasculaire du SNC peut avoir différentes causes: artériosclérose (cause la plus fréquente), hypertension, malformations artérioveineuses, vasospasmes, inflammation, artérite ou embolie. Quand il y a atteinte vasculaire, les vaisseaux sanguins perdent leur élasticité, durcissent et présentent des dépôts ou plaques athéromateuses qui peuvent être à l'origine d'une embolie. La lumière du vaisseau peut se rétrécir graduellement, ce qui entraîne une perturbation de la circulation cérébrale ainsi qu'une ischémie du cerveau. Si l'ischémie est transitoire, comme dans les accès ischémiques transitoires, la déficience neurologique n'est habituellement pas irréversible. Toutefois, si l'occlusion d'un gros vaisseau provoque un infarctus cérébral (figure 58-4), on peut observer une rupture du vaisseau et une hémorragie.

ACCÈS ISCHÉMIQUES TRANSITOIRES

Un accès ischémique transitoire est une dysfonction neurologique temporaire qui se manifeste habituellement par une perte soudaine de la fonction motrice, sensorielle ou visuelle. Il peut durer quelques secondes ou quelques minutes, mais jamais plus de 24 heures. En général, le patient se rétablit complètement entre les accès. L'accès ischémique transitoire est parfois un signe précurseur de l'accident vasculaire cérébral, les risques à cet égard étant à leur plus fort au cours du mois suivant le premier accès. Il est dû à une perturbation temporaire de l'irrigation sanguine d'une région précise du cerveau, consécutive à des troubles comme l'athérosclérose des vaisseaux irriguant le cerveau, l'obstruction de la microcirculation cérébrale par un petit embole, une baisse de la pression d'irrigation du cerveau ou des arythmies cardiaques, etc.

Les plaques athéromateuses des artères extracrâniennes s'observent le plus souvent à la bifurcation carotidienne et à la naissance des artères vertébrales. L'artère cérébrale moyenne est la plus fréquemment touchée.

Manifestations cliniques

Le symptôme classique d'une atteinte de l'artère carotide est l'*amaurose fugace* (cécité monoculaire transitoire). Il s'agit d'une perte soudaine et indolore de la vue d'un œil. Cette perte peut être complète ou partielle (affaiblissement ou assombrissement dans le champ visuel). L'amaurose fugace est un signe d'ischémie rétinienne causée par une insuffisance de l'artère ophtalmique homolatérale ou de l'artère carotide.

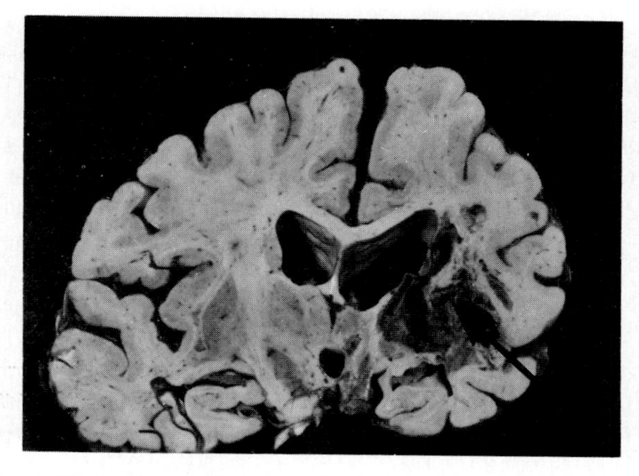

Figure 58-4. Perturbation de la circulation cérébrale qui aboutit à un accident vasculaire cérébral. La flèche indique la région touchée par l'infarctus.

(Source: Armed Forces Institute of Pathologie, négatif n° 55-13956)

Examens diagnostiques

L'auscultation de l'artère carotide peut révéler un *souffle* ou bruit carotidien (son anormal perçu à l'auscultation et causé par une perturbation du débit sanguin). On peut aussi constater une diminution ou une disparition du pouls carotidien au niveau du cou.

La *phonoangiographie de la carotide* sert à l'auscultation, à l'exploration visuelle et à l'enregistrement photographique des bruits carotidiens. L'*oculopléthysmographie* mesure la pulsation du débit sanguin dans l'artère ophtalmique. Quant à l'*angiographie carotidienne,* elle permet de visualiser les vaisseaux cervicaux et intracrâniens.

Enfin, on a recours à l'*angiographie numérique* avec soustraction pour définir une obstruction de l'artère carotide et pour obtenir des données sur les caractéristiques du débit sanguin cérébral.

Traitement

Si le patient n'est pas candidat à l'intervention chirurgicale, on peut lui administrer un traitement anticoagulant pour prévenir d'autres accès et diminuer les risques d'infarctus cérébral grave. Les inhibiteurs des plaquettes (surtout l'aspirine) contribuent à réduire les risques d'infarctus cérébral chez le patient victime de plusieurs accès ischémiques transitoires.

Les interventions chirurgicales les plus souvent pratiquées sont l'endartériectomie (voir plus loin) et l'angioplastie. Cette dernière consiste à introduire un cathéter à ballonnet pour briser la plaque et dilater l'artère.

Endartériectomie. L'endartériectomie carotidienne consiste à extraire de l'artère carotide la plaque ou le caillot athéromateux afin de prévenir l'accident vasculaire cérébral chez un patient présentant une occlusion des artères cérébrales extracrâniennes. (L'accès ischémique est la plupart du temps associé à une lésion des artères extracrâniennes.)

- Après l'endartériectomie, on tient une grille d'évaluation neurologique pour suivre de près l'état du patient. Il faut prévenir immédiatement le neurochirurgien si le patient présente une déficience neurologique. L'aggravation soudaine d'une déficience neurologique, par exemple une faiblesse d'un côté du corps, peut indiquer la formation d'un caillot dans la zone opérée. Il faut alors préparer le patient pour une nouvelle opération.
- Les principales complications de l'endartériectomie carotidienne sont l'accident vasculaire cérébral, les lésions des nerfs crâniens, les infections ou les hématomes dans la région de la plaie, et la rupture de l'artère carotide.
- Durant la période postopératoire immédiate, il est important de maintenir une pression artérielle adéquate. On doit éviter l'hypotension afin de prévenir l'ischémie et la thrombose cérébrale.
- Une trop forte pression artérielle peut entraîner une hémorragie cérébrale. Elle peut aussi provoquer un oedème, une hémorragie au niveau de l'incision chirurgicale ou une rupture de la reconstruction artérielle. On utilise souvent le nitroprussiate de sodium pour ramener la pression artérielle aux valeurs initiales.
- Il faut vérifier si le patient présente des troubles de déglutition, un enrouement ou des signes de dysfonction des nerfs crâniens. La présence d'une tuméfaction dans le cou est à prévoir après l'intervention chirurgicale. Toutefois, si l'oedème et l'hématome sont trop importants, ils peuvent obstruer les voies respiratoires. On doit donc avoir à portée de la main le matériel nécessaire pour une trachéotomie.
- Il faut surveiller de près la fonction cardiaque, car il existe un risque élevé d'insuffisance coronarienne.
- Parmi les complications tardives figurent les accès récurrents et l'infarctus du myocarde.

ACCIDENT VASCULAIRE CÉRÉBRAL

L'accident vasculaire cérébral se manifeste par la perte soudaine de la fonction cérébrale conséquemment à une perturbation de l'irrigation d'une partie du cerveau. Souvent, il est l'aboutissement d'une atteinte vasculaire cérébrale qui date de plusieurs années.

En Amérique du Nord et ailleurs dans le monde, l'accident vasculaire cérébral est le trouble neurologique le plus fréquent. Malgré tout le travail de prévention qui fait sans cesse baisser l'incidence de cette maladie depuis dix ans, elle est toujours la troisième cause de mortalité. Son taux de mortalité varie entre 18 et 37 % dans le cas d'un premier accident et grimpe jusqu'à 62 % au deuxième accident.

Causes de l'accident vasculaire cérébral

En général, l'accident vasculaire cérébral est dû à: (1) une thrombose (présence d'un caillot de sang dans un vaisseau sanguin du cerveau ou du cou); (2) une embolie cérébrale (caillot de sang ou une autre matière migrant au cerveau depuis une autre partie du corps); (3) une ischémie (diminution de l'apport sanguin dans une région du cerveau); et (4) une hémorragie cérébrale (rupture d'un vaisseau sanguin du cerveau avec saignements dans le tissu cérébral ou les espaces entourant le cerveau). Il en résulte une interruption de l'apport sanguin au cerveau entraînant une perte temporaire ou permanente du mouvement, de la pensée, de la mémoire, de la parole ou des sensations.

Thrombose cérébrale. La thrombose cérébrale est la principale cause de l'accident vasculaire cérébral. Elle est souvent due à l'artériosclérose cérébrale ou au ralentissement de la circulation cérébrale.

Au début de la thrombose cérébrale, les maux de tête sont relativement rares. Certains patients présentent des étourdissements, des troubles mentaux ou des convulsions, tandis que d'autres présentent des signes semblables à ceux d'une hémorragie ou d'une embolie cérébrales. En général, la thrombose cérébrale n'apparaît pas soudainement. Une perte temporaire de la parole, une hémiplégie ou des paresthésies unilatérales peuvent se manifester quelques heures ou quelques jours avant l'apparition d'une paralysie grave.

Embolie cérébrale. Des troubles pathologiques du côté gauche du cœur (comme l'endocardite infectieuse, la cardite rhumatismale et l'infarctus du myocarde) ou des infections respiratoires sont souvent à l'origine d'une embolie cérébrale. La présence d'une valvule cardiaque prothétique peut déclencher un accident vasculaire cérébral car elle est associée à une augmentation de l'incidence des embolies. L'administration d'un traitement anticoagulant après l'introduction d'une valvule prothétique peut probablement réduire les risques d'accident vasculaire cérébral. Une panne de stimulateur cardiaque, la fibrillation auriculaire et la cardioversion visant à traiter la fibrillation auriculaire sont d'autres causes possibles d'embolie cérébrale et d'accident vasculaire cérébral.

Habituellement, l'embole se trouve dans l'artère cérébrale moyenne ou dans l'une de ses ramifications et perturbe la circulation cérébrale.

- L'apparition soudaine d'une hémiparésie ou d'une hémiplégie accompagnée ou non d'aphasie ou de perte de conscience chez le patient souffrant d'une cardiopathie ou d'une maladie pulmonaire est un signe caractéristique d'embolie cérébrale.

Ischémie cérébrale. L'ischémie cérébrale (insuffisance de la circulation cérébrale) est surtout causée par une constriction athéromateuse des artères qui irriguent le cerveau. Elle se manifeste le plus souvent par un accès ischémique transitoire.

Hémorragie cérébrale. Dans l'étude de Framingham d'une durée de 24 ans, l'hémorragie est à l'origine de l'accident vasculaire cérébral dans 15 % des cas. L'hémorragie peut se produire à l'extérieur de la dure-mère (hémorragie extradurale ou épidurale), au-dessous de la dure-mère (hémorragie sous-durale), dans l'espace arachnoïdien (hémorragie sous-arachnoïdienne) ou à l'intérieur du tissu cérébral (hémorragie intracérébrale) (voir la figure 58-5).

Hémorragie extradurale. L'hémorragie extradurale (ou épidurale) est une urgence neurologique. Cette forme d'hémorragie provient habituellement d'une fracture du crâne accompagnée d'une rupture de l'artère moyenne ou d'une autre artère méningée. Si le patient n'est pas traité dans les heures qui suivent le début de l'hémorragie, ses chances de survie sont minces. (Pour de plus amples détails, consulter la section consacrée aux traumatismes crâniens au chapitre 59.)

Hémorragie sous-durale. L'hémorragie sous-durale (à l'exception de l'hémorragie sous-durale aiguë) est essentiellement semblable à l'hémorragie extradurale sauf qu'une plus longue période (un plus long intervalle de lucidité) s'écoule avant que l'hématome se forme et comprime le cerveau. (Voir aussi la section sur le traumatisme crânien au chapitre 59.)

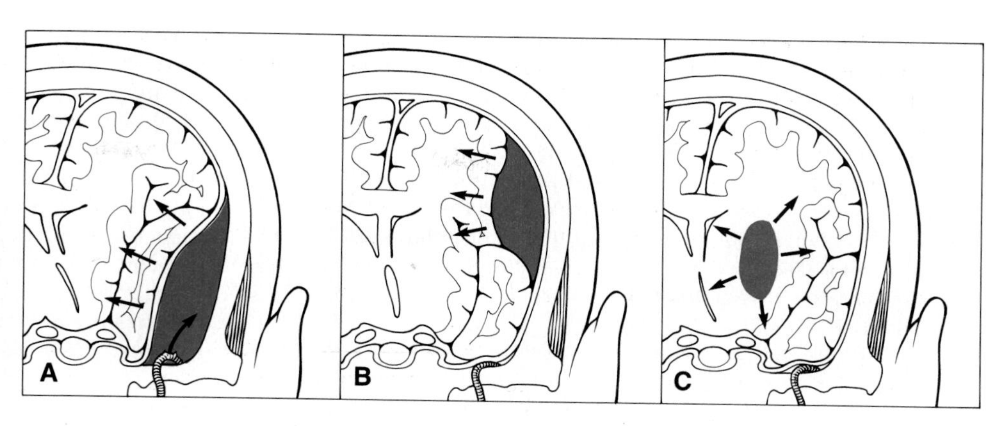

Figure 58-5. **(A)** Hémorragie extradurale ou épidurale (saignement entre l'intérieur du crâne et la dure-mère qui comprime le cerveau par en dessous). **(B)** Hémorragie sous-durale (saignement entre la dure-mère et l'arachnoïde). **(C)** Hémorragie intracérébrale (saignement dans le cerveau ou le tissu cérébral qui entraîne un déplacement des tissus adjacents).

Hémorragie sous-arachnoïdienne. L'hémorragie sous-arachnoïdienne (se produisant dans l'espace arachnoïdien) peut être due à un traumatisme ou à l'hypertension, mais est le plus souvent causée par la rupture d'un anévrisme dans la région de l'hexagone artériel de Willis ou par une malformation congénitale artérioveineuse du cerveau. L'anévrisme peut se former dans n'importe quelle artère du cerveau. (Voir le chapitre 59 pour la description du traitement des anévrismes intracrâniens.)

Hémorragie intracérébrale. L'hémorragie intracérébrale (saignement dans la substance cérébrale) survient le plus souvent chez des personnes atteintes d'hypertension ou d'athérosclérose cérébrale, car ces maladies s'accompagnent de changements dégénératifs pouvant provoquer la rupture d'un vaisseau. Elle entraîne souvent un accident vasculaire cérébral chez les personnes de 40 à 70 ans. Chez les personnes de moins de 40 ans, l'hémorragie intracérébrale provient généralement de malformations artérioveineuses et d'angioblastomes.

Habituellement, les saignements proviennent d'une artère et se produisent surtout autour des noyaux gris centraux. L'hémorragie intracérébrale peut également être causée par certaines formes de maladie artérielle, par une tumeur cérébrale et par certains médicaments (anticoagulants oraux, amphétamines et diverses substances toxicomanogènes). Le tableau clinique et le pronostic dépendent principalement de l'ampleur de l'hémorragie et de l'atteinte cérébrale. Dans certains cas, les saignements entraînent la rupture de la paroi du ventricule latéral, ce qui provoque une hémorragie intraventriculaire souvent fatale.

En général, l'hémorragie intracérébrale débute de façon brutale par de fortes céphalées. À mesure que l'hématome grossit, la déficience neurologique s'aggrave et se manifeste par des troubles de la conscience et des anomalies des signes vitaux. Si l'hémorragie est limitée ou s'étend de façon graduelle, la compression des tissus peut être négligeable. Une déficience neurologique importante peut toutefois se produire en quelques heures seulement. L'altération marquée de la conscience (stupeur / coma) dès les premiers stades de l'hémorragie est généralement d'un mauvais pronostic.

Le traitement de l'hémorragie intracérébrale soulève la controverse. Si l'hémorragie est peu importante, on préconise un traitement conventionnel et symptomatique.

- On doit abaisser la pression artérielle à l'aide d'antihypertenseurs. Il faut toutefois faire preuve de prudence car une baisse trop importante ou trop rapide de la pression artérielle peut aggraver la déficience neurologique. La forme de traitement la plus efficace est la prévention des affections vasculaires hypertensives.

Facteurs de risque et prévention

La prévention est le meilleur moyen de réduire l'incidence des accidents vasculaires cérébraux. On doit donc prendre les mesures nécessaires pour réduire les facteurs qui y prédisposent.

- La mesure de prévention la plus importante est le traitement de l'hypertension, qui est le principal facteur de risque d'accident vasculaire cérébral.
- Les maladies cardiovasculaires (cardite rhumatismale, arythmies [surtout la fibrillation auriculaire], insuffisance cardiaque, hypertrophie ventriculaire gauche) entraînent la possibilité de la migration vers le cerveau d'un embole provenant du cœur.
- Un hématocrite à la limite supérieure de la normale est associé à un risque accru d'infarctus cérébral.
- Le diabète peut favoriser la formation d'athéromes.
- Les femmes qui prennent des contraceptifs oraux semblent davantage exposées aux accidents vasculaires cérébraux, surtout si elles souffrent d'hypertension, sont âgées de plus de 35 ans, fument ou ont un taux élevé d'œstrogènes.
- Une baisse excessive ou prolongée de la pression artérielle due à un choc, à une hémorragie, à une intervention chirurgicale, à des interventions diagnostiques ou à la prise de certains médicaments peut entraîner une ischémie cérébrale générale. Il s'agit de situations qui exigent une surveillance étroite.
- L'usage de drogues peut aussi provoquer un accident vasculaire cérébral chez les adolescents et les jeunes adultes.
- Chez les personnes jeunes, les principaux facteurs de risque sont l'augmentation du taux des lipides sanguins (particulièrement le cholestérol), l'hypertension, le tabagisme et l'obésité.
- On croit qu'il existe un lien entre la consommation excessive d'alcool et les accidents vasculaires cérébraux.

Manifestations cliniques

L'accident vasculaire cérébral peut entraîner diverses déficiences neurologiques qui varient selon la zone du cerveau atteinte par la lésion (c'est-à-dire du vaisseau obstrué), de l'ampleur de l'ischémie et de l'efficacité de la circulation collatérale. Il laisse habituellement des séquelles.

Perte motrice. L'accident vasculaire cérébral affecte les neurones moteurs supérieurs et entraîne incidemment une perte de contrôle totale ou partielle du mouvement volontaire. En raison de la décussation (croisement) des neurones moteurs supérieurs, l'existence d'une perturbation du mouvement volontaire dans un côté du corps peut indiquer une atteinte des neurones moteurs supérieurs situés du côté opposé du cerveau. Le trouble moteur le plus courant est l'hémiplégie (paralysie d'un côté du corps) causée par une lésion du côté opposé du cerveau. L'hémiparésie (faiblesse d'un côté du corps) est également un signe de lésion.

Au premier stade de l'accident vasculaire cérébral, le tableau clinique peut comprendre une paralysie flasque et une disparition ou une diminution des réflexes ostéotendineux. Quand les réflexes ostéotendineux reviennent (généralement dans les 48 heures), on constate un accroissement du tonus et une spasticité (augmentation anormale du tonus musculaire) dans les membres du côté atteint.

Altération de la capacité de communiquer. L'accident vasculaire cérébral peut aussi entraîner une altération du langage et de la capacité de communiquer; il est en fait la principale cause de l'aphasie. Voir l'encadré 58-2 pour la définition des différents troubles du langage, et à la page 1876 pour une description de l'aphasie et des soins infirmiers qui s'y rapportent.

Altération de la perception. La perception est la capacité d'interpréter les sensations. L'altération de la perception visuelle provient de la perturbation des voies sensorielles primaires situées entre l'œil et les centres visuels. L'accident vasculaire cérébral peut provoquer une *hémianopsie homonyme* (perte de la moitié du champ visuel) temporaire ou permanente. La perte du champ visuel se situe du côté paralysé du corps. La tête du patient se détourne du côté atteint et celui-ci a tendance à négliger ce côté ainsi que l'espace qu'il englobe. Ainsi, il sera incapable de voir la nourriture qui se trouve sur une des deux moitiés de son plateau et verra seulement la moitié de sa chambre.

Pour vérifier si le patient souffre d'hémianopsie, l'infirmière lui demande de la regarder en face. Elle place ensuite son doigt à environ 30 cm de l'oreille du patient du côté indemne et ramène son doigt lentement dans le champ visuel du patient. L'incapacité de voir le mouvement du doigt de l'infirmière d'un côté peut être un signe d'hémianopsie. Évidemment, il faut tenir compte de cette perte visuelle dans toutes les interventions de réadaptation. Par exemple, le personnel infirmier doit se présenter au patient du côté où la perception visuelle est intacte. Il faut aussi placer tous les stimuli visuels (horloge, calendrier, télévision, etc.) de ce même côté. On peut également apprendre au patient à tourner la tête vers le champ visuel atteint afin de compenser la perte visuelle. Pour ce faire, l'infirmière doit capter son regard et l'inciter à tourner la tête en attirant son attention vers le côté atteint. Enfin, pour améliorer la vision, il est important d'augmenter l'éclairage naturel ou artificiel de la chambre et de faire porter au patient ses verres correcteurs s'il en a besoin.

L'altération des relations entre deux ou plusieurs objets dans l'espace est courante chez le patient souffrant d'une hémiplégie du côté gauche. Celui-ci sera par exemple incapable de s'habiller parce qu'il ne peut faire correspondre ses vêtements et les différentes parties de son corps. Pour l'aider l'infirmière peut favoriser l'organisation et l'ordre dans sa chambre, ce qui lui évitera la confusion. L'infirmière doit aussi encourager le patient à prendre son temps. Enfin, elle doit faire preuve de tact quand elle lui rappelle où se trouve un objet qu'il ne peut trouver.

L'ampleur des *pertes sensorielles* causées par un accident vasculaire cérébral varie. Le patient peut ne présenter qu'une légère déficience tactile, mais il peut aussi présenter une atteinte grave comme une perte de la sensibilité proprioceptive (incapacité de percevoir la position et le mouvement des parties du corps) ou une difficulté à interpréter les stimuli visuels, tactiles et auditifs.

Altération de l'activité mentale et effets psychologiques. Si la lésion est située dans le lobe frontal, elle peut causer une altération des capacités d'apprentissage, de la mémoire ou de d'autres fonctions cérébrales supérieures. Le patient peut alors présenter une diminution du champ d'attention, des troubles de la compréhension, un manque de mémoire et un manque de motivation. Ces manifestations entraînent des problèmes désagréables pour le patient durant sa réadaptation. La dépression est une réaction compréhensible compte tenu de la nature catastrophique de la maladie. Le patient connaît une foule d'autres problèmes psychologiques qui se manifestent par une labilité émotionnelle, de l'hostilité, de la contrariété, du ressentiment et un manque de coopération.

Altération de l'élimination urinaire. Le patient ayant subi un accident vasculaire cérébral peut souffrir d'une incontinence urinaire temporaire due à la confusion, à l'incapacité d'exprimer ses besoins et à l'incapacité d'utiliser l'urinoir ou le bassin hygiénique à cause d'une déficience motrice et posturale. Dans certains cas, la vessie du patient victime d'un accident vasculaire cérébral perd son tonus et ne réagit plus à l'accumulation d'urine. Parfois, le contrôle du sphincter urinaire externe est inhibé ou diminué. Durant cette période, on a recours au cathétérisme intermittent effectué selon une technique aseptique. Quand le tonus musculaire s'améliore et que les réflexes ostéotendineux reviennent, le tonus de la vessie augmente et le patient peut présenter une spasticité de la vessie. Une incontinence urinaire ou intestinale prolongée peut indiquer la présence d'une lésion neurologique étendue.

Conduite à tenir au cours de la phase aiguë d'un accident vasculaire cérébral

En général, un coma profond lors de l'admission au centre hospitalier est d'un mauvais pronostic. Par contre, le pronostic est favorable si le patient est pleinement conscient à son arrivée. La phase aiguë d'un accident vasculaire cérébral dure généralement entre 48 et 72 heures. Voir à la page 1871 pour les principes qui régissent le traitement du patient inconscient. En phase aiguë, le maintien de la respiration et de la ventilation sont des priorités. On trouvera dans le tableau 58-2 les troubles neurologiques courants associés à l'accident vasculaire cérébral et au tableau 58-3, la comparaison des symptômes de l'accident vasculaire cérébral du côté droit avec ceux de l'accident vasculaire cérébral du côté gauche. Environ 90 % de la population présente une dominance de l'hémisphère gauche, qui contrôle le côté droit du corps. Les gauchers ont généralement une dominance hémisphérique droite, mais une minorité d'entre eux ont une dominance gauche.

TABLEAU 58-2. ***Troubles neurologiques associés à l'accident vasculaire cérébral: manifestations et soins infirmiers***

Troubles neurologiques	*Manifestations*	*Soins infirmiers/Enseignement*
TROUBLES VISUELS:		
Hémianopsie homonyme (perte de la moitié du champ visuel)	• Incapacité de voir les objets ou les personnes du côté atteint • Négligence d'un côté du corps • Difficulté à évaluer les distances	Placer les objets dans la partie intacte du champ visuel. Approcher le patient du côté intact du champ visuel. Lui apprendre à tourner la tête vers le côté visuel atteint pour compenser la perte de vision; lui rappeler de le faire. L'encourager à porter ses verres correcteurs s'il y a lieu. Lors de l'enseignement au patient, se placer dans la partie intacte du champ visuel.
Perte de la vision périphérique	• Difficulté à voir la nuit • Incapacité de voir les objets.	Placer les objets dans le centre du champ visuel. Encourager le patient à utiliser une canne ou un autre objet pour sentir les objets en périphérie du champ visuel. Lui déconseiller de conduire sa voiture le soir ou de pratiquer toute autre activité qui présente un danger.
Diplopie	• Vision double	Quand on place un objet près du patient, lui en expliquer la position exacte. Remettre à leur place exacte les effets personnels du patient.
TROUBLES MOTEURS:		
Hémiparésie	• Faiblesse du visage, du bras et de la jambe d'un même côté (causée par une lésion dans l'hémisphère cérébral opposé)	Placer les objets à la portée du patient, du côté indemne. Enseigner au patient des exercices pour augmenter sa force du côté indemne.
Hémiplégie	• Paralysie du visage, du bras et de la jambe d'un même côté (causée par une lésion dans l'hémisphère opposé)	Faire exécuter au patient des exercices passifs d'amplitude des mouvements articulaires des membres du côté atteint. Immobiliser certaines parties du côté atteint selon les besoins. Inciter le patient à respecter un alignement corporel neutre. Enseigner au patient des exercices pour améliorer la mobilité, la force et l'usage des membres non atteints.
Ataxie	• Démarche instable et titubante • Incapacité de garder les pieds ensemble; le patient a besoin d'écarter les jambes pour se tenir debout.	Soutenir le patient quand il commence à se lever. Mettre à sa disposition des aides à la motricité (déambulateur, béquilles, canne). Lui recommander de ne pas marcher sans le soutien d'une autre personne ou d'une aide à la motricité.
Dysarthrie	• Incapacité de former les mots	Enseigner au patient des méthodes de communication non verbale. Lui laisser le temps de répondre quand on lui parle. Aider le patient et sa famille à surmonter les difficultés reliées à la communication.
Dysphagie	• Difficulté à avaler	Vérifier les réflexes pharyngés du patient avant de lui donner à boire ou à manger. L'aider à prendre ses repas. Offrir la nourriture du côté non atteint de la bouche. Lui laisser le temps qu'il faut pour manger.

TABLEAU 58-2. (suite)

Troubles neurologiques	*Manifestations*	*Soins infirmiers/Enseignement*
TROUBLES SENSORIELS:		
Paresthésies (du côté opposé à la lésion)	• Engourdissement et picotement dans différentes parties du corps • Troubles proprioceptifs	Conseiller au patient de ne pas utiliser comme membre dominant le membre touché. Lui faire effectuer des exercices des régions atteintes et lui enseigner à utiliser des appareils correcteurs au besoin. Placer ses effets personnels du côté indemne.
TROUBLES DU LANGAGE		
Aphasie de Broca (aphasie d'expression ou motrice)	• Incapacité de former des mots intelligibles; le patient est parfois capable de répondre par un seul mot	Encourager le patient à répéter les lettres de l'alphabet.
Aphasie de Wernicke (aphasie sensorielle)	• Incapacité de comprendre le langage parlé; le patient peut être capable de parler mais de façon inintelligible.	Parler lentement et clairement pour aider le patient à former les sons.
Aphasie globale	• Aphasie touchant à la fois l'expression et la compréhension	Parler clairement et avec des phrases simples; utiliser des gestes ou des illustrations si possible.
TROUBLES COGNITIFS:	• Perte de la mémoire immédiate et à long terme • Diminution du champ d'attention • Diminution de la capacité de concentration • Perturbation du raisonnement abstrait • Baisse de l'acuité mentale	Orienter régulièrement le patient dans les trois sphères: temps, espace et personnes. Utiliser des repères verbaux et auditifs pour orienter le patient. Entourer le patient d'objets familiers (photos, objets favoris). Parler de façon simple. Démontrer des tâches tout en donnant des explications verbales: par exemple, prendre une brosse à dent, mimer le brossage des dents en disant «J'aimerais que vous vous brossiez les dents maintenant.» Lors des séances d'enseignement, éliminer les stimuli visuels et auditifs inutiles. Répéter et expliquer souvent les directives. Poser au patient des questions relatives au raisonnement abstrait et à l'acuité mentale en tenant compte de ses antécédents culturels et éducatifs; par exemple, demander «En quoi une orange et une pomme se ressemblent-elles?», «Que feriez-vous s'il y avait un incendie?»
TROUBLES ÉMOTIONNELS:	• Perte de la maîtrise de soi • Instabilité émotionnelle • Difficulté à tolérer le stress • Dépression • Repli sur soi • Peur, hostilité et colère • Sentiment d'isolement	Soutenir le patient quand il ne se maîtrise plus. Expliquer au patient et à sa famille que ces crises sont reliées à la maladie. Encourager le patient à participer aux activités de groupe. Stimuler le patient. Éviter les situations stressantes si possible. Prendre les mesures de sécurité nécessaires pour protéger le patient. Encourager le patient à exprimer les sentiments qu'il éprouve par rapport à sa maladie.

TABLEAU 58-3. ***Comparaison des symptômes de l'accident vasculaire cérébral du côté gauche avec ceux de l'accident vasculaire cérébral du côté droit****

Côté gauche	*Côté droit*
Aphasie de Broca, de Wernicke et globale	Troubles de perception ou d'interprétation spatiale
Altération des capacités intellectuelles	Diminution du champ d'attention
Perte du champ visuel droit	Comportement impulsif
	Perte du champ visuel gauche

* *Les manifestations cliniques et les soins infirmiers qui se rapportent à ces deux types d'accident vasculaire cérébral sont décrits au tableau 58-2.*

Dans la phase aiguë de l'accident vasculaire cérébral, le traitement médical peut comprendre l'administration de diurétiques visant à réduire l'œdème cérébral. L'œdème atteint son maximum de trois à cinq jours après l'infarctus cérébral. On peut aussi donner des anticoagulants pour prévenir l'évolution ou l'extension du caillot ou de l'embole provenant du système cardiovasculaire. Le patient reçoit parfois des inhibiteurs des plaquettes, car les plaquettes jouent un rôle de premier plan dans la formation des caillots et dans l'embolisation.

Le traitement vise aussi à améliorer le débit sanguin et le métabolisme du cerveau.

- Il faut maintenir la liberté des voies respiratoires et l'irrigation cérébrale.
- Il faut aussi assurer une bonne oxygénation du sang allant au cerveau afin de prévenir l'aggravation de l'atteinte cérébrale. La fonction cérébrale dépend totalement de l'oxygène disponible qui parvient aux tissus cérébraux. On doit maintenir la pression artérielle et le débit cardiaque de façon à soutenir le débit sanguin cérébral. Il faut aussi hydrater le patient (par des solutions intraveineuses) pour réduire la viscosité de son sang et améliorer la circulation cérébrale. Une oxygénothérapie peut également être nécessaire.
- On installe le patient en décubitus latéral ou semi-ventral, la tête du lit légèrement élevée afin d'abaisser la pression veineuse cérébrale.
- Si le patient présente un accident vasculaire cérébral massif, il aura besoin d'une intubation endotrachéale et d'une ventilation assistée car l'arrêt respiratoire est une importante cause de décès dans ce cas.
- Il faut surveiller l'apparition de complications pulmonaires (aspiration, atélectasie et pneumonie), qui peuvent être causées par l'inhibition des réflexes des voies respiratoires, l'immobilité ou l'hypoventilation.
- On examine le cœur pour en vérifier le volume et le rythme et pour dépister les signes d'insuffisance cardiaque.

Il arrive parfois qu'une arythmie provoque une embolie cérébrale. L'embolie cérébrale peut survenir après un infarctus du myocarde ou une fibrillation auriculaire; elle peut aussi être due à une valvule cardiaque prothétique.

Une baisse trop rapide de la pression artérielle peut provoquer une ischémie cérébrale ou myocardique. Enfin, on doit prévenir et traiter l'hypertension.

DÉMARCHE DE SOINS INFIRMIERS

PATIENTS ATTEINTS D'UN ACCIDENT VASCULAIRE CÉRÉBRAL

Collecte des données

L'infirmière doit tenir une feuille de surveillance neurologique sur laquelle elle consigne l'évolution des paramètres d'évaluation suivants:

1. Évolution du niveau de conscience évalué selon les mouvements du patient, sa résistance aux changements de position et ses réactions aux stimuli, son orientation spatiale, temporelle et personnelle
2. Présence ou absence de mouvements volontaires et involontaires dans les membres; tonus musculaire; attitude; position de la tête
3. Rigidité ou flaccidité du cou
4. Ouverture des yeux, diamètre et symétrie des pupilles, réflexe pupillaire photomoteur et position des pupilles
5. Coloration du visage et des membres; température et hydratation de la peau
6. Fréquence et amplitude du pouls et de la respiration; gaz du sang artériel, selon les indications; température du corps et pression artérielle
7. Capacité de parler
8. Volume de liquide ingéré ou administré et volume d'urines éliminé par période de 24 heures

Quand le patient commence à reprendre conscience, il présente des signes d'épuisement et de confusion à cause de l'œdème cérébral qui a suivi l'accident vasculaire cérébral. Pour diminuer l'anxiété du patient, l'infirmière doit, plusieurs fois par jour, l'orienter dans les trois sphères: temps, espace et personnes.

Après la phase aiguë, l'infirmière évalue les fonctions suivantes: état mental (mémoire, champ d'attention, perception, orientation, affect, langage), perception sensorielle (le patient est habituellement moins sensible à la douleur et aux changements de température), mouvements volontaires (mouvements des membres supérieurs et inférieurs), et fonction vésicale.

Par la suite, elle continue d'axer son évaluation sur l'altération des fonctions dans les activités de la vie quotidienne, car la qualité de vie des victimes d'un accident vasculaire cérébral dépend grandement de leurs capacités fonctionnelles.

Analyse et interprétation des données

Selon les données recueillies, voici les principaux diagnostics infirmiers possibles:

- Altération de la mobilité physique reliée à l'hémiparésie, au manque d'équilibre et de coordination, à la spasticité et à la lésion cérébrale
- Douleur (épaule douloureuse) reliée à l'hémiplégie et à l'inactivité
- Déficit d'autosoins relié aux séquelles de l'accident vasculaire cérébral

- Altération de l'élimination urinaire (incontinence) reliée à la flaccidité de la vessie, à l'instabilité du muscle vésical, à la confusion et à l'incapacité de s'exprimer
- Altération des opérations de la pensée reliée à la lésion cérébrale et à la confusion
- Altération de la communication verbale reliée à la lésion cérébrale
- Risque élevé d'atteinte à l'intégrité de la peau relié à l'hémiparésie ou à l'hémiplégie et à l'immobilité
- Perturbation de la dynamique familiale reliée à la nature catastrophique de la maladie et à l'ampleur des soins qu'elle exige

▷ *Planification et exécution (période de réadaptation)*

La réadaptation débute le jour même de l'accident vasculaire cérébral, mais elle commence véritablement durant la convalescence. Elle exige un travail d'équipe bien coordonné. L'équipe de soins doit savoir comment était le patient avant sa maladie: ses capacités, son état mental et émotionnel, ses caractéristiques comportementales et ses activités de la vie quotidienne.

Augmentation de la mobilité; diminution de la douleur à l'épaule; apprentissage des autosoins; maîtrise du sphincter vésical; amélioration des opérations de la pensée; apprentissage d'une méthode de communication; préservation de l'intégrité de la peau; rétablissement de la dynamique familiale

▷ *Interventions infirmières*

▷ ***Amélioration de la mobilité: prévention des contractures.*** Le patient hémiplégique présente une paralysie d'un côté du corps. Quand le contrôle des muscles volontaires est inhibé, ce sont les puissants muscles fléchisseurs qui contrôlent les muscles extenseurs. Le bras a tendance à se placer en adduction (les muscles adducteurs sont plus forts que les muscles abducteurs) et en rotation externe. Le coude et le poignet se placent en flexion. Quant à la jambe atteinte, elle se place en rotation externe au niveau de l'articulation de la hanche et en flexion au niveau du genou. Le pied, à la hauteur de la cheville, se tourne vers l'extérieur et se place en flexion plantaire (figure 58-6).

Installation du patient. Il est primordial d'installer correctement le patient dans son lit (figure 58-7) afin de prévenir les contractures. L'infirmière doit prendre les mesures nécessaires pour soulager la compression des points d'appui, aider le patient à garder un bon alignement corporel et prévenir la compression des nerfs, surtout des nerfs cubital et sciatique. On peut placer une planche de bois sous le matelas pour un soutien supplémentaire. Le patient doit rester couché, sauf pour les activités de la vie quotidienne, car la position assise est une des principales causes de la contracture en flexion de la hanche. Durant le stade de flaccidité de l'accident vasculaire cérébral, on peut aussi utiliser un appui-pieds pour maintenir les pieds à angle droit par rapport aux jambes quand le patient est en décubitus latéral. L'appui-pieds prévient le pied tombant et empêche les tendons du talon de raccourcir s'il y a contracture des muscles jumeaux de la jambe.

On peut aussi faire porter au patient des chaussures de sport montantes. L'infirmière doit veiller à prévenir la compression des talons et des chevilles. Dès l'apparition d'une spasticité, on cesse généralement d'utiliser l'appui-pieds car il peut aggraver la spasticité et entraîner une contracture en flexion plantaire. Si la jambe est spastique, on installe un arceau de lit pour empêcher que les draps et les couvertures ne la comprime.

Étant donné que les muscles fléchisseurs sont plus forts que les muscles extenseurs, il est parfois nécessaire d'installer une attelle durant la nuit afin d'empêcher la flexion du membre touché. On utilise cette attelle la nuit seulement, afin que le patient garde une position adéquate durant son sommeil.

Pour prévenir la rotation externe de l'articulation de la hanche, on place un rouleau trochantérien depuis la crête de l'ilion jusqu'au milieu de la cuisse, car l'articulation de la hanche se situe entre ces deux points (voir la figure 58-7B). On ne peut prévenir la rotation externe en plaçant un sac de sable à côté de la jambe car cette rotation se fait à partir de l'articulation de la hanche et non à partir du genou. Il faut donc utiliser le rouleau trochantérien qui sert de cale mécanique sous la saillie du grand trochanter.

Pour empêcher l'adduction de l'épaule atteinte, on place un oreiller sous l'aisselle du patient si la rotation externe n'est pas trop importante (figure 58-7A). On empêche ainsi le bras de se rapprocher de la poitrine. On place également un oreiller sous le bras pour le garder en position neutre (légèrement fléchi) et s'assurer que le coude soit plus haut que l'épaule et le poignet plus haut que le coude. L'élévation du bras aide à prévenir l'œdème et la fibrose subséquente qui pourraient entraver l'amplitude des mouvements si le patient retrouve le contrôle de son bras.

Les doigts doivent rester légèrement fléchis. La main est placée en légère supination (paume vers le haut) car cette position est la plus fonctionnelle (c'est-à-dire la plus utile). Si le bras est flasque, on peut utiliser une attelle de repos afin de maintenir le poignet et la main en position fonctionnelle. Si le bras est spastique, le rouleau pour les mains n'est *pas* conseillé car il stimule le réflexe de préhension. Il est préférable dans ce cas d'utiliser une attelle de dorsiflexion du poignet qui ne comprime pas la paume. Il faut tout mettre en œuvre pour prévenir l'œdème de la main.

Changement de position. L'infirmière doit changer le patient de position toutes les deux heures. Pour installer le patient en décubitus latéral (position couchée sur le côté), elle lui place un oreiller entre les jambes avant de le tourner. La jambe du dessus ne doit être que légèrement fléchie. Le patient peut être tourné d'un côté à l'autre, mais il ne faut pas le laisser trop longtemps sur le côté atteint car la sensation y est réduite. On croit toutefois que le fait d'être couché sur le côté atteint permet au patient d'être davantage conscient de ce côté et de se servir de sa main indemne.

Quand cela est possible, il est bon de placer le patient en décubitus ventral pendant 15 à 30 minutes plusieurs fois par jour. On doit alors placer un oreiller ou un support quelconque sous le bassin, depuis le nombril jusqu'au tiers supérieur de la cuisse (voir figure 58-7E), afin de favoriser l'hyperextension de l'articulation de la hanche. Cette hyperextension est essentielle à la démarche normale et aide à prévenir les contractures en flexion de la hanche et du genou. Le décubitus ventral aide également à évacuer les sécrétions bronchiques et à prévenir les contractures des épaules et des genoux.

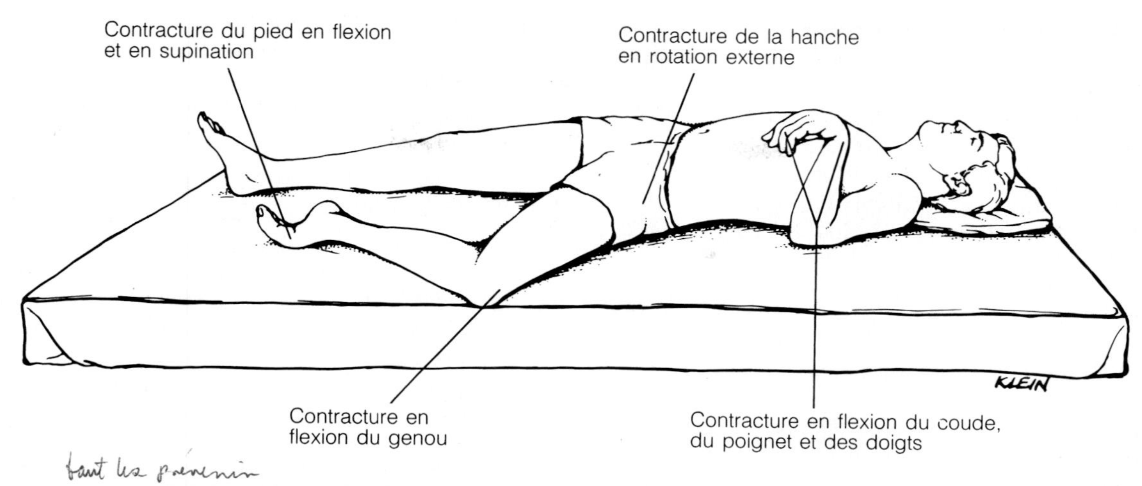

Figure 58-6. Contractures observées dans l'hémiplégie. La jambe malade se place spontanément en rotation externe. Le genou est presque toujours en flexion. Dès que le genou fléchit, le haut de la jambe se place en abduction. Le pied se place en flexion plantaire; on constate donc toujours un pied tombant et un raccourcissement du tendon d'Achille. Peu importe qu'elle soit flasque ou spastique, la jambe prend cette position. Le bras du côté atteint reste près du corps. Souvent, on le place en travers de la poitrine afin de faciliter les soins; toutefois, si le bras est spastique, le coude est fléchi à 90° environ. Quand le bras est en travers du corps, le poignet est tombant. Si le bras est spastique, les doigts se ferment pour former un poing; le pouce, en adduction, reste plié sous les autres doigts.
(Source: N. K. Covalt, *Preventive technics of rehabilitation for hemiplegic patients,* GB 17:131)

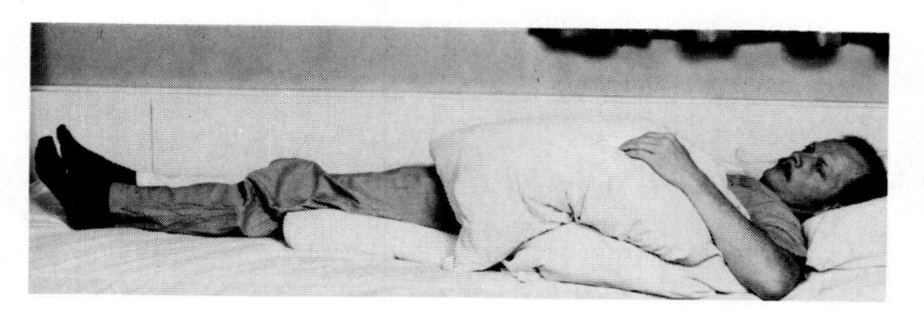

1. On place un oreiller sous l'aisselle du patient afin de prévenir l'adduction de l'épaule atteinte. On place aussi des oreillers sous le bras légèrement fléchi; l'articulation du coude est plus haute que celle de l'épaule et l'articulation du poignet plus haute que celle du coude.

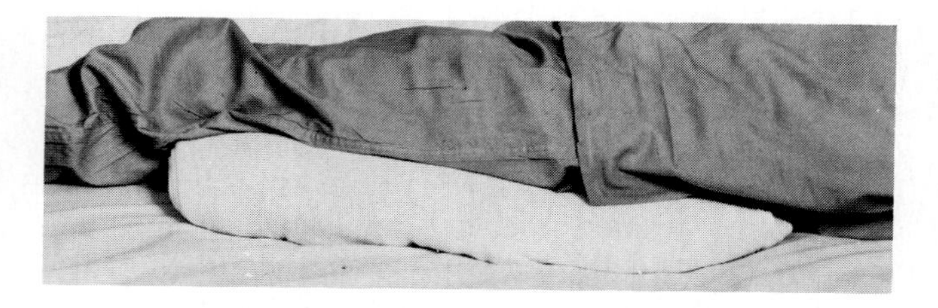

2. Le rouleau trochantérien doit être placé entre la crête de l'ilion et la mi-cuisse, car c'est entre ces deux points que l'articulation de la hanche se trouve. Il joue le rôle d'une cale mécanique en dessous de la saillie du grand trochanter et empêche la rotation du fémur.

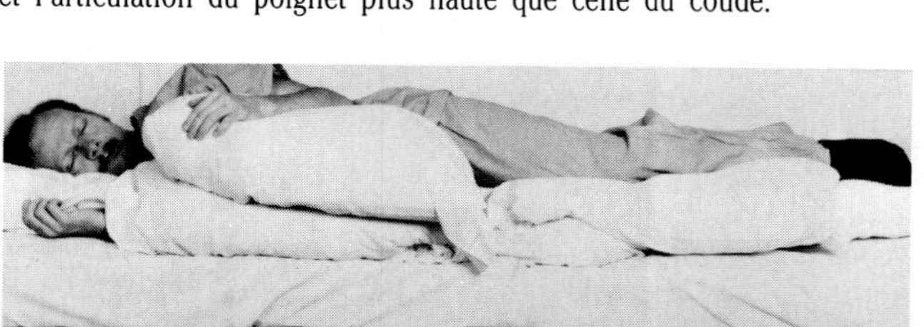

3. Décubitus latéral. Le patient doit reposer sur le côté indemne. La cuisse du dessus ne doit pas être trop fléchie.

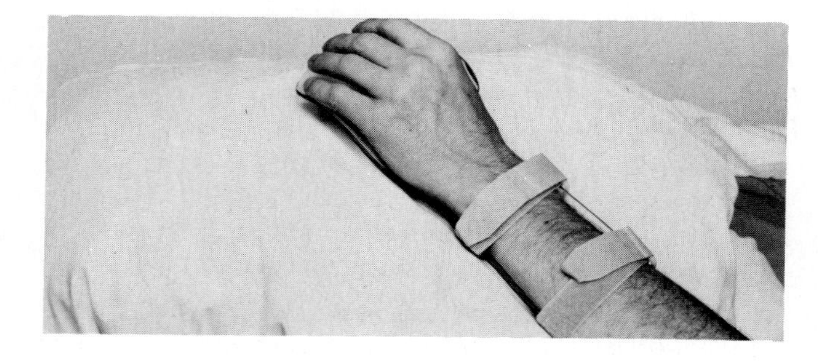

4. On peut utiliser une attelle de repos pour soutenir le poignet et la main si le bras est flasque.

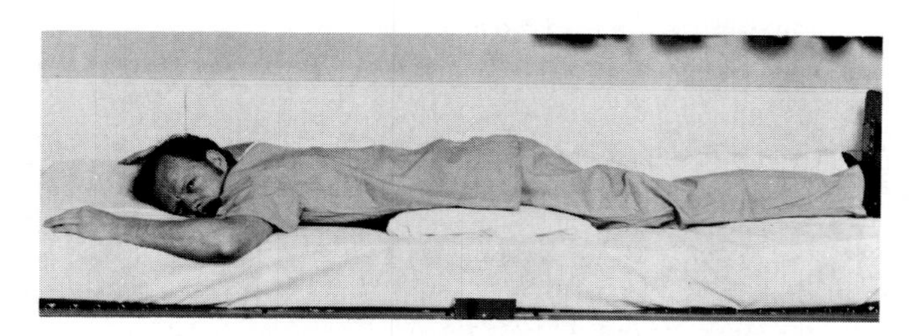

5. Décubitus ventral. On place un oreiller sous le bassin afin de favoriser l'hyperextension de l'articulation de la hanche, qui est essentielle à la démarche normale. Noter la position des bras.

Figure 58-7. Installation du patient victime d'un accident vasculaire cérébral (Les vêtements foncés sont du côté hémiplégique.)

2 ▷ ***Rééducation des membres atteints***

Exercice. Quatre ou cinq fois par jour, on doit soumettre le membre atteint à des exercices passifs et à des exercices d'amplitude des mouvements articulaires pour maintenir la mobilité articulaire, rétablir le contrôle moteur, prévenir l'apparition de contractures, arrêter la détérioration du système neuromusculaire et améliorer la circulation. L'exercice aide à prévenir l'insuffisance veineuse qui expose le patient à une thrombose et à une embolie pulmonaire.

La pratique répétée d'exercices contribue à former de nouvelles voies dans le SNC et à favoriser, par le fait même, de nouveaux schémas moteurs. Au début, les membres du patient sont habituellement flasques. Si on constate une spasticité dans une partie des membres, il faut augmenter la fréquence des exercices d'amplitude des mouvements articulaires. (Consulter le chapitre 42 pour connaître ces exercices.) Durant la séance d'exercice, l'infirmière doit surveiller certains signes: essoufflement, douleur thoracique, cyanose et augmentation de la fréquence du pouls.

Il vaut toujours mieux que les séances d'exercice soient brèves mais fréquentes que longues et espacées. On doit d'abord et avant tout viser la *constance*, car des séances quotidiennes d'exercice sont essentielles pour obtenir une amélioration de la force musculaire et le maintien de l'amplitude des mouvements articulaires.

L'infirmière doit encourager le patient à faire également des exercices des membres indemnes, plusieurs fois par jour. Un horaire écrit peut aider le patient à ne pas oublier ses exercices. Il appartient à l'infirmière de superviser et de soutenir le patient durant les séances. Elle peut notamment lui enseigner à placer la jambe indemne sous la jambe atteinte pour faire bouger cette dernière quand il veut se retourner ou faire un exercice. Les exercices de souplesse, de renforcement, de coordination, d'endurance et d'équilibre préparent le patient à la marche et lui donnent un objectif à atteindre. Le patient doit commencer le plus tôt possible les exercices isométriques du muscle quadriceps crural et des muscles fessiers afin d'améliorer la force musculaire nécessaire à la marche. Il doit les faire au moins 5 fois par jour à raison de 10 minutes chaque fois.

Exercice isométrique du muscle quadriceps crural. Le patient contracte le muscle quadriceps (qui se trouve dans la partie antérieure de la cuisse) en relevant le talon et en poussant le creux poplité contre le matelas. Il maintient la contraction pendant 5 secondes, la relâche pendant cinq secondes et recommence. Cet exercice doit être fait avec les deux jambes.

Exercice isométrique des muscles fessiers. Le patient contracte ou serre les fesses et maintient la contraction pendant cinq secondes, il relâche la contraction pendant cinq secondes et recommence.

Rétroaction biologique. Dans les programmes de rééducation neuromusculaire, on utilise actuellement la rétroaction biologique par électromyographie pour améliorer la force musculaire et diminuer la spasticité.

▷ ***Préparation à la marche.*** Dès que possible, l'infirmière aide le patient à se lever. Habituellement, quand l'hémiplégie est due à une thrombose, on commence un programme de rééducation actif aussitôt que le patient a repris conscience. Le patient victime d'une hémorragie cérébrale, lui, ne peut commencer son programme tant et aussi longtemps que les saignements n'ont pas disparu.

Équilibre en position assise. Le patient hémiplégique a tendance à perdre l'équilibre; il lui faut apprendre à garder l'équilibre en position assise avant d'apprendre à garder l'équilibre en position debout.

- Avant de permettre au patient de quitter la position couchée, l'infirmière doit prendre sa pression artérielle, à cause des risques d'hypotension orthostatique. Une chute de la pression artérielle pourrait léser davantage la région ischémique.
- Pour apprendre au patient à garder l'équilibre en position assise, l'infirmière monte la tête du lit en position verticale et demande au patient de tenir la ridelle avec sa main indemne.

L'infirmière peut alors aider le patient à s'asseoir sur le bord du lit. Pour ce faire, elle procède de la manière suivante:

1. Elle règle le lit à sa position la plus basse.
2. Elle demande au patient de placer sa jambe indemne en dessous de sa jambe affaiblie et de la lever pour l'amener vers le bord du lit.
3. Elle demande ensuite au patient de presser son coude indemne (fléchi à un angle de 90°) contre le matelas et de se relever en position assise en déplaçant son poids sur son avant-bras puis sur sa main, tout en ramenant la jambe atteinte avec la jambe indemne vers le bord du lit. La force de gravité, aidée par la poussée de la main et le mouvement des jambes, suffit pour faire pivoter le torse vers les fesses.
4. Pour un meilleur équilibre, le patient étend derrière lui son bras indemne et appuie sa main contre le matelas.
5. L'infirmière se tient devant le patient pour l'observer et, au besoin, pour l'aider à rester en position assise.

- Le patient doit se recoucher s'il pâlit, s'il est essoufflé, si la fréquence de son pouls augmente ou s'il transpire beaucoup. À mesure que son état s'améliore, on l'encourage à rester de plus en plus longtemps assis.

Équilibre en position debout. Dès que le patient peut rester en équilibre en position assise, l'infirmière lui apprend à garder son équilibre en position debout. Dans tous ses déplacements, le patient doit porter des chaussures de marche solides. Si le patient souffre de troubles de perception, on peut identifier la chaussure correspondant au côté atteint par un morceau de ruban ou des lacets de couleur. Avant de commencer à marcher, le patient doit s'être levé à plusieurs reprises.

- Le patient s'assoit sur le bord du lit et l'infirmière place une chaise droite à côté de chacune de ses jambes (figure 58-8).
- L'infirmière vérifie si le patient est étourdi avant de l'aider à se mettre debout.
- Elle aide le patient à se lever en lui soutenant le bas du dos avec ses mains et en plaçant ses genoux à elle contre la face externe des genoux du patient. Elle peut ainsi soutenir le patient et empêcher ses genoux de dévier. Elle doit rappeler au patient de se pencher vers l'avant quand il passe de la position assise à la position debout. Les bras du patient doivent rester dégagés pour favoriser l'équilibre.
- L'infirmière se place derrière le patient et stabilise sa position en le tenant par la taille. Elle lui met une ceinture autour de la taille et s'y agrippe pour le supporter.

- Le patient doit se rasseoir s'il présente des étourdissements, une pâleur ou une augmentation de la fréquence de son pouls. Si ces symptômes persistent, il doit se recoucher. Après quelques essais, le patient pourra tolérer la position verticale de plus en plus longtemps.
- Le patient doit pratiquer, avec l'aide de l'infirmière, à se mettre debout et à déplacer son poids d'une jambe à l'autre.

Marche. Habituellement, le patient est prêt à marcher dès qu'il peut garder l'équilibre en position debout. Les barres parallèles sont pratiques pour aider le patient qui commence à marcher. L'infirmière doit garder près d'elle une chaise ou un fauteuil roulant pour le cas où le patient se sentirait soudainement fatigué ou étourdi. Voici une des techniques de marche:

1. L'infirmière enseigne au patient à se placer entre les barres parallèles ou à côté d'une barre en répartissant son poids également sur ses deux pieds et en plaçant sa main indemne sur la barre, à 10 cm environ devant son corps.
2. Il fait ensuite passer son poids sur sa jambe saine et avance la jambe atteinte en poussant sur la barre vers le *bas.*
3. Il déplace ensuite son poids vers sa jambe atteinte. (Si le tonus musculaire est faible au point d'empêcher le patient d'avancer sa jambe atteinte, on peut utiliser la stimulation électrique. La stimulation électrique des muscles peut augmenter la force musculaire, diminuer l'atrophie et améliorer le mouvement volontaire.)
4. L'infirmière rappelle au patient de regarder ses pieds de temps à autre car l'hémiplégie s'accompagne parfois d'une altération de la sensibilité proprioceptive.

Les séances de rééducation de la marche doivent être brèves mais fréquentes. À mesure que le patient devient plus fort et plus confiant, il peut commencer à marcher à l'aide d'une canne réglable en aluminium. En général, une canne à trois ou quatre branches offre un soutien stable au début du programme de rééducation.

Il faut parfois utiliser des appareils orthopédiques (orthèses) pour apporter au patient le soutien et la stabilité dont il a besoin. Une orthèse pour la cheville et le pied, faite d'un thermoplastique léger, permet de stabiliser la cheville et le genou. Si le genou a tendance à dévier, on peut mettre un coussinet de caoutchouc sur le contrefort de la chaussure, ce qui diminue le choc du talon contre le plancher. Si le patient traîne sa jambe affaiblie, il peut porter une chaussure légèrement plus haute du côté opposé.

Fauteuil roulant. Si le patient a besoin d'un fauteuil roulant, le modèle le plus pratique est le fauteuil pliant avec freins manuels car il est beaucoup plus maniable. Le fauteuil devrait être assez bas pour permettre au patient de le faire avancer avec son pied intact, et assez étroit pour être utilisé à la maison. Pour faire avancer le fauteuil, le patient place sa main indemne sur la main courante et son pied indemne sur le plancher pour diriger le fauteuil.

Quand le patient sort du fauteuil roulant, il faut mettre les deux freins. Voici comment le patient sort de son fauteuil en utilisant son côté indemne:

- Il relève les repose-pieds et se penche vers l'avant en faisant passer son poids sur sa jambe indemne.
- Il se pousse vers le haut à l'aide de son bras et de son pied indemnes.

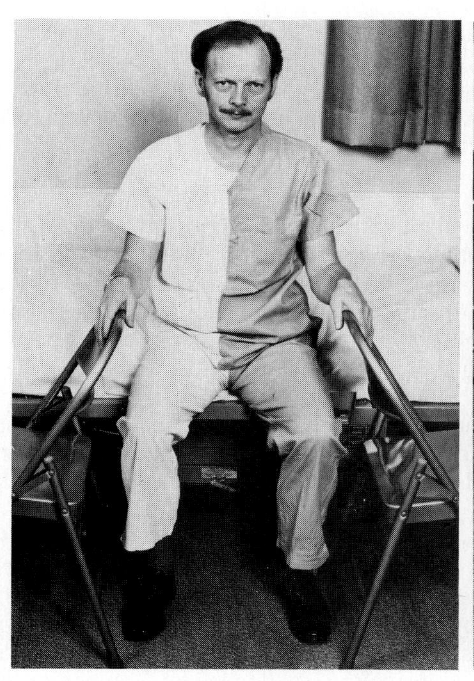
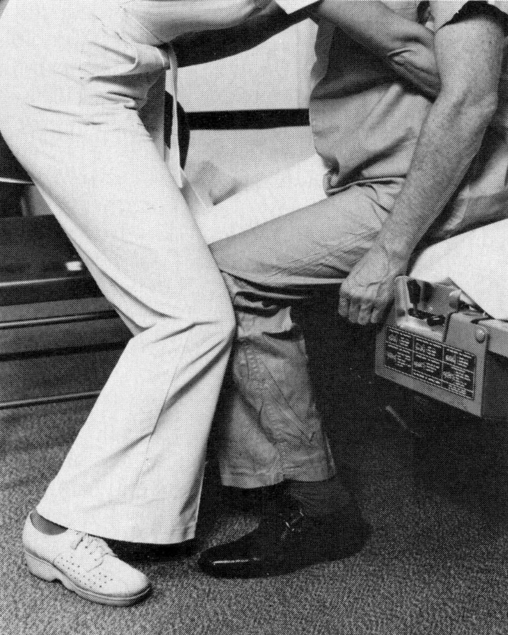
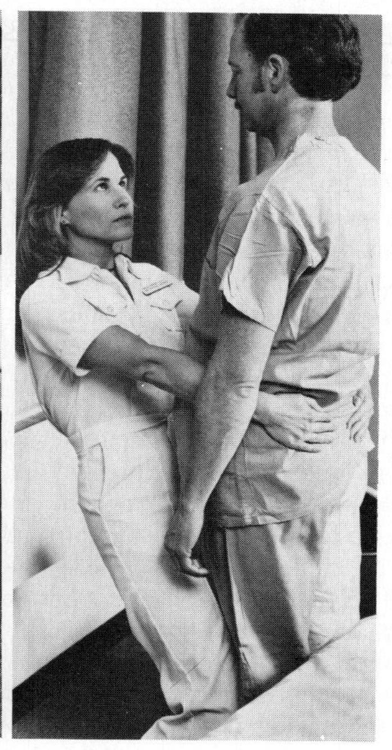

Figure 58-8. Technique de lever pour le patient victime d'un accident vasculaire cérébral. (La partie foncée des vêtements correspond au côté hémiplégique.) (**Gauche**) L'infirmière règle le lit à la position la plus basse de sorte que les pieds du patient reposent sur le plancher. Elle observe la réaction du patient et prolonge la position assise en fonction de son état. (**Centre**) Elle aide le patient à se mettre en position debout, en plaçant ses genoux à elle sur la face externe des genoux du patient pour les empêcher de dévier. (**Droite**) Elle stabilise la position du patient quand il se lève. Noter que l'infirmière (1) soutient le bas du dos et les genoux du patient et (2) le regarde pour voir comment il réagit à la position debout. (Source: Washington Adventist Hospital; Glenn Dalby, photographe)

- Il fait passer presque tout son poids sur sa jambe indemne tout en gardant bloqué son genou affaibli.
- Il pivote vers sa jambe indemne et ramène sa jambe affaiblie par-dessus sa jambe indemne. Il reste debout quelques minutes avant de se déplacer.
- Il dirige graduellement son corps vers le lit ou la chaise en se servant de son bras et de sa jambe indemnes.

Le fauteuil roulant permet au patient de se déplacer et d'être plus autonome dans ses activités d'autosoins. Quand le patient a besoin d'un fauteuil roulant de façon permanente, il faut le commander en précisant les modifications à apporter pour qu'il soit adapté à ses besoins.

▷ *Prévention de la douleur à l'épaule.* Jusqu'à 70 % des patients victimes d'un accident vasculaire cérébral souffrent de douleurs importantes à l'épaule. Ces douleurs empêchent l'apprentissage de nouvelles habiletés car la fonction de l'épaule est essentielle à l'équilibre, au déplacement du poids et à l'exécution des autosoins. Trois problèmes peuvent se présenter: l'épaule douloureuse simple, la subluxation glénohumérale et le syndrome épaule-main.

Si l'articulation de l'épaule est flasque, on peut trop l'étirer lors de changements de position trop brusques ou par des mouvements trop vigoureux du bras et de l'épaule. Pour prévenir *l'épaule douloureuse,* l'infirmière ne doit jamais soulever le patient par l'épaule ou tirer sur l'épaule ou le bras du côté atteint. Si le bras du patient est paralysé, une subluxation (luxation incomplète) de l'épaule peut se produire si la capsule articulaire et les muscles sont trop étirés par la force de la pesanteur quand le patient se tient assis ou debout peu après son accident vasculaire cérébral. La subluxation de l'épaule provoque d'intenses douleurs. Le syndrome main-épaule (épaule douloureuse accompagnée d'un oedème généralisé de la main) peut entraîner une épaule bloquée et, éventuellement, l'atrophie des tissus sous-cutanés. Quand l'épaule devient raide, elle est habituellement plus douloureuse.

On peut prévenir ces trois problèmes en bougeant correctement le patient et en utilisant une bonne technique de mise en position. Quand le patient est assis, son bras flasque doit reposer sur une table ou un oreiller. Quand il commence à marcher, certains spécialistes recommandent le port d'une écharpe pour soutenir le bras paralysé. Les exercices d'amplitude des mouvements articulaires contribuent également à prévenir l'épaule douloureuse. Il faut aussi éviter les mouvements trop vigoureux. Le patient doit apprendre l'exercice suivant: entrelacer les doigts, rapprocher les paumes et pousser lentement les mains jointes vers l'avant de façon à déplacer les omoplates vers l'avant; lever ensuite les mains au-dessus de la tête. Le patient doit faire cet exercice plusieurs fois par jour. L'infirmière doit également enseigner au patient à fléchir le poignet atteint plusieurs fois par jour et à bouger toutes les articulations des doigts affaiblis. Elle encourage le patient à toucher, frotter, masser et regarder ses mains. Il est bon qu'il pousse fermement la partie charnue de la paume de la main contre une surface dure. Enfin, l'élévation du bras et de la main peut contribuer à prévenir l'œdème déclive de la main.

▷ *Capacité d'effectuer les autosoins.* Dès que le patient peut s'asseoir, l'infirmière l'encourage à participer à ses soins d'hygiène personnelle. Elle l'aide à se fixer des objectifs réalistes et lui propose une tâche de plus par jour s'il en est capable. On commence par habituer le patient à pratiquer tous les autosoins qui peuvent être effectués d'une seule main: se peigner, se brosser les dents, se raser avec un rasoir électrique, se laver et manger. Il éprouvera peut-être une sensation étrange au début mais avec la pratique, il acquerra les habiletés motrices nécessaires et renforcera son côté indemne. L'infirmière doit s'assurer qu'il ne néglige pas le côté touché par la maladie. Certaines aides techniques peuvent aider le patient à combler ses déficiences. Par exemple, après le bain, le patient trouvera plus facile de s'essuyer avec une petite serviette plutôt qu'avec une grande. De même, lorsqu'il va à la toilette, il sera plus aisé pour lui d'utiliser des mouchoirs de papier plutôt que du papier hygiénique en rouleau.

Se vêtir. Le patient aura meilleur moral s'il peut porter ses propres vêtements. On peut donc demander à la famille de lui apporter des vêtements qui seront, si possible, une taille plus grande que sa taille normale. Les vêtements munis d'attaches Velcro ou d'une fermeture éclair sur le côté ou le devant sont ceux qui conviennent le mieux. En outre, il est préférable que le patient puisse s'habiller presque entièrement en position assise, pour avoir un meilleur équilibre.

L'infirmière place les vêtements du patient du côté atteint et dans l'ordre selon lequel il doit les mettre. On peut fournir au patient un grand miroir pour l'aider à voir le vêtement qu'il enfile du côté atteint. Il doit commencer par le côté atteint. Pour s'habiller, il doit faire plusieurs mouvements compensatoires qui peuvent le fatiguer et l'obliger à faire des rotations douloureuses des muscles intercostaux. L'infirmière doit donc l'aider et l'encourager pour ne pas qu'il s'épuise et se décourage. Même avec beaucoup de pratique, certains patients ne parviennent pas à s'habiller seuls.

▷ *Rééducation vésicale.* La plupart des patients victimes d'un accident vasculaire cérébral ont des problèmes d'incontinence. Toutefois, la majorité retrouvent assez rapidement la maîtrise de leur sphincter vésical. On doit d'abord évaluer le mode d'élimination du patient et lui offrir l'urinal ou le bassin hygiénique en fonction de ce mode.

▷ *Amélioration des opérations de la pensée.* Les victimes d'un accident vasculaire cérébral peuvent présenter des troubles cognitifs, comportementaux et affectifs dus à la lésion cérébrale. Cependant, bon nombre d'entre elles recouvrent une bonne partie de leurs fonctions, car les lésions causées par l'accident vasculaire cérébral ne touchent pas au même degré toutes les régions du cerveau.

Après avoir évalué le patient pour cerner et décrire ses problèmes, le neuropsychologue, si possible en collaboration avec le psychologue, le psychiatre, l'infirmière et d'autres professionnels de la santé, met au point un programme de rééducation.

L'infirmière joue à cet égard un rôle de soutien. Elle vérifie les résultats des examens neuropsychologiques, observe ce que le patient est capable d'accomplir, note ses progrès, et, surtout, essaie de lui donner confiance et espoir. En axant ses interventions sur les forces du patient et les capacités qu'il possède encore, l'infirmière essaie de l'aider à améliorer les fonctions atteintes. Les interventions qui visent à améliorer les fonctions cognitives du patient victime d'un traumatisme crânien (page 1964) s'appliquent aussi dans ce cas.

▷ *Amélioration de la capacité de communiquer.* L'aphasie entrave la capacité de communiquer et entraîne à la fois des troubles de la compréhension et des troubles de l'expression. L'orthophoniste évalue les capacités de langage résiduelles du patient afin d'établir l'ampleur de la déficience et propose à celui-ci la méthode de communication qui lui conviendra le mieux. Comme il existe de nombreuses stratégies d'intervention pour l'adulte aphasique, on doit mettre au point un programme personnalisé. Les objectifs sont fixés en collaboration avec le patient, qui doit participer activement au processus d'apprentissage.

Par ses interventions, l'infirmière doit tout mettre en œuvre pour favoriser la communication. Cela signifie qu'elle doit se montrer sensible aux réactions et aux besoins du patient et y répondre d'une manière appropriée, en le traitant toujours en adulte. Pour soulager l'anxiété du patient, elle doit lui offrir son soutien et faire preuve de compréhension. Le patient pourra surmonter plus facilement des déficiences importantes si on établit pour lui un horaire et une routine. On peut lui remettre un horaire écrit, une chemise contenant des renseignements personnels (date de naissance, adresse, nom des membres de sa famille) pour aider sa mémoire et sa concentration. On peut aussi le stimuler en regardant avec lui un album de photos. Le patient sera rassuré s'il est entouré d'objets familiers et de personnes compréhensives.

Lorsqu'elle s'adresse au patient, l'infirmière doit s'assurer qu'il est attentif; elle lui parle lentement et utilise la même formulation d'une fois à l'autre pour donner ses directives. Elle donne une seule directive à la fois et laisse au patient le temps de comprendre le message. Elle peut faire des gestes pour faciliter la compréhension.

▷ ***Préservation de l'intégrité de la peau.*** Les victimes d'un accident vasculaire cérébral sont sujettes à des ruptures de l'épiderme ou des tissus en raison de leur déficience sensorielle et de leur immobilité. Pour prévenir les atteintes à l'intégrité de la peau, il faut examiner souvent la peau du patient en portant une attention particulière aux proéminences osseuses et aux régions déclives. L'infirmière doit mobiliser régulièrement le patient, afin de prévenir la compression des points d'appui et la rupture de l'épiderme. Elle peut aussi utiliser des dispositifs spécialement conçus pour diminuer la compression, mais ceux-ci ne doivent pas remplacer les changements de position réguliers. Lors des changements de position, il faut prendre soin de réduire les forces de cisaillement et de friction qui peuvent léser les tissus. La peau doit rester propre et sèche. On peut aussi masser doucement la peau si elle est intacte et s'assurer que le patient a une bonne alimentation.

▷ ***Amélioration de la dynamique familiale par l'enseignement.*** Les membres de la famille jouent un rôle important lors de la convalescence du patient. On doit donc leur fournir le soutien dont ils ont besoin afin que les soins au patient ne se fassent pas au détriment de leur santé et de leur mode de vie. Certains centres de jour pour adultes offrent des soins de relève aux familles qui doivent s'occuper d'un des leurs 24 heures sur 24, afin de les aider à reprendre leur souffle. Certains centres hospitaliers offrent également des soins de relève durant les fins de semaine.

Pour mieux s'adapter, la famille peut aussi demander de l'aide, apprendre des techniques de lutte contre le stress et veiller à se maintenir en santé.

Parfois, les membres de la famille ont de la difficulté à accepter l'invalidité du patient et ont des attentes irréalistes. L'infirmière peut les informer au sujet de l'évolution de la maladie du patient et leur recommander de ne pas faire à la place de celui-ci ce qu'il est capable de faire seul. Elle peut aussi leur rappeler que l'amour et l'intérêt qu'ils lui témoignent font partie du traitement. La famille doit cependant savoir que la réadaptation du patient hémiplégique demande plusieurs mois et que les progrès sont lents. Les membres de la famille doivent aider le patient à ne pas perdre ce qu'il a acquis durant son hospitalisation, l'encourager, faire preuve d'optimisme et miser sur ses capacités résiduelles. L'équipe de réadaptation, l'équipe de soins médicaux et infirmiers, de même que tous les membres de la famille doivent aider le patient à se fixer des objectifs réalistes. La plupart du temps, l'aspect affectif des soins pose un problème à la famille des victimes d'un accident vasculaire cérébral. Il faut s'attendre en effet à ce que le patient traverse des périodes d'instabilité émotionnelle. Il aura parfois la larme facile ou rira pour un rien. Il sera à d'autres moments irritable et exigeant, sujet à la dépression ou à la confusion. L'infirmière peut expliquer à la famille que les rires du patient ne traduisent pas nécessairement la joie, que ses pleurs n'expriment pas toujours la tristesse et que les périodes d'instabilité émotionnelle diminuent habituellement avec le temps.

▷ ***Soins à domicile.*** Une partie des troubles affectifs provient de l'altération de la parole. On peut obtenir les services à domicile d'un *orthophoniste* pour permettre aux membres de la famille de participer à la rééducation du patient et d'apprendre comment aider concrètement celui-ci entre les séances de traitement.

Il faut expliquer à la famille que le patient se fatiguera rapidement, sera irritable, se fâchera pour un rien et se montrera peu ou moins intéressé par ce qui l'entoure.

La dépression est un problème fréquent et sérieux chez le patient qui se remet d'un accident vasculaire cérébral. L'infirmière doit parler de ce problème au médecin; si la dépression est grave, le médecin peut prescrire un traitement antidépresseur. Les problèmes du patient diminueront à mesure qu'il avancera dans le programme de rééducation. La famille peut l'aider en continuant de le soutenir et en le félicitant de ses progrès.

Une *ergothérapeute* évalue le domicile du patient et recommande des modifications qui favoriseront son autonomie. Par exemple, une douche convient mieux au patient hémiplégique qu'une baignoire, car celui-ci n'a généralement pas assez de force pour entrer dans la baignoire et en sortir. De même, il sera plus facile pour le patient de se laver s'il peut s'asseoir sur un tabouret qui n'est ni trop haut ni trop bas et dont les pattes sont munies de ventouses en caoutchouc. Une brosse à long manche avec un distributeur à savon peut également être pratique pour le patient qui ne peut se servir que d'une main. Si le patient n'a pas de douche, on peut placer un tabouret dans la baignoire et installer une douche téléphone sur le robinet. On peut aussi faire installer des barres d'appui à côté de la baignoire et de la toilette. Il existe de nombreuses aides techniques qui peuvent faciliter les activités de la vie quotidienne. Par ailleurs, les organismes de soutien pour victimes d'accident vasculaire cérébral peuvent donner au patient un sentiment d'appartenance et lui permettre de se lier d'amitié avec des personnes souffrant des mêmes problèmes que lui. Le patient doit être encouragé à poursuivre ses passe-temps et ses activités de loisir et à voir des amis.

▷ ***Fonction sexuelle.*** La fonction sexuelle est parfois profondément altérée par l'invalidité. L'accident vasculaire cérébral est une maladie tellement catastrophique qu'elle entraîne souvent une perte de l'estime de soi et une dévalorisation sur le plan sexuel. Il ne s'est pas fait beaucoup de recherche sur cet aspect de l'accident vasculaire cérébral, mais les victimes de cette maladie considèrent sans doute, comme tout le monde, la fonction sexuelle comme un aspect important de leur vie (voir la section portant sur la sexualité de la personne handicapée au chapitre 42).

Qu'elles travaillent dans un centre hospitalier, en santé communautaire ou en milieu de travail, toutes les infirmières qui entrent en contact avec une personne victime d'un accident vasculaire cérébral doivent l'encourager à *rester actif,* à suivre un programme d'exercices et à acquérir la confiance nécessaire pour rester le plus autonome possible.

Gérontologie. Les victimes d'accidents vasculaires cérébraux sont souvent des personnes âgées. Elles doivent parfois vivre avec des séquelles : mobilité réduite, altération de la communication, manque de mémoire, troubles visuels, altération des fonctions intestinale, vésicale et sexuelle, et altération des opérations de la pensée. La gravité des séquelles peut varier ; le patient peut présenter de légères déficiences aussi bien qu'une altération importante qui exige des soins complets (alimentation, bain, changements de position, soins relatifs à l'élimination intestinale et urinaire). On peut réduire les conséquences de l'accident vasculaire cérébral en commençant rapidement la rééducation du patient. Avec, d'une part, des soins infirmiers axés sur un rétablissement optimal et, d'autre part, des traitements administrés par une orthophoniste et une ergothérapeute, on peut aider le patient à acquérir des habiletés qui lui permettront de participer à ses autosoins. Peu importe l'âge du patient, l'équipe de soins doit entreprendre un programme de rééducation complet.

Très souvent, c'est le conjoint du patient qui s'occupe de la majeure partie des soins après l'hospitalisation. Cette personne peut avoir besoin d'aide pour apprendre à prodiguer ces soins le mieux possible. L'infirmière qui apporte son aide au patient et à son conjoint et prête attention à la santé affective et physique du conjoint, qui est souvent aussi une personne âgée, joue un rôle primordial dans la réintégration à domicile.

▷ *Évaluation*

Résultats escomptés

1. Le patient améliore sa mobilité.
   a) Il évite les contractures comme le pied tombant.
   b) Il se conforme au programme d'exercices prescrit.
   c) Il parvient à garder l'équilibre en position assise.
   d) Il parvient à marcher de plus en plus longtemps.
   e) Il utilise son côté indemne pour compenser les incapacités fonctionnelles du côté paralysé.
2. Le patient ne se plaint pas de douleurs à l'épaule.
   a) Il peut bouger son épaule normalement.
   b) Il lève son bras et sa main de temps à autre.
   c) Il fait des exercices pour son épaule et ne montre aucun signe d'œdème de la main.
3. Le patient parvient à effectuer ses autosoins.
   a) Il est capable d'assumer ses soins d'hygiène.
   b) Il utilise des aides spécialisées.
4. Le patient ne souffre plus d'incontinence urinaire.
5. Le patient participe à un programme de développement cognitif (voir la section portant sur le traumatisme crânien au chapitre 59).
6. Le patient parvient à mieux communiquer (voir la section sur l'aphasie à la page 1876).
7. Le patient préserve l'intégrité de sa peau.
   a) Il présente une peau normale sans rupture de l'épiderme.
   b) L'élasticité de sa peau est normale.
   c) Il aide l'infirmière quand elle le tourne et le change de position.
8. Les membres de la famille ont une attitude positive et utilisent des mécanismes d'adaptation efficaces.
   a) Ils encouragent le patient lorsqu'il fait ses exercices.
   b) Ils participent activement au processus de réadaptation.
   c) Ils aident le patient à se fixer de nouveaux objectifs.

Résumé : Le patient qui a subi un accident vasculaire cérébral a besoin d'être aidé et guidé immédiatement après l'accident tout au cours de la période de réadaptation. Les membres de la famille aussi ont besoin qu'on les aide à surmonter leurs difficultés. Leurs projets d'avenir peuvent être perturbés et l'âge avancé du patient peut nuire à ses progrès. L'infirmière doit donc soutenir le patient et sa famille, les aider à surmonter les problèmes reliés à la maladie et planifier avec eux la période de réadaptation. Il faut se rappeler que la gravité des déficiences causées par l'accident vasculaire cérébral dépend des régions touchées et détermine le rétablissement du patient.

Patients subissant une opération intracrânienne

Au cours des dernières années, les progrès technologiques ont permis de perfectionner les interventions neurochirurgicales et de mettre au point de nouvelles opérations. Les exemples sont nombreux : nouvelles techniques neuroradiologiques permettant de localiser des lésions intracrâniennes ; techniques d'illumination et de microchirurgie offrant la possibilité d'obtenir une image tridimensionnelle de la région opérée ; lasers permettant aux neurochirurgiens d'exciser des tumeurs avec une précision qui évite les lésions aux tissus voisins (et cela est d'une importance capitale en neurochirurgie). De plus, il est maintenant possible de provoquer la coagulation de vaisseaux adjacents à des organes sans léser ces organes. De nouveaux instruments microchirurgicaux permettent d'exciser des tissus délicats sans causer de lésion, des appareils de dissection ultrasoniques permettent d'exciser, de façon rapide et précise, certaines tumeurs du cerveau et de la moelle épinière ; des sondes introduites profondément dans les tissus cérébraux peuvent être utilisées pour l'irradiation interstitielle, les traitements hyperthermiques et la chimiothérapie (avant la mise au point de ces sondes, beaucoup de lésions étaient tout simplement hors d'atteinte). Enfin, la mise au point de fils de suture plus fins qu'un cheveu permet la suture et l'anastomose des nerfs et de minuscules vaisseaux.

Techniques chirurgicales

La *craniotomie* est l'ouverture de la boîte crânienne pour donner accès aux tissus intracrâniens. On y a recours pour exciser une tumeur, diminuer la pression intracrânienne, retirer un caillot de sang et réprimer une hémorragie. On ouvre le crâne en découpant un volet osseux qui est replacé après l'opération et maintenu en place par une suture périostique ou une suture de fil métallique. Habituellement, l'ouverture est pratiquée: (1) au-dessus de la tente du cervelet (craniotomie sus-tentorielle) jusque dans l'espace sous-tentoriel ou (2) sous la tente du cervelet jusque dans la région sous-tentorielle (fosse postérieure) (figure 58-9). La voie transsphénoïdale sert à atteindre l'hypophyse.

On trouvera dans le tableau 58-4 une comparaison de trois types de craniotomie: sus-tentorielle, sous-tentorielle et transsphénoïdale. On peut aussi accéder aux tissus intracrâniens par des *trous de trépan* (figure 58-10). Il s'agit d'ouvertures circulaires pratiquées dans la boîte crânienne avec soit un foret à main, soit un craniotome automatique (muni d'un dispositif qui l'arrête automatiquement quand l'os est percé). Les trous de trépan servent à la chirurgie exploratrice ou diagnostique. On peut les pratiquer pour déceler la présence d'un œdème ou d'une lésion cérébrale et pour déterminer la taille et la position des ventricules. Les trous de trépan permettent également d'évacuer un hématome ou un abcès, de pratiquer un volet osseux dans le crâne, et d'accéder aux ventricules pour effectuer une décompression, une ventriculographie ou une dérivation chirurgicale du liquide céphalorachidien.

Parmi les autres interventions chirurgicales du crâne figurent la *craniectomie* (excision d'une partie de la boîte crânienne) et la cranioplastie (réfection d'une brèche dans la boîte crânienne au moyen d'une prothèse de métal ou de plastique).

Examens diagnostiques

Avant l'opération, on utilise parfois la tomodensitométrie pour mettre en évidence la lésion et l'étendue de l'œdème cérébral, la taille des ventricules et le déplacement des tissus. La résonance magnétique nucléaire fournit les mêmes données que la tomodensitométrie mais permet en plus d'étudier la lésion sous d'autres plans. Enfin, on a parfois recours à l'angiographie cérébrale pour étudier l'irrigation sanguine cérébrale ou pour recueillir des données sur des lésions vasculaires.

Soins préopératoires

En général, on administre au patient des anticonvulsivants (phénytoïne) avant l'opération afin de réduire les risques de convulsions postopératoires, de même que des stéroïdes (dexaméthasone) pour diminuer l'œdème cérébral. Il faut parfois restreindre l'apport liquidien. On peut de plus administrer par voie intraveineuse un agent hyperosmotique (mannitol) et un diurétique (furosémide) immédiatement avant et parfois durant l'opération s'il y a risque de rétention d'eau (comme c'est souvent le cas chez les patients atteints d'un trouble cérébral). Avant d'amener le patient à la salle d'opération, on introduit une sonde vésicale à demeure pour vider la vessie pendant l'administration de diurétiques, pour mesurer le débit urinaire, de même que la densité et la glycosurie.

On rase le crâne du patient immédiatement avant l'intervention chirurgicale (la plupart du temps dans la salle d'opération) pour éviter que les égratignures superficielles causées par le rasage n'aient le temps de s'infecter. Le rasage provoque un changement d'apparence que la plupart des patients trouvent pénible. L'infirmière peut rassurer le patient en lui expliquant que sa tête sera enveloppée dans un pansement après l'opération. Avant l'opération chirurgicale, on administre parfois au patient du diazépam pour diminuer son anxiété.

Soins postopératoires

Un cathéter artériel et un cathéter de pression veineuse centrale sont souvent en place pour la surveillance de la pression artérielle et de la pression veineuse centrale. Il faut en général

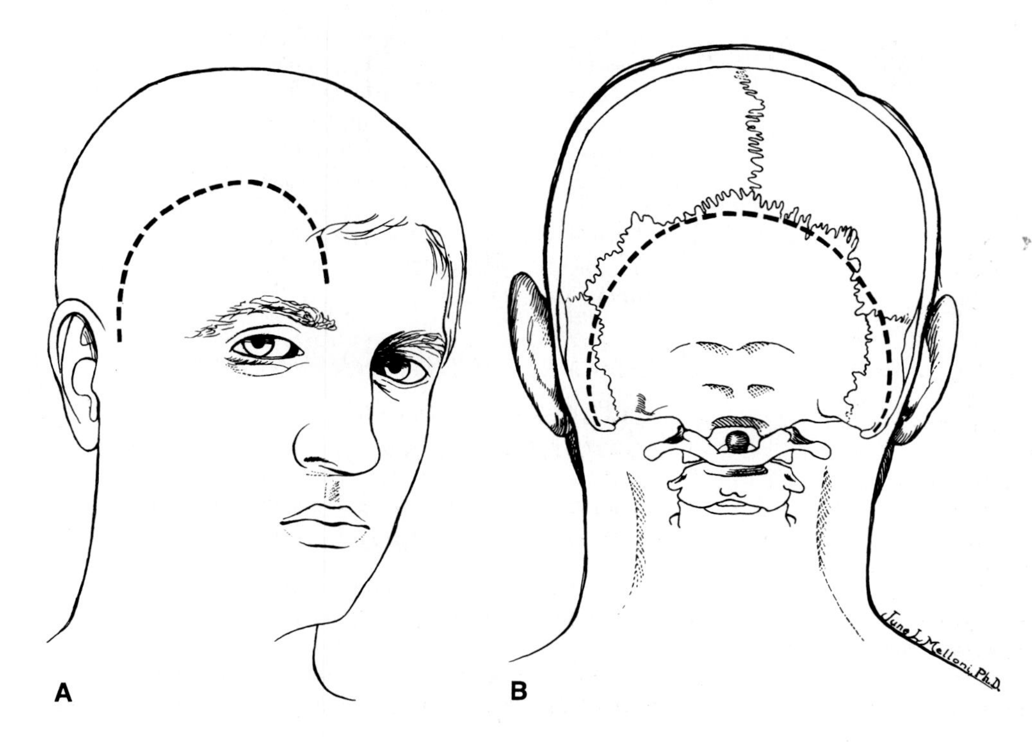

Figure 58-9. Différents types de craniotomie (ouverture chirurgicale de la boîte crânienne). Les pointillés indiquent l'emplacement de l'incision. (**A**) Craniotomie sus-tentorielle (**B**) Craniotomie sous-tentorielle

TABLEAU 58-4. ***Comparaison des différents types de craniotomie***

	Sus-tentorielle	*Sous-tentorielle*	*Transsphénoïdale*
Région opérée	Au-dessus de la tente du cervelet	En dessous de la tente du cervelet, tronc cérébral	Selle turcique et petites tumeurs de l'hypophyse
Zone incisée	On pratique l'incision au-dessus de la région à opérer, habituellement derrière la naissance des cheveux.	On pratique l'incision sur la nuque, autour du lobe occipital.	On pratique l'incision sous la lèvre supérieure pour atteindre les fosses nasales.
Quelques interventions infirmières	Maintenir la tête du lit à un angle de 30 à 45°. Placer le patient soit sur le côté, soit sur le dos. (Éviter d'installer le patient sur le côté opéré si on a extrait une grosse tumeur.)	Garder le cou droit. On doit éviter la flexion du cou afin de prévenir la rupture de la suture. Installer le patient sur un côté ou l'autre.	Maintenir la mèche en place et la renforcer au besoin. Demander au patient d'éviter de se moucher. Donner des soins d'hygiène buccodentaire assidus. Garder la tête du lit élevée pour favoriser le retour veineux et le drainage de la région opérée.

administrer de l'oxygène. Le traitement médicamenteux de l'œdème cérébral comprend l'administration de mannitol. Le mannitol augmente l'osmolarité sérique et draine l'eau libre des différentes régions du cerveau (lorsque la barrière hémato-encéphalique est intacte). Le liquide est ensuite évacué par diurèse osmotique. On peut administrer de la dexaméthasone par voie intraveineuse toutes les six heures pendant 24 à 72 heures. La dose est ensuite diminuée progressivement.

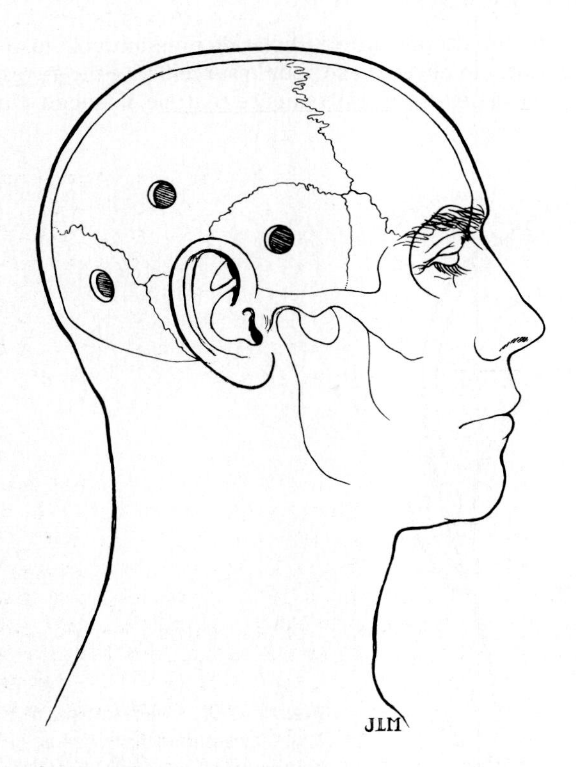

Figure 58-10. Les trous de trépan sont utilisés en neurochirurgie pour pratiquer un volet osseux dans le crâne, pour aspirer un abcès du cerveau ou pour évacuer un hématome.

Habituellement, quand le patient présente des douleurs ou une température supérieure à 37,5 °C, on administre de l'acétaminophène. Les céphalées sont courantes après une craniotomie, la plupart du temps parce que les nerfs du cuir chevelu ont été étirés ou irrités durant l'opération. La codéine suffit habituellement à les soulager. Le patient qui subit une craniotomie sus-tentorielle reçoit des anticonvulsivants (phénytoïne, diazépam), car il existe un risque élevé d'épilepsie après cette intervention neurochirurgicale. On doit surveiller la concentration sérique de la phénytoïne pour s'assurer qu'elle se maintient dans la marge thérapeutique.

Souvent, on introduit un cathéter ventriculaire (ou un autre dispositif de drainage) si le patient a subi l'excision d'une tumeur dans la fosse postérieure. Le cathéter est relié à un contenant d'évacuation externe. Pour vérifier la perméabilité du cathéter, on observe les pulsations du liquide dans la tubulure. On peut aussi évaluer la pression intracrânienne en notant le niveau du liquide dans la partie de la tubulure qui se trouve au-dessus du ventricule. Le cathéter est retiré quand la pression ventriculaire est redevenue normale. L'infirmière doit prévenir le neurochirurgien si le cathéter semble obstrué.

On effectue parfois une dérivation ventriculaire avant certaines interventions chirurgicales afin de réduire l'hypertension intracrânienne, surtout chez les patients qui présentent une tumeur dans la fosse postérieure.

DÉMARCHE DE SOINS INFIRMIERS

PATIENTS SUBISSANT UNE OPÉRATION INTRACRÂNIENNE

▷ *Collecte des données préopératoire et préparation du patient*

Pour évaluer correctement l'état postopératoire du patient, l'infirmière doit connaître les signes et les symptômes qu'il présentait avant l'opération afin de pouvoir établir des comparaisons. La collecte des données comprend l'évaluation du degré de réactivité ou du niveau de conscience, ainsi que le dépistage des déficiences neurologiques. Elle doit aussi noter les troubles moteurs, les troubles visuels, les troubles de la personnalité ou de la parole, et les perturbations de l'élimination urinaire et intestinale. Elle peut vérifier la fonction motrice des mains par une poignée de main. Si le patient ne marche pas, il est important de recueillir des données sur le mouvement des jambes.

Il importe aussi de préparer le patient sur le plan émotif. On doit notamment lui expliquer ce qui se passera après l'opération. Le patient doit savoir, par exemple, que sa tête sera enveloppée d'un grand pansement qui diminuera temporairement son acuité auditive, et qu'il ne pourra pas voir si ses yeux sont fermés par l'œdème. De même, il sera incapable de parler s'il porte une canule trachéale ou une sonde endotrachéale. On doit donc pendant la période préopératoire déterminer les méthodes de communication qui seront utilisées après l'opération.

Parfois, le patient qui présente une altération des fonctions cognitives ne se rend pas compte qu'il va subir une intervention chirurgicale. L'infirmière doit quand même l'encourager et se montrer attentive à ses besoins pour lui donner confiance. Peu importe le niveau de conscience du patient, il faut rassurer les membres de la famille et tenir compte de leurs besoins car ils connaissent la gravité d'une opération au cerveau.

▷ *Collecte des données postopératoire*

Après une opération intracrânienne, la fréquence des soins infirmiers se décide de minute en minute ou d'heure en heure, selon l'état clinique du patient. L'évaluation de la fonction respiratoire est essentielle car une hypoxie même légère peut aggraver l'ischémie cérébrale. L'infirmière surveille la fréquence respiratoire et le rythme de la respiration et vérifie les valeurs des gaz artériels. Elle surveille et note les fluctuations des signes vitaux car ces fluctuations peuvent révéler une hausse de la pression intracrânienne. Elle prend également la température rectale du patient à intervalles réguliers pour dépister l'hyperthermie, qui peut survenir si l'hypothalamus est lésé.

L'infirmière doit évaluer fréquemment la fonction neurologique pour dépister l'hypertension intracrânienne reliée à l'œdème ou aux saignements postopératoires. L'altération de la conscience ou de la réactivité est parfois le premier signe d'hypertension intracrânienne. L'évaluation de la fonction neurologique comprend la vérification du niveau de conscience ou du degré de réactivité, des réactions oculaires, des réactions motrices et des signes vitaux. L'infirmière observe attentivement le patient pour déceler l'apparition insidieuse de déficiences neurologiques (diminution des réactions aux stimuli, troubles d'élocution, difficulté à avaler, faiblesse ou paralysie d'un membre, troubles visuels [diplopie, vision trouble], et paresthésies). Elle doit également surveiller l'agitation, qui peut indiquer une amélioration du niveau de conscience, mais qui peut être due à la douleur, à la confusion, à l'obstruction du système d'évacuation urinaire ou à un autre stimulus. Il faut signaler immédiatement tout signe de convulsions.

L'infirmière examine le pansement pour y déceler la présence de sang ou de liquide céphalorachidien. Si le patient a subi une intervention transsphénoïdale, elle examine la mèche nasale.

Elle doit également surveiller le déroulement de la perfusion intraveineuse, et s'assurer que le débit n'est pas trop rapide. Elle inspecte aussi le point d'injection pour déceler les rougeurs, la douleur, l'œdème ou les écoulements purulents.

Enfin, l'infirmière doit être à l'affût des signes de complications et effectuer toutes ses évaluations en en tenant compte.

▷ *Analyse et interprétation des données*

Selon les données recueillies, voici les principaux diagnostics infirmiers possibles:

- Diminution de l'irrigation tissulaire cérébrale reliée à l'œdème cérébral
- Risque de thermorégulation inefficace relié à la lésion de l'hypothalamus, à la déshydratation et à l'infection
- Altération de l'équilibre hydroélectrolytique reliée à un trouble métabolique ou hormonal possible
- Altération de la perception sensorielle (vision, audition, élocution) reliée à l'œdème périorbitaire, au pansement, à la sonde endotrachéale et aux effets de l'hypertension intracrânienne
- Risque élevé d'infection (intracrânienne ou autre) relié à l'intervention neurochirurgicale (ouverture de la boîte crânienne, retrait et remise en place des os, hématome de la plaie)
- Risque de perturbation des échanges gazeux relié à l'hypoventilation, à l'aspiration et à l'immobilité
- Perturbation de l'image corporelle reliée au changement d'apparence ou aux incapacités physiques

Les autres diagnostics infirmiers qui peuvent s'appliquer sont: altération de la communication (aphasie) reliée à l'agression opératoire; et risque élevé d'atteinte à l'intégrité de la peau relié à l'immobilité, à la compression des points d'appui et à l'incontinence. Le patient peut aussi présenter une altération de la mobilité physique reliée à une déficience neurologique due à l'intervention neurochirurgicale.

▷ *Planification et exécution*

▷ ***Objectifs de soins:*** Rétablissement de l'homéostasie dans le but d'améliorer l'irrigation tissulaire; rétablissement de la thermorégulation; rétablissement ou maintien de l'équilibre hydroélectrolytique; adaptation à la privation sensorielle; prévention des infections intracrâniennes; prévention des infections pulmonaires; amélioration de l'image corporelle

Voir l'encadré 58-3 pour un résumé des soins infirmiers aux patients subissant une opération intracrânienne.

▷ *Interventions infirmières*

▷ ***Rétablissement de l'homéostasie.*** Il est essentiel de surveiller la fonction respiratoire du patient, car une diminution même légère de l'apport en oxygène (hypoxie) peut aggraver l'ischémie cérébrale. L'évaluation et la surveillance effectuées par l'infirmière influent sur l'évolution clinique de la maladie. La sonde endotrachéale doit rester en place jusqu'à ce que le patient commence à reprendre conscience et à respirer spontanément, ce qui se reflète dans les données et les valeurs des gaz artériels. Une mauvaise oxygénation du cerveau peut entraîner des lésions cérébrales.

L'*œdème cérébral* est une accumulation de liquide dans les tissus cérébraux qui entraîne une augmentation du volume du cerveau. Les interventions chirurgicales intracrâniennes provoquent toujours un certain œdème cérébral qui atteint

Encadré 58-3
Résumé des soins infirmiers aux patients subissant une opération intracrânienne

Interventions postopératoires

Diagnostic infirmier: Risque de mode de respiration inefficace relié à l'œdème cérébral postopératoire

Objectif: Rétablissement de la fonction respiratoire

1. Rétablir les échanges gazeux pour éliminer l'hypercapnie et l'hypoxie qui aggravent l'œdème cérébral.
   a) À moins de contre-indication, installer le patient en décubitus latéral ou semi-ventral, afin de faciliter les échanges gazeux, jusqu'à ce que celui-ci ait repris conscience.
   b) Effectuer des aspirations avec précaution pour évacuer les sécrétions; des aspirations prolongées ou trop fréquentes peuvent faire monter la pression intracrânienne.
   c) Garder le patient sous ventilation contrôlée si nécessaire pour maintenir la fonction respiratoire; vérifier régulièrement les valeurs des gaz artériels pour s'assurer que la ventilation est efficace.
   d) Une fois que le patient a repris conscience, monter la tête du lit de 30 cm afin de favoriser le drainage veineux du cerveau.
   e) Ne rien administrer par voie orale jusqu'à ce que les réflexes de la toux et de la déglutition soient rétablis; on prévient ainsi la régurgitation.
   f) S'assurer de la stabilité cardiovasculaire du patient.

Complication possible: Œdème cérébral dû à l'opération intracrânienne

Objectif: Prévention de l'œdème cérébral

1. Évaluer le niveau de conscience et le degré de réactivité du patient; l'altération de la conscience peut être le premier signe d'hypertension intracrânienne.
   a) Évaluer l'ouverture spontanée des yeux en réaction au bruit ou à la douleur et le réflexe pupillaire photomoteur.
   b) Évaluer la réaction du patient à des ordres verbaux.
   c) Évaluer les réflexes moteurs spinaux en pinçant le tendon d'Achille, le bras ou une autre région du corps.
   d) Observer les gestes spontanés du patient.
2. Tenir une feuille de surveillance neurologique et y consigner l'évaluation de la fonction neurologique, l'administration de liquide et d'agents thérapeutiques et les résultats des épreuves de laboratoire.
3. Être à l'affût des signes et des symptômes d'hypertension intracrânienne, laquelle peut entraîner une ischémie et léser davantage la fonction cérébrale.
   a) Évaluer le patient de minute en minute et d'heure en heure, pour déceler les signes suivants:
      - Diminution des réactions aux stimuli
      - Fluctuations des signes vitaux
      - Agitation
      - Faiblesse et paralysie des membres
      - Céphalées qui s'aggravent
      - Changements ou perturbations dans la vision; changements pupillaires
   b) Adapter les soins infirmiers de façon à prévenir toute augmentation supplémentaire de la pression intracrânienne (voir page 1865).
4. Appliquer les mesures prescrites pour réduire l'œdème cérébral postopératoire.
   a) Administrer des stéroïdes et des agents de déshydratation osmotique selon l'ordonnance.
   b) Surveiller l'apport liquidien; habituellement, les besoins hydriques sont calculés avec précision; il faut faire attention de ne pas surcharger le patient.
   c) Maintenir une température normale. Les mécanismes de la thermorégulation sont parfois altérés dans certains troubles neurologiques et la fièvre fait augmenter les besoins métaboliques du cerveau.
      - Prendre la température rectale à intervalles réguliers selon les indications. Évaluer la température des membres; ceux-ci peuvent être froids et secs à cause de l'altération des mécanismes de déperdition de la chaleur (vasodilatation et transpiration).
      - Utiliser les mesures prescrites pour faire baisser la fièvre: sacs de glace sous les aisselles et dans l'aine; compresses tièdes ou fraîches; couverture hypothermique. Utiliser le monitorage cardiaque pour dépister les arythmies durant les interventions visant à réduire la fièvre.
   d) Avoir recours à l'hyperventilation selon l'ordonnance, (L'hyperventilation entraîne une alcalose respiratoire provoquant une vasoconstriction cérébrale, ce qui ralentit la circulation et, par le fait même, diminue la pression intracrânienne.)
   e) Monter la tête de lit pour faire baisser la pression intracrânienne et favoriser la respiration.
   f) Éviter la surstimulation.
   g) Utiliser un système de monitorage de la pression intracrânienne si le patient est sujet à cette complication.

Diagnostic infirmier: Risque d'altération du volume liquidien relié à la pression intracrânienne ou aux diurétiques

Objectif: Rétablissement l'équilibre hydroélectrolytique

1. Être à l'affût des signes de polyurie au cours de la semaine qui suit l'opération; des lésions dans la région de l'hypophyse et de l'hypothalamus peuvent entraîner un diabète insipide.
   a) Mesurer régulièrement la densité urinaire.
   b) Vérifier régulièrement les taux sériques et urinaires des électrolytes.
2. Évaluer régulièrement l'équilibre hydroélectrolytique, car certaines interventions chirurgicales importantes entraînent une rétention d'eau et de sodium.

Encadré 58-3 (suite)

a) Au début de la période postopératoire, un gain pondéral indique une rétention de liquide, tandis qu'une perte pondérale plus importante que prévu traduit un équilibre hydrique négatif.
b) Les pertes de sodium et de chlore provoquent une faiblesse et une léthargie pouvant évoluer vers le coma.
c) Une faible concentration de potassium entraîne une confusion et diminue la réactivité.
3. Peser le patient tous les jours; noter les ingesta et les excreta.
4. Administrer soigneusement les liquides intraveineux (le débit de perfusion et la composition des liquides dépendent du déficit liquidien, du volume et de la composition des urines ainsi que des pertes sanguines). L'apport liquidien et les pertes liquidiennes doivent être à peu près égaux.

Diagnostic infirmier: Altération de la perception sensorielle (visuelle/auditive) reliée à l'œdème périorbitaire et au pansement

Objectif: Compensation de la privation sensorielle

1. Prendre des mesures de soutien jusqu'à ce que le patient soit capable de prendre soin de lui-même.
   a) Changer le patient de position selon les recommandations; se rappeler que les changements de position peuvent augmenter la pression intracrânienne.
   b) Administrer des analgésiques (codéine) qui ne masquent pas la réactivité, selon l'ordonnance.
2. Utiliser les mesures prescrites pour réduire l'œdème périorbitaire.
   a) Lubrifier les paupières et le pourtour des yeux avec un lubrifiant hydrosoluble.
   b) Appliquer des compresses froides légères sur les yeux à la fréquence recommandée.
   c) Être à l'affût des signes de kératite si le réflexe cornéen est absent.
3. Faire faire les exercices passifs d'amplitude de mouvements articulaires.
4. Évaluer et soutenir le patient au cours des périodes d'agitation.
   a) Vérifier si le patient souffre d'une obstruction des voies respiratoires ou d'une distension vésicale.
   b) Utiliser des ridelles rembourrées et des mitaines pour empêcher le patient de se blesser.
5. Renforcer les pansements tachés de sang avec des pansements stériles, car les pansements imbibés de sang sont un milieu propice à la prolifération bactérienne.
6. Orienter souvent le patient dans les trois sphères: temps, espace, et personnes.

Dépistage des signes de complications

1. *Hémorragie intracrânienne*
   a) Les saignements postopératoires peuvent être d'origine intraventriculaire, intracérébelleuse, sous-durale ou épidurale.
   b) Être à l'affût des signes d'altération progressive de la réactivité ainsi que des autres signes d'augmentation de la pression intracrânienne.
   c) Si l'état du patient se détériore, le préparer pour une nouvelle opération et une évacuation de l'hématome.
2. *Hypertension intracrânienne; œdème cérébral*
3. *Convulsions* (Le risque de convulsions est plus élevé après une opération sus-tentorielle.)
   a) Administrer les anticonvulsivants, selon l'ordonnance; vérifier la concentration sanguine du médicament.
   b) Être à l'affût des signes de l'état de mal épileptique; cette forme d'épilepsie peut apparaître après n'importe quelle opération intracrânienne.
4. *Infections*
   a) Être à l'affût des signes d'infection des voies urinaires.
   b) Être à l'affût des signes d'infection des voies respiratoires due à l'aspiration, elle-même causée par l'altération de la réactivité; une infection respiratoire peut entraîner une atélectasie et une pneumonie.
   c) Être à l'affût des signes d'infection de la plaie et de septicémie.
5. *Thrombose veineuse*
6. *Fuite de liquide céphalorachidien*
   a) S'assurer qu'il s'agit bien de liquide céphalorachidien et non de mucus.
      - Mettre une goutte du liquide sur un Dextrosix; s'il s'agit de liquide céphalorachidien, la réaction sera positive car le liquide céphalorachidien contient du glucose.
      - Vérifier si le patient présente une augmentation modérée de température et une légère raideur de la nuque.
   b) Conseiller au patient de ne pas se moucher ou renifler.
   c) Monter la tête du lit selon les indications.
7. *Ulcères gastro-intestinaux*
   Être à l'affût des signes et des symptômes d'hémorragie ou de perforation (probablement causés par la réaction au stress).

Évaluation

Résultats escomptés

1. Le patient présente un rythme respiratoire normal.
   a) Il ne présente pas de bruits adventices.
   b) Ses réflexes de la toux et de la déglutition sont fonctionnels.
2. Le patient présente une amélioration de sa fonction neurologique.
   a) Il ouvre les yeux sur demande.
   b) Il réagit sur commande.
   c) Il a des réactions motrices appropriées.
   d) Il est de plus en plus alerte.
3. Le patient rétablit ou maintient son équilibre hydrique.
   a) Il peut prendre des liquides par voie orale.
   b) Il maintient son poids dans les limites prévues.
4. Le patient compense la privation sensorielle.
   a) Il exprime ses besoins.
   b) Il voit mieux.
5. Le patient ne présente aucune complication.
   a) Il ne présente pas d'hypertension intracrânienne.
   b) Il ne présente pas de rhinorrhée, d'otorrhée ou de fuites de liquide céphalorachidien.
   c) Il ne fait pas de fièvre.
   d) Il ne présente aucun signe d'infection ou d'inflammation autour de la plaie.
   e) Il ne présente pas de convulsions.

généralement son maximum 24 à 36 heures après l'opération. C'est pourquoi on peut constater une forte baisse de la réactivité deux jours après l'opération. Voir à la page 1865 pour le traitement de l'œdème cérébral, et à la page 1866 pour connaître les interventions infirmières servant à éliminer les facteurs qui contribuent à l'hypertension intracrânienne. L'infirmière doit surveiller de près le système de drainage intraventriculaire et respecter rigoureusement les règles de l'asepsie si elle doit toucher à une partie de ce système.

Toutes les 15 à 60 minutes, l'infirmière évalue les signes vitaux et les paramètres neurologiques (réactivité, réflexes pupillaire et moteurs) et note les résultats. Le patient doit éviter les rotations extrêmes de la tête qui peuvent faire monter la pression intracrânienne. Si le patient a subi une opération sus-tentorielle, l'infirmière l'installe en décubitus dorsal ou latéral (sur le côté indemne si la tumeur était grosse) et place un oreiller sous sa tête. Elle peut aussi monter la tête de lit de 20 à 30 degrés, selon les valeurs de la pression intracrânienne et les directives du neurochirurgien. (Habituellement, on place le patient dans une position semblable à celle qu'il avait pendant l'opération.) Si le patient a subi une opération dans la fosse postérieure (sous-tentorielle), l'infirmière l'installe en décubitus latéral (non en décubitus dorsal) et place un petit oreiller ferme sous sa tête. Le patient peut être couché sur n'importe quel côté, mais sa tête ne doit pas être fléchie sur sa poitrine. Quand l'infirmière retourne le patient, elle doit le déplacer en un seul bloc afin de prévenir les tensions sur la plaie et la rupture des sutures qui pourrait en résulter.

L'infirmière change le patient de position toutes les deux heures et lui administre régulièrement des soins cutanés. Les changements de position trop fréquents perturbent les données du monitorage intracrânien. Il est plus facile de tourner le patient en glissant un drap sous lui, de la tête à la mi-cuisse.

▷ ***Rétablissement de la thermorégulation.*** Une fièvre modérée est fréquente après une opération intracrânienne à cause de la réaction de l'organisme au sang accumulé dans la région opérée ou dans l'espace sous-arachnoïdien. Il arrive aussi que l'intervention chirurgicale entraîne des lésions dans les centres hypothalamiques de la thermorégulation. Si le patient présente une forte fièvre, on doit lui administrer un traitement énergique pour prévenir les effets de l'augmentation de la température sur le métabolisme du cerveau et la fonction cérébrale. L'infirmière doit prendre la température à la fréquence recommandée et utiliser les mesures appropriées pour réduire la fièvre, s'il y a lieu: retirer les couvertures, appliquer des sacs de glace sous les aisselles et sur l'aine, appliquer des compresses tièdes ou froides, placer un ventilateur devant le patient pour augmenter le refroidissement superficiel et utiliser une couverture hypothermique.

Le patient peut, au contraire, souffrir d'hypothermie s'il a subi une intervention neurochirurgicale prolongée. Il est donc important de prendre fréquemment la température rectale.

▷ ***Maintien de l'équilibre hydroélectrolytique.*** Le régime liquidien postopératoire dépend de l'intervention chirurgicale pratiquée et des besoins du patient. Le volume liquidien et la composition des liquides administrés sont calculés chaque jour en fonction des valeurs des dosages des électrolytes et du bilan des ingesta et des excreta.

Un déséquilibre hydroélectrolytique, surtout un déséquilibre sodique, peut contribuer à la formation d'un œdème cérébral. Après certaines opérations intracrâniennes, on peut constater une rétention de sodium au cours de la période postopératoire immédiate. L'infirmière doit donc vérifier régulièrement les taux sériques et urinaires des électrolytes, l'azote uréique du sang, la glycémie, le poids et l'état clinique du patient. Elle doit aussi mesurer les ingesta et les excreta pour déceler les pertes dues à la fièvre, à la transpiration et au drainage ventriculaire ou spinal. Si le patient présente un œdème cérébral, on doit parfois restreindre l'apport liquidien.

Habituellement, le patient peut reprendre assez rapidement l'ingestion de liquides par voie orale, car les mécanismes homéostatiques de l'organisme peuvent rétablir l'équilibre électrolytique. Toutefois, dans les cas d'ablation d'une tumeur dans la fosse postérieure, on observe parfois des troubles de déglutition exigeant l'administration parentérale de liquide.

Le patient qui a subi l'ablation d'une tumeur au cerveau doit parfois recevoir de fortes doses de corticostéroïdes qui peuvent le prédisposer à l'hyperglycémie. Il faut donc obtenir toutes les quatre heures un dosage de la glycémie. Comme les ulcères gastriques sont fréquents dans ce cas, le médecin peut prescrire des antiacides ou des inhibiteurs des récepteurs H2 pour réduire la sécrétion d'acide gastrique.

Le patient qui a subi une opération à l'hypophyse ou à l'hypothalamus ou dans les régions voisines peut présenter un diabète insipide se manifestant par une diurèse importante. L'infirmière doit mesurer la densité urinaire toutes les heures et tenir le bilan des ingesta et des excreta.

Le syndrome d'antidiurèse inadéquate est une affection qui se caractérise par une rétention d'eau, ainsi qu'une hyponatrémie et une baisse de l'osmolarité sérique. Ce syndrome se manifeste dans plusieurs troubles du SNC qui s'accompagnent de déséquilibres liquidiens (tumeurs cérébrales, traumatismes crâniens). Pour prévenir la déshydratation, l'apport liquidien doit compenser l'augmentation du débit urinaire. Il faut aussi vérifier fréquemment les taux des électrolytes, surtout du potassium. Quand un patient souffre du syndrome d'antidiurèse inadéquate, l'infirmière tient un bilan minutieux des ingesta et des excreta, mesure la densité urinaire et vérifie les taux sériques et urinaires des électrolytes. Elle doit de plus suivre les directives concernant les restrictions liquidiennes. Le syndrome d'antidiurèse inadéquate disparaît habituellement de façon spontanée.

▷ ***Adaptation à la privation sensorielle.*** L'œdème périorbitaire est une conséquence fréquente des opérations intracrâniennes et s'explique par le fait que du liquide s'écoule dans la région périorbitaire pendant l'opération quand le patient est en décubitus ventral.

Si on n'utilise pas de drains, il arrive souvent qu'un hématome se forme sous le cuir chevelu, s'étende jusqu'à l'orbite et provoque une ecchymose («œil au beurre noir»). Dans certains cas, le patient ne peut ouvrir les yeux avant plusieurs jours à cause d'un œdème palpébral.

Avant l'opération, il faut prévenir le patient qu'un de ses yeux ou les deux seront fermés temporairement après l'intervention. Pour favoriser la réduction de l'œdème, on peut monter la tête du lit et appliquer des compresses froides sur les yeux. Une aggravation importante de l'œdème peut indiquer la formation d'un caillot ou une augmentation de la pression intracrânienne associée à une altération du retour veineux. Il faut alors prévenir le médecin. Le personnel soignant doit s'annoncer avant d'entrer dans la chambre afin de ne pas faire sursauter le patient.

▷ ***Prévention et traitement des infections intracrâniennes et autres.*** Les risques d'infection sont plus élevés chez le patient qui a subi une opération intracrânienne prolongée, qui porte un drain ventriculaire externe pendant plus de 48 à 72 heures ou qui a subi une opération dans la région du troisième ventricule de l'hypothalamus. Une fuite de liquide céphalorachidien entraîne aussi un risque d'infection et de méningite.

Au cours de la période postopératoire, le pansement est souvent souillé de sang. Il est important de le renforcer avec des pansements stériles afin d'éviter la contamination et l'infection. (Le sang est un excellent milieu de culture pour les bactéries.) Si le pansement est très souillé ou s'est déplacé, l'infirmière doit le signaler immédiatement au médecin. (On insère parfois un drain dans la plaie pour faciliter l'évacuation des liquides.)

Si le patient a subi une opération sous-occipitale, la plaie peut laisser fuir du liquide céphalorachidien. Il s'agit d'une complication grave pouvant entraîner une méningite. Le suintement soudain d'une plaie crânienne ou spinale doit être signalé immédiatement car des fuites importantes exigent une réfection chirurgicale d'urgence. Si le patient se plaint d'avoir un goût salé dans la bouche, l'infirmière doit vérifier si ce goût provient de la présence de liquide céphalorachidien dans la gorge. Elle doit lui recommander de ne pas tousser, éternuer ou se moucher car la pression alors exercée sur la région opérée pourrait provoquer une fuite de liquide céphalorachidien.

▷ ***Amélioration des échanges gazeux.*** Après une intervention neurochirurgicale, le patient est sujet à des perturbations des échanges gazeux et aux infections des voies respiratoires à cause de l'immobilité, de l'immunosuppression, de l'altération du niveau de conscience et de la restriction liquidienne. L'immobilité nuit à la respiration parce qu'elle entraîne une accumulation de sécrétions dans les régions déclives qui peut provoquer une atélectasie. De plus, la déshydratation contribue à l'atélectasie car elle entraîne un épaississement des sécrétions. La pneumonie est également fréquente après une intervention neurochirurgicale, probablement à cause des risques d'aspiration.

L'infirmière doit observer le patient à la recherche de signes d'infection respiratoire: fièvre, augmentation de la fréquence du pouls et changements dans la respiration. Elle doit aussi ausculter les poumons du patient pour déceler les bruits adventices.

Les interventions infirmières sont les suivantes: changer le patient de position toutes les deux heures pour favoriser la mobilisation des sécrétions et prévenir leur accumulation; encourager le patient à bâiller, à soupirer, à respirer profondément et à tousser pour rouvrir les alvéoles affaissées; et aspirer les sécrétions que le patient ne peut expectorer en toussant. L'infirmière doit toutefois se rappeler que la toux et l'aspiration augmentent la pression intracrânienne. On peut aussi humidifier l'air de la chambre. L'infirmière doit travailler en collaboration avec l'inhalothérapeute pour évaluer les effets de la physiothérapie respiratoire.

▷ ***Évaluation des complications postopératoires.*** Le saignement ou l'hématome intracrâniens, l'œdème cérébral et l'intoxication hydrique font partie des complications qui peuvent survenir dans les heures suivant l'opération. La prévention de ces complications exige une collaboration étroite entre l'infirmière et le chirurgien.

- Une chute de la pression artérielle, une accélération du pouls et de la respiration ainsi qu'une peau pâle et froide sont des signes de choc hypovolémique. La meilleure façon de traiter cette forme de choc est l'administration de dérivés du sang.
- À l'inverse, une augmentation de la pression artérielle et un ralentissement du pouls accompagné d'une insuffisance respiratoire peuvent témoigner d'une hypertension intracrânienne.
- Une accumulation de sang sous le volet osseux (épidural, sous-dural ou intracérébral) peut mettre la vie du patient en danger. Il faut soupçonner la présence d'un caillot chez tout patient qui ne se réveille pas dans les délais prévus ou dont l'état se détériore. L'apparition d'une nouvelle déficience neurologique après l'intervention chirurgicale (tout particulièrement une pupille dilatée du côté opéré) peut indiquer la présence d'un hématome intracrânien. Il faut dans ce cas ramener immédiatement le patient à la salle d'opération pour extraire le caillot.
- L'œdème cérébral, le ramollissement cérébral, les perturbations métaboliques et l'hydrocéphalie peuvent simuler les signes cliniques d'hématome.

Les principales interventions infirmières sont: observer le patient pour déceler les complications; faire part au chirurgien des signes de complication; entreprendre promptement les traitements nécessaires; et collaborer à l'évaluation de la réaction du patient au traitement. L'infirmière doit en outre soutenir le patient et sa famille.

Convulsions postopératoires. Les crises convulsives et l'épilepsie sont des complications des interventions neurochirurgicales qu'il faut prévenir pour ne pas aggraver l'œdème cérébral. L'administration d'anticonvulsivants avant et immédiatement après l'opération peut prévenir les convulsions au cours des mois et des années suivantes. L'état de mal épileptique (crises convulsives prolongées sans reprise de conscience entre les crises) peut apparaître après une craniotomie; il est associé à certaines complications (hématome, ischémie). Voir le chapitre 59 pour le traitement de l'état de mal épileptique.

Interventions postopératoires générales. Le patient qui ne présente pas de complications doit marcher dès que possible avec l'aide de l'infirmière. Par contre, le patient dont la réactivité est diminuée a besoin des mêmes soins infirmiers que le patient inconscient (page 1871). Quant au patient qui souffre d'un trouble moteur, il exige les mêmes soins infirmiers que le patient victime d'un accident vasculaire cérébral (page 1891). Enfin, le patient qui présente des troubles intellectuels et d'élocution a besoin d'une évaluation psychologique, de traitements orthophoniques et d'un programme de rééducation. L'infirmière doit travailler en collaboration avec d'autres membres du personnel soignant pour que les objectifs du programme de rééducation soient atteints.

Amélioration de l'estime de soi. L'infirmière doit encourager le patient à exprimer ce qu'il ressent au sujet du changement d'apparence qu'il a subi. Le soutien à apporter dépend des sentiments du patient et de la façon dont il les exprime. Celui-ci aura besoin d'information s'il entretient des idées fausses sur la bouffissure de son visage, l'ecchymose périorbitaire et la perte de ses cheveux. L'infirmière peut l'encourager à soigner sa mise, à s'habiller avec ses propres vêtements et à se couvrir la tête d'un turban (et peut-être aussi à utiliser une perruque jusqu'à ce que les cheveux repoussent). Le patient peut également se sentir revalorisé s'il entretient des relations avec ses amis, sa famille et le personnel infirmier.

Le patient a besoin de temps pour se bâtir une image corporelle positive. C'est en acquérant plus d'autonomie dans ses autosoins et en devenant plus actif qu'il prendra de l'assurance et de la confiance en ses capacités. Il est important aussi qu'il soit épaulé par sa famille et son réseau de soutien social pendant toute la période de la rééducation.

Enseignement au patient et soins à domicile. La convalescence à domicile du patient ayant subi une intervention neurochirurgicale dépend de l'ampleur de l'opération et de ses résultats. L'infirmière doit expliquer aux membres de la famille les forces et les faiblesses du patient et leur faire connaître les moyens de favoriser son rétablissement. Étant donné l'importance des anticonvulsivants, il faut recommander au patient et à sa famille de mettre au point une méthode qui évitera les oublis. Le patient aura besoin d'être accompagné dans ses déplacements s'il est sujet à des étourdissements ou à des convulsions.

Habituellement, le patient n'a pas à suivre un régime alimentaire restrictif, sauf s'il présente d'autres problèmes de santé qui exigent un régime spécial. Il peut prendre une douche ou un bain mais doit éviter de se mouiller le cuir chevelu jusqu'à ce que les sutures aient été retirées. Il peut porter un foulard ou une casquette propre en attendant de se procurer une perruque ou un postiche. Si un os crânien a dû être enlevé en cours d'opération, le neurochirurgien recommandera peut-être le port d'un casque protecteur.

Après une craniotomie, le patient est généralement plus sensible aux bruits. Le son de la télévision, par exemple, peut l'irriter.

Quand la tumeur, la lésion ou la maladie est d'un mauvais pronostic, les soins doivent être axés sur le bien-être optimal du patient. Une baisse du niveau de conscience peut indiquer que la tumeur ou la compression reprennent de l'expansion. Les séquelles possibles d'une opération neurochirurgicale sont la paralysie, la cécité et les crises convulsives. Si la famille est incapable de prodiguer les soins, on doit la diriger vers une infirmière en santé communautaire et un travailleur social qui prendront les mesures nécessaires pour lui assurer l'aide dont elle a besoin à domicile, ou qui feront admettre le patient dans un établissement de soins prolongés ou palliatifs. (Consulter aussi la section portant sur les métastases cérébrales au chapitre 59.)

▷ *Évaluation*

Résultats escomptés

1. Le patient présente une amélioration de son homéostasie neurologique et de l'irrigation de ses tissus cérébraux.
   a) Il ouvre les yeux sur demande ; il prononce des mots intelligibles et retrouve peu à peu une expression verbale normale.
   b) Il réagit sur commande par des réactions motrices appropriées.
2. Le patient présente une température corporelle normale.
3. Le patient retrouve son équilibre hydroélectrolytique.
   a) Il présente un bilan électrolytique acceptable compte tenu de l'opération intracrânienne subie.
   b) Il observe les restrictions liquidiennes recommandées.
4. Le patient s'adapte à la privation sensorielle.
5. Le patient ne présente pas d'infection intracrânienne.
6. Le patient a des échanges gazeux normaux.
7. Le patient améliore son concept de soi.
   a) Il soigne sa mise.
   b) Il entretient des relations avec d'autres.

INTERVENTIONS CHIRURGICALES TRANSSPHÉNOÏDALES

Les tumeurs hypophysaires (qui comptent pour 10 à 20 % de toutes les tumeurs intracrâniennes) peuvent être traitées par intervention chirurgicale ou par irradiation. L'exérèse chirurgicale se fait soit par craniotomie (habituellement transfrontale), soit par voie transsphénoïdale. La méthode choisie dépend de différents facteurs anatomiques, de l'étendue de la tumeur et de la nature de la maladie.

Les tumeurs situées dans la selle turcique (fosse pituitaire) ainsi que les petits adénomes hypophysaires peuvent être excisés par voie transsphénoïdale (figure 58-11). Le chirurgien pratique alors une incision sous la lèvre supérieure et avance peu à peu dans les fosses nasales, puis dans le sinus sphénoïdal jusqu'à la selle turcique. L'ouverture initiale peut être pratiquée par un otorhinolaryngologiste, mais c'est le neurochirurgien qui poursuit l'ouverture dans le sinus sphénoïdal et qui dénude le fond de la selle turcique. Grâce aux progrès des méthodes d'illumination, de grossissement et de visualisation, le chirurgien qui pratique la microchirurgie peut aujourd'hui préserver les tissus vitaux qui bordent la région touchée.

Utilisée de plus en plus souvent, la voie transsphénoïdale permet un accès direct à la selle turcique et réduit les risques de trauma et d'hémorragie. Elle permet également d'éviter plusieurs des risques associés à la craniotomie. Les malaises postopératoires sont semblables à ceux causés par les autres opérations transnasales. La méthode transsphénoïdale est aussi utilisée pour pratiquer l'ablation de l'hypophyse chez les patients présentant des métastases d'un cancer du sein ou de la prostate.

Évaluation préopératoire. Le bilan préopératoire comprend une série d'examens endocriniens, un examen rhinologique (pour évaluer l'état des sinus et des fosses nasales) et des études neuroradiologiques. Il faut aussi effectuer un examen du fond de l'œil et du champ visuel, car l'effet le plus grave des tumeurs hypophysaires est une pression localisée sur le nerf ou le chiasma optique. On doit également faire une culture des sécrétions rhinopharyngiennes car la méthode transsphénoïdale est contre-indiquée si le patient souffre d'une infection sinusale. On donne parfois de la cortisone avant et après l'opération (car l'opération inhibe la sécrétion de la corticcotrophine).

Traitement postopératoire

Étant donné que l'intervention transsphénoïdale perturbe la muqueuse du nez et de la bouche, le traitement est axé sur la prévention des infections et le rétablissement de la santé. Le traitement médicamenteux comprend des antibiotiques (administrés jusqu'au retrait de la mèche nasale, des corticostéroïdes, des analgésiques pour soulager la douleur et, au besoin, des agents visant à corriger le diabète insipide.

On retire la mèche nasale entre 24 heures et quelques jours après l'opération. Il faut nettoyer la région entourant les narines avec la solution prescrite pour retirer le sang séché et humidifier les muqueuses.

Interventions infirmières postopératoires

L'infirmière prend les signes vitaux pour évaluer l'état hémodynamique et respiratoire. Étant donné que l'hypophyse est située tout près du chiasma optique, il faut aussi évaluer régulièrement l'acuité visuelle. Pour ce faire, l'infirmière peut placer sa main devant le patient et lui demander de compter les doigts. Une diminution de l'acuité visuelle témoigne d'un hématome en expansion.

Après l'opération, les malaises sont surtout reliés à la mèche nasale, à la sécheresse de la bouche et à la soif causée par le fait de devoir respirer par la bouche. L'infirmière doit administrer des soins buccaux toutes les quatre heures ou plus souvent. Habituellement, on ne brosse pas les dents du patient tant que l'incision de la gencive supérieure n'est pas cicatrisée. Pour améliorer le bien-être du patient, on peut lui rincer la bouche avec une solution salée tiède et lui passer la soie dentaire. L'utilisation d'un humidificateur contribue également à réduire la sécheresse des muqueuses.

L'infirmière hausse la tête du lit pour réduire la pression sur la selle turcique et favoriser le drainage. Elle recommande au patient de ne pas se moucher et d'éviter les actions susceptibles de faire monter la pression intracrânienne (comme de se pencher ou de forcer pour déféquer).

L'infirmière mesure les ingesta et les excreta afin de surveiller la rééquilibration hydroélectrolytique. Elle mesure aussi la densité urinaire après chaque miction. Elle pèse le patient tous les jours. Habituellement, le patient peut ingérer des liquides par voie orale quand les nausées ont disparu, et reprendre peu à peu son régime alimentaire.

Complications

La manipulation chirurgicale de l'hypophyse peut entraîner un diabète insipide transitoire de quelques jours que l'on traite par l'administration de vasopressine. Dans certains cas, le diabète insipide persiste. La fuite de liquide céphalorachidien, la méningite postopératoire et le syndrome d'antidiurèse inadéquate font partie des autres complications possibles.

L'infirmière conseille au patient d'utiliser un humidificateur une fois de retour à la maison afin de garder les muqueuses humides et de soulager l'irritation. Il est préférable de garder la tête du lit surélevée durant au moins deux semaines après l'intervention.

TRAITEMENT NEUROCHIRURGICAL DE LA DOULEUR

Le traitement de la douleur chronique exige une approche multidisciplinaire. (Voir le chapitre 43 pour les principes généraux de la psychophysiologie et du traitement de la douleur.)

La *douleur irréductible* est une douleur que les médicaments ne peuvent soulager efficacement sans provoquer une accoutumance ou une sédation invalidante. Elle est le plus souvent causée par un cancer (surtout les cancers du col de l'utérus, de la vessie, de la prostate et de l'intestin), mais on la retrouve dans d'autres affections, dont l'algie postzostérienne, la névralgie essentielle du trijumeau, l'arachnoïdite de la moelle épinière, l'ischémie persistante et autres formes de destruction tissulaire.

Les principales méthodes neurochirurgicales de soulagement de la douleur sont: (1) les interventions de stimulation: électrostimulation intermittente d'un faisceau ou d'un centre pour inhiber la transmission du stimulus douloureux; (2) l'administration d'opiacés par voie intraspinale; et (3) l'interruption des voies qui transmettent la douleur entre la périphérie et les centres d'intégration cérébraux.

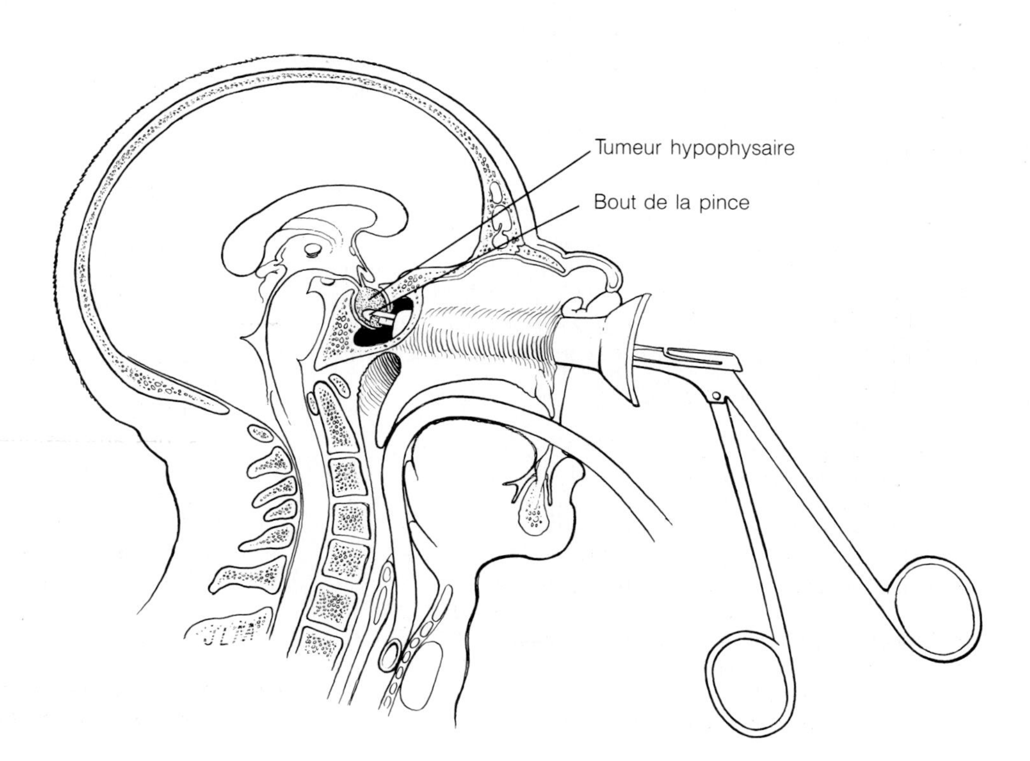

Figure 58-11. Accès à l'hypophyse par voie transsphénoïdale. On utilise un spéculum nasal spécial pour mettre en évidence les fosses nasales. Après l'ouverture de la dure-mère, on excise la tumeur à l'aide de microcurettes ou d'autres instruments spécialement conçus à cette fin.

Interventions de stimulation

L'électrostimulation, ou neuromodulation, est une méthode de soulagement de la douleur qui consiste à envoyer des impulsions électriques de basse tension dans différentes parties du système nerveux. Il semble que l'électrostimulation soulage la douleur en empêchant les influx douloureux d'atteindre le cerveau, soit en bloquant les petites fibres afférentes au niveau de la corne supérieure de la moelle, soit en stimulant la sécrétion d'opiacés endogènes (peptides analgésiques naturels). Il existe différentes méthodes de modulation de la douleur, dont les plus courantes sont l'électrostimulation percutanée et la stimulation des cornes postérieures de la moelle épinière. On peut aussi utiliser des stimulateurs cérébraux, dotés d'électrodes qu'on introduit dans la périphérie du troisième ventricule.

Électrostimulation percutanée

L'électrostimulation percutanée soulage la douleur localisée en faisant passer de faibles courants électriques à travers la peau. Les électrodes de stimulation sont placées au niveau de la région douloureuse ou le long des principaux nerfs périphériques qui innervent cette région, ou encore au-dessus du plexus périphérique. Le patient règle l'amplitude jusqu'à ce que la stimulation se fasse sentir dans les tissus profonds par une sensation de vibration ou de picotement. Il augmente ensuite lentement l'amplitude jusqu'à ce que la sensation soit perçue au point d'origine de la douleur ou le long des voies d'irradiation. Le patient règle lui-même l'amplitude, la fréquence et la durée de la stimulation. L'électrostimulation percutanée est utile au patient bien informé qui en est aux premiers stades d'une douleur aiguë, de même qu'au patient souffrant de douleur chronique. Elle donne de meilleurs résultats si elle est accompagnée d'un programme de rééducation complet destiné à soulager ou à supprimer la douleur.

Enseignement au patient qui utilise l'électrostimulation percutanée. Le patient doit lire le mode d'emploi fourni par le fabricant de l'appareil pour apprendre comment préparer sa peau et entretenir les électrodes et la génératrice. Il doit d'abord nettoyer sa peau et mettre du gel à électrode sur les électrodes, qu'il place ensuite au niveau des nerfs qui innervent la région douloureuse. Il fixe les électrodes sur la peau à l'aide de ruban hypoallergène. La principale complication de l'électrostimulation percutanée est l'irritation de la peau causée par le ruban (en raison de la force de cisaillement qui s'exerce entre le ruban et la peau), par le gel ou par les électrodes. On doit demander au patient d'évaluer l'efficacité du traitement et de noter ses observations. Si la maladie (par exemple un cancer avancé) s'aggrave, il sera peut-être nécessaire de modifier l'amplitude.

Stimulation des cornes postérieures de la moelle épinière

La stimulation des cornes postérieures de la moelle épinière est une méthode de soulagement de la douleur irréductible chronique. Il s'agit de l'implantation d'un dispositif qui permet au patient d'appliquer une stimulation électrique à impulsion sur la face dorsale de la moelle épinière dans le but de bloquer les influx douloureux. (C'est à la face dorsale de la moelle épinière que se trouve la plus grande quantité de fibres afférentes.)

Le système comprend un émetteur de stimulation à haute fréquence, une antenne d'émission, un récepteur de haute fréquence et une électrode de stimulation. L'émetteur alimenté par pile ainsi que l'antenne se portent à l'extérieur du corps, tandis que le récepteur et l'électrode sont internes. Ils sont insérés par laminectomie au-dessus du plus haut point d'arrivée de la douleur. On place l'électrode dans l'espace épidural au niveau de la corne postérieure de la moelle épinière. L'implantation des systèmes de stimulation peut varier selon le cas. Pour la pose du récepteur, on pratique une poche sous-cutanée au-dessus de la région claviculaire ou ailleurs. L'électrode et le récepteur sont reliés par un tunnel sous-cutané.

Soins infirmiers postopératoires. Les soins infirmiers postopératoires sont les mêmes que pour une laminectomie pratiquée pour une autre raison. L'infirmière examine le patient pour déceler les signes de paraplégie, de tétraplégie et d'incontinence urinaire. Elle évalue le mouvement des membres. Elle examine également la région de la laminectomie pour vérifier s'il y a fuite de liquide céphalorachidien car on ouvre la dure-mère au cours de l'intervention chirurgicale. Il faut aussi inspecter la région de l'implant pour déceler les signes d'infection. Dès que le patient est complètement éveillé, on peut tester l'appareil de stimulation. Toutefois, le premier test manque parfois de précision à cause du pansement qui recouvre la région où se trouve le récepteur. Les complications de cette opération sont l'infection, la lésion de la moelle épinière, la fuite de liquide céphalorachidien et la douleur dans la région de l'implantation.

Enseignement au patient et soins à domicile. Le patient doit lire le mode d'emploi fourni par le fabricant pour apprendre à se servir de l'appareil. L'infirmière lui montre comment prendre soin de sa peau et comment fixer l'antenne à la peau, brancher l'émetteur et régler les commandes. Il faut essayer différentes fréquences de stimulation pour déterminer laquelle apporte le meilleur soulagement. Le patient doit noter les différentes fréquences essayées et les résultats obtenus. L'infirmière conseille au patient de garder quelques piles en réserve. (La durée des piles dépend de la fréquence de l'utilisation.) L'émetteur et l'antenne doivent être nettoyés selon les recommandations du fabricant.

Neurostimulation épidurale transcutanée

Pour la neurostimulation épidurale transcutanée, on introduit des électrodes par voie transcutanée dans l'espace épidural de la moelle épinière. Cette méthode de neurostimulation semble efficace pour le traitement de la douleur due à l'arachnoïdite et au névrome d'amputation.

Stimulation cérébrale profonde

On a recours à la stimulation cérébrale profonde dans les cas où le patient ne répond pas aux méthodes habituelles de soulagement de la douleur. Après anesthésie locale, on introduit une électrode par un trou de trépan et on la place dans une région déterminée du cerveau, selon l'origine ou la nature de la douleur. Une fois l'efficacité de la méthode confirmée, on relie l'électrode à un appareil à haute fréquence ou à un générateur d'impulsions externe opéré par télémétrie.

Les complications postopératoires immédiates sont les infections et les déficiences neurologiques transitoires. Les complications tardives sont les pannes de l'appareil de stimulation et l'épuisement d'effet. Dans le cadre de ses interventions, l'infirmière doit enseigner au patient et à sa famille comment utiliser l'appareil, encourager le patient à noter le réglage des commandes d'amplitude et de fréquence en regard du soulagement obtenu, et être à l'affût des signes de complications.

Opiacés intraspinaux

On a démontré qu'il existe des récepteurs non seulement dans le cerveau mais aussi dans la substance gélatineuse de Rolando. Ces récepteurs peuvent se combiner aux opiacés administrés localement (morphine) ou injectés par voie épidurale ou intrathécale pour produire un soulagement prolongé de la douleur, avec diminution nulle ou faible de la réactivité et sans perte sensorielle et motrice, ni altération de la fonction vésicale.

L'administration d'opiacés peut se faire selon différentes méthodes. Dans la plupart des méthodes, on introduit un cathéter avec une aiguille spinale dans l'espace épidural ou sous-arachnoïdien et on pousse le cathéter le plus près possible du segment médullaire où la douleur est projetée. Toutes les six à vingt-quatre heures, on injecte dans le cathéter de faibles doses de morphine sans agent de conservation diluée dans une solution salée. Pour un traitement prolongé, on peut implanter une pompe programmable.

Après le début du traitement, on évalue régulièrement le degré de soulagement obtenu. Il faut aussi examiner le point de ponction pour détecter les signes d'infection.

Cette méthode peut être utilisée à domicile. La dose de médicament nécessaire est faible, le patient a l'esprit clair et il est habituellement capable de fonctionner de façon normale. Pendant quelques jours, toutefois, il peut souffrir de démangeaisons et de rétention urinaire. Si la tumeur évolue rapidement, on doit augmenter la dose de morphine, mais bien endeçà de la dose nécessaire quand la morphine est administrée par voie générale.

Sections chirurgicales

Les fibres de transmission de la douleur peuvent être sectionnées à n'importe quel point depuis leur point d'origine jusqu'au cortex cérébral, mais au détriment de certaines parties du système nerveux, ce qui peut provoquer des déficiences neurologiques plus ou moins graves. Habituellement, la douleur revient avec le temps, soit à cause de la régénérescence des fibres, soit à cause de la formation d'autres voies de transmission de la douleur.

Cordotomie. La cordotomie est la section chirurgicale des cordons antérolatéraux de la moelle épinière, soit par voie transcutanée, soit par laminectomie, soit par d'autres méthodes.

Pour pratiquer une *cordotomie transcutanée,* on utilise des courants à haute fréquence qui causent des lésions sur la face antérolatérale de la moelle. Cette opération se fait sous anesthésie locale au moyen d'une aiguille introduite dans le cou en dessous et derrière l'apophyse mastoïde. L'aiguille est ensuite avancée, sous contrôle radiologique, jusqu'à la moelle épinière. On y introduit ensuite une électrode qui transmet les courants à haute fréquence.

Pour vérifier l'emplacement de l'électrode, il faut observer la réaction du patient à la stimulation.

La *cordotomie ouverte* est la section chirurgicale du cordon antérolatéral du faisceau spinothalamique, à un point élevé de la région thoracique ou cervicale. Cette intervention interrompt la transmission des influx douloureux et thermiques tout en préservant la sensibilité tactile et le sens de la position. On expose la moelle par laminectomie. Le plus souvent, on a recours à la cordotomie pour supprimer une douleur intense chez des patients atteints de cancer en phase terminale (surtout si la maladie touche le thorax, l'abdomen ou les membres inférieurs). Comme l'efficacité de la cordotomie diminue après un à cinq ans, on ne pratique cette intervention que chez les patients dont l'espérance de vie est limitée.

Soins infirmiers postopératoires. Les soins infirmiers sont les mêmes que pour une laminectomie et sont administrés pendant la période postopératoire et au cours de la rééducation du patient (voir chapitre 59). Après une cordotomie, on doit parfois garder le patient en position horizontale pour une durée donnée, afin de réduire la tension sur l'incision. Si l'incision a été pratiquée sur le thorax, on peut tourner le patient sur le ventre. Si elle se trouve sur le cou, on doit éviter les oreillers quand le patient est en décubitus dorsal. On garde le cou en position neutre pour prévenir les tensions sur la région opérée. Le patient doit être retourné en un seul bloc par deux personnes, en utilisant une alèse.

Évaluation des complications. L'infirmière observe le patient à la recherche de signes de complications respiratoires, de fatigue ou d'un affaiblissement de la voix. Parfois, le patient respire adéquatement quand il est éveillé mais présente de l'hypercapnie et de l'hypoxie pendant son sommeil. Il faut donc vérifier régulièrement les valeurs des gaz artériels et utiliser la ventilation assistée au besoin.

Étant donné qu'une hémorragie peut entraîner des pertes motrices et sensorielles, l'infirmière doit évaluer le mouvement, la force et la sensibilité de chaque membre. Au cours des deux jours qui suivent l'opération, cette évaluation doit se faire toutes les deux ou trois heures ou plus souvent. Si le patient présente une hémorragie, une intervention chirurgicale d'urgence s'impose. Comme le patient n'a plus de sensibilité thermique, l'infirmière doit vérifier régulièrement la température de sa peau. De même, à cause de la perte de la sensibilité tactile, le patient ne ressent pas la douleur causée par les escarres de décubitus; l'infirmière doit donc lui enseigner à examiner sa peau, en utilisant un miroir à main pour les régions difficiles à voir, et lui recommander de changer régulièrement de position. Le patient peut également souffrir d'incontinence urinaire. Habituellement, la miction revient peu à peu à la normale. Toutefois, il arrive que le patient présente une altération permanente du sphincter vésical; il faut alors entreprendre un programme de rééducation vésicale.

Rhizotomie (radicotomie). La rhizotomie est la section chirurgicale de racines de la moelle épinière. On pratique cette intervention pour supprimer les douleurs thoraciques intenses dues au cancer du poumon et pour soulager la douleur reliée aux tumeurs malignes de la tête et du cou.

Très souvent, le patient atteint d'une tumeur maligne métastatique est incapable de tolérer une rhizotomie ouverte.On peut alors pratiquer une *rhizotomie percutanée,* qui se fait au moyen d'un courant à haute fréquence qui permet de coaguler de façon sélective les fibres de la sensibilité à la douleur tout en préservant les fibres de la sensibilité tactile et proprioceptive.

La *rhizotomie chimique* consiste à injecter de l'alcool, du phénol ou un mélange médicamenteux dans l'espace sous-arachnoïdien. On dirige le médicament sur les racines nerveuses que l'on veut atteindre en inclinant le patient à l'angle désiré. La rhizotomie chimique supprime la fonction des racines des nerfs sensitifs. La sensibilité à la douleur est inhibée, mais les racines des nerfs moteurs ne sont généralement pas touchées.

Méthodes psychochirurgicales

Les méthodes psychochirurgicales visent à altérer la réaction du patient à la douleur. La *thalamotomie* est la destruction neurochirurgicale (soit unilatérale, soit bilatérale) de certains groupes de cellules du thalamus. On pratique d'abord des trous de trépan dans le crâne, puis on pose des électrodes dans la zone cible par stéréotaxie. On envoie ensuite un courant à haute fréquence dans les électrodes pour provoquer une lésion dans la zone cible. Cette intervention permet d'interrompre les voies sensitives du SNC au plus haut point de leur trajet et est habituellement pratiquée dans les cas de cancer de la tête et du cou.

RÉSUMÉ

Les affections neurologiques peuvent être aiguës et mettre la vie du patient en danger. Elles peuvent également être chroniques et altérer les fonctions et le bien-être du patient. Elles perturbent très souvent la dynamique familiale et le bien-être des membres de la famille. Dans beaucoup de cas, un traitement médical ou chirurgical peut sauver la vie du patient, mais en laissant des séquelles qui sont du ressort des interventions infirmières. C'est souvent l'infirmière, en collaboration avec les autres membres de l'équipe de soins, qui travaille avec le patient et la famille pour trouver et coordonner les ressources et les services qui permettront la rééducation du patient (par exemple, la physiothérapie, l'ergothérapie, les soins à domicile, l'aide de travailleurs sociaux, l'orthophonie).

Dans les troubles neurologiques, il arrive qu'un mauvais pronostic clinique s'améliore avec le temps, d'où l'importance d'évaluer continuellement l'état neurologique du patient pour déceler les changements qui peuvent modifier l'issue de la maladie. L'infirmière doit entreprendre rapidement l'exécution d'un plan de soins basé sur les besoins du patient. En général, le patient qui souffre de déficiences neurologiques a besoin d'un plan de soins qui englobe presque tous les appareils et systèmes de l'organisme. Le patient et sa famille ont besoin de soutien et d'encouragement durant la phase critique de la maladie et au cours de la période de rééducation. Enfin, le programme de rééducation et de soins de soutien doit favoriser le rétablissement du patient ainsi que sa capacité d'effectuer les activités de la vie quotidienne.

Bibliographie

Ouvrages

Archer-Copp L (ed). Perspectives on Pain. New York, Churchill Livingstone, 1985.

Bannister R. Brain's Clinical Neurology, 6th ed. New York, Oxford University Press, 1985.

Barnett H et al. Stroke: Pathophysiology, Diagnosis and Management. New York, Churchill Livingstone, 1986.

Barr M and Kiernan J. The Human Nervous System: An Anatomical Viewpoint, 5th ed. Philadelphia, JB Lippincott, 1988.

Bates B. A Guide to the Physical Examination, 5th ed. Philadelphia, JB Lippincott, 1991.

Bonica J. The Management of Pain, 2nd ed. Philadelphia, Lea & Febiger, 1990.

Brandstater M and Basmajian J (ed). Stroke Rehabilitation. Baltimore, Williams & Wilkins, 1987.

Britt B. Malignant Hyperthermia. Boston, Kluwer Academic Publishers, 1987.

Burns M. Speech/Language Treatment of the Aphasias: An Integrated Clinical Approach. Rockville, MD, Aspen Publishers, 1988.

Chusid J. Correlative Neuroanatomy and Functional Neurology. Los Altos, CA, Lange Medical Publications, 1985.

Crockard A et al (eds). Neurosurgery: The Scientific Basis of Clinical Practice. Boston, Blackwell Scientific, 1985.

Davies P. Steps to Follow: A Guide to the Treatment of Adult Hemiplegia. New York, Springer-Verlag, 1985.

Decker BC. Current Therapy in Neurological Surgery. St Louis, CV Mosby, 1985.

Delava J. Neurologie centrale chez l'adulte et réadaptation. Paris, Masson, 1988.

Donnell F (ed). Clinical Management of Neurogenic Communicative Disorders, 2nd ed. Boston, Little, Brown, 1985.

Echternach J (ed). Pain. New York, Churchill Livingstone, 1987.

En collaboration. Recherches sur l'impact du traumatisme cérébral. Centre de réadaptation Lucie-Bruneau, Montréal, 1984.

Fein J and Flamm E. Cerebrovascular Surgery. New York, Springer-Verlag, 1985.

Freidberg S. The neurosurgeon's approach to pain, evaluation and treatment of chronic pain. In Aronoff G (ed). Baltimore, Urban & Schwarzenberg, 1985, pp 319–331.

Gilroy J. Basic Neurology. New York, Pergamon Press, 1990.

Gunderson C. Essentials of Clinical Neurology. New York, Raven Press, 1990.

Guyton AC. Neurophysiologie. Paris, Masson, 1984.

Heldick-Smith M. Neurologic Problems in the Elderly. Philadelphia, Bailliere Tindall, 1985.

Henning R and Jackson D. Handbook of Critical Care Neurology and Neurosurgery. New York, Praeger Scientific, 1985.

Henry G and Little N. Neurologic Emergencies: A Symptom-Oriented Approach. New York, McGraw-Hill, 1985.

Hickey J. The Clinical Practice of Neurological and Neurosurgical Nursing, 2nd ed. Philadelphia, JB Lippincott, 1986.

Johnstone M. The Stroke Patient: A Team Approach. New York, Churchill Livingstone, 1987.

Kaplan P and Cerullo L. Stroke Rehabilitation. Boston, Butterworths, 1986.

Lundgren J. Acute Neuroscience Nursing: Concepts and Care. Boston, Jones & Bartlett, 1986.

Marshall SB et al. Neuroscience Critical Care: Pathophysiology and Patient Management. Philadelphia, WB Saunders, 1990.

McCaffery M and Bebe A. Pain: Clinical Manual for Nursing Practice. St Louis, CV Mosby, 1989.

McLeod J. Introductory Neurology, 2nd ed. Chicago, Year Book Medical Publishers, 1989.

Millikan C. Stroke. Philadelphia, Lea & Febiger, 1987.

Pallett P and O'Brien M. Textbook of Neurological Nursing. Boston, Little, Brown, 1985.

Prithvi-Raj P (ed). Practical Management of Pain: Special Emphasis on Physiology of Pain Syndromes and Techniques of Management. Chicago, Year Book Medical Publishers, 1986.

Roper A and Kennedy S. Neurological and Neurosurgical Intensive Care, 2nd ed. Rockville, MD, Aspen Publishers, 1988.

Rosenbeck J et al. Aphasia: A Clinical Approach. Boston, Little, Brown, 1989.

Rowland LP (ed). Merritt's Textbook of Neurology, 8th ed. Philadelphia, Lea & Febiger, 1989.

Rudy E. Advanced Neurological and Neurosurgical Nursing. St Louis, CV Mosby, 1984.

Ryalls J (ed). Phonetic Approaches to Speech Production in Aphasia and Related Disorders. Boston, Little, Brown, 1987.

Salcman M (ed). Neurologic Emergencies: Recognition and Management, 2nd ed. New York, Raven Press, 1990.

Samuels M. Manual of Neurologic Therapeutics. Boston, Little, Brown, 1986.

Santé et Bien-être social Canada. *Programme de traitement des accidents cérébro-vasculaires.* Québec. Ministère de la santé et des services sociaux, 1986.

Skinner P and Shelton R. Speech, Language and Hearing: Normal Processes and Disorders, 2nd ed. New York, John Wiley & Sons, 1985.

Smith G and Covino B. Acute Pain. Boston, Butterworths, 1985.

Spetzler R et al. Cerebral Revascularization for Stroke. New York, Thieme-Stratton, 1985.

Tindall G et al. Disorders of the Pituitary. St Louis, CV Mosby, 1986.

Umphred D. Neurological Rehabilitation. St Louis, CV Mosby, 1985.

Vogt G et al. Mosby's Manual of Neurological Care. St Louis, CV Mosby, 1985.

Wade D et al. Stroke: A Critical Approach to Diagnosis, Treatment, and Management. London, Chapman & Hall, 1985.

Weiner W and Goetz CG (ed). Neurology for the Non-Neurologist, 2nd ed. Philadelphia, JB Lippincott, 1989.

Weinstein P and Faden A. Protection of the Brain from Ischemia. Baltimore, Williams & Wilkins, 1989.

Wilkins R and Rengachary S. Neurosurgery. New York, McGraw-Hill, 1985.

Youmans J (ed). Neurological Surgery: A Comprehensive Reference Guide to the Diagnosis and Management of Neurosurgical Problems, 3rd ed. Philadelphia, WB Saunders, 1990.

Revues

Les articles de recherche en sciences infirmières sont marqués d'un astérisque.

Alimi Y. Le système et les accidents cérébro-vasculaires. Soins chir. 1990; 118:4-8.

Arnoud B. Essayer de comprendre les désordres cérébro-vasculaires, Soins oct. 1988; 517:4-6.

Danzé F. Les problèmes de surveillance et les soins infirmiers dans le coma chronique. Rev prat. 1989; 39(27):2423-2427.

Messier C. Le syndrome de Guillain-Barré. L'infirmière Canadienne 1981; 27(3):16-19.

Montloin A. Quand le patient ne répond plus. Rev. infirm. 1991; 41(12):38-43.

Negre C. Les critères diagnostiques des accidents cérébro-vasculaires. Soins 1988; 517:18-21.

Negre C. Les traitements des accidents cérébro-vasculaires dans la phase aiguë. Soins oct. 1988; 517:22-25.

Neron C et Bor Y. Anatomie de la douleur. Soins 1988; 510:4-8.

Peraud-Dudoyer H, Neron C et Bor Y. Physiologie de la douleur. Soins 1988; 510:9-12.

Touyard S. L'alimentation des patients comateux. Rev. infirm. 1990; 40(11):47-50.

Tremblay N. Les mécanismes de la douleur. Nursing Québec 1991; 11(6):18-26.

Zola S. L'observation des signes neurologiques. L'infirmière Canadienne 1981; 24(1):14-17.

Soins neurochirurgicaux

* Boortz-Marx R. Factors affecting intracranial pressure: A descriptive study. Journal of Neurosurgical Nursing 1985 Apr; 17(2):89-94.

Bouma G and Muizelaar J. Relationship between cardiac output and cerebral blood flow in patients with intact and with impaired autoregulation. J Neurosurg 1990 Sep; 73(3):368-374.

Cammermeyer M and Evans J. A brief neurobehavioral exam useful for early detection of postoperative complications in the neurosurgical patients. J Neurosurg Nurs 1988 Oct; 20(5):314-323.

Carpenter R. Infections and head injury: A potentially lethal combination. Crit Care Nurs Q 1987; 10: 1-11.

Chase M and Whelan-Decker E. Nursing management of a patient with subarachnoid hemorrhage. Neurosurg Nurs 1984; 16(1):23-29.

* Cunha B and Tu R. Fever in the neurosurgical patient. Heart Lung 1988 Nov; 17(6):608-611.

Dauch W and Bauer S. Circadian rhythms in the body temperatures of intensive care patients with brain lesions. J Neurol Neurosurg Psychiatry 1990 Apr; 53(4):345-347.

Diamond S. Headaches that herald intracranial emergencies. Emerg Med 1988; 20(2):20-24.

Dilorio C. An analysis of trends in neuroscience nursing research: 1960-1988. J Neurosci Nurs 1990 Jun; 22(3):139-146.

Flannery J. Guilt: A crisis within a crisis, a catostophic neurologic event. J Neurosci Nurs 1990 Apr; 22(2):83-88.

Gronert G et al. Aetiology of malignant hyperthermia. Br J Anaesth 1988 Feb; 60(13):253-267.

Grotta J. Current medical and surgical therapy for cerebrovascular disease. N Engl J Med 1987 Dec; 317(24):1505-1516.

Hannegan L. Transient cognitive changes after craniotomy. J Neurosurg Nurs 1989 Jun; 21(3):165-170.

Harper J. The use of steroids in cerebral edema: Therapeutic implications. Heart Lung 1988 Jan; 17(1):70-73.

Hendrickson S. Psychological care of the patient with neurological dysfunction. J Neurosurg Nurs 1984 Aug; 16(4):202-207.

Hinshaw A. Exciting challenges ahead: Neuroscience nursing research. J Neurosci Nurs 1990 Jun; 22(3):137-138.

Kruger L. Complications of transsphenoidal surgery. J Neurosurg Nurs 1985 Jun; 17(3):179-183.

McCash A. Meeting the Challenge of Craniotomy Care. RN 1985 Jul; 48(6): 26-33.

Miller J. Assessing patients with head injury. Br J Surg 1990 Mar; 77(3): 241-224.

* Morgan S. A comparison of three methods of managing fever in the neurologic patient. J Neurosci Nurs 1990 Feb; 22(1):19-24.

Nikas D (ed). Head trauma. Part 2. Nursing issues and controversies. Crit Care Nurse Q 1987 Jun; 10(1):3.

Norris M. Malignant hyperthermia. Nursing 1990 Jun; 20(6):33.

Reimer M. Head-injured patients: How to detect early signs of trouble. Nursing 1989 Mar; 19(3):34-42.

Resio M. Nursing diagnosis: Alteration in oral/nasal mucous membranes related to trauma of transsphenoidal surgery. J Neurosci Nurs 1986 Jun; 18(3):112-115.

Sloan T. Neurological monitoring. Crit Care Clin 1988(Jul); 4(3):543-557.

Smejkal C and Hill F. Life sustaining treatment: A legal-ethical dilemma. J Nurs Admin 1990 Jul/Aug; 20(7/8):49-52.

Wilberger J et al. Acute subdural hematoma: Morbidity and mortality related to timing of operative intervention. J Trauma 1990 Aug; 30(8):933—940.

Wolcott K and McDonnell A. Malignant hyperthermia: Nursing implications. Crit Care Nurse 1990 Mar; 10(3):78-85.

Accident vasculaire cérébral

Albert M et al. Diagnosis and treatment of aphasia. Part I. JAMA 1988 Feb; 259(7):1043-1047.

Albert, M. et al. Diagnosis and treatment of aphasia. Part II. JAMA 1988 Feb; 259(8):1205-1210.

Burgener S et al. Sexuality concerns of the post-stroke patient. Rehab Nurs 1989 Jul/Aug; 14(4):178-181.

Bonita R et al. Predicting survival after stroke: A three year follow-up. Stroke 1988 Jun; 19(6):669-673.

Byers V et al. Predictive risk factors associated with stroke patient falls in acute care settings. J Neurosci Nurs 1990 Jun; 22(3):147-154.

Carr E and Hawthorn P. Lip function and eating after a stroke: A nursing perspective. J Adv Nurs 1988; 13: 447-451.

Carr J et al. A motor learning model for stroke rehabilitation. Physiotherapy 1989 Jul; 75(7):72-80.

Doolittle N. Stroke recovery: Review of the literature and suggestions for future research. J Neurosurg Nurs 1988 Jun; 20(3):169-173.

Gorelick P. Cerbrovascular disease: Pathophysiology and diagnosis. Nurs Clin North Am 1986; 21(2):275-288.

Grosswasser Z et al. Rehabilitation outcome after anoxic brain damage. Arch Phys Med Rehabil 1989 Mar; 70(3):186-188.

Hagen C. Treatment of aphasia: A process approach. J Head Trauma Rehab 1988 Jun; 3(2):95-96.

Kasuya A and Holm K. Pharmacologic approach to ischemic stroke management. Nurs Clin North Am 1986; 21(2):289-296.

Keller C et al. Psychological respiration in aphasia: Theoretical considerations and nursing implications. J Neurosci Nurs 1989 Oct; 21(5): 290–294.

Kinkel W. Classification of stroke by neuroimaging technique. Stroke 1990 Sep; 21(9):117–118.

Pasquarello M. Measuring the impact of an acute stroke program on patient outcomes. J Neurosci Nurs 1990 Apr; 22(2):76–82.

Pinel C. Cerebrovascular accidents. Nursing (London) 1989 Jan; 3(33): 24–27.

Printz-Feddersen V. Group process effect on caregiver burden. J Neurosci Nurs 1990 Jun; 23(3):164–168.

Rao N. The art of medicine: Subjective measures as predictors of outcome in stroke and traumatic brain injury. Arch Phys Med Rehabil 1988 Mar; 69(3):179–182.

Rothrock J. Clinical evaluation and management of transient ischemic attacks. West J Med 1987 Apr; 146(4):452–460.

Smith A et al. Relationships between perceptions and language deficits in stroke patients. Br J Occup Ther 1989 Jan; 52(1):8–10.

Stroke, but which kind? Emerg Med 1989 Aug; 21(14):112–116.

Swaffield L. Striking back at strokes. Community Outlook 1989 Jun; 25–33.

Trueblood P et al. Pelvic exercise and gait in hemiplegia. Phys Ther 1989 Jan; 69(1):18–26.

Weingarten S et al. The principle of parsimony: Glasgow Coma Scale Score predicts mortality as well as the APACHE II score for stroke patients. Stroke 1990 Sep; 21(9):1280–1282.

Yanagihara T et al. Brief loss of consciousness in bilateral carotid occlusive disease. Arch Neurol 1989 Aug; 46(8):858–861.

Hypertension intracrânienne

* Allen D. Intracranial pressure monitoring: A study of nursing practice. J Adv Nurs 1989 Feb; 14(2):127–131.

Barker E. Avoiding increased intracranial pressure. Nursing 1990 May; 20(5): 64Q–64RR.

Barker E. Myths and facts about increased intracranial pressure. Nursing 1988 Dec; 18(12):20.

* Bruya M. Planned periods of rest in the ICU: Nursing activities and ICP. J Neurosurg Nurs 1981 Aug; 13:184–194.

Constantini S et al. Intracranial pressure monitoring after elective intracranial surgery. J Neurosurg 1988 Oct; 69(4):540–544.

Davenport-Fortune P and Dunnam L. Professional nursing care of the patient with an increased intracranial pressure: Planned or "hit and miss." J Neurosci Nurs 1985 Dec; 17(6):367–379.

Drummond B. Preventing increased intracranial pressure: Nursing care can make the difference. Focus 1990 Apr; 17(2):116–122.

* Hendrickson SL. Intracranial pressure changes and family presence. J Neurosci Nurs 1987 Feb; 19(1):206–209.

Hickman M et al. Intracranial pressure monitoring: A review of risk factors associated with infection. Heart Lung 1990 Jan; 19(1):84–90.

Hinkle J. Treating traumatic coma. Am J Nurs 1986 May; 86(5):551–556.

Horner A and Mechsner W. Bedside insertion of ICP monitoring devices. Crit Care Nurse 1985 Jul/Aug; 5(4):21–27.

* Lee S. Intracranial pressure changes during positioning of patients with severe head injury. Heart Lung 1989 Jul; 18(4):411–414.

Lehman L. Intracranial pressure monitoring and treatment: A contemporary view. Ann Emerg Med 1990 Mar; 19(3):295–303.

Pollack-Latham C. Intracranial pressure monitoring. Part I. Physiologic principles. Crit Care Nurse 1987 Oct; 7(5):40–52.

Reimer M. Head injured patients: How to detect early signs of trouble. Nursing 1989 Mar; 19(3):34–42.

Shepard R and Hotter A. Evaluating an ICP epidural catheter. Crit Care Nurse 1989 Feb; 9(2):74–80.

Douleur

Barker E. Pain. J Neurosurg Nurs 1987 Oct; 19(5):233–234.

Copp L. Multidisciplinary pain policy model: the Wisconsin initiative. J Prof Nurs 1987 Mar/Apr; 3(2):83, 125.

Coyle N. Analgesics and pain: Current concepts. Nurs Clin North Am 1987 Sep; 22(3):699.

Dubuisson D. Neurosurgery for pain of malignancy. Hosp Pract 1988 June 15; 23(6):41–54.

Edwards R. Pain and the ethics of pain management. Soc Sci Med 1984: 18(6):515–523.

Escobar P. Management of chronic pain. Nurse Pract 1985 Jan; 10(1):24–32.

Fordyce W et al. The behavioral management of chronic pain: A response to the critics. Pain 1985 Jun; 22(2):113–125.

Greipp M and Thomas A. Reflex sympathetic dystrophy syndrome: Pain that doesn't stop. J Neurosci Nurs 1986 Feb; 18(1):23–25.

Harrison M and Cotanch P. Pain: Advances and issues in critical care. Nurs Clin North Am 1987 Sep; 22(3):691–697.

Lamb S and Barbaro N. Neurosurgical approaches to the management of chronic pain syndromes. Orthop Nurs 1987 Jan/Feb; 6(1):33–40.

Levy R et al. Treatment of chronic pain by deep brain stimulation: Long term follow-up and review of the literature. Neurosurgery 1987 Dec; 21(6):885–893.

Magni G. On the relationship between chronic pain and depression when there is no organic lesion. Pain 1987 Oct; 31(1):1–21.

Puntillo. Phenomenon of pain and critical care nursing. Heart Lung 1988 May; 17(3):262–273.

Radwin L. Autonomous nursing interventions for treating the patient in acute pain. Nurs Clin North Am 1987 Sep; 22(3):705.

Raja S et al. Peripheral mechanisms of somatic pain. Anesthesiology 1988 Apr; 68(4):571–590.

Wilton L. Thalmic pain syndrome. J Neurosurg Nurs 1989 Dec; 21(6):362–365.

Inconscience et coma

Done A. Encephalopathic presentation. Emerg Med 1988 Oct; 20(17): 154–163.

Gadow S. Clinical subjectivity. Advocacy with silent patients. Nurs Clin North Am 1989 Jun; 24(2):384–386.

Gavin J. Neurologic emergencies. Emerg Med Serv 1988 Aug; 17(7):40–42.

Glanutsus R. Rehabilitation optometric services for persons emerging from coma. J Head Trauma Rehab 1989 Jun; 4(2):17–25.

Hinkle J. Treating traumatic coma. Am J Nurs 1986 May; 86(5):551–556.

Hunter C. Cardiopulmonary cerebral resuscitation: Nursing interventions. Crit Care Nurse 1987 May/Jun; 7(3):46–56.

Ingersoll G et al. Glasgow coma scale for patients with head injuries. Crit Care Nurse 1987 Sep/Oct; 7(5):26, 28–32.

Johnson S. Coma stimulation: A challenge to occupational therapy. Br J Occup Ther 1988 Mar; 51(3):88–90.

* Johnson S et al. Effects of conversation of the ICP in comatose patients. Heart Lung 1989 Jan: 18(1):56–63.

Klingbeit G. Airway problems in patients with traumatic brain injury. Arch Phys Med Rehabil 1988 Jul; 69(7):493–495.

Levin H et al. Duration of impaired consciousness in relation to side of lesion after severe head injury. NIH Traumatic Coma Data Bank Research Group. Lancet 1989 May; 1(8645):1001–1003.

Ogata J et al. Primary brainstem death: A clinico-pathological study. J Neurol Neurosurg Psychiatry 1988 May; 51(5):646–650.

Ross D et al. Brain shift, level of consciousness, and restoration of consciousness in patients with acute intracranial hematoma. J Neurosurg 1989 Oct; 71(4):498–502.

* Sisson R. Effects of auditory stimuli on comatose patients with head injury. Heart Lung 1990 Jul; 19(4):373–378.

Tosch P. Patient's recollection of their post-traumatic coma. J Neurosci Nurs 1988 Aug; 20(4):223–228.

Vilkki J et al. Memory disorder related to coma duration after head injury. J Neurol Neurosurg Psychiatry 1988 Nov; 51(11):1452–1454.

59

TRAITEMENT DES PATIENTS ATTEINTS D'AFFECTIONS NEUROLOGIQUES

SOMMAIRE

OBJECTIFS D'APPRENTISSAGE

Après avoir étudié ce chapitre, vous devriez être en mesure de réaliser ce qui suit:

1. *Comparer les différentes formes de céphalées et leurs causes.*
2. *Appliquer la démarche de soins infirmiers pour intervenir auprès des patients atteints de migraine.*
3. *Expliquer les tumeurs du cerveau: la classification, les manifestations cliniques, le diagnostic et le traitement.*
4. *Appliquer la démarche de soins infirmiers pour intervenir auprès des patients présentant des métastases cérébrales ou une tumeur cérébrale inopérable.*
5. *Expliquer les mesures de prévention de l'hémorragie sous-arachnoïdienne et leur application dans le cas du patient atteint d'un anévrisme artériel intracérébral.*
6. *Appliquer la démarche de soins infirmiers pour intervenir auprès des patients atteints de la sclérose en plaques.*
7. *Appliquer la démarche de soins infirmiers pour intervenir auprès des patients atteints de la chorée de Huntington.*
8. *Comparer la myasthénie grave, la sclérose latérale amyotrophique et la dystrophie musculaire: physiopathologie, manifestations cliniques et soins infirmiers et médicaux.*
9. *Expliquer les atteintes des nerfs crâniens, leurs manifestations et les interventions infirmières qui s'y rapportent.*

CÉPHALÉES

De tous les maux qui affligent l'être humain, le mal de tête, ou *céphalée* (du grec Kephalê, tête), est probablement le plus répandu. On estime en fait que la céphalée est davantage un symptôme qu'une entité morbide. Elle peut en effet témoigner d'une maladie organique (neurologique ou autre), d'une réaction au stress, d'une vasodilatation (migraine), d'une tension des muscles squelettiques (céphalée par tension nerveuse) ou d'une combinaison de ces troubles.

Classification

Il a toujours été difficile de caractériser et de définir les différentes maladies, et cela est tout particulièrement vrai des céphalées. Il existe peu de signes physiopathologiques et d'examens diagnostiques permettant d'étayer le diagnostic des céphalées. En outre, une céphalée peut se transformer au fil du temps chez une même personne, et les manifestations de la même forme de céphalée varient considérablement d'une personne à l'autre.

Voici un type de classification pouvant aider à diagnostiquer les céphalées et faciliter la communication.

1. Migraine (avec ou sans aura)
2. Céphalée par tension nerveuse
3. Céphalée vasculaire de Horton et hémicrânie paroxystique
4. Céphalées diverses associées à une lésion structurelle
5. Céphalée associée à un traumatisme crânien
6. Céphalée associée à des troubles vasculaires (comme l'hémorragie sous-arachnoïdienne)
7. Céphalée associée à des troubles intracrâniens non vasculaires (comme la tumeur du cerveau)
8. Céphalée associée à l'utilisation de substances chimiques ou au sevrage de ces substances
9. Céphalée associée à une infection non céphalique
10. Céphalée associée à un trouble métabolique (comme l'hypoglycémie)
11. Céphalée ou douleur faciale associée à une affection de la tête ou du cou ou de leurs structures (comme le glaucome aigu)
12. Algies crâniennes (douleur persistante provenant des nerfs crâniens)

Souvent, la céphalée n'est pas associée à un défaut de structure ou à un processus inflammatoire; on la classe alors soit dans la catégorie des céphalées par tension nerveuse, soit dans la catégorie des migraines. La section qui suit porte sur la migraine en tant qu'exemple pour l'évaluation et le traitement des patients atteints de différentes formes de céphalée.

Évaluation

Lorsque l'infirmière recueille des données pour dresser le bilan de santé du patient, elle doit laisser celui-ci répondre aux questions suivantes *dans ses propres mots*:

- Quel âge aviez-vous quand vos maux de tête ont commencé? Dans quelles circonstances ont-ils commencé?
- Où avez-vous mal exactement? Le mal de tête est-il unilatéral ou bilatéral? Est-il irradiant?
- Comment sont vos maux de tête: sourds, intenses, constants, térébrants (perçants), avec sensation de brûlure, intermittents, continus, paroxystiques (par crises)?
- Quelle est la fréquence de vos maux de tête?
- Sont-ils déclenchés par certains facteurs (facteurs environnementaux comme la lumière du soleil et les changements de température; facteurs alimentaires; effort physique; autres facteurs)?
- Qu'est-ce qui empire vos maux de tête? Tousser? Forcer?
- À quel moment (jour ou nuit) vos maux de tête surviennent-ils?
- Vos maux de tête s'accompagnent-ils de d'autres symptômes (douleur faciale, larmoiement, scotome [tache aveugle dans le champ de vision])?
- Habituellement, comment arrivez-vous à soulager votre mal de tête (analgésique, nourriture, chaleur, repos, massage du cou)?
- Souffrez-vous de nausées, de vomissements, de faiblesse ou de fourmillements dans les membres?
- Les maux de tête nuisent-ils à vos activités de la vie quotidienne?
- Souffrez-vous d'allergies?
- Souffrez-vous d'insomnie, d'un manque d'appétit, d'un manque d'énergie?
- Y a-t-il des antécédents de maux de tête dans votre famille? Des antécédents de migraine?
- Quel lien existe-t-il entre vos maux de tête et votre style de vie: stress physique ou émotionnel?
- Quels médicaments prenez-vous ou avez-vous pris?

CÉPHALÉES VASCULAIRES

Les céphalées vasculaires sont causées par la dilatation, la compression, l'œdème ou l'inflammation des artères intracrâniennes ou extracrâniennes.

Migraine

La migraine se caractérise par des accès périodiques et récidivants de céphalées intenses. On n'en connaît pas la cause exacte, mais on sait qu'elle est principalement d'origine vasculaire. Elle est plus fréquente chez la femme que chez l'homme et est familiale dans de nombreux cas.

Physiopathologie

Les signes et symptômes de la migraine sont dus à une ischémie corticale dont la gravité varie. Habituellement, l'accès migraineux commence par une vasoconstriction des artères du cuir chevelu et de certains vaisseaux cérébraux ou rétiniens. Il se produit ensuite une dilatation des vaisseaux sanguins extracrâniens et intracrâniens qui provoque douleurs et malaises. Des études semblent indiquer que les artères dilatées deviennent trop perméables et que des réactions inflammatoires localisées se produisent dans leur voisinage. On croit également que des substances vasoactives (histamine, sérotonine et plasmokinine) participeraient à cette réaction inflammatoire.

Manifestations cliniques. La céphalée commence souvent au réveil mais elle peut apparaître à n'importe quel moment. La crise migraineuse typique comporte trois phases: l'aura, la céphalée et le rétablissement. L'aura peut durer jusqu'à 30 minutes. Quand il apparaît, la personne peut parfois éviter l'accès migraineux dans toute son expression clinique en prenant les médicaments prescrits. L'aura se manifeste par des signes sensoriels, surtout d'ordre visuel (éclairs). D'autres symptômes peuvent s'ajouter: fourmillement ou engourdissement du visage ou des mains, légère confusion, légère faiblesse d'un membre et étourdissements. La période de l'aura correspond à la vasoconstriction indolore qui est toujours le premier changement physiologique de la migraine classique. L'étude de l'irrigation sanguine du cerveau durant une migraine montre que le débit sanguin dans tout le cerveau est diminué pendant les trois phases de la migraine, et que cette diminution provoque une déficience de l'autorégulation de la circulation et de la réactivité au CO_2.

Quand les symptômes de l'aura commencent à disparaître, la céphalée apparaît. Elle est unilatérale (chez les deux tiers des patients) et pulsatile. Intense et invalidante, elle s'accompagne souvent de photophobie, de nausées et de vomissements. Sa durée varie de quelques heures à une journée ou plus.

La phase de rétablissement débute par une contraction musculaire dans le cou et le cuir chevelu, associée à des douleurs musculaires et à des douleurs localisées. À ce stade, la personne est souvent épuisée et l'effort physique exacerbe la douleur. Au cours de cette phase, elle dort parfois pendant de longues périodes.

Examens diagnostiques. Si l'examen neurologique révèle des anomalies, on peut utiliser la résonance magnétique nucléaire ou la tomodensitométrie pour en dépister les causes (comme une tumeur ou un anévrisme). Il faut parfois recourir à d'autres examens diagnostiques si la douleur est persistante ou invalidante.

Traitement. Le traitement de la migraine peut se faire selon deux méthodes: la méthode symptomatique et la méthode préventive. La méthode symptomatique, qui convient surtout aux personnes présentant des crises fréquentes, consiste à soulager la céphalée dès son apparition ou pendant son évolution. La méthode préventive est utilisée chez les personnes dont les crises sont fréquentes et à intervalles réguliers ou prévisibles, et qui souffrent parfois d'un problème de santé inconciliable avec un traitement symptomatique.

Traitement de la crise migraineuse aiguë. Les préparations d'ergotamine (administrées par voie orale, sublinguale, sous-cutanée, intramusculaire, rectale ou par inhalation) peuvent faire céder la céphalée si elles sont prises *au début* de la crise. Le tartrate d'ergotamine agit sur les muscles lisses et produit une constriction prolongée des vaisseaux sanguins du crâne. La posologie est établie en fonction des besoins du patient. Les douleurs musculaires, les paresthésies, les nausées et les vomissements font partie des effets secondaires de l'ergotamine. Pour soulager la douleur durant la phase aiguë de la crise, le patient peut s'étendre dans une pièce sombre avec la tête légèrement relevée. L'ingestion de café noir peut aussi aider à neutraliser la céphalée. Le traitement symptomatique de la migraine comprend l'administration d'analgésiques, de sédatifs, d'anxiolytiques et d'antiémétiques.

Traitement entre les crises. Le propranolol (Inderal) est le médicament le plus utilisé dans la prévention de la migraine. Les bêta-bloquants comme le propranolol inhibent la stimulation des récepteurs bêta-adrénergiques (cellules du cœur et du cerveau qui règlent la dilatation des vaisseaux sanguins). Il semble que l'action antimigraineuse des bêta-bloquants soit due principalement à leur capacité de s'opposer à la dilatation des vaisseaux sanguins du cerveau.

Le méthysergide est un agent prophylactique efficace dans la prévention des crises migraineuses fréquentes et intenses. Avant l'utilisation prophylactique du propranolol, le méthysergide était le médicament de choix. On croit qu'il inhibe les effets de la sérotonine, une substance qui participe probablement au mécanisme des céphalées vasculaires. Le méthysergide peut toutefois provoquer certains effets secondaires incommodants: douleur abdominale, crampes musculaires, œdème, engourdissement, fourmillement dans les membres et dépression. Après chaque période d'utilisation de six mois, le patient devrait s'abstenir de prendre le médicament pendant au moins un ou deux mois à cause des risques de fibrose rétropéritonéale, pulmonaire et cardiaque.

Le traitement médical préventif de la migraine comprend l'administration quotidienne d'un ou de plusieurs agents qui sont censés bloquer les mécanismes physiologiques aboutissant à une crise migraineuse. Le traitement médicamenteux est administré à intervalles de trois à six mois; les doses sont diminuées progressivement car il se produit des rémissions spontanées. Le mode de traitement varie considérablement, tout comme les réactions des patients. Une surveillance attentive s'impose donc.

Le traitement médicamenteux peut comprendre aussi l'administration d'antidépresseurs, de barbituriques et de tranquillisants. Ces médicaments doivent être utilisés avec précaution et seulement pendant de brèves périodes en raison des risques de pharmacodépendance.

Démarche de soins infirmiers
Patients souffrant de migraine

Collecte des données

L'examen physique comprend un profil détaillé, un examen physique de la tête et du cou, un examen neurologique incluant un examen des nerfs crâniens et une évaluation du diamètre et de la réaction des pupilles, un examen du fond de l'œil et, enfin, une évaluation des fonctions motrices et sensorielles.

Le bilan de santé doit être axé sur l'évaluation de la céphalée, en portant une attention spéciale aux facteurs déclenchants. L'infirmière doit encourager le patient à décrire ses céphalées dans ses propres mots. Elle dresse le bilan en se basant sur les grandes lignes suivantes.

Bilan général. Étant donné que la céphalée est le symptôme initial d'un grand nombre de troubles aussi bien physiologiques que psychologiques, l'établissement d'un bilan de santé général est un élément essentiel du profil du patient. Les questions générales doivent notamment porter sur les antécédents médicaux et chirurgicaux du patient ainsi que sur les appareils et systèmes de l'organisme. La céphalée peut être le premier symptôme d'une affection endocrinienne, hématologique, gastro-intestinale, infectieuse, rénale, cardiovasculaire, psychiatrique ou hémologique.

Il est important aussi d'établir en détail les antécédents pharmaceutiques du patient, car ceux-ci peuvent donner une idée de son état de santé général. De plus, certains médicaments, dont les antihypertenseurs (comme l'hydralazine), les diurétiques, les anti-inflammatoires et les thyméréthiques peuvent provoquer des céphalées.

Les facteurs émotionnels contribuent souvent au déclenchement ou à l'évolution d'une céphalée, même si leur importance est parfois exagérée. Il semble aussi que le stress soit un important facteur déclenchant de la migraine. C'est pourquoi il est nécessaire de recueillir des données sur les habitudes de sommeil, le niveau de stress, les activités de loisir, l'appétit, les problèmes affectifs et les facteurs de stress d'origine familiale.

▷ *Antécédents familiaux.* Il faut tenir compte des antécédents familiaux de migraine qui se retrouvent dans une forte proportion des cas.

▷ *Antécédents professionnels.* Il peut exister un lien direct entre l'exposition à des substances toxiques et la céphalée. L'infirmière doit parfois poser des questions très précises pour établir la liste des produits chimiques auxquels le patient est exposé. Conformément à la Loi, les travailleurs ont le droit de connaître toutes les substances auxquelles ils sont exposés au travail. L'infirmière doit également s'enquérir du niveau de stress engendré par le travail.

▷ *Antécédents de céphalées.* Il est primordial de décrire en détail les céphalées elles-mêmes. L'infirmière doit recueillir plusieurs données: âge du patient lors des premières migraines, fréquence des migraines, localisation, durée, caractéristiques de la douleur, facteurs de déclenchement ou de soulagement, et symptômes secondaires.

▷ *Analyse et interprétation des données*

Selon les données recueillies, voici les principaux diagnostics infirmiers possibles:

- Douleur reliée aux changements vasculaires
- Manque de connaissances au sujet de la céphalée: mesures préventives ainsi que facteurs de soulagement et de déclenchement

▷ *Planification et exécution*

▷ *Objectifs de soins:* Soulagement de la douleur et des malaises durant les crises aiguës; acquisition de connaissances sur la céphalée et les facteurs de déclenchement ou de soulagement

▷ *Interventions infirmières*

Une fois la migraine diagnostiquée, les soins infirmiers portent sur le traitement de la phase aiguë de la migraine et sur la prévention. Pour prévenir la migraine, le patient doit se familiariser avec les facteurs déclenchants, apporter des changements dans son mode de vie ou ses habitudes, et prendre certains médicaments.

▷ *Soulagement de la douleur.* Les soins infirmiers doivent être axés sur la phase aiguë de la crise. Si la migraine est dans sa première phase, il faut administrer dès que possible un traitement médicamenteux qui empêchera l'apparition de la céphalée. Dans certains cas, on peut vraiment prévenir la céphalée si on administre à temps le médicament approprié. L'administration d'un mélange d'ergotamine et de caféine au début d'une migraine en arrête l'évolution ou en diminue l'intensité dans 90 % des cas. Quand la migraine est déjà dans sa phase aiguë, les soins infirmiers consistent à soulager la douleur (par exemple en plaçant le patient dans une pièce sombre et tranquille et en relevant la tête du lit à 30°). Un traitement symptomatique tel que l'administration d'antiémétiques peut aussi être indiqué.

▷ *Acquisition de connaissances sur les facteurs de déclenchement et de soulagement.* On ne peut pas affirmer qu'un certain type de personnalité prédispose à la migraine, mais il semble que les perfectionnistes surmenés et compulsifs y soient davantage sujets. Les accès migraineux sont plus fréquents chez les personnes malades, épuisées ou stressées. Comme nous l'avons mentionné plus tôt, le stress serait un facteur déclenchant. Pour aider le patient à lutter contre le stress, l'infirmière peut lui faire comprendre l'importance d'une bonne alimentation, du repos et de stratégies d'adaptation efficaces. Le patient peut essayer de déterminer les circonstances qui déclenchent ses crises afin d'établir ses propres stratégies d'adaptation.

L'infirmière peut aider le patient à mieux comprendre ses sentiments, ses comportements et ses conflits intérieurs et à changer son mode de vie en conséquence. Elle peut lui suggérer de faire régulièrement de l'exercice et de la relaxation et d'éliminer ou de réduire les facteurs déclenchants (allergènes, fatigue, aliments, agents stressants).

Il est parfois utile d'orienter la discussion vers les problèmes du patient plutôt que vers les migraines. Pour obtenir un soulagement à long terme, le patient doit chercher à connaître la source de ses conflits émotionnels et essayer de modifier les situations qui génèrent du stress ou de l'anxiété, ou de s'y adapter. Pour cela, il faut lui fournir le soutien, le counseling et l'enseignement dont il a besoin, notamment sur les techniques de relaxation et de biorétroaction. (La restructuration cognitive enseigne au patient à modifier son attitude envers le stress.)

Pour aider le patient, l'infirmière doit lui prodiguer des soins de soutien pendant la période de souffrance physique et émotionnelle, l'écouter, l'informer et l'encourager. Elle doit en plus lui recommander de faire preuve de modération dans toutes ses activités.

Certains aliments qui contiennent de la tyramine, du glutamate monosodique, des produits laitiers ou du nitrite peuvent déclencher une céphalée. Le patient devrait donc éviter les fromages trop fermentés, le chocolat et une bonne partie des aliments préparés. Le patient doit aussi veiller à ne pas trop espacer ses repas. L'infirmière peut en outre lui recommander de se lever toujours à la même heure, car la perturbation du rythme de sommeil normal est une cause fréquente de migraine. Chez certaines femmes, les contraceptifs oraux augmentent la fréquence et l'intensité des accès migraineux.

Le patient peut noter par écrit les circonstances dans lesquelles ses migraines commencent (en précisant par exemple l'activité, l'aliment ou l'émotion qui semble les déclencher) afin d'établir s'il existe des constantes. Si tel est le cas, il est parfois possible d'éviter les accès migraineux en modifiant ces constantes.

▷ Évaluation

Résultats escomptés

1. Le patient éprouve moins de douleur et de malaises.
   a) Il constate une diminution de l'intensité des douleurs migraineuses.
   b) Il utilise correctement les médicaments en respectant l'ordonnance.
   c) Il se sert des techniques de soulagement enseignées.
   d) Il se fait suivre de près par le personnel soignant.
2. Le patient connaît mieux les facteurs susceptibles de soulager ou de déclencher ses migraines.
   a) Il entreprend un programme de repos et d'exercice.
   b) Il utilise des techniques de lutte contre le stress.
   c) Il se dit moins stressé.
   d) Il connaît les facteurs qui déclenchent les migraines et dit s'efforcer de les éliminer.
   e) Il dit que ses migraines sont moins fréquentes et moins intenses.

Céphalée vasculaire de Horton

Les céphalées vasculaires de Horton sont une autre forme de céphalée vasculaire intense. Elles touchent plus souvent les hommes que les femmes. Elles surviennent en salve et provoquent une douleur atroce localisée dans l'œil et l'orbite, qui irradie vers le visage et les tempes. La douleur s'accompagne de larmoiement et de congestion nasale. La crise dure entre quinze minutes et deux heures et peut se dérouler selon une courbe ascendante-descendante.

Selon certains, les céphalées vasculaires de Horton seraient dues à la dilatation de l'artère orbitale et des artères extracrâniennes voisines. Elles peuvent être déclenchées par l'alcool, les nitrites, les vasodilatateurs et l'histamine. L'élimination de ces substances peut donc contribuer à les prévenir. Elles sont sensibles aux agents vasoconstricteurs (tartrate d'ergotamine). On peut aussi les soulager par l'administration de méthysergide (un antagoniste de la sérotonine) ou de propranolol (un bêta-bloquant). Le chlorpromazine peut également être efficace. L'inhalation d'oxygène pur soulage la douleur étant donné qu'elle diminue l'irrigation sanguine du cerveau.

Artérite temporale

L'inflammation des artères crâniennes se caractérise par une céphalée intense localisée dans la région des artères temporales. L'inflammation est soit généralisée (l'artérite crânienne est alors la manifestation d'une affection vasculaire), soit focalisée (seules les artères crâniennes sont touchées). L'artérite temporale est plus fréquente chez les personnes âgées, atteignant son incidence maximale chez les personnes de plus de 70 ans.

Elle commence souvent par des symptômes généraux comme la fatigue, un malaise, une perte de poids et de la fièvre. Habituellement, le patient présente les manifestations cliniques associées à l'inflammation (chaleur, rougeur, enflure, points douloureux, ou douleur au niveau de l'artère touchée). Dans certains cas, l'artère temporale est sensible, enflée ou nodulaire à la palpation. Le patient peut aussi présenter des troubles visuels causés par l'ischémie des tissus atteints.

Il semble que l'artérite temporale serait une vascularite d'origine immunitaire dans laquelle des complexes immuns se déposent à l'intérieur des parois des vaisseaux sanguins touchés et y provoquent une lésion et une inflammation. On peut faire une biopsie de l'artère atteinte afin de confirmer le diagnostic.

Le traitement consiste à administrer dès le début des corticostéroïdes pour prévenir la cécité causée par une occlusion vasculaire ou par la rupture de l'artère touchée. Il faut recommander au patient de ne pas interrompre brusquement le traitement médicamenteux, ce qui pourrait entraîner une récidive. On peut aussi administrer des analgésiques pour soulager la douleur.

Céphalée par tension nerveuse (céphalée par contraction musculaire)

Le stress émotionnel ou physique peut provoquer une contraction des muscles du cou et du cuir chevelu qui aboutit à une céphalée par tension nerveuse. Cette forme de céphalée peut se manifester par une pression constante qui se fait d'abord sentir dans le front, dans la région temporale ou dans la nuque. La douleur est souvent en étau ou décrite comme «un poids sur le dessus de la tête». Plus souvent chronique qu'intense, la céphalée par tension nerveuse est probablement la forme de céphalée la plus répandue. L'infirmière doit rassurer au besoin le patient en lui affirmant que ses céphalées ne proviennent pas d'une tumeur au cerveau. Il s'agit là d'une crainte inexprimée très fréquente. On peut soulager les symptômes par une application de chaleur, des massages, des analgésiques, des antidépresseurs et des myorelaxants.

Résumé: La céphalée peut être un signe de stress et de tension nerveuse, mais elle peut aussi être le signe d'une maladie sous-jacente sérieuse. Peu importe sa cause, elle est souvent incommodante et parfois invalidante. Quand elle est surtout reliée au stress, l'infirmière peut aider le patient en lui enseignant notamment la biorétroaction et des techniques de relaxation. Quand les céphalées sont causées par des changements vasculaires ou par des anomalies de structure, il est parfois nécessaire de procéder à une évaluation diagnostique complète et d'administrer un traitement rigoureux. Le patient qui subit des examens diagnostiques est souvent inquiet des résultats. Il faut donc le soutenir et l'encourager à exprimer ses inquiétudes.

Tumeurs du cerveau

Une tumeur cérébrale est une lésion intracrânienne qui occupe un certain espace dans la boîte crânienne et qui peut causer une élévation de la pression intracrânienne. Chez l'adulte, elle prend naissance le plus souvent dans les *cellules gliales* (les cellules qui composent le tissu de soutien du cerveau et de la moelle épinière). Chez l'adulte, les tumeurs cérébrales touchent surtout les quinquagénaires, les sexagénaires et les septuagénaires. La plupart du temps, elles sont *sus-tentorielles.* Elles provoquent rarement la formation de métastases en dehors du système nerveux central, mais peuvent entraîner la mort par perturbation des fonctions vitales, soit directement, soit indirectement à cause de l'hypertension intracrânienne.

Classification

On peut classer les tumeurs cérébrales en plusieurs catégories: (1) les tumeurs de l'enveloppe du cerveau, comme les méningiomes; (2) les tumeurs des nerfs crâniens, dont les neurinomes de la 8ᵉ paire crânienne et les gliomes du nerf optique; (3) les tumeurs du tissu de soutien, comme les gliomes; et (4) les métastases (voir encadré 59-1). Les deux éléments les plus importants sont la localisation et la nature histologique de la tumeur. Les tumeurs peuvent être bénignes ou malignes. Toutefois, étant donné qu'une tumeur bénigne peut occuper une zone vitale du cerveau, elle peut avoir des conséquences aussi graves qu'une tumeur maligne.

Formes de tumeurs

Gliomes. Le gliome malin est le néoplasme le plus courant. On ne peut généralement pas l'enlever complètement car il s'étend en s'infiltrant dans les tissus neuraux voisins.

Adénomes hypophysaires. L'*hypophyse* est une glande relativement petite située dans la selle turcique et reliée à l'hypothalamus par une courte tige (la tige pituitaire).

Les symptômes des tumeurs hypophysaires peuvent être dus à la pression que ces tumeurs exercent sur les tissus adjacents ou aux changements hormonaux qu'elles provoquent (hypersécrétion ou hyposécrétion d'hormones). Elles peuvent comprimer les nerfs optiques, le chiasma optique ou les bandelettes optiques, envahir les sinus caverneux ou s'étendre dans le sphénoïde. Elles peuvent aussi comprimer l'hypothalamus ou le troisième ventricule. La compression provoque des céphalées, des troubles visuels, des troubles hypothalamiques (troubles du sommeil, de l'appétit, de la thermorégulation, de l'émotivité), une hypertension intracrânienne ainsi qu'une tuméfaction et une érosion de la selle turcique.

Angiomes. Les angiomes cérébraux (masses principalement composées de vaisseaux sanguins anormaux) apparaissent soit dans la surface du cerveau, soit à la surface de celui-ci. Certains angiomes cérébraux ne provoquent jamais de symptômes, alors que d'autres entraînent les symptômes d'une tumeur cérébrale. Dans certains cas, ils sont révélés par la présence d'un autre angiome situé ailleurs dans le crâne ou par la perception d'un *bruit* (anormal) à l'auscultation du crâne. Étant donné que les parois vasculaires d'un angiome sont minces, le patient est sujet à l'accident vasculaire cérébral. En fait, une hémorragie cérébrale chez une personne de moins de 40 ans évoque la présence d'un angiome.

Neurinome de l'acoustique. Le neurinome de l'acoustique est une tumeur de la 8ᵉ paire crânienne, c'est-à-dire du nerf destiné à l'audition et à l'équilibre. Habituellement, il se situe juste à l'intérieur du conduit auditif interne, où il grossit et finit par remplir l'angle pontocérébelleux.

Il peut croître lentement et considérablement avant d'être diagnostiqué. Le patient présente le plus souvent une perte de l'audition, des acouphènes ainsi que des accès de vertiges et de déséquilibre. Quand la tumeur grossit, il peut éprouver des sensations douloureuses au visage, du même côté que la tumeur en raison de la pression qu'elle exerce sur la 5ᵉ paire crânienne.

Manifestations cliniques

Les tumeurs du cerveau entraînent des manifestations cliniques quand elles causent une hypertension intracrânienne. Des signes et des symptômes localisés peuvent traduire l'envahissement de certaines régions du cerveau.

Symptômes de l'hypertension intracrânienne. L'hypertension intracrânienne est due à la compression du cerveau par la tumeur en expansion. Cette compression

Encadré 59-1
Classification des tumeurs du cerveau

Tumeurs du tissu de soutien

Gliomes (tumeurs qui s'infiltrent et peuvent envahir n'importe quelle partie du cerveau; ce sont les tumeurs du cerveau les plus fréquentes)

Sous-classification histologique:
- Astrocytomes (stades 1 et 2)
- Glioblastomes (astrocytomes de stades 3 et 4)
- Épendymomes
- Médulloblastomes
- Oligodendrogliomes
- Kystes colloïdes

Tumeurs de l'enveloppe du cerveau

Méningiomes (tumeurs encapsulées, aux contours bien définis, se développant en dehors des tissus cérébraux; compriment le cerveau plus qu'elles ne l'envahissent)

Tumeurs des nerfs crâniens

Neurinomes de l'acoustique
Spongioblastomes polaires du nerf optique

Métastases

Proviennent la plupart du temps de cancers du poumon ou du sein

Tumeurs des glandes endocrines

Adénomes hypophysaires
Pinéalomes

Tumeurs des vaisseaux sanguins

Hémangioblastomes
Angiomes

Tumeurs congénitales

perturbe l'équilibre entre trois éléments de la boîte crânienne: le cerveau, le liquide céphalorachidien et le sang cérébral. Quand la tumeur grossit, le cerveau s'adapte au moyen d'un mécanisme de compensation: les veines intracrâniennes se compriment; le volume du liquide céphalorachidien diminue (soit par accroissement de la résorption, soit par réduction de la sécrétion), le débit sanguin cérébral diminue et la masse des tissus cérébraux intracellulaires et extracellulaires diminue. Quand ce mécanisme de compensation défaille, les signes et symptômes de l'hypertension intracrânienne apparaissent.

Les symptômes les plus fréquents de l'hypertension intracrânienne sont la céphalée, les vomissements, l'*oedème papillaire* (stase papillaire ou œdème du nerf optique), les changements de personnalité et diverses déficiences (notamment de la fonction motrice, de la fonction sensorielle ou des nerfs crâniens). La céphalée ne se manifeste pas dans tous les cas. Quand elle apparaît, toutefois, c'est souvent en début de matinée. Elle est exacerbée par la toux, l'effort ou les mouvements brusques. Il semble qu'elle soit due à l'œdème ou à l'envahissement, à la compression ou à la déformation de certains tissus par la tumeur.

En général, le patient qualifie ses céphalées de profondes ou de sourdes et de très intenses. Les tumeurs frontales entraînent habituellement des céphalées frontales bilatérales, tandis que les tumeurs hypophysaires causent une douleur qui irradie entre les deux tempes (bitemporales). Les tumeurs cérébelleuses, elles, provoquent une douleur dans la région sous-occipitale (à l'arrière de la tête).

Rarement causés par l'ingestion d'aliments, les vomissements sont généralement dus à l'irritation des centres pneumogastriques du bulbe rachidien. Ils peuvent être en fusée ou en jet.

L'*oedème papillaire* (œdème du nerf optique) se manifeste chez 70 à 75 % des patients et est associé à des troubles visuels comme la diminution de l'acuité visuelle, la diplopie et les pertes de champ visuel.

Symptômes de localisation. Les symptômes de localisation traduisent une atteinte de zones spécifiques du cerveau. Ce sont des anomalies motrices et sensorielles, des altérations visuelles et des convulsions.

Comme on connaît bien les fonctions des différentes parties du cerveau, la localisation d'une tumeur se fait en partie par la détermination des fonctions qui sont altérées. Par exemple, les tumeurs situées dans le cortex moteur se manifestent par les mouvements convulsifs unilatéraux qui caractérisent ce qu'on appelle la *crise épileptique jacksonienne.* Quand la tumeur est située dans le lobe occipital, on observe une hémianopsie homonyme controlatérale (perte de la vision dans une moitié du champ visuel du côté opposée à la tumeur) et des hallucinations visuelles. Quant aux tumeurs situées dans le cervelet, elles entraînent des étourdissements, une démarche ataxique ou titubante accompagnée d'une tendance à tomber vers le côté de la lésion, une incoordination musculaire marquée, et un *nystagmus* (mouvements oculaires rythmiques involontaires) le plus souvent horizontal. Enfin, les tumeurs se trouvant dans le lobe frontal provoquent souvent des troubles de la personnalité, des changements dans l'état émotif et le comportement, ainsi qu'un désintéressement (perte de la motivation). Le patient devient très négligent et inattentif; il a parfois un langage obscène.

Les changements de personnalité, la confusion, les troubles de la parole et les troubles de la démarche sont plus fréquents chez les personnes âgées souffrant d'une tumeur intracrânienne. Les tumeurs les plus courantes chez les personnes âgées sont les méningiomes, les glioblastomes et les métastases cérébrales provenant d'autres régions de l'organisme.

Les tumeurs de l'angle pontocérébelleux prennent habituellement naissance dans la gaine du nerf auditif et leurs symptômes sont plus caractéristiques que ceux des autres tumeurs cérébrales. Elles se manifestent d'abord par des acouphènes et des vertiges et, peu après, par une surdité nerveuse évolutive (dysfonctionnement du nerf auditif). Apparaissent ensuite un engourdissement et un picotement du visage et de la langue (à cause de l'atteinte de la cinquième paire crânienne [nerf trijumeau]). Plus tard, on observe une faiblesse ou une paralysie du visage (atteinte de la 7e paire crânienne [nerf facial]). Enfin, quand la tumeur comprime le cervelet, le patient peut présenter une altération de la fonction motrice.

Ces tumeurs sont souvent difficiles à localiser parce qu'elles se trouvent dans des régions appelées «zones muettes de l'encéphale» (c'est-à-dire les zones dont les fonctions ne sont pas bien déterminées).

L'*évolution* des signes et symptômes est importante car elle reflète la croissance et l'expansion de la tumeur.

Examens diagnostiques

L'évolution des symptômes est un élément important. L'examen neurologique permet de déterminer les régions du système nerveux central qui sont touchées. Pour localiser avec plus de précision la lésion, on soumet le patient à une série d'épreuves. La tomodensitométrie fournit des données spécifiques sur le nombre des lésions, leur taille et leur densité, ainsi que sur l'étendue de l'œdème cérébral secondaire. Cette technique radiographique permet également d'obtenir des données sur le système ventriculaire. La résonance magnétique nucléaire ou remnographie, s'il est possible d'y recourir, peut aussi aider à diagnostiquer les tumeurs du cerveau. Il s'agit d'une technique d'imagerie très récente qui permet de dépister les petites lésions. Elle est particulièrement utile pour le dépistage des tumeurs situées dans le tronc cérébral et l'hypophyse, régions où les os rendent difficile la tomodensitométrie (figure 59-1). La biopsie stéréotaxique (tridimensionnelle) assistée par ordinateur est actuellement utilisée pour diagnostiquer les tumeurs cérébrales situées dans les tissus profonds et pour établir les bases du traitement et le pronostic. L'angiographie cérébrale, elle, permet de voir les vaisseaux sanguins du cerveau et de localiser la plupart des tumeurs cérébrales.

L'électro-encéphalogramme peut être anormal dans les régions occupées par la tumeur et permet d'évaluer les crises épileptiques du lobe temporal.

L'examen cytologique du liquide céphalorachidien peut aussi contribuer au dépistage de cellules malignes étant donné que les tumeurs du système nerveux central peuvent laisser s'échapper des cellules dans le liquide céphalorachidien.

Traitement

Les tumeurs cérébrales non traitées finissent par causer la mort, soit à cause de l'hypertension intracrânienne qu'elles entraînent, soit à cause des lésions qu'elles provoquent. Le patient chez qui on soupçonne une tumeur du cerveau doit donc être

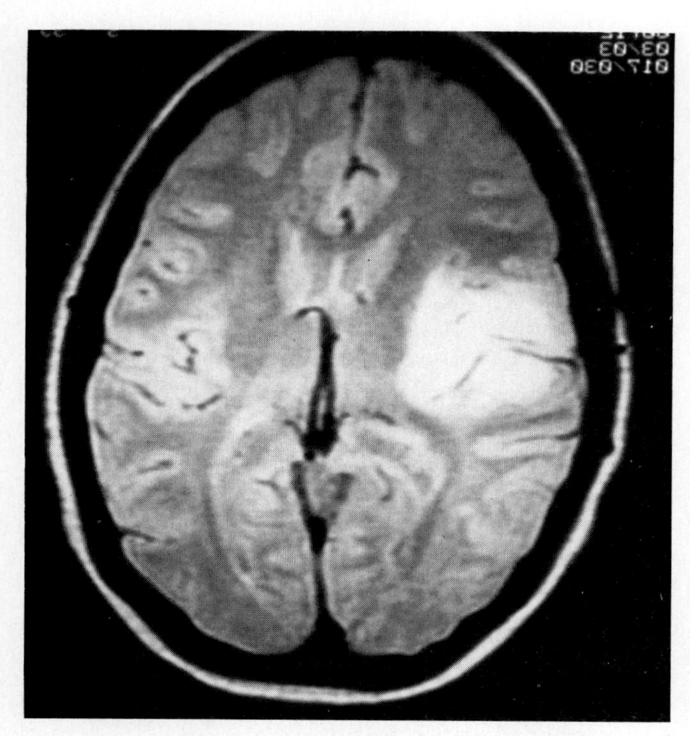

Figure 59-1. Gliome. La remnographie du cerveau révèle une masse de densité anormale dans le lobe temporal droit. Cette lésion correspond exactement à la lésion indiquée par le tomodensitomètre (non montrée ici). (Source : Hôpital de l'université de Pennsylvanie, Service de médecine nucléaire)

évalué et traité le plus tôt possible pour lui éviter des lésions neurologiques irréversibles.

Le traitement vise un des deux objectifs suivants : enlever la plus grande portée possible de la tumeur sans causer davantage de troubles neurologiques (paralysie, cécité) ou soulager les symptômes par exérèse partielle de la tumeur (décompression), par radiothérapie, par chimiothérapie ou par un traitement mixte. La plupart du temps, le patient subit d'abord une intervention neurochirurgicale, puis il est soumis à une radiothérapie et parfois à une chimiothérapie. L'administration de corticostéroïdes réduit efficacement l'œdème cérébral et permet donc de réaliser des examens diagnostiques complets et de planifier soigneusement l'opération. (On utilise également les corticostéroïdes pour prévenir l'œdème postopératoire et favoriser un rétablissement rapide exempt de complications.) En général, l'ablation chirurgicale permet la guérison dans les cas de méningiome, de neurinome de l'acoustique, d'astrocytome kystique du cervelet, de kyste colloïde du troisième ventricule, de tumeurs congénitales comme le kyste dermoïde, ou de certaines formes de granulomes. Par contre, dans les cas de gliome infiltrant, l'exérèse complète n'est pas possible. Le traitement consiste alors à pratiquer une biopsie pour poser le diagnostic, suivie d'une exérèse partielle de la tumeur et d'une radiothérapie. On utilise également certains antinéoplasiques en association avec la radiothérapie. Depuis quelques années, on peut enlever les tumeurs cérébrales profondes à l'aide du laser au gaz carbonique en se guidant par la tomodensitométrie ou la stéréotaxie.

Chez certains patients qui s'apprêtent à suivre une radiothérapie ou une chimiothérapie, on pratique une greffe de moelle osseuse autologue intraveineuse. Cette intervention a pour but de pallier les effets toxiques sur la moelle osseuse des antinéoplasiques et de l'irradiation. Pour pratiquer la greffe, on prélève chez le patient une petite quantité de moelle osseuse (le plus souvent dans la crête iliaque). On expose ensuite le patient à une forte chimioradiothérapie qui détruira un grand nombre de cellules malignes. Une fois le traitement terminé, on lui réinjecte sa moelle osseuse intacte par voie intraveineuse.

Il est possible aussi d'implanter des isotopes radioactifs (I^{125})) directement dans la tumeur cérébrale (*curiethérapie*) afin qu'une forte dose de radiations atteigne la tumeur. On implante ces isotopes au moyen de systèmes de visualisation tridimensionnelle perfectionnés, d'une surveillance tomodensitométrique et de graphiques par ordinateur. Cette technique réduit les effets toxiques de l'irradiation sur les tissus cérébraux normaux voisins de la tumeur. Le pronostic n'est toutefois pas meilleur qu'avec la radiothérapie conventionnelle.

Avec la mise au point constante de nouveaux médicaments, il est permis de croire que les traitements seront de plus en plus efficaces.

Interventions infirmières

Le patient atteint d'une tumeur au cerveau peut présenter des problèmes d'aspiration reliés au dysfonctionnement des nerfs crâniens. Avant l'opération, il faut évaluer le réflexe nauséeux ainsi que la capacité de déglutir. Si le réflexe nauséeux est diminué, le plan de soins doit prévoir différentes mesures : enseigner au patient à diriger les aliments et les liquides du côté indemne ; installer le patient en position semi-Fowler pour manger ; lui donner des aliments semi-liquides ; et avoir à portée de la main le matériel d'aspiration. Après l'opération, l'infirmière doit évaluer de nouveau le réflexe nauséeux car des changements peuvent se produire.

On trouvera au chapitre 58 la description des signes de l'hypertension intracrânienne. L'infirmière doit procéder régulièrement à des examens neurologiques, surveiller les signes vitaux et neurologiques, espacer ses interventions pour éviter une augmentation brusque de la pression intracrânienne et aider le patient à maintenir son orientation dans les trois sphères : temps, espace et personnes. Si le patient souffre de troubles cognitifs reliés à la lésion, il aura besoin de fréquentes réorientations et d'objets qui favoriseront son orientation (objets personnels, photos, listes, horloge). Il faudra également le superviser et l'aider dans ses autosoins, le surveiller continuellement et intervenir au besoin pour prévenir les blessures. Le patient souffrant de convulsions doit également être surveillé de près.

L'infirmière vérifie régulièrement la fonction motrice car des déficiences motrices spécifiques peuvent apparaître, selon la région cérébrale touchée par la tumeur. Elle doit aussi évaluer les troubles sensoriels ainsi que la fonction du langage. Les mouvements oculaires, de même que le diamètre et le réflexe pupillaire peuvent être altérés si un nerf crânien est atteint.

Le principal traitement des tumeurs cérébrales est l'intervention chirurgicale. Voir le chapitre 58, pour la démarche de soins infirmiers auprès du patient subissant une intervention neurochirurgicale.

MÉTASTASES CÉRÉBRALES

Un grand nombre de patients présentent des complications neurologiques dues à un cancer généralisé et des déficiences neurologiques causées par des métastases cérébrales. Le cancer du poumon se dissémine souvent au cerveau, tout comme les cancers du sein, du rein, de la prostate, de l'utérus, de la glande thyroïde, de la peau (mélanome) et du tube digestif.

Les signes et symptômes neurologiques des métastases cérébrales sont la céphalée, les troubles de la démarche, la détérioration de la vision, les changements de personnalité, les troubles mentaux (perte de mémoire et confusion), la faiblesse, la paralysie, l'aphasie et les convulsions. Ces problèmes peuvent avoir des effets dévastateurs pour le patient et sa famille.

Traitement

Le traitement est d'ordre palliatif. Il vise à éliminer ou à diminuer les symptômes afin d'améliorer la qualité de vie du patient et de sa famille. Si le patient qui présente des métastases cérébrales n'est pas traité, il voit son état s'aggraver inexorablement et ne survit que très peu de temps. Un traitement palliatif peut prolonger sa vie.

La base du traitement est la radiothérapie, associée parfois à la chirurgie (le plus souvent s'il n'y a qu'une seule métastase intracrânienne) ou à la chimiothérapie. L'administration de corticostéroïdes peut aider à soulager les céphalées et l'altération de l'état de conscience. Il semble que les corticostéroïdes (dexaméthasone, prednisone) diminuent la réaction inflammatoire que l'on observe autour des métastases. On utilise également des agents osmotiques (mannitol, glycérol) pour réduire le contenu en eau du cerveau et, par le fait même, pour diminuer la pression intracrânienne. L'administration d'anticonvulsivants (phénytoïne) sert à prévenir et à supprimer les convulsions. Les antinéoplasiques comme la carmustine (BCNU) ont donné des résultats encourageants.

Si le patient souffre beaucoup, on peut injecter de la morphine dans l'espace épidural ou sous-arachnoïdien. Pour ce faire, on utilise une aiguille spinale et on introduit un cathéter aussi près que possible du segment médullaire où la douleur irradie. On injecte ensuite de faibles doses de morphine dans le cathéter aux intervalles prescrits (voir chapitre 43).

DÉMARCHE DE SOINS INFIRMIERS
PATIENTS PRÉSENTANT DES MÉTASTASES CÉRÉBRALES OU UNE TUMEUR DU CERVEAU INOPÉRABLE

▷ *Collecte des données*

La collecte des données est centrée sur la façon dont le patient fonctionne, bouge et marche; sur la façon dont il s'adapte à la faiblesse ou à la paralysie, aux déficiences visuelles et aux troubles de l'élocution; et sur la façon dont il réagit aux convulsions.

L'infirmière s'enquiert des habitudes alimentaires du patient afin d'évaluer l'apport nutritionnel ainsi que les intolérances et préférences alimentaires. Les mensurations anthropométriques permettent d'évaluer la perte de tissus adipeux sous-cutanés. Il faut aussi obtenir des analyses de laboratoire (dosage de l'albumine, de la sidérophiline et de la créatinine, de même que des analyses d'urines et une numération des lymphocytes) afin d'évaluer le degré de malnutrition, l'altération de l'immunité cellulaire et l'équilibre hydroélectrolytique.

Le patient atteint de métastases peut présenter une *cachexie* (état de maigreur extrême et de faiblesse), qui se caractérise par de l'anorexie, de la douleur, un amaigrissement, un ralentissement du métabolisme, une faiblesse musculaire, une malabsorption et de la diarrhée. Une altération du goût due à la dysphagie, à la faiblesse et à la dépression peut aussi apparaître. Une altération et une perte de l'odorat sont également fréquentes.

L'infirmière doit évaluer les symptômes qui sont pénibles pour le patient, notamment la douleur, les troubles respiratoires, les problèmes d'élimination urinaire et fécale, les troubles du sommeil, l'atteinte à l'intégrité de la peau, la perturbation de l'équilibre liquidien et la perturbation de la thermorégulation. Ces différents problèmes peuvent provenir de l'envahissement de la tumeur, de la compression des tissus avoisinants ou de l'obstruction qui en résulte.

L'infirmière peut consulter une travailleuse sociale pour discuter des conséquences pour la famille de la maladie: soins à domicile, altération de la vie sociale du patient, difficultés financières, contraintes de temps et problèmes familiaux. Cette consultation permettra à l'infirmière de mieux aider la famille à renforcer ses stratégies d'adaptation.

▷ *Analyse et interprétation des données*

Selon les données recueillies, voici les principaux diagnostics infirmiers possibles:

- Déficit d'autosoins relié à la perte ou à l'altération de la fonction motrice et sensorielle, et à l'altération de la fonction cognitive
- Déficit nutritionnel relié à la cachexie causée par les effets du traitement et de la tumeur, à la diminution de l'apport nutritionnel et à la malabsorption
- Anxiété reliée à l'appréhension de la mort, à l'incertitude, au changement d'apparence et au chambardement du style de vie
- Risque de perturbation de la dynamique familiale relié au deuil par anticipation et au fardeau que représentent les soins d'une personne atteinte d'un cancer avancé

D'autres diagnostics infirmiers sont possibles: douleur reliée à la compression de la tumeur; perturbation des échanges gazeux reliée à la dyspnée; constipation reliée à la diminution de l'apport liquidien et alimentaire et aux médicaments; altération de l'élimination urinaire reliée à la diminution de l'apport liquidien, aux vomissements et aux médicaments; perturbation des habitudes de sommeil reliée aux malaises et à la peur de mourir; atteinte à l'intégrité de la peau reliée à la cachexie, à l'insuffisance de l'irrigation tissulaire et à la mobilité réduite; risque de déficit de volume liquidien ou déficit de volume liquidien reliés à la fièvre, aux vomissements et à l'insuffisance de l'apport liquidien; thermorégulation inefficace reliée à l'atteinte de l'hypothalamus, à la fièvre et aux frissons. Consulter le chapitre 47 pour une description détaillée de l'évaluation des patients atteints de cancer et pour les interventions infirmières auprès de ces patients.

▷ *Planification et exécution*

▷ ***Objectifs de soins:*** Résolution des problèmes reliés au déficit d'autosoins; amélioration de l'état nutritionnel; réduction de l'anxiété; amélioration des stratégies d'adaptation familiale

▷ *Interventions infirmières*

▷ ***Résolution des problèmes reliés au déficit d'autosoins.*** Si la tumeur se dissémine et altère les facultés mentales, il sera difficile pour le patient de prendre part à l'établissement des objectifs de soins. Il est important d'encourager la famille à favoriser la mobilité du patient et à maintenir un niveau de fonctionnement maximal. Le patient aura besoin de plus en plus d'aide pour ses autosoins. Comme la personne qui présente des métastases cérébrales et sa famille vivent dans l'incertitude, l'infirmière doit les encourager à planifier et vivre pleinement chaque journée. L'entourage du patient doit assumer une tâche difficile: aider celui-ci à trouver des mécanismes d'adaptation et de compensation utiles qui serviront à résoudre ses problèmes. Le patient pourra ainsi avoir une certaine emprise sur sa vie. On peut aussi recourir à un programme d'exercices personnalisé qui aidera le patient à maintenir sa force, son endurance et l'amplitude de ses mouvements. La famille devra au besoin consulter des services de soutien qui l'aideront dans les soins à domicile.

▷ ***Amélioration de l'état nutritionnel.*** Le patient qui souffre de nausées, de vomissements, d'essoufflement et de douleur perd l'appétit. L'évaluation du patient, la planification des soins et les interventions infirmières et médicales doivent donc prévoir le traitement ou le soulagement de ces symptômes.

L'infirmière enseigne à la famille comment installer le patient confortablement durant les repas. Il est important aussi de bien choisir le moment des repas. On doit faire manger le patient quand il est bien reposé et peu souffrant et quand les effets incommodants du traitement sont faibles. À l'heure du repas, le patient doit être propre et l'ambiance agréable. Une bonne hygiène buccodentaire favorise également l'appétit. L'infirmière doit montrer à la famille comment noter quotidiennement le poids du patient. Il faut aussi noter la quantité de nourriture ingérée par le patient pour déterminer l'apport énergétique quotidien. L'infirmière doit faire preuve de créativité pour améliorer le goût des aliments, faire boire au patient suffisamment de liquide et favoriser les relations sociales. Elle doit pour cela travailler en collaboration avec la diététicienne, le médecin, le patient et la famille.

Si les besoins énergétiques du patient sont augmentés, l'infirmière peut encourager celui-ci à prendre des suppléments nutritifs, selon ses préférences. Il importe de lui offrir des aliments qu'il aime.

Quand l'état du patient se détériore considérablement à cause de la croissance et des effets de la tumeur, on peut recourir à une autre forme de soutien nutritionnel (alimentation par sonde, alimentation parentérale totale). L'infirmière doit s'assurer de la perméabilité des lignes centrale et intraveineuse et de la sonde d'alimentation, rechercher les signes d'infection aux points d'insertion, vérifier la vitesse de perfusion, mesurer les ingesta et les excreta et changer régulièrement les tubulures et les pansements. L'infirmière peut enseigner ces interventions aux personnes qui prendront soin du patient à la maison. En outre, il existe des programmes d'enseignement pour l'alimentation parentérale totale.

La décision d'entreprendre ou de maintenir un soutien nutritionnel se base sur la qualité de vie du patient. Si celui-ci refuse l'alimentation par sonde ou l'alimentation parentérale, les règles de l'éthique prévalent, de même que les désirs du patient et de sa famille.

▷ ***Réduction de l'anxiété.*** Parfois, le patient présentant des métastases cérébrales est agité et en proie à des changements d'humeur comme la dépression intense, l'euphorie, la paranoïa, l'anxiété marquée et la crainte de la mort. La réaction du patient atteint d'un cancer en phase terminale reflète sa façon de réagir à d'autres situations de crise. Chez une personne qui souffre d'une maladie grave, la tension fait souvent remonter à la surface des problèmes non résolus. Il peut donc être très bénéfique d'apprendre à utiliser les propres stratégies d'adaptation du patient pour l'aider à faire face à ses sentiments. Pour cela, l'infirmière doit être expérimentée et sensible aux préoccupations du patient.

Il est important d'atténuer chez le patient le sentiment d'impuissance. Pour ce faire, on doit lui apprendre à connaître sa maladie et son traitement et à faire face à ses sentiments. La présence de la famille, d'amis, de membres du clergé et du personnel soignant peut l'aider. Des groupes de soutien peuvent aussi apporter au patient l'aide et la force dont il a besoin.

Il est important également de passer du temps avec le patient, de le laisser parler et exprimer ses inquiétudes. Le fait de communiquer franchement avec le patient et de reconnaître ses peurs a des effets thérapeutiques. Le toucher est aussi une façon de communiquer. Le patient a besoin de savoir qu'il n'est pas laissé à lui-même. Il trouvera la vie plus supportable s'il est accompagné vers la mort.

Si le patient a des réactions émotives très intenses ou prolongées, on devra peut-être avoir recours à l'aide d'un membre du clergé, d'une travailleuse sociale, d'un spécialiste en santé mentale ou d'un ergothérapeute.

▷ ***Amélioration des stratégies d'adaptation familiale.*** Pour les membres de la famille, le patient est un être cher qui doit recevoir les meilleurs soins. Le personnel soignant doit être sensible à cette préoccupation. Quand le patient ne peut plus s'occuper de ses soins personnels, l'infirmière aide la famille à assumer les principaux soins physiques et à trouver du soutien (travailleuse sociale, personnel soignant à domicile, infirmière en santé communautaire, soins palliatifs). Le rôle de l'infirmière consiste à réduire l'anxiété afin que la famille ne se sente pas dépassée par les événements.

▷ *Évaluation*

Résultats escomptés

1. Le patient assume ses autosoins le plus longtemps possible.
   a) Il utilise des aides techniques.
   b) Il accepte qu'on l'aide.
   c) Son hygiène est adéquate.
   d) Il se réserve régulièrement des moments de repos afin de participer le plus activement possible aux autosoins.
2. Le patient améliore son état nutritionnel.
   a) Il ne perd pas de poids.
   b) Il augmente son apport énergétique.
   c) Il accepte qu'on l'aide, au besoin, pendant ses repas.

3. Le patient semble moins anxieux.
   a) Il semble moins agité et dort mieux.
   b) Il exprime ses préoccupations.
   c) Il prend part aux activités qui sont importantes pour lui.
   d) Il se montre intéressé à ce qui se passe autour de lui.
4. Les membres de la famille demandent de l'aide quand ils en ont besoin.
   a) Ils sont capables de baigner, de nourrir et de soigner le patient.
   b) Ils expriment leurs sentiments et leurs préoccupations aux membres du personnel soignant.

MÉNINGITE

La méningite est une inflammation des méninges (membranes qui enveloppent l'encéphale et la moelle épinière) causée par un agent viral, bactérien ou fongique. En milieu clinique, on classe souvent les différentes formes de méningite en trois catégories: la méningite aseptique, la méningite bactérienne et la méningite tuberculeuse. La méningite aseptique désigne soit la méningite virale, soit le syndrome méningé dû à d'autres causes (par exemple un abcès du cerveau, une encéphalite, un lymphome, une leucémie ou une accumulation de sang dans l'espace arachnoïdien). La méningite bactérienne est causée par des bactéries comme les méningocoques, les staphylocoques ou le bacille de Pfeiffer. Enfin, la méningite tuberculeuse est due au bacille de Koch.

L'atteinte des méninges se fait de l'une des deux façons suivantes: par voie hématogène, quand un agent pathogène provenant d'une infection (une cellulite par exemple) se propage jusqu'aux méninges par la circulation sanguine; ou par extension directe, par exemple après un accident traumatique touchant les os de la face. Dans un faible pourcentage de cas, la méningite est iatrogénique, c'est-à-dire causée par une intervention effractive (par exemple une ponction lombaire) ou un dispositif effractif (par exemple un dispositif de surveillance de la pression intracrânienne).

MÉNINGITE BACTÉRIENNE

La méningite bactérienne est de loin la forme de méningite la plus fréquente. Les principaux agents de ce type de méningite sont *Neisseria meningitidis* (méningite cérébrospinale), *Streptococcus pneumoniae* (chez l'adulte) et *Haemophilus influenzae* (chez l'enfant et le jeune adulte). Ils sont responsables d'environ 75 % des méningites bactériennes. La transmission se fait par contact direct, notamment par contact avec des gouttelettes et des sécrétions qui proviennent du nez et de la gorge de sujets porteurs (le plus souvent) ou de personnes infectées. La plupart des personnes exposées à l'agent bactérien ne développent pas la maladie mais en deviennent porteurs. On observe une augmentation de l'incidence des méningites à bactéries intestinales Gram négatif chez les personnes âgées, chez les patients ayant subi une intervention neurochirurgicale ou chez les personnes immunodéprimées.

La méningite bactérienne est endémique aux États-unis et partout dans le monde. Elle est plus fréquente en hiver et au printemps dans des milieux où la population est dense (villes, institutions, installations militaires, prisons).

La méningite bactérienne commence par une infection de l'arrière-gorge et évolue vers une septicémie qui se propage aux méninges et dans la région supérieure de la moelle épinière.

Physiopathologie

Les facteurs prédisposants de la méningite sont les infections des voies respiratoires supérieures, l'otite moyenne, la mastoïdite, la drépanocytose et autres hémoglobinopathies, une intervention neurochirurgicale récente, un traumatisme crânien et les déficits immunitaires. Les veines qui desservent le rhinopharynx postérieur, l'oreille moyenne et l'apophyse mastoïde se déversent dans les tissus menant au cerveau et sont situées tout près des veines qui irriguent les méninges. Ce sont ces veines qui favorisent la propagation des bactéries.

L'agent pathogène pénètre dans la circulation sanguine et provoque une réaction inflammatoire dans les méninges et le cortex sous-jacent. Cette réaction peut causer une vascularite avec thromboses et diminution du débit sanguin cérébral, ce qui altère le métabolisme des tissus du cerveau. Parfois, un exsudat purulent se répand sur la base du cerveau et la moelle épinière. L'inflammation se propage également aux membranes qui recouvrent les ventricules cérébraux. La méningite bactérienne est associée à des altérations marquées de la physiologie intracrânienne, notamment une augmentation de la perméabilité de la barrière hémato-encéphalique, un œdème cérébral et une hypertension intracrânienne.

Dans les infections aiguës, cependant, la toxine de la bactérie cause la mort avant même que la méningite ne se constitue. L'infection est irrépressible et s'accompagne d'une atteinte surrénalienne, d'un collapsus cardiovasculaire et d'hémorragies étendues (syndrome de Waterhose-Friderichsen) dus à l'atteinte endothéliale et à la nécrose vasculaire causées par les méningocoques.

Manifestations cliniques

Les symptômes de la méningite proviennent de l'infection et de l'augmentation de la pression intracrânienne. La céphalée et la fièvre constituent souvent les premiers symptômes. La céphalée est intense et due à l'irritation. On observe généralement une fièvre qui persiste tout au cours de la maladie.

Une altération de l'état de conscience est associée à la méningite bactérienne. Au début de la maladie, on observe souvent une désorientation et des pertes de mémoire. Les manifestations de cet ordre dépendent de la gravité de la méningite de même que de la réaction aux changements physiologiques. Les changements de comportement sont fréquents. À un stade plus avancé, le patient peut présenter une léthargie, une absence de réactions et un coma.

Le syndrome méningé, qui se manifeste par certains signes caractéristiques, est présent dans toutes les formes de méningite. La raideur de la nuque est un signe précurseur. La flexion de la tête devient difficile en raison des spasmes des muscles du cou; la flexion forcée du cou provoque une douleur intense. Voici d'autres signes présents dans la méningite:

- *Signe de Kernig*: Forte résistance passive à l'extension du genou à partir de la position cuisse fléchie

- *Signe de Brudzinski*: Flexion involontaire des genoux et des hanches provoquée par la flexion brusque du cou; flexion involontaire d'une jambe provoquée par la flexion passive de la jambe opposée

Pour des raisons encore inconnues, le patient qui présente ces signes souffre également de photophobie (sensibilité excessive à la lumière).

La méningite peut aussi provoquer des crises de convulsions et une hypertension intracrânienne. Les convulsions sont dues à des irritabilités corticales en foyer. Quant à l'hypertension intracrânienne, elle est causée par l'exsudat purulent ou l'œdème cérébral. Elle se manifeste par des changements caractéristiques dans les signes vitaux (augmentation de la pression différentielle et bradycardie), une instabilité respiratoire, des céphalées, des vomissements et une altération de l'état de conscience. L'apparition d'une éruption est un signe frappant de la méningite à méningocoque (*Neisseria meningitidis*). Environ la moitié des patients atteints de cette forme de méningite présentent en effet des lésions cutanées. Celles-ci peuvent prendre la forme d'un purpura ou de grandes ecchymoses.

La méningite à méningocoque est fulminante dans 10 % des cas environ. Elle s'accompagne alors de signes de septicémie irrépressible: apparition soudaine d'une forte fièvre, lésions purpuriques étendues (sur le visage et les membres), choc et coagulation intravasculaire disséminée. La mort peut survenir dans les heures suivant l'apparition de l'infection.

Traitement

La réussite du traitement repose sur l'administration d'un antibiotique qui parviendra à franchir la barrière hémato-encéphalique et à pénétrer dans l'espace arachnoïdien en quantité suffisamment importante pour arrêter la prolifération bactérienne. Une fois qu'on a obtenu les résultats des cultures de sang et de liquide céphalorachidien, on entreprend immédiatement l'antibiothérapie. On peut utiliser la pénicilline, l'ampicilline, le chloramphénicol ou une des céphalosporines. Il faut parfois recourir à d'autres antibiotiques si la souche bactérienne identifiée est résistante. L'antibiotique est administré à fortes doses par voie intraveineuse.

La déshydratation et le choc sont traités au moyen de solutions de remplissage vasculaire. Pour juguler les convulsions qui peuvent survenir au début de la maladie, on utilise du diazépam ou de la phénytoïne. On peut administrer un diurétique osmotique (comme le mannitol) pour réduire l'œdème cérébral.

Interventions infirmières

Le pronostic dépend en partie des soins de soutien donnés au patient. Le patient est très malade et peut présenter des convulsions à cause de la fièvre, de la déshydratation, de l'alcalose et de l'œdème cérébral. Une obstruction des voies respiratoires, un arrêt respiratoire ou des troubles du rythme cardiaque peuvent s'ensuivre. Par conséquent, certaines interventions infirmières doivent être effectuées en collaboration avec le médecin.

- Peu importe la cause de la méningite, il faut suivre de près l'état clinique et les signes vitaux du patient, car l'altération de l'état de conscience peut aboutir à une obstruction des voies respiratoires. Le médecin peut demander l'analyse des gaz artériels, l'introduction d'une canule endotrachéale à ballonnet et la ventilation assistée. Il faut parfois administrer de l'oxygène afin de maintenir la pression partielle de l'oxygène (pO_2) à un niveau acceptable.
- L'infirmière doit vérifier la pression veineuse centrale pour détecter l'apparition d'un choc, lequel peut annoncer une insuffisance cardiaque ou respiratoire. Le patient peut souffrir d'une vasoconstriction généralisée, d'une cyanose péribuccale et d'une froideur des téguments. Si la fièvre est forte, il faut l'abaisser afin de réduire le travail du cœur et les besoins en oxygène du cerveau. Voir le plan de soins infirmiers 59-1 pour les interventions infirmières auprès des patients atteints d'une maladie infectieuse.
- Il faut parfois procéder à une rééquilibration hydrique rapide par voie intraveineuse, mais on doit veiller à ne pas trop hydrater le patient en raison des risques d'œdème cérébral.
- L'infirmière doit être à l'affût des modifications du poids, des taux d'électrolytes sériques, ainsi que du volume, de la densité et de l'osmolarité des urines, surtout si on soupçonne une sécrétion inadéquate d'hormone antidiurétique.
- Les soins infirmiers consistent à évaluer continuellement l'état clinique du patient, à soigner sa peau, à lui assurer une bonne hygiène buccodentaire, à favoriser son bien-être et à le protéger durant les convulsions et la période de coma.
- Les sécrétions provenant du nez et de la bouche sont considérées comme des substances infectieuses. L'isolement respiratoire est indiqué pendant vingt-quatre heures après le début de l'antibiothérapie.

Prévention et enseignement au patient. Les personnes qui sont en contact étroit avec le patient sont candidates à un traitement prophylactique antimicrobien (rifampicine). Il faut examiner immédiatement ces personnes si elles présentent une fièvre ou les autres signes ou symptômes de la méningite.

Le vaccin antiméningococcique actuellement autorisé au Canada est composé de polysaccharides. On recommande son administration aux personnes qui se rendent dans des pays où sévit une épidémie de méningite à méningocoque. Les personnes qui vivent avec un patient atteint de méningite à méningocoque devraient également penser à recevoir le vaccin à titre de complément à la prophylaxie antibiotique.

Au Canada, on a aussi autorisé l'emploi d'un vaccin polysaccharidique contre *Haemophilus influenzæ* de type b. Ce vaccin est présentement utilisé de façon systématique en pédiatrie pour prévenir la méningite.

Méningite et sida. On rapporte des cas de méningites aseptiques, à *Cryptococcus* et tuberculeuses parmi les personnes atteintes du sida (syndrome d'immunodéficience acquise). La méningite aseptique peut être chronique ou aiguë chez le sidéen; les céphalées sont présentes dans les deux formes, mais les autres signes apparaissent surtout dans la forme aiguë. La méningite aseptique associée au sida peut aussi s'accompagner d'une paralysie des nerfs crâniens. Elle semble directement liée à l'infection du système nerveux central par le VIH, car on retrouve le virus dans le liquide céphalorachidien.

Chez les patients atteints du sida, la méningite à *Cryptococcus* est la plus répandue des infections fongiques du système nerveux central. Cette forme de méningite peut causer des céphalées, des nausées, des vomissements, des convulsions, de la confusion et une léthargie. Dans certains cas, le patient présente peu de symptômes, car la réaction inflammatoire est faible chez le sujet immunodéprimé. Dans d'autres cas, la maladie se manifeste de façon atypique. On traite la méningite à *Cryptococcus* par l'administration d'amphotéricine B, associée ou non à la fluorocytosine. Il est parfois nécessaire d'administrer un traitement d'entretien à l'amphotéricine pour prévenir les récidives.

INFECTION INTRACRÂNIENNE: ABCÈS DU CERVEAU

L'abcès du cerveau est une collection de liquide infectieux à l'intérieur des tissus cérébraux eux-mêmes. Il peut se constituer de trois façons: par *atteinte directe du cerveau* lors d'un traumatisme intracrânien ou d'une intervention chirurgicale; par *propagation d'une infection dans une région voisine* (par exemple une infection des sinus de la face, de l'oreille ou des dents); ou par *propagation d'une infection dans une région éloignée* (abcès pulmonaire, endocardite infectieuse). L'abcès du cerveau peut aussi être une complication de certaines formes de méningites. Il est de plus en plus fréquent chez les patients qui présentent une immunosuppression causée par un traitement ou par une maladie. Pour prévenir l'abcès du cerveau, il faut traiter promptement les otites, les mastoïdites, les sinusites, les infections dentaires et les infections généralisées.

Évaluation

Manifestations cliniques. Les manifestations cliniques de l'abcès du cerveau sont dues à la perturbation de la dynamique intracrânienne (œdème, déplacement du cerveau), à l'infection ou au foyer même de l'abcès. Le symptôme le plus constant est une céphalée intense, surtout en matinée. Plusieurs patients présentent également des vomissements. Certains signes neurologiques en foyer (faiblesse d'un membre, affaiblissement de la vision, convulsions) peuvent se manifester, selon la zone infectée. On peut aussi constater un changement dans l'état mental du patient, qui sera léthargique, confus, irritable ou désorienté. La fièvre n'est pas toujours présente.

Examens diagnostiques. Pour déterminer avec précision l'endroit où se trouve l'abcès, il faut effectuer plusieurs fois l'examen neurologique et observer continuellement le patient. La tomodensitométrie est un outil précieux car elle permet de voir la zone atteinte après l'évolution et la résolution des lésions infectées, et de déterminer le meilleur moment pour opérer.

Traitement

Le traitement vise à supprimer l'abcès. Il comprend l'administration d'antibiotiques ainsi qu'une incision ou une aspiration chirurgicale. Les antibiotiques servent à éliminer l'agent pathogène ou à affaiblir sa virulence. On en administre habituellement de fortes doses par voie intraveineuse avant l'intervention chirurgicale afin qu'ils pénètrent les tissus cérébraux et l'abcès. Le patient doit continuer à prendre des antibiotiques après l'opération. Si la déficience neurologique s'aggrave après l'opération, on peut également administrer des corticostéroïdes pour diminuer l'œdème cérébral.

On donne parfois des anticonvulsivants (phénytoïne, phénobarbital) pour prévenir les convulsions.

Pour traiter les abcès multiples, on peut administrer uniquement une antibiothérapie appropriée et surveiller de près le patient par tomodensitométrie.

Les complications neurologiques susceptibles d'apparaître après le traitement d'un abcès du cerveau sont l'hémiparésie, les convulsions, les troubles visuels et la paralysie de nerfs crâniens. Ces complications sont reliées aux effets nocifs du traitement sur les tissus cérébraux. Les récidives sont fréquentes et ont un taux de mortalité élevé.

ANÉVRISME CÉRÉBRAL

L'anévrisme cérébral est la dilatation de la paroi d'une artère intracrânienne là où la résistance est faible. On ne connaît pas la cause exacte des anévrismes, mais la recherche sur le sujet se poursuit (figure 59-2). L'anévrisme peut provenir d'un athérome, car l'athérome entraîne une altération de la paroi des vaisseaux. Il peut également être dû à une malformation congénitale, à une maladie vasculaire hypertensive, à un traumatisme crânien, ou au vieillissement. Les artères cérébrales les plus souvent touchées par l'anévrisme sont l'artère carotide interne, l'artère cérébrale antérieure, l'artère communicante antérieure et les artères cérébrales moyennes. Dans de rares cas, l'anévrisme apparaît dans la région vertébrobasilaire. Les anévrismes artériels cérébraux multiples sont relativement fréquents.

Physiopathologie

Les symptômes se manifestent quand l'anévrisme s'étend et comprime les nerfs crâniens ou les tissus cérébraux avoisinants. Ils peuvent aussi se manifester quand l'anévrisme se rompt et déclenche une *hémorragie méningée* (saignement dans l'espace sous-arachnoïdien). Les conséquences sont alors plus graves. La rupture d'un anévrisme perturbe le métabolisme cérébral normal à cause de l'exposition du cerveau au sang, de l'augmentation de la pression intracrânienne due à l'arrivée soudaine, dans l'espace sous-arachnoïdien, de sang qui comprime et lèse les tissus cérébraux, ou de l'ischémie cérébrale due à la diminution de l'irrigation sanguine, à la pression et à l'angiospasme qui accompagnent fréquemment l'hémorragie méningée.

L'hémorragie méningée peut provenir d'un anévrisme, mais elle peut aussi être due à une malformation artérioveineuse, à une tumeur, à un traumatisme, à un trouble de la coagulation sanguine ou à une cause inconnue.

Manifestations cliniques

La rupture d'un anévrisme provoque habituellement une céphalée soudaine et anormalement intense et, souvent, une perte de conscience de durée variable. Le patient peut présenter aussi une douleur et une raideur de la nuque et de la colonne vertébrale, à cause de l'irritation des méninges. Si l'anévrisme se situe près du nerf moteur oculaire commun,

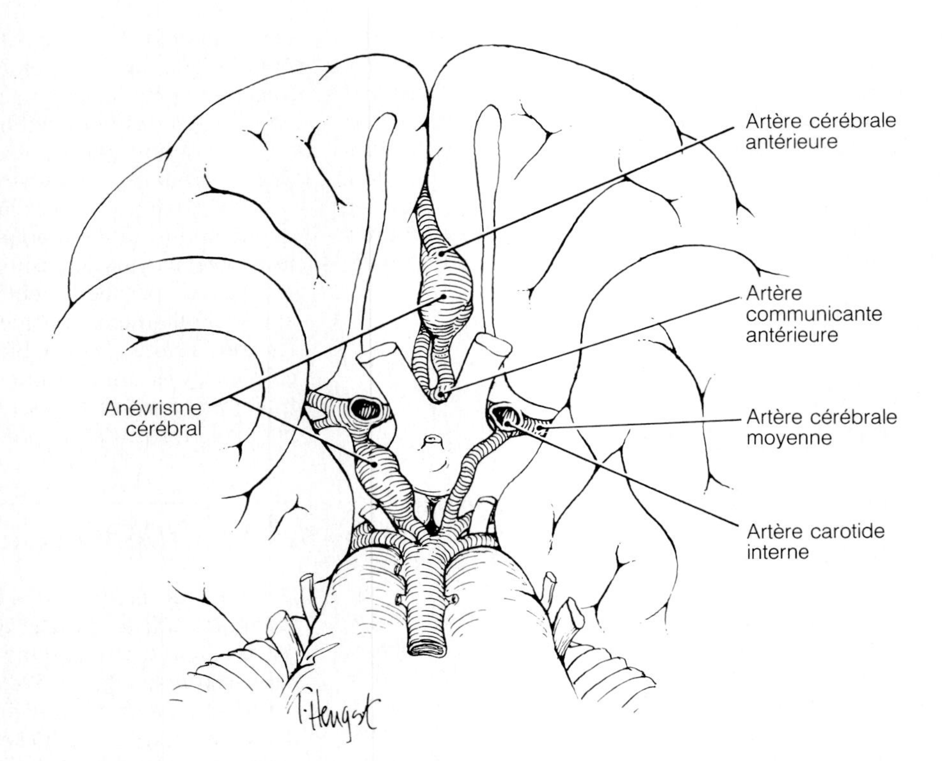

Figure 59-2. Anévrisme cérébral

le patient présente également des troubles visuels (baisse de la vision, diplopie, ptosis). Les acouphènes, les étourdissements et l'hémiparésie sont d'autres symptômes possibles.

L'anévrisme laisse parfois s'échapper du sang. Ce sang vient à former un caillot qui bouche la zone de rupture. Dans ce cas, le patient peut ne présenter qu'une faible déficience neurologique ou, à l'opposé, une hémorragie grave qui entraîne des lésions cérébrales et aboutit rapidement au coma et à la mort. La mortalité dépend de l'état de conscience et de l'ampleur de l'atteinte neurologique; la mort subite est fréquente. Le pronostic est tributaire de l'état neurologique du patient, de son âge, des troubles connexes, de l'ampleur de l'anévrisme et de l'endroit où il se situe. L'hémorragie méningée causée par un anévrisme est vraiment très grave.

Examens diagnostiques

Pour établir le diagnostic, on a recours à différents examens diagnostiques (tomodensitométrie, ponction lombaire) qui indiquent la présence de sang dans le liquide céphalorachidien, et à l'angiographie cérébrale, qui révèle le siège et la taille de l'anévrisme et fournit des données sur l'artère touchée, les vaisseaux adjacents et les rameaux vasculaires.

Traitement

Le traitement vise plusieurs objectifs: permettre au cerveau de se remettre de l'accident (l'hémorragie), prévenir ou réduire les risques d'une autre hémorragie, et prévenir ou traiter les complications. Les principales complications sont le retour de l'hémorragie, l'angiospasme cérébral qui aboutit à une ischémie, l'hydrocéphalie aiguë qui est due à la présence de sang libre empêchant le liquide céphalorachidien d'être réabsorbé par les granulations de Pacchioni, l'épilepsie et l'anxiété.

Le traitement comprend le repos au lit, l'administration de sédatifs pour prévenir l'agitation et le stress, et faire céder l'angiospasme, et des soins chirurgicaux ou médicaux visant à prévenir le retour de l'hémorragie.

Angiospasme. L'angiospasme cérébral (rétrécissement du calibre du vaisseau sanguin touché) est une complication grave de l'hémorragie méningée. Il est souvent associé à un pronostic défavorable. On ne connaît pas vraiment le mécanisme par lequel le vaisseau se contracte de façon spasmodique. Cependant, la tomodensitométrie a permis de constater que l'apparition des angiospasmes correspond à une augmentation de l'épanchement sanguin dans les confluents et les scissures cérébrales. L'angiospasme augmente la résistance vasculaire, ce qui nuit à l'irrigation sanguine du cerveau et provoque une ischémie cérébrale et un infarcissement. Ses signes et symptômes dépendent de la région du cerveau atteinte. Il s'annonce souvent par une intensification de la céphalée, par une diminution de la réactivité (confusion, léthargie, désorientation) ou par l'apparition d'une nouvelle déficience neurologique en foyer (aphasie, hémiparésie [paralysie partielle d'un côté du corps]). Souvent, il se manifeste au cours des quatre à douze jours suivant l'hémorragie initiale. C'est à ce moment que le caillot commence sa dissolution et que le risque de retour de l'hémorragie augmente.

Beaucoup de neurochirurgiens croient qu'on peut prévenir le retour de l'hémorragie en procédant à la ligature chirurgicale de l'anévrisme le plus tôt possible et qu'on peut éviter l'angiospasme en évacuant le sang des citernes interpédonculaires situées autour des principales artères cérébrales. En outre, l'administration par voie intraveineuse d'un inhibiteur calcique comme la nifédipine durant la période où les risques d'angiospasme sont élevés pourrait offrir une protection contre une détérioration ischémique tardive.

Augmentation de la pression intracrânienne. L'hémorragie méningée est presque toujours suivie d'une augmentation de la pression intracrânienne, probablement parce que la présence de sang dans les citernes interpédonculaires

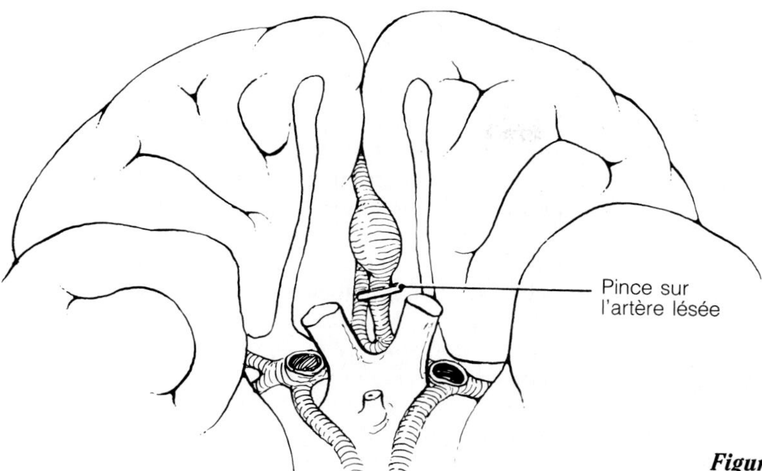

Figure 59-3. Anévrisme cérébral coupé de la circulation au moyen d'une pince placée sur l'artère lésée

perturbe la circulation du liquide céphalorachidien. Si l'état du patient semble se détériorer à cause d'une hypertension intracrânienne (due à un œdème cérébral, à une hernie, à une hydrocéphalie ou à un angiospasme), on doit évacuer le liquide céphalorachidien par ponction lombaire ou par cathétérisme ventriculaire et administrer du mannitol pour réduire la pression intracrânienne. L'administration prolongée de mannitol dans le but de réduire la pression intracrânienne peut entraîner une déshydratation et un déséquilibre électrolytique (hyponatrémie / hypernatrémie, hypokaliémie / hyperkaliémie). Le mannitol déclenche en effet une évacuation osmotique de l'eau du cerveau et diminue, par la diurèse, la teneur en eau totale de l'organisme. Il faut donc surveiller les signes de déshydratation et d'hypertension intracrânienne réactionnelle.

Si l'intervention chirurgicale est retardée ou contre-indiquée, on peut administrer des antifibrinolytiques (acide aminocaproïque, acide tranexamique) pour retarder ou prévenir la dissolution du caillot dans la zone de rupture de l'anévrisme.

Hypertension générale. Il faut par ailleurs s'efforcer de prévenir l'hypertension générale soudaine. Si la pression artérielle est élevée, le médecin peut ordonner un traitement antihypertenseur (nitroprusside). Le monitorage constant de la pression artérielle est essentiel pour prévenir une baisse de pression qui pourrait causer une ischémie du cerveau. Étant donné que les convulsions élèvent la pression artérielle, on administre de façon prophylactique des anticonvulsivants. On a également recours à des laxatifs émollients car l'effort de défécation risque aussi d'augmenter la pression artérielle.

On prescrit parfois des analgésiques (codéine, acétaminophène) pour soulager la douleur à la tête et au cou. Le patient doit porter des bas antiemboliques pour prévenir la thrombose veineuse profonde, un danger qui guette tous les patients alités.

Traitement chirurgical

On prépare le patient pour l'intervention chirurgicale dès que son état le permet. Les soins infirmiers à donner au patient qui vient de subir une craniotomie sont décrits au chapitre 58.

L'intervention chirurgicale vise à prévenir le retour de l'hémorragie et consiste à isoler l'anévrisme de la circulation ou à renforcer la paroi de l'artère touchée. On isole l'anévrisme de la circulation cérébrale en le ligaturant ou en le clippant au niveau de son collet (figure 59-3). Si cette opération est impossible pour des raisons d'ordre anatomique, on peut renforcer la paroi de l'artère en la recouvrant de plastique, de muscle ou d'une autre matière. On effectue parfois une dérivation artérielle extracrânienne-intracrânienne dans le but de fournir un apport sanguin collatéral pendant l'opération. Sinon, on peut utiliser la méthode extracrânienne, qui consiste à obstruer graduellement l'artère carotide au niveau du cou afin de réduire la pression dans le vaisseau sanguin concerné. Il existe un certain risque d'ischémie cérébrale et d'hémiplégie soudaine après la ligature de l'artère carotide, car l'irrigation sanguine du cerveau est temporairement bloquée durant l'intervention chirurgicale (à moins d'utiliser une autre dérivation de façon temporaire). Pour mieux prévenir ces complications, on peut mesurer le débit sanguin du cerveau et la pression interne de la carotide, ce qui permet d'établir si le patient sera sujet à l'ischémie après l'opération.

D'autres complications postopératoires sont possibles: troubles psychologiques (désorientation, amnésie, syndrome de Korsakoff, troubles de la personnalité), embolisation opératoire, occlusion interne de l'artère, déséquilibres hydroélectrolytiques (provenant du dysfonctionnement du système neurohypophysaire) et hémorragie gastro-intestinale. (Voir le chapitre 58 pour les soins à donner au patient qui a subi une opération intracrânienne.)

Démarche de soins infirmiers
Patients atteints d'un anévrisme cérébral

Collecte des données

Il faut d'abord effectuer un examen neurologique complet portant sur les éléments suivants:

- État de conscience
- Réflexe pupillaire
- Fonctions motrice et sensorielle
- Atteintes des nerfs crâniens (mouvements extraoculaires, affaissement du visage, ptosis)

- Troubles de l'élocution, troubles visuels ou autres déficiences neurologiques, céphalée

L'infirmière inscrit au dossier les résultats de l'examen neurologique et en fait part au médecin selon les indications. La fréquence des examens dépend de l'état du patient. Dès qu'un changement se produit dans l'état du patient, l'infirmière fait un nouvel examen et consigne les données de façon détaillée. Elle doit signaler immédiatement le moindre changement.

L'altération de l'état de conscience est souvent le premier signe de détérioration chez le patient souffrant d'un anévrisme. Comme l'infirmière est la personne qui voit le plus le patient, c'est souvent elle qui détecte les changements parfois subtils dans l'état du patient. Par exemple, une légère somnolence et une certaine dysarthrie peuvent être les signes précurseurs d'une détérioration de l'état de conscience. Il est donc primordial que l'infirmière examine souvent le patient atteint ou que l'on croit atteint d'un anévrisme.

▷ *Analyse et interprétation des données*

Selon les données recueillies, voici les principaux diagnostics infirmiers possibles:

- Altération de l'irrigation des tissus cérébraux reliée aux saignements provenant de l'anévrisme
- Altération de la perception sensorielle reliée aux mesures de précaution contre l'hémorragie méningée
- Anxiété reliée à la maladie ou aux mesures de précaution contre l'hémorragie méningée

▷ *Complications.* Selon les données recueillies, voici les complications auxquelles devront peut-être faire face les membres de l'équipe de soins:

- Convulsions
- Angiospasme

▷ *Planification et exécution*

▷ *Objectifs de soins:* Amélioration de la perfusion des tissus cérébraux; diminution de la privation sensorielle; réduction de l'anxiété; prévention des convulsions et de l'angiospasme

▷ *Interventions infirmières*

▷ *Amélioration de la perfusion des tissus cérébraux.* L'infirmière doit surveiller de près le patient afin de détecter les signes de détérioration neurologique causée par un retour des saignements, une augmentation de la pression intracrânienne ou un angiospasme. Elle doit aussi tenir une feuille de surveillance neurologique. Toutes les heures, l'infirmière vérifie la pression artérielle, le pouls, le degré de réactivité (un indicateur de l'irrigation du cerveau), les réactions pupillaires et la fonction motrice. Il faut également surveiller l'état respiratoire, car une diminution de la pO_2 dans le cerveau augmente les risques d'infarctus cérébral. L'infirmière doit signaler immédiatement le moindre changement.

Il faut également prendre des *mesures de précaution contre l'hémorragie méningée,* c'est-à-dire garder le patient dans une ambiance calme et prévenir l'hypertension intracrânienne et le retour des saignements. Le repos au lit absolu est indiqué. Il faut placer le patient dans une pièce tranquille et lui éviter le stress, car l'agitation et l'anxiété font monter la pression artérielle et, par le fait même, augmentent les risques d'hémorragie. Les visites sont restreintes, sauf pour la famille.

L'infirmière élève la tête du lit à 30° pour favoriser le retour veineux et diminuer la pression intracrânienne. Certains neurologues recommandent cependant la position couchée à plat pour favoriser l'irrigation du cerveau.

Le patient doit éviter toutes les activités qui peuvent soudainement augmenter la pression artérielle ou entraver le retour veineux. Il doit par exemple éviter les efforts et la manœuvre de Valsalva. Il doit aussi se garder d'éternuer fortement, de se remonter dans son lit, de pencher ou de tourner brusquement ou trop souvent la tête et le cou (ces mouvements nuisent à la circulation jugulaire), et de fumer. En fait, toutes les activités qui exigent un effort sont contre-indiquées. L'infirmière doit recommander au patient d'expirer par la bouche quand il urine ou défèque afin d'atténuer l'effort fourni. Les lavements ne sont pas permis, mais le patient peut prendre des laxatifs émollients ou des laxatifs doux. Ces deux sortes de laxatifs préviennent la constipation qui pourrait, comme les lavements, provoquer une augmentation de la pression intracrânienne. Si le patient souffre de photophobie, il faut tamiser l'éclairage. Enfin, le thé et le café non décaféinés sont habituellement déconseillés.

L'infirmière assume tous les soins personnels du patient. Elle doit le nourrir et le laver afin qu'il ne fasse aucun effort susceptible d'augmenter sa pression artérielle. Elle doit aussi réduire le plus possible les stimuli extérieurs, y compris la télévision, la radio et la lecture. Les visites doivent être restreintes, en tenant compte de l'état du patient et de la façon dont il réagit aux visiteurs. L'infirmière peut placer sur la porte de la chambre un panneau indiquant que les visites sont restreintes et discuter de cette restriction avec le patient et sa famille.

▷ *Diminution de la privation sensorielle.* Il faut éliminer le plus possible les stimuli sensoriels. Si le patient est éveillé, alerte et lucide, l'infirmière doit lui expliquer les raisons de cet isolement. Elle doit aussi l'aider à rester orienté.

▷ *Réduction de l'anxiété.* L'infirmière doit expliquer clairement au patient (si possible) et à sa famille le but des précautions contre l'hémorragie méningée. Elle peut aussi tenir le patient au courant du plan de soins, ce qui le rassurera et réduira son anxiété. La famille aussi a besoin d'information et de soutien.

▷ *Prévention des convulsions.* Quand un patient est sujet à des convulsions, on doit prendre certaines mesures de précaution. Il faut notamment garder à son chevet un appareil d'aspiration prêt à fonctionner et comprenant une sonde d'aspiration, un abaisse-langue coussiné et un tube endotrachéal. Les ridelles du lit doivent être coussinées pour éviter les blessures. Quand des convulsions se produisent, l'infirmière doit avant tout maintenir la liberté des voies respiratoires du patient et l'empêcher de se blesser. Si ce n'est pas déjà fait, on entreprend un traitement anticonvulsivant. La phénytoïne (Dilantin) est l'anticonvulsivant de choix, car elle est efficace sans entraîner de somnolence lorsqu'on l'administre à dose thérapeutique.

▷ *Diminution de l'angiospasme.* Le traitement de l'angiospasme est difficile et controversé. Plusieurs pensent que l'angiospasme est causé par un afflux massif de calcium dans les cellules. Pour le prévenir ou le faire régresser, on doit donc avoir recours à un traitement médicamenteux qui bloque cet afflux. Deux inhibiteurs calciques peuvent avoir cet effet: le vérapamil (Isoptin) et la nifédipine (Procardia). On peut aussi réduire les effets nuisibles de l'ischémie cérébrale causée par l'angiospasme en administrant des solutions de remplissage vasculaire ou en provoquant une hypertension artérielle, une normotension ou une hémodilution. Ces traitements sont encore au stade expérimental, mais ils sont prometteurs. Le bien-fondé des restrictions liquidiennes chez le patient souffrant d'angiospasme est présentement contesté; plusieurs établissements de soins ont d'ailleurs cessé d'y recourir.

▷ *Évaluation*

Résultats escomptés

1. Le patient présente un état neurologique normal.
   a) Il est conscient et bien orienté dans les trois sphères: espace, temps et personnes.
   b) Son élocution est normale et il ne souffre d'aucune déficience cognitive.
   c) La force, le mouvement et la sensibilité de ses quatre membres sont normaux et symétriques.
   d) Ses réflexes ostéotendineux et pupillaires sont normaux.
   e) Ses signes vitaux sont normaux, de même que son mode respiratoire.
   f) Il observe les mesures de précaution contre l'hémorragie intracrânienne (il se repose au lit dans une pièce calme; il évite de forcer, de trop tourner ou fléchir la tête et le cou, et de fumer).
2. Le patient a une perception sensorielle normale.
   a) Il montre qu'il comprend bien le but des mesures de précaution contre l'hémorragie méningée.
   b) Il exprime ce qu'il ressent au sujet des restrictions qu'on leur impose à lui et à sa famille.
   c) Les opérations de sa pensée sont claires.
3. Le patient est moins anxieux.
   a) Il se dit moins anxieux.
   b) Il exprime ses préoccupations familiales.
   c) Il est moins agité.
   d) Il ne montre aucun signe physiologique d'anxiété (ses signes vitaux sont normaux; sa fréquence respiratoire est normale; son élocution n'est ni exagérée ni trop rapide).
   e) Il dit bien dormir et se reposer régulièrement.
4. Le patient ne présente pas de convulsions.
   a) Son activité neuromusculaire est normale et il ne présente pas de convulsions.
   b) Il démontre verbalement qu'il comprend les précautions dues aux convulsions.
   c) Il collabore aux mesures de précaution, notamment en se conformant au traitement médical.
5. Le patient ne présente pas d'angiospasme.
   a) Son état mental est normal.
   b) Ses capacités motrices et sensorielles sont normales.
   c) Ses signes vitaux sont normaux.
   d) Il ne présente pas de troubles visuels.

Résumé: L'anévrisme cérébral est une dilatation des parois d'une artère cérébrale. Les signes et symptômes peuvent se manifester lorsque l'anévrisme grossit et empiète sur les tissus cérébraux voisins, ou quand il se rompt et entraîne une hémorragie. Quand l'hémorragie est importante, des déficiences neurologiques graves peuvent apparaître; le taux de mortalité est alors élevé. Quand l'hémorragie est moins grave, il faut empêcher qu'elle ne s'aggrave. Pour ce faire, on doit réduire les risques d'angiospasme, d'hypertension artérielle et d'hypertension intracrânienne. Il faut aussi prévenir l'hémorragie méningée, notamment en réduisant le plus possible les stimuli sensoriels. L'infirmière doit donner au patient tous les soins physiques dont il a besoin et utiliser ses aptitudes à la communication pour réduire l'anxiété de celui-ci et de sa famille. Elle doit en outre avoir une grande expérience de l'évaluation afin d'être capable de détecter les changements subtils dans l'état neurologique du patient.

SCLÉROSE EN PLAQUES

La sclérose en plaques (SEP) est une affection chronique dégénérative et évolutive du système nerveux central. Elle se caractérise par la constitution de petites plaques de démyélinisation dans le cerveau et la moelle épinière. (La *démyélinisation* est la destruction de la myéline, une substance lipidoprotidique qui entoure certaines fibres nerveuses du cerveau et de la moelle épinière.) La démyélinisation entrave la transmission normale des influx nerveux.

On ne connaît pas la cause de la sclérose en plaques. Selon les recherches sur cette maladie, la démyélinisation serait le phénomène initial et serait due à une anomalie de la réaction immunitaire faisant surface plusieurs années après une infection virale.

Des études épidémiologiques démontrent que la sclérose en plaques est plus répandue dans les pays tempérés de l'hémisphère nord. En Amérique du Nord, elle est une des maladies neurologiques les plus invalidantes chez les jeunes adultes (entre 20 et 40 ans) et frappe deux fois plus de femmes que d'hommes. Plus le patient est jeune quand survient la maladie, plus ses problèmes médicaux, psychologiques, familiaux, sociaux et financiers sont importants.

Physiopathologie

Dans la sclérose en plaques, la démyélinisation est disséminée de façon irrégulière dans tout le système nerveux central (figure 59-4); la myéline des cylindraxes est détruite et les axones eux-mêmes se dégénèrent. Des plaques se constituent et interrompent la transmission des influx nerveux. Les manifestations de ce blocage sont variées car elles dépendent des nerfs atteints. Les régions les plus souvent touchées sont les nerfs optiques, le chiasma optique, les bandelettes optiques, les hémisphères cérébraux, le tronc cérébral et le cervelet, ainsi que la moelle épinière.

Manifestations cliniques

L'évolution de la sclérose en plaques est très variable. Chez la plupart des patients jeunes, elle évolue d'abord par poussées et rémissions. Parfois, elle est chronique et progressive dès le début et entraîne une détérioration graduelle des fonctions. L'évolution progressive est rarement rapide. Il existe aussi une forme bénigne de cette maladie; dans ce cas, l'espérance de vie est normale et les symptômes n'exigent pas de traitement.

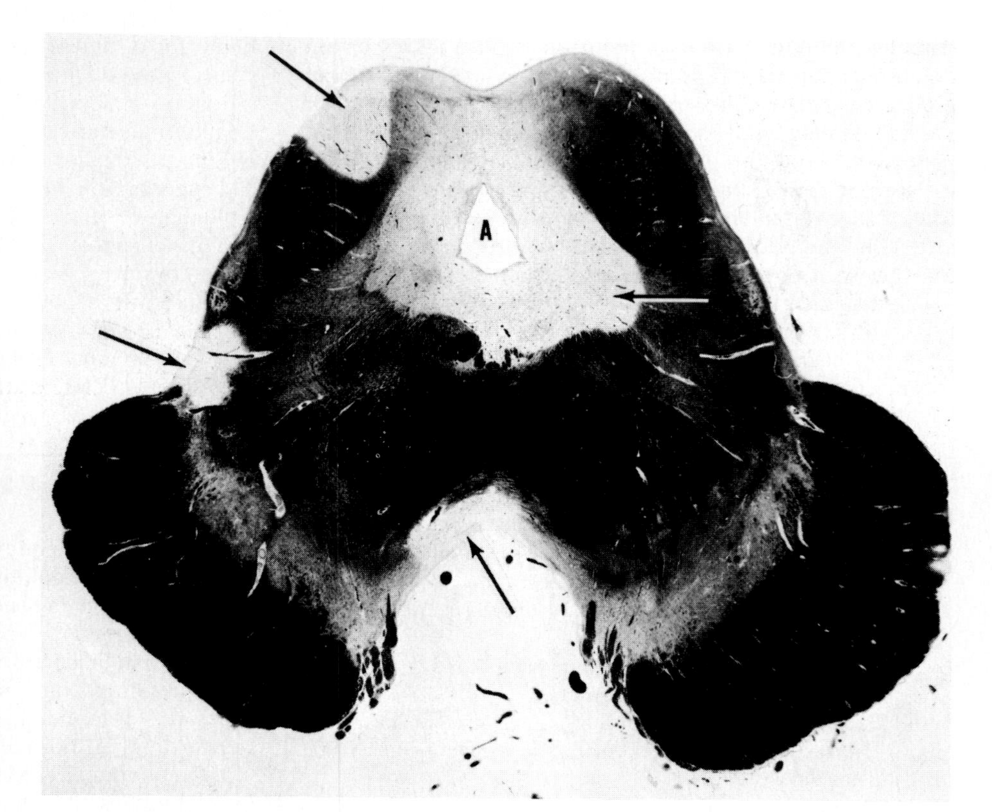

Figure 59-4. Coupe transversale du mésencéphale (grossi environ trois fois) d'un patient atteint de sclérose en plaques
On a utilisé un colorant pour faire ressortir la myéline (en noir). Les quatre zones blanches indiquées par les flèches sont des plaques de démyélinisation. La plaque située à droite de l'aqueduc (**A**) empiète sur la substance grise entourant l'aqueduc. Les fibres nerveuses de ces plaques ont perdu leur gaine de myéline; par conséquent, la transmission des stimuli dans ces régions est entravée ou bloquée.
(Source: Dr. Cedric S. Raine, professeur de pathologie (neuropathologie) et de neurosciences, Albert Einstein College of Medicine, Yeshiva University)

Les signes et symptômes de la sclérose en plaques sont variés et multiples; il dépendent du siège des plaques ou de leur combinaison. Les symptômes les plus courants sont la fatigue, la faiblesse, les engourdissements, les troubles de coordination et le manque d'équilibre. L'atteinte des principales voies motrices (faisceaux pyramidaux) de la moelle épinière provoque une faiblesse spastique des membres et l'abolition du réflexe cutané abdominal. L'atteinte des axones sensoriels peut entraîner un dysfonctionnement sensoriel. Quand le lobe frontal ou pariétal est touché, on peut observer des troubles cognitifs et psychosociaux. L'atteinte du cervelet ou des noyaux gris centraux peut provoquer une *ataxie* (trouble de la coordination du mouvement) et des tremblements. Le patient atteint de sclérose en plaques peut aussi présenter une labilité émotionnelle et un comportement euphorique si les mécanismes de régulation entre le cortex et les noyaux gris centraux sont touchés.

Les principales complications de cette maladie sont les infections des voies urinaires, la constipation, les escarres de décubitus, les contractures, l'œdème pédieux déclive, la pneumonie et la dépression réactionnelle. On peut aussi observer des problèmes émotionnels, sociaux, conjugaux, financiers et professionnels.

La sclérose en plaques se caractérise par des poussées (apparition de nouveaux symptômes et aggravation des symptômes existants) et des rémissions (périodes durant lesquelles les symptômes diminuent ou disparaissent). Les poussées sont parfois associées à des périodes de stress émotionnel et physique. Toutefois, grâce à la résonance magnétique nucléaire, on a pu observer que les plaques de sclérose n'entraînent pas toujours des symptômes graves et une invalidité. Chez certains patients les périodes de rémission sont longues et chez certains autres, il se produit une remyélinisation.

Examens diagnostiques

L'électrophorèse du liquide céphalorachidien révèle habituellement la présence de séquences de bandes d'immunoglobulines G (IgG) anormales. En fait, jusqu'à 95 % des patients atteints de sclérose en plaques ont des IgG anormales dans leur liquide céphalorachidien. On utilise aussi la méthode des potentiels évoqués pour déterminer l'étendue du processus morbide et pour détecter les changements. Quant à la tomodensitométrie, elle peut révéler la présence de changements atrophiques dans le cerveau. La résonance magnétique nucléaire est aujourd'hui une des principales méthodes diagnostiques de la sclérose en plaques; elle permet de mettre en évidence les petites plaques et d'observer l'évolution de la maladie ainsi que les effets du traitement. Il est parfois nécessaire également d'effectuer des examens neuropsychologiques pour évaluer l'atteinte cognitive. Les données sur la sexualité peuvent révéler des problèmes précis.

Traitement

On ne peut guérir la sclérose en plaques. Pour soulager les symptômes et soutenir le patient de façon continue, il faut recourir à un programme de traitement rationnel, organisé et personnalisé. Beaucoup de patients atteints de sclérose en plaques sont dans un état stable et n'ont besoin que d'un traitement intermittent pour soulager les symptômes en période de poussée. D'autres patients, par contre, ont besoin d'un suivi continuel, car la maladie évolue chez eux de façon constante et progressive.

On utilise des corticostéroïdes ou ACTH comme anti-inflammatoire pour tenter d'améliorer la transmission des influx nerveux. Étant donné que des mécanismes immunitaires participent probablement à la pathogenèse de la sclérose en plaques, on essaie actuellement un certain nombre d'agents pharmacologiques qui pourraient moduler la réponse immunitaire, ralentir l'évolution de la maladie et réduire la fréquence et la gravité des poussées. Parmi ces agents figurent l'azathioprine, le cyclophosphamide et l'interféron. D'autres traitements immunosuppresseurs (comme l'irradiation) sont actuellement à l'essai et pourraient éventuellement servir à traiter les formes évolutives de la maladie.

Le baclofène est présentement l'antispasmodique de choix dans le traitement de la sclérose en plaque. Si le patient présente une grave spasticité et des contractures, on peut avoir recours à un blocage nerveux ou à une intervention chirurgicale pour empêcher son état de se détériorer davantage.

Le traitement des troubles vésicaux est très difficile. Les principaux troubles de la vessie sont: (1) l'incapacité de retenir l'urine (réflexe exagéré, vessie non inhibée); (2) la rétention d'urine (réflexe diminué, vessie hypotonique); ou (3) une combinaison des deux troubles précédents. On peut utiliser divers médicaments pour atténuer les troubles vésicaux, et on peut aussi avoir recours à l'autocathétérisme. Souvent, une infection des voies urinaires s'ajoute au dysfonctionnement neurologique existant. L'administration d'acide ascorbique acidifie l'urine et peut freiner la croissance bactérienne. Le patient peut également prendre des antibiotiques au besoin.

DÉMARCHE DE SOINS INFIRMIERS PATIENTS ATTEINTS DE SCLÉROSE EN PLAQUES

Collecte des données

L'infirmière doit recueillir les données en tenant compte des problèmes existants et potentiels associés à la maladie, notamment les troubles neurologiques, les complications et les conséquences de la maladie sur le patient et sa famille. L'infirmière observe les mouvements et la démarche du patient afin de voir s'il existe des risques de chute. Elle évalue l'état du patient quand celui-ci est bien reposé, puis quand il est fatigué. Elle vérifie si le patient présente de la faiblesse, une spasticité, des troubles visuels ou de l'incontinence. Elle doit également poser certaines questions: De quelle façon la maladie a-t-elle changé le mode de vie du patient? Comment le patient s'adapte-t-il? Quels aspects de son état le patient aimerait-il améliorer?

Analyse et interprétation des données

Selon les données recueillies, voici les principaux diagnostics infirmiers possibles:

- Altération de la mobilité physique reliée à la faiblesse, à la parésie ou à la spasticité
- Risque élevé de chutes relié à l'altération sensorielle et visuelle
- Altération de l'élimination urinaire et fécale reliée à l'atteinte de la moelle épinière
- Altération des opérations de la pensée (perte de mémoire, démence, euphorie) reliée au dysfonctionnement cérébral
- Stratégies d'adaptation inefficaces
- Incapacité d'entretenir et d'organiser le domicile reliée aux restrictions physiques, psychologiques et sociales imposées par la sclérose en plaques
- Risque de dysfonctionnement sexuel relié à l'atteinte de la moelle épinière ou aux réactions psychologiques du patient face à la maladie

Planification et exécution

Objectifs de soins: Amélioration de la mobilité physique; prévention des chutes; rétablissement d'un contrôle adéquat des sphincters vésical et anal; amélioration de la fonction cognitive; utilisation de stratégies d'adaptation efficaces; capacité d'effectuer les autosoins; adaptation au dysfonctionnement sexuel

Interventions infirmières

En plus de soutenir le patient sur le plan affectif, l'infirmière doit élaborer un programme personnalisé de soins physiques, de réadaptation et d'enseignement. Les interventions infirmières doivent tenir compte des problèmes sociaux et psychologiques qui découlent de la maladie.

Amélioration de la mobilité physique. Les exercices de relaxation et de coordination aident le patient atteint de sclérose en plaques à augmenter l'efficacité de ses muscles. Des exercices progressifs contre résistance peuvent renforcer les muscles, car la faiblesse musculaire est un des grands problèmes de la sclérose en plaques. Il faut encourager le patient à poursuivre ses exercices tant qu'il ne se sent pas fatigué outre mesure. Les efforts physiques violents ne sont *pas* recommandés, car ils augmentent la température corporelle et peuvent aggraver les symptômes. De même, les exercices prolongés qui peuvent fatiguer les membres jusqu'à entraîner une parésie, un engourdissement ou une incoordination ne sont pas recommandés. Le patient doit se réserver fréquemment de courtes périodes de repos, préférablement en position couchée, car une trop grande fatigue peut exacerber les symptômes.

Des exercices de marche peuvent améliorer l'efficacité de la démarche, surtout si le patient présente une perte du sens de position des jambes. Si certains groupes musculaires sont atteints de façon irréversible, le patient peut entraîner d'autres muscles qui prendront la relève.

La sclérose en plaques provoque souvent une spasticité musculaire qui entraîne, à la longue, par un spasme en adduction marqué dans les hanches et par un spasme en flexion dans les hanches et les genoux. Non traités, ces spasmes évoluent vers des contractures qui provoquent des escarres de décubitus sur la région sacrée et les hanches (à cause de l'incapacité d'installer le patient dans une position adéquate). Les applications chaudes peuvent être utiles. Les bains trop chauds sont toutefois déconseillés, à cause de risques de brûlures dus à la perte de sensibilité thermique. Le patient doit également faire des exercices d'étirement musculaire tous les jours afin de réduire les contractures. Il doit porter une attention particulière aux muscles de la loge postérieure de la cuisse, aux muscles jumeaux de la jambe, aux muscles adducteurs de la hanche, aux biceps, ainsi qu'aux muscles fléchisseurs des poignets et des doigts. La spasticité musculaire, fréquente chez les personnes atteintes de sclérose en plaques, nuit au fonctionnement normal. Le patient peut nager et faire de la bicyclette ergonomique. Les exercices progressifs avec poids et haltères contribuent également à atténuer la spasticité des jambes. Les exercices doivent toujours être faits lentement, car des mouvements trop brusques peuvent aggraver la spasticité.

Prévention des chutes. Il y a risque de chutes si l'atteinte motrice entraîne une incapacité, un manque de coordination et de l'ataxie. Pour prévenir les chutes, le patient doit apprendre à marcher en gardant les jambes bien écartées pour élargir sa base d'appui et stabiliser sa démarche. Si son sens de la position est altéré, il doit apprendre à marcher en regardant ses pieds. Pour les exercices de marche, le patient peut avoir besoin d'une aide (déambulateur, orthèse, béquilles, barres parallèles) et de physiothérapie. Si sa démarche reste inefficace, le patient devra utiliser un fauteuil roulant. L'ergothérapeute peut suggérer et procurer au patient des aides techniques qui l'aideront à rester le plus autonome possible. Si le patient manque de coordination et présente des tremblements dans les membres supérieurs au cours des mouvements volontaires (*tremblement intentionnel*), des bracelets empesés peuvent lui être utiles.

Étant donné qu'une déficience sensorielle peut s'ajouter à la déficience motrice, le patient est sujet aux escarres de décubitus. Le fait d'être dépendant d'un fauteuil roulant augmente encore les risques d'atteinte à l'intégrité de la peau. (Voir au chapitre 42 pour les mesures de prévention et de traitement des escarres de décubitus.)

▷ ***Rétablissement d'un contrôle adéquat des sphincters vésical et anal.*** L'infirmière doit apporter une aide particulière au patient qui souffre d'incontinence ou dont les mictions sont fréquentes ou impérieuses. Comme la miction ne peut être différée, il faut garder à portée de la main un bassin hygiénique. L'infirmière établit un horaire des mictions (elle prévoit d'abord des mictions toutes les heures et demie à deux heures, puis moins souvent par la suite). Toutes les deux heures, elle demande au patient de boire une quantité mesurée de liquide et d'essayer d'uriner 30 minutes plus tard. On peut utiliser la sonnerie d'un réveille-matin si le patient ne ressent pas le besoin d'uriner. L'infirmière incite le patient à prendre ses médicaments contre la spasticité vésicale car ceux-ci permettent une plus grande autonomie. L'autocathétérisme intermittent est une méthode efficace de régulation vésicale.

Dans les cas des femmes qui souffrent d'incontinence urinaire permanente, on peut envisager une dérivation urinaire. Les hommes peuvent porter un condom adapté pour recueillir les urines.

Les principaux troubles intestinaux sont la constipation, le fécalome et l'incontinence. Le patient peut souvent résoudre efficacement ces problèmes en buvant une quantité suffisante de liquide, en mangeant des aliments riches en fibres et en suivant un programme de rééducation intestinale (voir au chapitre 42.

▷ ***Amélioration des fonctions sensorielle et cognitive.*** Certaines mesures peuvent atténuer les troubles de la vision ou de l'élocution (les nerfs crâniens de la vue et de la parole peuvent être touchés par la sclérose en plaques). Par exemple, si le patient souffre de *diplopie* (vision double), on peut utiliser un pansement occlusif ou des verres correcteurs adaptés qui bloquent les influx visuels d'un œil. Des lunettes à prisme peuvent également aider le patient qui a de la difficulté à lire en position couchée.

Quand la maladie touche les nerfs de la parole, une *dysarthrie* (trouble de l'articulation) peut apparaître. Celle-ci se caractérise par un empâtement de la parole, un affaiblissement du volume de la voix et des troubles de la phonation. Une respiration superficielle peut rendre la parole encore plus difficile. L'orthophoniste peut aider le patient, la famille et les membres de l'équipe de soins, d'abord en expliquant les problèmes de communication du patient, puis en enseignant les techniques de compensation appropriées.

Dans de rares cas, la sclérose en plaques provoque dès le début un déficit cognitif, se manifestant par des réactions «non appropriées», ce qui peut être gênant, voire humiliant, pour le patient. L'apparition de certains changements organiques dans le cerveau peut causer des pertes de mémoire, un manque d'attention et une labilité émotionnelle. Le patient peut s'adapter à la maladie de différentes façons, notamment par le déni (accompagné d'euphorie), la dépression, le repli sur soi ou l'hostilité. Les personnes atteintes de sclérose en plaques ont tendance à cacher leurs émotions derrière un masque souriant ou inexpressif. Pour s'adapter à sa nouvelle image de soi et au chambardement de son mode de vie, le patient a besoin qu'on fasse preuve de compassion à son égard et qu'on lui apporte un bon soutien émotionnel. L'infirmière doit l'aider à se fixer des objectifs réalistes afin qu'il prenne conscience de ses possibilités, qu'il reste le plus actif possible et qu'il poursuive sa vie sociale et ses loisirs. Si la maladie évolue au point d'empêcher le patient d'avoir des activités normales, celui-ci doit se trouver des passe-temps qui le divertissent et lui apportent une certaine satisfaction.

Le personnel soignant doit expliquer à la famille la nature et l'ampleur de l'altération cognitive. Pour compenser cette altération, il faut s'assurer que le patient vit dans un milieu bien structuré. On peut aussi lui fournir des listes et autres aide-mémoire qui lui faciliteront l'exécution de ses activités quotidiennes.

▷ ***Utilisation de stratégies d'adaptation efficaces.*** Sur le plan familial, la sclérose en plaques amène bien des frustrations et des problèmes, d'autant plus qu'elle frappe des personnes jeunes qui sont dans la période la plus active de leur vie professionnelle et familiale. Il n'est pas rare donc que la sclérose en plaques provoque, indirectement, des conflits familiaux, une désintégration de la famille, une séparation ou un divorce. Il arrive souvent aussi que le malade soit pris en charge par de très jeunes membres de la famille. Ici, le rôle de l'infirmière consiste à atténuer le stress de la famille et à la diriger vers les services appropriés de soutien et de counseling. Avec de l'aide, les membres de la famille apprendront à mieux vivre avec la personne atteinte de sclérose en plaques.

En gardant à l'esprit ces problèmes complexes, l'infirmière organise les soins à domicile et coordonne un réseau de services: services sociaux, orthophonie, ergothérapie, aide domestique, etc. Pour aider le patient à mieux s'adapter, l'infirmière doit lui fournir le plus d'information possible. Le patient et sa famille ont besoin d'une liste récente de tous les services qui sont à leur disposition.

L'infirmière doit aussi aider le patient à reconnaître ses problèmes et à les résoudre avec les capacités qu'il possède. L'adaptation psychologique et physique du patient sera plus facile si l'infirmière planifie adéquatement les activités et reste flexible et optimiste.

▷ ***Capacité d'effectuer les autosoins.*** La sclérose en plaques peut modifier jusqu'aux moindres aspects de la vie quotidienne. La personne atteinte ne peut recouvrer les capacités perdues et ses capacités physiques peuvent varier d'une journée à l'autre. Toutes les modifications susceptibles d'améliorer l'autonomie du patient dans ses activités quotidiennes devraient être envisagées (élévation du siège de toilette, modification de la baignoire, adaptation du téléphone, peigne à long manche, vêtements adaptés). Le patient devrait par ailleurs éviter les situations de stress physique et émotionnel qui peuvent exacerber les symptômes et diminuer le rendement. La chaleur peut aussi avoir des effets néfastes; il semble en effet qu'elle augmente la fatigue et, par le fait même, qu'elle diminue la force motrice. Au moins une pièce du domicile du patient devrait donc être climatisée. En revanche, le froid intense peut aggraver la spasticité.

On doit recommander au patient atteint de sclérose en plaques de communiquer avec la section locale de la Société canadienne de la sclérose en plaques pour s'informer des services et des publications offerts (notamment un journal mensuel) et pour entrer en contact avec d'autres personnes atteintes de la maladie. Grâce aux groupes d'entraide, le patient peut s'identifier à des personnes souffrant de la même maladie, trouver un peu de soulagement, acquérir une certaine liberté et apprendre comment demeurer le plus autonome possible dans son milieu social.

▷ ***Adaptation au dysfonctionnement sexuel.*** La sclérose en plaques entraîne certains troubles sexuels. Ces troubles sont dus non seulement à l'atteinte nerveuse, mais aussi à des réactions psychologiques déclenchées par la maladie. La fatigabilité, les conflits engendrés par la dépendance et la dépression, la labilité émotionnelle, la perte de l'estime de soi et la dévalorisation font partie des réactions psychologiques qui risquent de nuire à la vie sexuelle. En outre, les rapports sexuels sont difficiles, voire impossibles, dans le cas des hommes présentant un trouble de l'érection ou de l'éjaculation ou des femmes chez qui on note un trouble de l'orgasme ou des spasmes en adduction dans les muscles de la cuisse. Les infections des voies urinaires ou l'incontinence intestinale ou urinaire rendent aussi les rapports sexuels difficiles.

Les conjoints peuvent consulter un sexologue expérimenté qui les aidera à puiser dans leurs ressources personnelles et qui leur offrira l'information et le soutien dont ils ont besoin. Pour améliorer leur vie sexuelle, les conjoints doivent apprendre à partager et exprimer leurs émotions, à planifier leurs rapports sexuels (de façon à contourner la fatigue) et à se montrer ouverts à de nouveaux moyens d'exprimer leur sexualité.

▷ *Évaluation*

Résultats escomptés

1. Le patient s'adapte à sa perte de mobilité et à la spasticité.
   a) Il participe à un programme d'entraînement à la marche et de rééducation.
   b) Il se repose et fait de l'exercice de façon équilibrée.
   c) Il utilise des aides techniques adéquates.
   d) Il trouve des moyens de conserver son énergie; il planifie soigneusement ses journées en période de grande activité.
2. Le patient évite les chutes.
   a) Il a recours à des repères visuels pour compenser la perte de sensibilité tactile et la perte du sens de position.
   b) Il demande de l'aide au besoin.
3. Le patient rétablit ou maintient le contrôle adéquat de ses sphincters vésical et anal.
   a) Il surveille lui-même les signes de rétention urinaire.
   b) Il montre qu'il sait utiliser l'autocathétérisme intermittent, le cas échéant.
   c) Il connaît les signes et les symptômes de l'infection des voies urinaires.
   d) Il maintient un apport suffisant de liquides et de fibres alimentaires.
4. Le patient compense ses déficiences cognitives.
   a) Il utilise des listes pour compenser son manque de mémoire.
   b) Il parle de ses problèmes avec un ami ou un conseiller en qui il a confiance.
   c) Il remplace les activités qu'il doit laisser tomber par de nouvelles activités.
5. Le patient utilise des stratégies d'adaptation efficaces.
   a) Il garde une emprise sur sa vie.
   b) Il planifie le changement de son mode de vie.
   c) Il exprime son désir d'atteindre certains objectifs.
6. Le patient s'adapte à son dysfonctionnement sexuel.
   a) Il est capable de parler de ses problèmes sexuels avec son conjoint et le personnel soignant approprié.
   b) Il trouve des manières différentes d'exprimer sa sexualité.

MALADIE DE PARKINSON

La maladie de Parkinson est une affection neurologique évolutive qui touche les centres cérébraux régulateurs du mouvement. Elle se caractérise par une *bradykinésie* (lenteur des mouvements), des tremblements et une hypertonie extrapyramidale (rigidité musculaire).

Physiopathologie

Il semble qu'elle serait due principalement à une disparition des neurones pigmentés, surtout dans la région du locus niger (figure 59-5). (Le *locus niger* est une série de noyaux du mésencéphale dont les fibres se projettent jusqu'au corps strié.) La dopamine, un des principaux neurotransmetteurs de cette région du cerveau et de d'autres parties du système nerveux central, joue un rôle inhibiteur important dans la régulation centrale du mouvement. Normalement, la dopamine est présente en quantité élevée dans certaines parties du cerveau.

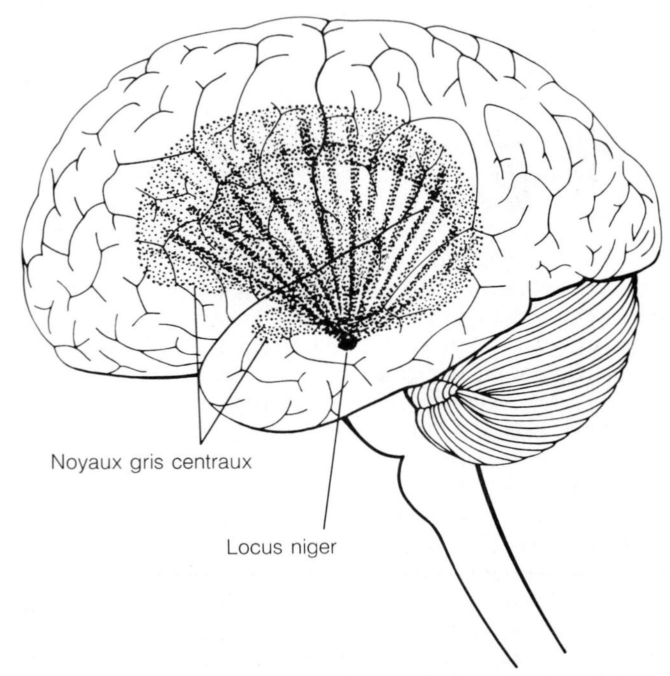

Figure 59-5. On pense que c'est la perte de dopamine dans le locus niger qui provoquerait les symptômes de la maladie de Parkinson. (Source: National Institute of Health)

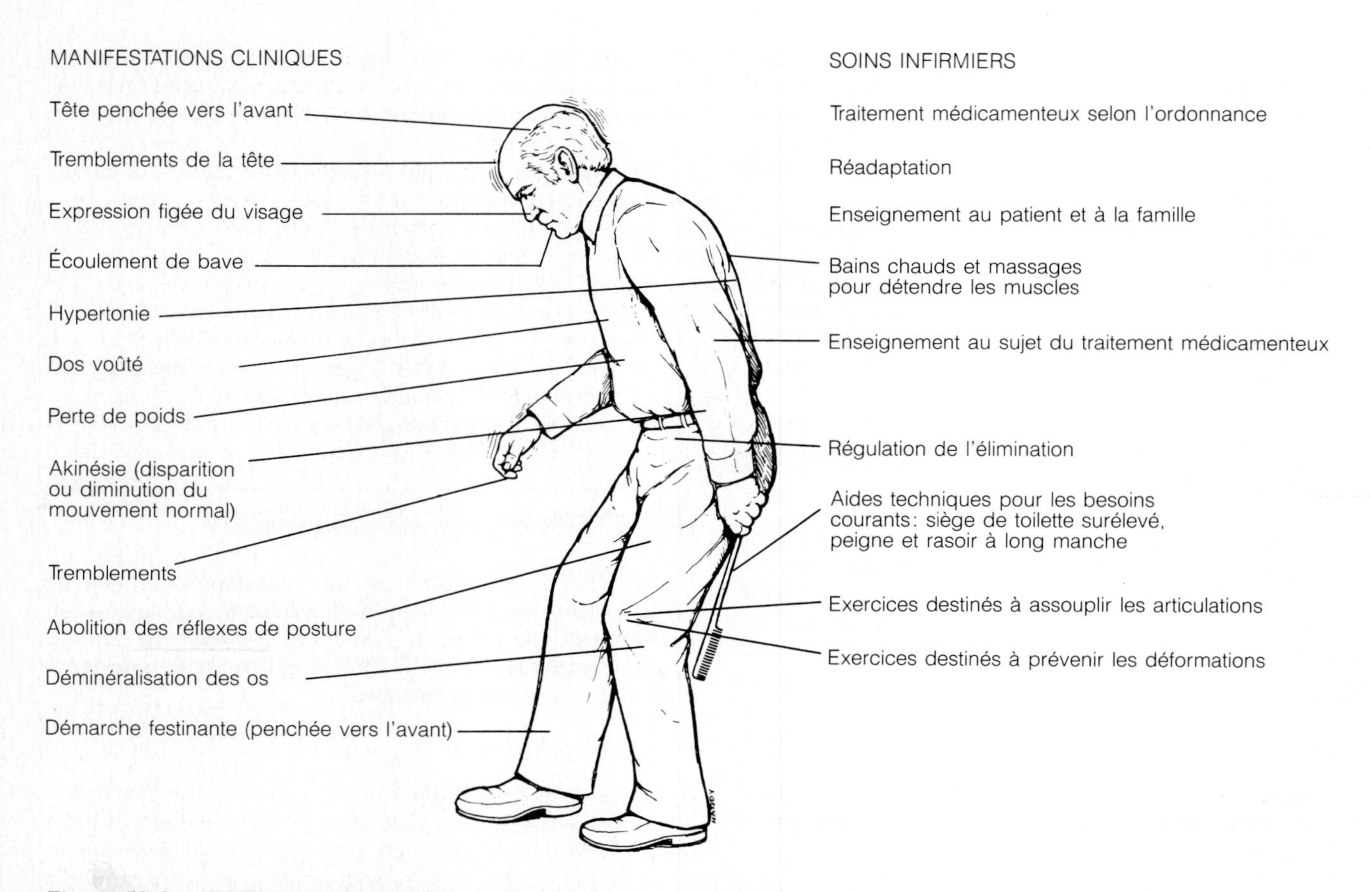

Figure 59-6. Manifestations cliniques de la maladie de Parkinson et soins infirmiers aux patients qui en sont atteints

Chez la personne atteinte de la maladie de Parkinson, toutefois, on constate une perte de la dopamine dans le locus niger et le corps strié. C'est à cette perte de dopamine dans les noyaux gris centraux que sont associés la bradykinésie, l'hypertonie et les tremblements.

Chez le patient atteint de la maladie de Parkinson, l'irrigation sanguine cérébrale régionale est diminuée. La démence est très fréquente. Des données biochimiques et pathologiques semblent indiquer que la démence observée dans la maladie de Parkinson serait due à la coexistence de la maladie d'Alzheimer.

Dans la plupart des cas, la cause de la maladie est inconnue. Le syndrome parkinsonien secondaire peut être associé à l'artériosclérose, surtout chez les personnes âgées. Il peut aussi survenir à la suite d'une encéphalite, d'une intoxication (au manganèse ou au monoxyde de carbone) ou d'une hypoxie. Il est parfois dû à l'utilisation de certaines drogues.

La maladie de Parkinson, plus fréquente après l'âge de 60 ans, vient au deuxième rang parmi les troubles neurologiques les plus courants chez les personnes agées.

Manifestations cliniques

Les principales manifestations de la maladie sont une altération du mouvement, une hypertonie, des tremblements de repos, une faiblesse musculaire et une diminution des réflexes de posture. Au début, le patient présente un raidissement des membres et une rigidité dans tous ses mouvements. Il a de la difficulté à débuter, à maintenir et à exécuter ses mouvements. Ses gestes sont ralentis.

À un stade plus avancé, les tremblements apparaissent. Souvent, ils touchent une main et un bras seulement, puis l'autre main et l'autre bras et, plus tard, la tête. Ils peuvent cependant rester unilatéraux (figure 59-6). Ils sont caractéristiques: mouvement lent et rotatoire (pronation-supination) de l'avant-bras et de la main, et frottement du pouce contre les doigts (comme si on roulait une bille entre les doigts). Ils sont intensifiés par la concentration et l'anxiété; ils sont présents au repos.

D'autres symptômes de la maladie touchent le visage, la stature et la démarche. Le patient ne balance plus les bras en marchant. Avec le temps, ses membres raidis s'affaiblissent. À cause de la restriction du mouvement des muscles, le visage devient tellement inexpressif qu'on peut le comparer à un masque (d'autant plus que les clignements de paupières sont diminués). Le faciès parkinsonien est très facilement reconnaissable.

Le patient perd également les réflexes de posture. Il a une démarche festinante (accélération involontaire de la marche à petit pas, le corps penché vers l'avant). On dit que le patient court après son centre de gravité. Les chutes peuvent être fréquentes car il a de la difficulté à tourner sur lui-même et perd l'équilibre (vers l'avant ou vers l'arrière).

Souvent, le patient présente des signes de dépression. On ne sait pas encore si la dépression est une réaction à la maladie ou si elle est reliée à une anomalie biochimique. On peut aussi observer une détérioration des facultés mentales (déficiences cognitives, sensorielles ou mnémoniques). Les personnes âgées sont tout particulièrement sujettes à des manifestations d'ordre psychologique (changements de personnalité, psychose, démence, confusion marquée). Les complications associées à l'immobilité (pneumonie, infection des voies urinaires) ainsi que les chutes et les accidents sont les principales causes de décès chez les personnes atteintes de la maladie de Parkinson.

Examens diagnostiques

Il est rare que l'on diagnostique la maladie de Parkinson à ses débuts car elle apparaît de façon insidieuse. Souvent, c'est un proche du patient qui remarque des changements (par exemple une posture voûtée, un bras raide, un membre faible ou des tremblements). Une altération de l'écriture peut être un signe précoce de la maladie. En général, on peut établir avec certitude le diagnostic de la maladie de Parkinson quand le patient présente des tremblements, de l'hypertonie et une bradykinésie (lenteur anormale des mouvements). Les données du bilan de santé et de l'examen neurologique doivent être soigneusement évaluées.

Traitement

Le traitement vise à améliorer la transmission de la dopamine. La pharmacothérapie comprend des antihistaminiques, des anticholinergiques, l'amantadine, la lévodopa, des inhibiteurs de la monoamine oxydase (thyméréthiques) et des antidépresseurs. Plusieurs de ces médicaments peuvent cependant causer des effets secondaires chez la personne âgée.

Antihistaminiques. Les antihistaminiques, légèrement anticholinergiques et sédatifs, peuvent atténuer les tremblements.

Anticholinergiques. Les anticholinergiques (trihexyphénidyle, procyclidine et benzatropine) sont efficaces contre les tremblements et l'hypertonie. On peut les utiliser en association avec la lévodopa. Les anticholinergiques s'opposent à l'action de l'acétylcholine dans le système nerveux central. Leurs effets secondaires sont la vue brouillée, les bouffées vasomotrices, les éruptions cutanées, la constipation, la rétention urinaire et la confusion. Il faut surveiller de près la pression intraoculaire car les anticholinergiques sont contre-indiqués dans les cas de glaucome à angle étroit. On doit également être à l'affût des signes de rétention urinaire chez le patient qui présente une hyperplasie de la prostate.

Chlorhydrate d'amantadine. Le chlorhydrate d'amantadine (Symmetrel), un agent antiviral, est utilisé au cours des premiers stades de la maladie de Parkinson. Il réduit l'hypertonie, les tremblements et la bradykinésie. On pense qu'il agit en libérant la dopamine des réservoirs neuronaux. Ses effets secondaires sont les troubles psychologiques (sautes d'humeur, confusion, hallucinations), les nausées, les douleurs épigastriques, les céphalées et les troubles visuels.

Lévodopa. La lévodopa est actuellement le meilleur médicament pour traiter la maladie de Parkinson. On pense que c'est la transformation de la lévodopa en dopamine dans les noyaux gris centraux qui atténue les symptômes.

Les effets bénéfiques de la lévodopa sont plus marqués au cours des premières années de traitement. Ils s'atténuent avec le temps et les effets indésirables s'intensifient. Ainsi, l'utilisation prolongée de la lévodopa peut entraîner de la confusion, des hallucinations, une dépression et des troubles du sommeil. La réponse du patient au traitement devient fluctuante (effet «on-off»): des périodes de quasi-immobilité apparaissent soudainement (effet «off»), durent de quelques minutes à plusieurs heures et sont soudainement suivies d'un regain d'efficacité du médicament (effet «on»). La *dyskinésie* (altération du mouvement volontaire) est un effet secondaire assez courant. Elle se manifeste par des grimaces, des mouvements rythmiques saccadés des mains, des secousses verticales de la tête, des mouvements de mastication et de claquement des lèvres, ainsi que des mouvements involontaires du tronc et des membres. Elle est probablement due à l'incapacité de l'organisme de se réadapter à la disparition de la dopamine. Pour éviter que la réponse à la lévodopa ne devienne fluctuante, on peut prévoir une «fenêtre thérapeutique», c'est-à-dire interrompre temporairement le traitement. Pendant cette interruption toutefois, il faut hospitaliser le patient et lui administrer des soins infirmiers et médicaux spécialisés.

Habituellement, la lévodopa est administrée avec de la carbidopa (Sinemet), un inhibiteur de la dopadécarboxylase, ce qui permet un apport plus efficace de lévodopa au cerveau et une diminution de ses effets secondaires périphériques.

Agonistes dopaminergiques dérivés de l'ergot de seigle. Il semble que la bromocriptine et le pergolide activent les récepteurs de la dopamine. La bromocriptine peut être utile pour atténuer l'effet «on-off» de la lévodopa.

Le pergolide (Permax) est l'agoniste dopaminergique le plus récent. Il est dix fois plus puissant que la bromocriptine, quoique cela n'améliore en rien son effet thérapeutique. La réponse à ces médicaments est différente d'un patient à l'autre et pour des raisons que l'on ne connaît pas encore, certains patients répondent mieux à un médicament qu'à l'autre.

Inhibiteurs de la monoamine oxydase (IMAO). L'Eldépryl est un des médicaments les plus prometteurs dans le traitement de la maladie de Parkinson. Il inhibe le catabolisme de la dopamine, de sorte que le système nerveux dispose d'une plus grande quantité de dopamine. On a constaté aussi qu'il atténuait les incapacités fonctionnelles causées par la maladie. Contrairement aux autres médicaments, il pourrait ralentir l'évolution de la maladie.

Antidépresseurs. On administre parfois des antidépresseurs imipraminiques pour traiter la dépression qui affecte un grand nombre de personnes atteintes de la maladie de Parkinson.

Intervention chirurgicale. L'intervention chirurgicale est parfois envisagée quand le patient présente des tremblements invalidants ou une dyskinésie grave causée par la lévodopa. L'intervention chirurgicale peut améliorer quelque peu l'état de certains patients, mais elle ne modifie pas l'évolution de la maladie et ne garantit pas une amélioration permanente.

L'opération consiste à détruire une partie du thalamus (thalamotomie par stéréotaxie), afin de réduire les contractions musculaires excessives.

La technique stéréotaxique permet au chirurgien de localiser avec précision la zone cible située profondément dans le cerveau. Pour améliorer encore la précision, le chirurgien utilise des instruments-guides spéciaux et des rayons X rapides. Le point visé est détruit par une électrode ou une sonde de congélation.

DÉMARCHE DE SOINS INFIRMIERS PATIENTS ATTEINTS DE LA MALADIE DE PARKINSON

Collecte des données

La collecte des données porte particulièrement sur les conséquences de la maladie, de même que sur les activités et les capacités fonctionnelles du patient. L'infirmière observe le patient pour voir ce qu'il est capable de faire, pour déterminer s'il présente une altération fonctionnelle au cours de la journée et pour savoir comment il réagit aux médicaments. Elle demande aussi au patient les aspects qu'il aimerait améliorer. Les réponses aux questions suivantes permettent à l'infirmière d'obtenir des renseignements utiles:

- Avez-vous un bras ou une jambe raide?
- Avez-vous déjà eu des secousses irrégulières dans les bras ou les jambes?
- Vous est-il déjà arrivé de «figer» ou de rester cloué sur place sans être capable de bouger?
- Salivez-vous de façon excessive?
- A-t-on déjà remarqué que vous faisiez des grimaces ou des mouvements de mastication involontaires?
- Avec quelles activités exactement éprouvez-vous des difficultés?

L'infirmière observe aussi comment le patient se retourne dans son lit, comment il sort du lit et se lève d'une chaise, comment il marche, boit et mange.

Analyse et interprétation des données

Les troubles du mouvement s'accompagnent presque toujours d'une forme quelconque d'incapacité fonctionnelle et parfois aussi de troubles du comportement. Selon les données recueillies, voici les principaux diagnostics infirmiers possibles:

- Altération de la mobilité physique reliée à l'hypertonie et à la faiblesse musculaire
- Déficit d'autosoins relié aux tremblements et aux troubles moteurs
- Constipation reliée aux médicaments et au sédentarisme
- Déficit nutritionnel relié aux tremblements, à la lenteur de l'ingestion des aliments, et à la difficulté de mâcher et d'avaler
- Altération de la communication verbale reliée à l'affaiblissement du volume de la voix, à la lenteur de l'élocution et à l'incapacité de bouger les muscles du visage
- Stratégies d'adaptation inefficaces reliées à la dépression et au dysfonctionnement causé par l'évolution de la maladie

D'autres diagnostics infirmiers sont possibles: perturbation des habitudes de sommeil, manque de connaissances, altération des opérations de la pensée et stratégies d'adaptation familiale inefficaces.

Planification et exécution

Objectifs de soins: Amélioration de la mobilité; capacité d'effectuer les autosoins; rétablissement ou maintien d'une élimination intestinale régulière; rétablissement et maintien d'un état nutritionnel satisfaisant; amélioration de la communication; stratégies d'adaptation efficaces

Interventions infirmières

Amélioration de la mobilité. Pour augmenter sa force musculaire, améliorer sa coordination et sa dextérité, diminuer l'hypertonie et prévenir les contractures, le patient peut suivre un programme progressif d'exercices. La marche, la bicyclette ergonomique, la natation et le jardinage sont des activités physiques qui peuvent préserver la mobilité des articulations. Les exercices d'étirement peuvent aider le patient à assouplir ses articulations. Les exercices de posture sont également importants pour corriger la tendance de la tête à tomber vers l'avant. Le patient doit également apprendre des techniques de marche afin d'atténuer la démarche festinante.

Le patient peut avoir de la difficulté à garder son équilibre quand il marche à cause de l'hypertonie des bras. (Les bras doivent se balancer pour garder l'équilibre durant la marche.) Dès les premiers stades de la maladie, le patient doit en quelque sorte réapprendre à marcher: il doit s'efforcer de marcher le dos bien droit, regarder droit devant lui et garder les jambes bien écartées. Il doit aussi penser à balancer les bras, à relever les pieds, à poser d'abord le talon puis les orteils et à faire d'assez longues enjambées. L'infirmière peut suggérer au patient de pratiquer cette technique au rythme d'une musique militaire ou d'un métronome; ce stimulus auditif facilite l'exercice. Le patient peut aussi faire des exercices de respiration pendant la marche pour favoriser le mouvement de la cage thoracique et l'oxygénation des régions mal ventilées des poumons. Il doit se reposer souvent pour prévenir la fatigue, et la frustration qui en découle.

Les bains chauds et les massages, jumelés à des exercices passifs et actifs, aident à décontracter les muscles et à soulager les spasmes musculaires douloureux causés par l'hypertonie.

Acquisition d'une plus grande autonomie. L'enseignement et le soutien de l'infirmière durant les activités de la vie quotidienne aident le patient à acquérir une plus grande autonomie. (Voir le chapitre 42 pour les techniques de réadaptation.)

Le patient doit apporter des modifications physiques à son domicile pour compenser ses incapacités fonctionnelles. Les patients atteints de la maladie de Parkinson ont de la difficulté à se mettre au lit, à se retourner dans leur lit et à se lever. S'ils possèdent un lit d'hôpital à la maison, ils pourront se lever seuls en s'aidant des ridelles relevées ou en utilisant un trapèze placé au-dessus du lit. S'ils ont un lit ordinaire, ils peuvent attacher une corde au pied du lit pour se hisser.

Rétablissement ou maintien d'une élimination intestinale régulière. La maladie de Parkinson cause parfois de graves problèmes de constipation. La constipation peut être due notamment à la faiblesse des muscles servant à la défécation, au sédentarisme, à l'insuffisance de l'apport liquidien et au ralentissement de l'activité du système nerveux autonome. Les médicaments utilisés pour traiter la maladie peuvent également entraver l'évacuation intestinale. Pour rétablir la régularité de l'élimination intestinale, on peut recommander au patient d'aller à la selle à heures fixes, de boire plus de liquide et de manger des aliments à forte teneur en fibres. Étant donné que le patient a de la difficulté à s'asseoir et à se relever, un siège de toilette surélevé pourra être utile.

▷ *Rétablissement et maintien d'un état nutritionnel satisfaisant.* La perte de poids est une autre complication de la maladie de Parkinson. Plusieurs raisons peuvent l'expliquer: le patient éprouve parfois de la gêne lors des repas parce qu'il mange lentement et malproprement; il a la bouche sèche à cause des médicaments; il a de la difficulté à mastiquer et à déglutir. De plus, il risque de s'étouffer car son réflexe tussigène est diminué. Il peut aspirer ses aliments sans s'en rendre compte, ce qui peut provoquer une bronchopneumonie. Certains patients accumulent la salive dans leur bouche à cause de la lenteur avec laquelle ils avalent. Tous ces problèmes peuvent aboutir à une perte pondérale considérable.

Les troubles de la déglutition peuvent également provenir du tremblement de la langue, du retard de la déglutition, de la difficulté à former une boulette avec les aliments mastiqués, et de la dyskinésie pharyngienne. Pour atténuer ces troubles, le patient doit d'abord s'asseoir bien droit pour manger. Il doit également privilégier les aliments semi-solides et les liquides épais, qui sont plus faciles à avaler que les aliments solides et les liquides clairs. Il lui faut carrément éviter les liquides trop clairs. Il lui sera utile de se concentrer sur les gestes nécessaires à la déglutition: placer la nourriture sur sa langue, fermer les lèvres et les dents, relever la langue puis l'envoyer vers l'arrière pour finalement avaler. L'infirmière doit lui recommander de mâcher d'un côté de la bouche puis de l'autre côté. Elle doit aussi lui rappeler de garder la tête droite et d'avaler pour réduire l'accumulation de salive. Il peut être bon de masser les muscles du visage et du cou avant les repas.

Comme le patient mange lentement, on peut utiliser un plateau chauffant pour garder sa nourriture au chaud pendant tout le repas, ce qui lui permet de prendre bien son temps sans craindre de manger froid. Certains ustensiles et aides techniques peuvent aussi faciliter le repas, par exemple un plateau bien stable, une tasse à base large et des ustensiles munis de poignées compensatoires. S'il faut augmenter l'apport énergétique, on peut recourir à des repas additionnels. La pesée hebdomadaire permet de déterminer si l'apport énergétique est suffisant.

▷ *Amélioration de la communication.* La maladie de Parkinson entraîne des troubles de la parole dans la grande majorité des cas. Étant donné que le patient parle d'une voix grave, monotone et faible, il doit s'efforcer de parler lentement et se concentrer sur ce qu'il dit. L'infirmière apprend au patient à regarder son interlocuteur, à exagérer la prononciation de chaque mot, à faire des phrases courtes et à prendre quelques respirations profondes avant de parler.

On peut avoir recours aux services d'un orthophoniste pour l'établissement d'un programme d'exercices destiné à améliorer l'expression verbale du patient. L'orthophoniste peut aussi aider le personnel soignant à trouver une méthode de communication qui convient au patient. Pour mieux suivre les progrès du patient, on peut l'enregistrer de temps à autre sur un magnétophone. S'il ne parle pas assez fort, il peut utiliser un petit amplificateur électronique.

▷ *Stratégies d'adaptation efficaces.* Le patient peut ralentir l'évolution de la maladie s'il se conforme rigoureusement à son programme d'exercices et d'entraînement à la marche. Pour encourager et rassurer le patient, l'infirmière peut le féliciter de sa persévérance et souligner le fait que c'est sa participation active au programme qui lui permet de rester actif. Pour traiter la dépression dont souffrent un grand nombre de patients, il peut être nécessaire de recourir à la fois à la physiothérapie, à la psychothérapie et à la pharmacothérapie.

Le patient atteint de la maladie de Parkinson est souvent en proie à des sentiments négatifs comme la gêne, l'apathie, le manque de confiance, l'ennui et la solitude. Ces sentiments proviennent en partie de la lenteur imposée par la maladie et de l'effort considérable que le patient doit déployer pour accomplir même les tâches faciles. Il faut aider le patient à se fixer des objectifs réalisables (par exemple améliorer sa mobilité). Étant donné que le patient est sujet au repli sur soi et à la dépression, il importe de le faire participer *activement* à son traitement, y compris aux activités sociales et de loisir. Pour éviter que le patient dorme trop, se désintéresse de ce qui l'entoure ou devienne apathique, son programme d'activités doit s'échelonner sur toute la journée.

Il faut tout mettre en œuvre pour aider le patient à effectuer lui-même les tâches destinées à combler ses besoins courants et à rester le plus autonome possible. Si on fait les choses à la place du patient pour sauver du temps, on ne fait qu'entraver un des principaux objectifs de soins, c'est-à-dire l'adaptation.

▷ *Enseignement au patient et soins à domicile.* Le patient atteint de la maladie de Parkinson a besoin d'enseignement tout au cours de l'évolution de sa maladie. L'infirmière doit lui expliquer le mieux possible la nature de la maladie et de son traitement afin d'apaiser l'anxiété et la peur qui peuvent être aussi invalidantes pour le patient que la maladie elle-même.

Les proches d'une personne atteinte d'une maladie sont soumis à beaucoup de tension. En informant les membres de la famille sur le traitement et les soins à donner, l'infirmière peut leur épargner des problèmes inutiles. Elle doit donc inclure dans son plan de soins la personne qui s'occupe du patient à la maison. L'infirmière doit notamment conseiller à cette personne d'apprendre des techniques de lutte contre le stress, de se faire aider par d'autres personnes pour les soins, de se réserver du temps pour elle-même en se déchargeant temporairement des soins, et de passer chaque année un examen physique. Enfin, l'infirmière peut aider les membres de la famille en les encourageant à exprimer leur déception, leur colère et leur culpabilité.

▷ *Évaluation*

Résultats escomptés

1. Le patient s'efforce d'améliorer sa mobilité.
   a) Il participe tous les jours à un programme d'exercices.
   b) Il évite les mouvements précipités.
   c) Il marche en élargissant sa base de support; il exagère le balancement des bras quand il marche.
   d) Il prend les médicaments prescrits conformément à l'ordonnance.
2. Le patient assume davantage ses autosoins.
   a) Il planifie ses autosoins et se réserve du temps pour les effectuer.
   b) Il utilise des aides techniques.
3. Le patient maintient le fonctionnement normal de ses intestins.
   a) Il boit suffisamment de liquides.
   b) Il augmente son apport de fibres alimentaires.
   c) Il dit aller à la selle régulièrement.

4. Le patient améliore son état nutritionnel.
   a) Il avale sans s'étouffer.
   b) Il prend son temps pour manger.
5. Le patient parvient à communiquer.
   a) Il exprime ses besoins.
   b) Il pratique ses exercices d'orthophonie.
6. Le patient s'adapte aux effets de la maladie de Parkinson.
   a) Il se fixe des objectifs réalistes.
   b) Il fait preuve de persévérance dans les activités qui lui tiennent à cœur.
   c) Il exprime ses sentiments.

CHORÉE DE HUNTINGTON

La chorée de Huntington est une maladie héréditaire chronique et progressive du système nerveux. Elle se caractérise par des mouvements involontaires choréiques (dansants) et une détérioration mentale. Elle touche autant d'hommes que de femmes dans toutes les races. Étant donné qu'il s'agit d'une affection héréditaire à transmission autosomique dominante, la moitié des enfants d'une personne atteinte risquent d'être atteints.

Physiopathologie

Sur le plan pathologique, on constate d'abord une dégénérescence prématurée des cellules des noyaux gris centraux. Ces noyaux, rappelons-le, sont situés dans le cerveau profond et interviennent dans le contrôle du mouvement. La maladie se caractérise également par une perte de cellules dans le cortex, siège de la pensée, de la mémoire, de la perception et de l'acuité mentale. Des études suggèrent que la chorée de Huntington serait associée à une insuffisance, dans le cerveau, de deux médiateurs chimiques importants qui inhibent les influx nerveux: l'acide y-aminobutyrique (GABA) et l'acétylcholine. La maladie débute habituellement entre 35 et 45 ans et évolue lentement vers la mort en dix à quinze ans. Environ 10 % des victimes sont des enfants.

Grâce à l'ADN recombinant, on a pu repérer un marqueur génétique de la chorée de Huntington. Il est donc devenu possible de savoir avant l'apparition des symptômes si une personne ayant des prédispositions génétiques souffrira de la maladie. On peut ainsi éliminer l'incertitude, mais non donner l'espoir d'une guérison, ni prévoir le moment de l'apparition de la maladie.

Manifestations cliniques

Les signes cliniques les plus caractéristiques de la chorée de Huntington sont les mouvements involontaires anormaux (*chorée*) et la détérioration intellectuelle. On observe souvent des troubles émotionnels. À un stade plus avancé, tout le corps est agité de contorsions incontrôlables. Ces mouvements n'ont ni but ni rythme, mais certains patients essaient de les transformer en mouvements intentionnels. Tous les muscles du corps sont touchés. L'atteinte des muscles du visage entraîne des tics et des grimaces et nuit à l'expression verbale; la parole devient empâtée, hésitante et souvent «explosive». Avec le temps, elle devient inintelligible. Le patient est continuellement exposé à la suffocation et à l'aspiration car la mastication et la déglutition sont également altérées. La démarche devient si anarchique que la marche est impossible. Bien qu'on doive encourager le patient à marcher sans aide le plus longtemps possible, l'utilisation d'un fauteuil roulant devient habituellement indispensable à plus ou moins brève échéance. À un stade plus avancé encore de la maladie, le patient devient complètement invalide, ne pouvant plus ni marcher, ni s'asseoir. La maladie entrave également le contrôle de la vessie et des intestins, de même que la conscience dans la plupart des cas. Enfin, la chorée de Huntington s'accompagne d'une détérioration intellectuelle progressive, mais le patient est généralement conscient que c'est sa maladie qui est à l'origine de cette détérioration.

Les perturbations mentales et émotionnelles sont parfois plus accablantes pour le patient et la famille que les mouvements anormaux. Le patient est souvent nerveux, maladroit, irritable et impatient. Au cours des premiers stades de la maladie, surtout, il est sujet à des crises de colère incontrôlables et à une dépression profonde et souvent suicidaire, à l'apathie ou à l'euphorie. Ses facultés mentales et sa mémoire faiblissent. Avec le temps, la démence apparaît. Dans certains cas, l'apparition de mouvements incohérents est précédée d'hallucinations, de délire et de pensées paranoïdes. Souvent, les symptômes d'ordre émotionnel perdent de leur acuité à mesure que la maladie évolue. Malgré un appétit féroce (particulièrement pour les sucreries), le patient devient généralement émacié et épuisé. Il meurt le plus souvent d'une insuffisance cardiaque, d'une pneumonie ou d'une infection. Les chutes et la suffocation sont également des causes de décès chez les patients atteints de la chorée de Huntington.

Traitement

Il n'existe aucun moyen d'arrêter ou d'inverser l'évolution de la maladie, mais il existe des mesures thérapeutiques qui ont d'assez bons effets palliatifs. Dans beaucoup de cas, on peut atténuer les mouvements choréiques par l'administration de phénothiazines, de butyrophénones et de thioxanthènes (des neuroleptiques qui ont principalement pour effet de bloquer les récepteurs dopaminergiques). On peut également utiliser la réserpine (qui provoque une déplétion de la dopamine présynaptique) ou la tétrabénazine (qui réduit la transmission dopaminergique).

Pour déterminer les concentrations thérapeutiques optimales du médicament choisi, il faut évaluer continuellement les signes moteurs. L'administration de doses excessives peut provoquer une acathisie (incapacité de rester immobile). Cette acathisie peut passer inaperçue, car on peut la confondre avec l'agitation choréique, ce qui représente un danger pour le patient.

Certaines formes de chorée se manifestent par une altération motrice hypocinétique qui s'apparente au syndrome parkinsonien. Dans de tels cas, on peut avoir recours au même traitement que pour la maladie de Parkinson (voir à la page 1935). L'administration d'antidépresseurs peut aider le patient qui souffre de troubles émotionnels et plus particulièrement de dépression. Le risque de suicide est toujours présent. Habituellement, les neuroleptiques améliorent les symptômes psychotiques. Le patient peut également tirer profit d'une psychothérapie axée sur le soulagement de l'anxiété et la réduction du stress. Il est primordial que l'infirmière fasse abstraction de la maladie pour se concentrer sur les besoins et les capacités du patient (encadré 59-2).

▷ ***Enseignement au patient et à la famille.*** Pour aider le patient et la famille à s'adapter à cette maladie très

Encadré 59-2
Problèmes à résoudre chez le patient souffrant de la chorée de Huntington

Problème	***Interventions infirmières***
Mouvement constant Excoriation cutanée Écorchures ou escarres de décubitus Chutes	Placer des coussinets protecteurs sur les côtés et sur la tête du lit; s'assurer que les coussinets ne cachent pas la vue au patient. Utiliser de la laine d'agneau pour protéger les talons et les coudes. Garder la peau méticuleusement propre. Appliquer régulièrement un nettoyant émollient et une lotion pour la peau. Utiliser de la literie *douce.* Faire porter au patient des protecteurs semblables à ceux qu'on utilise pour le sport. Encourager le patient à marcher avec de l'aide afin de préserver son tonus musculaire. Immobiliser le patient à l'aide de dispositifs de contention (seulement dans les cas de nécessité absolue) sur une chaise ou dans son lit en s'assurant que les dispositifs utilisés sont relâchés régulièrement. Déplacer les objets sur lesquels le patient pourrait trébucher.
Alimentation Mouvement constant Difficulté à mâcher ou à avaler Suffocation / Aspiration Malnutrition / Émaciation Déshydratation	Administrer des phénothiazines selon l'ordonnance avant les repas (ce médicament semble calmer certains patients). Utiliser un plateau chauffant. Converser avec le patient avant le repas afin de le détendre; profiter de l'heure du repas pour favoriser l'interaction sociale. Donner une attention exclusive au patient. L'aider à profiter du moment du repas. Rechercher la position qui convient le mieux au patient. Lui garder le dos le plus droit possible durant le repas. Lui stabiliser délicatement la tête avec une main durant le repas. Lui montrer les aliments et les lui décrire (lui dire par exemple s'ils sont chauds ou froids). Se tenir le plus près possible du patient et l'entourer d'un bras pour le soutenir. Utiliser des oreillers pour le soutenir davantage. Quand le patient se raidit, se détourne ou tourne brusquement la tête, ne pas conclure qu'il refuse de manger; il s'agit peut-être là de mouvements choréiques. Pour nourrir le patient, se servir d'une cuillère à long manche. Placer la cuillère au milieu de la langue et exercer une légère pression. Placer des petites bouchées d'aliments entre les dents du patient; donner au patient des mets en casserole ou en sauce et des liquides épais; restreindre les boissons à base de lait car elles favorisent la sécrétion de mucus. Ne faire aucun cas du fait que le patient mange de façon malpropre. Le traiter avec respect. Attendre que le patient ait mâché et avalé sa bouchée avant de lui en présenter une autre. Lui donner des petites bouchées. Lui offrir des collations, car ses mouvements constants entraînent une plus grande dépense énergétique. Le patient a souvent un appétit vorace, surtout pour les aliments sucrés. Lui servir de la *nourriture en purée* s'il est incapable de mâcher; ne pas lui servir toujours les mêmes purées pour bébé; réintroduire de façon graduelle des aliments de texture et de consistance plus épaisses. Si le patient a de la difficulté à avaler: Exercer délicatement une pression profonde autour de sa bouche. Lui masser les joues en dessinant des cercles avec les doigts. Frotter simultanément avec les doigts les deux côtés de sa gorge. Bien apprendre la manœuvre de Heimlich (au cas où le patient s'étoufferait).
Soutien psychologique et communication Grimaces Langage inintelligible	Aborder le patient en lui faisant face et éviter de le faire sursauter. Respecter ses droits et ses besoins. Capter son regard pour établir un contact. Le toucher. Lui *parler* même s'il est incapable de répondre.

Encadré 59-2 (suite)

Problème	***Interventions infirmières***
	Lui faire la lecture. Utiliser la rétroaction biologique et les techniques de relaxation pour l'aider à se détendre. Recourir à l'orthophonie pour l'aider à préserver sa capacité de communication verbale. Essayer d'établir un système de communication (avec par exemple des cartes contenant des mots ou des illustrations d'objets familiers) avant que la communication verbale ne devienne trop difficile. Le patient peut désigner les cartes en les frappant de la main, en grognant ou en clignant des yeux. Apprendre comment le patient exprime ses besoins et désirs, et porter une attention particulière à son langage non verbal (agrandissement des yeux, réactions). Le patient peut comprendre même s'il est incapable de parler. Ne pas l'isoler en cessant de communiquer avec lui.
Détérioration intellectuelle progressive et perturbation émotionnelle	Placer une horloge, un calendrier et des affiches dans le champ de vision du patient. Communiquer avec lui de façon *créative.* Établir un contact avec lui chaque fois que c'est possible. L'aider à se détendre en lui faisant écouter de la musique. Le réorienter quand il se réveille. Lui faire porter un bracelet d'identité portant son nom, son numéro de téléphone et la mention «amnésique». L'aider à conserver des contacts sociaux. Trouver des bénévoles qui pourront avoir une interaction sociale avec lui et les former. Donner l'exemple.

invalidante, il faut établir un programme de réadaptation multidisciplinaire qui tienne compte des aspects psychologique, social, professionnel, orthophonique et physique. Plus que bien d'autres maladies, la chorée de Huntington exige énormément de chacun des membres de la famille sur les plans émotionnel, physique, social et financier. Souvent, la famille entière vit dans un lourd climat d'incertitude, d'anxiété et de culpabilité.

Le patient en âge de procréer et désireux d'avoir des enfants voudra sans doute connaître les risques de transmission de la maladie. Les femmes enceintes peuvent se soumettre à une amniocentèse et envisager un avortement si le fœtus est atteint. Dans la majorité des cas, cependant, les avantages d'une épreuve diagnostique sont discutables.

Le conseil génétique est essentiel pour le patient et sa famille. Ceux-ci auront aussi besoin d'une aide psychologique, financière et juridique. Si la famille est suivie de près par des professionnels de la santé, elle sera rassurée et aura moins peur qu'on l'abandonne à elle-même. Pour alléger le fardeau de la maladie, le patient et la famille peuvent faire appel à un service d'aide à domicile, à un centre de jour, à des soins de répit et, plus tard, à un centre de soins spécialisés de longue durée. Même si rien ne peut interrompre l'évolution inexorable de la maladie, les soins de soutien aident toujours énormément la famille.

Certains organismes bénévoles peuvent grandement aider la famille. C'est souvent grâce à ces organismes d'ailleurs que le grand public peut se familiariser avec les différentes maladies. La Société Huntington du Québec (voir la bibliographie) a pour but d'aider les patients et leur famille en les renseignant, en les dirigeant vers les services appropriés, en faisant des campagnes de sensibilisation et en recueillant des fonds pour la recherche.

MALADIE D'ALZHEIMER

La maladie d'Alzheimer, ou démence de type Alzheimer, est un trouble cérébral dégénératif chronique. Elle se manifeste par une altération profonde de la mémoire, de la fonction cognitive et de la capacité de prendre soin de soi. Environ 4 % des personnes âgées de plus de 65 ans en sont atteintes, et 20 % des personnes de 80 ans et plus. Il s'agit de l'une des maladies les plus redoutées de nos jours, car elle entraîne des conséquences catastrophiques pour le patient et sa famille, qui vivent ce qu'on a appelé un «deuil interminable».

On ne connaît pas encore la cause de la maladie d'Alzheimer, mais on l'a associée à l'âge, à des facteurs familiaux et génétiques, à des anomalies chromosomiques et métaboliques, et même à un virus.

Les facteurs de risque seraient notamment l'existence d'une démence ou d'une trisomie 21 chez d'autres membres de la famille, le fait d'être né d'une mère âgée de plus de 40 ans et les traumatismes crâniens accompagnés d'une perte de conscience.

Physiopathologie

On sait maintenant que la maladie d'Alzheimer touche un certain nombre de systèmes neuronaux. Au point de vue histologique, elle se caractérise par une accumulation d'*enchevêtrements neurofibrillaires* et par l'apparition de *plaques séniles* (structures rondes ou ovales composées de dendrites et de synapses détruits qui sont incrustés dans un noyau amyloïde central). Elle s'accompagne aussi d'une perte importante de cellules nerveuses dans le cortex cérébral et d'une atrophie subséquente du cerveau. La dégénérescence cellulaire amène une diminution correspondante du débit sanguin cérébral. Des chercheurs ont observé également un ralentissement important et progressif de l'activité de la choline-acétylase dans les tissus cérébraux. La choline-acétylase est une enzyme qui joue un rôle crucial dans la production de l'*acétylcholine,* un neurotransmetteur qui intervient dans l'apprentissage et la mémoire.

Manifestations cliniques

La maladie peut débuter de façon insidieuse. En général, cependant, les membres de la famille observent chez la personne atteinte une amnésie importante. Peu à peu, la fonction cognitive supérieure se détériore et le patient devient incapable de lire, d'écrire, de calculer et même de communiquer de manière intelligible. Les changements de personnalité sont parfois prononcés. Avec le temps, des troubles moteurs apparaissent et altèrent entre autres la démarche du patient.

Pour la famille, «seconde victime» de cette forme de démence, l'agitation du patient, sa négligence, sa confusion, son incontinence urinaire, ses chutes et ses accès de rage sont très pénibles à supporter.

Examens diagnostiques

Actuellement, on ne diagnostique avec certitude la maladie d'Alzheimer que par l'examen hostologique des tissus neuraux. Cet examen est habituellement effectué lors de l'autopsie. La tomodensitométrie permet de constater une diminution progressive du volume du cerveau (atrophie) qui excède la diminution normale associée au vieillissement. Quant à la tomographie par émission de positons, elle montre un ralentissement régional du métabolisme du glucose et de l'oxygène ainsi qu'une baisse du débit sanguin dans les zones corticales. On peut aussi procéder à des examens neuropsychologiques pour obtenir des données sur l'évolution de la maladie.

On peut dire que le diagnostic de la maladie est probable quand on observe une démence évolutive (confirmée par les examens neuropsychologiques), deux déficiences cognitives ou plus, ainsi qu'une détérioration progressive de la mémoire ou de d'autres fonctions cognitives, en l'absence de perturbation de l'état de conscience et de maladie générale ou d'affection cérébrale pouvant entraîner une déficience évolutive de la mémoire et des facultés cognitives.

Voir le chapitre 22 pour la démarche de soins infirmiers auprès du patient atteint de la maladie d'Alzheimer.

Résumé: La sclérose en plaques, la maladie de Parkinson et la maladie d'Alzheimer sont des affections chroniques dégénératives. Ces maladies entraînent généralement une altération progressive des capacités physiques ou cognitives, mais elles n'évoluent pas toujours de façon prévisible. Par conséquent, chaque patient doit être traité de façon individuelle et avoir accès aux traitements, aux soins infirmiers et aux services de rééducation.

Pour s'adapter aux changements et être en mesure de planifier, le patient et sa famille ont besoin qu'on les aide à mieux connaître la maladie et les différentes façons dont elle évolue. L'infirmière doit pour cela recourir au counseling et à l'enseignement. D'ailleurs, elle est souvent la personne la mieux placée pour aider le patient et la famille à trouver les services de soutien nécessaires et à coordonner et évaluer ces services. Peu importe l'ampleur de la déficience physique ou cognitive, il faut permettre au patient de participer activement aux prises de décisions.

MALADIES NEUROMUSCULAIRES

MYASTHÉNIE (MALADIE D'ERB GOLDFLAM)

La myasthénie est une affection qui touche la transmission neuromusculaire au niveau des muscles volontaires de l'organisme. Elle se caractérise par une faiblesse musculaire excessive surtout dans les muscles volontaires et les muscles innervés par les nerfs crâniens. Les femmes atteintes de la maladie sont plutôt jeunes; les hommes sont en général plus âgés.

Physiopathologie

La myasthénie se caractérise principalement par une anomalie de la transmission des influx depuis les nerfs jusqu'aux cellules musculaires, causée par un manque de récepteurs disponibles ou normaux sur la membrane postsynaptique de la jonction neuromusculaire. On considère la myasthénie comme une maladie auto-immunitaire, car c'est la présence d'anticorps antirécepteurs de l'acétylcholine (AChR) qui entrave la transmission neuromusculaire.

Manifestations cliniques. La maladie se manifeste par une *faiblesse musculaire extrême* qui est augmentée par l'effort et atténuée par le repos. De très faibles efforts, comme ceux exigés pour se peigner, mâcher ou parler peuvent engendrer de la fatigue. Les symptômes dépendent des muscles atteints. La maladie touche des muscles symétriques, surtout des muscles innervés par les nerfs crâniens. Ainsi, à cause de l'atteinte des muscles oculaires, la *diplopie* (vision double) et le *ptosis* (chute des paupières) font partie des premiers symptômes. Quand les muscles faciaux sont touchés, le visage semble endormi et ressemble à un masque. Quand les muscles du larynx sont atteints, on observe de la *dysphonie* (altération de la voix); la voix devient nasillarde et l'articulation peut être difficile. L'affaiblissement des muscles bulbaires entraîne des problèmes de mastication et de déglutition et comporte un risque de suffocation ou d'aspiration. Environ 15 à 20 % des patients se plaignent d'une faiblesse des muscles des bras et des mains. Plus rarement, on observe un affaiblissement des muscles des jambes.

- L'affaiblissement progressif du diaphragme et des muscles intercostaux peut provoquer une détresse respiratoire ou une crise myasthénique, qui exigent des soins d'extrême urgence.

Examens diagnostiques. Les signes et symptômes de la myasthénie sont parfois si frappants qu'on peut poser un diagnostic de présomption en se basant uniquement sur le bilan de santé et l'examen physique. Pour confirmer le diagnostic, on fait une injection d'édrophonium (Tensilon), une substance qui facilite la transmission des influx à la jonction neuromusculaire. Dans les 30 secondes suivant l'injection intraveineuse, la plupart des patients présentent une amélioration considérable mais temporaire. L'amélioration de la force musculaire après une injection d'édrophonium est donc une réaction positive qui confirme habituellement le diagnostic. On retrouve des anticorps antirécepteurs de l'acétylcholine dans le sérum de près de 90 % des patients souffrant de myasthénie généralisée et d'environ 70 % des patients présentant seulement des symptômes oculaires (myasthénie oculaire).

On a par ailleurs recours à l'électromyographie (EMG) pour mesurer le potentiel électrique des cellules nerveuses, mais il ne s'agit pas d'un examen diagnostique spécifique de la myasthénie.

Traitement

Le traitement de la myasthénie vise à améliorer la fonction musculaire résiduelle par l'administration d'anticholinestérasiques et par la diminution de la production des anticorps circulants ou leur élimination. On utilise pour ce faire des anticholinestérasiques et des traitements immunosuppresseurs dont la plasmaphérèse et la thymectomie.

Les *anticholinestérasiques* augmentent la concentration relative d'acétylcholine disponible à la jonction neuromusculaire. On les administre pour améliorer la réponse des muscles aux influx nerveux et la force musculaire. Ils n'apportent cependant qu'un soulagement des symptômes.

Les anticholinestérasiques actuellement utilisés sont le bromure de pyridostigmine (Mestinon), le chlorure d'ambénonium (Mytélase) et le bromure de néostigmine (Prostigmine).

La majorité des patients préfèrent le bromure de pyridostigmine car il entraîne moins d'effets secondaires. On augmente la dose graduellement jusqu'à ce que l'on obtienne l'effet optimal (plus de force et moins de fatigue). Toutefois, la fonction musculaire ne revient pas toujours à la normale et le patient doit s'adapter à une certaine déficience. Les anticholinestérasiques se prennent avec du lait, des craquelins ou un autre aliment tampon. Leurs principaux effets secondaires sont les crampes abdominales, les nausées, les vomissements et la diarrhée. L'administration de faibles doses d'atropine une ou deux fois par jour peut atténuer ou prévenir les effets indésirables. Les anticholinestérasiques peuvent aussi avoir des effets indésirables sur les muscles squelettiques, notamment des fasciculations (contractions très faibles), des spasmes et de la faiblesse, de même que sur le système nerveux central: irritabilité, anxiété, insomnie, céphalée, dysarthrie, syncope, convulsions et coma. Enfin, certains patients présentent une sécrétion accrue de salive et de larmes, une augmentation des sécrétions bronchiques et une peau moite.

- Il est essentiel de respecter scrupuleusement le schéma posologique pour atténuer les symptômes. *Si on retarde le moindrement l'administration du médicament, le patient peut devenir incapable d'avaler.* On observe une amélioration de la force musculaire dans les soixante minutes suivant l'administration du médicament.

Lorsque la dose initiale a été ajustée, le patient apprend à prendre son médicament selon ses besoins et son horaire. En période de stress physique ou émotionnel ou lors d'une infection intercurrente, on doit parfois modifier la posologie.

Traitement immunosuppresseur. Le traitement immunosuppresseur vise à diminuer la production des anticorps antirécepteurs ou à les éliminer directement. Il peut comprendre l'administration de corticostéroïdes, la plasmaphérèse et la thymectomie. Les corticostéroïdes peuvent aider le patient souffrant de myasthénie généralisée en supprimant la réaction immunitaire et, par le fait même, en diminuant la quantité des anticorps antirécepteurs. Avant d'administrer le traitement corticostéroïdien, on doit diminuer les doses d'anticholinestérasiques tout en vérifiant si le patient demeure capable de respirer efficacement et d'avaler. Si oui, on augmente peu à peu les doses de stéroïdes et on diminue progressivement les doses d'anticholinestérasiques. Administrée un jour sur deux pour diminuer les risques d'effets secondaires, la prednisone semble réduire les effets de la maladie. Dans certains cas, on observe une diminution importante de la force musculaire juste après le début du traitement stéroïdien, mais cet affaiblissement est le plus souvent temporaire. Le patient doit disposer d'une sonnette d'appel pour les situations d'urgence. On doit surveiller les signes de détresse respiratoire.

Plasmaphérèse (échange plasmatique). La plasmaphérèse est une technique permettant l'évacuation sélective du plasma et de ses composants; les cellules sont réinjectées. Elle diminue temporairement le titre des anticorps circulants. Elle a amélioré de façon remarquable l'état de plusieurs patients, mais elle ne corrige pas l'anomalie sous-jacente (c'est-à-dire la production d'anticorps antirécepteurs).

Traitement chirurgical

Le thymus semble jouer un rôle dans la production des anticorps antirécepteurs qui est à l'origine de la myasthénie. C'est pourquoi la *thymectomie* (ablation chirurgicale du thymus) permet une importante rémission, surtout chez le patient qui présente une tumeur ou une hyperplasie du thymus. Elle se pratique par le sternum car toute la glande doit être enlevée.

On croit que la thymectomie pratiquée au cours des *premiers stades* de la maladie est un traitement spécifique, car elle prévient la production des anticorps antirécepteurs. Après l'intervention, le patient est placé à l'unité de soins intensifs. Il faut porter une attention particulière à la fonction respiratoire.

Crise myasthénique et crise cholinergique

La crise myasthénique est un accès soudain de faiblesse musculaire chez le patient atteint de myasthénie. Elle est due le plus souvent à une administration insuffisante d'anticholinergiques. Elle peut également être causée par d'autres facteurs: l'évolution de la maladie elle-même, un stress émotionnel, une infection, des interactions médicamenteuses, une intervention chirurgicale ou un traumatisme. Elle se manifeste par l'apparition soudaine d'une détresse respiratoire aiguë et par l'incapacité d'avaler ou de parler. Si elle n'est pas traitée rapidement, l'affaiblissement des muscles respiratoires, laryngiens et bulbaires peut entraîner une dépression respiratoire ainsi qu'une obstruction des voies respiratoires.

La crise cholinergique est due à l'administration excessive d'anticholinestérasiques. Aux symptômes de la crise myasthénique (faiblesse musculaire et dépression respiratoire) s'ajoutent des symptômes gastro-intestinaux (nausées, vomissements et diarrhée), une transpiration excessive, un ptyalisme et de la bradycardie.

DÉMARCHE DE SOINS INFIRMIERS PATIENTS ATTEINTS DE MYASTHÉNIE

Collecte des données

En général, le patient atteint de myasthénie est soigné en consultation externe, sauf quand on doit lui faire des examens diagnostiques ou traiter des symptômes ou des complications. Le profil initial et la collecte des données visent surtout à établir les connaissances du patient et de sa famille sur la maladie et le traitement médicamenteux. Plus le patient et sa famille sont informés, moins celui-ci risque de présenter des complications. Il est important de connaître le schéma posologique que le patient suit à la maison, car il devra probablement le reprendre après son congé. En outre, l'évaluation des capacités fonctionnelles et du réseau de soutien peut aider l'infirmière à déterminer les services dont le patient aura besoin une fois de retour à la maison.

Analyse et interprétation des données

Selon les données recueillies, voici les principaux diagnostics infirmiers possibles:

- Mode de respiration inefficace relié à l'affaiblissement des muscles respiratoires
- Altération de la mobilité physique reliée à l'affaiblissement des muscles volontaires
- Risque élevé d'aspiration relié à la faiblesse des muscles bulbaires

D'autres diagnostics infirmiers sont possibles: risque élevé d'accident relié à l'affaiblissement des muscles volontaires; intolérance à l'activité; dégagement inefficace des voies respiratoires; anxiété; déficit nutritionnel; perturbation de l'image corporelle.

Complications possibles

- Crise myasthénique
- Crise cholinergique

Planification et exécution

Objectifs de soins: Amélioration de la fonction respiratoire; amélioration de la mobilité physique; prévention de l'aspiration; prévention ou traitement des crises myasthéniques ou cholinergiques

Interventions infirmières

Amélioration de la fonction respiratoire. Si le patient souffre d'insuffisance respiratoire, il faut évaluer la fréquence, l'amplitude et les bruits respiratoires. L'infirmière doit aussi vérifier fréquemment les résultats des épreuves fonctionnelles respiratoires (volume courant, capacité vitale, force inspiratoire) afin de déceler les problèmes pulmonaires avant qu'une altération des gaz artériels ne se manifeste. Quand les muscles abdominaux, intercostaux et pharyngiens sont très affaiblis, le patient est incapable de tousser, de respirer profondément ou de dégager ses sécrétions. Dans certains cas, il faut recourir à une physiothérapie respiratoire, c'est-à-dire procéder à des drainages posturaux pour mobiliser et aspirer les sécrétions, et dégager ainsi les voies respiratoires.

Quand les échanges gazeux sont insuffisants, le patient peut présenter un degré d'anxiété parfois proche de la panique, car il est incapable de parler et a tendance à suffoquer. Pour le rassurer, l'infirmière doit lui montrer qu'elle comprend la peur qu'il ressent. Par des soins spécialisés et du soutien, elle peut contribuer à réduire son sentiment d'impuissance.

Certains médicaments aggravent la myasthénie. Il faut donc recommander au patient de consulter son médecin avant de prendre un nouveau médicament. Les médicaments susceptibles de nuire à l'état du patient sont certains antibiotiques, les médicaments ayant un effet sur l'appareil cardiovasculaire, les anticonvulsivants, les psychotropes, la morphine, la quinine et les substances associées, les bêtabloquants et certains médicaments en vente libre. Le patient devrait également éviter la novocaïne et prévenir son dentiste de cette contre-indication.

Augmentation de la mobilité physique. L'objectif du patient sera d'améliorer sa force et son endurance. Pour participer pleinement à son traitement, celui-ci doit se familiariser avec les médicaments anticholinergiques: leur action, le schéma posologique, l'ajustement des doses, les symptômes d'un surdosage et les effets secondaires. L'infirmière doit insister sur l'importance de prendre le médicament aux heures prescrites. Elle doit également encourager le patient à tenir un journal qui lui permettra d'observer la fluctuation de ses symptômes et de savoir à quel moment le médicament commence à ne plus faire effet.

L'infirmière doit également lui faire les recommandations suivantes:

- Prendre le médicament trente minutes avant de manger pour que la force musculaire soit à son maximum durant le repas.
- Prévoir des moments de repos adéquats au cours de la journée.
- Dresser un horaire réaliste d'activités quotidiennes et bien espacer les activités.
- Porter de bonnes chaussures pour compenser la faiblesse et prévenir les accidents.

Certains facteurs peuvent affaiblir le patient et déclencher une crise myasthénique: le stress émotionnel, les infections (surtout respiratoires), l'activité physique violente, ainsi que l'exposition à la chaleur (bains chauds, bains de soleil) et au froid. Le patient doit éviter ces facteurs déclenchants. Il doit aussi se reposer *avant* de se sentir trop fatigué. S'il présente un affaiblissement des muscles du cou, il peut porter un collet cervical. Il existe plusieurs autres aides techniques ou spécialisées qui peuvent l'aider à compenser ses handicaps et à vivre le plus pleinement possible. Il doit par ailleurs porter un bracelet d'identité (Medic Alert, Medic-O, etc.).

Lors d'une crise myasthénique, l'affaiblissement des muscles du larynx nuit à la capacité de parler. L'infirmière doit donc utiliser certaines techniques pour communiquer avec le patient: l'écouter attentivement, répéter ce qu'il a essayé de dire afin d'éclaircir et de vérifier son message, et lui demander de cligner des yeux ou de remuer les doigts ou les orteils pour signifier un oui ou un non. Une fois la crise myasthénique passée, le patient recouvre habituellement la capacité d'exprimer ses besoins.

La myasthénie peut aussi entraîner des troubles visuels reliés à un ptosis unilatéral ou bilatéral, à une diminution des mouvements oculaires ou à une diplopie. Pour aider le patient, l'infirmière peut prendre certaines mesures: lui maintenir les yeux ouverts durant de brèves périodes à l'aide de ruban adhésif; instiller des larmes artificielles pour protéger la cornée contre les lésions quand il est incapable de fermer complètement les paupières et couvrir un des yeux d'un pansement occlusif s'il souffre de diplopie.

Enfin, pour aider le patient à mieux supporter son état, l'infirmière lui explique que la crise est temporaire et qu'on ne le laissera pas seul.

▷ ***Prévention de l'aspiration accidentelle.*** Le patient qui éprouve des difficultés à mâcher et à avaler est sujet à la suffocation et à l'aspiration accidentelle. L'infirmière doit dans ce cas vérifier s'il bave, s'il régurgite par le nez et s'il s'étouffe quand il veut avaler. Elle garde à portée de la main un appareil d'aspiration. Le patient doit se reposer avant les repas afin de contrer la fatigue musculaire. Durant le repas, il avalera plus facilement si l'infirmière l'assoit le dos bien droit, le cou légèrement fléchi. Il semble aussi qu'il avale plus facilement les aliments mous en sauce que les liquides. S'il prend des anticholinestérasiques, l'infirmière doit veiller à les lui donner une heure avant de manger afin que sa force musculaire soit à son maximum pendant le repas. Étant donné que les muscles destinés à la mastication sont parfois plus forts le matin, on peut augmenter l'apport énergétique du petit déjeuner. L'infirmière encourage le patient à se reposer après les repas.

Si le patient a de la difficulté à avaler, il faut faire coïncider le repas avec le moment où l'action des anticholinestérasiques est à son plus fort. S'il s'étouffe fréquemment, l'infirmière peut lui donner des aliments en purée, plus faciles à avaler. À la maison comme au centre hospitalier, il faut garder à portée de la main un appareil d'aspiration et enseigner au patient et à sa famille comment l'utiliser. L'alimentation par gastrostomie peut devenir nécessaire.

▷ ***Prévention des complications ou traitement des crises myasthéniques et cholinergiques.*** La crise myasthénique ou cholinergique se manifeste par une détresse respiratoire accompagnée de dysphagie (difficulté à avaler), de dysarthrie (difficulté à parler), de ptosis, de diplopie et de faiblesse musculaire aiguë.

- Dans le traitement immédiat du patient qui présente une crise myasthénique, la priorité va à l'assistance respiratoire.
- Il faut dégager par aspiration les voies respiratoires car l'aspiration accidentelle est un problème courant. Il faut également obtenir des mesures des gaz artériels. L'intubation endotrachéale et la ventilation assistée sont parfois nécessaires aussi (voir le chapitre 3). Le patient est placé à l'unité de soins intensifs où il est surveillé sans relâche, car la crise myasthénique peut s'accompagner de changements graves et soudains.

Pour différencier la crise myasthénique de la crise cholinergique, on injecte au patient de l'édrophonium (Tensilon) par voie intraveineuse. S'il s'agit d'une crise myasthénique, l'édrophonium améliorera l'état du patient; s'il s'agit d'une crise cholinergique, l'édrophonium l'aggravera temporairement. Dans le cas d'une crise instable, l'effet de l'injection est imprévisible. Si on sait qu'il s'agit d'une crise myasthénique véritable, on administre du méthylsulfate de néostigmine (Prostigmine) par voie intraveineuse ou intramusculaire.

Si le test à l'édrophonium (ou test au Tensilon) n'est pas concluant ou si la détresse respiratoire s'intensifie, il faut éliminer tous les anticholinestérasiques et administrer du sulfate d'atropine pour diminuer les sécrétions.

Voici les autres mesures de soutien:

- Obtenir des mesures des gaz du sang artériel et des électrolytes sériques; tenir le bilan des ingesta et des excreta; peser le patient tous les jours.
- Si le patient est incapable d'avaler, on devra peut-être avoir recours à l'alimentation par sonde nasogastrique (200 mL à la fois). (On ne doit pas faire de drainage postural dans les 30 minutes qui suivent le repas.)
- On doit éviter les sédatifs et les tranquillisants car ils aggravent l'hypoxie et l'hypercapnie et peuvent entraîner une dépression respiratoire et cardiaque.

▷ *Évaluation*

Résultats escomptés

1. Le patient parvient à respirer adéquatement.
   a) Sa fréquence respiratoire, son amplitude respiratoire et sa force musculaire sont adéquates.
   b) Il connaît le schéma posologique établi.
   c) Il dit avoir à la maison un ballon de réanimation manuel et un appareil d'aspiration portatif.
   d) Il évite les situations susceptibles de déclencher une infection qui pourrait exacerber ses symptômes.
2. Le patient s'adapte à son handicap moteur.
   a) Il planifie un programme équilibré de repos et d'exercice.
   b) Il connaît les mesures à prendre pour ménager ses forces; il prend son temps dans ses activités.
   c) Il utilise des aides techniques.
   d) Il détermine un schéma posologique qui maximise sa force musculaire et il maintient ce schéma.
3. Le patient évite les aspirations accidentelles.
   a) Ses bruits respiratoires sont normaux.
   b) Il mange lentement et choisit les aliments qui lui conviennent.
   c) Il établit un schéma posologique qui fait coïncider les repas avec le pic d'action de ses médicaments.
4. Le patient ne présente pas de crises myasthénique ou cholinergique.
   a) Il connaît les signes et les symptômes de ces crises.
   b) Il prend ses médicaments selon le schéma établi.
   c) Il porte un bracelet d'identité qui indique son état.

L'Association canadienne de dystrophie musculaire (ACDM) est un organisme qui s'intéresse à toutes les maladies neuromusculaires, dont la myasthénie grave. En plus de faire des campagnes de financement pour sensibiliser la population et aider la recherche, l'ACDM offre plusieurs services aux personnes atteintes de myasthénie: aides techniques, matériel divers, adaptation physique du domicile, réparation de matériel d'adaptation et transport.

SCLÉROSE LATÉRALE AMYOTROPHIQUE

La sclérose latérale amyotrophique (SLA) est une maladie de cause inconnue qui se caractérise par une perte de neurones moteurs dans la corne antérieure de la moelle épinière et dans les noyaux moteurs du tronc cérébral inférieur. La perte graduelle de ces cellules nerveuses entraîne l'atrophie des fibres musculaires qu'elles innervent. La dégénérescence des neurones peut toucher à la fois les neurones moteurs inférieurs et supérieurs.

La sclérose latérale amyotrophique touche plus d'hommes que de femmes et commence habituellement dans la cinquantaine ou la soixantaine. Aux États-unis, cette forme de sclérose est souvent appelée «maladie de Lou Gehrig», du nom d'un joueur de baseball célèbre mort de la maladie.

Manifestations cliniques. Les manifestations cliniques de la sclérose latérale amyotrophique dépendent des neurones moteurs atteints puisque les neurones moteurs ne sont pas tous destinés aux mêmes fibres musculaires. Les principaux symptômes sont une atrophie et un affaiblissement progressifs des muscles, et des fasciculations (fibrillations musculaires). Quand il y a perte de neurones moteurs dans la corne antérieure de la moelle épinière, les muscles des bras, du tronc et des jambes s'affaiblissent et s'atrophient progressivement. Le patient présente habituellement une spasticité, et ses réflexes myotatiques (d'étirement) deviennent rapides et hyperactifs. Les sphincters anal et vésical ne sont généralement pas touchés car les nerfs rachidiens qui innervent les muscles du rectum et de la vessie restent indemnes. Chez environ 25 % des patients, l'affaiblissement touche d'abord la musculature innervée par les nerfs crâniens. On constate alors une difficulté à parler, à avaler et, ultérieurement, à respirer. Quand le patient boit, l'affaiblissement du voile du palais et de l'œsophage entraîne une régurgitation du liquide par le nez. L'atteinte de la partie postérieure de la langue et du palais empêche le patient de rire, de tousser ou même de se moucher. Quand les muscles bulbaires sont affaiblis, on observe une difficulté d'élocution et une dysphagie progressives avec risque d'aspiration accidentelle. La voix prend un timbre nasillard et l'articulation devient si difficile que les mots sont inintelligibles. Le patient peut aussi souffrir d'une certaine labilité émotionnelle, mais sa fonction intellectuelle demeure indemne. Avec le temps, la fonction respiratoire peut également être atteinte.

Le pronostic dépend habituellement de la zone atteinte et de la vitesse à laquelle la maladie évolue. En général, le patient meurt d'une infection, d'une insuffisance respiratoire ou d'une aspiration accidentelle. Il s'écoule en moyenne trois ans entre le début de la maladie et la mort. Un petit nombre de patients survivent plus longtemps.

Examens diagnostiques. Le diagnostic de la sclérose latérale amyotrophique se fonde sur les signes et les symptômes, car il n'existe aucun examen diagnostique spécifique. L'électromyographie des muscles touchés permet toutefois de constater la diminution du nombre des neurones moteurs.

Traitement

On ne peut traiter la sclérose latérale amyotrophique. Pour aider le patient et améliorer sa qualité de vie, on tente de réduire les symptômes. On peut aussi avoir recours à des mesures de réadaptation. On peut utiliser du baclofène et du diazépam pour atténuer la spasticité, car la spasticité est douloureuse et nuit aux autosoins. Le médecin prescrit parfois de la quinine contre les crampes musculaires douloureuses. Pour améliorer la fonction musculaire, on utilise actuellement, à titre expérimental, l'administration de fortes doses de thyréolibérine, une hormone naturelle qui est sécrétée par le cerveau et qu'on trouve dans les neurones moteurs de la moelle épinière. L'interféron, un composé qui semble stimuler les mécanismes de défense de l'organisme, est un autre médicament présentement à l'essai. On peut alimenter le patient par sonde nasogastrique s'il a de la difficulté à avaler et est, par conséquent, sujet à l'aspiration. Pour contourner le larynx, prévenir l'aspiration et apporter un soutien nutritionnel de longue durée, on peut pratiquer une *oesophagostomie* cervicale (abouchement de l'œsophage à la peau) ou une gastrostomie.

On doit envisager la ventilation assistée quand le patient commence à souffrir d'hypoventilation alvéolaire. La décision de maintenir les fonctions vitales revient au patient et à sa famille. Pour prendre une décision éclairée, le patient et sa famille doivent être bien informés sur la maladie, le pronostic et les conséquences des mesures de maintien des fonctions vitales. Si le patient décide de refuser la ventilation assistée, il peut faire un «testament biologique».

DÉMARCHE DE SOINS INFIRMIERS
PATIENTS ATTEINTS DE SCLÉROSE LATÉRALE AMYOTROPHIQUE

▷ *Collecte des données*

La collecte des données doit être axée sur les troubles fonctionnels entraînés par la maladie. L'infirmière établit si le patient présente des troubles respiratoires. Elle fait également le bilan des habitudes alimentaires et note les aliments bien tolérés. Elle examine les muscles du visage pour voir s'ils sont atteints. Elle demande au patient de boire un peu d'eau pour évaluer sa capacité de boire des liquides sans danger. Pendant qu'il boit, l'infirmière l'observe pour déceler d'autres altérations: fermeture incomplète des lèvres, mauvaise position de la tête, accumulation de sécrétions, difficulté à avaler, étouffement et régurgitation de liquide par le nez. L'infirmière doit aussi noter si le patient présente une incoordination de la langue qui rendrait difficile le déplacement des aliments solides vers le pharynx. Les troubles de l'élocution témoignent d'une atteinte de la bouche ou du palais.

L'infirmière demande ensuite au patient de tousser, de serrer les mâchoires et de retenir son souffle. Elle recherche les signes d'atrophie musculaire et évalue la capacité du patient d'assumer ses autosoins et de faire certains gestes (tourner la page d'un livre par exemple).

▷ *Analyse et interprétation des données*

Selon les données recueillies, voici les principaux diagnostics infirmiers possibles:

- Altération de la mobilité physique reliée à la faiblesse des muscles et à l'atrophie musculaire
- Déficit nutritionnel relié à l'incapacité de mâcher et d'avaler

- Altération de la communication verbale reliée à l'atteinte des muscles intervenant dans la parole
- Mode de respiration inefficace et risque d'aspiration accidentelle reliés à l'atteinte des muscles
- Stratégies d'adaptation familiale inefficaces reliées aux lourdes exigences physiques et émotionnelles imposées par la maladie

▷ *Planification et exécution*

▷ ***Objectifs de soins:*** Compensation de la faiblesse et de l'atrophie musculaires; amélioration de l'apport nutritionnel; amélioration de la communication; amélioration de la fonction respiratoire; amélioration des stratégies d'adaptation familiale

▷ *Interventions infirmières*

▷ ***Compensation de la faiblesse et de l'atrophie musculaire.*** Un des principaux objectifs des soins infirmiers est d'aider le patient à demeurer le plus autonome le plus longtemps possible. Le patient doit rester actif sans toutefois fatiguer ses muscles affaiblis. Les exercices actifs et les exercices d'amplitude des mouvements articulaires aident le patient à renforcer ses muscles atteints et à préserver sa force musculaire. Les exercices d'étirement sont également bénéfiques. Le patient doit cependant cesser la séance d'exercice dès que la fatigue commence à se faire sentir. Pour se déplacer de façon autonome, le patient souffrant d'un affaiblissement des muscles dorsifléchisseurs (qui entrave la dorsiflexion de la cheville) peut utiliser des orthèses. Des attelles pour les mains peuvent améliorer la préhension et l'efficacité des mouvements. On peut aussi utiliser des attelles pour maintenir les articulations en position fonctionnelle.

Quand ses muscles deviennent plus faibles, le patient peut utiliser un fauteuil roulant pour les déplacements à l'extérieur de son domicile. Il faut utiliser également des aides techniques qui lui permettront de rester autonome le plus longtemps possible. L'infirmière doit enseigner au patient des méthodes d'économie d'énergie et de simplification du travail. Si la maladie oblige le patient à se déplacer en fauteuil roulant, celui-ci peut utiliser un fauteuil motorisé. À ce stade de la maladie, il est important de prévenir les contractures. Quand le patient ne peut plus se déplacer seul, il doit utiliser un élévateur mécanique pour monter et descendre du lit et du bain. L'infirmière devra à ce moment enseigner à la famille les positions dans lesquelles le patient est le plus à l'aise.

▷ ***Amélioration de l'apport nutritionnel.*** L'alimentation est très importante, surtout dans les cas d'atteinte bulbaire progressive qui entrave les mécanismes de la déglutition. Il existe alors un risque constant d'aspiration accidentelle et il faut garder à portée de la main un appareil d'aspiration. L'infirmière doit encourager le patient à se reposer avant les repas car la fatigue musculaire aggrave la dysphagie. Pour manger, on installe le patient en position assise, le dos droit; le cou est légèrement fléchi pour faciliter la déglutition. Le patient doit demeurer dans cette position pendant quinze à trente minutes après le repas. Les aliments qui ont une certaine consistance (par exemple des aliments mous en sauce) semblent plus faciles à avaler que les liquides. À cause de l'affaiblissement des muscles de la déglutition, les liquides et la nourriture peuvent rester pris dans la gorge. Il faut éviter de donner des liquides pour faire descendre la nourriture bloquée, car on pourrait provoquer ainsi une suffocation et une aspiration. L'infirmière doit enseigner à la famille la manœuvre de Heimlich (dégagement des voies respiratoires). Le port d'un collet cervical mou peut être utile si le patient a de la difficulté à tenir la tête droite.

▷ ***Amélioration de la communication.*** La sclérose latérale amyotrophique évolue de façon impitoyable; le patient finit par perdre la parole et doit trouver de nouveaux moyens de communiquer. L'orthophoniste peut aider le patient à choisir des méthodes en fonction de ses capacités résiduelles. Par exemple, le patient capable de se servir de ses mains peut utiliser un petit ordinateur parlant. Sinon, il peut se servir d'un tableau de mots et d'illustrations et d'une baguette qu'il tient entre ses dents. Il existe également des appareils perfectionnés dotés d'un synthétiseur assisté par ordinateur qui permettent de «parler» en bougeant les muscles des sourcils. Vers la fin, le clignement des yeux (pour dire oui ou non selon un code prédéterminé) devient le seul moyen de communication dont dispose le patient.

▷ ***Amélioration de la fonction respiratoire.*** La pulsion respiratoire centrale peut ralentir pendant le sommeil. Le patient dort alors d'un sommeil agité et se réveille souvent; il est somnolent pendant le jour. Dans les derniers stades de la maladie, la complication la plus grave est l'insuffisance respiratoire, car toute la musculature destinée à la respiration est atteinte. C'est pourquoi le patient atteint de sclérose latérale amyotrophique doit passer régulièrement des épreuves fonctionnelles respiratoires. Certaines mesures peuvent améliorer la fonction respiratoire du patient, notamment le fait d'être assis le dos droit, les exercices respiratoires, l'aspiration des sécrétions, la physiothérapie respiratoire et la spirométrie de stimulation. La décision d'utiliser ou non la ventilation assistée dépend de l'état respiratoire et des désirs du patient. Grâce aux nouvelles technologies qui ont permis de mettre au point des appareils portatifs et légers, il est plus facile aujourd'hui d'utiliser un respirateur à domicile. (On trouvera au chapitre 3 une section portant sur les respirateurs.)

▷ ***Stratégies d'adaptation familiale et soins à domicile.*** Lorsqu'elle travaille auprès d'un patient souffrant d'une maladie évolutive comme la sclérose latérale amyotrophique, l'infirmière doit faire preuve de compassion. Il est souvent déchirant pour elle de discuter de la maladie avec le patient et sa famille. Néanmoins, pour le traitement à domicile il est essentiel d'informer le patient et la famille sur la maladie et de leur enseigner les mesures de soins et de bien-être. La famille aura besoin d'une aide et d'une supervision continuelles. Les professionnels de la santé peuvent aider les membres de la famille en leur faisant des suggestions d'ordre pratique et en les informant sur les produits et appareils destinés aux soins à domicile, ainsi que sur les services et groupes de soutien auxquels ils peuvent avoir recours. Le personnel soignant doit également soutenir la famille sur le plan affectif et prévoir des services de soins de répit. Il est important aussi que la famille puisse compter sur le personnel soignant dans les cas d'urgence. Enfin, pour ne pas que le patient et la famille se laissent envahir par le stress, il est bon qu'une travailleuse sociale les épaule pendant tout le cours de la maladie.

Bien qu'elle touche autant de gens que la sclérose en plaques, la sclérose latérale amyotrophique est peu connue, même par les professionnels de la santé. Elle est davantage connue aux États-unis, surtout à cause de Lou Gehrig, le joueur de baseball mentionné plus tôt, décédé de la maladie. C'est pourquoi la Société de sclérose latérale amyotrophique (SSLA) désire informer autant les professionnels de la santé que les patients et les familles. Elle publie un journal trois à quatre fois par année et offre du matériel écrit concernant la maladie. La SSLA organise aussi des groupes d'entraide pour les patients et les familles, dirige les patients vers les services appropriés, prête de l'équipement adapté et paie une partie du coût des aides techniques non remboursées par la Régie de l'assurance-maladie du Québec.

▷ *Évaluation*

Résultats escomptés

1. Le patient s'adapte à son handicap moteur.
   a) Il reste actif dans les limites de ses capacités.
   b) Il utilise un élévateur mécanique, un fauteuil roulant et les autres aides dont il a besoin.
   c) Le patient continue de s'intéresser à la lecture, aux «livres parlants» et à la musique pour se distraire.
2. Le patient essaie de préserver son état nutritionnel.
   a) Il évite les calories vides.
   b) Il choisit des aliments qu'il est capable d'avaler.
   c) Il mange et boit lentement et posément.
   d) Il maintient son poids.
   e) Le patient et la famille prennent des décisions éclairées quant au choix de la méthode d'alimentation (comme l'alimentation par sonde nasogastrique).
3. Le patient utilise un nouveau moyen de communication.
   a) Il consulte un orthophoniste.
   b) Il s'informe sur les programmes informatiques destinés aux personnes handicapées.
4. Le patient sait qu'il existe un risque d'insuffisance respiratoire.
   a) Il parle de la possibilité que sa fonction respiratoire se détériore davantage.
   b) Ses bruits respiratoires sont clairs.
   c) Les membres de la famille sont capables de nommer les signes et les symptômes d'insuffisance respiratoire.
   d) Le patient et la famille prennent des décisions éclairées quant au choix du traitement (par exemple: trachéostomie, ventilation en pression négative, ventilation en pression positive).
5. Le patient et les membres de la famille utilisent des mécanismes d'adaptation.
   a) Ils peuvent compter sur un réseau de soutien formé, d'une part, de professionnels de la santé et, d'autre part, de proches et d'amis.
   b) Ils utilisent au besoin des services communautaires ou autres.

DYSTROPHIES MUSCULAIRES

Les dystrophies musculaires sont un groupe de maladies musculaires chroniques qui se caractérisent par l'atrophie et l'affaiblissement progressifs des muscles squelettiques ou volontaires. La plupart de ces maladies sont héréditaires.

Elles se manifestent par une dégénérescence et une perte des fibres musculaires, une variation de la taille des fibres musculaires, une phagocytose et un remplacement du tissu musculaire par du tissu conjonctif.

Les dystrophies musculaires ont plusieurs caractéristiques communes: divers degrés d'atrophie et de faiblesse des fibres musculaires; une concentration anormalement élevée de créatine-kinase sérique témoignant d'une perte d'enzymes musculaires; un tracé électromyographique myopathique; des myopathies mises en évidence par la biopsie. La différenciation des diverses dystrophies se fonde sur le mode de transmission, les muscles atteints, l'âge auquel la maladie commence et la vitesse à laquelle elle évolue.

Traitement

On ne peut guérir les dystrophies musculaires. Le traitement de soutien vise à retarder le plus possible l'altération du fonctionnement. Pour prévenir la crispation des muscles, les contractures et l'atrophie d'inactivité, on établit un programme personnalisé d'exercices thérapeutiques. On a également recours aux attelles de repos et à des exercices d'étirement pour retarder l'apparition de contractures des chevilles, des genoux et des hanches. Le port d'orthèses peut aussi aider le patient à compenser la faiblesse de ses muscles.

La déformation de la colonne vertébrale est une des graves complications de la dystrophie musculaire. En effet, chez la majorité des patients souffrant d'une maladie neuromusculaire grave, les muscles du tronc s'affaiblissent et les vertèbres se tassent. Pour combattre la déformation qui en résulte, on doit appareiller le patient avec un corset orthopédique afin de stabiliser la position assise. Le port de ce corset améliore également la fonction cardiovasculaire. Ultérieurement, il faut pratiquer une arthrodèse pour maintenir la stabilité de la colonne vertébrale. On peut aussi recourir à d'autres interventions chirurgicales pour corriger les déformations.

Les troubles de la fonction respiratoire proviennent soit de l'évolution de la maladie, soit d'une déformation du thorax causée par une scoliose grave. Quand le patient présente une maladie intercurrente, une infection des voies respiratoires supérieures ou une fracture due à une chute, il faut recourir à un traitement vigoureux pour prévenir une aggravation des contractures due à l'immobilisation. Les dystrophies musculaires peuvent aussi entraîner un affaiblissement des muscles faciaux provoquant des troubles dentaires et des problèmes d'élocution. Elles sont aussi associées à des troubles digestifs: dilatation aiguë de l'estomac, prolapsus rectal et fécalomes. Enfin, il semble que la myocardiopathie soit une complication courante de toutes les formes de dystrophie musculaire.

En raison de la nature héréditaire de la maladie, il faut recommander le conseil génétique aux parents et aux enfants du patient. L'Association canadienne de dystrophie musculaire fait des campagnes de financement pour aider la recherche, sensibilise la population et les professionnels de la santé, et offre divers services aux personnes atteintes.

Interventions infirmières et soins à domicile

Les soins visent à maximiser les capacités fonctionnelles du patient et à améliorer sa qualité de vie. Pour atteindre ces objectifs, l'infirmière doit notamment répondre aux besoins physiques du patient (qui sont considérables) sans négliger ses besoins affectifs. Elle doit également faire participer activement le patient et sa famille aux prises de décisions.

La dystrophie musculaire et les déformations qui y sont associées peuvent évoluer durant l'adolescence et l'âge adulte. L'utilisation d'aides techniques peut accroître l'autonomie du patient. Avec le temps, l'atteinte de nouveaux groupes musculaires exige l'utilisation de nouvelles aides techniques. L'infirmière doit encourager le patient à continuer ses exercices d'amplitude des mouvements articulaires afin de prévenir les contractures, qui sont particulièrement invalidantes. Elle doit aussi enseigner à la famille les signes et les symptômes d'insuffisance. Quand la fonction respiratoire commence à se détériorer, l'infirmière explique au patient et à la famille les différentes méthodes d'assistance respiratoire. Il existe actuellement des respirateurs qui permettent au patient de se déplacer. Par exemple, le patient peut conserver une certaine autonomie s'il se déplace en fauteuil roulant et utilise un respirateur à la maison.

Pour s'adapter aux handicaps causés par une maladie neuromusculaire chronique, le patient doit faire certains changements d'ordre pratique. Par exemple, pour être le plus autonome possible sur le plan fonctionnel, il peut, selon le stade de la maladie, utiliser un fauteuil roulant, des aides à la marche, des orthèses pour les membres inférieurs et supérieurs et pour la colonne vertébrale, des appareils adaptés pour la salle de bain, des ascenseurs, des rampes, etc. L'utilisation de ces aides exige une intervention multidisciplinaire. L'infirmière du CLSC doit donc observer la façon dont le patient et la famille se débrouillent, les diriger vers les services appropriés et coordonner les services du physiothérapeute, de l'ergothérapeute et de la travailleuse sociale.

L'une des principales préoccupations du patient concerne la détérioration de son état et l'invalidité croissante qui en résultera. Celui-ci est conscient qu'il perd lentement et définitivement ses moyens et que cette perte le conduit inexorablement vers la mort. Le désespoir et l'impuissance sont les sentiments les plus courants chez les patients atteints d'une maladie dégénérative. Chaque perte fonctionnelle s'accompagne d'une réaction de profond chagrin. L'infirmière doit donc rechercher chez le patient les signes de dépression, de colère perpétuelle, de marchandage ou de déni. L'infirmière clinicienne en psychiatrie ou tout autre professionnel de la santé mentale peut aussi aider énormément le patient à surmonter sa peine et à s'adapter à sa maladie. Si l'infirmière s'efforce de comprendre les besoins physiques et psychologiques du patient et qu'elle essaie d'y répondre, elle pourra communiquer un peu de sa force au patient et veiller à ce qu'il soit entouré de gens qui lui donnent de l'espoir, de l'aide et de l'affection.

Résumé: les affections neuromusculaires (myasthénie grave, sclérose latérale amyotrophique et dystrophies musculaires) se manifestent par un affaiblissement des muscles. L'insuffisance respiratoire causée par cet affaiblissement est un problème sérieux qui exige une évaluation perspicace, un travail de collaboration entre le patient, la famille et l'équipe de soins, ainsi qu'une planification minutieuse. Chez le patient souffrant de sclérose latérale amyotrophique ou d'une forme de dystrophie musculaire, le choix du traitement respiratoire doit se faire avant que l'insuffisance respiratoire ne survienne. Le patient et la famille auront besoin qu'on les guide au moment où ils devront décider de recourir ou non à l'utilisation d'un respirateur. On doit encourager le patient à prendre part à cette décision.

Troubles convulsifs

Convulsions

Les convulsions sont des crises d'activité motrice, sensorielle, végétative ou psychique (ou mixte) anormale déclenchées par une décharge excessive soudaine de neurones cérébraux. Elles peuvent toucher tout le cerveau ou une partie seulement. La plupart du temps, elles sont soudaines et transitoires.

Les convulsions peuvent être idiopathiques ou acquises. Parmi les causes acquises figurent l'hypoxémie de n'importe quelle origine (dont l'insuffisance vasculaire), la fièvre (chez l'enfant), les traumatismes crâniens, l'hypertension, les infections du système nerveux central, les intoxications (comme l'intoxication aux pesticides) et certains troubles métaboliques (comme l'hyponatrémie, l'hypocalcémie et l'hypoglycémie), les tumeurs cérébrales, le retrait d'un médicament et les allergies. Chez la personne âgée, l'accident vasculaire cérébral et les métastases cérébrales sont les principales causes de convulsions.

Souvent, le patient ne se souvient pas de l'accès convulsif et de la période qui le suit immédiatement. Les crises graves ou prolongées peuvent causer des lésions au cerveau, et prédisposent à l'hypoxie, aux vomissements, à l'aspiration pulmonaire ou à des anomalies persistantes du métabolisme.

Le traitement immédiat vise à stabiliser la crise. Ultérieurement, le traitement vise à en déterminer la cause et à la supprimer.

Évaluation de l'infirmière durant une crise convulsive

Une des principales tâches de l'infirmière consiste à observer et à noter la séquence des symptômes, car la nature de la crise permet souvent de déterminer le mode de traitement nécessaire. L'infirmière doit donc noter les éléments suivants:

1. Les circonstances qui ont précédé la crise (stimulus visuel, auditif, olfactif ou tactile; perturbation émotionnelle ou psychologique; sommeil; hyperventilation).
2. Les premières attitudes du patient lors du déclenchement de la crise (région touchée en premier par les convulsions; position des globes oculaires et de la tête au début de la crise). Cette donnée peut être révélatrice du foyer convulsif. (Si l'infirmière n'a pas observé le début de la crise, elle doit le noter dans le dossier.)
3. Les mouvements qui apparaissent dans chaque partie du corps.
4. Les parties du corps touchées. (Découvrir le patient pour l'observer.)
5. Le diamètre des deux pupilles. (Les yeux du patient étaient-ils ouverts? Les yeux ou la tête du patient se sont-ils tournés sur un côté?)
6. La présence ou l'absence d'automatismes (activités motrices involontaires comme claquer des lèvres ou avaler sans cesse).
7. L'incontinence urinaire ou fécale.
8. La durée de chacune des phases de la crise.

9. La perte de conscience et la durée de cette perte de conscience.
10. Les signes évidents de paralysie ou de faiblesse dans les bras ou les jambes après la crise.
11. La perte de la parole après la crise.
12. Les mouvements exécutés vers la fin de la crise.
13. Le degré de somnolence après la crise.
14. Le degré de confusion après la crise.

Soins infirmiers lors de convulsions

Lors de convulsions, le rôle de l'infirmière consiste à empêcher le patient de se blesser. Les interventions infirmières doivent porter non seulement sur le bien-être physique du patient mais aussi sur son bien-être psychologique.

- Veiller à ce que le patient soit isolé et à l'abri des regards indiscrets. (Le patient qui a un *aura* [signe indiquant l'apparition imminente d'une crise] a parfois le temps de se retirer.)
- Faire glisser le patient doucement sur le sol si possible.
- Protéger la tête du patient avec un coussin (pour l'empêcher de se cogner contre une surface dure).
- Desserrer ses vêtements.
- Éloigner les objets ou les meubles sur lesquels le patient pourrait se blesser durant la crise.
- Si le patient est au lit, enlever les oreillers et remonter les ridelles.
- Si le patient a un aura avant la crise, en profiter pour insérer un abaisse-langue coussiné entre ses dents afin qu'il ne se morde pas la langue ou les joues.
- *Lorsque les mâchoires du patient sont fermées par les spasmes, ne jamais essayer de les ouvrir de force.* On risquerait ainsi de casser des dents et de blesser les lèvres et la langue.
- Il ne faut pas essayer d'immobiliser le patient pendant la crise, car les contractions musculaires sont fortes. Les tentatives pour immobiliser le patient peuvent le blesser.
- Si possible, installer le patient sur le côté, la tête fléchie vers l'avant. Cette position fait tomber la langue vers l'avant et favorise l'écoulement de la salive et du mucus. Si on dispose d'un appareil d'aspiration, l'utiliser pour évacuer les sécrétions au besoin.
- Après la crise, maintenir le patient en décubitus latéral afin de prévenir l'aspiration accidentelle de sécrétions. S'assurer que les voies respiratoires sont dégagées.
- Habituellement, les convulsions sont suivies d'une période de confusion.
- Un bref accès d'apnée peut survenir pendant ou immédiatement après une crise généralisée.
- Lorsque le patient revient à lui, l'orienter dans les trois sphères: temps, espace et personnes.
- Si le patient est surexcité après la crise, essayer de le calmer par la persuasion et de l'immobiliser doucement.

ÉPILEPSIE

L'épilepsie est une maladie neurologique chronique qui se présente sous différentes formes cliniques. Elle se caractérise par des crises de convulsions récurrentes. Les crises peuvent s'accompagner d'une perte de conscience, d'une hypertonie ou d'une hypotonie, d'une diminution ou d'une exagération des mouvements, ainsi que de troubles du comportement, de l'humeur et de la perception sensorielle.

Il semble que l'épilepsie soit principalement due à une perturbation électrique (arythmie) des neurones situés dans une partie du cerveau. À cause de cette perturbation, ces neurones envoient des décharges électriques anormales, récurrentes et incontrôlées. La crise épileptique typique est une manifestation de ces décharges.

Incidence. On estime que la fréquence de l'épilepsie dans la population nord-américaine est de 1 %. Environ 100 000 nouveaux cas sont diagnostiqués chaque année. L'incidence de l'épilepsie a augmenté au cours des dernières années, notamment à cause de certains facteurs associés aux progrès de la médecine. Par exemple, l'avancement des soins obstétricaux et pédiatriques permet de sauver de plus en plus d'enfants ayant souffert de troubles respiratoires, circulatoires et autres durant l'accouchement, et qui sont, pour cette raison, prédisposés aux crises d'épilepsie. De même, à cause de l'amélioration des soins médicaux, chirurgicaux et infirmiers on sauve davantage de patients atteints d'affections laissant l'épilepsie pour séquelle (traumatismes crâniens, tumeurs cérébrales, méningite ou encéphalite). Il faut mentionner aussi que le perfectionnement de l'électro-encéphalographie permet de détecter encore mieux l'épilepsie (et donc de diagnostiquer plus de cas). Enfin, la population est aujourd'hui mieux informée sur l'épilepsie et entretient moins de préjugés à son sujet; les personnes atteintes sont donc moins réticentes à parler de leur maladie.

Altérations physiologiques. Les messages envoyés par l'organisme sont transmis par les neurones (cellules nerveuses) du cerveau. Cette transmission se fait par des décharges d'énergie électrochimique se propageant le long des nerfs. Ces décharges sont appelées influx nerveux; elles partent en salve chaque fois qu'une cellule nerveuse doit exécuter une tâche. Il peut toutefois arriver que les cellules ou groupes de cellules continuent de «décharger» même si la tâche a déjà été exécutée. Lors de ces décharges inutiles, les parties du corps commandées par les neurones anormaux fonctionnent de façon erratique. Les manifestations qui en résultent sont parfois bénignes, parfois invalidantes. On observe habituellement une perte de conscience. Lorsque ces décharges anormales et incontrôlées surviennent de façon répétée, la personne est dite épileptique. L'accès de mouvements erratiques est appelé *crise de convulsions.*

Causes. On ne connaît pas la cause exacte de l'activité neurologique qui provoque l'épilepsie. Des chercheurs ont provoqué des crises épileptiques sur des animaux de laboratoire par des lésions chirurgicales ou une stimulation chimique ou électrique. L'épilepsie est associée aux traumatismes lors de la naissance, à la mort apparente du nouveau-né, aux traumatismes crâniens, à certaines maladies infectieuses (bactériennes, virales ou parasitaires), aux intoxications (par l'oxyde de carbone ou le plomb), à des troubles circulatoires, à la fièvre, à des troubles du métabolisme, à des troubles nutritionnels, et à la toxicomanie. Elle est également associée

Encadré 59-3 *Classification internationale des crises épileptiques*

Crises partielles (crises débutant localement)

1. Crises partielles à sémiologie élémentaire (se manifestant par des symptômes simples, généralement sans perte de conscience)
   A) Avec symptômes moteurs
   B) Avec symptômes sensoriels ou somatosensitifs spécifiques
   C) Avec symptômes neurovégétatifs
   D) Formes mixtes
2. Crises partielles à sémiologie complexe (se manifestant par des symptômes complexes, généralement avec perte de conscience)
   A) Avec perte de conscience seulement
   B) Avec symptômes d'ordre cognitif
   C) Avec symptômes d'ordre affectif
   D) Avec symptômes d'ordre psychosensoriel
   E) Avec symptômes d'ordre psychomoteur (automatismes)
   F) Formes mixtes
3. Crises partielles se transformant en crises généralisées

Crises généralisées (bilatérales, symétriques et sans début local)

1. Crises tonicocloniques
2. Crises toniques
3. Crises cloniques
4. Absences
5. Crises atoniques
6. Crises akinétiques
7. Spasmes infantiles

aux tumeurs, abcès et malformations congénitales du cerveau. Dans la majorité des cas, la cause est inconnue (épilepsie idiopathique). On a par ailleurs démontré qu'il existe une prédisposition héréditaire à certaines formes d'épilepsie. Dans 75 % des cas, l'épilepsie commence avant l'âge de 20 ans.

L'épilepsie n'a rien à voir avec l'intelligence dans la plupart des cas. Le patient épileptique qui ne souffre d'aucune autre affection du cerveau ou du système nerveux a une intelligence normale. L'épilepsie n'est pas synonyme d'arriération ou de maladie mentale, mais à l'inverse, un grand nombre de patients souffrant d'arriération mentale à cause de lésions neurologiques graves sont épileptiques. C'est le pourcentage de ces patients qui abaisse le quotient intellectuel moyen des épileptiques sous la normale.

Prévention. Pour prévenir l'épilepsie, il faut recourir à un grand nombre de mesures. Étant donné que le nouveau-né d'une mère épileptique prenant des antiépileptiques est vulnérable, on doit surveiller de près les femmes épileptiques enceintes. Il est important entre autres de faire régulièrement des vérifications de la concentration sanguine d'antiépileptiques durant la grossesse. Les adolescentes, les femmes ayant des accouchements difficiles, les toxicomanes, les diabétiques ou les femmes atteintes d'hypertension doivent être surveillées de près durant leur grossesse, car des lésions cérébrales susceptibles de causer l'épilepsie peuvent se produire chez le fœtus au cours de la grossesse ou pendant l'accouchement.

Il est possible également de prévenir par la vaccination les infections contractées pendant l'enfance (rougeole, oreillons, méningite bactérienne). L'intoxication au plomb fait aussi partie des causes qu'on peut prévenir. Par ailleurs, si un enfant a des convulsions fébriles, les parents doivent apprendre comment faire baisser la fièvre (bain d'éponge frais, antipyrétiques).

Les traumatismes crâniens sont l'une des principales causes que l'on peut prévenir. Grâce à des campagnes de sécurité routière et de prévention des accidents de travail, on peut diminuer non seulement le nombre des accidents mais aussi le risque d'épilepsie relié aux traumatismes crâniens.

La prévention comprend également des programmes de dépistage de l'épilepsie chez les jeunes enfants, ainsi que des programmes de prévention axés sur l'utilisation judicieuse des anticonvulsivants et sur l'amélioration des habitudes de vie.

Manifestations cliniques. Selon la zone touchée par les décharges neuronales, la crise peut se manifester par une simple absence ou par des convulsions prolongées accompagnées d'une perte de conscience. Il existe une classification internationale des différentes formes de crise épileptique selon la région cérébrale touchée; les crises peuvent être partielles, généralisées ou atypiques. La *crise partielle* est due à une lésion focalisée et affecte une partie seulement du cerveau, alors que la *crise généralisée* n'a pas d'origine spécifique et touche tout le cerveau en même temps. La *crise atypique* est appelée ainsi parce que ses manifestations ne sont pas caractéristiques. (Voir l'encadré 59-3 pour la classification internationale des crises épileptiques.)

Le début de la crise témoigne de la zone cérébrale touchée. Il est important aussi de savoir si le patient a un *aura*, soit une sensation qui annonce la crise et qui peut être révélatrice du foyer épileptogène (la perception d'un éclair, par exemple, peut indiquer que l'épilepsie provient du lobe occipital).

Dans la *crise partielle à sémiologie élémentaire,* on peut observer un tremblement d'un doigt ou d'une main et des secousses de la bouche. Le patient peut parler de façon inintelligible, être étourdi et percevoir des stimuli visuels, auditifs, olfactifs ou gustatifs anormaux ou déplaisants sans toutefois perdre connaissance.

Dans la *crise partielle à sémiologie complexe,* le patient peut rester immobile ou exécuter des mouvements automatiques sans buts; il peut aussi avoir des sensations exagérées de peur, de colère, d'exaltation ou d'irritabilité. Il y a toujours rupture de contact avec l'entourage.

Les *crises épileptiques généralisées,* aussi appelées *crises de grand mal,* touchent les deux hémisphères du cerveau et se manifestent donc des deux côtés du corps. Le patient peut présenter une hypertonie généralisée suivie de périodes successives et irrégulières de relâchement musculaire et de contractions (contractions tonicocloniques généralisées). Les contractions simultanées du diaphragme et des muscles thoraciques peuvent provoquer un cri caractéristique. Souvent, le patient se mord la langue et présente une incontinence urinaire et fécale temporaire. Une ou deux minutes après le début de la crise, les convulsions s'atténuent. Le patient se décontracte, sombre dans un coma profond et respire bruyamment. À ce stade, les respirations sont surtout abdominales. Après la crise, le patient est fréquemment confus et difficile à stimuler. Il dort souvent pendant des heures. Les céphalées et les douleurs musculaires sont fréquentes.

Examens diagnostiques. Les examens diagnostiques servent à déterminer la *nature* des crises, leur fréquence, leur gravité ainsi que les facteurs qui les déclenchent. Le bilan de santé doit comprendre les antécédents éloignés comme le déroulement de la grossesse et de l'accouchement de la mère. Il faut chercher à savoir si le patient a souffert d'une maladie affectant le cerveau ou subi un traumatisme crânien. Outre les examens physique et neurologique, l'évaluation diagnostique comprend des analyses biochimiques, hématologiques et sérologiques. On utilise la tomodensitométrie pour détecter les lésions cérébrales, les anomalies focales, les anomalies cérébrovasculaires et les signes de dégénérescence du cerveau.

L'électro-encéphalographie (EEG) permet d'obtenir des données diagnostiques chez bon nombre de patients épileptiques et contribue à déterminer la nature des crises. Habituellement, les anomalies révélées par l'EEG sont visibles entre les crises. Sinon, on peut les faire ressortir par une hyperventilation ou pendant le sommeil. On peut aussi introduire des microélectrodes dans le cerveau dans le but d'explorer l'activité de cellules cérébrales isolées. Il faut toutefois savoir que certains épileptiques ont un tracé électro-encéphalographique normal, tandis que certains patients n'ayant jamais eu de crises ont un tracé anormal. La technologie spatiale a permis de mettre au point du matériel informatique utilisé avec la télémétrie permettant d'obtenir un EEG pendant que le patient vaque à ses occupations habituelles. On peut aussi enregistrer les crises au magnétoscope simultanément avec l'EEG par télémétrie, ce qui permet de déterminer la nature des crises ainsi que leur durée et leur gravité. Cette forme de monitorage révolutionne présentement le traitement de l'épilepsie grave.

Traitement

Le traitement de l'épilepsie se fait par un programme de longue durée qui, en plus de viser la suppression et la prévention des crises, doit répondre aux besoins particuliers du patient. Il n'existe pas en fait de solution unique, car certaines formes d'épilepsie proviennent d'une lésion cérébrale tandis que d'autres sont dues à une altération de la chimie du cerveau.

Traitement médicamenteux. Il existe beaucoup de médicaments anticonvulsivants qui répriment les crises épileptiques, mais on ne sait pas encore par quels mécanismes ils le font. Le traitement médicamenteux de l'épilepsie vise à maîtriser les crises avec le moins d'effets secondaires possible. Les médicaments peuvent combattre l'épilepsie, mais non la guérir. On choisit l'anticonvulsivant selon son efficacité et son innocuité en fonction de la nature des crises. Quand ils sont prescrits et administrés correctement, les anticonvulsivants suppriment les crises chez 50 à 60 % des patients souffrant de crises récurrentes et les maîtrisent partiellement chez un autre 15 à 35 % des patients. Dans 15 à 35 % des cas, ils n'ont aucun effet.

En général, on commence par administrer un seul médicament, dont on ajuste la posologie en fonction des effets secondaires. On doit surveiller la concentration sanguine du médicament, car la vitesse d'absorption varie d'une personne à l'autre. Si l'anticonvulsivant choisi ne freine pas les crises ou a des effets toxiques, on devra essayer un autre médicament. On doit parfois modifier la posologie lors d'une maladie intercurrente, d'un gain pondéral ou d'une période de stress intense. L'arrêt subit du traitement anticonvulsivant peut augmenter la fréquence des crises ou déclencher l'état de mal épileptique.

Les anticonvulsivants provoquent trois sortes d'effets secondaires: (1) les troubles idiosyncratiques ou allergiques, qui se traduisent surtout par des réactions cutanées; (2) des effets toxiques aigus, qui peuvent se manifester lors des premières doses; et (3) des effets toxiques chroniques, qui apparaissent tardivement. La toxicité se manifeste de différentes façons et peut toucher n'importe quel organe. Il faut donc effectuer régulièrement des examens physiques et des épreuves de laboratoire chez les patients qui reçoivent un anticonvulsivant qui peut avoir des effets toxiques sur le système hématopoïétique, l'appareil génito-urinaire ou le foie. La phénytoïne (Dilantin) peut entraîner une hyperplasie gingivale, que l'on peut prévenir ou traiter par hygiène buccodentaire minutieuse et des massages fréquents des gencives. Voir le tableau 59-1 pour les effets secondaires des anticonvulsivants d'utilisation courante.

Interventions chirurgicales pour le traitement de l'épilepsie. Quand l'épilepsie est due à une tumeur intracrânienne, à un abcès ou un kyste cérébral ou à une anomalie vasculaire, une intervention chirurgicale est indiquée.

Chez certains patients, les crises sont réfractaires et résistent au traitement médicamenteux. L'épilepsie peut provenir d'un processus atrophique en foyer consécutif à un traumatisme cérébral, à une inflammation, à un accident vasculaire cérébral ou à une anoxie cérébrale. Si les crises proviennent d'une zone cérébrale qui est assez bien circonscrite et qui peut être excisée sans risque de déficiences neurologiques importantes, l'exérèse du foyer épileptogène peut améliorer l'état du patient et supprimer les crises pour une période prolongée. Cette intervention neurochirurgicale est aujourd'hui facilitée par certaines techniques de pointe: la microchirurgie, l'électro-encéphalographie profonde, les nouvelles méthodes d'illumination et d'hémostase, ainsi que par la mise au point de neuroleptanalgésiques (dropéridol et fentanyl). On peut aussi pratiquer une infiltration locale par des incisions du cuir chevelu, ce qui permet de garder le patient éveillé pour s'assurer de sa collaboration au cours de l'opération. Le neurochirurgien circonscrit le foyer épileptogène à l'aide d'appareils spéciaux, de la cartographie électrocorticale et de la réaction du patient à la stimulation. Il peut ensuite l'exciser.

Démarche de soins infirmiers *Patients atteints d'épilepsie*

Collecte des données

Pour obtenir le plus de données possible, l'infirmière doit observer et poser des questions. Elle demande au patient de donner les facteurs ou les situations susceptibles de déclencher des crises. Elle vérifie également ses habitudes de consommation d'alcool. Elle évalue les effets de l'épilepsie sur le mode de vie du patient: Le patient a-t-il des loisirs? Une vie sociale? Se sent-il bien au travail? Quels mécanismes d'adaptation utilise-t-il? Quelles restrictions l'épilepsie lui impose-t-elle?

TABLEAU 59-1. *Effets secondaires des principaux anticonvulsivants*

Dénomination commune	*Effets secondaires reliés à la dose*	*Effets toxiques*
CARBAMAZÉPINE	Étourdissement, somnolence Troubles de l'équilibre, nausées et vomissements Diplopie, légère leucopénie	Éruption cutanée importante Troubles de la coagulation Hépatite
PRIMIDONE	Léthargie, irritabilité Diplopie, ataxie Impuissance	Éruption cutanée
PHÉNYTOÏNE	Troubles visuels Hirsutisme Hyperplasie gingivale Arythmies	Éruption cutanée importante Troubles du système nerveux périphérique Ataxie, somnolence Troubles de la coagulation
PHÉNOBARBITAL	Sédation, irritabilité Diplopie Ataxie	Éruption cutanée
ÉTHOSUXIMIDE	Nausées et vomissements Céphalées Douleurs gastriques	Éruption cutanée Troubles de la coagulation Hépatite Lupus érythémateux
ACIDE VALPROÏQUE	Nausées et vomissements Gain pondéral Chute des cheveux	Hépatotoxicité Éruption cutanée Troubles de la coagulation Néphrite

RECOMMANDATIONS AU PATIENT

1. Prendre le médicament tous les jours afin de maintenir la concentration sanguine nécessaire à la prévention des crises.
2. Ne pas prendre la dose matinale avant les prélèvements sanguins pour analyse de laboratoire.
3. Ne pas cesser subitement le traitement médicamenteux; la suppression brusque du traitement peut provoquer des crises.
4. Éviter l'alcool; consulter le médecin avant de prendre un autre médicament sous ordonnance ou en vente libre.
5. Éviter les tâches qui demandent de la vigilance et de la coordination (comme conduire une voiture ou opérer une machine) jusqu'à ce que les effets du médicament aient été évalués.
6. Maintenir une bonne hygiène buccale et recevoir des soins dentaires réguliers.
7. Avoir toujours sur soi une carte d'identité indiquant le traitement médicamenteux en cours.

Pour déterminer la nature des crises et le traitement nécessaire, il est important d'observer le patient et de faire une évaluation neurologique durant et après une crise.

▷ *Analyse et interprétation des données*

Selon les données recueillies, voici les principaux diagnostics infirmiers possibles:

- Peur reliée à la possibilité constante de faire une crise
- Stratégies d'adaptation inefficaces reliées au stress provoqué par l'épilepsie
- Manque de connaissances sur l'épilepsie et les façons de la maîtriser
- Risque élevé d'accident pendant les crises

La complication la plus importante est l'état de mal épileptique.

▷ *Planification et exécution*

▷ ***Objectifs de soins:*** Suppression prolongée des crises épileptiques; adaptation psychosociale satisfaisante; acquisition de connaissances au sujet de la maladie

Les soins visent à favoriser l'adaptation psychosociale du patient et à prévenir ou à traiter les épisodes d'état de mal épileptique.

▷ *Interventions infirmières*

▷ ***Suppression des crises.*** Le patient aura moins peur de faire une crise à un moment inopportun s'il suit correctement le traitement prescrit. La coopération du patient et de la famille est de la plus haute importance. Ceux-ci doivent avoir confiance dans le traitement prescrit. L'infirmière doit insister sur la nécessité de respecter rigoureusement la posologie et sur le fait que les anticonvulsivants n'entraînent pas d'accoutumance. Si le patient est sous surveillance médicale et suit minutieusement les directives, il peut prendre des anticonvulsivants sans crainte, pendant des années s'il le faut.

La réussite du traitement dépend en partie de la coopération du patient. C'est pourquoi l'infirmière évalue le mode et le milieu de vie du patient pour dépister les facteurs susceptibles de déclencher les crises: perturbations émotionnelles, nouvel environnement qui engendre du stress, menstruation chez les femmes, ou fièvre. L'infirmière doit encourager le patient à faire preuve de modération et de régularité dans son mode de vie, son alimentation (éviter les stimulants excessifs), ses activités physiques et ses habitudes de sommeil. (Le manque de sommeil peut abaisser le seuil épileptogène.) L'activité modérée est bonne pour le patient, mais les dépenses excessives d'énergie sont déconseillées. Certains patients doivent éviter la stimulation photique (lumière vive et dansante, télévision). Pour atténuer le problème, le patient peut porter des lunettes de soleil ou se couvrir un œil. Chez d'autres patients, c'est la tension nerveuse (anxiété, frustration) qui peut déclencher des crises. Les techniques de lutte contre le stress peuvent alors lui être utiles. On sait aussi que la consommation d'alcool peut provoquer une crise; le patient doit donc éviter de boire des boissons alcoolisées. En fait, le meilleur traitement consiste à suivre le programme thérapeutique.

▷ *Amélioration des stratégies d'adaptation.* Dans certains cas, les problèmes sociaux, psychologiques et comportementaux qui accompagnent l'épilepsie sont plus invalidants pour le patient que les crises elles-mêmes. L'épilepsie peut en effet provoquer de la peur, une aliénation, de la dépression et de l'incertitude. Le patient vit dans la crainte constante de la crise et de ses conséquences. L'enfant épileptique, notamment, peut être rejeté de ses camarades et exclu des activités scolaires. À l'adolescence, l'épilepsie complique les relations avec le sexe opposé et altère le sentiment d'appartenance. À l'âge adulte, elle peut empêcher de trouver un emploi convenable ou de se procurer de l'assurance. L'épileptique doit aussi décider s'il doit avoir des enfants. L'abus d'alcool peut venir compliquer les choses. La maladie pèse lourd sur la famille, dont les réactions vont du rejet pur et simple à la surprotection. Toutes ces difficultés peuvent bien sûr causer des problèmes psychologiques et sociaux à l'épileptique.

Le counseling est absolument indispensable au patient et à sa famille car ceux-ci doivent apprendre à connaître l'épilepsie et les restrictions qui en découlent. La vie sociale et les loisirs sont également nécessaires au maintien d'une bonne santé mentale. Quand les crises de convulsions proviennent du lobe temporal (région destinée à la pensée et aux émotions), le patient peut présenter des problèmes psychologiques particuliers: symptômes de schizophrénie, comportements impulsifs ou irritabilité. Le patient souffrant de cette forme d'épilepsie aurait avantage à consulter un professionnel de la santé mentale.

▷ *Enseignement au patient.* La partie la plus utile du travail de l'infirmière auprès des épileptiques est sans doute l'enseignement qui vise à changer les attitudes envers l'épilepsie.

Pour le simple observateur, la crise d'épilepsie est un spectacle terrifiant ou repoussant. Pour la personne qui en souffre, elle est donc toujours source d'humiliation et de honte, ce qui peut engendrer de l'anxiété, de la dépression, de l'hostilité, le désir de se cacher et une tendance à mentir. L'attitude de l'épileptique peut par conséquent lui valoir l'aversion de ceux qui l'entourent. Le rejet que subit l'épileptique se répercute sur sa famille.

Il est donc essentiel de donner de l'information factuelle au patient et à sa famille et d'essayer de sensibiliser la population. L'épilepsie n'est pas une maladie mystérieuse et n'a rien à voir avec le surnaturel. Elle n'est pas une maladie honteuse, pas plus que le diabète, l'anémie pernicieuse ou l'hyperthyroïdie. Elle n'est pas non plus une forme de folie. Elle n'empire pas avec le temps, elle peut être traitée de façon efficace et ne devrait pas empêcher le patient de travailler. En fait, *l'activité a tendance à inhiber, et non à stimuler, les crises.* De nos jours, les symptômes de l'épilepsie peuvent être supprimés dans 50 à 60 % des cas.

En sensibilisant la population à l'épilepsie, on peut donner de nouveaux espoirs aux patients qui font face aux très anciens préjugés qui entourent la maladie. L'infirmière doit sans cesse encourager le patient afin qu'il trouve en lui la force de surmonter le sentiment d'infériorité et la gêne engendrés par sa maladie. Au Québec, l'épileptique qui n'a pas fait de crises depuis au moins un an peut généralement obtenir un permis de conduire. La personne épileptique devrait toujours avoir sur elle une carte ou un bracelet indiquant son état.

On n'a pas encore démontré que l'épilepsie se transmet de façon héréditaire. La décision d'avoir des enfants n'appartient donc qu'aux personnes concernées. Un conseil génétique est néanmoins recommandé.

▷ *Prévention et traitement de l'état de mal épileptique.* L'état de mal épileptique (crise de convulsions prolongée et aiguë) est une série de crises généralisées sans périodes de reprise de conscience. Le terme s'étend maintenant aux crises continues, cliniques ou électriques qui durent au moins 30 minutes sans perte de conscience. L'état de mal épileptique est une situation d'extrême urgence. Il a des effets cumulatifs. Les contractions musculaires violentes sont une charge importante pour le métabolisme et peuvent nuire à la respiration. Au point culminant de chaque crise, le patient présente un arrêt respiratoire plus ou moins grave qui provoque une congestion veineuse et une hypoxie cérébrale. Les épisodes répétés d'anoxie et d'œdème du cerveau peuvent causer des lésions cérébrales irréversibles et fatales.

L'interruption de la prise des anticonvulsivants, la fièvre et les infections sont les principaux facteurs déclenchants de l'état de mal épileptique.

Traitement

Le traitement vise à freiner les crises le plus rapidement possible, à assurer une oxygénation suffisante du cerveau et à prévenir les crises subséquentes. On doit rétablir le passage de l'air et une bonne oxygénation. Si le patient est profondément inconscient, il faut introduire une sonde endotrachéale à ballonnet. Pour faire cesser immédiatement les crises, on administre du diazépam lentement par voie intraveineuse. Le diazépam ayant un effet anticonvulsivant de courte durée, il faut par la suite administrer d'autres anticonvulsivants (phénytoïne, phénobarbital) selon l'ordonnance afin d'empêcher l'apparition d'autres crises.

L'infirmière installe une ligne intraveineuse et prélève du sang pour la mesure des électrolytes, de l'azote uréique et du glucose. Le monitorage électro-encéphalographique peut aider à déterminer la nature des crises épileptiques. L'infirmière vérifie régulièrement les signes vitaux et neurologiques. Si la crise est causée par une hypoglycémie, on administre du dextrose par voie intraveineuse. Si le traitement initial ne donne pas les résultats escomptés, on peut recourir à l'anesthésie générale au moyen d'un barbiturique à action brève.

Il est important de mesurer la concentration sérique du médicament anti-épileptique; une faible concentration peut indiquer que le patient ne prenait pas son médicament ou qu'il ne respectait pas la posologie. Le patient qui a subi un état de mal épileptique peut mourir quelques jours plus tard d'une atteinte cardiaque ou d'une dépression respiratoire. Il est également sujet à l'œdème cérébral

Interventions infirmières

L'infirmière doit évaluer fréquemment les fonctions respiratoire et cardiaque. Le patient peut présenter tardivement une dépression de la respiration et de la pression artérielle à cause des médicaments administrés pour supprimer les crises. L'infirmière doit aussi évaluer la nature des crises et l'état général du patient.

Si possible, le patient doit être installé en semi-décubitus ventral afin de favoriser l'évacuation des sécrétions pharyngiennes. L'infirmière doit avoir à portée de la main un appareil d'aspiration car le patient est sujet à l'aspiration accidentelle de ses sécrétions. Elle doit également surveiller de près la ligne intraveineuse, qui peut se déplacer pendant une crise.

Le patient épileptique qui reçoit des anticonvulsivants de façon prolongée est très vulnérable aux fractures, car ces médicaments entraînent de l'ostéoporose, de l'ostéomalacie et une hyperparathyroïdie. Il faut donc surveiller constamment le patient et coussiner les ridelles pour empêcher qu'il ne se blesse pendant les crises. L'infirmière ne doit pas essayer de restreindre les mouvements du patient. Elle doit aussi se protéger elle-même. Voir à la page 1948, pour les autres interventions infirmières dans les cas de crises convulsives.

▷ *Évaluation*

Résultats escomptés

1. Le patient ne présente pas de crises.
   a) Il se conforme à la prise de ses médicaments.
   b) Il explique la nécessité de prendre les anti-épileptiques prescrits et connaît les risques reliés à l'interruption du traitement.
   c) Il connaît les effets secondaires des médicaments.
   d) Il se présente à ses rendez-vous au laboratoire pour l'analyse de la concentration sérique de ses anti-épileptiques.
   e) Il évite les facteurs ou les situations qui peuvent déclencher des crises (lumière dansante, hyperventilation).
   f) Il a de saines habitudes de vie:
      1) Il dort suffisamment.
      2) Il mange à heures régulières pour prévenir l'hypoglycémie.
   g) Il porte un bracelet d'identité.
2. Le patient est mieux adapté sur le plan psychosocial.
   a) Il connaît des personnes avec qui il peut parler en toute confiance.
   b) Il est capable d'exprimer ce qu'il ressent.
   c) Il connaît les droits dont il peut se prévaloir en vertu de la Charte canadienne des droits de la personne.
   d) Il sait qu'il existe des services de placement et d'orientation professionnelle.
3. Le patient apprend à mieux connaître sa maladie.
   a) Il lit des brochures ou des livres sur l'épilepsie.
   b) Il répond correctement à la plupart des questions posées au sujet de l'épilepsie.
4. Le patient ne souffre pas d'état de mal épileptique.
   a) Il ne fait pas de crises.
   b) Il se conforme à son traitement médicamenteux.

Résumé: L'épilepsie est associée à différents troubles, mais est parfois d'origine inconnue. Quand elle est causée par une tumeur cérébrale, on la traite habituellement par une intervention chirurgicale. Dans d'autres cas, les crises peuvent être efficacement supprimées par des médicaments et l'élimination des facteurs déclenchants.

Durant une crise de convulsions, l'infirmière a principalement pour tâche de maintenir la perméabilité des voies respiratoires, de protéger le patient des blessures et de soulager la gêne que provoque la crise chez le patient. Elle doit aussi observer et décrire la crise.

Pour le patient et sa famille, les convulsions et l'épilepsie provoquent souvent de la peur et de l'anxiété. Dans certaines familles, l'épilepsie est considérée comme une ignominie. Dans ce cas, l'intervention de l'infirmière est nécessaire pour éviter au patient des tensions qui pourraient l'entraîner à cesser de prendre ses médicaments, qui lui rappellent constamment sa maladie.

TRAUMATISMES CRÂNIENS

Les traumatismes crâniens sont causés par un trauma du cuir chevelu, du crâne ou du cerveau. Ils comptent parmi les troubles neurologiques les plus fréquents et les plus graves, et sont devenus extrêmement fréquents à cause des accidents de la route. On estime en effet que 100 000 personnes par année meurent des suites d'un traumatisme crânien et que plus de 700 000 autres subissent des blessures dont la gravité justifie une hospitalisation. Chez 50 000 à 90 000 survivants (dont 65 % ont moins de 30 ans), on observe des séquelles de déficience intellectuelle ou comportementale qui les empêchent de reprendre une vie normale. Les hommes sont plus souvent touchés que les femmes. Chez plus de la moitié des patients traités en salle d'urgence pour un traumatisme crânien, on peut détecter la présence d'alcool dans le sang. Dans au moins 50 % de tous les cas de traumatisme crânien grave, le patient présente des blessures graves dans d'autres parties du corps pouvant entraîner un choc hypovolémique.

TRAUMATISMES DU CRÂNE ET DU CUIR CHEVELU

Traumatisme du cuir chevelu

Lors d'une blessure, le cuir chevelu peut saigner abondamment car il est richement vascularisé. Les blessures au cuir chevelu sont également une porte d'entrée pour les infections intracrâniennes. Le trauma peut causer une abrasion, une contusion, une lacération ou une avulsion. L'injection souscutanée de procaïne facilite le nettoyage et le traitement de la plaie. Avant de fermer la plaie, on doit irriguer la région atteinte pour évacuer les corps étrangers et diminuer les risques d'infection.

Fracture du crâne

La fracture du crâne est une fissure de la boîte crânienne (figure 59-7). Elle peut s'accompagner ou non d'une lésion au cerveau. Habituellement elle suppose un choc d'une grande force. On distingue deux sortes de fracture du crâne: la fracture *ouverte,* qui s'accompagne d'une déchirure de la dure-mère; et la fracture *fermée,* qui ne touche pas la dure-mère.

Manifestations cliniques. Mis à part les symptômes de la blessure elle-même, les manifestations de la fracture dépendent de l'étendue et de la répartition des lésions cérébrales. Une douleur localisée persistante est généralement un signe de fracture. Comme les fractures de la voûte crânienne entraînent un œdème dans la région touchée, il est impossible de poser un diagnostic précis sans examen radiologique. Les fractures de la base du crâne ont tendance à s'étendre de l'os frontal à l'os temporal. C'est pourquoi elles peuvent provoquer des saignements du nez, du pharynx ou de l'oreille ; on peut aussi constater la présence de sang sous la conjonctive. Une *ecchymose,* ou contusion, peut apparaître dans la région de l'apophyse mastoïde (signe de Battle). L'écoulement de liquide céphalorachidien des oreilles (*otorrhée céphalorachidienne*) ou du nez (*rhinorrhée cérébrospinale*) suggère une fracture de la base du crâne. L'écoulement de liquide céphalorachidien est un problème grave, car une infection comme la méningite peut survenir si des microorganismes situés dans le nez, l'oreille ou les sinus remontent jusqu'au cerveau en passant par une brèche dans la dure-mère. La présence de sang dans le liquide céphalorachidien laisse supposer une lacération ou une contusion du cerveau.

Examens diagnostiques. Les lésions les plus apparentes peuvent être décelées par un bref examen physique et neurologique, mais il faut utiliser la tomodensitométrie pour dépister les lésions moins évidentes. Sans danger pour le patient, la tomodensitométrie fournit des données précises sur la nature, l'origine et l'ampleur de la lésion et met en évidence l'œdème cérébral, les contusions, les hématomes intracérébraux ou extracérébraux, les hémorragies méningées ou intraventriculaires et les changements traumatiques tardifs (infarcissement, hydrocéphalie). On peut aussi utiliser l'imagerie par résonance magnétique dans les centres hospitaliers qui disposent de l'appareil (figure 59-8).

Si on ne possède pas un appareil de tomodensitométrie, on peut procéder à une angiographie cérébrale pour dépister les hématomes sus-tentoriels, extracérébraux et intracérébraux, de même que les contusions cérébrales. L'angiographie cérébrale permet d'obtenir des clichés de profil et antéropostérieurs du crâne.

Traitement. En général, les fractures sans embarrure n'exigent pas une intervention chirurgicale, mais il est essentiel de surveiller de près le patient.

S'il y a embarrure, une opération s'impose. On doit tout d'abord raser le crâne du patient et nettoyer son cuir chevelu avec une abondante quantité de solution salée pour enlever tous les débris. Le chirurgien peut ensuite dénuder la fracture, soulever les fragments osseux et débrider la plaie. Puis il répare la déchirure de la dure-mère, si possible, et ferme la plaie. Les brèches importantes du crâne peuvent être réparées plus tard, au moyen de plaques de métal ou de plastique si nécessaire. Si la plaie est propre et la dure-mère indemne, on peut replacer tout de suite les fragments soulevés. Il n'est pas nécessaire alors de prévoir une cranioplastie. Dans le cas d'une plaie pénétrante, il faut pratiquer un débridement chirurgical pour retirer les corps étrangers et les tissus cérébraux dévitalisés et pour réprimer l'hémorragie. Le patient reçoit immédiatement une antibiothérapie et, si cela est indiqué, des dérivés du sang.

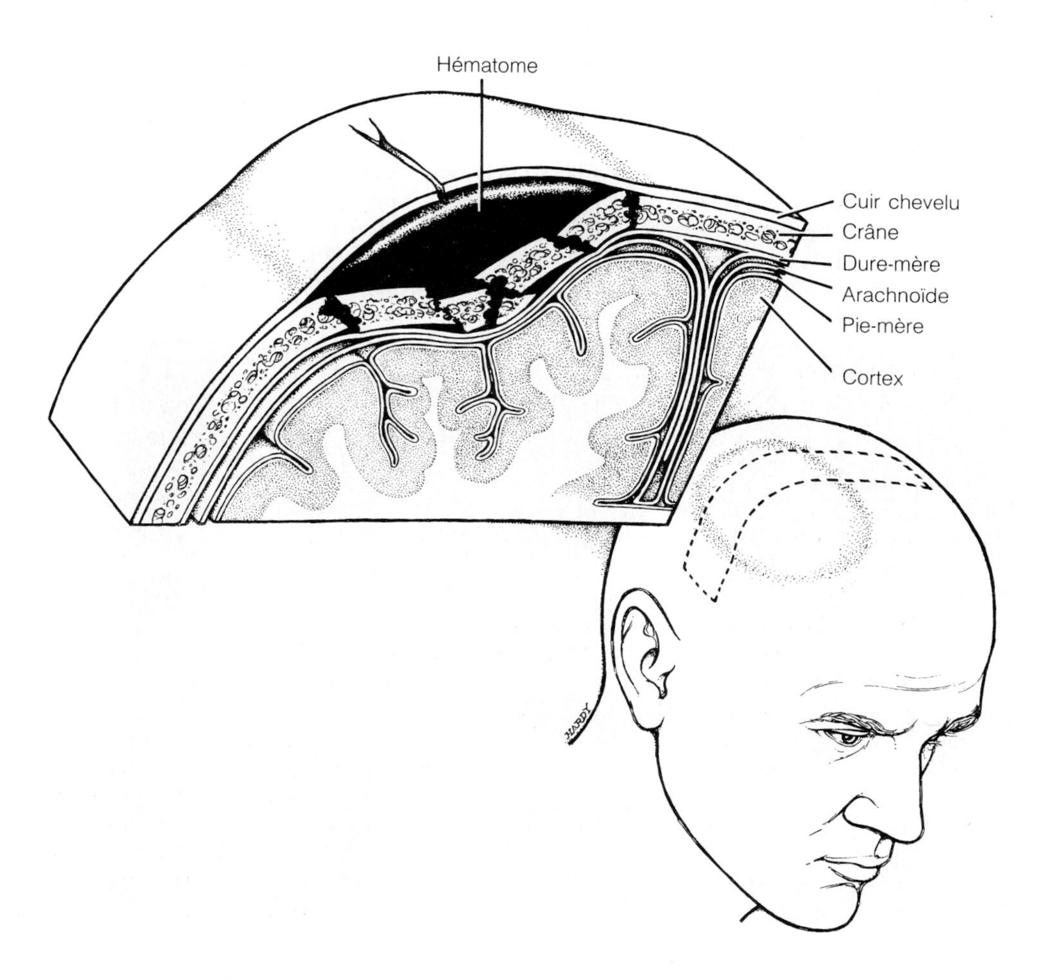

Figure 59-7. Embarrure

En général, les fractures de la base du crâne sont graves car elles sont presque toujours ouvertes et s'accompagnent de lésions des sinus de la face, de lésions de l'oreille moyenne ou externe et parfois d'une fuite de liquide céphalorachidien. Des taches de sang cernées de jaune peuvent souiller les draps ou les pansements; il s'agit du «signe du halo». Ces taches témoignent très souvent d'une fuite de liquide céphalorachidien. Le rhinopharynx et l'oreille externe doivent rester propres. Habituellement, on insère un tampon d'ouate stérile dans l'oreille. On peut aussi coller (sans serrer) un tampon d'ouate stérile sous le nez ou contre le pavillon de l'oreille pour recueillir les écoulements. Si le patient est conscient, l'infirmière doit lui recommander de ne pas éternuer et de ne pas se moucher. Il faut généralement monter la tête du lit à un angle de 30° afin d'abaisser la pression intracrânienne et de favoriser l'arrêt spontané de la fuite. (Certains neurochirurgiens recommandent plutôt de garder le lit en position horizontale.) Une intervention chirurgicale est habituellement indiquée si l'otorrhée ou la rhinorrhée céphalorachidienne persiste.

LÉSIONS CÉRÉBRALES

Dans les cas de traumatisme crânien, il faut d'abord et avant tout déterminer si le cerveau est touché. Même une blessure «légère» peut causer des lésions cérébrales permanentes. Le cerveau est incapable d'emmagasiner l'oxygène et le glucose. Les cellules cérébrales ont donc besoin d'une irrigation sanguine constante pour obtenir ces éléments nutritifs. Si l'irrigation sanguine du cerveau est interrompue pendant plus de quelques minutes, le cerveau meurt; les neurones lésés ne peuvent pas se reconstituer.

Les lésions cérébrales graves (contusions, lacérations ou hémorragie cérébrale), avec ou sans fracture du crâne, peuvent provenir d'un coup ou d'une blessure.

Commotion cérébrale. La commotion cérébrale causée par un trauma à la tête se manifeste par une perte temporaire et entièrement réversible de la fonction neurologique. Il ne se produit aucune altération de la structure même du cerveau, et le patient se remet rapidement. Habituellement, la commotion s'accompagne d'une perte de conscience qui dure de quelques secondes à quelques minutes. Parfois, le cerveau est peu ébranlé et on n'observe qu'un étourdissement et la perception de taches devant les yeux (on dit que le patient «voit des étoiles»). L'atteinte des tissus du lobe frontal peut se manifester par un comportement irrationnel ou bizarre tandis que l'atteinte des tissus du lobe temporal peut provoquer une amnésie temporaire ou une désorientation.

Le traitement de la commotion cérébrale consiste à observer le patient à la recherche des symptômes de ce genre de blessure: céphalées, étourdissements, irritabilité et anxiété (*syndrome commotionnel*). On peut atténuer les problèmes du syndrome commotionnel en expliquant au patient ce qui se passe et en le rassurant.

Le patient hospitalisé pour une commotion cérébrale peut quitter assez rapidement le centre hospitalier. Le personnel soignant doit toutefois recommander à la famille de surveiller l'apparition des signes suivants: difficulté à s'éveiller, trouble de l'élocution, confusion, céphalée intense, vomissements, ou faiblesse d'un côté du corps, et de conduire le patient chez un médecin ou à l'urgence si ces signes se manifestent. On recommande au patient de reprendre ses activités habituelles, mais de façon graduelle.

Contusion cérébrale. La contusion cérébrale est plus grave que la commotion, car elle entraîne un risque d'hémorragie. La perte de conscience dure plus longtemps que dans la commotion et les symptômes sont plus prononcés. Après une contusion, le patient reste parfois étendu sur le sol sans bouger; son pouls est faible, sa respiration est superficielle et sa peau froide et pâle. Il se produit souvent une évacuation involontaire du contenu de la vessie et des intestins. On peut, avec beaucoup de stimulation, faire reprendre conscience au patient, mais pour peu de temps. La pression artérielle et la température sont inférieures à la normale et le tableau clinique ressemble quelque peu à celui du choc.

En général, le pronostic est défavorable si les lésions sont étendues et s'accompagnent d'une altération de la fonction motrice, d'une anomalie des mouvements oculaires et d'une hypertension intracrânienne. Cependant, il arrive que le patient revienne à lui complètement et traverse une période d'irritabilité cérébrale.

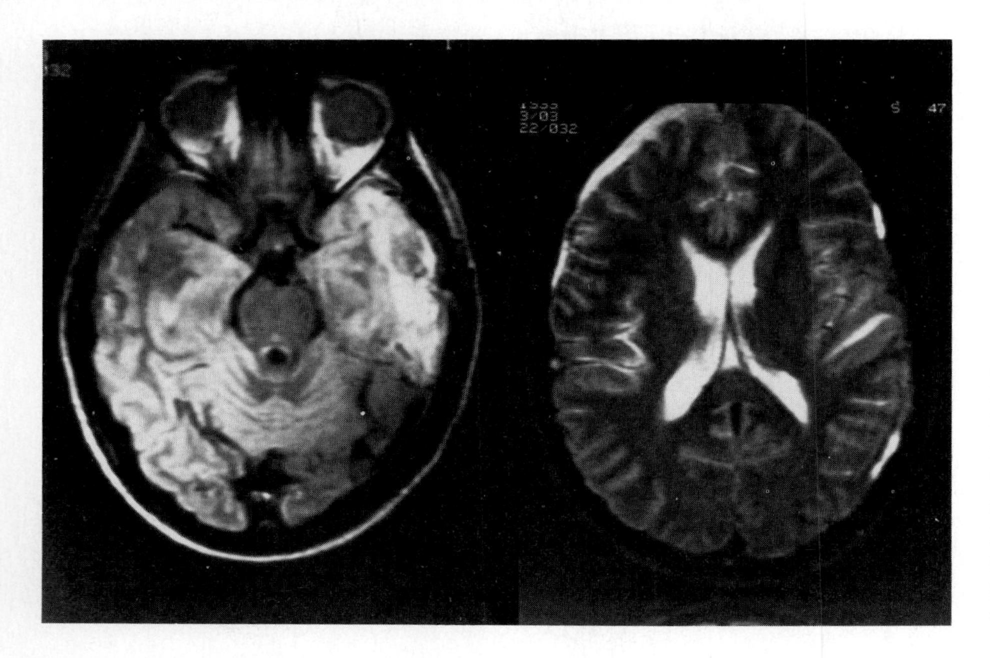

Figure 59-8. Traumatisme crânien. L'imagerie par résonance magnétique montre des hématomes sous-duraux dans la région frontale de l'hémisphère droit et dans la région temporale de l'hémisphère gauche. On peut aussi voir une contusion importante dans le lobe temporal gauche et une autre, moins grave, dans le lobe temporal droit.
(Source: Hôpital de l'université de Pennsylvanie. Service de médecine nucléaire)

Durant la période d'irritabilité, le patient est hypersensible à la moindre stimulation (bruits, lumière et voix) et peut devenir hyperactif par moments. Peu à peu, le pouls, la respiration, la température ainsi que les fonctions de l'organisme reviennent à la normale, mais le patient n'est pas pour autant complètement remis; les céphalées et les étourdissements sont des séquelles courantes, de même que les troubles mentaux ou l'épilepsie dans les cas de lésions cérébrales irréversibles.

HÉMORRAGIE INTRACRÂNIENNE

De toutes les conséquences graves des traumatismes crâniens, la plus courante est la formation d'un hématome (épanchement de sang) dans la voûte crânienne (figure 59-9). L'hématome peut être d'origine épidurale, sous-durale ou intracérébrale. Souvent, les symptômes ne se manifestent que quand l'épanchement sanguin est suffisamment important pour causer une déformation et un déplacement du cerveau ainsi qu'une hypertension intracrânienne.

- Les signes et les symptômes de l'ischémie cérébrale causée par la pression d'un hématome varient selon la vitesse à laquelle l'hématome empiète sur les zones vitales et en fonction de l'atteinte des tissus cérébraux sous-jacents.

Un petit hématome qui se forme rapidement peut être fatal, tandis qu'un hématome plus gros qui se constitue lentement peut laisser à l'organisme le temps de s'adapter.

Hématome épidural

Lors d'un traumatisme crânien, du sang peut se déverser dans l'espace épidural (l'espace qui sépare la boîte crânienne de la dure-mère) pour former un hématome, ce qui se produit souvent à la suite d'une fracture du crâne qui provoque la rupture ou la lacération de l'artère méningée moyenne. L'artère méningée moyenne chemine entre la dure-mère et le crâne, juste en-dessous d'une petite partie de l'os temporal; une hémorragie de l'artère méningée moyenne entraîne une compression du cerveau.

Les symptômes de l'hématome épidural sont dus à l'accumulation progressive de sang. Habituellement, le patient perd brièvement conscience au moment de l'accident et semble ensuite rétabli pendant un certain temps (appelé intervalle libre). L'intervalle libre est toutefois absent dans environ 15 % des cas. Pendant l'intervalle libre, le cerveau s'adapte à l'hématome en expansion: le liquide céphalorachidien est absorbé plus rapidement et le volume intravasculaire diminue. Ces mécanismes de compensation servent à maintenir la pression intracrânienne dans les limites de la normale. Lorsque les mécanismes de compensation ne suffisent plus, la moindre augmentation du volume de l'épanchement sanguin provoque une augmentation marquée de la pression intracrânienne. Apparaissent alors, souvent brusquement, des signes de compression (habituellement une altération de l'état de conscience et l'apparition de déficiences neurologiques en foyer comme la dilatation et la fixation d'une pupille ou la paralysie d'un membre), et l'état du patient se détériore rapidement.

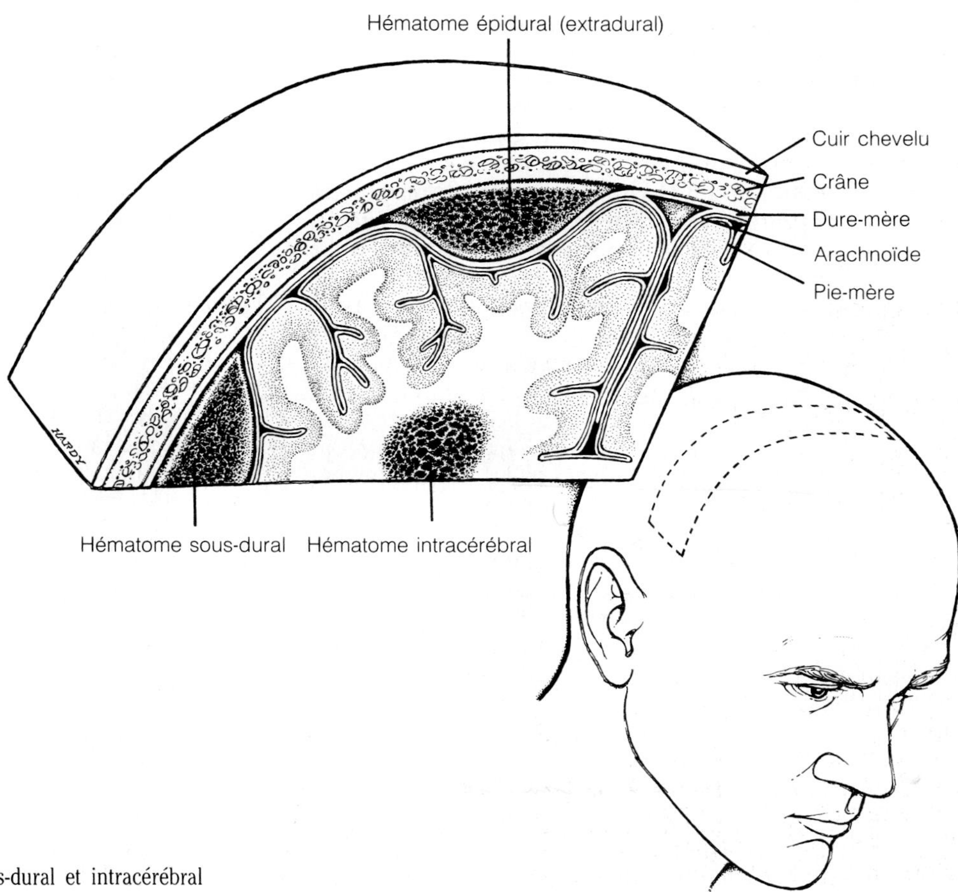

Figure 59-9. Hématomes épidural, sous-dural et intracérébral

Traitement. L'hématome épidural est un cas d'extrême urgence, car une déficience neurologique marquée ou même un arrêt respiratoire peuvent survenir en l'espace de quelques minutes. Le traitement consiste à pratiquer des ouvertures dans la boîte crânienne (*trous de trépan*), à évacuer l'hématome et à réprimer l'hémorragie.

Hématome sous-dural

L'hématome sous-dural est une accumulation de sang entre la dure-mère et les tissus cérébraux sous-jacents; cet espace est normalement occupé par une mince couche de liquide. L'hématome sous-dural est le plus souvent causé par un trauma. On l'observe également chez des patients présentant une diathèse hémorragique et dans les cas d'anévrisme. Généralement d'origine veineuse, il est dû à la rupture de petits vaisseaux qui irriguent l'espace sous-dural.

Il peut être aigu, subaigu ou chronique, selon le calibre du vaisseau touché et l'ampleur de l'épanchement sanguin. L'hématome sous-dural aigu est associé aux traumatismes crâniens graves avec contusion ou lacération. Habituellement, le patient est comateux et les signes cliniques qu'il présente ressemblent à ceux de l'hématome épidural. Une augmentation de la pression artérielle accompagnée d'un ralentissement du pouls et de la respiration indiquent une expansion rapide de l'hématome. L'hématome sous-dural subaigu survient lors de contusions moins graves; on en soupçonne la présence chez le patient qui ne reprend pas conscience après un traumatisme crânien. Les signes et les symptômes de cette forme d'hématome ressemblent à ceux de l'hématome sous-dural aigu.

L'hématome sous-dural aigu a souvent des conséquences fatales car il s'accompagne de lésions cérébrales.

Si le patient a pu être transporté rapidement au centre hospitalier, on pratique immédiatement une craniotomie pour ouvrir la dure-mère et évacuer l'hématome. La réussite de l'intervention exige le maintien de la pression intracrânienne et un monitorage intensif de la fonction respiratoire.

L'hématome sous-dural chronique peut se constituer à la suite d'un traumatisme crânien apparemment bénin. Il survient le plus souvent chez la personne âgée. Comme il s'écoule parfois un laps de temps considérable (c'est-à-dire des mois) entre le moment de l'accident et l'apparition des premiers symptômes, la victime peut avoir oublié le trauma qui est à l'origine de l'hématome. Les symptômes peuvent apparaître des semaines après un accident jugé sans importance.

Les signes de l'hématome sous-dural chronique ne sont pas toujours faciles à interpréter et peuvent être pris à tort pour ceux d'un accident vasculaire cérébral. Le saignement est moins abondant que dans d'autres formes d'hématome, mais on observe une compression des tissus intracrâniens. Les caractéristiques du sang qui se déverse dans le cerveau changent après deux à quatre jours; il devient plus épais et plus foncé. Quelques semaines plus tard, le caillot se rompt et le sang est noir et visqueux comme de l'huile à moteur. Ultérieurement, le caillot se calcifie ou s'ossifie. Le cerveau s'adapte alors à ce corps étranger, et les signes et symptômes cliniques sont variables: céphalées intenses généralement intermittentes, signes neurologiques en foyer, changements de personnalité, détérioration des facultés mentales et crises épileptiques partielles. Malheureusement, il arrive que l'on ne dépiste pas l'hématome et que les symptômes soient attribués à une névrose ou à une psychose.

Pour traiter l'hématome sous-dural chronique, on évacue le caillot par aspiration ou irrigation de la zone touchée. Pour ce faire, on peut pratiquer plusieurs trous de trépan. Si l'hématome sous-dural est trop volumineux pour permettre son évacuation par des trous de trépan, on peut pratiquer une craniotomie.

Hématome intracérébral

L'hématome intracérébral est un épanchement de sang dans les tissus mêmes du cerveau. Il résulte souvent d'un trauma qui exerce un choc sur une zone limitée du crâne (plaie par projectile, par balle ou par arme blanche). Il peut également provenir d'une hypertension systémique qui entraîne la dégénérescence et la rupture d'un vaisseau, de la rupture d'un anévrisme sacciforme, d'une anomalie vasculaire, d'une tumeur intracrânienne, d'une affection générale (entre autres les troubles hématologiques comme la leucémie, l'hémophilie, l'aplasie médullaire et la thrombopénie), ou des complications d'un traitement anticoagulant.

L'hématome intracérébral peut se constituer de façon insidieuse et se manifester par l'apparition de déficiences neurologiques suivies de céphalées. Le traitement médical comprend l'administration prudente de liquides et d'électrolytes, l'administration d'antihypertenseurs, la surveillance de la pression intracrânienne et des soins de soutien. On peut pratiquer une craniotomie ou une crâniectomie pour évacuer le caillot et réprimer l'hémorragie. Cependant, l'intervention chirurgicale est parfois impossible, soit parce que la zone hémorragique est hors d'atteinte, soit parce que la région touchée n'est pas assez bien délimitée.

CONDUITE À TENIR DANS LES CAS DE TRAUMATISMES CRÂNIENS

Manifestations cliniques

Les traumatismes du cerveau ont des répercussions sur tous les systèmes et appareils de l'organisme. Sur le plan clinique, les lésions cérébrales peuvent se manifester par une altération de l'état de conscience, de la confusion, des anomalies pupillaires, l'apparition subite de déficiences neurologiques et une altération des signes vitaux. Le patient peut également présenter des troubles visuels, une perte d'audition, des troubles sensoriels, une spasticité, des céphalées, des vertiges, des troubles moteurs, de l'épilepsie et beaucoup d'autres symptômes. Un choc hypovolémique peut témoigner d'une lésion touchant plusieurs systèmes, car les lésions touchant uniquement le système nerveux central ne provoquent habituellement pas de choc.

Examens diagnostiques

Les examens physique et neurologique initiaux fournissent les données de base pour comparaison ultérieure. La tomodensitométrie est la principale technique d'imagerie utilisée; elle permet d'obtenir des données utiles pour l'évaluation des lésions des tissus mous.

Traitement

Dans tous les cas de traumatisme crânien, on présume l'existence d'une lésion de la colonne cervicale jusqu'à preuve du contraire. Le patient est transporté depuis les lieux de l'accident jusqu'au centre hospitalier sur une planche d'immobilisation, la tête et le cou alignés avec l'axe du corps. La tête doit être maintenue en légère extension et immobilisée par un collet cervical jusqu'à ce que les radiographies démontrent l'absence de lésions cervicales.

Les lésions cérébrales initiales ne sont pas visées par le traitement; on tente plutôt de préserver l'homéostasie du cerveau et de prévenir l'apparition de lésions secondaires. Il faut donc stabiliser les fonctions cardiovasculaire et respiratoire afin de maintenir une irrigation cérébrale suffisante. On doit aussi réprimer l'hémorragie, corriger l'hypovolémie et maintenir les gaz sanguins à leurs valeurs physiologiques.

À cause de l'œdème des tissus cérébraux lésés ou à cause de l'épanchement sanguin progressif, l'augmentation de la pression intracrânienne est fréquente et exige un traitement énergique: élévation de la tête du lit, maintien d'une oxygénation suffisante, administration de mannitol (qui diminue par déshydratation osmotique la quantité d'eau dans le cerveau), hyperventilation, administration de stéroïdes, et parfois une intervention chirurgicale. L'intervention chirurgicale est nécessaire pour évacuer un caillot sanguin, pour débrider la plaie et soulever les fragments osseux dans les cas d'embarrure, ou pour suturer les lacérations graves du cuir chevelu. S'il faut opérer le patient, on peut profiter de l'intervention chirurgicale pour introduire un appareil de monitorage de la pression intracrânienne. Si le patient ne subit pas d'opération, on peut introduire l'appareil à son chevet en se servant d'une technique aseptique.

Le traitement comprend également la ventilation assistée, le prévention de l'épilepsie, le maintien de l'équilibre hydroélectrolytique et le maintien de l'état nutritionnel. Dans les cas de traumatisme crânien grave avec coma, on doit intuber le patient et utiliser la ventilation assistée pour maintenir la respiration et protéger les voies respiratoires. L'hyperventilation contrôlée provoque une hypercapnie qui entraîne une vasoconstriction, abaisse le débit sanguin cérébral, diminue le volume sanguin cérébral et, par le fait même, réduit la pression intracrânienne.

On doit par ailleurs entreprendre un traitement anticonvulsivant, car le traumatisme crânien entraîne souvent des crises épileptiques qui peuvent causer des lésions cérébrales secondaires par hypoxie.

Si le patient est très agité, le médecin peut prescrire de la chlorpromazine pour le calmer sans toutefois altérer davantage son état de conscience. Enfin, on doit parfois insérer une sonde nasogastrique, à cause d'une diminution de la motilité gastrique et d'un antipéristaltisme qui prédisposent à la régurgitation au cours des heures qui suivent l'accident.

DÉMARCHE DE SOINS INFIRMIERS
PATIENTS AYANT SUBI UN TRAUMATISME CRÂNIEN

Collecte des données

Pour recueillir ses données, l'infirmière peut poser les questions suivantes:

- À quelle heure l'accident est-il arrivé?
- Qu'est-ce qui a causé la blessure? Un projectile très rapide? Un coup? Une chute?
- De quelle direction le choc provenait-il et avec quelle force s'est-il produit?
- Le patient a-t-il perdu conscience? Pendant combien de temps? A-t-on pu lui faire reprendre conscience? (L'existence d'une perte de conscience ou d'une amnésie après un trauma à la tête témoigne de lésions importantes au cerveau, tandis que les altérations subséquentes indiquent soit le rétablissement du patient, soit l'apparition de lésions cérébrales secondaires.)

Évaluation de l'état de conscience et de la réactivité. L'infirmière doit évaluer régulièrement l'état de conscience et le degré de réactivité du patient car l'altération des signes vitaux et neurologiques est toujours précédée d'une altération de l'état de conscience. L'échelle de Glasgow est une méthode pratique qui sert à évaluer l'état de conscience. Elle repose sur l'évaluation de trois indicateurs de la réactivité: l'ouverture des yeux, la réponse verbale et la réponse motrice. Pour évaluer ces trois paramètres, on donne des directives au patient ou on applique des stimuli douloureux, puis on note la meilleure réaction du patient aux stimuli prédéterminés, selon une échelle de points qui correspond aux différents degrés de réactivité:

Ouverture des yeux	
spontanée	4
sur ordre verbal	3
à la douleur	2
pas de réponse	1
Meilleure réponse motrice	
obéit au commandement	6
localise (douleur)	5
se retire (douleur)	4
flexion (douleur)	3
extension (douleur)	2
pas de réponse	1
Réponse verbale	
orientée	5
confuse	4
paroles non appropriées	3
sons incompréhensibles	2
pas de réponse	1
Total:	3 à 15

On accorde une note pour chacune des trois réactions (la note la plus élevée correspond à la normale tandis que les notes plus basses indiquent une altération), puis on additionne ces notes pour obtenir le score de Glasgow. Ce score est une indication de la profondeur du coma et de l'évolution possible de l'état du patient. Le score le plus bas est de 3 (réaction minimale), tandis que le score le plus haut est de 15 (réaction maximale). Habituellement, un score de 7 ou moins correspond au coma et indique que l'infirmière doit recourir aux interventions qui s'appliquent au patient comateux.

On peut voir à la figure 59-10 une grille d'évaluation neurologique qui comprend une évaluation selon l'échelle de Glasgow ainsi qu'une évaluation des mouvements et des pupilles. Cette grille d'évaluation peut être utilisée à n'importe quel moment.

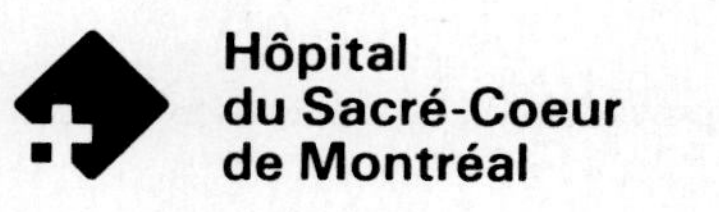

Direction des soins infirmiers

GRILLE D'ÉVALUATION NEUROLOGIQUE

(guide d'utilisation au verso)

Mois ___ Année ___

Section	Sous-section	Item	Code	Jour / Heure
ÉCHELLE DE COMA DE GLASGOW (GCS)	Ouverture yeux	— spontanée	4	
		— sur ordre verbal	3	
		— à la douleur	2	
		— pas de réponse ou oedème important des paupières	1	
	Réponse verbale	— orientée	5	
		— confuse	4	
		— paroles non appropriées	3	
		— sons incompréhensibles	2	
		— pas de réponse ou patient intubé ou trachéotomisé	1	
	Réponse motrice	— obéit au commandement	6	
		— localise (douleur)	5	
		— se retire (douleur)	4	
		— flexion (douleur)	3	
		— extension (douleur)	2	
		— pas de réponse	1	
		TOTAL GCS		
MOUVEMENTS		— paraplégie		
		— quadriplégie		
		— plégie	MSG	
			MIG	
			MSD	
			MID	
		— parésie	MSG	
			MIG	
			MSD	
			MID	
		— décérébration *bras en bas*	G	
			D	
		— décortication *poignets au poitrine*	G	
			D	
PUPILLES		— diamètre en mm	G	
			D	
		— réflexe photomoteur	G	
			D	
MPIC *Mesure Pression Intra Crânienne*				
INITIALES				

Signature	Initiales	Signature	Initiales

GUIDE D'UTILISATION DE LA GRILLE D'ÉVALUATION NEUROLOGIQUE

Échelle de coma de Glasgow (GCS)

Cocher la case appropriée ☑

Ouverture des yeux	(Min.: 1 Max.: 4)
Réponse verbale	(Min.: 1 Max.: 5)
Réponse motrice	(Min.: 1 Max.: 6)

Inscrire le score total GCS à chaque évaluation (Min.: 3 Max.: 15)

- Exemples de stimulations douloureuses permettant d'évaluer la réponse motrice du patient:
  - frottement sternal,
  - pincement ou écrasement des ongles,
  - pincement ou écrasement des trapèzes,
  - manoeuvre de Foix (pression derrière la branche montante du maxillaire inférieur).
- Noter la meilleure réponse motrice (le côté ou le membre qui répond le mieux).

Obéit au commandement: bouge sur ordre verbal
Localise (douleur): Soustrait sa main ou la dirige clairement vers le stimulus douloureux
Se retire (douleur): flexion normale, non spastique (mais ne localise pas la douleur)
Flexion (spastique, anormale des membres) = Décortication
Extension = Décérébration

Mouvements

Cocher la case appropriée ☑

- Plégie: absence de mouvements volontaires.
- Parésie: diminution de mouvements volontaires.

Pupilles

Inscrire le diamètre en millimètres

- Diamètre

2 3 4 5 6 7 8 9 mm

- Réflexe photomoteur (réaction des pupilles à une lumière forte)

Normal = N Lent = -1
Très lent = -2 Absent = -4

- Monitoring de la Pression Intra-Crânienne (MPIC):

Inscrire dans la case appropriée

Figure 59-10. Grille d'évaluation neurologique et échelle de Glasgow (gracieuseté de: Hôpital Sacré-Cœur de Montréal. Direction des soins infirmiers)

Elle permet d'uniformiser les soins infirmiers et facilite l'échange d'information au sein du personnel soignant.

▷ ***Surveillance des signes vitaux.*** Même si la détérioration de l'état de conscience est l'indicateur le plus sensible d'un danger imminent, on doit vérifier fréquemment les signes vitaux.

- L'augmentation de la pression intracrânienne se manifeste par un ralentissement du pouls, un accroissement de la pression systolique et une élévation de la pression différentielle.
- À mesure que la compression du cerveau augmente, les signes vitaux ont tendance à s'inverser (le pouls et la respiration s'accélèrent et la pression artérielle diminue parfois). L'inversion des signes vitaux, autant qu'une fluctuation rapide, assombrit le pronostic.
- L'augmentation rapide de la température corporelle est de mauvais pronostic, car l'hyperthermie accroît les besoins métaboliques du cerveau. Il faut maintenir la température sous les 38 °C.
- La tachycardie et l'hypotension artérielle peuvent indiquer la présence d'une hémorragie ailleurs dans l'organisme.

▷ ***Fonction motrice.*** L'infirmière évalue fréquemment la fonction motrice. Pour ce faire, elle observe les mouvements spontanés du patient, en lui demandant de lever et de baisser les bras et les jambes, et compare la préhension d'une évaluation à l'autre. Elle doit aussi vérifier si tous les membres bougent de façon spontanée.

- Si le patient ne présente aucun mouvement spontané, l'infirmière évalue sa réaction aux stimuli douloureux. Une réaction anormale (absence de réponse motrice ; réaction d'extension) est de mauvais pronostic.
- L'infirmière vérifie si le patient est capable de parler et évalue son expression verbale. La capacité de parler indique une bonne fonction cérébrale.

▷ ***Signes oculaires***

- L'infirmière détermine si le patient ouvre les yeux spontanément.
- Elle doit aussi évaluer le diamètre pupillaire et le réflexe pupillaire photomoteur. Si une seule des pupilles se dilate ou réagit faiblement à la lumière, le patient présente peut-être un hématome qui comprime la troisième paire de nerfs crâniens. Si les deux pupilles deviennent fixes et dilatées, le patient a probablement subi un important traumatisme et présente une atteinte intrinsèque du tronc cérébral supérieur. Le pronostic est alors mauvais.

▷ ***Évaluation des complications.*** La détérioration de l'état du patient peut provenir d'un hématome intracrânien en expansion et d'un œdème cérébral évolutif. D'autres complications sont possibles après un traumatisme crânien, notamment les infections (pneumonie, infection des voies urinaires, septicémie) et les infections d'origine neurochirurgicale (infection de la plaie, ostéomyélite, méningite, ventriculite, abcès du cerveau).

Après un traumatisme, le patient présente parfois une paralysie nerveuse partielle (comme une *anosmie* ou perte de l'odorat). Il peut aussi présenter une anomalie des mouvements oculaires et des déficiences neurologiques en foyer (comme l'aphasie, l'amnésie et l'épilepsie post-traumatique). Le traumatisme peut également entraîner des troubles psychologiques d'origine organique (impulsivité, labilité émotionnelle, ou comportements agressifs sans inhibitions), qui font que le patient a de la difficulté à comprendre ses réactions émotives.

▷ *Analyse et interprétation des données*

Selon les données recueillies, voici les principaux diagnostics infirmiers possibles :

centre Resp. peut être atteint.

- Dégagement inefficace des voies respiratoires et mode de respiration inefficace reliés à l'hypoxie
- Déficit de volume liquidien relié à l'altération de l'état de conscience et à des perturbations hormonales
- Déficit nutritionnel relié aux perturbations du métabolisme, à la restriction liquidienne et à un apport nutritionnel inadéquat
- Risque élevé de violence (envers soi et envers les autres) relié à la désorientation, à l'agitation et aux lésions cérébrales
- Altération des opérations de la pensée (déficience de la fonction intellectuelle, de la communication, de la mémoire et du processus de la pensée reliée aux conséquences du traumatisme crânien
- Risque d'inefficacité des stratégies d'adaptation familiale relié à la faible réactivité du patient, à l'incertitude au sujet du pronostic, à la convalescence prolongée et aux séquelles physiques et émotionnelles du traumatisme

Les diagnostics infirmiers pouvant s'appliquer au patient inconscient et souffrant d'hypertension intracrânienne s'appliquent également au patient ayant subi un traumatisme crânien (voir le chapitre 58).

▷ *Planification et exécution*

▷ ***Objectifs de soins :*** Maintien de la liberté des voies respiratoires ; rétablissement de l'équilibre hydroélectrolytique ; rétablissement de l'état nutritionnel ; prévention des blessures ; amélioration des fonctions cognitives ; amélioration des stratégies d'adaptation familiale

▷ *Interventions infirmières*

Après l'évaluation initiale et les examens diagnostiques, l'infirmière commence à remplir régulièrement une grille d'évaluation neurologique (voir la figure 59-10). Pour les évaluations courantes de l'infirmière, les interventions infirmières prioritaires, ainsi que les soins de prévention et de réadaptation au patient ayant subi un traumatisme crânien, voir la figure 59-11.

▷ ***Maintien de la liberté des voies respiratoires.*** Parmi tous les objectifs de soins qui se rapportent au patient ayant subi un traumatisme crânien, l'un des plus importants consiste à rétablir et à maintenir la respiration. Comme le cerveau est extrêmement sensible à l'hypoxie, le manque d'oxygène peut aggraver une atteinte neurologique. Les soins visent donc à assurer une bonne oxygénation du cerveau et à préserver ainsi la fonction cérébrale. Si les voies respiratoires sont obstruées, il se produira une rétention de CO_2 et une hypoventilation, laquelle entraînera une vasodilatation cérébrale et une augmentation de la pression intracrânienne.

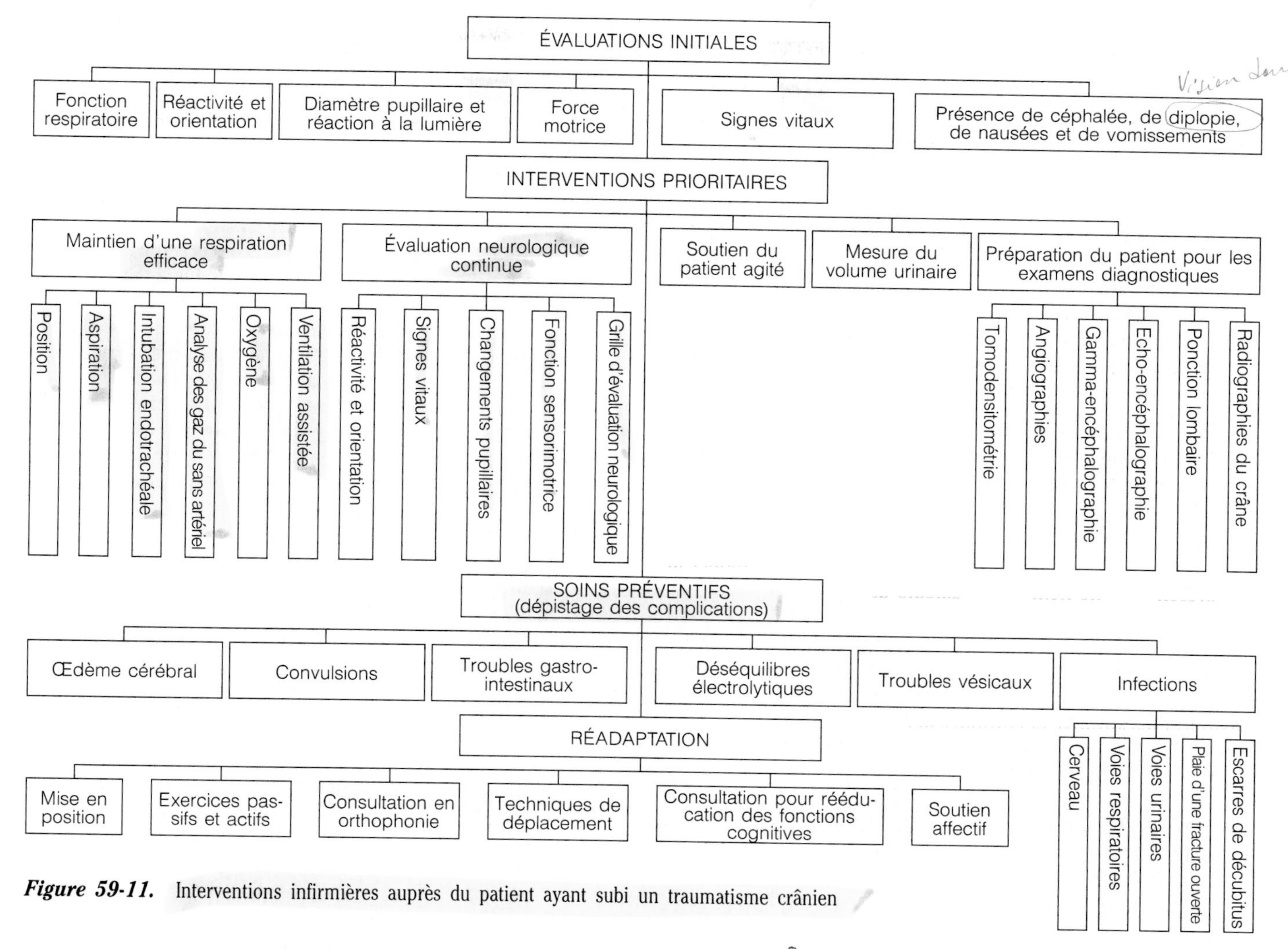

Figure 59-11. Interventions infirmières auprès du patient ayant subi un traumatisme crânien

Les interventions thérapeutiques et infirmières qui visent à assurer de bons échanges gazeux sont résumées au chapitre 58 et comprennent ce qui suit:

- Installer le patient inconscient dans une position qui favorise l'évacuation des sécrétions buccales, et monter la tête du lit d'environ 30° afin de diminuer la pression veineuse intracrânienne.
- Utiliser l'appareil d'aspiration de façon judicieuse. (Les sécrétions pulmonaires obligent le patient à tousser et à forcer, ce qui fait monter la pression intracrânienne.)
- Prendre les précautions nécessaires pour prévenir l'aspiration accidentelle et l'insuffisance respiratoire.
- Mesurer les gaz du sang artériel pour évaluer l'efficacité de la ventilation. (Il s'agit ici de maintenir les gaz artériels à des valeurs normales afin d'assurer un bon débit sanguin cérébral.)
- Surveiller le patient branché à un ventilateur.

▷ ***Rétablissement de l'équilibre hydroélectrolytique.*** Les lésions cérébrales peuvent entraîner une perturbation du métabolisme et des perturbations hormonales. Il est important de mesurer les concentrations sériques des électrolytes, surtout chez le patient qui reçoit des diurétiques osmotiques, qui souffre du syndrome de sécrétion inappropriée d'hormone antidiurétique, ou qui est atteint d'un diabète insipide post-traumatique.

- Il faut obtenir des mesures répétées des électrolytes et de l'osmolarité sérique et urinaire, car le patient peut présenter un trouble de la régulation du sodium. On observe généralement une rétention de sodium qui dure plusieurs jours, suivie d'une natriurie. Si le patient devient plus léthargique, confus et qu'il présente des convulsions il souffre peut-être d'un déséquilibre électrolytique.
- Pour dépister les perturbations endocriniennes, on doit obtenir des mesures des électrolytes sériques et de la glycémie, en plus de tenir le bilan des ingesta et des excreta.
- On doit procéder régulièrement à des recherches des corps cétoniques dans les urines.
- L'infirmière pèse le patient tous les jours, surtout si celui-ci présente des lésions hypothalamiques et si on craint l'apparition d'un diabète insipide.

▷ ***Amélioration de l'état nutritionnel.*** Les traumatismes crâniens entraînent une perturbation du métabolisme qui accroît la dépense énergétique et l'excrétion d'azote. L'administration de corticostéroïdes contribue également à l'augmentation du catabolisme. Dès que l'état du patient s'est stabilisé, on commence l'alimentation par sonde nasogastrique, à moins que le patient n'ait un écoulement nasal de liquide céphalorachidien (*rhinorrhée céphalorachidienne*).

Pour diminuer les risques de vomissements et de diarrhée, il vaut mieux alimenter le patient plus souvent mais en petites quantités. Pour prévenir la distension gastrique, la régurgitation et l'aspiration accidentelle, on peut monter la tête du lit et vider la sonde par aspiration (pour vérifier s'il reste de la nourriture dans l'estomac) avant de nourrir le patient. On peut aussi utiliser une pompe à perfusion pour régulariser le débit de l'alimentation. Les principes de l'alimentation nasogastrique sont décrits au chapitre 26. On doit habituellement poursuivre l'alimentation par sonde jusqu'à ce que le patient ait recouvré son réflexe de déglutition.

▷ ***Prévention des blessures.*** Quand le patient commence à reprendre conscience, il passe d'abord par une période de léthargie et de stupeur, puis par une période d'agitation. Ces stades varient selon la personne, la profondeur et la durée du coma, ainsi que l'âge. L'agitation peut augmenter progressivement vers la fin de la journée. Elle peut être due à l'hypoxie, à la fièvre, à la douleur ou à un globe vésical. Elle peut témoigner de lésions cérébrales, mais elle peut également indiquer que le patient reprend conscience. (Une certaine agitation est même bénéfique puisqu'elle fait bouger les poumons et les membres.) Le patient peut aussi être agité parce qu'il est dérangé par la sonde vésicale à demeure, par les lignes intraveineuses, par les dispositifs de contention et par les nombreux examens neurologiques.

- L'infirmière examine le patient pour s'assurer qu'il respire bien et que sa vessie n'est pas distendue. Elle doit également s'assurer que les pansements et les plâtres ne sont pas trop serrés.
- Pour empêcher le patient de se blesser et de déplacer les tubes auxquels il est branché, il faut coussiner les ridelles. L'infirmière doit éviter dans toute la mesure du possible d'utiliser des dispositifs de contention car le patient peut, en voulant se dégager, augmenter sa pression intracrânienne ou se blesser.
- On ne doit pas administrer des narcotiques dans le but de réduire l'agitation, car les narcotiques dépriment la respiration, entraînent une contraction des pupilles et affaiblissent la réactivité.
- Il est important de réduire au minimum les stimuli ambiants; l'infirmière doit donc préserver la tranquillité dans la chambre du patient, limiter les visites, parler calmement et orienter souvent le patient (en lui disant par exemple où il est et ce qui se passe).
- On peut prévenir les hallucinations visuelles par un éclairage adéquat.
- Le personnel soignant ne doit pas perturber le rythme veille-sommeil du patient.
- L'infirmière doit lubrifier la peau du patient avec de l'huile ou une lotion émolliente pour prévenir les irritations cutanées causées par le frottement contre les draps.
- Le patient de sexe masculin qui souffre d'incontinence peut utiliser un condom Texas (étui pénien). Étant donné que l'utilisation prolongée d'une sonde à demeure entraîne inévitablement une infection, on doit établir un horaire de sondage vésical intermittent.

▷ ***Amélioration des fonctions cognitives.*** Grâce au perfectionnement des techniques de réanimation et des interventions de soutien ou de soulagement, il est possible aujourd'hui de sauver beaucoup de patients atteints de lésions cérébrales. Toutefois, bon nombre de ces patients gardent des séquelles mentales importantes qui ne sont pas toujours décelées au cours de la phase aiguë du traumatisme. On peut notamment observer une amnésie, des troubles de la concentration et de l'attention, une altération des opérations de la pensée, de la perception et de la communication, de même que des difficultés de lecture et d'écriture. On estime que la fréquence des troubles psychiatriques à la suite d'un traumatisme crânien est de l'ordre de 25 à 38 %. Les problèmes psychologiques, comportementaux et émotionnels sont dévastateurs autant pour la famille que pour le patient.

En raison de la diversité des problèmes, le traitement exige l'intervention de spécialistes de plusieurs disciplines. Un *neuropsychologue* (spécialiste de l'évaluation et du traitement des troubles cognitifs) doit établir un programme de traitement dans le but d'aider le patient à exploiter toutes ses capacités. Un programme de rééducation cognitive permet au patient de développer de nouvelles façons de résoudre les problèmes. Il s'échelonne sur une longue période et comprend plusieurs volets: utilisation de l'ordinateur, jeux vidéo, stimulation et renforcement sensoriels, modification du comportement et orientation vers la réalité. Au cours de sa rééducation le patient doit recevoir l'aide de spécialistes de différentes disciplines pour favoriser son adaptation et améliorer son comportement.

L'infirmière doit savoir que l'orientation et la mémoire fluctuent chez le patient atteint de lésions cérébrales. Celui-ci présente aussi des troubles de l'attention. L'altération de la fonction corticale lui impose des limites; si on le pousse à les dépasser, il peut présenter des symptômes de fatigue et de stress (céphalées, étourdissements).

▷ ***Enseignement au patient et à la famille.*** À cause des troubles physiques et émotionnels du patient, de l'incertitude du pronostic et de la perturbation de la dynamique familiale, la famille doit faire face à un stress considérable. Il est souvent difficile pour les membres de la famille de s'adapter aux changements de tempérament, de comportement et de personnalité du patient. Ces changements peuvent désunir la famille, diminuer le temps accordé aux loisirs et réduire la capacité de travail. La personne qui s'occupe du patient peut négliger ses activités sociales et se sentir prisonnière. Les membres de la famille peuvent éprouver de façon intermittente des sentiments comme la colère, le chagrin, la culpabilité et le déni.

L'infirmière doit demander à la famille d'expliquer en quoi le patient est différent de ce qu'il était auparavant. Quelles capacités a-t-il perdues? Quel est l'aspect le plus difficile à surmonter dans la situation du patient? Pour aider la famille, l'infirmière doit donner des renseignements clairs et précis et encourager les membres de la famille à se fixer des objectifs bien définis et réalisables à court terme. Le counseling familial peut aussi les aider à surmonter leurs sentiments de perte et d'impuissance et à apprendre comment réagir aux comportements inadaptés. Il existe également des groupes de soutien qui permettent au patient et aux membres de sa famille des échanges avec d'autres personnes dans la même situation. Les groupes de soutien donnent aussi de l'information.

L'Association québécoise des traumatisés crâniens (AQTC) est un organisme qui informe et aide les patients qui ont subi un traumatisme crânien et leur famille. Elle organise des soirées d'information et offre de la documentation sur des sujets comme le coma, la réadaptation, les troubles de comportement causés par le traumatisme et les questions d'ordre familial. L'AQTC peut diriger les patients vers les services d'aide appropriés et aider les familles à organiser des groupes de soutien locaux.

L'infirmière doit encourager le patient à poursuivre ses activités de réadaptation une fois de retour à la maison, car son état peut continuer de s'améliorer pendant les trois années (et même plus) qui suivent l'accident. Les maux de tête sont fréquents après un traumatisme mais tendent à diminuer avec le temps. Pour atténuer les maux de tête, le patient peut utiliser un deuxième oreiller ou un coussin pour le dos durant la nuit.

Étant donné que les crises épileptiques sont fréquentes après un traumatisme crânien, le patient doit parfois prendre des anticonvulsivants pendant un an ou deux. L'infirmière encourage le patient à reprendre graduellement ses activités.

▷ *Évaluation*

Résultats escomptés

1. Le patient maintient la liberté de ses voies respiratoires et a une respiration et une oxygénation efficaces.
   a) Les gaz du sang artériel sont normaux.
   b) Les bruits respiratoires sont normaux à l'auscultation.
   c) Le patient mobilise et évacue ses sécrétions.
2. Le patient rétablit son équilibre hydroélectrolytique.
   a) Les électrolytes sériques sont dans les limites de la normale.
   b) Il ne présente aucun signe de déshydratation ou d'hyperhydratation.
3. Le patient recouvre un bon état nutritionnel.
   a) Le résidu gastrique aspiré avant chaque repas est inférieur à 50 mL.
   b) Il ne souffre pas de distension gastrique ou de vomissements.
   c) Ses pertes pondérales sont faibles.
4. Le patient ne se blesse pas.
   a) Il est de moins en moins nerveux et agité.
   b) Il est capable de s'orienter dans les trois sphères: temps, espace et personnes.
5. Le patient améliore ses facultés cognitives.
   a) Il présente moins de comportements inadaptés.
   b) Il a une meilleure mémoire.
   c) Les projets dont il parle sont réalistes.
6. Les membres de la famille utilisent des mécanismes d'adaptation efficaces.
   a) Ils connaissent l'existence d'un groupe de soutien et y participent lorsqu'ils en éprouvent le besoin.
   b) Ils se montrent prêts à considérer les aspects problématiques de leur vie familiale.
   c) Ils parlent de ce qu'ils ressentent avec les personnes appropriées.

Résumé: Les conséquences d'un traumatisme crânien varient selon la gravité des lésions. À un extrême se trouvent les traumatismes graves qui menacent la vie du patient, et à l'autre extrême les traumatismes légers qui laissent peu de séquelles. Quand le traumatisme est grave, le patient peut perdre complètement ses fonctions volontaires et involontaires, présenter des déficiences cognitives ou mourir instantanément sur les lieux de l'accident. Quand le traumatisme est moins grave, on peut observer des céphalées persistantes, de l'amnésie et des troubles du sommeil. Le patient qui a subi un traumatisme crânien grave est habituellement soigné dans une unité de soins intensifs et peut ensuite être muté dans une unité spécialisée de réadaptation des traumatisés crâniens. Le patient qui a subi un traumatisme crânien léger est parfois hospitalisé pour une courte période seulement, parfois traité à l'urgence puis renvoyé chez lui.

Pour soigner un patient atteint d'un traumatisme crânien grave, l'infirmière doit savoir faire des évaluations spécialisées et avoir une bonne expérience des soins au patient gravement blessé. Elle doit aussi évaluer les besoins à long terme du patient et ses besoins en matière de réadaptation pour établir ses soins en conséquence. Enfin, étant donné qu'un traumatisme crânien grave entraîne habituellement une situation de crise au sein de la famille, l'infirmière doit également offrir du soutien aux membres de la famille.

Quand elle soigne un patient ayant subi un traumatisme crânien de léger à moyennement grave, l'infirmière doit être à l'affût des symptômes insidieux et les faire connaître au patient et à sa famille pour qu'ils puissent prendre les mesures nécessaires s'ils se manifestent après le retour du patient à la maison.

TRAUMATISME DE LA MOELLE ÉPINIÈRE

Les traumatismes de la moelle épinière sont un problème de santé important. Ils touchent entre 150 000 à 500 000 personnes en Amérique du Nord. Ils font chaque année 10 000 nouvelles victimes, dont la moitié dans des accidents de la route. Les autres causes sont les chutes, les accidents du travail, les accidents de sport et les blessures par balles. Les deux tiers des victimes sont âgées de 30 ans et moins. Les traumatismes de la moelle épinière coûtent chaque année plus de deux milliards de dollars. Ils s'accompagnent très souvent de diverses blessures et complications médicales. Les vertèbres les plus souvent touchées sont les 5e, 6e et 7e vertèbres cervicales (cou), la 12e vertèbre dorsale (ou thoracique) et la 1re vertèbre lombaire, parce qu'elles sont situées aux endroits les plus mobiles de la colonne vertébrale.

Prévention. Les mesures suivantes peuvent aider à prévenir le traumatisme de la moelle épinière: (1) la réduction des limites de vitesse sur les routes; (2) l'utilisation des ceintures de sécurité dans les voitures; (3) le port du casque par les cyclistes et les motocyclistes; (4) les campagnes de sensibilisation contre la conduite en état d'ébriété; (5) l'enseignement des mesures de sécurité dans l'eau ou à bord d'une embarcation; (6) la prévention des chutes; (7) l'utilisation d'accessoires de protection dans la pratique des sports et le recours à de bonnes méthodes d'entraînement. Au cours de la formation du personnel ambulancier, on insiste sur l'importance de savoir comment sortir un blessé d'une voiture accidentée et comment le transporter au service des urgences d'un centre hospitalier de façon à ne pas aggraver ou même rendre permanente une lésion de la moelle épinière.

Pathogenèse. Les lésions de la moelle épinière vont de la simple commotion transitoire (totalement réversible) à la section complète de la moelle (causant une paralysie), en passant par la contusion, la dilacération et la compression des tissus médullaires (forme simple ou mixte). Quand une hémorragie se produit dans la région de la moelle épinière, du sang peut se déverser dans l'espace extradural, sous-dural ou sous-arachnoïdien du canal rachidien. Immédiatement après une contusion ou une dilacération, on observe un œdème et une désintégration des fibres nerveuses. L'irrigation sanguine de la substance grise de la moelle épinière diminue. Non seulement le système vasculaire est-il atteint, mais il semble y avoir déclenchement d'un processus pathogène responsable de l'aggravation progressive de la lésion après la disparition des effets du trauma. En effet, une série de phénomènes secondaires entraînent une ischémie, une hypoxie, un œdème et des lésions hémorragiques qui, à leur tour, provoquent la désintégration de la myéline et des axones.

On croit que ce sont principalement ces réactions secondaires qui causent la dégénérescence de la moelle épinière au niveau de la vertèbre lésée. On pense même que ce processus serait réversible dans les quatre à six heures suivant l'accident. Par conséquent, dans les cas de lésion réversible, il faut recourir *au cours des heures* qui suivent l'accident à un traitement visant à prévenir la dégénérescence de la moelle. Plusieurs médicaments sont présentement à l'essai: le dexaméthasone et le mannitol pour leur action anti-inflammatoire, et le dextran pour empêcher une chute de la pression artérielle et pour améliorer la circulation capillaire. La naloxone, une substance qui a donné des résultats prometteurs dans le traitement des lésions de la moelle épinière chez les animaux de laboratoire, entraîne peu d'effets secondaires et pourrait améliorer l'état neurologique chez les humains. On étudie également l'efficacité des techniques de refroidissement ou des perfusions hypothermiques dans la région de la lésion. Enfin, il a été démontré que l'administration de fortes doses de stéroïdes le plus rapidement possible après l'accident améliore le pronostic et réduit l'invalidité.

Traitement d'urgence

La prise en charge initiale du patient sur les lieux de l'accident joue un rôle primordial, car de mauvaises manœuvres peuvent aggraver les lésions et les déficiences neurologiques. Quand une personne est blessée dans un accident de la route, lors de la pratique d'un sport, lors d'une chute, etc. on présume toujours l'existence d'une lésion médullaire jusqu'à preuve du contraire.

- Sur les lieux de l'accident, il faut immobiliser la victime sur une planche de bois, la tête et le cou en position neutre, afin d'empêcher l'aggravation des lésions.
- Un des membres du personnel ambulancier doit s'occuper d'empêcher la flexion, la rotation ou l'extension de la tête. Il place ses mains de chaque côté de la tête de la victime, à la hauteur des oreilles, pour immobiliser le cou pendant l'installation sur la planche de bois et la pose du collet cervical.
- Il faut au moins quatre personnes pour faire glisser très délicatement le patient sur la planche qui servira à le transporter jusqu'au centre hospitalier. On doit absolument éviter les mouvements de torsion, car un fragment de vertèbre peut alors bouger et entailler, écraser ou sectionner complètement la moelle, ce qui causerait des lésions irréversibles.

Il est préférable de conduire le patient dans un centre de traumatologie, car on y dispose du personnel et des services de soutien multidisciplinaires nécessaires pour interrompre le processus de destruction qui s'enclenche peu après l'accident.

Transfert du patient. Au service des urgences et de radiologie, on doit garder le patient sur la planche. Le transfert du patient de la planche à un lit est une tâche infirmière difficile.

- Il faut en tout temps maintenir le corps du patient en extension. On doit interdire au patient de s'asseoir.

Quand on décide de transférer le patient sur un lit, il faut utiliser un cadre de Stryker. Plus tard, si les radiographies démontrent qu'il n'y a pas de lésion de la moelle épinière, on peut transférer le patient sans risque sur un lit conventionnel. L'inverse ne s'applique pas cependant. S'il est impossible d'utiliser un cadre de Stryker, on doit installer le patient sur un matelas ferme posé sur une planche de lit. Voici comment transférer le patient de la planche au cadre de Stryker:

- Déposer la planche sur laquelle le patient repose sur la partie postérieure du cadre de Stryker.
- Détacher les sangles qui retiennent le patient, sauf celle qui serre la tête.
- Placer une couverture roulée entre les jambes du patient.
- Déposer la partie antérieure du cadre de Stryker sur le patient et la fixer.
- Tourner le cadre de Stryker de façon à faire passer le patient en décubitus ventral.
- Détacher les sangles et retirer la partie postérieure. Retirer avec précaution la sangle de tête. Retirer la planche.

Manifestations cliniques

Quand le patient est conscient, il se plaint habituellement d'une douleur aiguë dans le dos ou le cou qui irradie parfois le long du nerf touché. Souvent, le patient exprime sa crainte d'avoir le cou ou le dos cassé. *Les conséquences d'une lésion de la moelle épinière dépendent du niveau de la lésion* (figure 59-12). Le *niveau de la lésion* est le niveau inférieur en amont duquel les fonctions sensorielles et motrices sont normales. Il se produit une paralysie et une anesthésie complètes sous le niveau de la lésion, des troubles vésicaux et intestinaux (le plus souvent accompagnés d'une rétention urinaire et d'une distension vésicale), une perte de la transpiration et du tonus vasomoteur sous le niveau de la lésion, ainsi qu'une forte diminution de la pression artérielle à cause de la perte de la résistance vasculaire.

Le patient peut aussi souffrir de troubles respiratoires. La gravité de ces troubles dépend du niveau de la lésion. Les muscles qui interviennent dans la respiration sont les muscles abdominaux, les muscles intercostaux (D_1-D_{11}) et le diaphragme. Dans les cas de lésion cervicale haute (C_2,C_3,C_4), l'insuffisance respiratoire aiguë est la principale cause de décès.

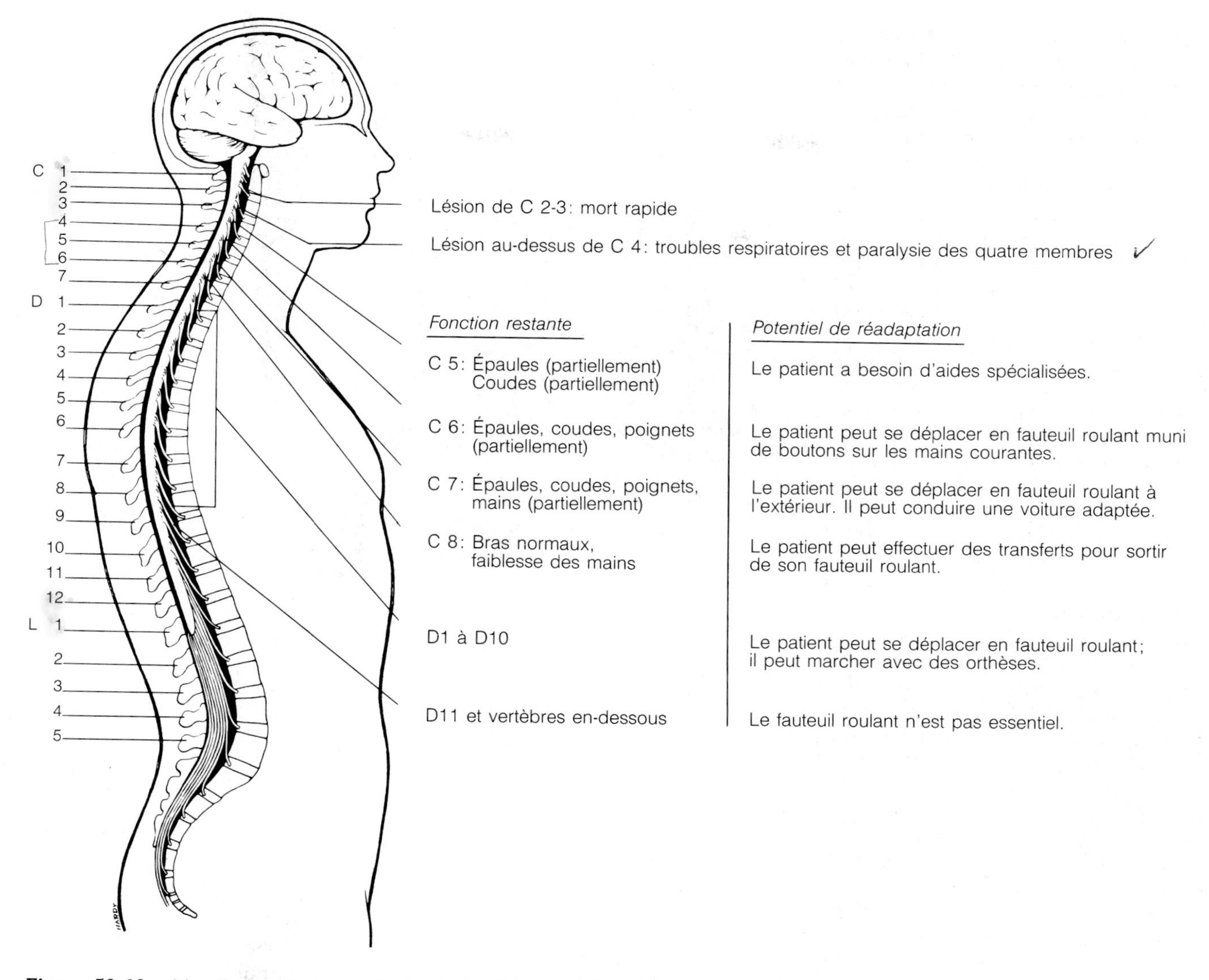

Figure 59-12. Séquelles des lésions de la moelle épinière et problèmes de réadaptation. (La numérotation située à gauche de l'illustration se rapporte aux vertèbres, alors que celle de droite correspond aux nerfs rachidiens.)

Examens diagnostiques

Il faut tout d'abord effectuer un examen neurologique approfondi. On procède ensuite à des examens radiologiques (radiographies de profil de la colonne cervicale et tomodensitométrie), puis on vérifie si le patient présente d'autres blessures, car les traumatismes de la moelle épinière s'accompagnent souvent de blessures multiples (particulièrement à la tête et au thorax). L'électrocardiographie continue est parfois indiquée, car les lésions cervicales aiguës entraînent fréquemment de la *bradycardie* (ralentissement de la fréquence cardiaque) et une *asystole* (arrêt des contractions du cœur).

Traitement des lésions de la colonne cervicale (phase aiguë)

Le traitement vise à prévenir l'aggravation des lésions médullaires et à détecter les symptômes de déficiences neurologiques évolutives.

Il faut réanimer le patient selon les besoins et maintenir l'oxygénation et la stabilité du système cardiovasculaire. On administre parfois de fortes doses de stéroïdes (méthyl prednisone) pour réprimer l'œdème, ce qui, selon des études récentes, atténuerait l'étendue et les séquelles des lésions médullaires. L'administration des stéroïdes doit commencer dans les huit heures après l'accident et se poursuivre pendant 24 heures en perfusion continue. Il faut aussi administrer de l'oxygène pour éviter une baisse de la PaO_2, car l'anoxémie peut causer ou aggraver la déficience neurologique. Si une intubation endotrachéale est nécessaire, il faut éviter la flexion ou l'extension du cou pendant la mise en place de la sonde. S'il s'agit d'une lésion cervicale haute, on peut envisager l'*électro-entraînement diaphragmatique* (stimulation électrique du nerf phrénique); toutefois, on utilise habituellement cette forme de stimulation une fois la phase aiguë passée.

Le traitement des lésions cervicales comprend l'*immobilisation*, la *réduction* de la luxation (rétablissement de la position normale) et la *stabilisation* de la colonne vertébrale. Pour réduire la fracture et maintenir l'alignement de la colonne cervicale, on a recours à la traction cervicale. Pour ce faire, on utilise des pinces ou un étrier à traction ou un halo crânien

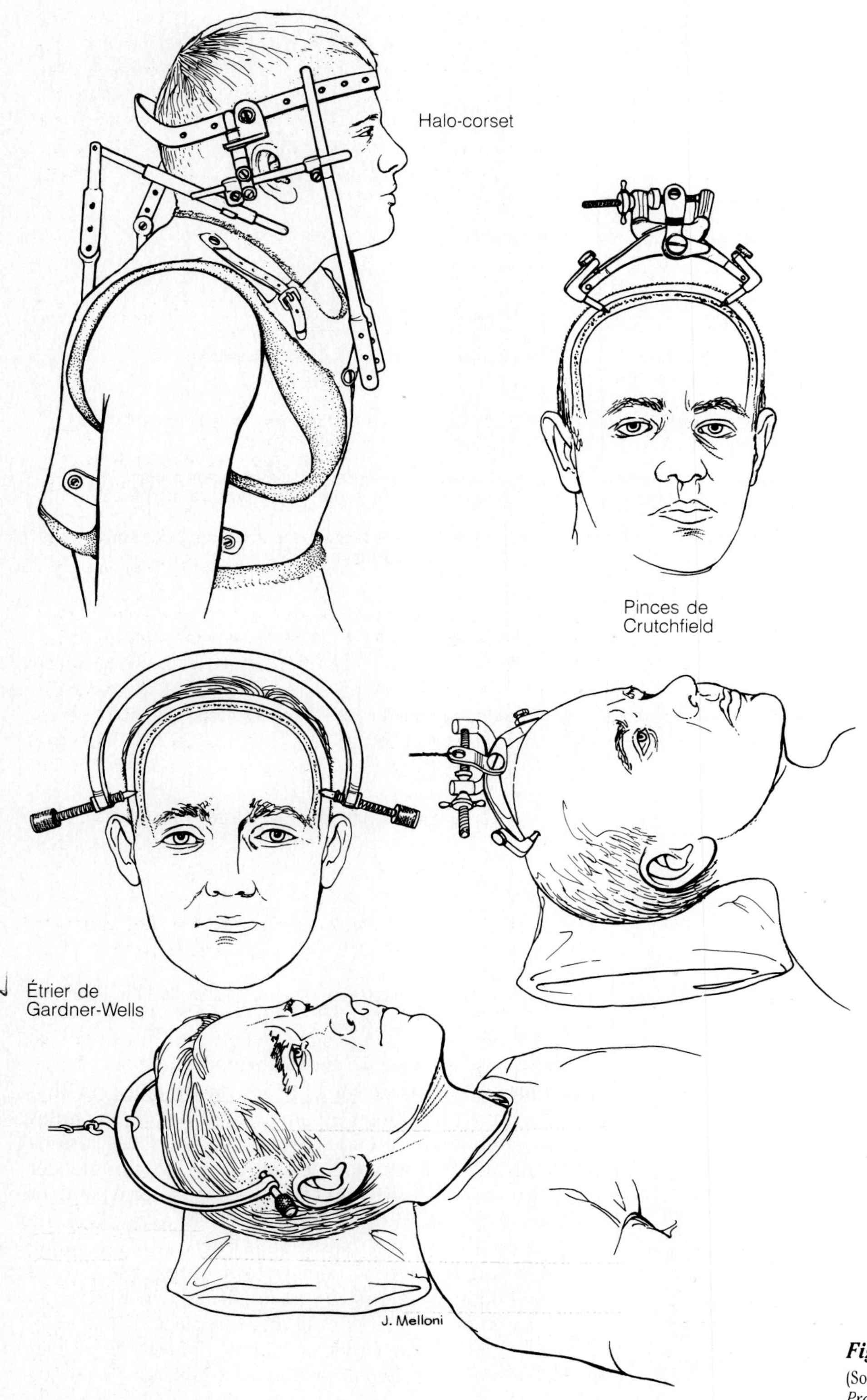

Figure 59-13. Techniques de traction cervicale (Source : D. S. Suddarth, *The Lippincott Manual of Nursing Practice*. 5e éd., Philadelphia, J. B. Lippincott, 1991)

avec corset (figure 59-13). Il existe plusieurs sortes d'étriers, qui doivent tous être fixés dans le crâne. Les étriers de Gardner-Wells se vissent dans le crâne et les pinces de Crutchfield et de Vinke doivent être introduites par des trous de trépan pratiqués sous anesthésie locale.

L'élongation par traction se fait à l'aide de poids. La traction appliquée dépend de la taille du patient et de l'ampleur de la luxation. La traction est exercée dans l'axe longitudinal des corps vertébraux, le cou du patient étant en position neutre. On augmente ensuite graduellement la force de traction en ajoutant des poids. À mesure qu'on accroît la force de traction, l'espace entre les disques intervertébraux s'élargit et les vertèbres reprennent leur place. Habituellement, la fracture est réduite quand la colonne a retrouvé son alignement normal. Quand l'examen neurologique et les radiographies de la colonne cervicale montrent que les vertèbres ont repris leur position, on enlève graduellement les poids jusqu'à l'obtention d'une force de traction suffisante pour maintenir l'alignement. Les poids doivent pendre librement de façon à ne pas entraver la traction. On installe alors le patient sur un cadre de Stryker. (Voir la page 1966 pour savoir comment transférer le patient sur un cadre de Stryker.)

On peut aussi utiliser un halo crânien pour l'élongation vertébrale initiale, de même qu'après l'élongation au moyen d'un étrier. Le halo est une sorte d'auréole en acier inoxydable que l'on fixe au crâne à l'aide de quatre broches et qui est rattaché à un corset amovible portant des poids dans toute sa largeur autour du thorax. Le halo est relié au corset. Il immobilise la colonne cervicale tout en permettant le lever précoce du patient.

Intervention chirurgicale. Quand les déformations ne peuvent pas être réduites par traction, que la colonne cervicale est très instable, ou que l'état neurologique du patient se détériore, on pratique une intervention chirurgicale pour réduire la fracture ou la luxation ou pour décomprimer la moelle épinière.

La *laminectomie* (excision des arcs postérieurs et des apophyses épineuses d'une vertèbre) est indiquée dans certains cas: déficience neurologique évolutive, présence d'un hématome épidural, plaie par pénétration exigeant un débridement chirurgical, ou exploration directe de la moelle épinière. (Les soins à donner au patient ayant subi une laminectomie sont décrits plus loin.)

Traitement du choc neurogénique

Le choc neurogénique se manifeste par une abolition soudaine de l'activité réflexe de la moelle épinière (aréflexie) en aval de la lésion. Par conséquent, les muscles innervés par la partie du segment médullaire située sous le niveau de la lésion deviennent complètement paralysés et flasques, et les réflexes sont abolis. La pression artérielle chute, et les régions sous-lésionnelles du corps sont paralysées et anesthésiées. Quand la lésion touche la moelle des vertèbres cervicales ou des premières vertèbres dorsales, l'innervation des principaux muscles de la musculature respiratoire accessoire est abolie. Le patient présente alors des troubles respiratoires: diminution de la capacité vitale, rétention des sécrétions, augmentation de la PCO_2, diminution de la PO_2, insuffisance respiratoire et œdème pulmonaire. Les réflexes qui déclenchent le fonctionnement de la vessie et des intestins sont également touchés. (Voir le chapitre 36 pour le traitement du patient souffrant d'une vessie neurogène, c'est-à-dire d'un trouble vésical causé par une lésion du système nerveux central.) La distension intestinale et l'iléus paralytique causés par la dépression des réflexes peuvent être traités par décompression intestinale. Par ailleurs, comme il y a absence de transpiration dans les régions paralysées à cause de l'atteinte du système nerveux sympathique, il faut surveiller le patient de près pour déceler les premiers signes d'une fièvre soudaine. (Voir le chapitre 58 pour le traitement de l'hyperthermie.)

- Il faut assurer le maintien des défenses de l'organisme du patient jusqu'à ce que le choc neurogénique s'atténue et que l'organisme soit remis du traumatisme (de trois à six semaines). On doit également accorder une attention particulière à la fonction respiratoire. Dans certains cas, la pression intrathoracique est trop faible pour permettre une toux efficace. On doit alors avoir recours à la physiothérapie respiratoire pour aider le patient à évacuer ses sécrétions pulmonaires.

Démarche de soins infirmiers

Patients ayant subi un traumatisme de la moelle épinière

Collecte des données

L'infirmière observe le rythme respiratoire, évalue la force avec laquelle le patient tousse et ausculte les poumons, car la paralysie des muscles abdominaux et respiratoires affaiblit la toux et diminue la capacité d'évacuer les sécrétions bronchiques et pharyngiennes. La ventilation aussi est touchée par cette paralysie, car les mouvements de la cage thoracique sont restreints.

L'infirmière doit surveiller continuellement le patient pour détecter les signes d'altération motrice ou sensorielle et les symptômes d'atteinte neurologique évolutive. Dans les heures qui suivent le traumatisme, il est parfois impossible de savoir s'il y a section complète de la moelle épinière, car on observe souvent un œdème médullaire. Or, les symptômes de l'œdème médullaire sont semblables à ceux de la section complète de la moelle.

L'infirmière évalue les fonctions motrices et sensorielles par un examen neurologique minutieux. Elle obtient ainsi des données de base pour comparaison ultérieure.

- Pour évaluer la fonction motrice, l'infirmière demande au patient d'écarter les doigts, de lui serrer la main et de bouger les orteils ou les pieds.
- Pour évaluer la fonction sensorielle, elle pince la peau ou la pique avec un objet pointu, depuis les épaules en descendant vers les membres des deux côtés. Elle demande au patient d'indiquer s'il sent l'objet pointu.
- L'infirmière doit signaler immédiatement la moindre déficience neurologique.

Il faut également vérifier si le patient présente un choc neurogénique entraînant l'abolition totale de tous les réflexes et de toutes les fonctions motrices, sensorielles et végétatives en aval de la lésion. Le choc neurogénique se manifeste par une distension vésicale due à la paralysie de la vessie. L'infirmière doit donc palper la région de la vessie pour dépister les signes de rétention urinaire. Elle recherche aussi les signes de dilatation de l'estomac et d'iléus causés par l'atonie intestinale qui apparaît lorsque les fonctions végétatives sont atteintes.

Enfin, elle surveille la température du patient car l'altération de la thermorégulation, causée par l'atteinte du système nerveux autonome, peut entraîner des poussées de fièvre.

Dépistage des complications En plus de surveiller les signes de complications respiratoires (insuffisance respiratoire, pneumonie) et d'*hyperréflectivité autonome* (céphalée pulsatile, sueurs abondantes, congestion nasale, horripilation [chair de poule], bradycardie et hypertension), l'infirmière doit examiner régulièrement la peau à la recherche de signes d'ulcères de décubitus. Elle doit aussi être à l'affût des signes d'infection (infection des voies urinaires, des voies respiratoires ou des points d'insertion des tiges).

La thrombose veineuse profonde et l'embolie pulmonaire sont des complications courantes chez le patient immobilisé. Sur le plan clinique, l'embolie pulmonaire se manifeste par une douleur thoracique pleurétique, de l'anxiété, un essoufflement et une altération des gaz du sang artériel. L'infirmière doit mesurer la circonférence des cuisses et des mollets du patient tous les jours pour détecter une thrombose veineuse profonde. Si elle constate une augmentation considérable de la circonférence d'un membre, elle le signale promptement au médecin traitant. Une phlébographie peut confirmer l'existence d'une thrombose veineuse profonde.

▷ *Analyse et interprétation des données*

Selon les données recueillies, voici les principaux diagnostics infirmiers possibles:

- Mode de respiration inefficace relié à la faiblesse ou à la paralysie des muscles abdominaux et intercostaux et à l'incapacité d'évacuer les sécrétions
- Altération de la mobilité physique reliée à l'atteinte des fonctions motrices et sensorielles
- Risque élevé d'atteinte à l'intégrité de la peau relié à l'immobilité et à une déficience sensorielle
- Rétention urinaire reliée à l'incapacité d'uriner spontanément
- Constipation reliée à l'atonie intestinale causée par l'atteinte des fonctions végétatives
- Douleurs et malaises reliés au traitement et à l'immobilité prolongée

▷ *Planification et exécution*

▷ ***Objectifs de soins:*** Amélioration du mode de respiration; amélioration de la mobilité; préservation de l'intégrité de la peau; soulagement de la rétention urinaire; amélioration de la fonction intestinale; amélioration du bien-être

▷ *Interventions infirmières*

▷ ***Amélioration du mode de respiration.*** Pour détecter les tout premiers signes d'insuffisance respiratoire, l'infirmière surveille le patient, évalue la capacité vitale et vérifie les résultats des mesures des gaz artériels. Pour éviter la rétention des sécrétions bronchiques et pharyngiennes et prévenir l'atélectasie qui peut en résulter, l'infirmière doit s'assurer rapidement et assidûment de l'évacuation des sécrétions. Si elle utilise un appareil d'aspiration, elle doit faire preuve d'une grande prudence pour éviter de stimuler le nerf vague et de provoquer ainsi une bradycardie susceptible de causer un arrêt cardiaque. Quand le patient est incapable de tousser efficacement parce que son volume inspiratoire a diminué et que sa pression expiratoire est insuffisante, la physiothérapie respiratoire peut être indiquée. L'infirmière doit alors superviser les exercices de respiration destinés à accroître la force et l'endurance des muscles inspiratoires et tout particulièrement du muscle diaphragmatique. Pour éviter que les sécrétions ne s'épaississent et ne deviennent difficiles à expectorer, l'infirmière doit également s'assurer que le taux d'humidité ambiant est adéquat et que le patient est bien hydraté. Elle examine le patient pour dépister les signes d'infection respiratoire (toux, fièvre et dyspnée). Enfin, elle doit recommander au patient de ne pas fumer car la fumée de cigarette augmente les sécrétions bronchiques et pulmonaires et altère les cils vibratiles.

▷ ***Amélioration de la mobilité.*** Il faut s'assurer que le corps du patient est toujours bien aligné. Voici comment installer le patient en décubitus dorsal ou ventral:

- Placer les pieds du patient contre un appui-pieds coussiné pour prévenir le pied tombant. Laisser un espace entre le bout du matelas et l'appui-pieds pour que les talons ne reposent pas sur le matelas. On peut insérer un bloc de bois pour empêcher le matelas de pousser l'appui-pieds.
- Pour prévenir la rotation externe de l'articulation de la hanche, l'infirmière place un rouleau trochantérien depuis la crête iliaque jusqu'à la mi-cuisse.

Les lésions situées plus haut que les vertèbres dorsales entraînent une altération de la régulation de la vasoconstriction périphérique, qui fait partie des fonctions neurovégétatives. Cette altération entraîne de l'hypotension. Comme le patient risque alors de mal tolérer les changements de position, il faut surveiller sa pression artérielle quand on le mobilise. Habituellement, l'infirmière retourne le patient toutes les deux heures. Il ne faut pas retourner le patient qui n'est pas sur un cadre de Stryker si le médecin n'en a pas donné l'autorisation. Voir l'encadré 59-4 pour une description de la façon de retourner un patient qui n'est pas sur un cadre de Stryker.

L'immobilité et la paralysie musculaire entraînent rapidement des contractures et une atrophie des membres. Pour éviter ces complications, le médecin peut recommander au patient des exercices passifs des orteils, des métatarses, des chevilles, des genoux et des hanches 48 à 72 heures après l'accident. Ces exercices aident à préserver la mobilité articulaire et à stimuler la circulation. Ils doivent être pratiqués au moins quatre fois par jour, et préférablement cinq. Ils peuvent prévenir beaucoup de complications.

▷ ***Préservation de l'intégrité de la peau.*** Parce qu'il est immobilisé et insensible, le patient est sujet aux escarres de décubitus qui peuvent mettre sa vie en danger. Dans certaines régions du corps, particulièrement autour des points d'appui, il se produit une ischémie tissulaire locale due à la compression des saillies osseuses et à cause de l'insuffisance de la circulation périphérique causée par la lésion de la moelle et la position couchée. Les escarres de décubitus peuvent se former en six heures seulement. Les régions les plus souvent touchées sont celles qui recouvrent la tubérosité ischiatique, le grand trochanter et le sacrum.

- L'infirmière doit changer le patient de position toutes les deux heures. Les changements de position aident à prévenir non seulement les escarres de décubitus mais aussi l'accumulation de sang et de liquide interstitiel dans les régions déclives.
- Chaque fois qu'elle retourne le patient, l'infirmière inspecte soigneusement la peau dans les régions des points d'appui pour déceler les rougeurs ou les ruptures de l'épiderme. Elle vérifie

Encadré 59-4
Méthode pour retourner un patient qui porte un étrier de Crutchfield

Quand un patient porte un étrier de Crutchfield et n'est pas sur un cadre de Stryker, on doit obtenir des directives du médecin avant de le retourner. La tête du patient ne doit *jamais fléchir* vers l'avant ou sur le côté; elle doit toujours être maintenue dans l'axe de la colonne cervicale.

Méthode pour retourner le patient

- Trois personnes sont nécessaires. On le fait rouler sur lui-même en un seul bloc en s'assurant que les épaules tournent en même temps que la tête et le cou. Une personne soutient la tête du patient, une deuxième lui soutient les épaules, et une troisième, les hanches et les jambes.
- C'est la personne qui retient la tête qui doit donner le signal de retourner.
- On place un oreiller entre les jambes du patient pour ne pas que la jambe du dessus tombe vers l'avant et fasse bouger la tête.
- On place un autre oreiller sur la poitrine du patient, dans le sens longitudinal, et on place le bras du dessus sur l'oreiller, ce qui empêchera l'épaule de s'affaisser et d'exercer une traction sur le cou au moment du changement de position.
- Lorsqu'on tourne le patient en un seul bloc, il faut soutenir l'étrier délicatement pour qu'il reste bien parallèle à la colonne cervicale. On doit ensuite corriger la position du patient de façon que la tête, la colonne cervicale et l'étrier soient bien alignés.
- On continue de soutenir la tête en position latérale et on glisse dessous un petit oreiller pour maintenir l'alignement du cou.

également si le patient est souillé et si la sonde fonctionne bien. Elle s'assure que l'alignement général du corps est correct et que le patient est à l'aise.

- Régulièrement, l'infirmière lave la peau du patient avec un savon doux, la rince bien et l'assèche par tapotement. Elle applique une crème ou une lotion douce pour lubrifier et assouplir la peau des régions sensibles. Les massages doivent être effectués en douceur et selon des mouvements circulaires.
- Le patient doit savoir que les escarres de décubitus présentent un danger et accepter d'en assumer la prévention. (Voir le chapitre 42 pour les mesures de prévention des escarres de décubitus.)

▷ *Soulagement de la rétention urinaire.* Tout de suite après un traumatisme de la moelle épinière, la vessie devient atone et ne peut plus se contracter par activité réflexe. La rétention urinaire est le premier effet d'une lésion de la moelle épinière. Étant donné que le patient ne peut pas sentir que sa vessie est pleine, la vessie et le muscle détrusor peuvent se distendre et entraver le rétablissement de la fonction vésicale.

Pour éviter la distension vésicale et l'infection urinaire, on a recours au cathétérisme vésical intermittent. Si le cathétérisme intermittent est impossible, on insère une sonde à demeure. Dès que possible, l'infirmière enseigne aux membres de la famille comment effectuer le cathétérisme et les encourage à participer à cet aspect des soins. La participation active des proches est importante, car ce sont eux qui devront assumer les soins à long terme et surveiller les signes de complications.

Le patient doit apprendre à noter par écrit son apport liquidien, ses habitudes de miction, le volume d'urine résiduelle, les caractéristiques des urines, et les symptômes inhabituels. Le traitement relatif à la vessie neurogène est décrit en détail au chapitre 36.

▷ *Amélioration de la fonction intestinale.* Immédiatement après un traumatisme de la moelle épinière, le patient présente généralement un iléus paralytique dû à une paralysie neurogène de l'intestin. L'infirmière doit vérifier comment le patient réagit à l'intubation gastrique, qui est prescrite pour soulager la distension gastrique et prévenir l'aspiration accidentelle.

Habituellement, l'activité intestinale se rétablit au cours de la première semaine. Dès qu'on peut percevoir des bruits intestinaux à l'auscultation, on donne au patient une alimentation riche en énergie, en fibre et en protéines. La quantité de nourriture est graduellement augmentée. L'infirmière administre le laxatif émollient prescrit pour contrecarrer les effets de l'immobilité et des analgésiques. Le patient doit entreprendre une rééducation intestinale aussitôt que possible (voir le chapitre 42).

▷ *Augmentation du bien-être.* Si le patient porte un étrier, l'infirmière examine le crâne pour déceler les signes d'infection (la présence d'un écoulement autour des tiges par exemple). Elle doit aussi examiner régulièrement la région postérieure de la tête à la recherche de signes de compression. De temps à autre, elle masse cette région en prenant soin de ne pas bouger le cou du patient. Le rasage des cheveux dans la zone d'insertion des tiges facilite les examens. L'infirmière doit éviter de soulever les croûtes.

▷ *Traction par halo crânien.* Au cours des jours suivant la pose du halo, le patient peut présenter de légères céphalées ou un malaise dans la région où les broches sont insérées. Au début, évidemment, le patient n'aimera pas se voir avec cette armature pour le moins bizarre sur la tête, mais il s'adaptera assez rapidement car le halo soulage l'instabilité du cou. Certains patients se sentent prisonniers et n'aiment pas le bruit qu'ils entendent quand quelque chose entre en contact avec le métal. L'infirmière doit les rassurer et leur dire qu'ils finiront par s'adapter à ces inconvénients.

L'infirmière nettoie tous les jours la région cutanée qui entoure les broches du halo et vérifie s'il y a des rougeurs, un écoulement ou une sensibilité. Elle doit aussi s'assurer que les broches sont bien solides car un relâchement prédispose à l'infection. Si l'une des broches se détache, il faut stabiliser la tête du patient en position neutre et demander à une autre personne de prévenir le neurochirurgien.

L'infirmière inspecte aussi la peau qui se trouve sous le halo-corset pour vérifier s'il y a sudation ou présence de rougeurs ou d'ampoules, surtout sur les saillies osseuses. Pour laver le torse du patient, l'infirmière ouvre les côtés du corset. Il ne faut pas mouiller la doublure du corset, car l'humidité peut provoquer des problèmes cutanés. Il ne faut pas non plus mettre de la poudre sur la peau du torse car la poudre favorise la formation d'escarres de décubitus.

▷ *Marche.* Si la fracture cervicale n'a pas provoqué une déficience neurologique, on réussit la plupart du temps à rétablir la fonction squelettique en réduisant graduellement la force de traction et en imposant une immobilisation stricte pendant environ 16 semaines. Le patient peut ensuite passer progressivement à la station debout. Pour immobiliser le patient une fois la traction terminée, on se sert d'une attelle cervicale à quatre broches ou d'un collet moulé.

La réadaptation du patient atteint de paraplégie à la suite d'une lésion permanente de la moelle épinière est décrite plus loin.

▷ *Évaluation*

Résultats escomptés

1. Le patient présente de meilleurs échanges gazeux et expectore efficacement ses sécrétions.
   a) Ses bruits respiratoires sont normaux à l'auscultation, sans bruits adventices.
   b) Il dit ne pas présenter d'essoufflement.
   c) Il fait des exercices de respiration profonde toutes les heures.
   d) Il tousse efficacement.
   e) Il se dit capable d'expectorer ses sécrétions pulmonaires.
   f) Il ne présente aucun signe d'infection des voies respiratoires (la température, la fréquence respiratoire et le pouls sont normaux; les bruits respiratoires sont normaux et les expectorations ne sont pas purulentes).
2. Le patient bouge dans les limites de ses capacités.
   a) Il connaît bien l'horaire des changements de position; il le rappelle à l'infirmière.
   b) Il explique l'importance du programme d'exercices.
   c) Il suit le programme d'exercices dans les limites de ses capacités.
3. Le patient préserve l'intégrité de sa peau.
   a) Il ne présente pas de rougeurs cutanées ni de ruptures de l'épiderme.
   b) Sa peau a une élasticité et une turgescence normales.
   c) Il connaît l'importance des soins de la peau et la rappelle à la personne qui le soigne.
   d) Il participe aux soins de sa peau et aux examens selon ses capacités fonctionnelles.
4. Le patient recouvre le fonctionnement de sa vessie.
   a) Il ne présente aucun signe d'infection des voies urinaires (sa température est normale, ses urines sont limpides et de densité normale).
   b) Il boit suffisamment de liquide.
   c) Il surveille lui-même son apport liquidien et ses pertes liquidiennes.
   d) Il participe à un programme de rééducation vésicale selon ses capacités.
5. Le patient recouvre le fonctionnement de ses intestins.
   a) Il dit aller régulièrement à la selle.
   b) Il a un apport suffisant de fibres alimentaires et de liquide.
   c) Il participe à un programme de rééducation intestinale selon ses capacités.
6. Le patient dit ne pas ressentir de douleur ou de malaise.
   a) Il dit ne pas ressentir de douleur ou de malaise dans la région entourant les broches.
   b) Il comprend les raisons de son immobilisation.

Résumé: Le patient atteint d'une lésion de la moelle épinière est sujet à des complications qui touchent à peu près tous les appareils et systèmes de l'organisme. Pour la plupart des patients atteints d'une lésion de la moelle épinière, il est difficile d'accepter l'altération subite de la fonction motrice, des fonctions urinaire et intestinale, de même que des fonctions sexuelles et reproductrices, et la perte partielle et totale de son autonomie. Dans la majorité des cas, le patient est jeune et n'a pas eu l'occasion de développer des stratégies d'adaptation efficaces. Par conséquent, en plus de s'occuper des atteintes physiques, l'infirmière doit aider le patient à faire face aux conséquences psychologiques de la blessure.

Les soins à donner au patient atteint d'une lésion de la moelle épinière relèvent de toutes les disciplines (soins infirmiers, soins médicaux, réadaptation, inhalothérapie, physiothérapie, etc.). L'infirmière est souvent la personne la mieux placée pour coordonner les services de l'équipe de soins et pour agir à titre d'intermédiaire avec les centres de réadaptation et les services de soins à domicile. Dans la majorité des cas, le patient et sa famille ont besoin qu'on les aide à surmonter les conséquences physiques et psychologiques d'une lésion de la moelle épinière. Il est souvent bon de diriger le patient et la famille vers une infirmière spécialiste en psychiatrie ou vers un autre professionnel de la santé mentale.

Patients paraplégiques

La paraplégie est une paralysie et une anesthésie des deux membres inférieurs et de tout le tronc ou d'une partie du tronc. Elle est due à une lésion de la moelle épinière dorsale, lombaire ou sacrée, causée le plus souvent par un accident ou une blessure par balle. Elle peut également être due à une autre forme d'atteinte médullaire (disque intervertébral, tumeur, lésions vasculaires), à la sclérose en plaques, à une infection ou un abcès de la moelle épinière, et à une malformation congénitale.

Examens diagnostiques

L'évaluation diagnostique comprend les examens et les analyses qui sont effectués chez le patient atteint d'une lésion de la moelle épinière: examen neurologique complet, radiographies et monitorage ECG.

Traitement

La paraplégie est une invalidité grave et permanente qui nécessite un suivi et des soins continus. À différentes périodes de sa vie et selon les besoins du moment, le patient paraplégique devra consulter un certain nombre de professionnels de la santé: médecins, psychiatres, infirmières en réadaptation, ergothérapeutes, physiothérapeutes, psychologues, travailleurs sociaux, techniciens en réadaptation et conseillers d'orientation professionnelle. De plus, en vieillissant, il devra faire face non seulement aux problèmes de santé courants reliés à l'âge, mais aussi à des complications de sa paraplégie. L'examen périodique des voies urinaires aux moments convenus avec le médecin fait partie des soins permanents, car le patient est sujet aux infections des voies urinaires étant donné que la paraplégie entraîne souvent une altération continue du muscle détrusor et de la fonction vésicale.

Le traitement du patient paraplégique vise le dépistage des problèmes physiologiques et psychologiques, ainsi que la prévention et le traitement des complications.

Prévention des complications

Complications de la paraplégie. La paraplégie peut entraîner certaines complications: dysréflexie du système nerveux autonome (voir plus loin), infection vésicale et rénale (voir «Vessie neurogène» au chapitre 36), escarres de décubitus compliquées d'une septicémie, ostéomyélite, fistules et dépression. Les spasmes des muscles fléchisseurs sont tout particulièrement invalidants. Chez 20 à 40 % des patients, une *ossification hétérotopique* (croissance exagérée des os) apparaît dans les hanches, les genoux, les épaules et les coudes, et peut entraîner une diminution de l'amplitude des mouvements. L'infirmière doit donc insister auprès du patient sur l'importance d'une autoévaluation et de soins vigilants.

Démarche de soins infirmiers *Patients paraplégiques*

Collecte des données

Le patient paraplégique présente une perte plus ou moins grande de sa force motrice, de sa sensibilité profonde et superficielle, de sa fonction vasomotrice, de ses fonctions vésicale et intestinale, et de sa fonction sexuelle. Il risque de présenter également certains troubles dont l'immobilité, les ruptures de l'épiderme, les escarres de décubitus, les infections récurrentes des voies urinaires, les contractures et les problèmes d'ordre psychosociaux. Peu importe le milieu de soins dans lequel elle travaille, l'infirmière doit avoir une bonne connaissance de ces complications pour être en mesure de collaborer aux soins du patient paraplégique. Lors de la collecte des données, elle s'emploie surtout à évaluer l'état général du patient et son adaptation présente et à déceler les signes de complications.

Évaluation psychosociale. Il s'écoule habituellement un certain temps avant que le patient ne prenne pleinement conscience de la gravité de son invalidité. Il traversera peut-être des étapes d'adaptation comme le choc, le déni, la dépression, le chagrin et l'acceptation. Au cours de la phase aiguë du traumatisme, le déni est parfois une façon de se protéger d'une réalité trop accablante. Quand le patient commence à se rendre compte de l'irrévocabilité de son handicap (paraplégie ou quadriplégie), le processus de deuil peut prendre toute la place car il prend conscience de «tout ce qui est à jamais perdu». Il traverse ensuite une période de dépression parce qu'il se dévalorise sur le plan de son identité, de sa sexualité et de son rôle social. Pour conserver l'estime de soi, il faut se sentir fort, se savoir aimé et avoir la possibilité de se faire aimer; or, tout ceci est compromis chez le paraplégique.

Analyse et interprétation des données

Selon les données recueillies, voici les principaux diagnostics infirmiers possibles:

- Immobilité reliée à l'incapacité de marcher
- Atteinte à l'intégrité de la peau reliée à l'anesthésie permanente et à l'immobilité
- Rétention urinaire reliée à l'incapacité d'uriner spontanément
- Constipation reliée à l'atonie intestinale causée par l'atteinte des fonctions végétatives
- Dysfonctionnement sexuel relié à l'atteinte neurologique
- Stratégies d'adaptation individuelle inefficaces reliées aux répercussions de la paraplégie sur la vie de tous les jours

Complications possibles. Une des complications de la paraplégie est la dysréflexie du système nerveux autonome.

Planification et exécution

Objectifs de soins: Recouvrement d'une certaine mobilité; préservation de l'intégrité de la peau; rétablissement de la fonction urinaire et prévention des infections des voies urinaires; rétablissement de la fonction intestinale; recouvrement d'une vie sexuelle satisfaisante; renforcement des mécanismes d'adaptation; traitement de la dysréflexie du système nerveux autonome

Interventions infirmières

Le patient paraplégique a besoin d'un programme de réadaptation complet. La réadaptation sera moins difficile s'il a reçu de bons soins infirmiers durant la phase aiguë du traumatisme ou de la maladie ayant causé la paraplégie. (Voir «Traitement des lésions de la colonne cervicale [phase aiguë]» à la page 1967.) Les soins infirmiers jouent en effet un rôle déterminant dans la réussite du programme de réadaptation. Ce programme vise d'abord et avant tout à permettre au patient de vivre avec la plus grande autonomie possible dans son milieu.

Recouvrement d'une certaine mobilité

Activités avec mise en charge. Quand la moelle épinière est complètement sectionnée, le patient peut commencer très tôt la mise en charge, car il ne risque pas d'aggraver la lésion, qui est déjà complète. Plus les muscles sont renforcés rapidement, plus les risques d'atrophie par inactivité sont faibles. De même, plus rapide est la mise en charge, plus les risques d'ostéoporose dans les os longs sont faibles. Les exercices avec mise en charge diminuent également les risques de calculs rénaux et favorisent plusieurs autres processus du métabolisme.

Programme d'exercices. Pour pouvoir marcher avec des orthèses ou des béquilles, le patient doit renforcer au maximum les parties de son corps qui ne sont pas touchées.

Ainsi, les muscles des mains, des bras, des épaules, du thorax, du dos, de l'abdomen et du cou doivent être renforcés car ce sont eux qui porteront tout le poids du corps. La marche avec des béquilles sollicite beaucoup les triceps et les grands dorsaux. Les muscles de l'abdomen et du dos sont également importants pour l'équilibre et le maintien de la station debout.

Pour renforcer ces muscles, le patient peut faire des pompes (push-ups) et des demi-redressements assis. Il peut aussi faire des extensions des bras en tenant des poids (il peut utiliser des poids de traction). Pour renforcer les muscles de ses mains, il peut serrer une balle de caoutchouc ou froisser du papier journal.

S'il est bien encouragé par tous les membres de l'équipe de réadaptation, le patient augmentera sa tolérance à l'exercice. C'est grâce à l'augmentation de son endurance qu'il pourra réapprendre à se déplacer.

Traitement de l'hypotension orthostatique. En raison du manque de tonus vasomoteur dans les membres inférieurs, le patient peut présenter une hypotension orthostatique quand il passe de la position couchée à la position debout. Une hypotension orthostatique profonde apparaît chez tous les patients atteints de lésions situées en amont des vertèbres mi-dorsales. Elle provient de la perturbation de l'arc réflexe qui normalement déclenche la vasoconstriction en position debout. De plus, le sang s'accumule dans les veines périphériques et le lit splanchnique à cause de l'atonie musculaire et de la mauvaise élasticité de la peau. Le patient peut également présenter un retour veineux insuffisant et une diminution de l'irrigation cérébrale.

Pour soulager l'hypotension orthostatique, on peut utiliser une table basculante qui atténuera l'instabilité vasomotrice et aidera le patient à tolérer graduellement la position debout. On peut également faire porter au patient des bas élastiques pour favoriser le retour veineux dans ses jambes, et lui appliquer un bandage abdominal pour diminuer l'accumulation de sang dans la région abdominale.

Quand elle utilise une table basculante, l'infirmière doit la remonter graduellement jusqu'à ce que le patient soit en position verticale. Au début, le patient ne tolérera peut-être qu'une élévation de 45 degrés (ou même moins), mais il faut continuer d'augmenter peu à peu l'angle d'élévation. L'infirmière doit surveiller de près le patient pour déceler les signes d'intolérance (nausées, transpiration, pâleur, étourdissements). Elle doit aussi prendre la pression artérielle du patient avant de monter la table, soit juste après l'y avoir installé, car le fait de rester longtemps couché contribue à l'hypotension orthostatique.

Si l'infirmière ne dispose pas d'une table basculante, elle peut utiliser un fauteuil roulant muni d'un dossier haut inclinable et d'un repose-pieds réglable. Elle relève graduellement le dossier et abaisse peu à peu le repose-pieds, sur une période de sept à dix jours. Quand il est dans le fauteuil, le patient peut présenter des étourdissements, de la tachycardie, de l'hypotension et une oblitération du champ visuel. S'il se sent étourdi, l'infirmière doit mettre les freins et rabaisser le dossier du fauteuil pendant quelques minutes. Une hypotension prolongée peut entraîner une anoxie cérébrale prédisposant à un accident vasculaire cérébral.

Déplacement. Quand la colonne est assez stable pour permettre au patient de rester en position debout, celui-ci peut commencer à se déplacer. Il peut utiliser une orthèse ou un corset, selon le niveau de sa lésion. Les orthèses et les béquilles permettent à certains patient de marcher sur de courtes distances et même de conduire une automobile à commandes manuelles. La marche avec des béquilles exige une grande dépense d'énergie chez le patient paraplégique. Grâce aux progrès technologiques (qui ont notamment permis la mise au point de fauteuils roulants électriques et de fourgonnettes adaptées), le patient qui a subi une lésion médullaire haute peut jouir d'une plus grande autonomie dans ses déplacements.

Les soins infirmiers visent en grande partie à aider le patient à surmonter son sentiment d'impuissance et à favoriser son adaptation sur le plan émotionnel avant qu'il ne s'aventure dans le monde extérieur. Pour atteindre ces objectifs, l'infirmière doit éviter d'exprimer trop de sympathie à l'égard du patient, ce qui peut favoriser une dépendance qui va à l'encontre du principal objectif de la réadaptation, c'est-à-dire l'autonomie.

L'infirmière prodigue son enseignement au patient et l'aide au besoin, mais elle doit s'efforcer de ne pas faire à sa place ce qu'il peut faire lui-même avec un peu d'effort. Grâce à cette attitude, on a vu des patients complètement abattus retrouver le goût de vivre.

▷ *Préservation de l'intégrité de la peau.* Le patient paraplégique est continuellement sujet aux escarres de décubitus, du fait qu'il passe beaucoup de temps dans un fauteuil roulant et qu'il présente une anesthésie permanente ou une perte de sensibilité qui l'empêche de sentir l'irritation de la peau au niveau des points d'appui. Il peut difficilement soulager la compression des points d'appui étant donné qu'il est immobilisé, il se heurte souvent contre des objets (fauteuil roulant, toilette) et ne sent pas les écorchures et les plaies et la fonction protectrice de sa peau peut être altérée par l'excoriation et la macération dues à la transpiration excessive et parfois à l'incontinence urinaire et fécale. De plus, certains paraplégiques ont un mauvais état de santé général (anémie, œdème, malnutrition), ce qui entrave l'irrigation des tissus.

La prévention et le traitement des escarres de décubitus sont amplement décrits au chapitre 42 et dans la section portant sur les soins au patient souffrant d'une lésion de la moelle épinière.

Le patient paraplégique doit s'occuper lui-même de surveiller sa peau. Il doit notamment soulager la compression des points d'appui, éviter de rester dans la même position pendant plus de deux heures, inspecter méticuleusement sa peau et la maintenir rigoureusement propre. L'infirmière explique au patient que les escarres de décubitus se forment sur les saillies osseuses qui sont constamment comprimées en position assise ou couchée. Elle lui indique les régions du corps qui sont les plus vulnérables et lui enseigne à se servir d'un miroir pour inspecter ces régions soir et matin. Le patient doit rechercher les rougeurs, les tuméfactions ou les écorchures. Au lit, il doit se retourner toutes les deux heures, et rechercher les rougeurs qui ne disparaissent pas sous la pression des doigts. Il doit aussi vérifier si le drap de fond est mouillé ou trop plissé.

Pour soulager la compression des points d'appui quand il est en fauteuil roulant, le patient doit apprendre à faire des tractions, à se pencher d'un côté puis de l'autre pour diminuer la pression sur la région ischiatique, et à se pencher vers l'avant en appuyant les bras sur une table. Le coussin du fauteuil roulant doit être prescrit selon les besoins du patient, qui peuvent se modifier au cours des années en fonction de sa posture, de son poids et de la sensibilité de sa peau. L'infirmière peut adresser le patient à un ergothérapeute qui fera fabriquer sur mesure un coussin de fauteuil roulant ainsi que les autres aides et accessoires dont le patient a besoin.

Le régime alimentaire du patient paraplégique doit avoir une forte teneur en protéines, en vitamines et en énergie pour contrer l'atrophie des muscles, favoriser le fonctionnement des reins et contribuer au maintien de l'intégrité de la peau.

▷ *Rétablissement de la fonction urinaire.* L'effet de la lésion médullaire sur la vessie dépend du niveau de la lésion, de la gravité de l'atteinte et du laps de temps écoulé depuis l'accident. Habituellement, le patient paraplégique a soit une vessie spastique, soit une vessie neurogène flasque (voir le chapitre 36 à la section portant sur la vessie neurogène). Ces deux troubles vésicaux augmentent les risques d'infection des voies urinaires.

L'infirmière doit expliquer au patient qu'il est important de maintenir un bon débit urinaire. Pour cela, elle doit lui recommander de boire environ deux litres et demi de liquide par jour, d'uriner fréquemment afin de réduire l'accumulation d'urine dans la vessie, et d'avoir une hygiène personnelle rigoureuse car la contamination des voies urinaires et des reins se fait presque toujours à partir de l'urètre. Le patient doit garder son périnée propre et sec, surtout après être allé à la selle. Il doit également porter des sous-vêtements de coton (pour une meilleure absorption) et les changer tous les jours.

Si le patient utilise un condom Texas (étui pénien), il doit le retirer pour la nuit; il doit nettoyer le pénis pour enlever l'urine et l'assécher soigneusement; la présence d'urine tiède sur la peau entourant l'urètre favorise la croissance bactérienne. Il faut aussi apporter un soin particulier au sac qui recueille les urines. L'infirmière doit insister sur la nécessité de surveiller les signes d'infection des voies urinaires: urines troubles et nauséabondes ou *hématurie* (présence de sang dans les urines), fièvre ou frissons.

La patiente qui est incapable de contrôler ses mictions ou d'effectuer elle-même le cathétérisme vésical doit porter un coussinet ou une culotte pour incontinence. Dans certains cas, il faut effectuer une dérivation urinaire par intervention chirurgicale.

▷ *Rétablissement de la fonction intestinale.* Le programme de rééducation intestinale vise à rétablir l'évacuation des selles par conditionnement réflexe. On explique au chapitre 42 la technique utilisée. Si la lésion de la moelle épinière se situe en amont des segments sacrés ou des racines sacrées et que l'activité réflexe est présente, on peut masser le sphincter anal pour stimuler la défécation. (Si la lésion touche les segments sacrés ou les racines des nerfs sacrés, on ne fait pas de massage anal car l'anus est parfois relâché et atone. Le massage est également contre-indiqué si le sphincter anal est spastique.) Pour masser le sphincter anal, l'infirmière introduit un doigt ganté (et bien lubrifié) dans le rectum, à une profondeur de 2,5 à 3,7 cm, puis elle fait des mouvements circulaires. Elle saura rapidement quelle zone stimuler pour déclencher la défécation. Elle doit toujours effectuer cette intervention à la même heure (habituellement tous les deux jours). Il est préférable de stimuler la défécation après un repas, à un moment qui conviendra au patient quand il retournera à la maison. L'infirmière enseigne au patient les symptômes du fécalome (évacuation fréquente de selles molles; constipation) et lui recommande de surveiller l'apparition d'hémorroïdes. Enfin, le patient qui suit un programme de rééducation intestinale doit absolument avoir une alimentation riche en fibres et en liquides.

▷ *Expression de la sexualité.* La plupart du temps, le patient souffrant d'une lésion médullaire peut avoir une vie sexuelle satisfaisante, à condition toutefois de faire des changements. L'infirmière doit discuter avec le patient et son conjoint des différentes formes d'expression sexuelle, des techniques spéciales, des positions, de l'exploration du corps et des zones érogènes, et des mesures d'hygiène vésicale et intestinale durant les relations sexuelles. Par ailleurs, il existe des prothèses péniennes destinées au patient impuissant. Les programmes de réadaptation des centres de traumatologie offrent des cours d'éducation sexuelle ainsi que des services de consultation. Le patient et son conjoint peuvent aussi participer à des réunions en petits groupes pour exprimer ce qu'ils ressentent, recevoir de l'information et discuter de leurs préoccupations et des aspects pratiques de leur vie sexuelle. Ces réunions peuvent les aider à changer leurs attitudes et à s'adapter.

▷ *Amélioration des mécanismes d'adaptation.* C'est souvent quand le patient retourne à la maison qu'il prend vraiment conscience des conséquences de son invalidité et de ce qu'il a perdu. Chaque situation nouvelle lui rappelle son handicap (par exemple une nouvelle relation ou son retour au travail). Le chagrin et la dépression sont donc fréquents.

Pour surmonter sa dépression, le patient doit pouvoir espérer des jours meilleurs. C'est pourquoi il faut l'aider à croire en sa capacité d'assumer ses autosoins et de recouvrer une certaine autonomie. Le rôle de l'infirmière est donc multiple: elle prodigue les soins infirmiers durant la phase aiguë et quand le patient recouvre un peu de mobilité et d'autonomie, elle devient enseignante, puis conseillère et, enfin, facilitatrice.

C'est en acceptant son invalidité que le patient parviendra à se fixer des objectifs réalistes, à exploiter au maximum les capacités qu'il lui reste et à s'engager dans de nouvelles activités et dans de nouvelles relations. S'il refuse d'accepter son invalidité, il se négligera dans une tentative d'autodestruction et n'observera pas son traitement. Cette attitude ne peut qu'empirer son irritation et sa dépression. Le patient en situation de crise peut avoir des problèmes d'ordre social, psychologique, conjugal, sexuel ou psychique. Habituellement, la famille a besoin de counseling, de services sociaux et d'un réseau de soutien pour réussir à s'adapter au chambardement de son mode de vie et de sa situation socioéconomique. (Voir le chapitre 42 pour les conséquences psychologiques de l'invalidité.)

▷ *Traitement de la dysréflexie du système nerveux autonome.* La dysréflexie du système nerveux autonome est une extrême urgence. Elle est due à des réponses neurovégétatives exagérées à des stimuli normalement anodins. Elle se manifeste par une céphalée intense et pulsatile, une hypertension paroxystique, une transpiration abondante (surtout sur le front), une congestion nasale et de la bradycardie. Elle peut apparaître chez le patient présentant une lésion médullaire située au-dessus de la vertèbre dorsale D-6 (centre sympathique du nerf splanchnique), le plus souvent quand la sidération médullaire s'est atténuée. L'augmentation subite de la pression artérielle peut provoquer l'éclatement de un ou de plusieurs vaisseaux sanguins cérébraux ou provoquer une hypertension intracrânienne. Un certain nombre de stimuli peuvent déclencher la dysréflexie: le globe vésical (dans la majorité des cas), la distension intestinale, la stimulation cutanée (tactile, douloureuse ou thermique), ainsi que la distension ou la contraction des viscères (surtout les intestins: constipation et fécalome). Comme il s'agit d'une situation d'urgence, l'intervention de l'infirmière vise à supprimer le stimulus déclencheur et à éviter les complications graves.

Voici les mesures à prendre:

- Installer le patient en position assise pour faire baisser la pression artérielle.
- Vider la vessie à l'aide de la sonde. Si la sonde n'est pas perméable, l'irriguer avec un peu de solution d'irrigation ou introduire une autre sonde.
- Quand les symptômes se sont atténués, examiner le rectum pour vérifier s'il y a présence d'un fécalome. Si c'est le cas, introduire de l'onguent à base de dibucaïne et, dix à quinze minutes plus tard, évacuer la masse de matières fécales.
- Si c'est un autre stimulus qui est en cause (objet sur la peau ou courant d'air froid par exemple), il faut l'éliminer.
- Si ces mesures ne soulagent pas l'hypertension et la céphalée, le médecin prescrit un ganglioplégique (chlorhydrate d'hydralazine [Apresoline]) qu'on administre lentement par voie intraveineuse.
- Si le patient a des allergies, elles doivent être clairement indiquées puisqu'un allergène pourrait déclencher la dysréflexie.
- Enseigner au patient les mesures de prévention et de traitement.

Tous les patients souffrant d'une lésion située au-dessus de la vertèbre D-6 doivent être prévenus de la possibilité d'un accès de dysréflexie, parfois même plusieurs années après le traumatisme initial.

▷ ***Enseignement au patient et soins à domicile.*** Le patient qui a subi une lésion de la moelle épinière est sujet à certaines complications au cours des semaines qui suivent son retour à la maison. Une infection urinaire ou l'apparition de contractures peuvent exiger une nouvelle hospitalisation. Toute sa vie, le paraplégique sera sujet aux escarres de décubitus qui, rappelons-le, peuvent avoir des conséquences fatales. Pour éviter ces complications, l'infirmière doit enseigner certaines mesures au patient et à sa famille, notamment les soins de la peau, les techniques de cathétérisme et les exercices d'amplitude des mouvements articulaires. L'infirmière qui assurera les soins à domicile s'occupera de revoir avec le patient et sa famille les techniques apprises. Avant le retour du patient à la maison, ses proches doivent faire les modifications physiques nécessaires dans la maison et se procurer le matériel adapté.

Les autres complications possibles au cours de la période de soins prolongés sont l'œdème déclive, les contractures des chevilles et des pieds et la douleur. L'infirmière en santé communautaire évalue régulièrement le patient afin de déterminer s'il a bien assimilé l'enseignement et s'il a besoin d'une aide supplémentaire. L'estime de soi et l'image corporelle sont souvent bien ébranlées durant cette période.

Les personnes qui jouissent d'un très bon soutien social, qui ont une vie sociale satisfaisante et qui ont la conviction de pouvoir agir sur leur situation acceptent généralement beaucoup mieux leur invalidité, d'où l'importance pour l'infirmière d'évaluer le réseau de soutien du patient.

Enfin, le patient doit être suivi pendant toute sa vie par un médecin, un physiothérapeute et d'autres membres de l'équipe de réadaptation. Ce suivi continu est essentiel car le patient peut présenter des problèmes dont on doit s'occuper rapidement avant qu'ils ne détériorent davantage son état, son moral ou sa situation financière.

▷ *Évaluation*

Résultats escomptés (Voir à la page 1972 pour connaître les autres résultats escomptés.)

1. Le patient recouvre une certaine mobilité.
2. Sa peau est saine.
3. Il recouvre sa fonction urinaire et ne souffre pas d'infection des voies urinaires.
4. Il recouvre sa fonction intestinale.
5. Il se dit satisfait de sa vie sexuelle.
6. Il s'adapte de plus en plus à son milieu et à son entourage.
7. Il ne souffre pas de dysréflexie du système nerveux autonome.
8. Il dit comprendre les facteurs qui peuvent déclencher la dysréflexie.

TUMEURS DE LA MOELLE ÉPINIÈRE

On classe les tumeurs de la moelle selon l'endroit où elles sont situées. Ainsi, on distingue les tumeurs *intramédullaires,* situées à l'intérieur de la moelle épinière; les tumeurs *extramédullaires* ou *intradurales,* situées dans l'espace sous-arachnoïdien; et les lésions *épidurales,* situées à l'extérieur de la membrane durale. Les tumeurs qui sont situées dans la moelle épinière ou qui la compriment peuvent ne provoquer que des symptômes bénins, comme une faiblesse et une perte des réflexes au-dessus du niveau de la tumeur ainsi que des douleurs localisées ou fulgurantes, mais elles peuvent aussi provoquer des symptômes graves comme une perte progressive de la fonction motrice et une paralysie. Habituellement, le patient présente une douleur vive dans la région innervée par les nerfs rachidiens qui émergent de la zone médullaire touchée par la tumeur. Il présente également une paralysie évolutive en aval de la lésion.

Pour établir le diagnostic, on procède à un examen neurologique et à une myélographie, de même qu'à des examens par tomodensitométrie et résonance magnétique nucléaire.

Soins préopératoires

On doit vérifier si le patient présente une faiblesse et une atrophie musculaires, une spasticité et des troubles sensoriels ou sphinctériens, en plus d'évaluer les risques de troubles pulmonaires, surtout si la tumeur est située dans la région cervicale. Il faut également s'assurer de l'absence de troubles de la coagulation, et demander au patient s'il a pris de l'aspirine, car ce médicament peut causer des problèmes de coagulation après l'opération. Enfin, l'infirmière enseigne au patient certaines techniques de respiration et les pratique avec lui avant l'opération.

Intervention chirurgicale

L'intervention chirurgicale vise à enlever le plus de tissu tumoral possible sans léser les parties intactes de la moelle épinière. Grâce au perfectionnement des techniques microchirurgicales, le pronostic du traitement chirurgical des tumeurs intramédullaires s'est amélioré. Il dépend de l'ampleur de l'atteinte neurologique au moment de l'opération, de la vitesse d'évolution des symptômes et de l'origine de la tumeur. En général, le patient atteint de déficiences neurologiques considérables avant l'intervention chirurgicale ne recouvre pas beaucoup des fonctions perdues, même si l'opération a permis d'exciser la tumeur.

D'autres méthodes de traitement existent: l'ablation partielle de la tumeur, la décompression de la moelle épinière, la chimiothérapie et la radiothérapie.

Si la moelle épinière est comprimée par une métastase épidurale d'un cancer du sein, de la prostate ou des poumons, on peut soulager efficacement la douleur par l'administration de fortes doses de dexaméthasone et par la radiothérapie.

Interventions infirmières postopératoires

Les soins infirmiers postopératoires sont les mêmes que pour l'opération d'une hernie discale (voir à la page 1979). L'infirmière doit être à l'affût d'une détérioration de l'état neurologique du patient. L'apparition subite d'une déficience neurologique est mauvais signe et peut être due au tassement des vertèbres causé par un infarctus médullaire. L'infirmière effectue aussi des examens neurologiques en prêtant une attention particulière au mouvement, à la force et à la sensibilité des bras et des jambes. Pour déceler les pertes de sensibilité et déterminer le niveau de la moelle auquel elles correspondent, elle pince la peau des bras, des jambes et du tronc du patient. Elle doit aussi prendre les signes vitaux régulièrement. Si la tumeur excisée était située dans la région cervicale, des troubles respiratoires sont possibles après l'opération. L'infirmière doit donc observer les mouvements thoraciques pour en évaluer la symétrie et ausculter le thorax à la recherche de bruits respiratoires anormaux. Si le patient présente une lésion cervicale haute, l'infirmière doit laisser la sonde endotrachéale en place tant que la fonction respiratoire n'est pas rétablie. Elle encourage le patient à respirer profondément et à tousser.

Il faut palper la région sus-jacente de la vessie pour vérifier s'il y a rétention urinaire. L'incontinence est possible. La présence d'un trouble urinaire témoigne généralement d'une décompensation importante de la fonction médullaire. L'infirmière tient le bilan des ingesta et des excreta, et elle ausculte régulièrement l'abdomen pour percevoir les bruits intestinaux.

Les doses d'analgésiques et leur fréquence sont établies de façon à soulager la douleur et à prévenir son apparition. La douleur est le signe cardinal de la métastase spinale. Dans le cas d'une atteinte des racines sensitives ou d'un tassement des vertèbres, la douleur peut être atroce.

Habituellement, l'infirmière laisse le lit du patient en position horizontale. Quand on veut changer le patient de position, on le tourne en un seul bloc en prenant soin de garder ses épaules et ses hanches alignées, et son dos droit. En général, le décubitus latéral est la position dans laquelle le patient est le plus à l'aise car la plaie n'est pas comprimée. Quand le patient est en décubitus latéral, il faut placer un oreiller entre ses jambes et veiller à ce que ses genoux ne soient pas trop fléchis.

La présence de suintements sur le pansement peut indiquer une fuite de liquide céphalorachidien. La moindre fuite de liquide céphalorachidien dans la région opérée peut entraîner une infection ayant de graves conséquences ou une réaction inflammatoire très douloureuse dans les tissus voisins.

Enseignement au patient

Si le patient présente des séquelles sensorielles, il faut le prévenir des dangers reliés aux températures extrêmes. Il doit notamment faire attention aux appareils de chauffage (chaufferettes, foyers). L'infirmière lui recommande d'examiner sa peau tous les jours.

Le patient qui présente des troubles moteurs (faiblesse ou paralysie) aura besoin d'un réapprentissage des activités de la vie quotidienne et devra utiliser une canne ou un cadre de marche.

Hernie discale ou hernie d'un disque intervertébral

Le disque intervertébral est une plaque cartilagineuse qui forme une sorte de coussin entre les corps vertébraux. Il s'agit d'une plaque résistante et fibreuse incorporée dans une capsule (anneau fibreux périphérique). Au centre de cette plaque se trouve un noyau appelé *nucleus pulposus* composé d'une substance gélatineuse ou pulpeuse (polyoside) ayant la forme d'une boule. Une hernie discale se produit quand le noyau du disque intervertébral fait saillie dans l'anneau fibreux périphérique et comprime un nerf. Elle est généralement reliée aux altérations physiologiques du vieillissement. La perte de polyosides dans le disque intervertébral fait diminuer la teneur en eau du nucleus pulposus. Il se produit alors un fendillement en rayon de l'anneau fibreux qui amoindrit sa résistance, de sorte que le nucleus peut en sortir plus facilement. La hernie discale peut également provenir d'une lésion du cartilage due à une chute, à un accident et à des efforts répétés.

Chez la plupart des patients, les symptômes immédiats du traumatisme durent peu de temps et ceux qui proviennent de la lésion du disque ne se manifestent pas avant des mois ou des années. À mesure que la discarthrose s'aggrave, l'anneau fibreux recule dans le canal rachidien, ou se rompt et laisse le nucleus pulposus faire saillie contre le cul-de-sac dural ou contre le point d'émergence d'un nerf rachidien (figure 59-14). La douleur alors ressentie est causée par la pression exercée dans la région de distribution du nerf atteint. Une compression prolongée peut entraîner des altérations dégénératives (par exemple une altération de la sensibilité ou des réflexes).

Manifestations cliniques. La hernie discale et les douleurs qui y sont associées peuvent toucher n'importe quel étage de la colonne vertébrale: étage cervical, dorsal (bien que rare) ou lombaire. Les manifestations cliniques dépendent de l'endroit touché, de la vitesse d'évolution (aiguë ou chronique) de la discarthrose, et de l'effet de la hernie sur les tissus voisins.

Examens diagnostiques. Le myélogramme permet habituellement de voir la région comprimée et de repérer le disque hernié. La tomodensitométrie permet de voir les petites hernies. La résonance magnétique nucléaire sert de complément à la tomodensitométrie. Il faut aussi procéder à un examen

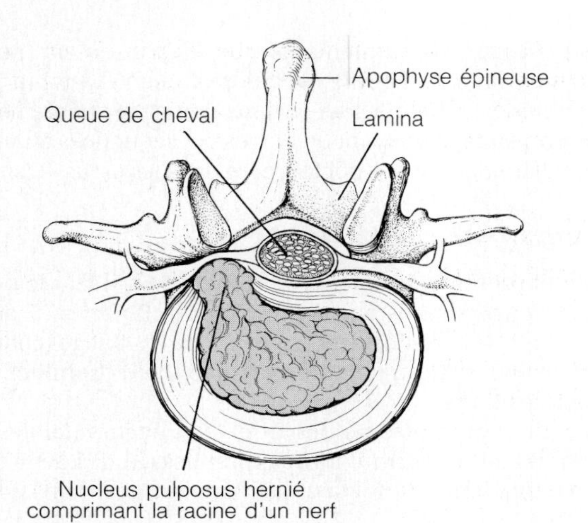

Figure 59-14. Rupture d'un disque intervertébral
(Source: E. E. Chaffer et E. M. Greisheimer, *Basic Physiology and Anatomy*, 3e éd., Philadelphie, J. B. Lippincott)

neurologique pour déterminer si la compression des racines nerveuses cause une altération des réflexes ou des déficiences motrices ou sensorielles. Enfin, on utilise parfois l'électromyographie pour localiser les racines nerveuses touchées.

Traitement

Les hernies des disques cervicaux et lombaires sont les plus courantes et n'exigent généralement qu'un traitement conservateur. Les sections qui suivent décrivent de façon détaillée les traitements conservateurs et les interventions chirurgicales de chaque forme de hernie.

Traitement chirurgical. Habituellement, on pratique une ablation chirurgicale du disque hernié quand le patient présente des déficiences neurologiques progressives (faiblesse et atrophie musculaires, déficiences motrices et sensorielles, altération de la fonction sphinctérienne) ainsi qu'une douleur et une sciatique qui ne répondent pas au traitement conservateur. L'intervention chirurgicale vise à éliminer la compression des racines nerveuses dans le but de soulager la douleur et de faire rétrocéder les déficiences neurologiques. Grâce au perfectionnement de la microchirurgie, il est aujourd'hui possible de n'exciser que les tissus atteints par une petite incision. On préserve ainsi les tissus intacts et on réduit le stress imposé à l'organisme. Au cours de l'intervention chirurgicale, on peut surveiller la fonction médullaire par électrophysiologie.

Pour soulager la douleur, on a recours à différentes techniques chirurgicales. La technique choisie dépend du type de hernie, de la morbidité reliée à l'opération et des résultats globaux de l'intervention:

Discectomie: Ablation du disque intervertébral hernié

Laminectomie: Résection de la lame dans le but de dénuder les éléments nerveux du canal rachidien; le chirurgien peut ainsi examiner le canal rachidien, repérer et enlever les tissus touchés et soulager la compression de la moelle et des racines.

Laminotomie: Séparation de la lame vertébrale d'avec l'apophyse épineuse

Discectomie et arthrodèse: Fusion de l'apophyse épineuse au moyen d'un greffon osseux; cette fusion a pour but de former un pont sur le disque défectueux afin de stabiliser la colonne et de diminuer les risques de récidive.

Hernie ou rupture d'un disque cervical

La colonne cervicale est soumise à des tensions dues à la dégénérescence des disques (liée au vieillissement ou au travail) et à une *spondylarthrose* (altération destructive du disque et des corps vertébraux adjacents). La détérioration d'un disque cervical peut entraîner des lésions susceptibles de léser la moelle épinière et ses racines.

La hernie cervicale touche habituellement le disque situé entre les vertèbres C-5 et C-6 ou entre les vertèbres C-6 et C-7. Le patient peut présenter une douleur ou une raideur dans le cou, le haut des épaules et les omoplates. Certains patients attribuent cette douleur à un trouble cardiaque ou à une bursite. La douleur peut également se manifester dans les membres supérieurs et la tête et s'accompagner de paresthésies et d'un engourdissement des membres supérieurs. Le diagnostic se fonde généralement sur la myélographie cervicale.

Traitement

Le traitement vise (1) à soutenir et immobiliser la colonne vertébrale afin de permettre aux tissus mous de se cicatriser et (2) à diminuer l'inflammation des tissus de soutien et des racines nerveuses cervicales touchées. Le repos au lit (pendant deux semaines) est important, car il évite à la colonne d'avoir à soutenir la tête. Il réduit également l'inflammation et l'œdème des tissus mous qui entourent le disque, ce qui atténue la compression des racines nerveuses. On peut soulager énormément la douleur en installant correctement le patient sur un matelas ferme.

Pour soutenir et immobiliser la colonne cervicale, on utilise un collet cervical, un dispositif d'élongation cervicale ou une orthèse. Le collet permet d'ouvrir au maximum les trous de conjugaison et de maintenir la tête en position neutre ou légèrement fléchie. En phase aiguë, le patient doit parfois porter le collet 24 heures par jour. L'infirmière doit vérifier si le collet irrite la peau du cou. Quand le patient n'a plus mal, il peut commencer des exercices isométriques de renforcement des muscles de son cou.

L'élongation cervicale est effectuée au moyen d'un collier d'élongation relié à une poulie et à des poids. Elle éloigne les vertèbres et permet donc d'atténuer la compression des racines nerveuses. Pour effectuer une contre-traction, on monte la tête du lit. Si la peau du patient s'irrite, l'infirmière peut placer des coussinets entre le collier d'élongation et le cou. Le patient de sexe masculin est plus sujet à l'irritation de la peau du cou s'il se rase; la barbe offre par contre une protection naturelle.

Pour augmenter l'irrigation sanguine des muscles, atténuer la spasticité musculaire et soulager la douleur, l'infirmière applique sur la nuque des compresses humides chaudes (pendant dix à vingt minutes plusieurs fois par jour). Durant la phase aiguë, elle administre des analgésiques pour soulager la douleur et des sédatifs pour apaiser l'anxiété qui est fréquente dans les cas de discarthrose cervicale. Elle donne aussi des myorelaxants pour supprimer le cycle des spasmes musculaires et favoriser le bien-être du patient. On doit également administrer des anti-inflammatoires (aspirine, phénylbutazone [butazolidine]) ou des corticostéroïdes pour diminuer la réaction inflammatoire qui se produit habituellement dans les tissus de soutien et les racines nerveuses touchées. Dans certains cas, on injecte un corticostéroïde dans l'espace épidural pour tenter de soulager la douleur radiculaire. Pour prévenir l'irritation gastro-intestinale, le patient prend ses anti-inflammatoires avec de la nourriture ou avec un antiacide. Il doit se soumettre périodiquement à des analyses hématologiques, car le phénylbutazone peut provoquer des dyscrasies.

Interventions chirurgicales

L'ablation du disque hernié peut être nécessaire dans certains cas: quand le patient présente des déficiences neurologiques importantes ou progressives, quand les examens montrent une compression de la moelle, ou quand la douleur est irréductible ou qu'elle s'aggrave. Pour atténuer les symptômes, on peut pratiquer l'excision du disque cervical hernié, avec ou sans fusion. Il existe deux voies d'abord. Le chirurgien peut pratiquer une incision transverse dans la région antérieure du cou pour enlever la portion herniée qui fait saillie dans le canal rachidien ou le trou de conjugaison, ou une incision dans la région postérieure du cou au niveau du disque atteint.

Complications postopératoires

La discectomie par voie antérieure peut entraîner certaines complications, dont une lésion de l'artère carotide ou vertébrale, un dysfonctionnement du nerf récurrent, une perforation de l'œsophage et une obstruction des voies respiratoires. La discectomie par voie postérieure peut provoquer une lésion de la racine nerveuse ou de la moelle épinière par rétraction ou contusion. Le patient présentera alors une faiblesse des muscles innervés par la partie lésée.

DÉMARCHE DE SOINS INFIRMIERS
PATIENTS SUBISSANT UNE DISCECTOMIE

▷ *Collecte des données*

L'infirmière demande au patient s'il a déjà subi un traumatisme au cou (coup de fouet cervical antéropostérieur), car un traumatisme non traité peut entraîner des douleurs, une sensibilité et un malaise persistants ainsi que l'apparition d'une arthropathie dans l'articulation cervicale lésée. Elle doit établir quand les douleurs ont commencé, où elles se situent et où elles irradient. Elle doit également savoir si le patient présente des paresthésies et une restriction des mouvements du cou, des épaules et des bras. Il est important de déterminer si les symptômes sont bilatéraux car dans les cas de hernies volumineuses, les symptômes bilatéraux peuvent indiquer une compression de la moelle épinière. Lors de l'examen de la région cervicale, l'infirmière doit procéder à une palpation pour évaluer le tonus musculaire et les points douloureux.

Il faut aussi vérifier l'amplitude des mouvements articulaires du cou et des épaules, et dresser le bilan de tous les problèmes de santé qui pourraient influencer le déroulement de la période postopératoire. L'infirmière détermine ce que le patient a besoin de savoir sur l'intervention chirurgicale et revoit avec lui l'information donnée par le médecin. Enfin, elle doit s'enquérir des méthodes de soulagement que le patient a utilisées dans le passé.

▷ ***Interventions postopératoires.*** Après l'opération, l'infirmière mesure la pression artérielle et le pouls du patient dans le but d'évaluer son état cardiovasculaire. Elle doit soupçonner une hémorragie si le patient se plaint d'une forte pression dans le cou ou d'une intense douleur dans la zone de l'incision. Elle doit aussi vérifier la présence sur le pansement de taches sérosanguines qui peuvent témoigner d'une fuite durale. La méningite est alors une complication possible. Si le patient se plaint de céphalées, il faut l'examiner soigneusement. L'infirmière procède également à des examens neurologiques pour déceler une faiblesse dans les membres supérieurs et inférieurs, car la compression de la moelle épinière peut entraîner l'apparition d'une paralysie. Pendant toute la période postopératoire, l'infirmière prend fréquemment les signes vitaux pour déceler les problèmes respiratoires. Il arrive parfois que le nerf récurrent soit lésé par des rétracteurs durant l'intervention chirurgicale; dans ce cas, le patient a la voix rauque et est incapable de tousser efficacement. Il ne peut par conséquent évacuer les sécrétions pulmonaires et a besoin d'une physiothérapie respiratoire. Le retour subit de la douleur radiculaire (c'est-à-dire provenant de la racine d'un nerf rachidien) est un signe important à surveiller après une discectomie; il peut indiquer une instabilité de la colonne vertébrale.

▷ *Analyse et interprétation des données*

Selon les données recueillies, voici les principaux diagnostics infirmiers possibles:

- Douleur reliée à l'intervention chirurgicale
- Altération de la mobilité physique reliée au traitement postopératoire
- Manque de connaissances sur le déroulement de la période postopératoire et sur les soins à domicile

Il existe d'autres diagnostics infirmiers possibles (qui d'ailleurs peuvent s'appliquer à tous les opérés), notamment: anxiété préopératoire; constipation reliée à l'intervention chirurgicale; rétention urinaire reliée à la déshydratation et à l'intervention chirurgicale; déficit d'autosoins relié à l'orthèse cervicale; perturbation des habitudes de sommeil reliée au changement des habitudes de vie.

▷ *Planification et exécution*

▷ ***Objectifs de soins:*** Soulagement de la douleur; amélioration de la mobilité; acquisition de connaissances; capacité d'effectuer les autosoins

▷ *Interventions infirmières*

▷ ***Soulagement de la douleur.*** Le patient peut rester au lit en position couchée pendant douze à vingt-quatre heures. S'il a subi une arthrodèse cervicale pour laquelle on a prélevé des tissus osseux dans la crête iliaque, il sera peut-être très souffrant. La tâche de l'infirmière consiste à examiner régulièrement la zone donneuse pour déceler la formation d'un hématome, à administrer au besoin l'analgésique postopératoire prescrit, à installer le patient le plus confortablement possible et à le rassurer en lui rappelant qu'on peut soulager sa douleur. Le retour soudain de la douleur radiculaire peut indiquer l'expulsion du greffon. Il faut alors opérer de nouveau le patient pour remettre en place le greffon.

Habituellement, le patient se plaint surtout d'un mal de gorge, d'un enrouement ou d'une dysphagie pouvant être reliée à un œdème temporaire. L'infirmière peut le soulager en lui donnant des pastilles, en lui conseillant de reposer sa voix et en humidifiant bien la pièce. S'il souffre de dysphagie, il doit consommer des aliments en purée.

▷ *Amélioration de la mobilité.* Après l'opération, le patient porte habituellement un collet cervical (orthèse cervicale) qui restreint les mouvements du cou et entrave sa mobilité. Il doit apprendre à tourner le corps au lieu de tourner le cou quand il veut regarder sur les côtés. Le cou doit rester en position neutre (médiane). Lors des changements de position, l'infirmière doit aider le patient et s'assurer que la tête, les épaules et le thorax sont alignés. Quand elle l'aide à s'asseoir, elle doit supporter sa nuque et l'arrière de ses épaules. Pour une meilleure stabilité, le patient doit porter des chaussures quand il marche.

▷ *Enseignement au patient et soins à domicile.* Habituellement, le patient porte le collet cervical pendant environ six semaines. Quand il s'étire, fait de l'exercice ou travaille, il doit prendre garde de ne pas trop fléchir, étirer ou tourner le cou. Il doit éviter de dormir en décubitus ventral. Sa tête doit rester en position neutre. L'infirmière doit lui recommander de ne pas s'adosser contre plusieurs oreillers car il risquerait alors de trop fléchir le cou.

L'infirmière doit aussi lui recommander de surveiller les signes et les symptômes d'infection (fièvre, suintement de la plaie, exacerbation de la douleur). Le patient doit consulter son médecin si un de ces signes se manifeste.

Pour éviter une tension excessive sur le cou, le patient doit éviter de rester assis ou debout pendant plus de 30 minutes. L'infirmière doit donc lui conseiller d'alterner les actions qui n'exigent pas de mouvements du corps (comme la lecture) avec des tâches plus actives. Il doit aussi éviter les longs déplacements en voiture, à cause des vibrations dues au roulement de la voiture. Le patient doit retourner voir son médecin aux moments convenus pour que celui-ci vérifie si les symptômes sont disparus et évalue l'amplitude des mouvements du cou.

▷ *Évaluation*

Résultats escomptés

1. Le patient se sent de mieux en mieux.
   a) Il est capable de sortir du lit.
   b) Il dit avoir de moins en moins mal.
2. Le patient améliore sa mobilité.
   a) Il marche dans le couloir.
   b) Il tourne son corps quand il veut regarder à droite ou à gauche.
3. Le patient acquiert des connaissances sur les autosoins.
   a) Il pose des questions; il a des réactions positives.
   b) Il connaît les signes et les symptômes qu'il doit signaler.

HERNIE D'UN DISQUE LOMBAIRE

La plupart des hernies discales lombaires se situent entre les vertèbres L-4 et L-5 ou L-5 et S-1. La hernie lombaire provoque une douleur au bas du dos ainsi que des déficiences sensorielles et motrices plus ou moins graves. La douleur lombaire s'accompagne de spasmes musculaires et irradie dans la hanche ainsi que le long de la jambe (sciatique). Elle est exacerbée par les actions qui augmentent la pression du liquide intraspinal (comme se pencher, soulever un poids, éternuer ou tousser) et est généralement atténuée par la position couchée. Habituellement, le patient présente une certaine déformation posturale étant donné que la douleur entraîne une altération de la mécanique spinale. S'il est étendu sur le dos et essaie de lever une jambe en position droite, la douleur irradiera dans la jambe car ce mouvement étire le nerf sciatique. Le patient peut également présenter une faiblesse musculaire, une altération des réflexes tendineux et une déficience sensorielle.

Examens diagnostiques

Le diagnostic de la hernie discale lombaire se fonde sur le bilan de santé, les signes cliniques et les examens effectués au moyen de techniques d'imagerie comme la myélographie, la tomodensitométrie et la résonance magnétique nucléaire.

Traitement

Le traitement vise à soulager la douleur, à ralentir l'évolution de l'affection et à améliorer les capacités fonctionnelles du patient. Il faut recommander au patient de se reposer au lit sur un matelas ferme (pour réduire la flexion de la colonne). Le repos au lit réduit l'effort demandé au disque atteint car il diminue la charge supportée par la colonne ainsi que l'action de la pesanteur. Le patient s'installe confortablement; la position semi-Fowler est généralement la meilleure. Dans cette position, les hanches et les genoux sont modérément fléchis pour décontracter les muscles du dos. Quand le patient est en décubitus latéral, il place un oreiller entre ses jambes. Pour se lever, il se tourne d'abord sur le côté puis il se redresse en position assise à l'aide de ses bras.

Comme les spasmes musculaires sont intenses durant la phase aiguë, on administre au patient des myorelaxants. Les anti-inflammatoires stéroïdiens et non stéroïdiens peuvent soulager l'inflammation des tissus de soutien et des racines nerveuses. Les applications humides chaudes et les massages aident à soulager la spasticité musculaire et calment le patient. Pour les autres interventions infirmières, consulter au chapitre 63 la Démarche de soins infirmiers auprès des patients souffrant de douleurs lombaires.

Traitement chirurgical

Les interventions chirurgicales pratiquées dans la région lombaire comprennent l'ablation du disque lombaire par laminotomie postérolatérale ainsi que deux interventions mises au point plus récemment: la discoïdectomie microchirurgicale et la discoïdectomie transcutanée.

La *discoïdectomie microchirurgicale* se fait au moyen d'un microscope qui met en évidence le disque atteint et les racines nerveuses comprimées. L'incision nécessaire est petite (2,5 cm) et les pertes de sang minimes. De plus, elle abrège l'hospitalisation ainsi que la convalescence.

La *discoïdectomie transcutanée* est une méthode de rechange qu'on utilise quand la hernie discale lombaire se situe entre les vertèbres L-4 et L-5. On peut par exemple pratiquer une incision de 2,5 cm juste au-dessus de la crête iliaque. En se guidant par radiographie, on introduit par cette incision un tube, un trocart ou une canule dans l'espace rétropéritonéal jusqu'à l'espace intervertébral atteint. On peut ensuite exciser le disque au moyen d'instruments allongés spéciaux. L'opération dure environ quinze minutes. La perte de sang et la douleur postopératoire sont faibles et le patient peut habituellement retourner chez lui dans les deux jours qui suivent l'opération. Il existe cependant un risque de lésion des tissus qui bordent la voie empruntée pour atteindre le disque.

Soins infirmiers préopératoires

Une opération dans la région de la colonne vertébrale suscite des craintes dans la plupart des cas. L'infirmière doit donc rassurer le patient en lui disant que l'intervention n'affaiblira pas son dos et l'informer continuellement de ce qui se passe. Lors de la collecte des données, elle doit noter la douleur, les paresthésies et les spasmes musculaires pour comparaison au cours de la période postopératoire. Avant l'opération, l'infirmière doit également évaluer le mouvement des membres ainsi que de la fonction vésicale et intestinale. Pour que les changements de position soient plus faciles après l'opération, l'infirmière enseigne au patient, avant l'opération, comment se tourner en bloc. Elle lui enseigne également les exercices de respiration profonde et de toux de même que les exercices isométriques, qu'il devra faire après l'opération.

Soins infirmiers postopératoires

Après la discoïdectomie, l'infirmière doit prendre les signes vitaux fréquemment et surveiller les signes d'hémorragie dans la région de la plaie, car l'opération présente un risque de lésions vasculaires. Il existe aussi un risque de déficiences neurologiques dues à la lésion d'une racine nerveuse. L'infirmière doit donc évaluer la sensibilité et la force motrice des jambes aux intervalles prescrits. Elle évalue aussi la couleur et la température des jambes ainsi que la sensibilité des orteils. La rétention urinaire est également à surveiller. bloque

Dans la majorité des cas, le patient est capable de marcher jusqu'à la salle de bain le jour même de l'opération. Sauf dans de rares cas, il peut retourner chez lui le lendemain. L'infirmière doit montrer au patient comment se retourner dans son lit (voir plus loin) et lui enseigner une série d'exercices à faire à la maison. La position assise est déconseillée, sauf pour aller à la selle.

Pour installer le patient en décubitus dorsal, l'infirmière place un oreiller sous sa tête et monte un peu l'appui-genoux car une légère flexion des genoux décontracte les muscles du dos. Par ailleurs, quand le patient est en décubitus latéral, les genoux ne doivent qu'être légèrement fléchis. L'infirmière encourage le patient à se tourner d'un côté à l'autre pour atténuer la pression exercée sur la colonne vertébrale. Pour que le patient le fasse sans crainte, elle doit d'abord lui expliquer qu'il ne risque pas de se blesser. Quand le patient est prêt à se tourner, l'infirmière règle le lit en position horizontale et place un oreiller entre les jambes du patient. Elle peut alors aider celui-ci à se tourner en bloc.

Pour se lever, le patient se place sur le côté et se redresse en position assise à l'aide de ses bras. Au moment où il pousse avec ses bras, l'infirmière lui descend les jambes sur le bord du lit. Il doit toujours se lever le plus doucement possible en un seul mouvement continu.

dos droit pas se pencher

Si le traitement chirurgical comprenait également une arthrodèse, une seconde incision sera pratiquée pour le prélèvement des fragments osseux dans la crête iliaque ou le péroné. La convalescence sera un peu plus longue, car il faut laisser aux os le temps de se consolider.

Complications de la discoïdectomie

Le patient opéré pour une hernie discale située à un certain étage vertébral peut présenter des dégénérescences à d'autres niveaux, de sorte qu'une deuxième hernie peut apparaître, ce qui exige une deuxième opération. L'arachnoïdite (inflammation de la membrane arachnoïdienne) est une complication de la discoïdectomie et de la myélographie. Elle se manifeste par l'apparition insidieuse d'une douleur lombaire diffuse, souvent une sensation de brûlure irradiant dans les fesses. La discoïdectomie peut également laisser des adhérences et des cicatrices autour des nerfs rachidiens et de la dure-mère, ce qui peut provoquer des réactions inflammatoires susceptibles de causer une névrite et une neurofibrose chroniques. Elle atténue la compression des nerfs rachidiens, mais ne fait pas rétrocéder la douleur qui découle de la lésion neurale et des troubles de cicatrisation.

Les séquelles de l'échec chirurgical rachidien (retour de la sciatique après le traitement chirurgical) sont encore aujourd'hui une cause courante d'invalidité.

Enseignement au patient et soins à domicile

Étant donné que les ligaments des muscles peuvent mettre jusqu'à six semaines pour se cicatriser, l'infirmière recommande au patient de reprendre ses activités graduellement en respectant son seuil de tolérance. Une trop grande activité peut entraîner une spasticité des muscles paraspinaux.

Le patient doit également éviter les activités qui nécessitent une flexion de la colonne (comme conduire une voiture) jusqu'à ce qu'il soit complètement guéri. L'application de chaleur sur le dos peut aider à atténuer les spasmes musculaires et à soulager les muscles en plus de favoriser l'absorption des exsudats dans les tissus. Il est important aussi que le patient se réserve des périodes de repos. Habituellement, on lui recommande d'attendre deux ou trois mois avant de faire des gros travaux. On lui prescrit des exercices pour renforcer ses muscles abdominaux et spinaux. Si la douleur lombaire persiste, il devra peut-être porter une orthèse dorsale ou un corset (voir aussi la section sur l'enseignement au patient souffrant de douleurs lombaires au chapitre 63).

myo relaxants

ATTEINTES DES NERFS CRÂNIENS

Le corps humain possède douze paires de nerfs crâniens, qui émergent de la face inférieure du cerveau et passent par les différents trous du crâne. On distingue les nerfs moteurs, sensitifs et mixtes. Les nerfs crâniens sont numérotés selon l'ordre dans lequel ils émergent du cerveau. Leur nom fait référence à leur fonction principale ou à une de leurs caractéristiques anatomiques. Ils prennent naissance pour la plupart dans le tronc cérébral et innervent la tête, le cou et certains organes.

Les nerfs crâniens doivent être évalués séparément et dans l'ordre (voir le chapitre 57). On peut déceler certaines atteintes des nerfs crâniens en examinant le visage du patient,

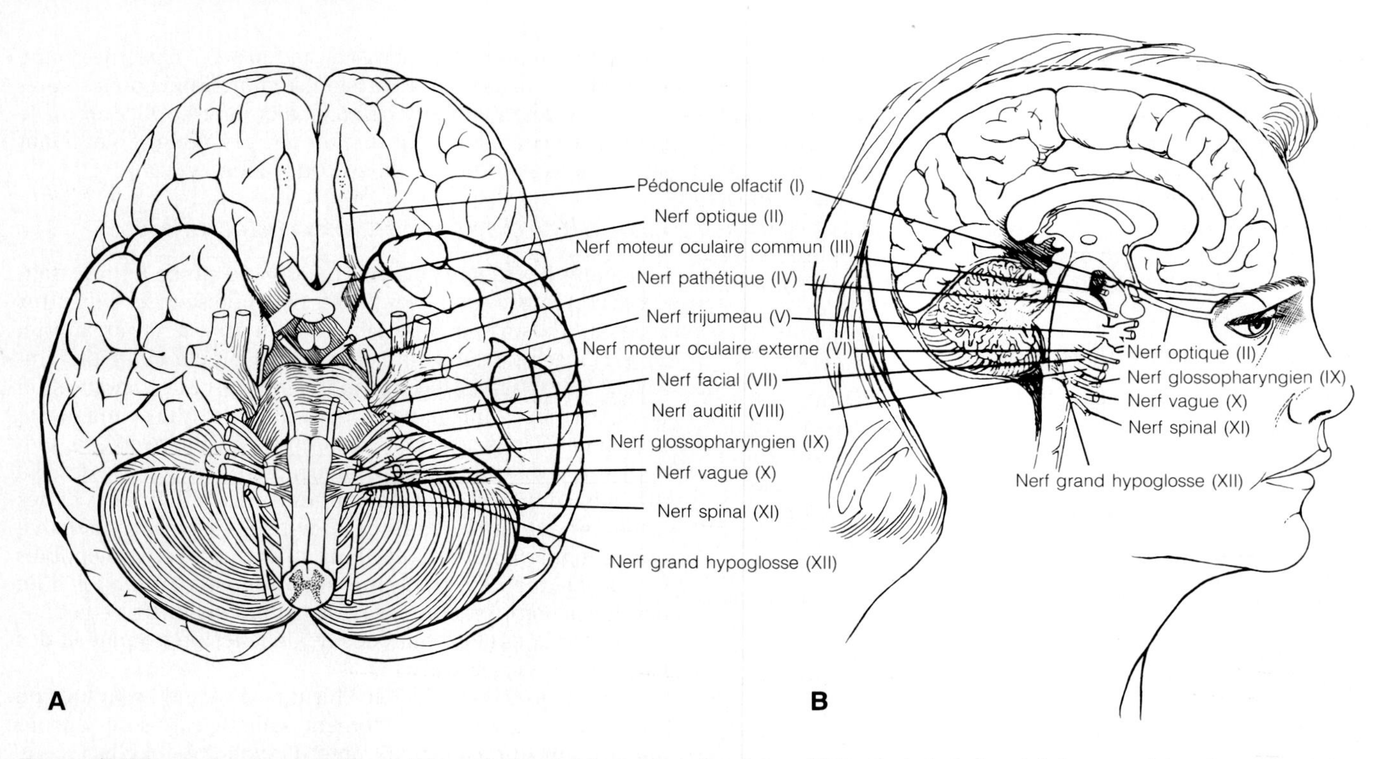

Figure 59-15. Nerfs crâniens (**A**) Vue antérieure de l'encéphale et des nerfs crâniens (**B**) Vue latérale de l'encéphale avec schéma des nerfs crâniens

ses mouvements oculaires, son langage et sa déglutition. On utilise l'électromyographie pour évaluer la fonction motrice et sensorielle. La résonance magnétique nucléaire fournit d'excellentes images des nerfs crâniens et du tronc cérébral.

Étant donné que le tronc cérébral et les nerfs crâniens commandent des fonctions motrices, sensorielles ou neurovégétatives vitales, ils peuvent être altérés par des affections intrinsèques ou extrinsèques. La section qui suit porte principalement sur la névralgie essentielle du trijumeau, affection qui touche la cinquième paire des nerfs crâniens, et sur la paralysie de Bell, affection causée par une atteinte de la septième paire.

Voir le tableau 59-2 pour un aperçu des affections qui peuvent toucher chacun des nerfs crâniens, avec les manifestations cliniques et les interventions infirmières qui s'y rapportent. La figure 59-15 illustre les nerfs crâniens.

NÉVRALGIE ESSENTIELLE DU TRIJUMEAU (TIC DOULOUREUX DE LA FACE)

La névralgie essentielle du trijumeau est une affection du cinquième nerf crânien (trijumeau) qui se manifeste par une douleur paroxystique comparable à un choc électrique ou à une sensation de brûlure lancinante dans la région innervée par une ou plusieurs des ramifications du trijumeau. La douleur disparaît aussi soudainement qu'elle apparaît. Elle provoque la contraction d'une partie de la musculature de la face (comme la fermeture subite de l'œil ou un soubresaut de la bouche), d'où le nom «tic douloureux de la face». On ne connaît pas très bien la cause de la névralgie essentielle du trijumeau, mais on pense qu'elle serait due à la compression ou à l'irritation chronique du nerf trijumeau ou à la détérioration du ganglion de Gasser. Certains chercheurs croient qu'elle serait causée par la pression exercée par certaines anomalies structurales (boucles d'une artère) sur le nerf trijumeau, le ganglion de Gasser ou la zone dendritique.

Les premiers accès de douleur apparaissent la plupart du temps au cours de la cinquantaine et sont habituellement légers et brefs. Les périodes d'accalmie peuvent durer quelques minutes, quelques heures, quelques jours ou davantage. Avec le temps, toutefois, les accès de douleur ont tendance à être de plus en plus fréquents et intolérables. Le patient vit dans la crainte perpétuelle d'une crise.

La douleur causée par cette forme de névralgie est ressentie au niveau de la peau et non dans les parties plus profondes, mais elle est plus intense dans les zones périphériques de distribution du nerf touché (notamment sur les lèvres, le menton, les narines et dans les dents). Elle est déclenchée par une stimulation, même légère, des terminaisons des branches du nerf atteint, par exemple quand le patient se lave le visage, se rase, se brosse les dents, mange ou boit. Les courants d'air froid de même que les pressions exercées directement sur le tronc nerveux peuvent aussi provoquer un accès douloureux. On donne le nom de *point déclic* à certaines régions parce que le plus léger toucher y déclenche immédiatement la douleur. Pour éviter de déclencher la douleur, le patient souffrant de névralgie essentielle du trijumeau essaiera de ne pas toucher ou laver son visage, de ne pas se raser, de ne pas mastiquer et d'éviter tout ce qui pourrait causer un accès. Ce genre de comportement est un signe de la maladie.

Traitement

Les anticonvulsivants comme la carbamazépine (Tégrétol) et la phénytoïne (Dilantin) diminuent la transmission des influx dans les terminaisons nerveuses et soulagent ainsi la douleur chez la plupart des patients. La carbamazépine se prend

TABLEAU 59-2. *Atteintes des nerfs crâniens*

Affections ou causes	*Manifestations cliniques*	*Interventions infirmières*
NERF OLFACTIF-I		
Traumatisme crânien Tumeur intracrânienne Opération intracrânienne	Anosmie unilatérale ou bilatérale (temporaire ou permanente) Altération du goût	Rechercher les signes de rhinorrhée cérébrospinale si le patient présente un traumatisme crânien.
NERF OPTIQUE-II		
Névrite optique Hypertension intracrânienne Tumeur hypophysaire	Les lésions de la bandelette optique entraînent une hémianopsie homonyme.	Évaluer l'acuité visuelle. Organiser la chambre du patient de façon à éviter les accidents. Enseigner au patient des moyens de s'adapter à son trouble visuel.
NERF MOTEUR OCULAIRE COMMUN-III *NERF PATHÉTIQUE-IV* *NERF MOTEUR OCULAIRE EXTERNE-VI*		
Trouble vasculaire Ischémie du tronc cérébral Hémorragie / Infarctus Néoplasie Traumatisme Infection	Dilatation pupillaire; pupille avec abolition unilatérale du réflexe photomoteur Altération des mouvements oculaires Diplopie Paralysie oculaire supranucléaire Ptosis	Évaluer le mouvement des globes oculaires et vérifier si la pupille réagit.
NERF TRIJUMEAU-V		
Névralgie essentielle du trijumeau Traumatisme crânien Lésion pontocérébelleuse Tumeur ou métastase dans un sinus Compression de la racine du trijumeau par une tumeur	Douleur dans le visage Réflexe cornéen diminué ou aboli Trouble de la mastication	Évaluer la douleur et rechercher les mécanismes qui la déclenchent. Vérifier si le patient a de la difficulté à mastiquer. S'enquérir auprès du patient des facteurs qui déclenchent la douleur. Protéger la cornée des érosions. S'assurer que le patient a une bonne hygiène buccale. Informer le patient sur le traitement médicamenteux.
NERF FACIAL-VII		
Paralysie de Bell Tumeur du nerf facial Lésion intracrânienne Zona	Faiblesse et paralysie de la face Spasme hémifacial Diminution ou disparition du goût	Comme la paralysie faciale est une urgence, diriger le patient vers un médecin le plus tôt possible. Enseigner les soins destinés à protéger les yeux. Choisir des aliments faciles à mastiquer; le patient doit manger et boire du côté indemne de sa bouche. Insister sur l'importance d'une bonne hygiène buccale. Soutenir le patient sur le plan affectif étant donné les modifications dans l'aspect de son visage.
NERF AUDITIF-VIII		
Tumeurs / Neurinome de l'acoustique Compression vasculaire du nerf Maladie de Ménière	Acouphènes Vertiges Troubles auditifs	Évaluer les vertiges du patient. Prendre les précautions nécessaires pour prévenir les chutes. S'assurer que le patient a retrouvé son équilibre avant de le laisser marcher. Conseiller au patient de bouger lentement quand il veut changer de position. Aider le patient à marcher. Recommander au patient d'utiliser des aides, au besoin, pour les activités de la vie quotidienne.

TABLEAU 59-2. (suite)

Affections ou causes	*Manifestations cliniques*	*Interventions infirmières*
NERF GLOSSOPHARYNGIEN-IX		
Névralgie du glossopharyngien causée par la compression neurovasculaire des IXe et Xe nerfs. Traumatisme Affections inflammatoires Tumeur Anévrisme de l'artère vertébrale	Douleur à la base de la langue Difficulté à avaler Perte du réflexe nauséeux Paralysie du palais, du pharynx et du larynx	Vérifier si le patient présente une douleur paroxystique dans la gorge et une diminution ou une abolition des réflexes palatin, nauséeux et tussigène. S'assurer de l'absence de dysphagie, d'aspiration et d'élocution dysarthrique nasale. Installer le patient en semi-Fowler pour l'alimenter.
NERF VAGUE-X		
Paralysie spastique du larynx; paralysie bulbaire Syndrome de Guillain-Barré Endartériectomie de la carotide Tumeur du corps vagal Paralysie d'un nerf causée par une tumeur maligne ou un traumatisme chirurgical	Modification de la voix (raucité temporaire ou permanente) Paralysie vocale Dysphagie	Vérifier si le patient présente une obstruction des voies respiratoires et libérer les voies respiratoires à l'aide d'un tube endotrachéal au besoin. Prévenir l'aspiration accidentelle. Offrir du soutien au patient qui subit une intervention visant à rétablir sa voix.
NERF SPINAL-XI		
Affection de la moelle épinière Sclérose latérale amyotrophique Traumatisme Syndrome de Guillain-Barré	Chute de l'épaule du côté affecté et restriction des mouvements dans cette épaule Diminution ou abolition des mouvements de rotation, de flexion et d'extension de la tête; élévation de l'épaule	Soutenir le patient au cours des examens diagnostiques.
NERF GRAND HYPOGLOSSE-XII		
Lésions médullaires Sclérose latérale amyotrophique Destruction du noyau du grand hypoglosse par la poliomyélite ou une maladie du système moteur Sclérose en plaques Traumatisme	Dyskinésie de la langue Faiblesse ou paralysie des muscles de la langue Difficulté à parler, à mastiquer et à avaler	Évaluer la déglutition. Observer l'élocution. Être à l'affût des problèmes associés aux troubles de la déglutition et de l'élocution. Prévoir une méthode d'alimentation qui assurera un apport nutritionnel suffisant (alimentation par sonde).

aux repas, et on en augmente graduellement la dose jusqu'à l'obtention d'un soulagement de la douleur. Ses principaux effets secondaires sont les nausées, les étourdissements, la somnolence et les troubles hépatiques. Lors d'un traitement médicamenteux prolongé, il faut surveiller les signes d'insuffisance médullaire. La phénytoïne produit elle aussi des effets secondaires comme les nausées, les étourdissements, la somnolence, l'ataxie et des allergies cutanées.

Si le traitement médicamenteux ne réussit pas à soulager la douleur, on peut avoir recours à une intervention chirurgicale. Le patient devrait avoir son mot à dire dans le choix de l'intervention chirurgicale.

L'injection d'alcool dans le ganglion de Gasser et les ramifications périphériques du nerf trijumeau soulage la douleur pendant plusieurs mois. La douleur revient toutefois quand le nerf se regénère.

Thermocoagulation percutanée du ganglion de Gasser. La destruction du ganglion de Gasser par électrocoagulation percutanée à haute fréquence est l'intervention chirurgicale de choix dans la névralgie essentielle du trijumeau. Elle consiste à détruire par la chaleur les petites fibres non myélinisées et légèrement myélinisées qui transmettent la douleur.

Sous anesthésie locale, on introduit une aiguille dans la joue du côté atteint. Par radioscopie, on dirige ensuite l'aiguille dans le trou occipital jusqu'au ganglion de Gasser. L'aiguille rencontre l'une après l'autre les différentes parties du ganglion de Gasser (mandibulaire, maxillaire et ophtalmique). On stimule alors le nerf au moyen d'un faible courant et le patient doit indiquer le moment où il éprouve une sensation de picotement. Quand l'aiguille-électrode est à la position désirée, on anesthésie le patient pour une courte période et on émet un courant à haute fréquence qui détruit le ganglion du trijumeau et ses racines. Le patient se réveille ensuite de l'anesthésie et on vérifie s'il présente des déficiences sensorielles. On peut répéter l'émission de courant jusqu'à l'obtention de l'effet voulu. L'intervention dure moins d'une heure et permet de soulager définitivement la douleur dans la majorité des cas. Les fonctions tactile et proprioceptive demeurent intactes.

Décompression microvasculaire du nerf trijumeau. On peut aussi intervenir par voie intracrânienne pour décomprimer le nerf trijumeau, car la douleur provient parfois de la compression de la racine du trijumeau par une boucle artérielle ou par une veine. En se guidant à l'aide d'un microscope opératoire, on éloigne la boucle artérielle du trijumeau et on introduit une petite prothèse pour empêcher la boucle de comprimer de nouveau le nerf. Cette intervention chirurgicale permet de soulager la douleur faciale tout en préservant la sensibilité. Il s'agit toutefois d'une opération importante qui nécessite une craniotomie. Le traitement postopératoire est le même que pour les autres interventions intracrâniennes (voir le chapitre 58).

Interventions infirmières

Lors des soins préopératoires, l'infirmière doit tenir compte du fait que certains facteurs peuvent exacerber l'atroce douleur faciale du patient. Des aliments trop chauds ou trop froids, par exemple, ou un choc contre le lit, peuvent déclencher la douleur. Même des gestes simples comme de laver le visage du patient, de le peigner ou de lui brosser les dents peuvent provoquer des accès de douleur. Pour éviter la douleur, on peut utiliser une compresse de coton et de l'eau tiède pour laver le visage du patient, recommander à celui-ci de se rincer la bouche au lieu de se brosser les dents, et effectuer les soins d'hygiène quand il n'y a pas de douleur. Il faut également recommander au patient de prendre des aliments et des liquides tièdes, de mastiquer du côté indemne, et de manger des aliments mous s'il a de la difficulté à maintenir son apport nutritionnel. Enfin, l'infirmière doit se rappeler que le patient souffrant de douleurs chroniques est sujet à l'anxiété, à la dépression et à l'insomnie; elle doit par conséquent avoir recours aux interventions nécessaires pour soulager ces troubles et adresser le patient à un spécialiste au besoin.

PARALYSIE DE BELL

La paralysie de Bell (paralysie faciale périphérique) est causée par une atteinte périphérique et unilatérale de la septième paire crânienne et se manifeste par une faiblesse ou une paralysie des muscles de la face. On ne connaît pas la cause de cette affection, mais on pense qu'elle pourrait provenir d'une ischémie vasculaire, d'une maladie virale (herpès simplex, zona), d'une maladie auto-immunitaire ou d'une combinaison de ces facteurs.

Physiopathologie

Certains considèrent que la paralysie de Bell est due à une compression et une ischémie du nerf facial dans les limites étroites de son trajet à travers l'os temporal, soit à cause d'un œdème, soit à cause de l'obstruction des canaux nourriciers. La paralysie de Bell entraîne une déformation du visage (à cause de la paralysie des muscles de la face), un larmoiement, ainsi que des sensations douloureuses dans le visage, derrière l'oreille et dans l'œil. Le patient peut présenter des troubles d'élocution et être incapable de manger du côté atteint à cause du relâchement des muscles de la face.

Traitement

Le traitement vise à maintenir le tonus musculaire de la face et à prévenir ou minimiser l'énervation. L'infirmière doit rassurer le patient en lui expliquant qu'il ne s'agit pas d'un accident vasculaire cérébral et qu'on observe dans la plupart des cas une guérison spontanée en trois à cinq semaines.

On peut administrer un corticostéroïde (prednisone) pour réduire l'inflammation et l'œdème et, par le fait même, soulager la compression et rétablir l'irrigation sanguine du nerf. En commençant le traitement médicamenteux dès les premiers stades de la maladie, il semble qu'on puisse en réduire la gravité, soulager la douleur et prévenir ou minimiser l'énervation.

L'administration d'analgésiques soulage la douleur faciale. L'application de chaleur sur le côté atteint du visage aide également à soulager la douleur et favorise l'irrigation sanguine des muscles.

On peut aussi utiliser la stimulation électrique du visage pour empêcher l'atrophie des muscles. Le traitement conservateur suffit dans la plupart des cas. Il faut toutefois recourir à la chirurgie si on soupçonne une tumeur, s'il faut effectuer une décompression chirurgicale du nerf facial ou s'il faut réparer le visage paralysé.

Enseignement au patient et soins à domicile

Pendant la période où le visage est paralysé, il faut prendre les mesures nécessaires pour protéger l'œil atteint. Souvent, l'œil ne ferme pas complètement et le réflexe de clignement est diminué; l'œil est donc exposé à la poussière et aux corps étrangers. L'irritation et l'ulcération de la cornée sont des complications possibles dans ce cas. Parfois, des larmes s'écoulent sur les joues (*épiphora*) à cause d'une kératite due à l'assèchement de la cornée et à l'absence du réflexe de clignement. La laxité de la paupière inférieure nuit à l'évacuation normale des larmes. Pour éviter ces problèmes, il faut recouvrir l'œil atteint d'un pansement occlusif durant la nuit. Le pansement peut cependant éroder la cornée étant donné qu'il est difficile de garder fermées les paupières partiellement paralysées. On peut les garder fermées en appliquant un onguent ophtalmique au coucher. Le patient peut apprendre à fermer ses paupières manuellement avant d'aller au lit. Il doit porter des lunettes de protection pour réduire l'évaporation des liquides de l'œil.

Si le nerf n'est pas trop sensible, l'infirmière peut masser le visage du patient plusieurs fois par jour pour préserver le tonus musculaire. Elle utilise des mouvements doux dirigés vers le haut. Pour prévenir l'atrophie des muscles de la face, le patient peut exécuter des exercices faciaux devant un miroir (froncer les sourcils, gonfler les joues ou siffler, par exemple). La peau du visage doit rester chaude.

AFFECTIONS DU SYSTÈME NERVEUX PÉRIPHÉRIQUE

NEUROPATHIES PÉRIPHÉRIQUES (NÉVRITES PÉRIPHÉRIQUES)

Les neuropathies périphériques sont des affections qui touchent les nerfs moteurs, sensitifs et neurovégétatifs périphériques.

Les nerfs périphériques relient la moelle épinière et le cerveau aux autres organes, et transmettent par conséquent les influx moteurs efférents et relaient les influx sensoriels à l'encéphale. L'atteinte d'un seul nerf périphérique s'appelle une *mononeuropathie,* tandis que l'atteinte de plusieurs nerfs isolés ou de leurs ramifications se nomme *multinévrite.* On appelle *polynévrite,* un dysfonctionnement bilatéral symétrique qui apparaît d'abord dans les pieds et les mains. (La plupart des neuropathies d'origine nutritionnelle, métabolique et toxique revêtent cette forme.)

Les principales causes de la neuropathie périphérique sont le diabète, l'alcoolisme et les maladies vasculaires occlusives. Un grand nombre de poisons exogènes et de toxines bactériennes et métaboliques peuvent également altérer la structure et le fonctionnement des nerfs périphériques. À cause de l'utilisation de plus en plus répandue de produits chimiques dans le monde industriel, agricole et médical, le nombre de substances susceptibles de causer des neuropathies périphériques augmente. Dans les pays en voie de développement, la lèpre est la première cause de neuropathie périphérique grave (*Mycobacterium leprae* envahit le système nerveux périphérique).

Les principaux symptômes de la neuropathie périphérique sont une diminution de la sensibilité, une atrophie musculaire, de la faiblesse, une diminution des réflexes, de la douleur et des paresthésies (picotement, fourmillement) dans les membres. Le patient se plaint souvent d'un engourdissement dans une partie d'un membre. Les principales manifestations neurovégétatives sont une diminution de la sudation, une hypotension orthostatique, une diarrhée nocturne, de la tachycardie, l'impuissance, ainsi que des modifications atrophiques de la peau et des ongles.

Le diagnostic des neuropathies périphériques se fonde sur l'électromyographie et sur l'enregistrement des potentiels évoqués des nerfs et des muscles après stimulation électrique des nerfs.

Mononeuropathie

Dans la mononeuropathie, l'atteinte se limite à un seul nerf périphérique et ses ramifications. Les causes sont nombreuses: compression du tronc du nerf, comme dans le syndrome du canal carpien (voir le chapitre 63), lésion du nerf (lors d'une contusion produite par un choc par exemple), étirement du nerf (lors de la luxation d'une articulation par exemple); piqûre du nerf lors de l'injection d'un médicament ou lésion produite par le médicament lui-même; inflammation du nerf lorsqu'une infection adjacente se propage au tronc nerveux. La mononeuropathie est fréquente chez les diabétiques.

La douleur est rarement intense quand la mononeuropathie est due à une lésion, mais elle l'est quand la mononeuropathie est associée à un trouble inflammatoire comme l'arthrite. Elle est exacerbée par les mouvements qui étirent, forcent ou compriment le nerf atteint, de même que par la toux et les éternuements. La peau des régions innervées par le nerf atteint devient parfois rouge et brillante. Le tissu souscutané peut devenir œdémateux et l'alimentation des ongles et des cheveux, insuffisante. Les lésions d'origine chimique (comme celles causées par l'injection d'un médicament dans le nerf ou les tissus voisins) sont souvent permanentes.

Traitement. Le traitement de la mononeuropathie vise à éliminer la cause si cela est possible (soulager la pression exercée sur le nerf par exemple). Les injections locales de stéroïdes peuvent réduire l'inflammation et, par le fait même, la compression du nerf. On peut soulager la douleur avec de l'aspirine ou de la codéine.

Causalgie

On appelle *causalgie* (du grec *kausis* «brûlure» et *algie* «douleur») l'ensemble des signes et symptômes des lésions des nerfs périphériques. Les nerfs les plus souvent touchés sont, dans l'ordre, le nerf médian, le nerf cubital, le nerf radial, et les nerfs poplités interne et externe.

La principale caractéristique de la causalgie est une sensation de brûlure intense le long du nerf atteint. On peut qualifier sa douleur de brûlante, de cuisante, de pongitive ou de constrictive. Elle est plus ou moins persistante, et est intensifiée par certains stimuli physiques comme le contact des vêtements sur la peau. La peau recouvrant le membre touché devient chaude, brillante et, parfois, œdémateuse; elle transpire de façon anormale et finit par s'atrophier. Les ongles deviennent eux aussi atrophiés. Le patient a tendance à garder son membre immobile étant donné que le moindre mouvement exacerbe la douleur.

Le traitement comprend le blocage du nerf sympathique, la réparation des lésions nerveuses locales et une physiothérapie énergique. Le traitement des blessés de guerre a démontré que les exercices passifs et actifs de même que le lever précoce semblent diminuer les risques de causalgie dans les cas de blessures aux membres.

SYNDROME DE GUILLAIN-BARRÉ (POLYRADICULONÉVRITE)

Le syndrome de Guillain-Barré est un syndrome clinique dont la cause est inconnue, qui touche les nerfs périphériques et crâniens. Dans la plupart des cas, les déficiences neurologiques associées au syndrome de Guillain-Barré apparaissent une à quatre semaines après une infection (respiratoire ou gastrointestinale). Dans certains cas, le syndrome survient après une vaccination ou une intervention chirurgicale. Il peut être causé par une infection virale primaire, une réaction immunitaire ou divers autres facteurs. Selon certains, une infection virale déclencherait une réaction immunitaire qui s'attaquerait à la myéline des nerfs périphériques. (La *myéline* est la substance qui entoure ou enveloppe les axones de certains nerfs; elle joue un rôle important dans la transmission des influx nerveux.)

La maladie touche le plus souvent les parties proximales des nerfs et fréquemment les racines nerveuses situées dans l'espace sous-arachnoïdien. À l'autopsie, on a pu observer un œdème inflammatoire et une démyélinisation associée à l'infiltration de lymphocytes, surtout dans les racines des nerfs rachidiens.

Manifestations cliniques

Les premières manifestations du syndrome de Guillain-Barré sont variables: On peut observer des *paresthésies* (picotements et engourdissements) et une faiblesse musculaire dans les jambes, qui peut s'étendre progressivement aux bras, au tronc et aux muscles de la face. Une paralysie complète peut ensuite apparaître très rapidement. Les nerfs crâniens sont souvent atteints. Le patient peut alors présenter une paralysie des muscles de l'œil, de la face et de l'oropharynx et, par conséquent, avoir beaucoup de difficulté à parler, à mastiquer et à avaler. On observe souvent un dysfonctionnement neurovégétatif qui se manifeste par une réflectivité exagérée ou diminuée du système nerveux sympathique ou parasympathique. Apparaissent alors des troubles du rythme et du débit cardiaques, une altération de la pression artérielle (hypertension transitoire, hypotension orthostatique) et plusieurs autres perturbations vasomotrices. Le patient peut également éprouver une douleur intense et persistante dans le dos et les mollets. Souvent, la proprioception est altérée et les réflexes ostéotendineux s'affaiblissent ou disparaissent. L'altération sensorielle se traduit par des paresthésies.

La majorité des patients se rétablissent complètement après une période de quelques mois à un an. Dans environ 10 % des cas, la maladie laisse des séquelles.

Examens diagnostiques

L'analyse du liquide céphalorachidien révèle un taux élevé de protéines et une numération cellulaire normale. Les études électrophysiologiques indiquent un ralentissement prononcé de la vitesse de conduction des nerfs.

Traitement

Le syndrome de Guillain-Barré est considéré comme une urgence médicale qui exige l'hospitalisation du patient à l'unité de soins intensifs. Le patient qui présente des troubles respiratoires a besoin d'une ventilation assistée, parfois pendant une longue période. Si l'état du patient est grave et se détériore, on peut pratiquer une *plasmaphérèse* (échange plasmatique) pour diminuer temporairement le taux des anticorps circulants et freiner la démyélinisation. Il faut parfois avoir recours au monitorage cardiaque pour déceler les arythmies. Si le patient présente des arythmies associées au dysfonctionnement neurovégétatif, on lui administre du propranolol afin de prévenir la tachycardie et l'hypertension. On peut aussi administrer de l'atropine pour prévenir les accès de bradycardie lors des aspirations endotrachéales et les traitements de physiothérapie.

DÉMARCHE DE SOINS INFIRMIERS

PATIENTS ATTEINTS DU SYNDROME DE GUILLAIN-BARRÉ

▷ Collecte des données

Tout d'abord, l'infirmière doit absolument surveiller attentivement la fonction respiratoire du patient, car une insuffisance respiratoire peut apparaître *rapidement* à cause de la faiblesse ou de la paralysie des muscles intercostaux et du diaphragme. En fait, l'insuffisance respiratoire représente le principal danger pour la vie du patient. Il faut donc surveiller la capacité vitale 24 heures sur 24 afin de prévenir l'insuffisance respiratoire. La détérioration de la fonction respiratoire se manifeste par une diminution de la capacité vitale, accompagnée d'une faiblesse des muscles de la déglutition, se manifestant par une difficulté à tousser et à avaler. Les signes à surveiller sont l'essoufflement quand le patient parle, une respiration superficielle et irrégulière, une accélération de la fréquence du pouls, l'utilisation des muscles accessoires durant la respiration, et tout *changement* dans le rythme respiratoire.

Le diaphragme est le principal muscle inspirateur. L'infirmière doit donc surveiller les mouvements paradoxaux de Kienbock (élévation du diaphragme à l'inspiration) quand le patient est en décubitus dorsal. Le phénomène de Kienbock est un signe de faiblesse musculaire qui annonce la paralysie du diaphragme.

▷ ***Dépistage des complications.*** Pour dépister les complications du syndrome de Guillain-Barré, l'infirmière doit être à l'affût des signes d'insuffisance respiratoire aiguë. Les arythmies cardiaques sont une autre complication possible. Pour les prévenir, il faut avoir recours au monitorage cardiaque. On doit aussi rechercher les signes de thrombose veineuse profonde et d'embolie pulmonaire, deux complications dangereuses et fréquentes chez le patient immobilisé.

▷ Analyse et interprétation des données

Selon les données recueillies, voici les principaux diagnostics infirmiers possibles:

- Mode de respiration inefficace et perturbation des échanges gazeux reliés à la faiblesse musculaire d'évolution rapide et à l'imminence de l'insuffisance respiratoire
- Altération de la mobilité physique reliée à la paralysie
- Déficit nutritionnel relié à l'incapacité d'avaler, due à l'atteinte d'un nerf crânien
- Altération de la communication verbale reliée à l'atteinte d'un nerf crânien
- Peur reliée à la paralysie et au sentiment d'impuissance

▷ Planification et exécution

▷ ***Objectifs de soins:*** Rétablissement de la fonction respiratoire et de la respiration spontanée; amélioration de la mobilité physique; rétablissement de l'état nutritionnel; amélioration de la communication; soulagement de la peur

▷ Interventions infirmières

▷ ***Rétablissement de la fonction respiratoire.*** Pour se rétablir, le patient atteint du syndrome de Guillain-Barré dépend entièrement de la surveillance et des soins du personnel infirmier. Il faut recourir à la ventilation assistée quand des évaluations répétées de la capacité vitale montrent que la fonction respiratoire du patient se détériore progressivement, ce qui est un signe de l'affaiblissement des muscles respiratoires. La situation est tout particulièrement critique quand le patient a de la difficulté à tousser et à avaler, car il peut aspirer accidentellement sa salive et présenter rapidement une insuffisance respiratoire. Le traitement du patient sous ventilation assistée est un travail d'équipe (voir le chapitre 3). La physiothérapie respiratoire est habituellement nécessaire si on perçoit des craquements à l'auscultation.

▷ ***Amélioration de la mobilité physique.*** Il faut garder les membres paralysés du patient en position fonctionnelle et faire des exercices passifs d'amplitude des mouvements articulaires au moins deux fois par jour. L'infirmière doit travailler en collaboration avec le physiothérapeute pour prévenir les contractures, notamment en installant judicieusement le patient et en lui faisant faire des exercices. La thrombose veineuse profonde et l'embolie pulmonaire sont aussi des complications dangereuses de la paralysie. L'infirmière doit bien hydrater le patient, participer à la physiothérapie, et administrer les anticoagulants prescrits selon l'ordonnance.

La paralysie comporte un risque de neuropathie par compression, surtout dans la région des nerfs cubital et sciatique. Pour prévenir ce problème, l'infirmière peut placer des coussins sous les coudes et la tête du péroné. Ici encore, la prévention des escarres de décubitus est une tâche très importante de l'infirmière. Dans le cas d'un patient gravement paralysé, elle peut appliquer les principes de soins relatifs au patient inconscient (chapitre 58) en se rappelant toutefois que le patient paralysé, contrairement au patient inconscient, est en possession de toutes ses facultés mentales.

Quand le patient commence à se rétablir, il présente parfois une hypotension orthostatique (due au dysfonctionnement du système neurovégétatif). Il faut dans ce cas utiliser une table basculante pour l'aider à se réadapter graduellement à la position verticale.

▷ *Rétablissement de l'état nutritionnel.* La tâche de l'infirmière consiste à surveiller l'alimentation du patient et à prévenir l'atrophie musculaire. Le ralentissement de l'activité du système parasympathique peut entraîner un iléus paralytique. Dans ce cas, le médecin prescrit une alimentation intraveineuse jusqu'à la réapparition des bruits intestinaux. Si le patient est incapable d'avaler, le médecin peut prescrire une alimentation par sonde nasogastrique. Dès que le patient peut à nouveau avaler, on reprend graduellement l'alimentation par voie orale.

▷ *Amélioration de la communication verbale.* La paralysie, la trachéotomie et l'intubation empêchent le patient de parler, de rire ou de pleurer et, donc, d'exprimer ses émotions. L'ennui, la dépendance, l'isolement et l'irritation viennent amplifier le problème. Pour aider le patient à communiquer, on peut utiliser la lecture sur les lèvres, des cartes d'illustrations ou le clignement des yeux. Si le patient reste sous ventilation assistée pendant une longue période, on devra consulter un orthophoniste. Enfin, on peut essayer de distraire le patient (télévision, musique, visite des proches).

▷ *Soulagement de l'anxiété et de la peur.* Pour ne pas que le patient se sente trop isolé, on peut le distraire en lui faisant la lecture à voix haute ou en faisant participer sa famille et ses amis à certains soins. Pour diminuer son sentiment d'impuissance (et atténuer ainsi sa peur), l'infirmière peut l'informer sur sa maladie, réagir positivement à ses stratégies d'adaptation, lui faire faire des exercices de relaxation, l'aider à se distraire, et l'encourager. L'attitude de l'infirmière, du physiothérapeute et de l'ergothérapeute est importante, tout comme l'atmosphère qu'ils créent autour du patient. En prodiguant au patient des soins compétents, en l'informant et en le rassurant, l'infirmière aide celui-ci à recouvrer une certaine emprise sur sa situation.

▷ *Enseignement au patient.* Avant le départ du patient, l'infirmière doit lui recommander de continuer son programme d'exercices à la maison. Le patient aura peut-être besoin d'une prothèse pour se déplacer. L'infirmière explique également au patient qu'il doit éviter de s'épuiser et de fatiguer ses muscles. Il est bon de lui conseiller de «vivre un jour à la fois» quand il se sent accablé par la fatigue. Pour recevoir un soutien affectif et s'informer davantage, le patient peut participer à un groupe de soutien pour personnes atteintes du syndrome de Guillain-Barré.

▷ *Évaluation*

Résultats escomptés

1. Le patient recouvre une respiration spontanée et une fonction respiratoire normale.
   a) Il a une capacité vitale dans les limites de la normale.
   b) Il est sevré du ventilateur.
2. Le patient recouvre peu à peu sa mobilité.
   a) Il est capable de bouger tous ses membres.
   b) Il participe à un programme de réadaptation.
3. Le patient est capable d'avaler.
   a) Il désire manger.
   b) Il s'alimente par voie orale.
4. Le patient recouvre l'usage de la parole.
   a) Il parle sans trop s'essouffler.
   b) Il est capable d'exprimer ses besoins.
5. Le patient a moins peur.
   a) Il dort durant de plus longues périodes.
   b) Il semble plus détendu et moins anxieux.

RÉSUMÉ

Les affections neurologiques sont tout particulièrement dévastatrices pour les patients et leur famille, car le système nerveux central est complexe et sert d'intermédiaire indispensable dans les fonctions cognitives, motrices et sensorielles. Certains troubles neurologiques sont bénins, comme les céphalées occasionnelles qui ne nuisent pas aux activités, mais d'autres entraînent de graves incapacités et peuvent avoir des conséquences fatales. L'infirmière qui soigne le patient atteint d'une affection neurologique doit connaître les fonctions complexes du système nerveux, posséder d'excellentes capacités d'évaluation, comprendre l'anxiété et la peur éprouvées par le patient et la famille, et y être sensible. Un grand nombre de patients présentant un trouble neurologique sont d'abord traités dans une unité de soins intensifs. Il faut dès lors tenir compte de leurs besoins en matière de réadaptation.

Le traitement du patient présentant une affection neurologique exige la collaboration de tous les membres de l'équipe de soins. Dans beaucoup de cas, le traitement s'échelonne sur plusieurs années, et le suivi se fait souvent hors du cadre hospitalier. Un des rôles importants de l'infirmière est de coordonner les différents services dont le patient et la famille ont besoin.

Bibliographie

Ouvrages

Adams R and Victor M. Principles of Neurology, 4th ed. New York, McGraw-Hill, 1989.

Adler CS. Psychiatric Aspects of Headache. Baltimore, Williams & Wilkins, 1987.

Albert M (ed). Clinical Neurology of Aging. New York, Oxford University Press, 1984.

Barat M et Mazaux JM. Rééducation et réadaptation des traumatisés crâniens. Paris, Masson: 1986.

Becker DP et al. Head Injury. Philadelphia, WB Saunders, 1989.

Block R and Basbaum M. Management of Spinal Cord Injuries. Baltimore, Williams & Wilkins, 1986.

Brandstater ME. Stroke Rehabilitation. Baltimore, Williams & Wilkins, 1987.

Cook SD (ed). Handbook of Multiple Sclerosis. New York, Marcel Dekker, 1990.

Cooper P (ed). Head Injury, 2nd ed. Baltimore, Williams & Wilkins, 1987.

Crompton R. Closed Head Injury: Its Pathology and Legal Medicine. London, Williams & Wilkins, 1988.

Dalessio D. Wolf's Headache and Other Pain, 5th ed. New York, Oxford University Press, 1987.

Dipple R and Hutton JT (eds). Caring for the Parkinson's Patient: A Care Giver Guide. New York, Golden Age Books, 1989.

Drachman DB (ed). Myasthenia Gravis: Biology and Treatment. New York, Academy of Science, 1987.

Ferrari MD and Fataste X (eds). Migraine and Other Headaches. Park Ridge, NJ, Parthenon, 1989.

Frieschmann RB. Spinal Cord Injuries: Psychological, Social and Vocational Rehabilitation. New York, Demos Publishing Inc, 1988.

Frowein RA et al (eds). Head Injuries. New York, Springer-Verlag, 1989.

Gomez F. Hémiplégie, rééducation précoce de l'adulte. John Libbey France, Eurotexte: 1988.

Grant J and Kennedy-Caldwell C. Nutrition Support in Nursing. Philadelphia, Grune & Stratton, 1988.

Griffin M. Going the Distance: Living a Full Life with Multiple Sclerosis and other Debilitating Diseases. New York, Dutton, 1989.

Guillard A et Fénelon G. La maladie de Parkinson. Paris, Hermann: 1988.

Hickey JV. The Clinical Practice of Neurological and Neurosurgical Nursing, 2nd ed. Philadelphia, JB Lippincott, 1986.

Jennett HB and Teasdale G. Management of Head Injuries. Philadelphia, FA Davis, 1981.

Lechtenberg R. Seizure Diagnosis and Management. Philadelphia, FA Davis, 1990.

Létourneau PY. Le traumatisme craniocérébral, pour mieux comprendre et aider. MSSS, Québec, 1991.

Lion J et Mathé JF. La sclérose en plaques, mieux comprendre au quotidien. Paris, SIMEP: 1985.

Marteau R. La sclérose en plaques, au quotidien. Paris, Odile Jacob: 1991.

McDonald WI and Silberberg DH (eds). Multiple Sclerosis. Stoneham, MA, Butterworths, 1986.

Meloche JP et Dorion J. Maux de tête et migraines. Montréal, Les éditions de l'homme: 1988.

Pelissier J. Maladie de Parkinson et rééducation. Paris, Masson: 1990.

Plum F and Posner J. The Diagnosis of Stupor and Coma, 3rd ed. Philadelphia, FA Davis, 1982.

Richardson T and McKinlay W. Clinical and Neuropsychological Aspects of Closed Head Injury. New York, Taylor & Francis, 1990.

Rogers MA. Paraplégie. Paris, SIMEP: 1981.

Rose FC (ed). The Management of Headache. New York, Raven Press, 1988.

Rosenthal M et al (eds). Rehabilitation of the Adult and Child with Traumatic Brain Injury, 2nd ed. Philadelphia, FA Davis, 1990.

Scheinberg LC and Holland NJ (eds). Multiple Sclerosis: A Guide for Patients and Their Families, 2nd ed. New York, Raven Press, 1987.

Stern M and Hurtig H (eds). The Comprehensive Management of Parkinson's Disease. Great Neck, PMA Publishing Corp, 1988.

Wirth F and Ratcheson R. Neurosurgical Critical Care. Baltimore, Williams & Wilkins, 1987.

Whiteman S and Herman BP (eds). Psychopathology in Epilepsy: Social Factors. New York, Oxford University Press, 1987.

Yahr M and Bergmann K (eds). Parkinson's Disease. New York, Raven Press, 1987.

Revues

Les articles de recherche en sciences infirmières sont marqués d'un astérisque.

Sclérose latérale amyotrophique

Ashford W. ALS. Cleaning up the confusion about this paralytic disease can lead to better care of the patient. RNABC News 1987 Jan/Feb; 19(1):14–15.

Bay EJ. George wasn't ready to die. Nursing 1988 Aug; 18(8):52–53.

Beisecker AE et al. Patient's perspectives of the role of care providers in amyotrophic lateral sclerosis. Arch Neurol 1988 May; 45(5):553–556.

Carpenter J. Once a coach . . . always a coach: ALS patient "coaches" students through home health clinicals . . . amyotrophic lateral sclerosis. J Pract Nurs 1988 Dec; 38(4):32–33.

Evans R et al. Motor neurone disease. Nursing (Lond) 1989 Jan; 3(33):9–11.

Knapp MT. Jim's new world. Nursing 1987 Jul; 17(7):96.

Peters B. MND: A personal profile: Motor neurone disease. Aust Nurses J 1989 Mar; 18(8):8–10.

Preikschas J. ALS. A case study: Caring for ALS patients. RNABC News 1987 Jan/Feb; 19(1):17–18.

Roche J. Spirituality and the ALS patient. Rehabil Nurs 1989 May/Jun; 14(3):139–141.

Sebring DL et al. Amyotrophic lateral sclerosis: Psychosocial interventions for patients and their families. Health Soc Work 1987 Spring; 12(2): 113–201.

Stone N. Amyotrophic lateral sclerosis: A challenge for constant adaptation. 1987 Jun; 19(3):166–173.

Taylor SG. Nursing theory and nursing process: Orem's theory in practice. Nurs Sci Q 1988 Aug; 1(3):111–119.

Woy D. In Lynne's eyes. Nursing 1987 Nov; 17 (11):152.

Anévrisme et hémorragie sous-arachnoïdienne

Asby D. Ruptured cerebral aneurysm: Case studies. J Post Anesth Nurs 1986 Feb; 1(1):57–59.

Bisnaire D. Cerebral aneurysms and subarachnoid hemorrhage: An overview. Axon 1987 Mar; 8(3):73–78.

Fode NC. Subarachnoid hemorrhage from a ruptured intracranial aneurysm. Am J Nurs 1988 May; 88(5):673–679.

Stewart-Amidei C. Hypervolemic hemodilution: A new approach to subarachnoid hemorrhage. Heart Lung 1989 Nov; 18(6):590–595.

Willis D et al. A fatal attraction: Cocaine related subarachnoid hemorrhage. J Neurosci Nurs 1989 Jun; 21(3):171–174.

Tumeurs cérébrales

Bonner K and Siegel KR. Pathology, treatment and management of posterior fossa brain tumors in childhood. J Neurosci Nurs 1988 Apr; 20(2): 84–93.

Hodges K. Meningioma, astrocytoma and germinoma: Case presentations of three intracranial tumors. J Neurosci Nurs 1989 Apr; 21(2):113–121.

Kinash RG. Malignant brain tumors: Therapies and nursing interventions. Axone 1987 Sep; 9(1):7–11.

Koch F et al. Targeting cerebral tumors: Combining image-guided stereotactic endoscopy with laser therapy. AORN J 1989 Mar; 49(3):740–741, 743, 745–747.

Leclerc DB. Infusion of intra-arterial chemotherapy through superselective cerebral catheterization. Axone 1987 Sep; 9(1):18–21.

Randal TM et al. Neuro-oncology update: Radiation safety and nursing care during interstitial brachytherapy. J Neurosci Nurs 1987 Dec; 19(6): 315–320.

Resio MH and DeVroom HL. Spiromustine and intracarotid artery cisplatin in the treatment of glioblastoma multiforme. J Neurosci Nurs 1986 Feb; 18(1):13–22.

Shpritz DW. Neurologic aspects of critical care: Brain tumor basics. Crit Care Nurs 1986 Sep/Oct; 6(5):94–96.

Welsh DM and Zumwalt CB. Volumetric interstitial hyperthermia: Nursing implications for brain tumor treatment. J Neurosci Nurs 1988 Aug; 20(4):229–235.

Werner M and Schold S. Primary intracranial neoplasms in the elderly. Clin Geriatr Med 1987 Nov; 3(4):765–780.

Wicker P. Discussion group summary: When caring doesn't mean curing. NLN 1988 Oct; (15-2237):53–55.

Willis A. The final journey. Nurs Times 1988 Dec; 84(50):26–28.

Syndrome de Guillain-Barré

A man alone—and afraid: Caring for a patient with Guillain-Barré Syndrome. Nursing grand rounds. Nursing 1989 Dec; 17(12):44–48.

Fawcett M. Lessons from a patient. AD Nurse 1987 Nov/Dec; 2(6):11-13.

George MR. Neuromuscular respiratory failure: What a nurse knows may make the difference. J Neurosci Nurs 1988 Apr; 20(2):110-117.

Sic S et al. Immobility syndrome: Use it or lose it. AD Nurse 1987 Nov/Dec; 2(6):6-10.

Uprichard E et al. Guillian-Barré syndrome: Patients' and nurses' perspectives. Intens Care Nurs 1987 Mar 2; (3):123-134.

Yarnin M et al. Guillian-Barré syndrome: A nursing challenge. Aust Nurses J 1988 May; 17(10):8-10.

Céphalées

Daroff R. New headache classification. Neurology 1988 Jul; 8(7):1138-1139.

Derman H. Migraine headache: Old, newer and new treatments. Consultant 1988 Sep; 28(A):31-38.

Headache Classification Committee of the International Headache Society. Classification and diagnostic criteria for headache disorders, cranial neuralgias and facial pain. Cephalgia 1988 Aug; 8(7):9-96.

*Kunzar MB. Marital adjustment of headache sufferers and their spouses. J Psychosoc Nurs Ment Health Serv 1987 May; 25(5):12-17.

Raphael M. Traitement de la migraine. Soins psychiatriques. août-sept. 1988; 94-95.

Smith LS. Evaluation and management of muscle contraction headache. Nurse Pract 1988 Jan; 13(1):20-23, 26-27.

Whitney C and Daroff R. An approach to migraine. J Neurosci Nurs 1988 Oct; 20(5):284-289.

Traumatismes crâniens

Anderson BJ. The metabolic needs of head trauma victims. J Neurosci Nurs 1987 Aug; 19(4):211-215.

Baggerly J. Rehabilitation of the adult with head trauma. Nurs Clin North Am 1986 Dec; 21(4):577-587.

Batchelor J et al. Cognitive rehabilitation of severely closed-head injured patients using computer-assisted and noncomputerized treatment techniques. J Head Trauma Rehabil 1988 Sep; 3(3):78-85.

Bell TN. Nurses' attitudes in caring for the comatose head-injured patient. J Neurosci Nurs 1986 Oct; 18(5):279-289.

Bidet PF. Surveillance des traumatisés crâniens graves à la phase aiguë. Soins chirurgie 1989; 105:25-29.

Blackerby WF. Practical token economics . . . Neurologically impaired. J Head Trauma Rehabil 1988 Sep; 3(3):33-45.

Brotherton FA et al. Social skills training in the rehabilitation of patients with traumatic closed head injury. Arch Phys Med Rehabil 1988 Oct; 69(10):827-832.

Burns PG. Reentry of the head injured survivor into the educational system: First steps. J Community Health Nurs 1987 Mar; 4(3):145-152.

Bush GW. The National Head Injury Foundation: Eight years of challenge and growth. J Head Trauma Rehabil 1988 Dec; 3(4):73-77.

Byrnes MB et al. FIM: Its use in identifying rehabilitation needs in the head-injured patient. J Neurosci Nurs 1989 Feb; 21(1):61-63.

Campbell CH. Needs of relatives and helpfulness of support groups in severe head injury. Rehabil Nurs 1988 Nov/Dec; 13(6):520-525.

Carpenter R. Infections and head injury: A potentially lethal combination. Crit Care Nurs Q 1987 Dec; 10(3):1-11.

Cline DM et al. Observation of head trauma patients at home: A prospective study of compliance in the rural south. Ann Emerg Med 1988 Feb; 17(2):127-131.

*Crosby L et al. Clinical neurologic assessment tool: Development and testing of an instrument to index neurologic status. Heart Lung 1989 Mar; 18(2):121-129.

Date E et al. Relatives familiar faces. Nurs Times 1987 Sep 16-22; 83(37): 26-27.

Davidoff G et al. Closed head injury in acute traumatic spinal cord injury: Incidence and risk factors. Arch Phys Med Rehabil 1988 Oct; 69(10): 869-872.

Davidson L. The forgotten injury. Nurs Times 1989 Jan; 85(4):31-32.

DeChancie H et al. An enclosure for the disoriented head-injured patient. J Neurosci Nurs 1987 Dec; 19(6):34.

Diktaban T et al. Face the challenge. Emergency 1988 Nov; 20(11):42-45.

Do HK et al. Head trauma rehabilitation: Program evaluation. Rehabil Nurs 1988 Mar/Apr; 13(2):71-75.

Eames P. Behavior disorders after severe head injury: Their nature and causes and strategies for management. J Head Trauma Rehabil 1988 Sep; 3(3):1-6.

Frye B. Head injury and the family: Related literature. Rehabil Nurs 1987 May/Jun; 12(3):135-136.

Gerold KB. Special problems in post trauma respiratory management: Maxillofacial, head and chest injuries. Crit Care Nurs Q 1988 Sep; 11(2):59-62.

Gibbs J et al. Rehabilitation in head injury: A case study. Rehabil Nurs 1987 May/Jun; 12(3):137-138.

Guentz SJ. Cognitive rehabilitation of the head injured patient. Crit Care Nurs Q 1987 Dec; 10(3):51-60.

Hannegan L. Transient cognitive changes after craniotomy. J Neurosci Nurs 1989 Jun; 21(3):165-170.

Hinkle JL et al. Restoring social competence in minor head injury patients. J Neurosci Nurs 1986 Oct; 18(5):268-271.

Hogan RT. Behavior management for community reintegration. J Head Trauma Rehabil 1988 Sep; 3(3):62-71.

Holosko MJ et al. Perceived social adjustment and social support among a sample of head injured adults. Can J Rehabil 1989 Spring; 2(3): 145-154.

Howard ME. Behavior management in the acute care rehabilitation setting. J Head Trauma Rehabil 1988 Sep; 3(3):14-22.

Hugo M. Alleviating the effects of care on the intracranial pressure (ICP) of head injured patients by manipulating nursing care activities. Intens Care Nurs 1987 Feb; 3(2):78-82.

Ingersoll GL et al. The Glasgow Coma Scale for patients with head injuries. Crit Care Nurse 1987 Sep/Oct; 7(5):26-32.

Jacobs HE. The Los Angeles Head Injury Survey: Procedures and initial findings. Crit Care Nurse 1987 Sep/Oct; 7(5):26-32.

Johnson D et al. Head injury: Early rehabilitation of head-injured patients. Nurs Times 1989 Jan; 85(4):25-28.

*Kater KM. Response of head-injured patients to sensory stimulation. West J Nurs Res 1989 Feb; 11(1):20-33.

Katz N et al. Loewenstein Occupational Therapy Cognitive Assessment (LOTCA) battery for brain injured patients: Reliability and validity. Am J Occup Ther 1989 Mar; 43(3):184-192.

Kolpan KL. Medical malpractice. 1989 Jun; 4(2):79-80.

*Kozak GS et al. A comparison of teaching methods for ED discharge instruction after head injury. J Emerg Nurs 1989 Jan/Feb; 15(1):18-22.

Krefting L. Reintegration into the community after head injury: The results of an ethnographic study. Occup Ther J Res 1989 Mar/Apr; 9(2):67-83.

*Lee S. Intracranial pressure changes during positioning of patients with severe head injury. Heart Lung 1989 Jul; 18(4):411-414.

London PS. A long look at head injuries. Br J Occup Ther 1989 Mar; 52(3): 43-50.

Lynch W. Memory assessment: The next step. J Head Trauma Rehabil 1988 Dec; 3(4):100-102.

MacKay-Lyons M. Low-load, prolonged stretch in treatment of elbow flexion contractures secondary to head trauma. Phys Ther 1989 Apr; 69(4): 292-296.

Malca S. Les lésions craniocérébrales traumatiques. Soins chirurgie 1989; 105:13-18.

McGinley WJ. SNF-based care for the head injured. Provider 1988 Aug; 14(8):28, 30.

McKinlay WW et al. How can families help in the rehabilitation of the head injured? J Head Trauma Rehabil 1988 Dec; 3(4):64-72.

McPhee AT. Let the family in. J Emerg Nurs 1987 Mar/Apr; 13(2):120-121.

Milton SB. Management of subtle cognitive communication. J Head Trauma Rehabil 1988 Jun; 3(2):1-11.

Moore HS et al. Emergency care of the patient with neurogenic pulmonary edema. J Emerg Nurs 1987 Jul/Aug; 13(4):244-248.
Moore TH et al. The use of tone-reducing casts to prevent joint contractures following severe closed head injury. J Head Trauma Rehabil 1989 Jun; 4(2):63-65.
Neger RE. Evaluation of diplopia in head trauma. J Head Trauma Rehabil 1989 Jun; 4(2):27-34.
Nikas DL. Prognostic indicators in patients with severe head injury. Crit Care Nurs Q 1987 Dec; 10(3):25-34.
Patterson TS and Sargent M. Behavioral management of the agitated head trauma client. Rehabil Nurs 1990 Sep/Oct; 15(5):248-253.
Rees R. How some families cope and why some families do not. J Head Trauma Rehabil 1988 Sep; 3(3):72-77.
Reimer M. Head injured patients: How to detect early signs of trouble. Nursing 1989 Mar; 19(3):34-42.
Rocca B. Physiopathologie des lésions cérébrales traumatiques. Soins chir 1989; 105:4-7.
Rudy EB et al. The relationship between endotracheal suctioning and changes in intracranial pressure: a review of the literature. Heart Lung 1986 Sep; 15(5):488-494.
Shordone RJ. Assessment and treatment of cognitive-communicative impairments in the closed head injured patient: A neurobehavioral systems approach. J Head Trauma Rehabil 1988 Jun; 3(2):55-62.
*Smith KA. Head trauma: Comparison of infection rates for different methods of intracranial pressure monitoring. J Neurosci Nurs 1987 Dec; 19(6):310-314.
Sparadeo FR et al. Effects of prior alcohol use on head injury recovery. J Head Trauma Rehabil 1989 Mar; 4(1):75-81.
Stavros MK. Family issues in moderate to severe head injury. Crit Care Nurs Q 1987 Dec; 10(3):73-82.
Stevens SA et al. A simple step-by-step approach to neurologic assessment Part I. Nursing 1988 Sep; 18(9):53-61.
Stewart-Amidei C. What to do until the neurosurgeon arrives. J Emerg Nurs 1988 Sep/Oct; 14(5):296-301.
Talbot RJ. Headway: The first nine years, 1979 to 1988. J Head Trauma Rehabil 1988 Dec; 3(4):78-81.
Temple AP et al. Management of acute head injury. Implications for perioperative nurses. AORN J 1987 Dec; 46(6):1066-1076.
Turnbull J. Perils (hidden and not so hidden) for the token economy . . . Behavior modification. J Head Trauma Rehabil 1988 Sep; 3(3):46-52.
Well T et al. Action Stat! Closed head injury. Nursing 1988 Nov; 18(11): 33.
Winslade WJ et al. Prognosis in head injury: Legal and ethical issues. Crit Care Nurs Q 1987 Dec; 10(3):35-42.
Woody S. Episodic dyscontrol syndrome and head injury: A case presentation. J Neurosci Nurs 1988 Jun; 20(3):180-184.
Zarski JJ et al. Traumatic head injury: Dimensions of family responsibility. J Head Trauma Rehabil 1988 Dec; 3(4):31-41.
Zucker L. Transport of the neurologically injured patient. Emerg Care Q 1989 Feb; 4(4):40-47.

Chorée de Huntington

Clark M and Zabarsky M. Decoding a killer disease Huntington's disease. Newsweek 1983 Nov 21; 102(21):107.
Hunt VP. Dysphagia in Huntington's disease. J Neurosci Nurs 1989 Apr; 21(2):92-95.
Jackson L. A predictive test for Huntington's disease: Recombinant DNA technology and implications for nursing. J Neurosci Nurs 1987 Oct; 19(5):244-250.
Levine J et al. Do they really want to know? A new test confounds potential Huntington's disease victims. Time 1986 Oct 20; 128(16):80.
Peacock IW. A physical therapy program for Huntington's disease patients. Clin Manage Phys Ther 1987 Jan/Feb; 7(1):22-23.
Small O. Huntington's chorea. Nurs Times 1986 Apr; 82(15):32-33.

Méningite et abcès cérébral

Coderre C. Meningitis: Dangers when the diagnosis is viral. RN 1989 Aug; 52(8):50-54.
Gilliland K. Epidural abscesses of the spine: Case comparisons. J Neurosci Nurs 1989 Jun; 21(3):185-189.
Grabbe LL et al. Identifying neurologic complications of AIDS. Nursing 1989 May; 19(5):66-68.
Gryfinski J. Intramedullary spinal cord abscesses. J Neurosci Nurs 1988 Feb; 20(1):34-38.
McArthur JH et al. Human immunodeficiency virus and the nervous system. Nurs Clin North Am 1988 Dec; 23(4):823-841.
Prendergast V. Bacterial meningitis update. J Neurosci Nurs 1987 Apr; 19(2):95-99.
*Smith KA. Head trauma: Comparison of infection rates for different methods of intracranial pressure monitoring. J Neurosci Nurs 1987 Dec; 19(6):310-314.
Strampfer MJ et al. Laboratory aids in the diagnosis of bacterial meningitis. Winthrop University Hospital Infectious Disease Symposium. Heart Lung 1988 Nov; 17(6):605-607.
Travers GR et al. Neurological complications in acquired immune deficiency syndrome. Axone 1987 Jun; 8(4):107-111.
Wilson J. Paediatric bacterial meningitis. Aust Nurses J 1987 Jun; 16(11): 46-48.

Sclérose en plaques

Asburn A et al. An approach to the management of multiple sclerosis. Physiother Pract 1988 Sep; 4(3):139-145.
Allan S. ARMS extended. Nurs Times 1987 Oct/Nov; 83(43):44-45.
Birk K et al. Pregnancy and multiple sclerosis. Semin Neurol 1988 Sep; 8(3):205-213.
Coffey K. Multiple sclerosis: The inner world. Home Health Nurse Sep/Oct 1987; 5(5):33-36.
Csesko PA. Sexuality and multiple sclerosis. J Neurosci Nurs 1988 Dec; 20(6):353-355.
Dewis ME et al. Sexual dysfunction in multiple sclerosis. J Neurosci Nurs 1989 Jun; 21(3):175-179.
Feeney S. A family affair: Considering the wide-ranging effects of chronic illness in the family. NZ Nurs J 1988 Aug; 81(8):28-30.
Ferguson JM. Helping an MS patient live a better life. 1987 Dec; 40(12): 22-27.
Francabandera FL et al. Multiple sclerosis rehabilitation: Inpatient vs outpatient. Rehabil Nurs 1988 Sep/Oct; 13(5):251-253.
Friedemann M et al. Multiple sclerosis and the family. Arch Psychiatr Nurs 1987 Feb; 1(1):47-54.
Gingrich V. Another gift given: Living with multiple sclerosis, learning about myself. Can Nurse 1988 Nov; 84(10):32-33.
*Goodkin DE et al. Upper extremity function in multiple sclerosis: Improving assessment sensitivity with box and block and nine-hole peg tests. Arch Phys Med Rehabil 1988 Oct; 69(10):850-854.
*Gulick EE. Model confirmation of the MS-related symptom checklist. Nurs Res 1989 May/Jun; 38(3):147-153.
Halper, J. The functional model in multiple sclerosis. Rehabil Nurs 1990 Mar/Apr; 15(2):77-79, 85.
Henderson JS. A subcoccygeal exercise program for simple urinary stress incontinence: Applicability to the female client with multiple sclerosis. J Neurosci Nurs 1988 Jun; 20(3):185-188.
Henderson JS. Intermittent clean self-catheterization in clients with neurogenic bladder resulting from multiple sclerosis. J Neurosci Nurs 1989 Jun; 21(3):160-164.
Henderson JS et al. The cobblestones of Scotland: Enjoying Edinburgh in a wheelchair. Kans Nurs 1988 Mar; 53(3):3.
Jones IH. Helping hands. Labor of love. Nurs Times Dec/Jan 1988; 83(51): 32-34.
Kassires MR et al. Pain in multiple sclerosis. Am J Nurs 1987 Jul; 87(7): 968-969.
Kassires MR et al. Pain in chronic multiple sclerosis. J Pain Symptom Manage 1987 Spring; 2(2):95-97.

Kelly B and Mahon SM. Nursing care of the patient with multiple sclerosis. Rehabil Nurs 1988 Sep/Oct; 13(5):238-243.

Kurtzke JF. The disability status scale for multiple sclerosis: Part I. Neurology 1989 Feb; 39(2):291-302.

Larsen, PD. Psychosocial adjustment in multiple sclerosis. Rehabil Nurs 1990 Sep/Oct; 15(5):242-246.

MacLellan M. Community care of the patient with multiple sclerosis. Nursing 1989 Jan; 3(33):28-32.

McBride EV et al. Explaining diagnostic tests for MS. Nursing 1988 Feb; 18(2):68-72.

Melia K. Everyday ethics for nurses: Whose morals are they, anyway? Nurs Times 1987 Jan/May; 83(21):44-46.

Molitor RE et al. Home intravenous administration of adrenocorticotropic hormone in patients with multiple sclerosis. J Intraven Nurs 1988 Jul/Aug; 11(4):249-251.

Oligiati R et al. Increased energy cost of walking in multiple sclerosis: Effect of spasticity, ataxia and weakness. Arch Phys Med Rehabil 1988 Oct; 69(10):846-849.

Oliver H. Continence. The treatment of choice. Nurs Times 1988 Aug; 84(31):70.

*Pollock SE et al. Responses to chronic illness: Analysis of psychological and physiological adaptation. Nurs Res 1990 Sep/Oct; 39(5):300-304.

*Sammonds RH et al. Perceptions of body image in subjects with multiple sclerosis: A pilot study. J Neurosci Nurs 1989 Jun; 21(3):190-194.

Schmitt DM. Helping Gwen to keep going. Nursing 1989 Mar; 19(3):54-56.

Shaw CA. Spasticity: Its functional implication in multiple sclerosis. Axon 1988 May; 9(4):63-65.

*Smeltzer SC et al. Pulmonary function and dysfunction in multiple sclerosis. Arch Neurol 1988 Nov; 45(11):1245-1249.

*Smeltzer SC et al. Testing of an index of pulmonary dysfunction in multiple sclerosis. Nurs Res 1989 Nov/Dec; 38(6):370-374.

Smithers K. Practical problems of mothers who have multiple sclerosis. Midwife Health Visit Community Nurse 1988 May; 24(5):165, 167-168.

*Storm DS et al. Achieving self-care in the ventilator-dependent patient: A critical analysis of a case study. Int J Nurs Stud 1987 Feb; 24(2):95-106.

Sutcliffe P. Thumbnail sketches of disabling diseases encountered by community staff, Part 2. Br J Occup Ther 1988 Jul; 51(7):235.

Thornton NG et al. Multiple sclerosis and female sexuality. Can Nurse 1989 Apr; 85(4):16-18.

Weinstein MS et al. Carbon dioxide cystometry and postural changes in patients with multiple sclerosis. Arch Phys Med Rehabil 1988 Nov; 69(11):923-927.

Wenola M. Cyclophosphamide in chronic progressive multiple sclerosis. NITA 1987 May/Jun; 10(3):219-223.

*Wineman NM. Adaptation to multiple sclerosis. The role of social support, functional disability, and perceived uncertainty. Nurs Res 1990 Sep/Oct; 39(5):294-299.

Winter S et al. A nurse-managed multiple sclerosis clinic: Improved quality of life for persons with MS. Rehabil Nurs 1989 Jan/Feb; 14(1):13-16.

Woodall L. Multiple sclerosis and patients' feelings. AARN News Lett 1988 Apr; 44(4):27.

Myasthénie

Bell J. Understanding and managing myasthenia gravis. Focus Crit Care 1989 Feb; 16(1):57-65.

Gamburg C et al. Neuromuscular diseases, myopathies and anesthesia. Curr Rev Nurse Anesth 1989 Jul 28; (11)4:26-32.

George MR. Neuromuscular respiratory failure: What the nurse knows may make the difference. J Neurosci Nurs 1988 Apr; 20(2):110-117.

Rhynsburger J. How to fight MG fatigue: Myasthenia gravis. Am J Nurs 1989 Mar; 89(3):337-340.

Maladie de Parkinson

Adrenal medullary transplantation in Parkinson's disease. Nurses Drug Alert 1989 Apr; 13(4):28.

Alerman C. Parkinson's disease. Nurs Stand 1988 May; 2(32):26.

*Athlin E et al. Aberrant eating behavior in elderly Parkinsonian patients with and without dementia: Analysis of video-recorded meals. Res Nurs Health 1989 Feb; 12(1):41-51.

Baker M. The Parkinson's Disease Society. Geriatr Nurs Home Care 1988 Jan; 8(1):17-18.

Barker E. Parkinsonism: Surgical treatment requires new nursing management (editorial). J Neurosci Nurs 1987 Aug; 19(4):181.

Burford K. The physiotherapist's role in Parkinson's disease. Geriatr Nurs Home Care 1988 Jan; 8(1):14-16.

Calne S. Parkinson's disease problems in nursing management related to medications. Axon 1988 May; 9(4):55-58.

Delgado JM et al. Care of the patient with Parkinson's disease: Surgical and nursing interventions. J Neurosci Nurs 1988 Jun; 20(3):142-150.

Diet modifications may improve response to levodopa. Nurses Drug Alert 1988 Dec; 12(12):95-96.

Goetz CG et al. Update on Parkinson's disease. Patient Care 1989 Apr; 23(7):124-138.

Goto L and Braun K. Nursing home without walls. J Gerontol Nurs 1987 Jan; 3(1):18-21.

*Hurwitz A. The benefit of a home exercise regimen for ambulatory Parkinson's disease patients. J Neurosci Nurs 1989 Jun; 21(3):180-184.

Kierans CA. Parkinson's disease: A nursing challenge. Perspectives 1988 Summer; 12(2):10-14.

Looney KM. The respite care alternative. J Gerontol Nurs 1987 May; 13(5):18-21.

Lyall J. Brave new world. Nurs Times 1988 May 25-31; 84(21):19.

Manicot C. Parkinsonisme, vous n'êtes pas seul. Rev.infirm 1990; 40(19):53-54.

Mitchell PH et al. Group exercise: A nursing therapy in Parkinson's disease. Rehabil Nurs 1987 Sep/Oct; 12(5):242-245.

Norberg A et al. The interaction between the parkinsonian patient and his care giver during feeding: A theoretical model. J Adv Nurs 1987 Sep; 12(5):545-550.

Norberg A et al. A model for the assessment of eating problems in patients with Parkinson's disease. J Adv Nurs 1987 Jul; 12(4):473-481.

Pednault E. Home care of patients with Parkinson's disease. Prim Care 1987 Sep; 4(3):485-498.

Pentland B. The management of Parkinson's disease. Geriatr Nurs Home Care 1988 Jan; 8(1):12-14.

Sargent SM et al. Autologous adrenal medulla transplant. Investigational treatment for Parkinson's disease. AORN J 1988 Mar; 47(3):682-694.

Swindin J. Never alone. Nurs Stand 1988 May; 2(32):27.

Topp B. Toward a better understanding of Parkinson's disease. Geriatr Nurs (New York) 1987 Jul/Aug; 8(4):180-182.

Van Dillen LR et al. Interrater reliability of a clinical scale of rigidity. Phys Ther 1988 Nov; 68(11):1679-1681.

Van Oteghen SL. An exercise program for those with Parkinson's disease. Geriatr Nurs (New York) 1987 Jul/Aug; 8(4):183-184.

Williams V. Parkinson's disease: Autotransplantation of adrenal medulla to caudate nucleus of the brain. J Neurosci Nurs 1987 Jun; 19(3):174.

Ziegler M. Le suivi du patient atteint de la maladie de Parkinson. Rev.infirm 1990; 40(19):45-48

Ziegler M. Le traitement de la maladie de Parkinson. Rev.infirm 1990; 40(19):39-44

Neuropathies périphériques

Bild DE et al. Lower extremity amputation in people with diabetes: Epidemiology and prevention. Diabetes Care 1989 Jan; 12(1):24-31.

Cosgrove JL et al. A prospective study of peripheral nerve lesions occurring in traumatic brain-injured patients. Am J Phys Med Rehabil 1989 Feb; 68(1):15-17.

Identifying heavy metal poisoning. Emerg Med 1989 Apr; 21(8):81.

Pease WS et al. Monopolar needle stimulation: Safety consideration. Arch Phys Med Rehabil 1989 May; 70(5):412-414

Convulsions

Bare MA. Hemispherectomy for seizures. J Neurosci Nurs 1989 Feb; 21(1): 18-23.

Bernat JL. Getting a handle on an adult's first seizure. Emerg Med 1989 Jan 15; 21(1):20-28.

Callanan M. Epilepsy: Putting the patient back in control. RN 1988 Feb; 51(2):48-56.

Conley NJ et al. Current controversies in pregnancy and epilepsy: A unique challenge to nursing. J Obstet Gynecol Neonatal Nurs 1987 Sep/Oct; 16(5):321-328.

Counselman FL. When fevers lead to seizures. Emerg Med 1989 Jun 15; 21(11):186-192.

De Vroom HL et al. Advances in the localization of epileptic loci for surgical resection. J Neurosci Nurs 1987 Apr; 19(2):77-82.

Dieter DC. Corpus callostomy: The role of the nurse in family decision making. J Neurosci Nurs 1989 Aug; 21(4):234-240.

Foxton W. Managing epilepsy. Nurs Stand 1988 Jan 18; 2(37):35.

Friedman D. Taking the scare out of caring for seizure patients. Nursing 1988 Feb; 18(2):52-60.

Friedman D. Controlling epilepsy with surgery. RN 1988 Feb; 51(2):52-53.

Graham O et al. A model for ambulatory care of patients with epilepsy and other neurological disorders. J Neurosci Nurs 1989 Apr; 21(2): 108-112.

Jastremski MS et al. What to look for in seizure workups. Patient Care 1988 Oct 15; 22(16):68-76.

Koplan KL. Can a physician be held liable for certifying a person with a seizure history fit to drive? J Head Trauma Rehabil 1988 Jun; 3(2): 97.

McCormick KB. Pregnancy and epilepsy nursing implications. J Neurosci Nurs 1987 Apr; 19(2):66-76.

Mitchell A et al. Temporal lobectomy: An increasingly viable option for seizure patients. Axon 1989 Mar; 10(3):69-71.

Morrison JL. Obtaining a seizure history: Discovering a pattern. RN 1988 Feb; 51(2):54-55.

Phenobarbital for status epilepticus. Emerg Med 1988 Oct 30; 20(18):45-49.

Richardson E. Surgery for epilepsy. Nursing (Lond) 1989 Jan; 3(33):20-23.

Ross D. Dealing with epilepsy. Occup Health (Lond) 1988 Dec; 40(12): 741-743.

Santilli N et al. Advances in the treatment of epilepsy. J Neurosci Nurs 1987 Jun; 19(3):141-157.

Sneed RC et al. Interference of oral phenytoin absorption by enteral tube feedings. Arch Phys Med Rehabil 1988 Sep; 69(6):682-684.

Wiseman E et al. AANA Journal Course: Advanced scientific concepts update for nurse anesthetists: Anesthesia for patients on anticholinesterase and antiepileptic drugs. AANA J 1989 Feb; 57(1):78-87.

Affections médullaires

Allison RE et al. Spinal fixation: Using the Steffee pedicle screw and plate system. AORN J 1989 Apr; 49(4):1016-1024.

Cramer C. Lumbar laminectomy: PACU standard or malpractice? J Post Anesth Nurs 1987 Aug; 2(3):149-158.

Grashion LA. Physiotherapy management of internal fixations of the spine with the Hartshill system. Physiotherapy 1989 Jun; 75(6):364-366.

Jones AG et al. Side effects following metrizamide myelography and lumbar laminectomy. J Neurosci Nurs 1987 Apr; 19(2):90-94.

Kruszewski MA et al. Harrington rod instrument and spinal fusion: Postoperative care plan. Crit Care Nurse 1985 Nov/Dec; 5(6):77-78.

Nazaroff KS et al. Halo-body jacket immobilization in rheumatoid arthritis patients with cervical myelopathy. Nurs Clin North Am 1989 Mar; 24(1):209-223.

Neatherlin JS et al. Factors determining length of hospitalization for patients having laminectomy surgery. J Neurosci Nurs 1988 Feb; 20(1):39-41.

Quast LM. Thoracic disc disease: Diagnosis and surgical treatment. J Neurosci Nurs 1987 Aug; 19(4):198-204.

Quattro LS. Spinal stabilization. An introduction to Cotrel-DuBousset instrumentation. AORN J 1987 Jul; 46(1):54-63.

Reid DC et al. Contraindications and precautions to spinal joint manipulations: A review. Specific spinal conditions. Part 1. Can J Rehabil 1988 Fall; 2(1):19-30.

Reid DC et al. Contraindications and precautions to spinal joint manipulations: A review. Selected patient groups and special conditions. Part 2. Can J Rehabil 1988 Winter; 2(2):71-78.

Stearns HC. Radiology review. Orthop Nurs 1986; Sep/Oct; 5(5):43-44.

Stuckey PA et al. Oncology alert for the home care nurse: Spinal cord compression. Home Health Nurse 1987 Mar/Apr; 5(2):29-31.

Wilkowski J. Spinal cord compression: An oncologic emergency. J Emerg Nurs 1986 Jan/Feb; 12(1):9-12.

Lésions médullaires

Adamson T et al. Spinal injuries: Rehabilitation. NZ Nurs J 1989 Apr; 82(3): 28-30.

Adelstein WM. Cost containment in spinal cord injuries. Rehabil Nurs 1988 Jan/Feb; 13(1):32-37.

Adelstein W. C1-C2 fractures and dislocations. J Neurosci Nurs 1989 Jun; 21(3):149-159.

Annear D. Assessing the spinal cord injured patient. Axon 1988 Dec; 10(2): 42-44.

*Balmaseda MT et al. The value of the ice water test in the management of the neurogenic bladder. Am J Phys Med Rehabil 1988 Oct; 67(4): 225-227.

Balmaseda MT et al. Posttraumatic syringomyelia associated with heavy weightlifting exercises: Case report. Arch Phys Med Rehabil 1988 Nov; 69(11):970-972.

Balmaseda MT et al. An unusual presentation of gluteal hematoma during anticoagulation therapy for deep venous thrombosis in spinal cord injury. Am J Phys Med Rehabil 1988 Dec; 67(6):261-263.

Barker E et al. Managing a suspected spinal cord injury. Nursing 1989 Apr; 19(4):52-59.

Barker E et al. Rescuing an SCI victim from a pool: Spinal cord injuries. Nursing 1989 May; 19(5):58-64.

Black J. Autonomic dysreflexia/hyperreflexia in spinal cord injury. Urol Nurs 1988 Apr/Jun; 8(4):12.

Blake S et al. Spinal injuries: First aid and acute nursing part 2. NZ Nurs J 1989 Mar; 82(2):26-27.

Bloom KK et al. Tibial nerve somatosensory evoked potentials in spinal cord hemisection. Am J Phys Med Rehabil 1989 Apr; 68(2):59-65.

*Borkowski C. A comparison of pulmonary complications in spinal cord-injured patients treated with two modes of spinal immobilization. J Neurosci Nurs 1989 Apr; 21(2):79-85.

*Boschen KA. Housing options and preferences among urban-dwelling spinal cord injured young adults. Can J Rehabil 1988 Fall; 2(1):31-40.

Bourdon SE. Psychological impact of neurotrauma in the acute care setting. Nurs Clin North Am 1986 Dec; 21(4):629-640.

Bowers JE et al. Analysis of a support group for young spinal cord-injured males. Rehabil Nurs 1987 Nov/Dec; 12(6):313-315, 322.

Brady S. Implications of aging in spinal cord injury. Sci Nurs 1986 Fall; 3(4):43-44.

Cooley W. Facilitating change. Sci Nurs 1986 Summer; 3(3):34-36.

Coyle M. Incontinence: Now you're paralyzed. Nurs RSA 1987 Sep; 2(9): 21-23.

Davidoff G et al. Closed head injury in acute traumatic spinal cord injury: Incidence and risk factors. Arch Phys Med Rehabil 1988 Oct; 69(10): 869-872.

Dewis ME. Spinal cord injury: Responses of adolescents and young adults to body changes. Axon 1987 Dec; 9(2):9-12.

*Dewis ME. Spinal cord injured adolescents and young adults: The meaning of body changes. J Adv Nurs 1989 May; 14(5):389-396.

Dillingham TR. Prevention of complications during acute management of the spinal cord-injured patient: First step in the rehabilitation process. Crit Care Nurs Q 1988 Sep; 11(2) 71-77.

Doloresco LG. Recruitment and retention of nurses for spinal cord injury. Sci Nurs 1988 Spring; 5(2):18-20.

Drayton-Hargrove S et al. Rehabilitation and long-term management of the spinal cord injured adult. Nurs Clin North Am 1986 Dec; 21(4): 599-610.

Duci B et al. SCI home care: Transitional rehabilitation as a composite of follow-up care. Sci Nurs 1986 Winter; 3(1):6-9.

Egerton J et al. ABC of spinal cord injury. Br Med J 1986 Feb; 3(1):6-9.

*Ferington FE. Personal control and coping effectiveness in spinal cord injured persons. Res Nurs Health 1986 Sep; 9(3):257-265.

Formal C et al. Burns after spinal cord injury. Arch Phys Med Rehabil 1989 May; 70(5):380-381.

Frost F et al. Intrathecal Baclofen infusion: Effect on bladder management programs in patients with myelopathy. Am J Phys Med Rehabil 1989 Jun; 68(3):112-115.

Gardenshire M. Quality assurance monitoring: A rewarding step in the development of the nurse researcher. Sci Nurs 1988 Spring; 5(2):22-24.

Glaeser JJ, Gerne HJ, Kluger P et Meister B. Réadaptation des personnes âgées atteintes d'une lésion médullaire. Soins 1988; 510:42-46.

Gribble MJ et al. Pyuria: Its relationship to bacteriuria in spinal cord injured patients on intermittent catheterization. Arch Phys Med Rehabil 1989 May; 70(5):376-379.

Hegde S et al. Thoracic disc herniation and spinal cord injury. Am J Phys Med Rehabil 1988 Oct; 67(5):228-229.

Hooker EZ et al. A method for quantifying the area of closed pressure sores by sinography and digitometry. J Neurosci Nurs 1988 Apr; 20(2): 118-127.

Hooker EX. Problems of veterans spinal cord injured after age 55: Nursing implications. J Neurosci Nurs 1986 Aug; 18(4):188-195.

Jaeger RJ et al. Rehabilitation technology for standing and walking after spinal cord injury. Am J Phys Med Rehabil 1989 Jun; 68(3):128-133.

Jones IH. Walking tall. Nurs Times 1987 Apr/May; 83(17):44-46.

*Koehler ML. Relationship between self-concept and successful rehabilitation. Rehabil Nurs 1989 Jan/Feb; 14(1):9-12.

Lae S et al. Risk factors for heterotopic ossification in spinal cord injury. Arch Phys Med Rehabil 1989 May; 70(5):387-390.

Laven GT et al. Nutritional status during the acute stage of spinal cord injury. Arch Phys Med Rehabil 1989 Apr; 70(4):277-282.

Little JW et al. Lower extremity manifestations of spasticity in chronic spinal cord injury. Am J Phys Med Rehabil 1989 Feb; 68(1):32-36.

Little NE. In case of a broken neck. Emerg Med 1989 May; 21(9):22-32.

Lloyd EE et al. An examination of variables in spinal cord injury patients with pressure sores. Sci Nurs 1986 Spring; 3(2):19-22.

*Lyons M. Immune function in spinal cord injured males. J Neurosci Nurs 1987 Feb; 19(1):18-23.

Mackelprang RW et al. Ecological factors in rehabilitation of patients with severe spinal cord injuries. Soc Work Health Care 1987 Jan; 13(1): 23-38.

Mahon-Darby J et al. Powerlessness in cervical spinal cord injury patients. DCCN 1988 Nov/Dec; 7(6):346-355.

Markman LJ. Bladder and bowel management of the spinal cord injured patient. Plast Surg Nurs 1988 Winter; 8(4):141-145.

Mawson AR et al. Sensation-seeking and traumatic spinal cord injury: Case-control study. Arch Phys Med Rehabil 1988 Dec; 69(12):1039-1043.

McGibbon J. Paramedical aspects of spinal cord injured patients. Paraplegic 1987 Jun; 25(3):270-274.

McGuire A. Issues in the prevention of neurotrauma. Nurs Clin North Am 1986 Dec; 21(4):549-554.

McKenna ME et al. Acute care of the patient with spinal cord injury. CONA J 1989 Spring; 11(1):5-10.

McKenna ME et al. Nursing management of the patient with a spinal fracture. CONA J 1988 Sep; 10(3):4-9.

Merli GJ et al. Deep vein thrombosis: Prophylaxis in acute spinal cord injured patients. Arch Phys Med Rehabil 1988 Sep; 69(9):661-664.

Meyers AR et al. Predictors of medical care utilization by independently living adults with spinal cord injuries. Arch Phys Med Rehabil 1989 Jun; 70(6):471-476.

Minchington S et al. Specialized care at the Christchurch spinal unit. Part 1. NZ Nurs J 1989 Feb; 82(1):26-27.

Moak E. Perioperative care of the spinal cord injured patient. Today's OR Nurse 1989 Jan; 11(1):12-15, 36-38.

Molitor L. An adult male with spinal cord injury and hypotension and bradycardia. J Emerg Nurs 1988 Sep/Oct; 14(5):324-325.

Murphy SS. First impressions on a spinal cord injury unit. Sci Nurs 1988 Spring; 5(2):21.

Nemeth L et al. Intensive care of the spinal cord-injured patient; Focus on early rehabilitation. Crit Care Nurs Q 1988 Sep; 11(2):79-84.

Novak PP et al. Professional involvement in sexuality counseling for patients with spinal cord injuries. Am J Occup Ther 1988 Feb; 42(2):105-112.

O'Brien J. Vasogenic shock: Lost connections and overwhelming infection. JEMS 1989 Mar; 14(3):32-42.

Page JO. Anatomy of a lawsuit: The real-world aftermath of a spinal injury. JEMS 1989 Apr; 14(4):36-40.

Pervin-Dixon L. Sexuality and the spinal cord injured. J Psychosoc Nurs Ment Health Serv 1988 Apr; 26(4):31-34.

Pontier M. Investigating bladder complaints: Complications following spinal cord injury. Nurs RSA 1988 Apr; 3(4):31-32.

Reid DC et al. Contraindications and precautions to spinal joint manipulations: A review of specific spinal conditions. Part 1. Can J Rehabil 1988 Fall; 2(1):19-30.

Richards JS et al. Spinal cord injury and concomitant traumatic brain injury: Results of a longitudinal investigation. Am J Phys Med Rehabil 1988 Oct; 67(5):211-216.

Richmond T et al. Psychosocial responses to spinal cord injury. J Neurosci Nurs 1986 Aug; 18(4):183-187.

Rodriguez GP et al. Collagen metabolite excretion as a predictor of bone and skin related complications in spinal cord injury. Arch Phys Med Rehabil 1989 Jan; 70(6):442-444.

Romeo JH. The critical minutes after spinal cord injury. RN 1988 Apr; 51(4):61-67.

Romeo JH. Spinal cord injury: Nursing the patient toward a new life. RN 1988 May; 51(5):31-35.

Roye WP et al. Cervical spinal cord injury: A public catastrophe. J Trauma 1988 Aug; 28(8):1260-1264.

Rucker B et al. Legal, ethical and religious issues related to fertility enhancement of men with spinal cord injuries. Can J Rehabil 1988 Summer; 1(4):225-231.

Segatore M et al. Spinal cord testing development of a screening tool. J Neurosci Nurs 1988 Feb; 20(1):30-33.

Simor AE et al. Molecular and epidemiologic study of multiresistant serratia marcescens infections in a spinal cord injury rehabilitation unit. Infect Control 1988 Jan; 9(1):20-27.

Smith M et al. Ties that bind: Immobilizing the injured spine. JEMS 1989 Apr; 14(4):28-35.

Smith R. Mouth stick design for the client with spinal cord injury. Am J Occup Ther 1989 Apr; 43(4):251-255.

Spica MM. Sexual counseling standards for the spinal cord-injured. J Neurosci Nurs 1989 Feb; 21(1):56-60.

Stover SL et al. Urinary tract infection in spinal cord injury. Phys Med Rehabil 1989 Jan; 70(1):47-54.

Taylor J. Care of the ventilator dependent spinal cord injured patient and their families in the acute rehabilitation stage. Axon 1988 Dec; 10(2): 45-47.

Urey JR et al. Prediction of marital adjustment among spinal cord injured persons. Rehabil Nurs 1987 Jan/Feb; 12(1):26-30.

Verghese M. Autonomic dysreflexia: A life threatening emergency. Nurs J India 1989 May; 80(5):134-135.

Villeneuve MJ. Sexual function and fertility: The impact of spinal cord injury. CONA J 1989 Spring; 11(1):12-17.

Warms CA. Health promotion services in post-rehabilitation spinal cord injury health care. Rehabil Nurs 1987 Nov/Dec; 12(6):304–308.
Waters JD. Learning needs of spinal cord-injured patients. Rehabil Nurs 1987 Nov/Dec; 12(6):309–312.
Weber W. Spinal cord cooling: A nursing perspective. Axon 1987 Dec; 9(2):13–16.
Zucker L. Transport of the neurologically injured patient. Emerg Care Q 1989 Feb; 4(4):40–47.

Information/Ressources

Organismes gouvernementaux

Association canadienne de dystrophie musculaire
987-9907
Association québécoise des traumatisés crâniens
257-7738
Division for the Blind and Physically Handicapped
Library of Congress, Washington, DC 20542
Épilepsie Canada
1470 rue Peel, bureau 745, Montréal (Qc) H3A 1T1 (514) 845-7855
Fondation canadienne du Parkinson
Manulife Centre, 55 Bloor St. W., bureau 230, Toronto (Ont.) M4W 1A5 (416) 964-1155
National Institute of Neurological and Communicative Disorders and Stroke
National Institutes of Health, Bethesda, MD 20892
Société canadienne de la sclérose en plaques
250 Bloor St. E., bureau 820, Toronto (Ont.) M4W 3P9 (416) 922-6065
Société canadienne de la sclérose latérale amyotrophique
90 Adelaide St. E., bureau B10, Toronto (Ont.) M5C 2R4 (416) 362-0269
Société Huntington du Canada
C. P. 333, 13 Water St. N., bureau 3, Cambridge (Ont.) N1R 5T8 (519) 622-1002

Organismes privés

American Cancer Society
90 Park Ave, New York, NY 10016
American Parkinson's Disease Association
116 John St, Suite 417, New York, NY 10038
American Speech-Language-Hearing Association
10801 Rockville Pike, Rockville, MD 20852
Amyotrophic Lateral Sclerosis Association
15300 Ventura Blvd, Suite 315, PO Box 5951, Sherman Oaks, CA 91403
Epilepsy Foundation of America
4351 Garden City Dr, Landover, MD 20785
Guillain-Barré Syndrome Support Group
PO Box 262, Wynnewood, PA 19096
Hereditary Disease Foundation
9701 Wilshire Blvd, Suite 1204, Beverly Hills, CA 90212
Huntington's Disease Foundation of America
140 West 22nd St, 6th Floor, New York, NY 10011
Muscular Dystrophy Association
810 Seventh Ave, New York, NY 10019
Myasthenia Gravis Foundation
53 West Jackson Blvd, Chicago, IL 60604
National Easter Seal Society
2023 West Ogden Ave, Chicago, IL 60612
National Head Injury Foundation
333 Turnpike Rd, Southborough, MA 01772
National Headache Foundation
5252 North Western Ave, Chicago, IL 60625
National Multiple Sclerosis Society
205 E 42nd St, New York, NY 10017
National Parkinson Foundation
1501 NW Ninth Ave, Miami, FL 31316
National Spinal Cord Injury Association
600 West Cummings Park, Suite 2000, Woburn, MA 01801
Paralyzed Veterans of America
801 18th St NW, Washington, DC 20006
Parkinson's Disease Foundation
Columbia Presbyterian Medical Center, 640 W 168th Street, New York, NY 10032

PROGRÈS DE LA RECHERCHE EN SCIENCES INFIRMIÈRES

SOINS INFIRMIERS EN NEUROLOGIE

Dans le domaine des soins infirmiers en neurologie, la recherche porte principalement sur les soins infirmiers aux patients traumatisés du crâne et de la moelle épinière, et à ceux qui ont subi un accident vasculaire cérébral ou qui sont atteints de sclérose en plaques. Toutes ces affections sont dévastatrices pour le patient et sa famille et nécessitent des soins infirmiers intensifs. Elles méritent donc que les chercheures en sciences infirmières s'y attardent. On ne s'est pas beaucoup penché sur les différents aspects des soins à donner à ces patients, sauf en ce qui concerne les effets des interventions infirmières sur la pression intracrânienne, qu'on continue d'étudier. On a également mené un certain nombre d'études sur les questions touchant la famille et les soignants naturels. La recherche sur les troubles neurologiques aura sans doute une incidence importante sur la pratique professionnelle au cours des prochaines années.

Évaluation

▷ ***M. Cammermeyer et J. Evans. «A brief neurobehavioral exam useful for early detection of postoperative complications in neurosurgical patients»,*** **J. Neurosci Nurs,** *oct. 1988; 20(5):314-323*

Cet article présente des données concernant onze patients ayant subi une intervention neurochirurgicale pratiquée pour une tumeur cérébrale, un hématome sous-dural ou une hydrocéphalie. On y retrouve les résultats d'une série d'examens et d'études de cas dans le but d'illustrer l'utilité clinique d'un examen abrégé et normalisé de l'état cognitif. On a administré le Neurobehavioral Cognitive Status Examination (NCSE) avant et après l'intervention chirurgicale. Le NCSE permet d'évaluer huit aspects de la fonction cognitive, dont l'état de conscience, l'orientation, l'attention et le langage. Il a permis de constater une amélioration chez six des onze patients après l'opération. Les cinq autres patients montraient des signes de détérioration de la fonction cognitive. Une réévaluation clinique et diagnostique de ces cinq patients a démontré qu'une nouvelle opération était nécessaire, ce qui fut fait. Selon les auteurs de l'étude, l'examen postopératoire à l'aide du NCSE après la seconde intervention chirurgicale a aidé à déterminer les causes traitables et non traitables d'altération cognitive chez trois patients.

Soins infirmiers. Les auteurs croient que l'utilisation du NCSE permet de faire plus rapidement une évaluation diagnostique efficace et, par conséquent, de mieux soigner le patient. Toujours selon les auteurs, un instrument d'évaluation neurologique normalisé comme le NCSE permet également de déceler les changements peu apparents de la fonction cognitive qui sont parfois les premiers signes d'hypertension intracrânienne ou de complications postopératoires. L'étude ne mentionne pas si les patients qui présentaient une altération cognitive ont connu d'autres changements cliniques comme la léthargie, la confusion ou la perte de mémoire, que les examens neurologiques ordinaires peuvent déceler. Les instruments normalisés comme le NCSE et le Mini Mental State Examination ou MMSE sont simples, pratiques et objectifs et constituent de bons instruments cliniques. Une étude antérieure de Williams et collaborateurs (*Res Nurs Health,* mars 1985, 8[1], p. 31-40) révèle que le plus important indicateur de dysfonctionnement cognitif est le Mental Status Questionnaire Score. Selon les auteurs, le NCSE peut être très utile aux chercheures en sciences infirmières qui s'intéressent aux soins et à la réadaptation des patients atteints d'une affection neurologique.

Enseignement au patient

▷ ***M. Sanguinetti et M. Catanzaro. «A comparison of discharge teaching on the consequences of brain injury»,*** **J Neurosci Nurs,** *oct. 1987; 19(5): 271-275*

Les auteurs de cette étude ont conçu un enregistrement vidéo portant sur l'enseignement donné par l'infirmière au soignant naturel avant le départ du patient pour la maison. Le vidéo couvrait les dysfonctionnements cognitifs les plus fréquents chez les patients ayant subi des lésions cérébrales et qui risquent d'entraver les activités de la vie quotidienne. L'échantillon se composait d'un parent de 29 patients ayant subi des lésions cérébrales. On a réparti les sujets au hasard en deux groupes: le groupe témoin (qui a reçu l'enseignement ordinaire sur cassette vidéo) et le groupe expérimental (qui a reçu l'enseignement ordinaire en plus de visionner l'enregistrement expérimental). Les sujets des deux groupes ont ensuite passé un test qui permettait d'évaluer dans quelle mesure ils avaient assimilé les techniques de soins après avoir reçu l'enseignement. Les résultats de l'étude ont révélé une différence significative au point de vue statistique entre les deux groupes, le groupe expérimental ayant mieux assimilé l'information.

Soins infirmiers. Les auteurs proposent que d'autres études soient menées dans le but de déterminer si l'enseignement modifie le comportement du soignant naturel.

▷ *S. Morgan. «Comparison of three methods of managing fever in the neurologic patient»,* J Neurosci Nurs, *fév. 1990; 22(1):19-24*

L'augmentation de la température corporelle peut être nuisible au patient souffrant de troubles neurologiques. On estime que la vitesse du métabolisme peut augmenter de 7 % pour chaque augmentation de la température de un degré, ce qui provoque un accroissement du métabolisme cellulaire, des besoins en oxygène et du taux de gaz carbonique. Un des effets de ces altérations est la dilatation des vaisseaux du cerveau. La présente etude avait pour but de comparer trois méthodes antipyrétiques chez l'adulte: (1) l'administration d'acétaminophène; (2) l'administration d'acétaminophène avec un bain d'éponge tiède; et (3) l'administration d'acétaminophène avec utilisation d'une couverture hypothermique. Dans chaque cas, on a administré 650 mg d'acétaminophène par voie orale ou rectale. On a évalué ensuite deux aspects des trois méthodes: leur capacité de faire baisser la température et leurs effets sur les frissons.

Selon un plan d'étude quasi expérimental, on a assigné une méthode antipyrétique différente à chacun des trois groupes de patients formés au hasard lors de l'admission. L'échantillon se composait de 21 patients présentant des troubles neurologiques avec une température de 38 °C et plus. Les sujets ont reçu le traitement qui leur avait été assigné dès l'apparition de la fièvre. Dans les groupes 2 et 3, on a utilisé le bain d'éponge tiède ou la couverture hypothermique quand la température était à 38,5 °C ou plus. On a ensuite pris la température des sujets toutes les quinze minutes jusqu'à ce qu'elle ait baissé à 37,5 °C. On a noté le temps qu'il a fallu pour faire descendre la température à 37,5 °C. On a également évalué les frissons.

La baisse de la température de 38 à 37 °C dans le groupe 1 (acétaminophène seulement) a pris 110 minutes en moyenne. La baisse de la température de 38,5 à 37 °C dans les groupes 2 et 3 (bain d'éponge et couverture hypothermique combinés à l'acétaminophène) a pris 144 et 100 minutes respectivement. L'analyse indique que ces différences ne sont pas significatives du point de vue statistique. Seuls quatre sujets du groupe utilisant la couverture hypothermique ont éprouvé des frissons.

Soins infirmiers. Chez les patients atteints de troubles neurologiques, il est prioritaire de faire céder rapidement la fièvre. L'utilisation d'une couverture hypothermique serait la méthode de choix pour ce faire. Toutefois, cette méthode augmente les risques de frissons.

Accident vasculaire cérébral

▷ *V. Printz-Feddersen. «Group process effect on caregiver burden»,* J Neurosci Nurs, *juin 1990; 22(3):164-168*

Le patient qui a subi un accident vasculaire cérébral a souvent besoin d'aide dans plusieurs des activités de la vie quotidienne. Or, c'est souvent le conjoint ou un parent du patient qui devient le soignant naturel. Plusieurs croient que la participation du soignant naturel à un groupe de soutien (comme les associations pour victimes d'accident vasculaire cérébral) peut l'aider à s'adapter à son nouveau rôle. La présente étude avait donc pour but de déterminer l'influence des groupes de soutien sur les soignants naturels ayant à leur charge un parent victime d'un accident cérébral vasculaire. On a utilisé pour la comparaison un plan de recherche ex *post facto*.

Le groupe témoin se composait de 40 soignants naturels choisis au hasard parmi la clientèle d'une clinique privée de neurologie et ne faisait pas partie d'une association pour victimes d'accident vasculaire cérébral. Le second groupe se composait d'un échantillon de convenance de 40 soignants naturels qui faisaient partie d'une association pour victimes d'accident vasculaire cérébral. Le patient apparenté au soignant naturel devait être âgé d'au moins 55 ans et avoir subi son accident vasculaire cérébral au moins six mois auparavant. On a évalué quatre facteurs qu'on savait susceptibles d'accroître le fardeau du soignant naturel: le degré de difficulté des soins à donner; la dépression; les préoccupations financières; et les restrictions sociales. L'évaluation a été faite au moyen de quatre instruments: le Demographic Inventory, le PCRI (Physical Caregiving Responsibility Inventory), le Geriatric Depression Scale et le CADET (*C*ommunication, *A*mbulation, *D*aily activities, *E*xcretion and *T*ransfer). Le CADET a permis de mesurer la perception qu'avait le soignant naturel de l'incapacité du patient et le PCRI de l'ampleur de ses responsabilités physiques et le degré de difficulté des soins. Enfin, le Geriatric Depression Scale a servi à mesurer la santé affective du soignant naturel.

Les soignants naturels qui participaient à l'étude ont reçu par la poste un questionnaire composé des quatre instruments d'évaluation mentionnés. On a écarté de l'étude les sujets qui n'ont pas retourné le questionnaire dans les quinze jours. Quarante-trois sujets (53 %) ont retourné le questionnaire; neuf ne répondaient pas aux critères, un patient est décédé et deux patients n'avaient gardé aucune séquelle et n'avaient donc pas besoin d'un soignant naturel. Par conséquent, le groupe témoin se composait de 21 sujets et le groupe expérimental, de 17. Les deux groupes ne présentaient pas beaucoup de différences pour ce qui a trait aux variables suivantes: âge, situation financière, gravité de l'incapacité du patient telle que perçue par le soignant naturel, responsabilités telles que perçues par le soignant naturel, et dépression chez le soignant naturel. Cependant, les scores du Geriatric Depression Scale ont révélé la présence de dépression chez 22 % des sujets des 2 groupes.

Les résultats de cette étude n'ont révélé aucune différence entre les deux groupes pour ce qui est de la perception de l'ampleur des responsabilités et de la difficulté des soins. On peut attribuer ces résultats à certains facteurs, notamment: (1) le groupe des soignants naturels faisant partie d'un groupe de soutien n'a pas été constitué au hasard, étant composé de personnes désirant participer à l'étude; et (2) les patients apparentés aux soignants naturels n'avaient pas des besoins très élevés en matière de soins et d'aide. Les soignants naturels qui ont participé à cette étude voyaient leurs propres problèmes de santé comme des conséquences normales du vieillissement et se considéraient donc en bonne santé. Par ailleurs, ils avaient un revenu moyen de plus de 10 000 $ par année et estimaient ne pas avoir de problèmes financiers. Enfin, 47 % d'entre eux ont dit avoir réduit leurs activités sociales.

Soins infirmiers. Même si les résultats de cette étude ne révèlent aucune différence entre les soignants naturels faisant partie d'un groupe de soutien et ceux qui n'en font pas partie, les infirmières ne devraient pas en conclure que la participation à un groupe de soutien est inutile. Pour bien évaluer les effets de la participation à un groupe de soutien, il faudrait mener une étude prospective, selon une méthodologie plus rigoureuse pour la sélection et la répartition des groupes.

▷ *M. Pasquarello. «Measuring the impact of an acute stroke program on patient outcomes»,* J Neurosci Nurs, *avril 1990; 22(2):76-82*

Il s'est fait peu de recherche sur l'évolution, à l'unité de soins intensifs, du patient victime d'un accident vasculaire cérébral. La présente étude avait pour but d'observer l'évolution de patients qui suivaient à l'unité de soins intensifs un programme pour victimes d'accident vasculaire cérébral. Le programme était dirigé par une infirmière et comprenait plusieurs éléments: soins en milieu hospitalier; enseignement au patient; aide à la famille (notamment par la participation à un groupe de soutien); plan de congé coordonné; appels téléphoniques au patient à domicile; et enseignement d'autres infirmières.

Pour obtenir les données, on a procédé à une analyse rétrospective des feuilles de surveillance. L'échantillon a été constitué de façon aléatoire. Le groupe témoin se composait de 25 patients admis avant la mise en place du programme pour victimes d'accident vasculaire cérébral, alors que le groupe expérimental était formé de 25 patients admis après la mise en place du programme. L'analyse des feuilles de surveillance s'est faite au moyen d'un instrument d'évaluation conçu par une infirmière clinicienne spécialisée. Les aspects évalués étaient les suivants: durée de l'hospitalisation; retour au service des urgences ou au service de consultations externes dans les trois mois suivant l'accident; état du patient lors de son retour à la maison; complications; début de la réadaptation au moment opportun; observance du régime médicamenteux; et observance des consultations de suivi trois mois après le départ du patient du centre hospitalier. Une autre infirmière clinicienne ainsi qu'une infirmière cadre ont vérifié la validité du nouvel instrument d'évaluation. On a ensuite comparé les feuilles de surveillance des patients admis avant la mise en place du programme avec celles des patients admis après.

On n'a pas observé de différences significatives entre les groupes pour ce qui a trait au sexe, à la race et à l'état de santé initial. Les sujets qui ont participé au nouveau programme étaient toutefois un peu plus jeunes que ceux du groupe témoin. La comparaison des feuilles de surveillance a révélé que les sujets du groupe expérimental ont présenté moins de complications (n = 5) que les sujets du groupe témoin (n = 16). L'hospitalisation des patients du groupe expérimental a duré 8 jours en moyenne tandis que celle des patients du groupe témoin a été de 17 jours. L'analyse indique également que les sujets du groupe expérimental ont été plus nombreux à rentrer à la maison après avoir reçu leur congé (62 % de plus). Ceux du groupe témoin plus nombreux à être transférés dans un centre de réadaptation (300 % de plus). On a aussi constaté que les sujets du groupe expérimental ont été moins nombreux à subir une nouvelle hospitalisation (20 % de moins) ou à se présenter au service des urgences ou au service de consultations externes (100 % de moins). Enfin, comparativement aux sujets du groupe témoin, les sujets du groupe expérimental se sont davantage conformé à leur traitement et aux consultations de suivi.

On en conclut donc que le programme dirigé par l'infirmière est responsable de plusieurs de ces résultats positifs. Toutefois, les patients du groupe expérimental avaient peut-être un meilleur pronostic que ceux du groupe témoin étant donné qu'ils étaient plus jeunes, mais on ne peut affirmer que cette différence entre les deux groupes est significative, étant donné l'absence d'analyse statistique.

Soins infirmiers. Le programme pour victimes d'accident vasculaire cérébral comprenait plusieurs mesures déjà utilisées dans les soins infirmiers courants. Les données préliminaires de l'étude confirment leur importance dans la pratique, et le fait que la réadaptation doit être entreprise dès le début de l'hospitalisation.

▷ *V. Byers, M. Arrington et K. Finstuen. «Predictive risk factors associated with stroke patient falls in acute care settings»,* J Neurosci Nurs, *juin 1990; 2(3):147-154*

Cette étude avait pour but d'évaluer les facteurs de risque associés aux chutes chez les patients ayant subi un accident vasculaire cérébral, hospitalisés à l'unité de soins intensifs afin de déterminer de façon plus précise ceux parmi ces patients qui sont davantage exposés aux chutes. On a donc effectué une analyse rétrospective des feuilles de surveillance de 313 patients provenant de deux centres médicaux. Pour ce faire, on a utilisé le Fall Risk Assessment Inventory (FRAI), conçu spécialement pour cette étude. Cet instrument permettait d'obtenir les données suivantes: (1) des caractéristiques démographiques, (2) l'évaluation de la fonction neurologique, (3) des mesures objectives de l'état clinique: signes vitaux, médicaments, résultats de laboratoire, et (4) le niveau d'activité ainsi que les mesures de précautions déjà prises pour éviter les chutes. On a fait un essai pilote du FRAI avant de l'utiliser pour cette étude.

Parmi les 313 feuilles de surveillance analysées, 212 mentionnaient un accident vasculaire cérébral et une chute, tandis que 111 mentionnaient un accident vasculaire cérébral mais pas de chute. Pour former le groupe des sujets qui ont fait une chute, on s'est servi de rapports d'accidents, tandis qu'on a choisi au hasard les sujets du groupe témoin (ceux qui n'ont pas fait de chute) à l'aide des codes informatisés correspondant au diagnostic d'accident vasculaire cérébral. Les données recueillies ont été consignées à trois moments différents: lors de l'admission du patient au centre hospitalier; vingt-quatre heures avant la chute; et au moment de la chute.

L'analyse des données démographiques ne révèle pas de différences entre les groupes pour ce qui est de l'âge, du sexe, de la race, et du temps écoulé entre l'accident vasculaire cérébral et l'étude. Elle n'a pas non plus révélé de différences en ce qui concerne les antécédents d'accident vasculaire cérébral, l'origine de l'accident et les diagnostics médicaux secondaires. Parmi les patients qui ont fait une chute, 11 % présentaient une restriction de la mobilité et près de 20 % avaient subi une blessure. Les chutes sont survenues plus souvent durant le quart de nuit que pendant les quarts de soir ou de jour. Certaines altérations des facultés mentales prédisposaient fortement aux chutes, notamment la diminution de la capacité de prendre des décisions et l'agitation.

Une faiblesse généralisée accrue, la fatigue et l'apraxie constructive faisaient partie des altérations motrices et sensorielles associées aux chutes. La paralysie et le manque d'équilibre n'étaient pas des facteurs de chute importants. L'état général ainsi que les signes vitaux ont révélé que 22 % des sujets du groupe expérimental avaient déjà fait une chute, contre 12 % des sujets du groupe témoin. L'analyse des médicaments a révélé que 36 % des patients du groupe expérimental prenaient des médicaments pour le cœur, comparativement à 24 % pour le groupe témoin. Pour ce qui est des résultats de laboratoire, 60 % des sujets qui ont fait une chute avaient un hématocrite plus bas que la normale, contre 45 % des sujets du groupe témoin.

Le patient qui a subi un accident vasculaire cérébral et qui est sujet aux chutes à l'unité de soins intensifs présente donc un certain profil : antécédents de chutes, capacité réduite de prendre des décisions, agitation, faiblesse généralisée, hématocrite bas et fatigabilité.

Soins infirmiers. Pour diminuer les risques de chute chez le patient victime d'un accident vasculaire cérébral et hospitalisé à l'unité de soins intensifs, ainsi que pour prévenir les complications que ces chutes peuvent entraîner, l'infirmière peut essayer de repérer les patients qui sont le plus exposés aux chutes, selon le profil décrit ci-dessus et les surveiller davantage. Elle peut notamment prendre les mesures suivantes : améliorer l'éclairage ambiant ; observer le patient plus souvent, surtout la nuit ; le placer dans une chambre qui est plus près du poste des infirmières ; et l'aider à marcher.

Pression intracrânienne

▷ ***E. Z. Franges et M. E. Beideman.*** *« Infections related to intracranial pressure monitoring »,* J Neurosci Nurs, *avril 1988 ; 20(2):94-103*

On a analysé rétrospectivement les dossiers de 52 patients chez qui on a utilisé le monitorage de la pression intracrânienne dans un centre hospitalier communautaire en tenant compte de douze variables susceptibles d'être associées aux infections : diagnostic, type de l'appareil de monitorage utilisé, date et région de l'insertion de l'appareil, durée du monitorage, présence de suintement, fréquence du changement ou de l'irrigation de l'appareil, changements du pansement, variations de la température du patient, résultats des cultures, infections concomitantes et antibiothérapie. Soixante et onze pour cent des sujets avaient un cathéter intraventriculaire qu'ils ont gardé pendant 5,5 jours en moyenne, alors que 29 % avaient des étriers qu'ils ont gardé pendant 3,4 jours en moyenne.

On a constaté un total de trois infections (8,1 %) chez les sujets ayant un cathéter intraventriculaire et une seule infection (6,9 %) chez les patients ayant un étrier. Le taux d'infection global à ce centre hospitalier était de 7,1 %. L'analyse des données a révélé que la durée du monitorage ainsi que l'âge du patient n'ont pas eu d'influence sur les infections. On a toutefois observé que les patients avec cathéter ventriculaire qui ont présenté une infection avaient tous un diagnostic d'hémorragie, ce qui confirme une observation faite dans une étude antérieure. L'accumulation locale de sang en quantité anormale aggrave la réaction inflammatoire et crée un milieu idéal pour la prolifération bactérienne. Par conséquent, les patients présentant une hémorragie sont davantage prédisposés aux infections.

Soins infirmiers. Selon les résultats de cette étude, les patients qui ont présenté une infection reliée au monitorage de la pression intracrânienne étaient ceux chez qui on avait diagnostiqué une hémorragie. Il est donc crucial d'être à l'affût des signes d'infection et de manipuler avec le plus grand soin l'appareil de monitorage, surtout dans le cas du patient chez qui on a diagnostiqué une hémorragie.

▷ ***M. M. Prins.*** *« The effect of family visits on intracranial pressure »,* West J Nurs Res, *juin 1989 ; 11(3):281-297*

On a déjà démontré que les soins infirmiers pouvaient provoquer une augmentation de la pression intracrânienne, notamment les changements de position, l'aspiration des sécrétions, le monitorage de la pression artérielle et les soins d'hygiène courants. On sait également que les stimuli verbaux et auditifs peuvent faire monter la pression intracrânienne. On a aussi observé que la voix d'un membre de la famille peut avoir un effet calmant sur le patient et par le fait même abaisser sa pression intracrânienne. Cette étude descriptive avait pour but de répondre aux questions suivantes : (1) Les visites des membres de la famille influent-elles sur la pression intracrânienne du patient ? et (2) La qualité des visites de la famille a-t-elle un effet sur la pression intracrânienne ?

On a pour ce faire mis au point une échelle d'interaction patient / famille (PFIS : Patient / Family Interaction Scale). Cette échelle d'évaluation tient compte de plusieurs variables : la partie du corps touchée par le visiteur, la forme de contact physique, le comportement verbal, le volume de la voix, la position du visiteur par rapport au patient, et le contenu de la conversation. À l'aide d'une échelle de Likert, on a décomposé chaque critère en actions spécifiques et attribué à chacune d'elles une valeur numérique. Les valeurs les plus faibles indiquent qu'il y a eu beaucoup d'interaction ou de contacts entre le patient et la famille et que la visite a contribué à soutenir le patient.

On a effectué un monitorage continu de la pression intracrânienne pendant cinq minutes avant la visite de la famille (période pré-visite). Durant la visite, on a mesuré la pression intracrânienne toutes les deux minutes pendant dix minutes. On a effectué un autre monitorage continu de cinq minutes après le départ des visiteurs. On a également recueilli des données sur les variables susceptibles d'influer sur la pression intracrânienne : la $PaCO_2$ et l'administration de mannitol et de Decadron.

L'échantillon de convenance comptait quinze sujets et on a pu observer 47 interactions patient / famille. Toutes les interactions observées se sont déroulées dans la même unité de soins intensifs neurologiques, comptant neuf lits. Les évaluations ont toutes été effectuées par la même infirmière. Chez 8 sujets sur 15, le monitorage de la pression intracrânienne se faisait au moyen d'un cathéter intraventriculaire, et chez les 7 autres, au moyen d'un étrier. Les principaux diagnostics étaient : malformation artérioveineuse, tumeur, hémorragie intraventriculaire avec œdème cérébral, et hématome sous-arachnoïdien. Les patients étaient âgés de 16 à 81 ans, et l'âge moyen était de 55 ans. Les scores de Glasgow variaient de 3 à 15. On n'a effectué aucune aspiration nasotrachéale ou endotrachéale dans l'heure précédant la visite de la famille. Les infirmières ne pratiquaient aucune autre intervention durant la période d'observation. Quand il a fallu pratiquer une intervention, on a exclu de l'étude la période d'observation.

La pression intracrânienne moyenne durant la période précédant l'arrivée de la famille était de 9,52 ; elle était de 8,5 au cours de la visite et de 9,48 après le départ des visiteurs. On n'a donc constaté aucune différence significative entre les valeurs mesurées avant, pendant ou après les visites. Par contre, on a observé une corrélation significative entre, d'une part, la pression intracrânienne durant et après les visites et, d'autre part, la $PaCO_2$ et l'utilisation de mannitol et de Decadron. Ces corrélations semblent indiquer que ces variables ont joué un rôle intermédiaire, c'est-à-dire qu'elles ont influé sur la réaction du patient aux visites.

L'auteur fait remarquer que son étude devrait être considérée comme une étude pilote, et mentionne que l'évaluation des patients à l'aide de l'échelle de Glasgow n'a pas été notée de façon uniforme. De plus, l'échelle qui a servi à évaluer les interactions entre le patient et la famille durant les visites pourrait être améliorée.

Soins infirmiers. Les résultats de cette étude pilote ne corroborent pas l'hypothèse selon laquelle les visites de la famille feraient baisser la pression intracrânienne, mais ils démontrent qu'elles ne la font pas augmenter. Par conséquent, on ne devrait pas limiter les visites des membres de la famille sous prétexte qu'elles peuvent nuire au patient et à son état neurologique. La visite des membres de la famille peut apaiser quelque peu l'anxiété du patient.

Affections démyélinisantes

▷ ***S. C. Smeltzer et coll. «Pulmonary function and dysfunction in multiple sclerosis»,* Arch Neurol, *nov. 1988; 45(11):1245-1249***

Cette étude avait pour but d'évaluer la fonction pulmonaire de 25 patients atteints de sclérose en plaques. Ces patients présentaient des troubles allant de l'ataxie à la quadriplégie, et trois d'entre eux pouvaient marcher sans aide. Sept avaient besoin d'une aide à la marche, comme une canne, un déambulateur ou des béquilles, sept étaient en fauteuil roulant, et huit étaient alités. On a évalué la fonction pulmonaire de deux façons. On a d'abord effectué différents examens cliniques et on a interrogé le patient pour recueillir les symptômes de troubles respiratoires. On a utilisé une échelle d'incapacité pour évaluer le degré de déficience neurologique. On a ensuite procédé à des épreuves fonctionnelles respiratoires, notamment la mesure des débits, des volumes respiratoires et de la pression respiratoire maximale (pour évaluer la force des muscles inspiratoires et expiratoires).

Les résultats de l'étude indiquent que les patients atteints de sclérose en plaques et capables de marcher sont moins susceptibles de présenter une faiblesse des muscles respiratoires. Par contre, les patients alités ou en fauteuil roulant et atteints ou non d'une faiblesse des membres supérieurs présentent souvent une altération grave de la musculature respiratoire. Chose étonnante, peu de patients ont dit éprouver des difficultés respiratoires même quand l'évaluation a démontré des signes de faiblesse importante des muscles respiratoires.

Soins infirmiers. Les résultats de cette étude démontrent que les troubles respiratoires surviennent plus tôt qu'on le pensait dans l'évolution de la sclérose en plaques. Dans beaucoup de cas, les effets des difficultés respiratoires sont amoindris par le fait que le patient est très ralenti par sa maladie. Le personnel soignant doit toutefois savoir qu'on ne peut pas se fier à certains symptômes importants décrits par le patient (par exemple la toux) et qu'il faut procéder à une évaluation complète de la fonction des muscles respiratoires pour déterminer les risques de complications respiratoires.

▷ ***S. C. Smeltzer et coll. «Testing of an index of pulmonary dysfunction in multiple sclerosis»,* Nurs Res, *nov.-déc. 1989; 38(6):370-374***

Cette étude avait pour but d'évaluer la fiabilité et la validité d'un indice de dysfonction respiratoire dans la sclérose en plaques (Index of Pulmonary Dysfunction in Multiple Sclerosis). Les éléments inclus dans l'indice proviennent de données cliniques recueillies antérieurement ; cette étude est donc le prolongement de la première étude de Smeltzer et collaborateurs (décrite ci-dessus). L'indice comprend quatre items. Les deux premiers items sont obtenus en interrogeant le patient sur la force de sa toux et sa difficulté à expectorer ses sécrétions. Le troisième item concerne la capacité du patient de tousser fortement à la demande de l'examinateur. Le quatrième item est la capacité du patient de compter à voix haute lors d'une seule expiration après avoir rempli ses poumons au maximum.

Les quarante sujets de l'étude ont subi des épreuves respiratoires fonctionnelles ainsi qu'un examen clinique pour établir si l'indice pouvait ou non révéler les troubles respiratoires. Dans 80 % des cas, l'indice a permis de déterminer correctement si le patient présentait une faiblesse importante de la musculature respiratoire. Il a également permis de repérer correctement tous les patients présentant une force musculaire normale à l'expiration. Toutefois, il n'a pas permis de déceler tous les cas de faiblesse isolée de la force musculaire expiratoire. La fiabilité test-retest et la fiabilité inter-évaluation ainsi que la cohérence interne étaient acceptables.

Soins infirmiers. Les auteurs de l'étude affirment que leur indice a une validité et une fiabilité qui permettent son utilisation en milieu clinique pour repérer les patients atteints de troubles neurologiques qui présentent une faiblesse des muscles respiratoires. Il semble que cet indice soit utile chez les patients atteints de sclérose en plaques, étant donné la sensibilité et la précision avec lesquelles il a permis de distinguer ceux dont la force musculaire respiratoire est normale de ceux présentant une faiblesse musculaire. Il permet en effet de dépister les complications pulmonaires chez les patients atteints de sclérose en plaques qui ne signalent aucune difficulté respiratoire.

partie 16

Fonction locomotrice

60
ÉVALUATION DE LA FONCTION LOCOMOTRICE

SOMMAIRE

OBJECTIFS D'APPRENTISSAGE

Après avoir étudié ce chapitre, vous devriez être en mesure de réaliser ce qui suit:

1. *Décrire la physiologie du squelette, des articulations et des muscles.*
2. *Décrire le processus de cicatrisation osseuse.*
3. *Expliquer l'importance de l'examen physique dans le diagnostic d'une atteinte de la fonction locomotrice.*
4. *Donner les examens diagnostiques utilisés pour l'évaluation de la fonction locomotrice.*
5. *Donner les diagnostics infirmiers qui s'appliquent généralement aux patients présentant une atteinte de la fonction locomotrice.*

L'appareil locomoteur comprend les os, les articulations, les muscles, les tendons, les ligaments et les bourses séreuses. Les problèmes liés à ces structures sont très fréquents et touchent tous les groupes d'âge. Bien qu'ils ne soient généralement pas mortels, ils ont de graves répercussions sur les activités et la productivité des personnes qui en sont atteintes. Les infirmières de toutes les spécialités doivent assurer des soins à des personnes souffrant de troubles locomoteurs.

PHYSIOLOGIE

L'appareil locomoteur occupe une place importante dans l'organisme humain. En effet, les os et le tissu conjonctif comptent pour environ 25 % du poids corporel et les muscles pour 50 %. Le bon fonctionnement de l'appareil locomoteur est dépendant du bon fonctionnement des autres appareils et systèmes de l'organisme.

Les fonctions de l'appareil locomoteur sont multiples et comprennent la protection, le support et le mouvement, ainsi que la mise en réserve des minéraux, la production de chaleur et l'hématopoïèse. L'ossature protège les organes vitaux, notamment le cerveau, le cœur et les poumons, et en supporte les structures. Les muscles attachés au squelette permettent au corps de bouger. La contraction musculaire entraîne une action mécanique de locomotion et provoque également une production de chaleur qui maintient la température corporelle. D'autre part, des minéraux comme le calcium, le phosphore, le magnésium et le fluor sont déposés et mis en réserve dans la matrice osseuse. Plus de 99 % du calcium de l'organisme se trouve dans les os. Enfin, la moelle osseuse rouge qui se situe à l'intérieur de la cavité osseuse est responsable de la formation des globules blancs et des globules rouges.

SQUELETTE

Anatomie du squelette. Le squelette humain est composé de 206 os, divisés en quatre catégories: les *os longs* (comme le fémur), les *os courts* (comme les tarses), les *os plats* (comme le sternum) et les *os irréguliers* (comme les vertèbres). La morphologie d'un os est déterminée par sa fonction et les tensions exercées sur lui.

Les os sont constitués de tissu osseux *spongieux* (ou trabéculaire) et *cortical* (ou compact). Les *os longs* ont la forme d'une baguette ou d'un cylindre aux extrémités arrondies. Leur corps, appelé *diaphyse*, est constitué principalement de tissu cortical et leurs extrémités, les *épiphyses*, sont composées essentiellement de tissu spongieux. Les épiphyses ont des surfaces articulaires cartilagineuses qui permettent aux os de s'articuler les uns avec les autres. Le *cartilage épiphysaire (de conjugaison)* sépare les épiphyses de la diaphyse. Il permet la croissance en longueur des os chez l'enfant, mais il est calcifié chez l'adulte. Les *os longs* sont conçus pour supporter le poids du corps et effectuer des mouvements. Les *os courts* sont formés de tissu spongieux recouvert d'une couche de tissu compact. Les *os plats* interviennent dans la formation du sang (*hématopoïèse*) et protègent souvent des organes vitaux. Ils sont constitués d'une mince couche de tissu spongieux entourée de tissu compact. Les *os irréguliers* ont des formes qui sont associées à leurs fonctions. Ils ont habituellement la même composition que les os plats.

L'os est composé d'une substance protéinique où se déposent des sels minéraux. Cette substance (la matrice) empêche l'os de se briser sous la tension et les sels minéraux lui confèrent la rigidité qui l'empêche de s'écraser.

Les cellules des os sont de trois types: les ostéoblastes, les ostéocytes et les ostéoclastes. Les *ostéoblastes* participent à la formation de l'os en sécrétant la substance protéinique qui en constitue la *matrice*. La matrice est composée de 98 % de fibres de collagène et de 2 % de substance fondamentale (glycosaminoglycanes [mucopolysaccharides] et protéoglycanes). Les sels minéraux inorganiques s'y déposent. Les *ostéocytes* sont des cellules osseuses matures qui servent à entretenir les fonctions osseuses. Elles sont logées dans les *ostéons* qu'on appelle aussi systèmes de Havers. L'ostéon est l'unité de structure de l'os mature. Le centre de l'ostéon comprend un capillaire, qui apporte à l'os les éléments nutritifs du sang. Ce capillaire est entouré de couches de tissu osseux concentriques appelées *lamelles*. Les lamelles contiennent les *ostéocytes* qui se nourrissent grâce à des prolongements qui entrent dans les *canalicules* (de minuscules canaux communiquant avec les vaisseaux sanguins qui se trouvent à moins de 0,1 mm de distance). Les *ostéoclastes* sont des cellules multinucléées qui participent à la destruction, à la résorption et au remodelage de l'os. Un équilibre entre les ostéoclastes et les ostéoblastes permet le remaniement constant du tissu osseux.

Une dense membrane fibreuse, appelée *périoste*, recouvre l'os. Le périoste joue un rôle dans l'alimentation et la croissance de l'os et permet la fixation des tendons et des ligaments. Il contient des nerfs, de même que des vaisseaux sanguins et des canaux lymphatiques. Sa couche la plus interne contient des ostéoblastes.

L'*endoste* est une fine membrane vascularisée qui tapisse la cavité médullaire des os longs et remplit les cloisons du tissu osseux spongieux. Des *ostéoclastes* se trouvent près de l'endoste et à l'intérieur des *lacunes de Howship* (orifices à la surface de l'os); ils dissolvent l'os afin de maintenir la cavité médullaire.

La *moelle osseuse* est un tissu vasculaire situé dans la cavité médullaire (corps) des os longs et des os plats. La moelle osseuse rouge est le principal organe de la production des globules blancs et des globules rouges. Chez l'adulte, la moelle rouge de la cavité des os longs est presque entièrement remplacée par une moelle jaune contenant de la graisse. Chez l'adulte on trouve de la moelle rouge principalement dans les os comme le sternum, l'ilion, les vertèbres et les côtes.

Le tissu osseux est très vascularisé. L'os spongieux reçoit un important apport sanguin des vaisseaux métaphysaires et épiphysaires. Les vaisseaux périostiques transportent le sang vers l'os compact à travers les minuscules *canaux de Volkmann*. De plus, les *artères nourricières* traversent le périoste pour pénétrer dans la cavité médullaire par de petits trous. Elles relient donc la moelle et le tissus osseux. Les veines peuvent suivre le trajet des artères, ou quitter l'os de façon indépendante.

Ostéogenèse. La formation du tissu osseux commence longtemps avant la naissance. L'*ossification* est un processus selon lequel la matrice osseuse (les fibres de collagène et la substance fondamentale) se transforme en un milieu électronégatif où les minéraux durcis (les sels de calcium, par exemple) se déposent. Les fibres de collagène fournissent l'élasticité aux os, et le calcium leur assure la rigidité qui leur permet de résister à la tension.

Il existe deux sortes d'ossification: endomembraneuse et endochondrale. L'*ossification endomembraneuse* se fait à partir du tissu membraneux et s'observe dans les os du visage et du crâne. Ainsi, les os du crâne se cicatrisent par consolidation fibreuse. L'autre type de formation osseuse, l'*ossification endochondrale*, se fait à partir d'ébauches cartilagineuses. Dans ce cas, un tissu semblable à du cartilage (ostéoïde) est remplacé progressivement par du tissu osseux. La plupart des os du corps se forment et guérissent par ossification endochondrale.

Maintien du tissu osseux. Le tissu osseux est en perpétuel remaniement (résorption et remodelage). Chez l'adulte, environ 18 % du calcium des os est remplacé chaque année. Les facteurs responsables de l'équilibre entre la formation et la résorption osseuses sont notamment la tension locale, la vitamine D, la parathormone, la calcitonine et la circulation sanguine.

La vitamine D augmente la calcémie en favorisant l'absorption du calcium, à partir du tractus gastro-intestinal, et la résorption osseuse, c'est-à-dire la mobilisation du calcium des os vers la circulation.

La parathormone et la calcitonine sont des hormones qui régularisent la calcémie en favorisant le déplacement du calcium dans le tissu osseux. La parathormone équilibre en partie la concentration de calcium dans le sang, en favorisant la résorption du calcium. Une mobilisation excessive de calcium due à une surproduction de parathormone entraîne une déminéralisation osseuse et la formation de kystes osseux. Pour sa part, la calcitonine, sécrétée par la glande thyroïde, stimule la fabrication de tissu osseux en augmentant le dépôt du calcium dans la matrice osseuse.

L'irrigation sanguine des os influence aussi l'ostéogenèse. L'ostéogenèse est réduite lorsque l'apport artériel est diminué comme lors d'une *hyperémie* (congestion). L'os devient alors fragile et poreux. Une nécrose peut survenir si l'irrigation sanguine est supprimée.

CICATRISATION OSSEUSE (CONSOLIDATION)

La plupart des fractures guérissent par ossification endochondrale. Après une blessure, l'os n'est pas simplement réparé par du tissu cicatriciel, mais il se régénère. La consolidation d'une fracture se fait en plusieurs étapes: (1) inflammation, (2) prolifération cellulaire, (3) formation du cal fibreux, (4) ossification du cal fibreux, (5) remodelage de l'os mature.

Inflammation. Lors d'une fracture, l'organisme réagit de la même façon que lors des autres blessures, soit par une réaction inflammatoire. Il se produit au foyer de la fracture un saignement, suivi d'un épanchement sanguin qui se transforme en hématome. La région affectée devient alors œdémateuse, enflammée, et douloureuse. Les extrémités de l'os fracturé se nécrosent, à cause de l'absence d'irrigation sanguine. Le foyer de la fracture est envahi par des macrophages (gros globules blancs) qui ont pour fonction de digérer les débris cellulaires. La réaction inflammatoire dure quelques jours. Sa résolution se caractérise sur le plan clinique, par une diminution de la douleur et de l'œdème dans la région affectée.

Prolifération cellulaire. L'hématome se transforme en tissu de granulation dans les cinq jours qui suivent le traumatisme. Des fibres apparaissent à l'intérieur du caillot, créant ainsi un réseau de revascularisation, où migreront les fibroblastes et les ostéoblastes.

Les fibroblastes et ostéoblastes (précurseurs des ostéocytes, de même que des cellules de l'endoste et du périoste) produisent du collagène et des protéoglycanes pour former une matrice de collagène au foyer de fracture. Cette matrice, qui se développe a partir du périoste, est composée de tissu conjonctif fibreux et de cartilage. Elle forme donc au foyer de la fracture un anneau de croissance qui est l'amorce d'un cal cartilagineux externe, appelé également tissu ostéoïde. La formation de ce cal est favorisée par l'immobilisation presque complète du foyer de la fracture. La surface d'un os en croissance a un potentiel électronégatif.

Formation du cal. La croissance tissulaire se poursuit et les anneaux de cartilage se rapprochent jusqu'à ce que l'espace entre les fragments de la fracture soit comblé. Du tissu fibreux, du cartilage et des cellules osseuses immatures servent à réunir les fragments osseux. Un cal interne se forme également et envahit ce qui reste du caillot sanguin. L'aspect du cal osseux et la quantité de tissu nécessaire pour assurer la jonction entre les fragments dépendent de la gravité de la fracture et du déplacement de l'os fracturé. Il faut de trois à quatre semaines pour que les extrémités de la fracture soient reliées par du cartilage et du tissus fibreux. Sur le plan clinique, l'os fracturé est relativement solide à la fin de cette étape.

Ossification. L'ossification du cal par le processus de l'ossification endochondrale commence deux à trois semaines après la fracture. Graduellement les sels minéraux se déposent et rendent l'os de plus en plus ferme. La surface du cal demeure électronégative. Chez l'adulte, l'ossification d'une fracture majeure d'un os long prend de trois à quatre mois.

Remodelage. Quand tous les débris cellulaires ont été digérés et que le nouvel os se réorganise pour reprendre sa forme initiale, on est arrivé à l'étape finale de la consolidation. La configuration des os est liée à leur fonction. L'os compact et l'os spongieux se développent donc en raison des forces qui s'exercent sur eux. Selon l'étendue de la modification osseuse nécessaire, le remodelage peut durer des mois, voire des années. L'os spongieux se cicatrise et se remodèle plus rapidement que l'os cortical compact, particulièrement aux points de contact direct. Lorsque le remodelage est terminé, la surface de l'os n'est plus chargée négativement.

Les radiographies permettent de suivre l'évolution de la consolidation osseuse. Il est essentiel d'immobiliser l'os fracturé jusqu'à ce que la radiographie ait mis en évidence la présence d'un cal osseux. Les mesures thérapeutiques (par exemple, la pose d'une orthèse à un patient dont la fracture du fémur a été réduite et immobilisée par traction transosseuse) sont déterminées par l'évolution de la consolidation osseuse.

Consolidation osseuse de fractures réduites par ostéosynthèse. Lorsqu'on procède à une opération pour réduire une fracture, c'est-à-dire pour mettre bout à bout, de façon parfaite, les fragments d'un os fracturé, on parvient à maintenir très solidement les fragments en contact direct. La guérison des fractures réduites se fait selon les mêmes étapes, mais la formation d'un hématome n'est pas essentielle et est rarement observée. Il se développe peu ou pas de cal cartilagineux externe.

Du tissu osseux immature se forme à partir de l'endoste. Il se produit alors une régénération massive de nouveaux ostéons (systèmes de Havers). Ces nouveaux ostéons se développent dans l'axe de la fracture selon le processus normal de formation des os. La solidité de l'os est assurée quand les nouveaux ostéons sont bien établis.

Une tension localisée (pression exercée par le poids) stimule la formation et le remodelage de l'os à l'endroit où s'exerce cette tension. Les os qui supportent le poids du corps sont épais et solides. Si ces os ne supportent pas de poids ou ne sont pas soumis à une tension, comme lors d'un alitement prolongé, ils perdent du calcium (résorption) et deviennent moins denses et plus friables (c'est ce que l'on appelle l'ostéoporose). Une tension localisée peut favoriser le remodelage en profondeur de l'os, ce qui permet à un os déformé de se redresser. Toutefois, si la tension est trop grande, l'os se rompt ou se nécrose.

ARTICULATIONS

Les os sont reliés les uns aux autres par des *articulations* qui permettent divers mouvements. On distingue trois classes d'articulations: les *synarthroses*, les *amphiarthroses* et les *diarthroses*. Les synarthroses sont des articulations immobiles (sutures des os du crâne, par exemple). Les amphiarthroses sont des articulations semi-mobiles (vertèbres et symphyses par exemple) qui permettent de légers mouvements. Les diarthroses sont des articulations mobiles qui permettent des mouvements d'amplitude variée.

Types de diarthroses

- L'*énarthrose* (hanche et épaule, par exemple) permet une pleine liberté de mouvement.
- Le *ginglyme* (articulation à charnière; coude et genou, par exemple) permet un mouvement dans une seule direction.
- L'*articulation en selle* permet des mouvements sur deux axes perpendiculaires. L'articulation à la base du pouce est une articulation en selle biaxiale.
- L'*articulation trochoïde* (à pivot) (l'articulation entre le radius et le cubitus) ne permet que des rotations qui rendent possible des gestes comme de tourner la poignée d'une porte.
- L'*arthrodie* (articulation carpienne) permet des glissements limités dans toutes les directions. Les arthrodies sont situées entre les os du carpe dans le poignet.

Les extrémités des os qui forment une articulation mobile sont recouvertes d'un cartilage hyalin souple. Ces os sont entourés d'une solide gaine fibreuse, la *capsule articulaire*. La *membrane synoviale*, qui tapisse la face interne de la capsule

Encadré 60-1
Terminologie des muscles squelettiques

Sarcomère: Unité contractile de la cellule musculaire
Myofibrille: Cellule musculaire; contient les sarcomères
Faisceau: Groupe de cellules musculaires parallèles
Fascia: Tissu fibreux dense qui recouvre les muscles striés
Tendon: Bande de fibres musculaires rattachant le muscle à l'os
Aponévrose: Large bande de tissu fibreux fixant les muscles aux os, au tissu conjonctif, à d'autres muscles, aux tissus mous ou à la peau

articulaire, sécrète un liquide lubrifiant, le liquide synovial, qui amortit les chocs. Ainsi, les surfaces des os n'entrent pas en contact direct. Dans certaines articulations synoviales (diarthroses) des disques fibrocartilagineux se trouvent entre les surfaces du cartilage articulaire; ils ont pour fonction d'amortir les coups.

Les *ligaments* (bandelettes de tissu conjonctif fibreux) maintiennent en place les os d'une articulation. Les ligaments et les tendons des muscles, qui se trouvent au-dessus de l'articulation, lui confèrent sa stabilité. La stabilité de certaines articulations est accrue par des ligaments (les ligaments croisés, par exemple) qui se trouvent à l'intérieur de la capsule.

Les *bourses séreuses* sont des structures additionnelles annexées à certaines articulations. Ce sont de petits sacs remplis de liquide synovial qui se trouvent à proximité d'un point de friction et qui servent habituellement de coussin lors des mouvements des tendons et des ligaments, de même que des os du coude, de l'épaule, du genou ou d'autres articulations.

MUSCLES SQUELETTIQUES

Anatomie des muscles squelettiques. Les muscles squelettiques (ou muscles striés) sont responsables des mouvements, de la posture et de la production de chaleur (voir l'encadré 60-1). Des *tendons* (cordons de tissu conjonctif) ou des *aponévroses* (membranes minces et larges de tissu conjonctif) relient les muscles aux os, au tissu conjonctif, à d'autres muscles, au tissu mou ou à la peau.

Les muscles se contractent pour rapprocher leurs points d'attache. Leur taille et leur forme varient selon l'activité dont ils sont responsables. Pour se développer et garder leur force, ils doivent être utilisés. Avec l'âge et l'inactivité, le tissu musculaire contractile est remplacé peu à peu par du tissu fibreux, ce qui entraîne une perte de la force musculaire.

Les muscles sont composés de groupes de cellules musculaires parallèles (*faisceaux*) et enveloppés d'une membrane de tissu fibreux appelée *fascia*. Plus un muscle contient de faisceaux, plus ses mouvements sont précis.

La vitesse de contraction d'un muscle est variable. La *myoglobuline*, un pigment protéinique de la même nature que l'hémoglobine que l'on trouve dans les muscles striés, transporte l'oxygène des capillaires sanguins aux mitochondries des cellules musculaires, afin de répondre aux besoins métaboliques des cellules. Il a été observé que les muscles contenant une grande quantité de myoglobulines (*fibres rouges*) se contractent lentement, longtemps et avec force, (muscles de soutien qui assurent la posture, par exemple). Les muscles contenant peu de myoglobulines (*fibres blanches*) se contractent plus rapidement et moins longtemps (muscles extrinsèques de l'œil). La plupart des muscles contiennent à la fois des fibres rouges et des fibres blanches, mais en proportions variables selon leurs fonctions.

Chaque cellule musculaire (également appelée *fibre musculaire*) contient des myofibrilles, composées elles-mêmes de plusieurs *sarcomères*. Ces sarcomères sont constitués par des bandes claires et sombres qui donnent à la fibre musculaire son aspect strié. Ces bandes sont composées de nombreux petits filaments, formés de deux protéines, l'actine (bandes claires) et la myosine (bandes sombres) qui sont les éléments contractiles du muscle.

Contraction des muscles squelettiques. La contraction d'un muscle est due à la contraction de chacun de ses sarcomères. La contraction du sarcomère résulte de l'interaction entre la myosine contenue dans les bandes sombres et l'actine contenue dans les bandes claires. Cette interaction est provoquée par une augmentation locale de la concentration en ions calcium. Les filaments d'actine et de myosine d'un sarcomère chevauchent ceux du sarcomère voisin. Lorsque la concentration de calcium dans les sarcomères diminue, les filaments de myosine et d'actine cessent leur interaction, et le sarcomère reprend sa longueur initiale (relâchement). En l'absence de calcium, l'interaction entre l'actine et la myosine n'a pas lieu.

Les fibres musculaires se contractent en réponse à une stimulation électrique. Les cellules musculaires ainsi excitées engendrent un potentiel d'action, selon un mécanisme très semblable à celui que l'on observe dans les cellules nerveuses. Les potentiels d'action se diffusent à la surface de la membrane des cellules musculaires et provoquent la libération, dans la cellule, d'ions calcium stockés dans des structures spécialisées appelées *réticulum sarcoplasmique*. Le calcium permet l'interaction de l'actine et de la myosine dans le sarcomère. Juste après la dépolarisation de la cellule musculaire, la membrane reprend sa tension de repos et le muscle se relâche. Le calcium est rapidement évacué des sarcomères et retourne dans le réticulum sarcoplasmique jusqu'à l'arrivée d'un autre potentiel d'action.

La dépolarisation des cellules musculaires se produit généralement en réponse à un stimulus émis par une cellule nerveuse. La communication entre la cellule nerveuse et la cellule musculaire s'établit au niveau de la *plaque motrice*. Les neurones qui régissent l'activité des cellules musculosquelettiques, appelés *motoneurones antérieurs*, proviennent de la corne antérieure de la moelle.

La contraction et le relâchement du muscle exigent un apport énergétique. La quantité d'énergie libérée par les muscles squelettiques est variable; elle augmente nettement lors d'un exercice physique. L'adénosine triphosphate (ATP) produite par le métabolisme d'oxydation cellulaire constitue la source d'énergie des cellules musculaires. La créatine-phosphate, également contenue dans les cellules musculaires, agit comme un réservoir secondaire d'énergie métabolique; elle peut être convertie en ATP au besoin. Lors d'une activité modérée, le muscle squelettique synthétise l'ATP par l'oxydation du glucose en eau et en gaz carbonique. Lors d'une activité intense où l'oxygène disponible n'est pas suffisant, le glucose est surtout métabolisé en acide lactique. De l'ATP est produite au cours de la transformation en acide lactique, mais de façon beaucoup moins efficace. De plus grandes quantités de glucose sont donc nécessaires; elles sont fournies par le glycogène. Le *glycogène* est un amidon qui constitue une réserve de glucose. Il est stocké dans les cellules durant les périodes de repos et utilisé lors des périodes d'activité. On pense que la fatigue musculaire est causée par la déplétion du glycogène et des réserves d'énergie, et par une accumulation d'acide lactique, ce qui interrompt le cycle contraction-relâchement.

Pendant la contraction musculaire, l'énergie libérée par l'ATP n'est pas utilisée en totalité par l'appareil contractile. L'excès d'énergie se dissipe sous forme de chaleur. C'est la raison pour laquelle les muscles libèrent de grandes quantités de chaleur au cours de l'exercice. Lors d'une contraction isométrique, la quasi-totalité de l'énergie est libérée sous forme de chaleur; lors d'une contraction isotonique, une partie de l'énergie est consacrée au travail mécanique. Dans certaines situations, comme lors de frissons, le besoin de chaleur est le principal stimulus qui provoque la contraction des muscles.

Types de contractions musculaires. La contraction des fibres musculaires peut être isotonique ou isométrique. Lors d'une *contraction isométrique*, la longueur des muscles ne varie pas mais la force qu'ils génèrent est accrue (exemple: pousser contre un mur). La *contraction isotonique*, par contre, se caractérise par un raccourcissement du muscle sans augmentation de sa tension (exemple: flexion de l'avant-bras). Dans les activités courantes, les mouvements musculaires sont généralement des combinaisons de contractions isométriques et isotoniques. Dans la marche, par exemple, les contractions isotoniques provoquent le fléchissement de la jambe, tandis que les contractions isométriques permettent à la jambe tendue de pousser contre le sol.

Tonus musculaire. Même quand ils sont au repos, les muscles sont prêts à répondre à un stimulus de contraction, grâce au *tonus musculaire* (tonicité) qui est un état de tension légère de certaines fibres musculaires. Les organes sensoriels des muscles (*fuseaux musculaires*) régissent le tonus musculaire. Le tonus musculaire est moindre pendant le sommeil, et il est accru par l'anxiété. Un muscle dont le tonus est inférieur à la normale est dit *flasque*, alors qu'un muscle dont le tonus est supérieur à la normale est dit *spasmodique*. Quand les motoneurones inférieurs sont détruits (comme dans la poliomyélite), les muscles deviennent *atones* (mous et flasques) et atrophiés.

Action des muscles. Les muscles permettent au corps d'accomplir des mouvements par contraction seulement. C'est par la coordination de groupes de muscles que le corps est capable d'exécuter une grande variété de mouvements. Les *muscles agonistes* sont responsables d'un mouvement donné; ils sont assistés par les muscles *synergiques*. Les muscles qui exercent le mouvement opposé sont appelés *antagonistes*. Les muscles antagonistes se relâchent pour permettre aux muscles agonistes de se contracter et d'effectuer le mouvement. Par exemple, dans la contraction du biceps, qui entraîne la flexion de l'articulation du coude, le biceps est le muscle agoniste, et le triceps l'antagoniste. Chez certaines personnes atteintes de paralysie musculaire, on observe une maîtrise de certains muscles synergiques qui peuvent être coordonnés pour effectuer le mouvement désiré.

La contraction des muscles permet une grande variété de mouvements. La *flexion* est caractérisée par le rapprochement de deux segments adjacents du corps. Le mouvement opposé est l'*extension*. Ces mouvements s'observent à l'articulation du coude par exemple. L'*abduction* se définit comme l'éloignement d'un segment du corps du plan médian et l'*adduction*, comme le rapprochement de ce segment vers le plan médian. La *rotation* est l'action de tourner autour d'un axe. L'abduction, l'adduction et la rotation peuvent être observées à l'articulation de l'épaule, par exemple. La *circumduction* est le mouvement de cône effectué par le pouce. Les mouvements plus précis du corps dans un plan vertical sont notamment la *supination* (rotation des paumes vers l'avant) et la *pronation* (rotation des paumes vers l'arrière), l'*inversion* (plante du pied vers l'intérieur), l'*éversion* (plante du pied vers l'extérieur). (Voir les encadrés 42-2 et 42-4 au chapitre 42.)

Exercice, inactivité et condition physique. Les muscles doivent être maintenus en activité pour conserver leur fonction et leur force. Lorsqu'une tension élevée est appliquée de façon répétée sur les muscles comme dans les exercices de musculation, la partie transversale du muscle se développe et augmente de volume (*hypertrophie*). Ce phénomène est dû à l'augmentation du volume des fibres musculaires, sans qu'il y ait augmentation de leur nombre. L'hypertrophie persistera seulement si l'activité physique est poursuivie.

Une inactivité prolongée entraîne le phénomène inverse, soit une diminution du volume du muscle que l'on appel *atrophie*. L'alitement ou l'immobilité entraînent une perte de la masse et de la force musculaires. Lorsque l'immobilité est causée par un traitement (plâtre ou traction), le patient peut pallier ses effets néfastes par des exercices isométriques des muscles immobilisés. Les exercices des quadriceps (contraction des muscles des cuisses) et des fessiers (contraction des muscles des fesses) aident à maintenir l'état des muscles impliqués dans la marche. Des exercices actifs et des exercices pratiqués contre une résistance préviennent l'atrophie musculaire des régions non atteintes.

Lorsque les muscles sont atteints, ils doivent être immobilisés jusqu'à la réparation des tissus. Après la guérison, ils doivent être rééduqués progressivement pour retrouver leur force.

GÉRONTOLOGIE

Un grand nombre de changements musculosquelettiques surviennent avec l'âge, dont l'ostéoporose, le renflement des articulations, la sclérose des tendons, la réduction de l'amplitude des mouvements, l'amincissement des disques articulaires et l'affaiblissement des muscles. La masse osseuse atteint son maximum à l'âge de 35 ans environ, puis diminue progressivement. De nombreux changements métaboliques, comme l'inactivité et la baisse du taux des œstrogènes reliée à la ménopause, contribuent à la diminution de la masse osseuse (*ostéoporose*). Les femmes perdent plus de masse osseuse que les hommes. En effet, à l'âge de 75 ans, une femme a perdu en moyenne 25 % de sa masse osseuse corticale (compacte) et 40 % de sa masse trabéculaire (spongieuse). Enfin, les os changent de forme et perdent de leur force. Chez les personnes âgées qui subissent une fracture, le tissu fibreux se développe plus lentement.

Chez les personnes âgées, la matrice osseuse absorbe moins bien les coups. Les cartilages articulaires se dégénèrent aux endroits qui supportent le poids du corps, et ils se cicatrisent plus lentement. Ces facteurs contribuent au développement de l'arthrose.

De plus, la masse et la force musculaires diminuent. Au début de la quarantaine, on note en effet une atrophie des myofibrilles et une réduction du nombre des fibres musculaires, qui sont remplacées par du tissu fibreux. La diminution de la capacité de compensation de l'organisme entraîne parfois la réapparition d'anciens problèmes musculosquelettiques. Par exemple, des personnes rétablies d'une poliomyélite qui étaient parvenues à fonctionner normalement en utilisant leurs muscles synergiques peuvent devenir avec l'âge de plus en plus invalides.

Heureusement, les effets du vieillissement peuvent être grandement atténués par l'exercice et de saines habitudes de vie.

EXAMEN PHYSIQUE

L'examen de l'appareil locomoteur va de l'évaluation de base des capacités fonctionnelles jusqu'à la pratique de manipulations complexes qui facilitent le dépistage de problèmes musculaires ou articulaires particuliers. L'infirmière doit d'abord effectuer une évaluation fonctionnelle. Elle utilise des techniques d'inspection et de palpation pour évaluer l'intégrité des os, la posture, les articulations, la force musculaire, la démarche et la capacité d'accomplir les activités de la vie quotidienne.

L'évaluation de l'appareil locomoteur fait généralement partie de l'examen physique courant. Elle se fait souvent en même temps que l'évaluation des fonctions neurologiques et cardiovasculaires, qui sont intimement liées à la fonction locomotrice. L'examen est basé sur la comparaison de la symétrie des parties du corps. Sa durée dépend de l'état du patient, de ses antécédents et de la présence ou l'absence de signes justifiant un examen plus poussé.

Si des symptômes spécifiques ou des signes physiques de problèmes musculosquelettiques sont évidents, l'infirmière doit les noter soigneusement au dossier et en informer le médecin traitant. Celui-ci peut alors décider de mener un examen approfondi ou de procéder à un bilan diagnostique plus complet.

Examen du squelette. L'examen du squelette vise à déceler les malformations et à évaluer l'alignement corporel. Il permet d'observer des excroissances osseuses anormales causées par des tumeurs osseuses. Il faut noter les membres raccourcis, les amputations, et les parties du corps qui dévient de l'alignement comme dans les fractures. La déformation d'un os long ou une mobilité à des endroits autres que les articulations signalent souvent la présence d'une fracture. On peut alors déceler une *crépitation*, soit un bruit perçu à la mobilisation, l'une contre l'autre, de deux surfaces osseuses fracturées. On doit dans ce cas s'abstenir, dans la mesure du possible, de déplacer les fragments osseux, pour ne pas aggraver la blessure.

Examen de la colonne vertébrale. Pour l'examen de la colonne vertébrale, le patient se tient debout faisant dos à l'infirmière. Le dos, les fesses et les jambes doivent être exposés. L'infirmière observe la moindre différence dans la hauteur des épaules ou des crêtes iliaques. L'arrondi des fessiers est normalement symétrique. Pour vérifier si les épaules et les hanches sont symétriques et si la colonne vertébrale est droite, on demande au patient de s'étirer et de se pencher vers l'avant (*flexion*). Avec l'âge, la colonne vertébrale perd son cartilage, ce qui entraîne une réduction de la taille.

La courbe normale de la colonne est convexe au niveau de la région thoracique, et concave au niveau des régions cervicales et lombaires. Les déformations les plus fréquentes de la colonne sont la *scoliose* (déviation latérale de la colonne), la *cyphose* (exagération de la courbure de la région thoracique) et la *lordose* (courbure lombaire excessive). La cyphose est courante chez les personnes âgées atteintes d'ostéoporose et chez certains patients souffrant de maladies neuromusculaires. La scoliose peut être congénitale, idiopathique ou due à des lésions des muscles paraspinaux, comme dans la poliomyélite. Une lordose apparaît fréquemment pendant la grossesse pour compenser le déplacement du centre de gravité.

Examen des articulations. On examine les articulations afin de noter l'amplitude et la stabilité des mouvements, de même que la présence de déformations et de nodules. L'amplitude des mouvements peut être évaluée de façon active (l'articulation est mue par le mouvement volontaire des muscles sans l'aide de l'examinateur) ou de façon passive (l'articulation est mue par l'examinateur). On peut mesurer l'amplitude des mouvements de façon très précise à l'aide d'un *goniomètre* (instrument qui mesure les angles que forment les articulations). Si l'extension maximale révèle une flexion résiduelle, on considère que l'amplitude de mouvement est limitée. On peut attribuer ce phénomène à une déformation osseuse, à une atteinte des articulations ou à une contraction des muscles et des tendons environnants. Chez les personnes âgées, une réduction de l'amplitude des mouvements associée à une arthrose peut réduire la capacité d'effectuer certaines activités de la vie quotidienne.

Lorsque le mouvement articulaire est réduit, ou que l'articulation est douloureuse, il faut vérifier s'il y a œdème et chaleur, ce qui peut indiquer une inflammation. On soupçonne la présence d'une quantité excessive de liquide dans la capsule articulaire (*épanchement*) quand l'articulation est enflée et que les repères osseux sont invisibles. Les épanchements s'observent le plus souvent dans le genou. On peut déceler l'infiltration d'une petite quantité de liquide dans l'articulation du genou de la façon suivante: on comprime fermement les parties médiane et latérale du genou tendu, en un mouvement descendant, ce qui déplace le liquide vers le bas. Pendant qu'on exerce la pression sur la partie médiane ou latérale, on observe le côté opposé pour déceler une saillie sous la rotule. Quand la quantité de liquide est plus importante, la rotule s'élève du fémur lorsque le genou est en extension. Il est recommandé de consulter un médecin si on soupçonne une inflammation ou un épanchement dans une articulation.

Les déformations articulaires peuvent être reliées à une *contracture* (raccourcissement des structures articulaires attenantes) une *luxation* (séparation complète des surfaces articulaires), une *subluxation* (séparation partielle des surfaces articulaires) ou à une *rupture des structures* voisines de l'articulation. La faiblesse ou la rupture des structures voisines d'une articulation peuvent affaiblir celle-ci au point où il faut la soutenir par une orthèse.

La palpation d'une articulation pendant un mouvement passif renseigne sur son intégrité. Normalement l'articulation se meut aisément. Un craquement ou un bruit sec peut indiquer qu'un ligament s'étend par-dessus une proéminence osseuse. Si les surfaces articulaires sont légèrement râpeuses, (comme chez l'arthritique) on sent et on entend une *crépitation* (bruit audible et sensation palpable) quand les surfaces irrégulières de l'articulation se déplacent l'une contre l'autre.

On examine les articulations ainsi que les tissus qui les entourent pour dépister la présence de nodules. La polyarthrite rhumatoïde, la goutte et l'arthrose provoquent la formation de nodules. Les nodules sous-cutanés de la polyarthrite rhumatoïde sont mous et se situent à l'intérieur ou le long des tendons extenseurs des articulations. Les articulations sont généralement atteintes de façon symétrique. Par contre, les nodules de la goutte sont durs et se situent à l'intérieur ou immédiatement contre la capsule articulaire. Ils éclatent fréquemment en libérant à la surface de la peau des cristaux blancs d'acide urique. Pour leur part, les nodules de l'arthrose sont durs et indolores; ce sont des excroissances osseuses qui proviennent de la destruction de la surface cartilagineuse de l'os à l'intérieur de la capsule articulaire. On retrouve fréquemment ces nodules chez les personnes âgées.

La taille de l'articulation est souvent exagérée par l'atrophie des muscles proximaux et distaux. Quand une articulation est gardée immobile pour éviter la douleur occasionnée par le mouvement, les muscles qui l'actionnent s'atrophient. On observe ce phénomène dans la polyarthrite rhumatoïde où les quadriceps peuvent s'atrophier de façon spectaculaire (voir le chapitre 50).

Examen du système musculaire. On évalue le système musculaire en notant la facilité avec laquelle le patient est capable de changer de position, en mesurant la force musculaire et la coordination des mouvements ainsi que le volume de chacun des muscles. La faiblesse d'un groupe musculaire peut traduire différents troubles comme une polyneuropathie, un déséquilibre électrolytique (notamment un déséquilibre calcique ou potassique), une myasthénie grave, la poliomyélite ou la dystrophie musculaire. En palpant le muscle détendu lors d'un mouvement passif, l'infirmière peut déterminer le tonus musculaire. La force du muscle peut être mesurée par l'exécution de certains efforts avec ou sans résistance. Par exemple, on peut évaluer la force du biceps en demandant au patient de faire une extension complète du bras puis de le plier pendant que l'infirmière oppose une résistance. Une simple poignée de main fournit une indication de la force de préhension.

Le *clonus* (contraction rythmique du muscle) au niveau de la cheville ou du poignet peut être provoqué par une dorsiflexion du pied ou une extension du poignet, brusque, forte et prolongée. On observe aussi parfois une *fasciculation* (contraction isolée et involontaire de groupes de fibres musculaires que l'on voit saillir en bandes allongées sous la peau et qui n'aboutissent pas au déplacement d'un segment musculaire).

Il est important de mesurer régulièrement la circonférence des membres afin de vérifier s'il y a une hypertrophie causée par un œdème ou des saignements dans le muscle, ou une atrophie reliée à l'immobilité. La circonférence du membre sain du côté opposé sert de point de comparaison. Les mesures sont prises au point le plus fort du membre et il est important de toujours les prendre au même endroit avec le membre dans la même position de repos. Il faut noter la distance entre le point de mesure et les repères anatomiques (par exemple: mesure du muscle du mollet prise à 10 cm en dessous de la face interne du genou) pour une meilleure uniformisation. Afin de faciliter les mesures on peut faire une marque sur la peau avec un crayon. Les variations sont significatives lorsqu'elles excèdent 1 cm.

Évaluation de la démarche. L'infirmière évalue la démarche en demandant au patient de s'éloigner sur une courte distance. Elle observera alors l'aisance et le rythme avec lesquels celui-ci se déplace. Une démarche chancelante ou des mouvements irréguliers (conditions fréquentes chez les personnes âgées) doivent aussi être notés. La claudication est souvent reliée à une douleur associée à l'appui du poids du corps sur une articulation. Dans ce cas, le patient est généralement capable d'indiquer avec précision le siège de la douleur. La claudication peut aussi être due au fait qu'une jambe est plus courte que l'autre. Dans ce cas, le bassin bascule du côté du membre le plus court à chaque pas. Plusieurs causes neurologiques peuvent entraîner des troubles de la démarche. Par exemple, l'hémiparésie spasmodique caractérise l'accident vasculaire cérébral, le steppage, la maladie des neurones moteurs antérieurs, et une démarche traînante, la maladie de Parkinson.

Examen de la peau et évaluation de la circulation périphérique. En plus d'évaluer l'appareil locomoteur, il est important que l'infirmière examine la peau et évalue la circulation périphérique du membre affecté. La présence de coupures, d'ecchymoses, de signes d'infection ou d'une mauvaise circulation influence la gestion des soins infirmiers. En palpant les membres, l'infirmière note les zones cutanées plus chaudes ou plus froides et la présence d'œdème. La circulation périphérique est évaluée par la qualité des pouls périphériques, le temps de remplissage capillaire, la couleur et la température de la peau du membre.

EXAMENS DIAGNOSTIQUES

La plupart des patients qui présentent de troubles fonctionnels de l'appareil locomoteur doivent subir des examens en radiologie et en médecine nucléaire. Ces examens peuvent affecter le patient et sa famille tant sur le plan physique que psychologique. Il est donc important que l'infirmière les renseigne sur les examens diagnostiques et leur offre du soutien.

Afin de bien préparer le patient aux examens diagnostiques, l'infirmière recueille des données pouvant influencer le déroulement de ces examens (grossesse, claustrophobie, implants métalliques, incapacité de tolérer certaines positions, niveau de conscience altéré, etc.). Si elle décèle des problèmes qui empêchent de procéder aux examens diagnostiques prescrits, elle doit en informer le médecin et le service qui devait effectuer l'examen.

Techniques d'imagerie

Les *radiographies* permettent d'obtenir une *image fixe* de structures internes par l'exposition d'une partie du corps à des rayons X ou gamma. Elles jouent donc un rôle important dans l'évaluation initiale des troubles musculosquelettiques. Les radiographies des os permettent de visualiser la densité osseuse, de déceler l'érosion et de détecter les déplacements osseux. De plus, elles révèlent la présence d'élargissements, de rétrécissements ou de signes d'irrégularité dans la substance carticale des os. Enfin, les radiographies des articulations renseignent sur la présence de liquide, d'irrégularités, ou de toute autre modification de la structure des articulations. De nombreux clichés sont souvent nécessaires pour faire une évaluation complète de la structure étudiée.

La *tomographie* est un procédé qui donne une image radiographique en coupe d'un organe. Elle a pour objet d'obtenir avec netteté les images d'un plan privilégié, appelé plan de coupe. La tomographie assistée par ordinateur (*tomodensitométrie*) est une technique d'imagerie plus complexe qui utilise aussi les rayons X ou gamma, mais qui fait appel à un ordinateur pour reconstituer point par point une image nette de la coupe désirée. Elle est utile pour le diagnostic des troubles orthopédiques, car elle révèle les tumeurs des tissus mous ou les lésions des ligaments ou des tendons. Elle permet de déceler le siège et la gravité d'une fracture dans les régions difficiles à examiner (l'acétabulum, par exemple). Les examens peuvent être pratiqués avec ou sans produit de contraste, et ils durent une heure environ.

L'*imagerie par résonance magnétique (IRM)* est une technique d'imagerie non effractive qui utilise les champs magnétiques, les ondes radio et l'informatique pour mettre en évidence des anomalies (tumeurs) des tissus mous comme les muscles, les tendons et le cartilage. Étant donné l'utilisation d'un électro-aimant, on ne peut pratiquer cet examen chez les patients ayant un implant métallique, un appareil orthopédique ou un stimulateur cardiaque. Le port de bijoux est interdit pour la même raison. Les patients qui souffrent de claustrophobie tolèrent mal le confinement qu'exige cette technique.

L'*angiographie* est une radiographie des vaisseaux après introduction dans leur lumière de produits de contraste opaques aux rayons X. L'*artériographie* permet la visualisation du système artériel, ainsi que l'évaluation de l'irrigation artérielle de la région étudiée. En orthopédie, on utilise souvent cet examen pour déterminer le niveau d'amputation d'un membre.

L'*angiographie par soustraction* est assistée par ordinateur et fournit une image où toutes les structures autres que celles du système artériel ont été effacées. Les images sont prises après l'injection intraveineuse d'un produit de contraste. La *phlébographie* est une radiographie des veines; elle est fréquemment utilisée pour dépister les thromboses veineuses.

La *myélographie*, une radiographie du canal rachidien après injection dans l'espace sous-arachnoïdien d'une substance de contraste, est pratiquée pour déceler les protrusions des disques intervertébraux (hernies discales), les rétrécissements du canal rachidien (sténoses spinales) et les tumeurs. Cette technique est expliquée au chapitre 57, dans la section portant sur la myélographie.

La *discographie* est la radiographie d'un disque intervertébral dans lequel on a injecté une substance de contraste dont on observe la répartition.

L'*arthrographie* est la radiographie d'une articulation dans laquelle on a injecté une substance radio-opaque ou un gaz. Elle permet d'étudier la structure des tissus mous et les contours de la cavité articulaire. On prend une série de clichés pendant que l'articulation est mobilisée. L'arthrographie permet de dépister une rupture aiguë ou chronique de la capsule articulaire ou des ligaments de soutien du genou, de l'épaule, de la hanche ou du poignet. (Dans les cas de rupture, la substance de contraste s'écoule de l'articulation ce qui apparaît à la radiographie.)

Après l'examen, on immobilise généralement l'articulation durant 12 à 24 heures et on applique un bandage de contention pendant 2 à 5 jours, selon l'ordonnance. Il faut avoir recours aux mesures nécessaires pour améliorer le bien-être du patient.

Autres examens

On pratique une *ponction articulaire* (arthrocentèse) pour prélever le liquide synovial pour analyse. Elle se fait selon une technique aseptique au moyen d'une aiguille introduite dans l'articulation. Après l'aspiration, aucune précaution particulière n'est nécessaire.

Le liquide synovial normal est jaune citron et transparent; on le retrouve en très petite quantité dans les cavités articulaires. On l'examine d'abord à l'œil nu et on note le volume, la couleur, la limpidité et la viscosité. On effectue ensuite les examens suivants: numération cellulaire, cytologie, coloration de Gram, culture et recherche de cristaux. L'examen du liquide synovial est utile au diagnostic de la polyarthrite rhumatoïde et d'autres arthropathies inflammatoires. Il permet de déceler la présence d'une *hémarthrose* (épanchement de sang dans une cavité articulaire), qui évoque un traumatisme ou une tendance aux hémorragies.

L'*arthroscopie* est une intervention endoscopique qui permet une exploration visuelle directe d'une articulation. Cet examen est pratiqué dans la salle d'opération, sous anesthésie générale ou locale. On introduit d'abord une aiguille de gros calibre et on distend l'articulation en y injectant une solution salée. Après avoir inséré l'arthroscope, on examine l'articulation: liquide synovial, surfaces articulaires et structure. Le point de ponction est ensuite recouvert d'un pansement stérile et l'articulation est soutenue par un bandage compressif pendant 24 à 48 heures.

En général, il faut garder l'articulation surélevée et en extension pour réduire l'œdème. Il est également nécessaire de vérifier régulièrement la fonction neurovasculaire du membre affecté. On doit aussi conseiller au patient de restreindre ses activités. Les complications (infection, hémarthrose [épanchement de sang dans la cavité articulaire], thrombophlébite et raideur articulaire) sont rares.

La *scintigraphie osseuse* indique dans quelle proportion la substance osseuse accumule les radio-isotopes injectés. On la pratique donc quatre à six heures après avoir injecté un isotope par voie intraveineuse. Le degré de fixation nucléique est fonction du métabolisme osseux. On peut remarquer une zone d'hyperfixation dans les cas de tumeurs primitives des os (ostéosarcome), de métastases osseuses, d'affections osseuses inflammatoires (ostéomyélite) et de certains types de fractures.

Après une scintigraphie, la restriction des activités physiques n'est pas nécessaire. Il est très important d'évaluer la fonction urinaire car pour accélérer l'excrétion de l'isotope, on incite le patient à boire beaucoup de liquide. Il faut attendre un à deux jours avant de faire subir au patient d'autres examens isotopiques.

La *thermographie* enregistre les variations de température qui apparaissent à la surface corporelle. Elle permet de diagnostiquer certaines affections inflammatoires comme l'arthrite, les infections, et les néoplasmes. On peut enregistrer, à l'aide d'images prises en série, les épisodes d'inflammation et vérifier ainsi la réponse du patient au traitement anti-inflammatoire.

L'*électromyographie* est l'enregistrement des potentiels électriques du muscle et des nerfs qui s'y rattachent. On l'utilise pour diagnostiquer les troubles moteurs. Il se fait au moyen d'aiguilles-électrodes que l'on introduit dans les muscles que l'on veut examiner. La réaction des muscles aux stimulations électriques provoquées par les aiguilles-électrodes sont enregistrées sur un oscilloscope.

On pratique la biopsie osseuse pour déterminer la structure et la composition du tissu osseux, ce qui aide au diagnostic de problèmes médicaux précis. Il est important d'examiner régulièrement le siège de la biopsie pour déceler les signes de saignement.

Épreuves de laboratoire

Les analyses de sang et d'urines peuvent fournir de l'information sur certaines affections musculosquelettiques, comme la maladie de Paget, et sur l'apparition de complications comme les infections. Elles peuvent aussi être utiles pour décider des modalités de certains traitements, comme l'antibiothérapie, ou pour évaluer la réponse du patient à certains traitements.

L'hémogramme permet d'obtenir le taux d'hémoglobine (qui est abaissé après une hémorragie associée à un traumatisme) et la numération leucocytaire. Avant une opération, on procède à des épreuves de coagulation pour déterminer les tendances à l'hémorragie, parce que les os sont des tissus très vascularisés.

Les analyses biochimiques fournissent des données sur une grande variété d'affections musculosquelettiques. Par exemple, le taux sérique de calcium est anormal dans l'ostéomalacie, dans les troubles de la fonction parathyroïdienne et dans la maladie de Paget. Il l'est également chez les patients qui présentent des métastases osseuses ou qui ont été immobilisés pendant un longue période. Le taux sérique de phosphore est inversement relié au taux de calcium; il est abaissé dans le rachitisme associé au syndrome de malabsorption. Les lésions musculaires entraînent une augmentation du taux de certaines enzymes, dont la créatine-kinase et l'aspartate aminotransférase. La phosphatase alcaline est élevée au cours de la consolidation des fractures et quand il y a augmentation de l'activité ostéoblastique, comme dans les métastases osseuses. On peut évaluer le métabolisme de os par des épreuves d'exploration thyroïdienne, et la mesure des taux de calcitonine, d'hormone parathyroïdienne et de vitamine D.

Le taux urinaire de calcium est élevé dans les affections qui entraînent une destruction des os, comme les troubles de la fonction parathyroïdienne, les métastases osseuses et le myélome multiple.

Démarche de soins infirmiers

La cueillette des données doit toucher les aspects physiques, psychologiques et sociaux et le plan de soins doit être établi en fonction des besoins précis du patient.

Le patient qui souffre d'un trouble musculosquelettique devra se soumettre à de nombreux examens diagnostiques. Il est donc important que l'infirmière le prépare physiquement et psychologiquement à ces examens. Pendant cette période d'incertitude, le patient et sa famille auront besoin de beaucoup de soutien et d'information. L'enseignement au patient avant les examens réduit son anxiété et favorise sa participation. Par conséquent, il est essentiel que l'infirmière lui explique les raisons de chaque examen, ce à quoi il doit s'attendre pendant l'examen (sensations tactiles, visuelles et auditives), le déroulement de l'examen et la participation que l'on attend de lui.

Pendant tout le séjour du patient au centre hospitalier, la collecte des données permet à l'infirmière de déterminer et de comprendre les problèmes de santé du patient. Selon les données recueillies, voici quelques diagnostics infirmiers possibles:

- Altération de la mobilité physique reliée à la douleur (aiguë ou chronique)
- Atteinte à l'intégrité de la peau ou risque élevé d'atteinte à l'intégrité de la peau reliée à l'immobilité
- Constipation reliée à l'immobilité
- Atteinte à l'intégrité de la peau reliée à une diminution de l'irrigation périphérique et à un déficit nutritionnel
- Risque élevé d'infection (urinaire et pulmonaire) relié à l'immobilité
- Manque d'intérêt pour les soins relié à la perturbation de l'image corporelle et de l'estime de soi, et de l'exercice du rôle
- Stratégies d'adaptation inefficaces reliées à un sentiment d'impuissance
- Perturbation de la dynamique familiale reliée à des stratégies d'adaptation inefficaces
- Risque de dysfonctionnement sexuel relié à une perturbation de l'image corporelle et de l'estime de soi
- Perturbation des habitudes de sommeil reliée à la douleur
- Sentiment de dépression relié à l'isolement et au manque de loisirs

Avec la collaboration du patient et de sa famille, l'infirmière établit les objectifs de soins et détermine les interventions infirmières nécessaires. Cette démarche permettra à l'infirmière et au patient d'atteindre les objectifs de soins escomptés.

Résumé

Il est important que l'infirmière sache évaluer le fonctionnement de l'appareil locomoteur. Les principaux constituants de l'appareil locomoteur ont des fonctions qui leur sont propres. Le squelette protège les organes vitaux, supporte la charpente osseuse et stocke les minéraux. La moelle épinière produit les cellules sanguines. Les muscles, par leur contraction, permettent les mouvements, de même que le maintien de la posture et de la température corporelle. Les tendons relient les muscles aux os, les articulations permettent une variété de mouvements et les ligaments confèrent la stabilité à l'appareil locomoteur. Le système nerveux coordonne les mouvements et maintient le tonus musculaire.

L'os est un tissu vivant très vascularisé constitué de cellules osseuses (ostéocytes, ostéoblastes et ostéoclastes) qui régissent sa formation et sa résorption. La consolidation d'une fracture se fait en cinq étapes: inflammation, prolifération cellulaire, formation du cal, ossification du cal et remodelage. L'activité physique entretient la fonction et la force des muscles. À l'opposé, l'immobilité et l'inactivité entraînent une atrophie et des contractures. Les principaux effets du vieillissement sur l'appareil locomoteur sont l'ostéoporose, la diminution de l'amplitude des mouvements, l'amincissement des disques intervertébraux et l'affaiblissement des muscles.

En plus de l'examen physique, on a recours à divers examens diagnostiques pour évaluer la fonction locomotive. L'infirmière joue un rôle important auprès du patient et de sa famille pendant la période des examens diagnostiques et tout au cours de l'hospitalisation.

Le patient qui subit une perte de l'intégrité fonctionnelle de l'appareil locomoteur a de la difficulté à effectuer les activités de la vie quotidienne. Il est donc essentiel que l'infirmière établisse avec lui des stratégies efficaces pour pallier cette perte d'autonomie.

Bibliographie

Ouvrages

Adams JC. Outline of Orthopaedics, 10th ed. Edinburgh, Churchill-Livingstone, 1986.

Albright J and Brand R (eds). The Scientific Basis of Orthopaedics, 2nd ed. Norwalk, CT, Appleton and Lange, 1987.

American Nurses Association and National Association of Orthopaedic Nurses. Orthopaedic Nursing Practice. Kansas City, MO, American Nurses Association, 1986.

Birnbaum JB. The Musculoskeletal Manual, 2nd ed. Orlando, Grune & Stratton, 1986.

Cittadine TJ. Orthopedic Terminology: Including Sports Medicine. Thorofare, NJ, Slack, 1988.

Dee R, Mango E, and Hurst LC (eds). Principles of Orthopaedic Practice. New York, McGraw-Hill, 1988.

Eliopoulos C. Gerontological Nursing, 2nd ed. Philadelphia, JB Lippincott, 1987.

Farrell J. Illustrated Guide to Orthopedic Nursing, 3rd ed. Philadelphia, JB Lippincott, 1986.

Footner A. Orthopaedic Nursing. London, Bailliere Tindall, 1987.

Gartland JJ. Fundamentals of Orthopaedics, 4th ed. Philadelphia, WB Saunders, 1987.

Hadler NM. Clinical Concepts in Regional Musculoskeletal Illness. Orlando, Grune & Stratton, 1987.

Horowitz M. Stress Response Syndromes. Northvale, NJ, Aronson, 1986.

Lewis MM and Weiner LS. Orthopaedics. Philadelphia, JB Lippincott, 1989.

Lewis RC. Primary Care Orthopedics. New York, Churchill-Livingstone, 1988.

Magee DJ. Orthopedic Physical Assessment. Philadelphia, WB Saunders, 1987.

Mercies LR. Practical Orthopedics, 2nd ed. Chicago, Year Book Medical Pub, 1987.

Miller TR. Evaluating Orthopedic Disability: A Commonsense Approach, 2nd ed. Oradell, NJ, Medical Economics Books, 1987.

Mourad LA and Droste MM. The Nursing Process in the Care of Adults with Orthopaedic Conditions, 2nd ed. New York, John Wiley & Sons, 1988.

Salmond S et al (eds). Core Curriculum for Orthopaedic Nursing, 2nd ed. Pitman, NJ, National Association of Orthopaedic Nurses, 1991.

Schoen D. The Nursing Process in Orthopaedics. Norwalk, CT, Appleton-Century-Crofts, 1986.

Smith C. Orthopaedic Nursing. London, Heinemann Nursing, 1987.

Stearns CM and Brunner NA. Opcare: Orthopaedic Patient Care. A Nursing Guide, Vols. 1, 2, 3. Rutherford, NJ, Howmedica, 1987.

Revues

Les articles de recherche en sciences infirmières sont marqués d'un astérisque.

Évaluation et examens diagnostiques

Amadio PC. Pain dysfunction syndromes. J Bone Joint Surg [Am] 1988 Jul; 70(6):944–949.

Bigos DM et al. Idiopathic radial tunnel syndrome: Surgical treatment and nursing care. AORN J 1987 Aug; 46(2):255, 258, 260+.

Bonafeds RP and Bennett RM. Shoulder pain. Postgrad Med 1989 Jul; 82(1):185–193.

Edeiken J and Karasick D. Imaging in bone cancer. CA 1987 Jul/Aug; 37(4):239–245.

Gavant ML. Digital subtraction angiography of the foot in atherosclerotic occlusive disease. South Med J 1989 Mar; 82(3):328–334.

Hodges DL, McGuire TJ, and Kumar VN. Diagnosis of hip pain: An anatomical approach. Orthop Rev 1987 Feb; 16(2):109–113.

* Holmes R et al. Nutrition know how: Combating pressure sores—nutritionally. Am J Nurs 1987 Oct; 87(10):1301–1303.

Infante MC et al. Interactive aspects of pain assessment. Orthop Nurs 1987 Jan/Feb; 6(1):31–34.

Kyba FN et al. Magnetic resonance imaging: The latest in diagnostic technology. Nursing 1987 Jan; 17(1):44–47.

Maher AB. Early assessment and management of musculoskeletal injuries. Nurs Clin North Am 1986 Dec; 21(4):717–727.

Mann RA. Pain in the foot. Postgrad Med 1987 Jul; 82(6):154–162.

Mulvey T. Anatomy and physiology of the shoulder complex. Orthop Nurs 1988 May/Jun; 7(3):23–28.

Schon L and Zuckerman JD. Hip pain in the elderly: Evaluation and diagnosis. Geriatrics 1988 Jan; 43(1):48–62.

Wapner KL. Diagnosis of foot pain. Hosp Med 1987 Nov; 23(11):69, 70, 79–86, 92+.

Zubay R. Understanding magnetic resonance imaging from a nursing perspective. Orthop Nurs 1988 Nov/Dec; 7(6):17–23.

Réactions à une blessure

American Pain Society. Relieving pain: An analgesic guide. Am J Nurs 1988 Jun; 88(6):815–825.

Dunwoody CJ. Patient controlled analgesia: Rationale, attributes, and essential factors. Orthop Nurs 1987 Sep/Oct; 6(5):31–36.

Horowitz M. Stress response syndromes: A review of posttraumatic and adjustment disorders. Hosp Community Psychiatry 1986 Mar; 37(3): 241–249.

Moore K and Thompson D. Posttraumatic stress disorder in the orthopaedic patient. Orthop Nurs 1989 Jan/Feb; 8(1):11–19.

Payne MB. Utilizing role theory to assist the family with sudden disability. Rehabil Nurs 1988 Jul/Aug; 13(4):191–194.

Rubin M. The physiology of bedrest. AJN 1988 Jan; 88(1):50–56.

Sculco T. Approaches to senior care. Orthop Rev 1988 Mar; 17(3):239–240.

Métabolisme osseux

Chambers JK. Metabolic bone disorders. Imbalances in calcium and phosphorus. Nurs Clin North Am 1987 Dec; 22(4):861–872.

Hansel MJ. Fractures and the healing process. Orthop Nurs 1988 Jan/Feb; 7(1):43–50.

Loder RT. The influence of diabetes mellitus on the healing of closed fractures. Clin Orthop 1988 Jul; (232):210–216.

Organismes

National Institute of Arthiritis and Musculoskeletal and Skin Diseases
National Institutes of Health, Bethesda, MD 20892

61 TRAITEMENT DES PATIENTS SOUFFRANT D'UN TROUBLE AIGU DE L'APPAREIL LOCOMOTEUR

SOMMAIRE

OBJECTIFS D'APPRENTISSAGE

Après avoir étudié ce chapitre vous devriez être en mesure de réaliser ce qui suit:

1. *Appliquer la démarche de soins infirmiers pour intervenir auprès des patients souffrant de troubles musculosquelettiques.*
2. *Appliquer la démarche de soins infirmiers pour intervenir auprès des patients portant un plâtre.*
3. *Expliquer les mesures de prévention et de santé qui doivent être enseignées aux patients portant un plâtre.*
4. *Décrire les différents types de traction et les principes d'une traction efficace.*
5. *Décrire les soins infirmiers de prévention à prodiguer aux patients en traction.*
6. *Appliquer la démarche de soins infirmiers pour intervenir auprès des patients en traction.*
7. *Appliquer la démarche de soins infirmiers pour intervenir auprès des patients subissant une chirurgie orthopédique.*
8. *Connaître les soins à prodiguer aux patients recevant une prothèse totale de la hanche, et ceux prodigués aux patients recevant une prothèse totale du genou.*

RAPPEL DES ÉTAPES DE LA DÉMARCHE DE SOINS INFIRMIERS

Collecte des données

L'infirmière doit aider les patients souffrant de troubles musculosquelettiques à conserver une bonne santé générale, à accomplir leurs activités quotidiennes, ainsi qu'à suivre leur traitement. En collaboration avec le patient, elle doit viser à assurer un apport nutritionnel adéquat et à prévenir les problèmes reliés à l'immobilité. Il lui faut également établir un plan de soins personnalisé qui assure au patient un équilibre entre ses périodes d'activité et ses périodes de repos.

L'infirmière doit recueillir des données afin d'évaluer la fonction locomotrice et les effets des troubles locomoteurs sur le patient. Lors de sa première entrevue avec le patient, elle obtient une impression générale de l'état de santé du patient. Elle recueille des données sur le problème physique: son apparition et le traitement prescrit. Il faut aussi recueillir des données sur l'existence d'autres affections médicales (diabète, maladie cardiovasculaire, infection des voies respiratoires inférieures) qui peuvent influencer les soins. Les antécédents pharmacologiques du patient ainsi que sa réponse aux analgésiques sont des données qui éclaireront le choix de la médication au cours de l'hospitalisation.

Si le patient dit présenter des allergies, l'infirmière doit en prendre note et inscrire les signes et symptômes mentionnés par celui-ci. Elle doit aussi recueillir des données sur la consommation de tabac, d'alcool et de drogues, car ces substances peuvent avoir une influence sur les soins. De plus, elle doit chercher à établir l'efficacité des stratégies d'adaptation du patient, et tenter de savoir ce que le problème de santé signifie pour lui et ce qu'il attend des traitements médicaux et des soins infirmiers. Il est important de recueillir ces données car elles peuvent influencer la guérison. Enfin, elle doit évaluer le potentiel d'apprentissage du patient, son réseau de soutien ainsi que ses occupations courantes. Au cours de l'hospitalisation, elle continue de recueillir les données et modifie son plan de soins en fonction des données recueillies.

▷ ***Examen physique.*** L'infirmière doit établir les capacités fonctionnelles du patient, son aptitude à effectuer les activités de la vie quotidienne et les limites imposées par le trouble musculosquelettique et le traitement. L'examen général permet de dépister les malformations, les asymétries, les tuméfactions, l'œdème, les contusions, les ecchymoses et les lésions cutanées. En observant la posture, les mouvements et la démarche du patient, l'infirmière peut déceler les altérations de la mobilité physique, les incapacités fonctionnelles et les mouvements involontaires, comme les fasciculations ou les contractions musculaires (voir le chapitre 60).

L'infirmière note toutes les anomalies observées et établit un profil de base du patient qui lui permettra de faire des comparaisons par la suite.

▷ ***Données subjectives.*** Au cours de ses interactions avec l'infirmière ou lors des examens physiques, le patient mentionne parfois des douleurs, une sensibilité localisée, des constrictions ou des sensations anormales. L'infirmière doit recueillir ces données et les noter au dossier afin de les analyser.

Douleur

Les maladies et les lésions musculaires, osseuses et articulaires sont généralement douloureuses. La *douleur osseuse* caractéristique est sourde, profonde et térébrante, tandis que la *douleur musculaire* est souvent de type spasmodique (brusque et transitoire). La *douleur causée par une fracture* est vive et aiguë; elle est atténuée par l'immobilité. Une *infection osseuse* accompagnée de spasmes musculaires ou d'une compression d'un nerf sensoriel peut également provoquer une douleur vive.

La plupart des douleurs musculosquelettiques sont soulagées par le repos. Une douleur exacerbée par l'activité peut traduire une entorse ou une foulure. D'autre part, une douleur qui augmente progressivement peut indiquer une infection (ostéomyélite), une tumeur maligne ou des complications vasculaires. Une douleur irradiante est observée quand il y a compression de la racine d'un nerf. Comme la perception de la douleur varie selon les individus, l'évaluation et les soins infirmiers doivent être personnalisés.

Évaluation de la douleur et des facteurs associés

- Que faisait le patient quand la douleur est apparue?
- Le corps est-il bien aligné?
- Existe-t-il une pression causée par une traction, la literie, un plâtre ou un autre appareil?
- Existe-t-il une tension sur la peau aux points d'insertion d'une broche?
- Le patient est-il épuisé à cause d'un manque de sommeil, de stimuli excessifs ou d'activités physiques prolongées?
- La douleur peut-elle être localisée?
- Comment le patient décrit-il sa douleur?
- Comment la douleur s'est-elle manifestée au début?
- La douleur irradie-t-elle? Si oui, dans quelle direction?
- Le patient ressent-il une douleur dans une autre partie du corps?
- Quel genre de douleur le patient ressent-il (vive, sourde, térébrante, fulgurante, pulsative, spasmodique)?
- Est-elle constante?
- Par quoi est-elle soulagée?
- Par quoi est-elle exacerbée?

La douleur et le malaise incommodent beaucoup le patient et doivent par conséquent être soulagés efficacement. Une douleur prolongée est non seulement épuisante mais peut aussi rendre le patient de plus en plus faible et dépendant.

Troubles sensoriels

Les troubles musculosquelettiques s'accompagnent souvent de troubles sensoriels, comme les *paresthésies* (sensations de brulûre ou de picotement, engourdissements), dus à une mauvaise circulation sanguine ou à une compression des nerfs. Une tuméfaction ou une lésion tissulaire peut provoquer des troubles fonctionnels, de même qu'une atteinte nerveuse ou circulatoire. L'évaluation de l'état neurovasculaire des régions atteintes fournit donc des renseignements importants pour l'analyse des données et la planification des interventions.

Évaluation de l'intégrité neurovasculaire

- Le patient éprouve-t-il des sensations anormales ou des engourdissements?
- Quand ces sensations ont-elles commencé? Y a-t-il aggravation?
- Le patient a-t-il aussi de la douleur?
- Quelle est la couleur de la région en aval de la région atteinte? Pâle? Foncée? Cyanosée?
- Note-t-on la présence d'un pouls périphérique en aval de la région atteinte?
- Le remplissage capillaire est-il ralenti? (Exercer une pression sur l'ongle du patient, et la relâcher. Le lit unguéal doit rapidement reprendre une teinte rosée.)
- La fonction motrice de la région atteinte est-elle intacte? Le patient est-il capable de bouger la région atteinte?
- Y a-t-il de l'œdème?
- Est-ce qu'un appareil de contention ou un vêtement exerce une pression sur les vaisseaux?
- Les symptômes sont-ils atténués par un changement de position ou par l'élévation de la région atteinte?

▷ *Analyse et interprétation des données*

Selon les données recueillies, voici les principaux diagnostics infirmiers pouvant s'appliquer aux patients souffrant de troubles musculosquelettiques:

- Douleur reliée à une altération de l'irrigation tissulaire périphérique
- Altération de la mobilité physique reliée à la douleur
- Manque de coopération dans les soins relié à un manque de connaissances
- Altération du sommeil reliée à l'anxiété

▷ *Planification et exécution*

▷ *Objectifs de soins :* Maintien de l'irrigation tissulaire; soulagement de la douleur; acquisition de connaissances sur les soins; soulagement de l'anxiété; amélioration de la mobilité physique

▷ *Interventions infirmières*

▷ *Maintien de l'irrigation tissulaire.* Les blessures musculosquelettiques s'accompagnent généralement d'œdème. Si l'œdème apparaît à l'intérieur d'un espace fermé (plâtre, pansements compressifs, gaine de l'aponévrose musculaire), le patient peut développer un *syndrome du compartiment.* Ce syndrome se caractérise par une anoxie tissulaire pouvant entraîner une douleur locale atroce, accompagnée d'une perte de mobilité et de sensibilité du membre atteint. Si ce syndrome s'aggrave ou persiste plus de six à huit heures, une perte définitive de la fonction du muscle atteint peut se produire. Une intervention médicale rapide s'impose donc. On peut évaluer la circulation périphérique dans le membre atteint en mesurant le temps de remplissage capillaire du lit de l'ongle (on appuie doucement sur l'ongle jusqu'à ce qu'il devienne blanc, on relâche la pression et on note le temps nécessaire à la réapparition de la coloration (normale: moins de trois secondes). En outre, si les tissus sont mal irrigués, la peau est froide au toucher et paraît foncée, pâle ou bleutée. On observe alors la disparition du pouls distal, la diminution du temps de remplissage capillaire ainsi qu'une paralysie ou une paresthésie du membre atteint. Si le muscle est palpable, il est tuméfié et dur. Quand ces symptômes apparaissent, le médecin doit procéder à la rupture du plâtre ou à une fasciectomie pour rétablir la circulation et soulager la douleur. On peut mesurer directement l'augmentation de la pression tissulaire à l'aide d'un appareil de pression tissulaire (figure 61-1). La pression normale est inférieure à 20.

▷ *Soulagement de la douleur.* Les affections articulaires ou osseuses sont souvent une source de douleur intense. En effet, une intervention chirurgicale au pied provoque souvent plus de douleur qu'une chirurgie abdominale importante. Des narcotiques et autres analgésiques doivent donc être administrés régulièrement et conformément à l'ordonnance du médecin.

Généralement, il faut être prudent dans l'administration d'analgésiques puissants chez les personnes âgées. Dans les cas où la douleur persiste, la dose ou la fréquence d'administration de l'analgésique doit être augmentée. La dépendance physique aux narcotiques est un phénomène commun et normal qui s'installe après une utilisation prolongée. Elle se résout facilement par une diminution progressive de la dose et de la fréquence d'administration. Contrairement aux croyances véhiculées en milieu hospitalier, la pharmacodépendance psychologique est très rare et s'observe habituellement chez des personnes présentant des problèmes psychologiques importants.

La douleur peut être due au trouble musculosquelettique lui-même ou à des problèmes connexes (pression sur les saillies osseuses, spasme musculaire et œdème, par exemple). Une pression prolongée sur des saillies osseuses (talons, coccyx, tête du péroné, tubérosité tibiale) peut provoquer une sensation de brûlure. Il est nécessaire de réduire la pression par un changement de position afin de soulager la douleur et de prévenir une plus grande détérioration des tissus.

Les spasmes musculaires sont également douloureux. La réaction normale d'un muscle blessé est de se contracter pour immobiliser et protéger le siège de la blessure. Une contraction musculaire prolongée est douloureuse. Pour réduire la douleur due à un spasme musculaire, on peut avoir recours à des techniques de relaxation (massages), à une élongation musculaire ou à des médicaments. L'infirmière doit être attentive à toute douleur qui s'aggrave rapidement et qui n'est pas soulagée par les analgésiques. Ce type de douleur peut traduire une détérioration importante qui nécessite une évaluation médicale (comme dans le syndrome du compartiment).

On parvient généralement à réduire la tuméfaction et à éviter le syndrome du compartiment (page 2023) en surélevant la région atteinte et en y appliquant de la glace de façon intermittente pendant 20 à 30 minutes.

Voir le chapitre 43 pour des renseignements supplémentaires sur la douleur et les moyens de la soulager.

▷ *Enseignement au patient.* Il est important de prodiguer un enseignement approprié au patient afin qu'il soit en mesure de participer activement à ses soins. Afin de favoriser sa collaboration, on doit tenir compte de ses connaissances, de ses préoccupations et de ses besoins et s'assurer qu'il comprend bien les explications. On doit le renseigner sur les traitements et les sensations qu'ils provoquent. L'enseignement doit porter notamment sur les appareils (plâtre, traction), les aides à la motricité (trapèze, déambulateur, béquilles), les exercices (exercices isométriques pour les quadriceps, exercices respiratoires) et les médicaments (analgésiques, antibiotiques).

L'infirmière doit donner des renseignements clairs et précis au patient et à sa famille avant sa sortie du centre hospitalier, en précisant les activités qui lui sont permises et celles qui lui sont interdites. En plus de lui recommander de ne pas se fatiguer, elle doit lui indiquer les signes et symptômes dont

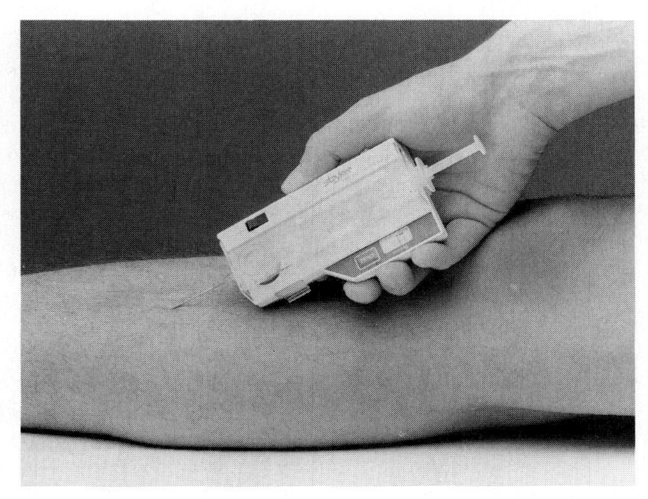

Figure 61-1. Appareil de pression tissulaire
(Source: Stryker Surgical)

il doit faire part à son médecin. Le patient doit comprendre l'importance du suivi et connaître les ressources qu'il peut utiliser en cas de difficultés.

▷ *Soulagement de l'anxiété.* Les troubles musculosquelettiques peuvent être aigus, persistants, récurrents ou chroniques. Leurs conséquences psychologiques et socioéconomiques provoquent différentes réactions chez les patients. En établissant une relation de confiance, l'infirmière peut aider le patient à s'adapter aux problèmes causés par les troubles musculosquelettiques et leur traitement.

La plupart des patients atteints de troubles musculosquelettiques aigus sont souffrants et très anxieux. Ils appréhendent les résultats des traitements. Ceux qui sont atteints d'une incapacité chronique doivent souvent subir plusieurs opérations de reconstruction. Bien qu'ils soient habitués au milieu hospitalier, ils craignent souvent le résultat final des traitements. Ils sont parfois impatients et découragés. Ils sont donc sensibles à la compassion, à la compréhension et au soutien moral de l'infirmière. (Voir le plan de soins infirmiers 61-1.)

▷ *Amélioration de la mobilité physique.* Il importe de limiter les effets néfastes de l'immobilité. Tout au cours du traitement, l'infirmière doit préserver les capacités fonctionnelles du patient. Des exercices des membres non immobilisés maintiennent le tonus et la force musculaires, ce qui prévient les troubles cardiovasculaires et l'ostéoporose par inactivité. Les exercices isométriques des muscles immobilisés assurent le maintien de la force musculaire du membre atteint.

À l'intérieur des limites imposées par le traitement et dans la mesure de ses capacités, le patient doit effectuer lui-même ses soins personnels (soins d'hygiène, se vêtir, s'alimenter, par exemple), ce qui lui procure un sentiment d'autonomie et d'estime de soi. La coordination des soins infirmiers avec les traitements spécialisés (physiothérapie, ergothérapie, par exemple) favorise la réadaptation.

▷ Évaluation

Résultats escomptés

1. Le patient maintient une bonne irrigation tissulaire du membre affecté.
   a) Il garde le membre affecté surélevé pour prévenir l'œdème.
   b) Il se place de manière à favoriser la circulation dans le membre affecté.
2. Le patient n'est pas souffrant.
   a) Il évalue l'intensité de sa douleur et demande (ou prend) son analgésique avant que la douleur ne devienne trop intense.
   b) Il prévient la douleur reliée aux exercices par la prise régulière d'analgésiques.
   c) Il connaît et utilise des méthodes non médicamenteuses de soulagement de la douleur.
3. Le patient participe à ses soins.
   a) Il comprend les traitements prévus et s'intéresse à son plan de soin.
   b) Il connaît les signes et symptômes qu'il doit communiquer en cas de complications.
4. Le patient présente peu d'anxiété.
   a) Il semble détendu et confiant en ses capacités.
   b) Il dort d'un sommeil récupérateur.
   c) Il utilise des stratégies d'adaptation efficaces.
5. Le patient améliore sa mobilité physique.
   a) Il fait ses exercices régulièrement.
   b) Il participe aux activités de la vie quotidienne.
   c) Il utilise correctement les aides à la motricité.

Résumé: L'infirmière joue un rôle important auprès des patients atteints d'un trouble de la fonction motrice et de leur famille. Comme la cause de ces troubles est souvent subite (un accident, par exemple) le patient et sa famille sont soumis à un stress considérable. Il est important que l'infirmière recueille auprès du patient et de sa famille des données qui lui permettront de bien comprendre la situation. Ainsi, elle pourra intervenir de façon efficace tant sur le plan physique (soulagement de la douleur) que sur le plan psychologique (soulagement de l'anxiété, enseignement au patient et à la famille). En appliquant avec compétence les soins infirmiers reliés aux traitements des lésions musculosquelettiques, l'infirmière peut aider le patient à prévenir les complications.

SOINS INFIRMIERS AUX PATIENTS PORTANT UN PLÂTRE

La pose d'un plâtre est l'une des modalités de traitement des lésions musculosquelettiques. Un plâtre est un appareil rigide qui épouse les contours de la partie du corps où il est appliqué. Il sert à immobiliser cette partie du corps dans une position donnée. On peut l'utiliser pour immobiliser une fracture réduite, corriger une déformation, ou soutenir et stabiliser une articulation affaiblie. Le patient qui porte un plâtre peut généralement se déplacer.

MATÉRIEL NÉCESSAIRE POUR FAIRE UN PLÂTRE

Plâtre. Ce matériau de construction et de moulage est employé pour réaliser les immobilisations des fractures. Des bandes de tarlatane amidonnée sont découpées aux dimensions voulues et trempées dans le liquide plâtré. Elles sont ensuite essorées et appliquées sur le membre préalablement recouvert d'un tissu fin de protection qui évite la prise des poils dans le plâtre. Le plâtre devient rigide par cristallisation, un phénomène qui provoque une réaction exothermique (dégagement de chaleur).

- La chaleur peut causer un certain malaise. On doit donc utiliser de l'eau froide. Le plâtre doit être exposé à l'air libre pour assurer la dissipation de la chaleur. Il se refroidit généralement en 15 minutes.

La cristallisation se produit en 15 à 20 minutes. L'orthopédiste détermine la vitesse de durcissement en fonction du type de plâtre.

Après sa mise en place, le plâtre reste légèrement mou, jusqu'à ce qu'il soit complètement sec. Un plâtre humide peut se déformer. Il faut donc le manipuler avec la paume de la main plutôt qu'avec les doigts et éviter de l'appuyer sur une surface dure ou acérée. Les déformations peuvent provoquer une pression sur la peau. Un plâtre sèche en 24 à 72 heures selon son épaisseur et les conditions ambiantes. Il doit être exposé à l'air, car les vêtements et les draps retardent le séchage. Un plâtre sec est blanc, brillant, inodore, dur et résonnant, tandis qu'un plâtre humide est gris, terne et moite; il ne résonne pas et sent le moisi.

Autres matériaux. Il existe des plâtres en polyuréthanne activé par l'eau que l'on dit en *fibre de verre*. Ils sont aussi malléables que le plâtre mais ils sont plus légers, plus solides, plus durables et imperméables. Ils sont faits d'un tissu ajouré et non absorbant imprégné du polyuréthanne qui se solidifie en quelques minutes.

Les plâtres en fibre de verre sont poreux et provoquent moins de troubles cutanés que les plâtres ordinaires. Ils ne ramollissent pas quand ils sont mouillés. On peut les sécher avec de l'air frais provenant par exemple d'un séchoir à cheveux. Il est important de les sécher à fond pour éviter les lésions cutanées.

Attelles et orthèses

Si une immobilisation rigide n'est pas nécessaire ou que l'on prévoit l'œdème du membre, on peut utiliser des attelles en plâtre moulé ou faites d'un matériau plus flexible. Les attelles doivent garder la région atteinte immobile et en position fonctionnelle. Elles doivent être bien rembourrées pour éviter les pressions sur la peau, de même que les irritations et les lésions. Si l'attelle est en plâtre, on doit attendre que la chaleur provoquée par la cristallisation soit dissipée avant de la recouvrir d'un bandage élastique. On pose le bandage élastique en spirale pour créer une pression uniforme et éviter d'entraver la circulation sanguine. L'infirmière doit vérifier régulièrement l'irrigation tissulaire du membre immobilisé par l'attelle.

Il existe aussi des stabilisateurs qui ne procurent généralement pas une immobilisation complète. Ils facilitent les soins cutanés et peuvent être ajustés s'il y a œdème.

Pour les immobilisations prolongées, on peut utiliser une *orthèse*. Les orthèses stabilisent le membre blessé et préviennent l'aggravation des blessures. Elles sont faites sur mesure, et ajustées par un orthésiste. Elles sont généralement en plastique ou en métal avec des sangles. L'infirmière doit apprendre au patient à placer l'orthèse et à protéger la peau des irritations et des lésions. Elle doit s'assurer que l'orthèse ne gêne pas la circulation. Elle doit inciter le patient à porter son orthèse conformément à l'ordonnance et lui expliquer que des ajustements mineurs par un orthésiste sont parfois nécessaires.

Types de plâtres

Court plâtre du bras (appareil antébrachial): s'étend du coude jusqu'au pli palmaire, et est fixé à la base du pouce.

Long plâtre du bras (appareil brachioantébrachial): s'étend de la partie supérieure du pli de l'aisselle jusqu'au pli palmaire; le coude est habituellement immobilisé à angle droit.

Court plâtre de la jambe: s'étend du genou jusqu'à la base des orteils. Le pied est placé à angle droit dans une position neutre.

Long plâtre de la jambe: s'étend de la jonction du tiers moyen et du tiers supérieur de la cuisse jusqu'à la base des orteils. Le genou peut être légèrement fléchi.

Plâtre de marche long ou court: plâtre renforcé de la jambe; un talon y est parfois incorporé.

Corset plâtré: recouvre le tronc.

Spica: recouvre une partie du tronc et un ou deux membres (spica simple ou double).

Spica de l'épaule: recouvre le tronc, l'épaule et le coude.

Spica de la hanche: recouvre le tronc et un membre inférieur (peut être simple ou double).

Plâtres du bras

Le patient qui a un plâtre au bras doit apprendre à effectuer ses tâches quotidiennes avec un seul bras. Le poids du plâtre entraîne un effort supplémentaire et une fatigue musculaire. Le patient a donc besoin de fréquentes périodes de repos.

Quand le patient est couché, on recommande de surélever le bras sur des oreillers en s'assurant que chaque articulation soit plus haute que l'articulation située en amont (le coude plus haut que l'épaule, la main plus haute que le coude). Pour réduire les risques de congestion veineuse et d'œdème, la main doit être gardée légèrement au-dessus du niveau du cœur.

On peut mettre le bras en écharpe, en vérifiant toutefois que la nuque ne supporte pas tout le poids du plâtre. Il est préférable que les écharpes triangulaires en tissu soient épinglées sur les côtés plutôt que nouées derrière le cou.

Les troubles circulatoires peuvent se manifester par une cyanose, une tuméfaction et une incapacité à bouger les doigts. Le *syndrome de Volkmann*, un syndrome du compartiment (figure 61-2), est une complication grave due à une ischémie provoquée par l'obstruction du flux artériel dans l'avant-bras et la main. Il se manifeste par une douleur musculaire intense à l'extension passive du poignet et des doigts, une cyanose et un œdème.

Il importe donc d'effectuer de fréquentes évaluations neurovasculaires du membre atteint. Pour traiter le syndrome du compartiment on coupe l'appareil plâtré en deux parties. Dans certains cas, on devra pratiquer une fasciectomie pour rétablir la circulation. Une intervention rapide est essentielle pour éviter des lésions irréversibles.

Plâtres de la jambe

Le patient doit être partiellement immobilisé quand on pose le plâtre. Le plâtre court s'arrête au genou, et le plâtre long monte jusqu'à l'aine. Un plâtre frais doit être manipulé avec soin car il risque de se déformer ou de se briser. On doit

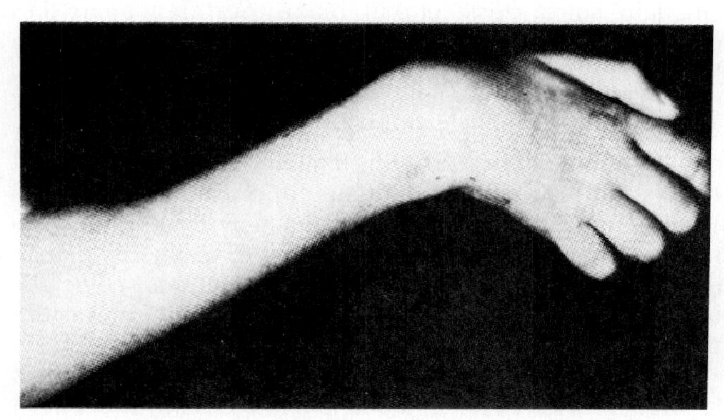

Figure 61-2. Avant-bras et main d'un patient atteint du syndrome de Volkmann à un stade avancé

(Source: C. A. Rockwood et D. P. Green [éd.], *Fractures*. Vol. 1, Philadelphia, J. B. Lippincott)

élever la jambe du patient sur des oreillers afin de réduire la tuméfaction. Il est recommandé d'appliquer des sacs de glace sur le plâtre au niveau du siège de la fracture pendant les deux premiers jours.

Il importe de vérifier régulièrement l'irrigation tissulaire et l'intégrité de la fonction nerveuse de l'extrémité de la jambe atteinte. Pour évaluer l'irrigation, on observe la couleur, la température et le remplissage capillaire des orteils. On évalue la fonction nerveuse en observant la mobilité des orteils et la présence de paresthésies dans le pied. Des engourdissements, des fourmillements et une sensation de brûlure peuvent indiquer la présence d'une lésion du nerf péronier proximal, provoquée par une pression sur la tête du péroné.

- La lésion du nerf péronier proximal due à une pression est une cause fréquente du pied tombant.

Quand le plâtre est sec, l'infirmière doit enseigner au patient à se servir correctement des aides à la motricité (béquilles, déambulateur, etc.). Il est important de vérifier auprès du médecin le poids que le patient peut mettre sur la jambe affectée. Si la jambe peut être mise en charge, on doit renforcer le plâtre pour qu'il supporte le poids du corps. On peut poser un talon (un coussin de caoutchouc) sous la semelle du plâtre ou utiliser une botte de marche (figure 61-3). On recommande les bottes de marche plutôt que les talons parce qu'elles procurent une plus grande surface d'appui et modifient moins l'équilibre et la posture.

Quand le patient commence à se déplacer, il faut lui recommander de s'asseoir fréquemment et de surélever la jambe plâtrée plusieurs fois par jour pour favoriser le retour veineux. Si les rebords du plâtre irritent la peau, on peut les recouvrir de moleskine.

ORTHÈSES

Les orthèses sont des appareils à charnières qui permettent la mobilité des articulations tout en procurant une immobilisation et un alignement appropriés (figure 61-4).

Il existe des orthèses pour la hanche, le genou, la cheville, le coude ou le poignet. En général, les orthèses sont utilisées par des patients qui ont été en traction transosseuse pour une fracture du fémur.

Les orthèses de la jambe sont composées d'un plâtre circulaire sur la cuisse et d'un plâtre court de marche. Les charnières (en métal ou polypropylène) qui permettent la flexion de l'articulation sont placées de chaque côté du genou, puis insérées dans le plâtre. Une fois le plâtre sec (environ 48 heures) le patient peut se déplacer à l'aide de béquilles, en utilisant la démarche à trois temps (voir le chapitre 42) et en passant progressivement d'un appui partiel à un appui complet sur la jambe atteinte. Pour améliorer le retour veineux et réduire ainsi l'œdème, on doit conseiller au patient de surélever la jambe atteinte lorsqu'il est au repos. Si le plâtre monte jusqu'à l'aine, on doit le protéger des urines et des matières fécales.

L'utilisation des orthèses favorise l'homéostasie, maintient la force musculaire ainsi que la mobilité des articulations et accélère la réadaptation. Les orthèses peuvent provoquer certaines complications: courbure au niveau de la fracture (mauvais alignement de l'os), œdème de l'articulation, lésions cutanées aux points de pression. Il est donc important d'être

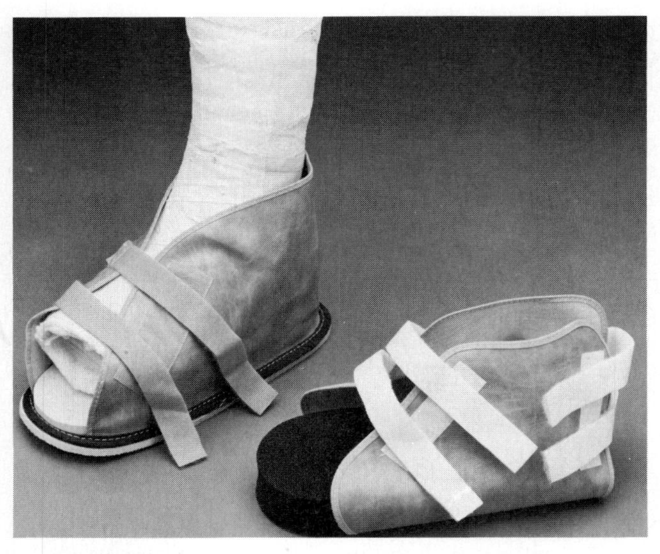

Figure 61-3. Bottes de marche pour plâtre
(Source: Srouse Manufacturing, Inc., Ligonier, IN)

à l'affût des signes d'atteinte neurovasculaire et d'atteinte à l'intégrité de la peau dans le membre atteint.

SPICAS ET CORSETS PLÂTRÉS

Les plâtres qui recouvrent le tronc (*corset plâtré*) et ceux qui recouvrent une partie du tronc et un ou deux membres (*spica*) exigent des interventions infirmières complexes. On emploie le corset pour immobiliser la colonne. On utilise les *spicas de la hanche* chez les patients souffrant d'une fracture du fémur ou ayant subi une opération de l'articulation de la hanche. Le *spica de l'épaule* est utilisé dans certains cas de fracture

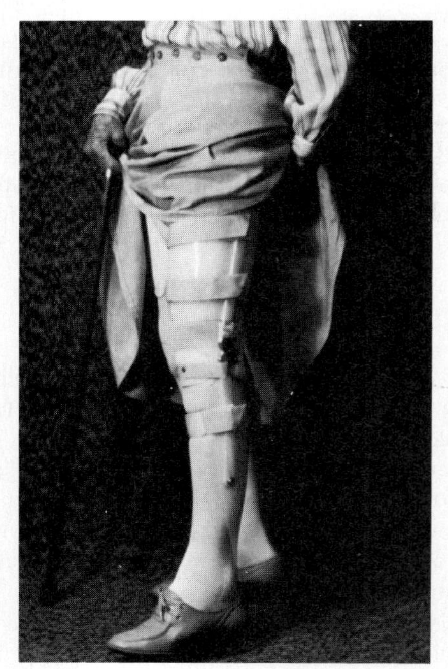

Figure 61-4. Orthèse. Cette orthèse fémoropédieuse en plastique moulé est utile pour l'immobilisation prolongée (plus de 6 mois). Le patient peut l'enlever lui-même.
(Source: University of Texas Health Science Center at Dallas)

TABLEAU 61-1. ***Changement de position du patient immobilisé dans un spica de la hanche***

1. Mobiliser horizontalement le patient vers le côté du lit en le déplaçant d'un mouvement ferme et régulier.
2. Placer ensuite des oreillers le long de l'autre côté du lit pour soutenir le plâtre.
3. Demander au patient de rabattre l'épaule du côté non affecté pendant qu'on le retourne.
4. Deux infirmières se placent sur le côté vers lequel on retourne le patient pour soutenir le plâtre.
5. Une troisième infirmière se place derrière le patient et aide à le retourner.
6. On retourne le patient d'un seul coup, puis on l'installe en respectant l'alignement corporel.

du col de l'humérus. Il est important de veiller à la mobilisation et au bien-être du patient portant ce type de plâtre.

L'infirmière rassure le patient en lui expliquant qu'il sera entouré de personnel compétent tout au long de la pose du plâtre et qu'on procédera avec délicatesse en prenant bien soin de soutenir la région atteinte. On recommande l'administration de sédatifs et d'analgésiques avant la pose du plâtre pour aider le patient à se détendre et à collaborer à l'intervention.

On utilise des oreillers mous et imperméables pour soutenir le plâtre pendant qu'il sèche. Si le plâtre n'est pas correctement supporté, il peut se fissurer ou se déformer, ce qui provoque des pressions. Le lit doit être muni d'un matelas ferme. Trois oreillers placés en travers du lit devraient suffire à soutenir un corset plâtré. Il est important que les oreillers soient placés les uns contre les autres car les espaces vides peuvent provoquer un affaissement du plâtre humide, qui peut ainsi s'affaiblir et se briser. Si le patient est immobilisé dans un corset plâtré, on doit éviter de placer un oreiller sous la tête ou les épaules, ce qui pourrait comprimer la poitrine.

On doit mobiliser le patient toutes les deux heures afin de soulager la pression et permettre au plâtre de sécher (tableau 61-1). Le patient doit être tourné en bloc vers le côté non atteint, en gardant le corps en position neutre. Cette intervention exige la collaboration d'au moins trois personnes. Les points faibles du plâtre se trouvent au niveau des articulations; il est important de les supporter pendant la mobilisation pour éviter que le plâtre ne se brise. Le patient collabore en utilisant le trapèze ou les ridelles. Parfois une barre d'abduction est ajoutée au spica pour le stabiliser. On *ne* doit *jamais* utiliser cette barre pour mobiliser le patient. Il faut replacer les oreillers de façon à procurer un soutien convenable, et prévenir les pressions.

Quand le plâtre est sec, on doit mobiliser le patient plusieurs fois par jour s'il le tolère, pour permettre le drainage postural de l'arbre bronchique et réduire la pression sur le dos.

Il est important que l'infirmière examine fréquemment la peau sous les rebords du plâtre afin de déceler les signes d'irritation. Elle peut retirer les débris de plâtre et examiner certaines régions sous le plâtre, en tendant la peau et en utilisant une lampe de poche. La peau autour et sous les rebords du plâtre doit être nettoyée avec soin, puis massée avec une crème.

Pour protéger le plâtre des liquides biologiques (urines, selles), on peut glisser sous le plâtre une alèse en plastique, propre et sèche, que l'on ramène sur son rebord extérieur. On peut aussi vaporiser le plâtre d'un enduit protecteur plastifié.

Syndrome du corset plâtré

Les patients immobilisés dans un corset plâtré peuvent présenter des réactions psychologiques ou physiologiques dues à l'immobilisation. Les manifestations psychologiques du syndrome du corset plâtré ressemblent à une réaction claustrophobique : anxiété aiguë caractérisée par des changements de comportement et des manifestations nerveuses (augmentation de la fréquence respiratoire, diaphorèse, dilatation des pupilles, augmentation de la fréquence cardiaque, élévation de la pression artérielle, etc.). L'infirmière doit savoir reconnaître ces symptômes et procurer au patient un sentiment de sécurité.

Les manifestations physiologiques du syndrome du corset plâtré sont associées à l'immobilisation. La diminution de la motilité intestinale s'accompagne d'une accumulation de gaz qui provoque une augmentation de la pression intestinale et un iléus. Le patient se plaint de douleurs abdominales, de nausées et de vomissements. Comme dans tous les cas d'iléus paralytique, on procède à une décompression au moyen d'une sonde nasogastrique reliée à un appareil d'aspiration, et à un traitement intraveineux jusqu'au retour de la motilité gastro-intestinale. Si le plâtre gêne la distension abdominale, on doit y découper une fenêtre, au-dessus de la région de l'abdomen, afin d'éviter une réduction de l'irrigation intestinale par l'artère mésentérique supérieure.

L'infirmière doit savoir que les patients immobilisés dans un grand plâtre peuvent présenter un syndrome du corset plâtré et prendre les mesures nécessaires pour prévenir cette complication.

Résumé: Les plâtres sont des appareils de contention externes et rigides qui entourent une partie du corps pour l'immobiliser dans une position donnée. On les utilise le plus souvent pour traiter les fractures et soutenir les articulations et les muscles affaiblis. On peut aussi les utiliser à la suite d'une chirurgie orthopédique (greffe osseuse, soudure osseuse, fixation interne, etc.). Les risques d'atteinte à l'intégrité de la peau sont élevés et reliés à la pression exercée par le plâtre sur l'épiderme. L'infirmière doit enseigner au patient des exercices isométriques pour prévenir l'atrophie musculaire reliée à l'immobilité. La reprise des activités doit se faire graduellement après le retrait du plâtre.

DÉMARCHE DE SOINS INFIRMIERS PATIENTS PORTANT UN PLÂTRE

Collecte des données

La collecte de données se fait au moment de l'admission du patient à l'unité de soins. L'infirmière évalue plus précisément l'état physique et psychologique du patient en procédant à l'examen physique. Il est primordial d'évaluer entre autres l'irrigation tissulaire du membre affecté (ampleur de l'œdème et des contusions, présence de lésions de l'épiderme et aspect de ces lésions). Il est aussi très important de rassurer le patient en lui donnant de l'information sur les traitements prévus.

Encadré 61-1
Exercices musculaires isométriques

Les contractions isométriques des muscles permettent de maintenir la masse et la force musculaires.

Exercice isométrique pour les quadriceps

- Placer le patient en décubitus dorsal, les jambes étendues.
- Lui demander d'enfoncer le genou dans le matelas en contractant les muscles antérieurs de ses cuisses.
- Lui faire garder la contraction de 5 à 10 secondes.
- Lui faire répéter l'exercice 10 fois toutes les heures, pendant la journée.

Exercice isométrique pour les fessiers

- Placer le patient en décubitus dorsal, les jambes étendues.
- Lui demander de contracter ses muscles fessiers et abdominaux.
- Lui faire garder la contraction pendant 5 à 10 secondes.
- Lui faire répéter l'exercice 10 fois toutes les heures, pendant la journée.

▷ *Analyse et interprétation des données*

Selon les données recueillies, voici les principaux diagnostics infirmiers pouvant s'appliquer aux patients portant un plâtre:

- Douleur reliée à une altération de l'irrigation tissulaire périphérique
- Anxiété reliée à la douleur
- Anxiété reliée à un manque de connaissances sur le traitement
- Atteinte à l'intégrité de la peau reliée à l'immobilité
- Déficit d'autosoins relié à la restriction de la mobilité physique

▷ *Planification et exécution*

▷ *Objectifs de soins:* Acquisition de connaissances sur le traitement et les soins infirmiers; soulagement de la douleur; amélioration de la mobilité physique; traitement des lacérations et des écorchures; maintien d'une bonne irrigation tissulaire; capacité d'effectuer les autosoins

▷ *Interventions infirmières*

▷ *Acquisition de connaissances sur le traitement et les soins infirmiers.* Il est important de renseigner le patient sur les raisons et les objectifs du traitement. Ces renseignements l'inciteront à participer activement aux soins et à s'y conformer. L'infirmière doit préparer le patient à la pose du plâtre en lui décrivant ce qu'il verra, entendra et ressentira (la chaleur dégagée par la réaction de cristallisation, par exemple), et en lui expliquant le déroulement de cette intervention.

▷ *Soulagement de la douleur.* On doit évaluer soigneusement la douleur causée par un trouble musculosquelettique afin d'en déterminer la cause probable. On doit d'abord demander au patient de localiser précisément la douleur et de la décrire (nature et intensité). On doit toujours prendre au sérieux un patient qui se plaint de douleur.

La douleur due à une blessure (une fracture, par exemple) est habituellement soulagée par l'immobilisation. La douleur reliée à l'œdème ou à l'atteinte musculaire peut être soulagée par l'élévation de la partie atteinte ou par l'application intermittente de froid selon l'ordonnance du médecin. Pour ce faire, on place des sacs de glace ou des appareils de refroidissement de chaque côté du plâtre en s'assurant de ne pas le déformer.

- On peut soulager la plupart des douleurs en surélevant la partie atteinte, en appliquant du froid et en administrant des analgésiques, selon l'ordonnance du médecin.

La douleur peut aussi être un signe de complications: *atteinte à l'intégrité de l'épiderme* reliée à une pression sur les tissus ou les saillies osseuses, ou à la diminution de l'irrigation tissulaire. Une douleur aiguë sur une protubérance osseuse est un signe d'escarre de décubitus en voie de formation; *la douleur diminue quand l'escarre est formée.* On peut soulager la douleur causée par la pression en surélevant la partie atteinte, ce qui réduit l'œdème, ou encore en la plaçant dans une position qui diminue la pression. Parfois, le médecin doit modifier le plâtre ou faire une ouverture dans le plâtre au niveau du siège de la douleur. La douleur associée au syndrome du compartiment est aiguë et constante; elle n'est pas soulagée par l'élévation du membre, l'application de froid et les doses habituelles d'analgésiques.

- On doit prévenir immédiatement le médecin si la douleur persiste afin d'éviter une nécrose tissulaire et une paralysie.

▷ *Amélioration de la mobilité physique.* On doit enseigner au patient qui porte un plâtre à tendre et à contracter ses muscles de façon isométrique (sans en modifier la longueur), afin de réduire l'atrophie et de maintenir la force musculaire. Si une jambe est plâtrée, l'infirmière place sa main sous le genou du patient et lui demande de pousser vers le bas. Si un bras est plâtré, l'exercice consiste à serrer le poing. Il importe que le patient fasse des exercices isométriques pour les quadriceps et les fessiers afin de maintenir le tonus de ces muscles essentiels à la marche (encadré 61-1). Le patient doit faire ces exercices au moins toutes les heures au cours de la journée.

▷ *Traitement des lacérations et des écorchures.* Avant la pose du plâtre, il faut soigner les écorchures et les ruptures de l'épiderme pour prévenir l'infection. On doit nettoyer la peau en profondeur, et la traiter conformément à l'ordonnance du médecin. On la recouvre ensuite d'un pansement stérile. Dans le cas d'une lésion cutanée grave, on peut choisir une autre méthode d'immobilisation (fixateur externe, par exemple).

L'infirmière doit être à l'affût des signes généraux d'infection, de même que des odeurs et des écoulements purulents provenant du plâtre. Si elle observe des changements de couleur du plâtre et des odeurs, elle doit en informer le médecin.

▷ ***Maintien d'une bonne irrigation tissulaire.*** La tuméfaction et l'œdème sont des réactions normales après une lésion tissulaire ou une intervention chirurgicale. Le patient qui porte un plâtre se plaint parfois que son plâtre est trop serré. Si la compression n'est pas réduite, elle peut provoquer une réduction de l'irrigation artérielle et des lésions aux nerfs périphériques (*syndrome du compartiment*). On peut généralement réduire l'œdème en surélevant la partie enflée. S'il persiste, on doit ouvrir le plâtre et en refaire un autre.

Pour vérifier l'irrigation tissulaire, l'infirmière doit examiner la couleur, la température et le remplissage capillaire de l'extrémité du membre atteint. Si l'irrigation tissulaire est normale, la douleur est faible, la couleur rosée et le remplissage capillaire rapide; la température, la sensibilité et la mobilité sont normales. Une pâleur ou une coloration bleutée, des paresthésies (fourmillements ou engourdissements), une diminution ou une absence de pouls et la froideur sont des signes d'une altération de l'irrigation tissulaire. On recommande au patient de bouger les doigts et les orteils toutes les heures pour stimuler la circulation sanguine.

L'intégrité de la fonction motrice et sensorielle se manifeste par la mobilité et par une bonne sensibilité des doigts et des orteils. Une perte de sensibilité dans le pouce et l'index indique une atteinte de la branche sensorielle du nerf musculocutané, soit la racine du sixième nerf crânien. Pour vérifier le fonctionnement de la branche motrice du nerf tibial, on demande au patient de faire une dorsiflexion du gros orteil.

Si le muscle est accessible, on peut mesurer directement la pression tissulaire à l'aide d'un appareil spécial (figure 61-1).

Des évaluations fréquentes de l'état neurovasculaire du membre atteint permettent de déceler très tôt les signes d'altération de l'irrigation tissulaire et de la fonction nerveuse. Si les données recueillies indiquent un syndrome du compartiment (douleur progressive irréductible, douleur à l'extension passive, paresthésies, pertes motrices et sensorielles, froideur de la peau, pâleur, remplissage capillaire lent, sensation de compression), l'infirmière *doit immédiatement prévenir le médecin* et préparer le matériel nécessaire aux interventions (coupe du plâtre en deux parties, par exemple).

▷ ***Traitement des ruptures de l'épiderme.*** Le plâtre peut exercer une pression sur les tissus mous, ce qui peut compromettre l'irrigation tissulaire et provoquer la formation d'escarres de décubitus. Les régions des membres inférieurs les plus sujettes à la pression sont le talon, les malléoles, le dos du pied, la tête du péroné et la face antérieure de la rotule. Les régions des membres supérieurs les plus souvent touchées sont l'épitrochlée et l'apophyse styloïde ulnaire.

La pression se manifeste habituellement par une douleur et une sensation de brûlure. Si elle persiste, la nécrose tissulaire provoque un écoulement nauséabond qui tache le plâtre. La douleur se dissipe quand l'escarre est formée. Si l'escarre n'est pas dépistée et traitée à temps, elle peut entraîner une importante perte tissulaire.

Afin d'examiner la région touchée, le médecin peut couper le plâtre (tout en maintenant l'alignement) ou y faire une «fenêtre».

On coupe le plâtre de la façon suivante:

1. On le coupe longitudinalement pour le diviser en deux parties.
2. On coupe également le rembourrage, car il peut se rétrécir s'il est imbibé de sang et gêner la circulation.
3. On écarte ensuite suffisamment le plâtre pour réduire la pression.
4. On place le membre (au niveau du cœur) jusqu'à ce que la circulation redevienne normale, que la tuméfaction se résorbe et que la douleur se dissipe.
5. On peut maintenir ensemble les deux parties du plâtre à l'aide d'un bandage élastique.

Si une fenêtre a été percée, il faut éviter que les bords de la fenêtre n'exercent une pression.

▷ ***Capacité d'effectuer les autosoins.*** L'immobilisation d'une partie du corps peut réduire l'autonomie du patient. L'infirmière doit donc aider celui-ci à reconnaître ses difficultés et à utiliser des dispositifs lui permettant d'accroître son autonomie. Il est important que le patient participe à la planification et à l'exécution de ses activités quotidiennes pour réduire son sentiment d'impuissance et maintenir son estime de soi, ainsi que pour prévenir une réaction psychologique indésirable comme la dépression.

▷ ***Enseignement au patient et soins à domicile.*** Quand le plâtre est sec, l'infirmière doit donner au patient les directives suivantes:

1. Planifier des périodes de repos où le membre atteint sera élevé.
2. Garder le plâtre au sec.
   a) L'humidité ramollit le plâtre.
      (1) Ne pas recouvrir le plâtre de plastique ou de caoutchouc pour éviter la condensation.
      (2) Éviter de marcher sur un plancher ou un trottoir mouillé.
   b) Assécher les appareils de contention en fibre de verre au moyen d'un séchoir à cheveux réglé à faible intensité.
3. Éviter de gratter la peau sous le plâtre, ce qui pourrait provoquer une rupture de l'épiderme et former une plaie. Pour soulager les démangeaisons, appliquer une crème ou projeter sous le plâtre de l'air frais provenant d'un séchoir à cheveux.
4. Recouvrir les rebords rugueux du plâtre de ruban adhésif.
5. Prévenir le médecin si le plâtre dégage une odeur ou présente des taches ou s'il y a sensation de chaleur ou de pression sur la peau.
6. Prévenir le médecin s'il y a présence d'une douleur persistante, une tuméfaction qui ne se résorbe pas quand on soulève le membre atteint, une modification de la sensibilité, une diminution de la mobilité des doigts ou des orteils et une modification de la couleur et de la température de la peau.
7. Se déplacer le plus normalement possible. Éviter de trop utiliser le membre atteint.
8. Effectuer les exercices recommandés, selon l'horaire établi.
9. Prévenir le médecin si le plâtre se brise; ne pas essayer de le réparer.
10. Nettoyer son plâtre:
    a) Enlever les souillures à l'aide d'un linge humide.
    b) Recouvrir les taches d'une mince couche de cirage à chaussures blanc.

On doit préparer le patient à la levée du plâtre en lui expliquant les étapes de l'intervention. On coupe le plâtre à l'aide d'une *scie pour plâtre*. Le patient sentira la vibration de la scie et une pression. La scie ne peut pas blesser la peau. On coupe le rembourrage à l'aide de ciseaux. Le patient et la personne qui manipule la scie doivent porter des lunettes de protection.

Le membre doit être soutenu pendant que l'on retire le plâtre. Il sera faible et raide en raison de l'atrophie musculaire causée par l'immobilité. Le patient aura donc besoin d'aide pour se déplacer. L'épiderme sous le plâtre est habituellement sec et squameux en raison de l'accumulation de peaux mortes; il est très fragile. Il faut laver soigneusement la peau, puis l'assouplir avec une crème hydratante.

L'infirmière doit conseiller au patient de reprendre graduellement ses activités selon les recommandations du médecin. Comme les muscles sont affaiblis par l'immobilité, le membre ne peut soutenir un effort normal. De plus, il sera peut-être tuméfié. Il faut donc continuer de le surélever jusqu'à ce que le tonus musculaire soit rétabli.

▷ *Évaluation*

Résultats escomptés

1. Le patient ressent moins de douleur.
   a) Il soulève le membre plâtré.
   b) Il change de position fréquemment.
   c) Il prend des analgésiques oraux à l'occasion.
   d) Il dit se sentir soulagé.
2. Le patient améliore sa mobilité.
   a) Il utilise correctement les aides à la motricité.
   b) Il fait des exercices pour augmenter sa force musculaire.
   c) Il change souvent de position.
   d) Il fait des exercices d'amplitude de mouvement pour les articulations libres.
3. Le patient maintient une bonne irrigation du membre affecté.
   a) La température et la couleur de la peau sont normales.
   b) La tuméfaction est faible.
   c) Le temps de remplissage capillaire est normal.
   d) Il peut bouger les doigts et les orteils.
   e) Il dit que la sensibilité du membre atteint est normale.
4. Le patient ne présente pas de signes et symptômes d'infection.
   a) Il ne montre pas de signes locaux d'infection (douleur localisée, écoulement purulent, taches sur le plâtre).
   b) Sa peau est intacte après le retrait du plâtre.
5. Le patient comprend les soins prodigués et leurs implications.
   a) Il connaît les signes et symptômes de complications.
   b) Il se sent à l'aise de poser des questions au besoin.
6. Le patient participe activement à ses soins.
   a) Il surélève le membre atteint.
   b) Il effectue les exercices conformément aux recommandations.
   c) Il garde son plâtre au sec.
   d) Il communique avec des personnes ressources en cas de problèmes.
   e) Il respecte ses rendez-vous chez le médecin.

SOINS INFIRMIERS AUX PATIENTS PORTEURS D'UN FIXATEUR EXTERNE

On utilise les fixateurs externes pour le traitement des fractures ouvertes avec lésions des tissus mous et pour soutenir les fractures comminutives graves (figure 61-5). Ils servent notamment au traitement des fractures multiples de l'humérus, de l'avant-bras, du fémur, du tibia et du bassin. Le fixateur externe est composé de broches que l'on insère dans les fragments osseux après les avoir alignés. Les broches sont maintenues en place au moyen d'attaches reliées à un cadre fixe. Ces appareils favorisent le bien-être du patient car ils permettent une plus grande mobilité des articulations adjacentes non atteintes. Ils évitent les complications dues à l'immobilité et réduisent la durée de l'hospitalisation.

Il est très important de préparer psychologiquement le patient à la pose d'un fixateur externe, car cet appareil a un aspect impressionnant. On doit donc rassurer le patient en lui expliquant que l'appareil ne cause pratiquement pas de malaise et qu'il lui permettra de retrouver sa mobilité plus rapidement. Il faut aussi l'inciter à participer aux soins qu'exigent cet appareil pour l'aider à mieux l'accepter.

Après la mise en place du fixateur externe, on doit prévenir l'œdème en surélevant le membre atteint. L'infirmière doit vérifier fréquemment l'état neurovasculaire du membre. Elle doit aussi examiner le siège de la lésion et les points d'insertion des broches pour vérifier la position des broches et dépister les signes d'infection: rougeur, écoulement, sensibilité, douleur. Il est normal d'observer un écoulement séreux aux points d'insertion des broches.

- On ne doit *jamais* ajuster soi-même les pinces du cadre du fixateur externe.

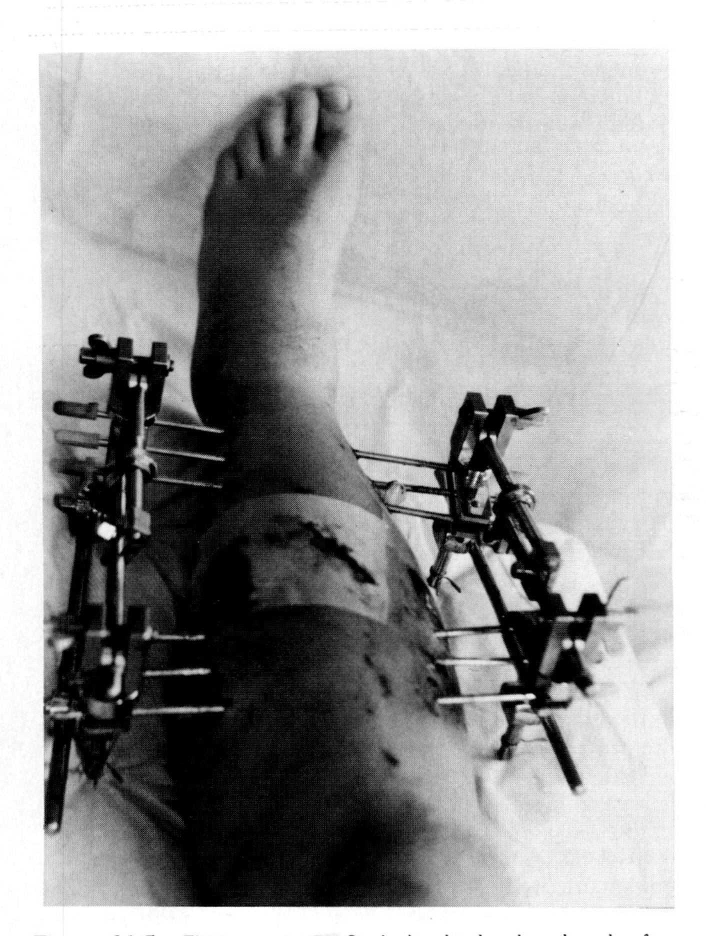

Figure 61-5. Fixateur externe. On insère les broches dans les fragments osseux, et on stabilise la réduction en fixant les broches à un cadre rigide. Le fixateur est utilisé pour le traitement des fractures compliquées avec atteinte des tissus mous.

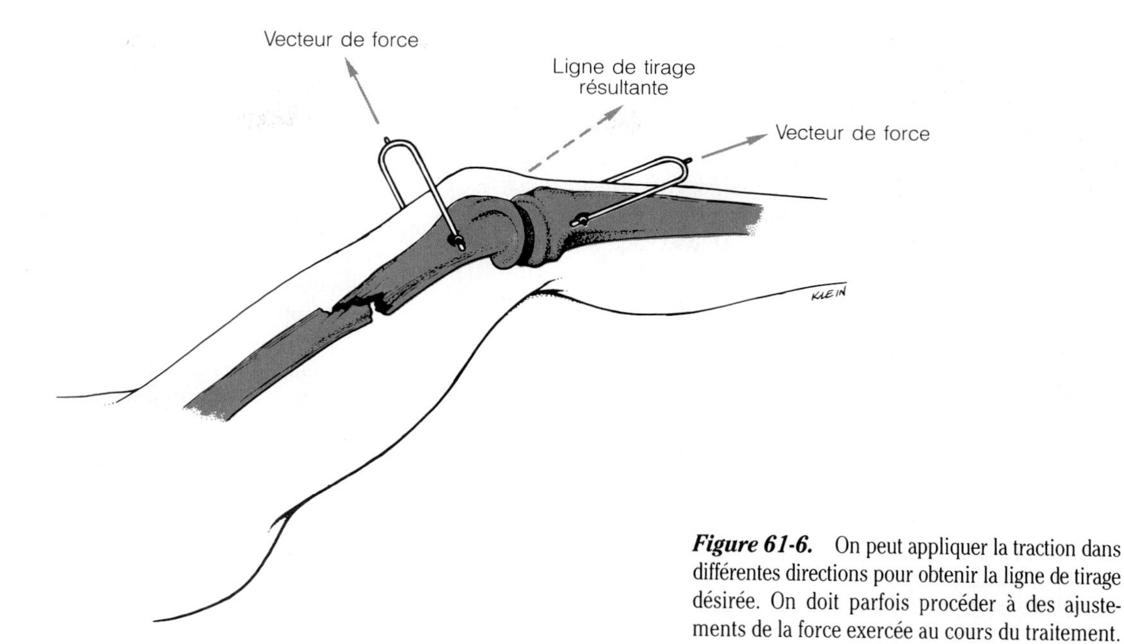

Figure 61-6. On peut appliquer la traction dans différentes directions pour obtenir la ligne de tirage désirée. On doit parfois procéder à des ajustements de la force exercée au cours du traitement.

Il faut procéder régulièrement au soin des broches, afin de prévenir l'infection. Les points d'insertion des broches doivent être désinfectés régulièrement et le fixateur doit rester propre.

Le patient doit effectuer des exercices isométriques et autres exercices actifs, dans les limites imposées par les lésions tissulaires. On couvre les extrémités externes du fixateur avec des bouchons de liège pour éviter les blessures. Une fois la tuméfaction résorbée, le patient peut se déplacer en respectant les limites imposées. On détermine le poids que peut supporter le membre blessé en fonction du type de la fracture et de la tension que l'on peut appliquer sur les broches.

On peut retirer le fixateur quand le tissu mou est guéri, et stabiliser la fracture par la mise en place d'un plâtre ou d'une orthèse moulée jusqu'à la formation d'un cal osseux.

Résumé : Les fixateurs externes sont des cadres qu'on fixe aux os à l'aide de broches ou de fils métalliques. On les utilise principalement pour le traitement des fractures ouvertes. Certains modèles de fixateurs (fixateur d'Ilizarov, par exemple) peuvent servir à corriger des déformations ou à traiter l'absence de formation du cal. On les utilise aussi pour allonger un membre. Il est important de bien nettoyer les broches pour prévenir l'infection.

SOINS INFIRMIERS AUX PATIENTS EN TRACTION

La traction consiste à exercer une force de tirage sur un membre. On l'utilise pour soulager les spasmes musculaires, réduire et immobiliser les fractures, corriger certaines déformations et augmenter les espaces compris entre les deux surfaces osseuses des articulations. La traction doit agir dans une direction précise et avec une force donnée. Tout facteur pouvant réduire la direction ou la force de traction doit être éliminé.

La traction doit parfois s'exercer dans plusieurs directions pour obtenir la ligne de tirage désirée. Les lignes de tirage sont appelées *vecteurs de la force.* La force de traction résultante se situe entre les deux lignes de tirage (figure 61-6). On évalue les effets de la traction aux rayons X et on procède à des réajustements au besoin. Quand les muscles et les tissus mous se décontractent, on peut réduire le poids.

PRINCIPES D'UNE TRACTION EFFICACE

Quand on applique une traction, on doit tenir compte de la *contretraction,* soit la force agissant dans une direction opposée à la traction. (La troisième loi de Newton stipule que pour chaque force, il existe une force opposée équivalente.) En général, le poids du patient et le réglage de la position du lit procurent la contretraction nécessaire.

- Pour obtenir une traction efficace, on doit maintenir la contretraction.

Pour réduire efficacement les fractures et maintenir le patient immobile, la traction doit être *maintenue.* Les tractions cutanées pelvienne et cervicale sont le plus souvent utilisées pour soulager les spasmes musculaires, et sont généralement appliquées de façon intermittente.

- On ne doit *jamais* interrompre une traction transosseuse.
- On ne peut retirer les poids que si la traction est intermittente.

▷ *Maintien de la ligne de traction.* Il faut éliminer tous les facteurs susceptibles de réduire la traction ou d'altérer la ligne de traction.

- Le patient est placé au centre du lit et son corps est bien aligné.
- Les poids doivent pendre librement.
- Les câbles doivent être libres.
- La poulie ou le pied du lit doivent être libres (éviter les nœuds dans les câbles et l'emploi d'un appui-pieds).

TYPES DE TRACTION

La traction peut être appliquée sur la peau (*traction cutanée*) ou directement sur les os (*traction transosseuse*). On choisit le mode d'application en fonction du but de la traction. On peut exercer la traction avec les mains (*traction manuelle*), quand une traction de brève durée est nécessaire, par exemple pendant la pose d'un plâtre, ou pendant le réglage de l'appareil de traction.

La *traction continue* exerce une force de tirage en ligne droite. Le membre atteint n'est pas soulevé du lit mais repose sur le matelas. L'extension de Buck (figure 61-8) et la traction pelvienne (figure 63-2) sont des exemples de traction continue.

Dans la *traction équilibrée* (figure 61-9), le membre atteint est soulevé du lit, ce qui permet une certaine mobilité.

APPLICATIONS PARTICULIÈRES DE LA TRACTION

Traction cutanée

La traction cutanée vise l'extension d'un membre. Elle se fait par la mise en place d'une enveloppe de caoutchouc mousse reliée à un poids. La traction s'exerce sur la peau et se transmet aux structures musculosquelettiques. Le poids à appliquer ne peut excéder la tolérance de la peau, soit 2 à 3 kg. Le poids utilisé dans la traction pelvienne peut atteindre entre 4,5 et 9 kg, selon le poids du patient. Par conséquent, si une traction prolongée ou un poids lourd sont nécessaires, on doit avoir recours à la traction transosseuse.

L'*extension de Buck* et l'*extension de Russel* sont deux types de traction cutanée fréquemment utilisées chez l'adulte.

Extension de Buck. Dans l'extension de Buck (unilatérale ou bilatérale), le tirage s'exerce sur un seul plan. On utilise cette forme de traction pour une immobilisation partielle ou temporaire dans le but de réduire les spasmes musculaires dans l'attente d'une intervention chirurgicale (figure 61-8**A**).

La peau doit être saine et bien irriguée pour tolérer la traction. Avant l'application de la traction, il faut donc examiner la peau du patient pour y déceler les lésions et les signes de troubles circulatoires. On doit aussi s'assurer que le membre atteint est propre et sec.

Il est recommandé d'examiner régulièrement la malléole, le péroné proximal et le talon, afin de prévenir les escarres de décubitus et la nécrose cutanée. De plus, on recommande d'enrouler un bandage élastique sur le membre atteint, en partant de la cheville, afin d'empêcher qu'il ne glisse hors de l'enveloppe.

Extension de Russel. L'extension de Russel peut être employée dans les cas de fractures du plateau tibial. Le genou est fléchi et placé dans une sangle et la force de tirage horizontale s'exerce sur le bas de la jambe. Si le médecin l'autorise, on peut glisser un oreiller sous la jambe atteinte pour assurer la flexion appropriée du genou et prévenir la pression sur le talon.

Efficacité de la traction

Pour assurer l'efficacité de la traction, il faut éviter que la bande de traction ne se plisse et ne glisse. Il faut aussi maintenir la contretraction. Il importe de garder le membre en position neutre.

Complications

Rupture de l'épiderme. La traction cutanée peut irriter la peau, car elle doit être assez ferme pour assurer le contact de la bande ou du caoutchouc mousse avec la peau. Il importe donc lors de la collecte des données initiale d'évaluer si l'épiderme du patient est sensible. De plus, il faut surveiller attentivement la réaction de la peau à la bande de traction ou au caoutchouc mousse. Il faut éviter d'exercer des forces de cisaillement sur la peau. On doit palper la surface des bandes de traction quotidiennement pour déceler les points de pression. Il faut retirer la botte de caoutchouc mousse et les bandages élastiques trois fois par jour pour examiner la peau, en portant une attention particulière à la région au-dessus du tendon d'Achille.

- Comme le patient doit rester en décubitus dorsal, il faut lui masser régulièrement le dos et le coccyx pour stimuler la circulation et éviter ainsi la formation d'escarres de décubitus.
- L'usage d'un matelas spécial peut être indiqué pour réduire les risque d'escarres de décubitus.

Compression d'un nerf. La traction cutanée peut exercer une pression sur les nerfs périphériques, ce qui peut avoir des conséquences fâcheuses. Le pied tombant est une conséquence de la compression du nerf péronier proximal. On doit donc éviter les pressions sur ce nerf au point où il entoure le col du péroné juste sous le genou. La flexion dorsale du pied témoigne du fonctionnement normal du nerf péronier proximal. Une pression sur ce nerf se manifeste par une faiblesse de la flexion dorsale, du mouvement ou de l'inversion du pied. Il faut évaluer avec le patient les sensations qu'il ressent dans le pied (engourdissements, fourmillements) et lui demander régulièrement de bouger les orteils et le pied.

La traction cutanée au bras peut comprimer la région du coude où se situe le nerf cubital. On peut vérifier le fonctionnement du nerf cubital par l'abduction active de l'auriculaire et la sensibilité de sa face interne.

- Il faut vérifier régulièrement la sensibilité et la mobilité des doigts.
- Si le patient éprouve une sensation de brûlure sous la bande de traction ou la botte, on doit procéder immédiatement à un examen.
- Il faut prévenir le médecin sur le champ si le patient présente des altérations de la sensibilité et de la fonction motrice.

Troubles circulatoires. Au moment de la mise en place de la traction cutanée, et toutes les heures par la suite, il faut examiner le membre atteint pour déceler les signes de troubles circulatoires.

- Il faut prendre le pouls périphérique, vérifier la couleur, le temps de remplissage capillaire et la température des doigts ou des orteils et comparer avec les mêmes données obtenues sur le membre non atteint.
- Il faut aussi vérifier si le patient présente une rougeur et une douleur au niveau du muscle atteint, ce qui peut indiquer une thrombose veineuse profonde. Dans le cas d'une traction sur le membre inférieur, la thrombose veineuse profonde se manifeste par une douleur au mollet et le signe de Homans.
- Il faut inciter le patient à exercer son pied toutes les heures.

Traction transosseuse

La traction transosseuse est appliquée directement sur les os. Elle est couramment employée dans le traitement des fractures du fémur, de l'humérus, du tibia ou de la colonne cervicale. Elle s'applique directement à l'aide d'une broche métallique (broche de Steinmann ou de Kirschner) qu'on insère dans l'os en aval de la fracture en prenant soin d'éviter les nerfs, les vaisseaux sanguins, les muscles, les tendons et les articulations. Dans le cas des fractures cervicales, on utilise des pinces (pinces de Gardner-Wells, par exemple) que l'on fixe au crâne.

On peut poser une traction transosseuse sous anesthésie locale ou générale. La traction transosseuse est mise en place par l'orthopédiste, sous asepsie chirurgicale, dans la chambre du patient. Il faut effectuer une désinfection des points d'insertion de la broche avec une solution désinfectante antiseptique. Si on utilise l'anesthésie locale, on administre l'anesthésique aux points d'insertion et dans le périoste. On pratique une petite incision de la peau, puis on insère la broche stérile dans l'os. Le patient éprouvera une pression durant l'intervention et de la douleur lorsque la broche pénètrera dans le périoste. Heureusement, cette intervention s'effectue rapidement.

Il est très important de préparer psychologiquement le patient à l'insertion de la broche car les appareils utilisés lors de cette intervention ont un aspect impressionnant. On doit donc rassurer le patient en lui expliquant que l'intervention s'effectue rapidement et que les points d'insertion de la broche seront anesthésiés. Il est recommandé d'administrer un léger sédatif avant l'intervention afin d'aider le patient à se détendre.

Après l'insertion, on fixe la broche au cadre et on en recouvre les extrémités d'un bouchon de liège ou de ruban pour éviter les blessures. La broche est reliée à des poids par un système de poulies et de câbles qui déterminent la direction et la force de la traction appliquée. On utilise souvent des poids de 7 à 12 kg pour obtenir l'effet escompté. Le poids appliqué au départ doit contrebalancer les spasmes des muscles touchés. À mesure que les muscles se décontractent, on réduit le poids de la traction pour prévenir la dislocation de la fracture.

On utilise souvent la traction équilibrée, dans laquelle le membre affecté est soulevé du lit, ce qui permet au patient une plus grande autonomie et facilite les soins infirmiers.

Pour les fractures du fémur, on emploie souvent *une attelle de Thomas avec une articulation de Pearson* (figure 61-9). La figure 61-7 illustre une traction en suspension à l'aide d'écharpes.

Maintien d'une traction efficace. Une traction est efficace quand les câbles sont bien dans les rainures des poulies et ne sont pas usés, quand les poids pendent librement, et quand le patient est dans une position neutre, au centre du lit. Les nœuds des câbles doivent être solides.

- Il ne faut jamais retirer les poids d'une traction transosseuse, sauf dans les cas d'urgence. Si on retire les poids, on annule les effets de la traction et on peut causer des blessures au patient.

Position. Il faut maintenir l'alignement corporel, conformément aux indications du médecin pour obtenir une ligne de tirage efficace. Il faut garder le pied en position fonctionnelle pour éviter le *pied tombant* (flexion plantaire) de même que l'*inversion* (rotation interne) et l'*éversion* (rotation externe). Certains appareils orthopédiques peuvent maintenir le pied en position neutre (appui-pieds, par exemple).

Soins de la peau. Pour aider le patient en traction à se déplacer dans le lit et à utiliser le bassin hygiénique, on peut suspendre un trapèze au-dessus du lit.

Comme le patient est contraint à rester en décubitus dorsal, l'infirmière doit examiner la peau au niveau des autres points de pression pour déceler les rougeurs et les ruptures de l'épiderme. L'appareil de traction provoque aussi des pressions sur la tubérosité ischiatique, l'espace poplité, le tendon d'Achille et le talon. Les soins de la peau occupent donc une partie importante des soins infirmiers à prodiguer aux patients en traction. Il est important de garder les draps secs et exempts de miettes et de plis. Le patient peut collaborer à ses soins en se soulevant au moyen du trapèze.

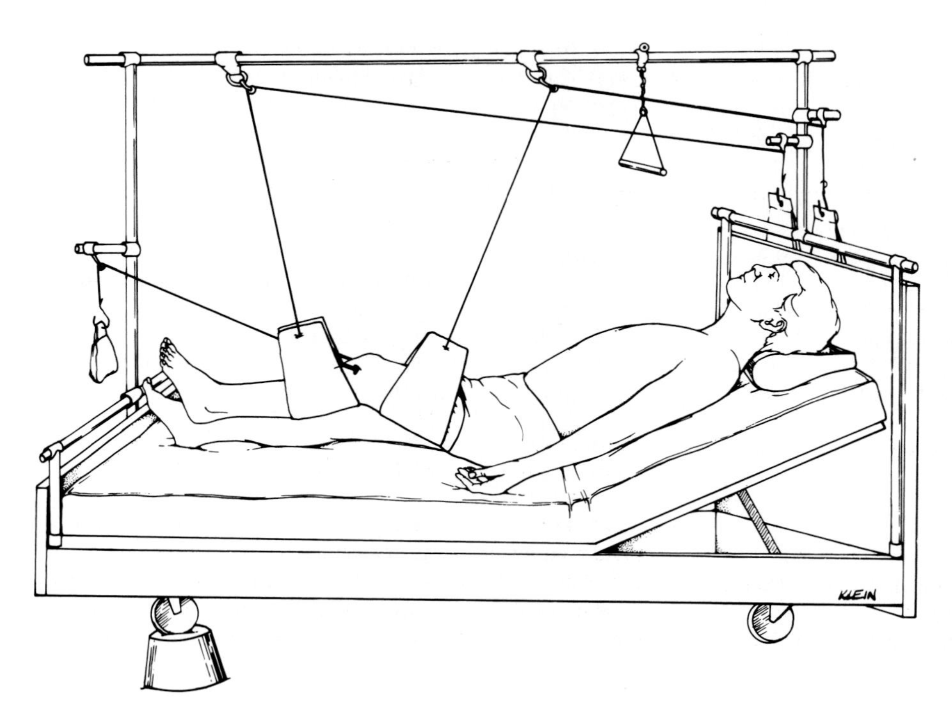

Figure 61-7. Traction équilibrée, utilisant des écharpes pour soutenir la jambe blessée.

État neurovasculaire. L'évaluation neurovasculaire du membre immobilisé doit d'abord se faire au moins toutes les deux heures, puis plusieurs fois par jour. Il est essentiel de déceler rapidement les complications neurovasculaires, car elles exigent une intervention immédiate.

Points d'insertion de la broche. Il faut porter une attention particulière aux points d'insertion de la broche. Au début, ils sont couverts d'un pansement stérile. Par la suite, les soins sont déterminés par le médecin. L'infirmière doit vérifier la présence d'écoulements, de rougeur et de douleur aux points d'insertion. Un léger écoulement séreux est normal et diminue les risques de pénétration de bactéries dans la plaie. Il faut prévenir la formation de croûtes. La douleur aux points d'insertion peut être reliée à une traction sur la peau due à un muscle mal soutenu.

- Il faut examiner les points d'insertion tous les jours pour déceler les signes d'inflammation et d'infection.

Exercice. L'exercice physique est essentiel au maintien de la force et du tonus musculaires. De plus, il stimule la circulation sanguine. Il faut donc mettre au point un programme d'exercices qui respecte les limites imposées par la traction. On incite le patient à faire des exercices actifs (se soulever à l'aide du trapèze, fléchir et étendre le pied), de même que des exercices d'amplitude de mouvement et de résistance des articulations non atteintes. Les exercices isométriques favorisent la guérison du membre immobilisé. Il importe d'inclure des exercices pour les quadriceps et les fessiers (encadré 61-1) pour maintenir la force de ces muscles essentiels à la marche. Le patient alité qui ne fait pas d'exercice perdra beaucoup de masse et de force musculaires, et sa réadaptation sera nettement plus longue.

L'immobilité peut aussi entraîner des complications circulatoires, dont la thrombose veineuse profonde. Pour prévenir ces complications, le patient doit effectuer, à raison de 10 répétitions toutes les heures, des flexions plantaires et dorsales des chevilles, de même que des contractions isométriques des muscles des mollets. Pour prévenir la formation des caillots, on peut aussi utiliser des bas élastiques ou administrer un traitement aux anticoagulants.

Retrait de la broche. Si les radiographies révèlent la présence d'un cal, on peut retirer l'appareil de traction transosseuse. Pour ce faire, on supporte délicatement le membre pendant qu'on retire les poids de la traction. Le médecin coupe la broche à proximité de la peau et la retire. On utilise ensuite un plâtre ou une attelle pour soutenir l'os en voie de guérison. L'administration d'un léger sédatif peut aider le patient à se détendre pendant l'intervention.

Résumé des interventions infirmières

L'infirmière qui soigne un patient en traction a les responsabilités suivantes:

1. Vérifier et maintenir l'efficacité de la traction (vérification des câbles et des poulies, de même que de la position du patient).
2. Évaluer régulièrement l'état neurovasculaire du membre atteint.
3. Veiller à prévenir les altérations de l'intégrité de la peau.
4. Inciter le patient à effectuer des exercices isométriques du membre atteint.
5. Inciter le patient à pratiquer des exercices visant à réduire les effets de l'immobilité.
6. Susciter la participation et la collaboration du patient aux traitements.

DÉMARCHE DE SOINS INFIRMIERS PATIENTS EN TRACTION

Collecte des données

L'infirmière doit recueillir des données de base sur le fonctionnement des différents appareils et systèmes pour des comparaisons ultérieures. Les troubles musculosquelettiques réduisent la mobilité et limitent l'autonomie du patient. Comme l'immobilité peut entraîner des complications diverses (cutanées, respiratoires, gastro-intestinales, rénales et circulatoires), il importe de dépister à temps les complications pour éviter qu'elles ne s'aggravent. Des données sur l'état neurovasculaire du membre atteint (couleur, température, remplissage capillaire, œdème, pouls, sensibilité et mobilité) devront être recueillies régulièrement tout au long de l'hospitalisation.

L'immobilisation prolongée rend parfois les patients confus et désorientés; certains d'entre eux peuvent devenir dépressifs. Il faut donc être attentif aux réactions psychologiques du patient et lui apporter soutien et réconfort.

Analyse et interprétation des données

Selon les données recueillies, voici les principaux diagnostics infirmiers pouvant s'appliquer aux patients en traction:

- Anxiété reliée à un manque de connaissances sur l'appareil de traction
- Déficit d'autosoins relié à l'anxiété et à l'altération de la mobilité physique

Voici les principaux diagnostics infirmiers reliés à l'immobilité:

- Risque élevé d'atteinte à l'intégrité de la peau
- Risque de dégagement inefficace des voies respiratoires
- Risque de constipation et d'anorexie
- Risque d'altération de l'élimination urinaire
- Risque de diminution de l'irrigation tissulaire périphérique
- Risque d'état dépressif

Planification et exécution

Objectifs de soins: Acquisition de connaissances sur le traitement et les soins infirmiers; réduction de l'anxiété; amélioration de la mobilité dans les limites de la traction; amélioration de la capacité d'effectuer les autosoins; prévention des complications (escarres de décubitus, troubles respiratoires, troubles gastro-intestinaux, troubles des voies urinaires, troubles circulatoires)

Interventions infirmières

Acquisition de connaissances sur le traitement et les soins infirmiers. Le patient doit être informé sur les raisons de la mise en place de la traction. Il faudra peut-être lui répéter souvent l'information et la confirmer. Le patient qui comprend bien le traitement collabore davantage aux soins.

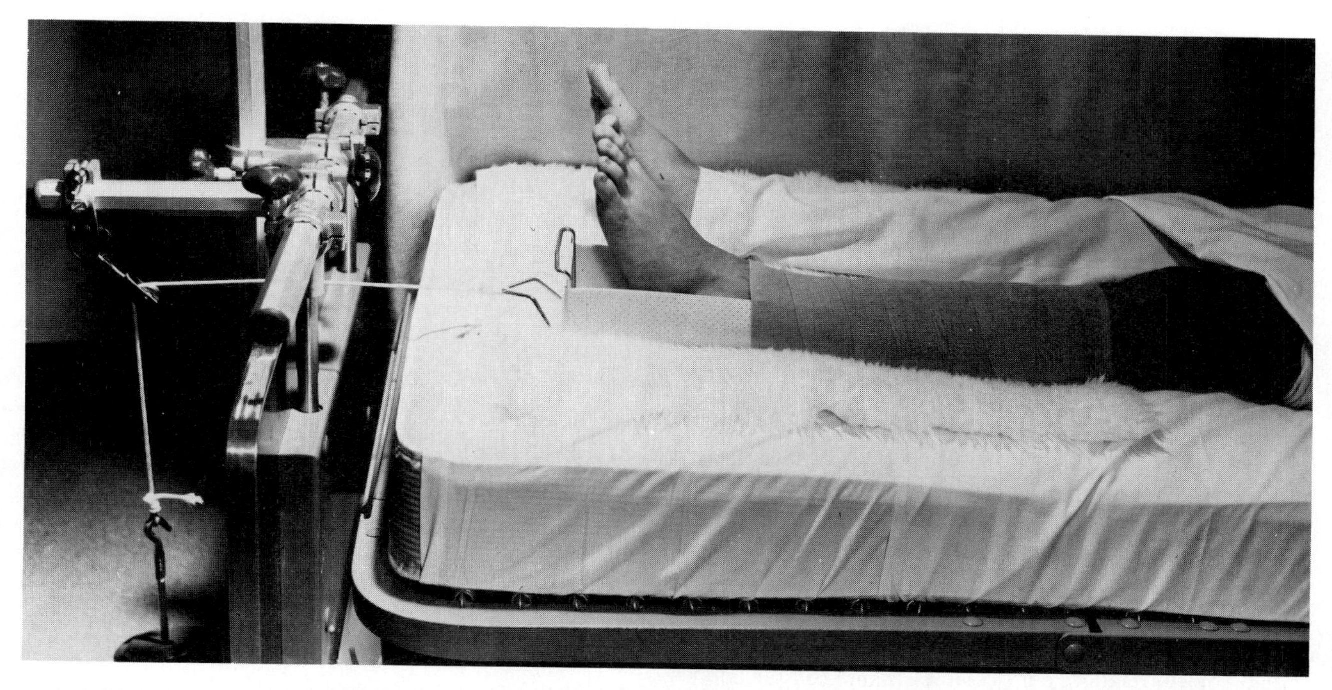

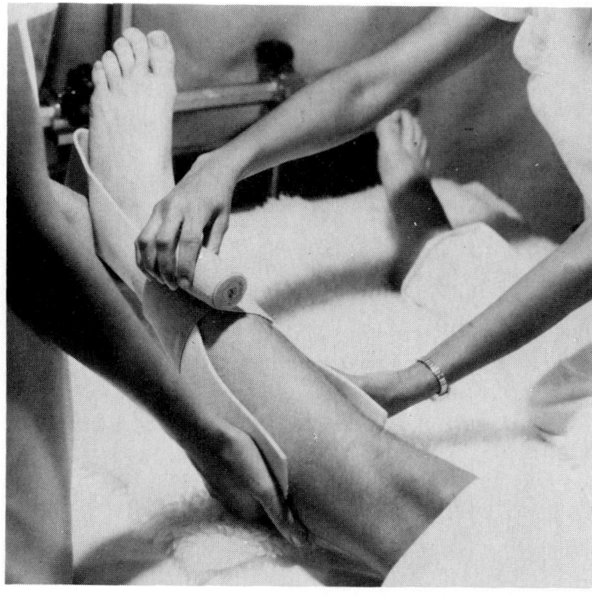

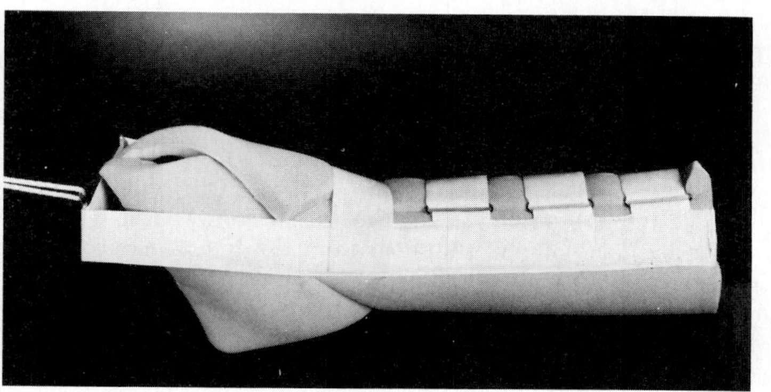

Figure 61-8. Extension de Buck (**A**) Jambe en extension de Buck (**B**) Application du bandage élastique (**C**) Botte matelassée
(Source: All Orthopedic Appliances)

▷ *Réduction de l'anxiété.* Avant l'application de la traction, on doit expliquer au patient le déroulement de l'intervention, son but, et ses conséquences, afin d'apaiser ses craintes. Le patient qui est en traction pendant longtemps est parfois dépressif. Des visites fréquentes de l'infirmière réduiront son sentiment d'isolement. On encourage les membres de sa famille et ses amis à le visiter souvent.

▷ *Amélioration de la mobilité dans les limites de la traction.* Le patient en traction doit faire travailler ses muscles et ses articulations saines afin de prévenir une diminution de la masse et de la force musculaires. Un physiothérapeute peut mettre au point un programme d'exercices à cet effet. L'infirmière doit inciter le patient à faire ses exercices.

▷ *Amélioration de la capacité d'effectuer ses autosoins.* Au début, le patient peut avoir besoin de beaucoup d'aide pour effectuer ses autosoins. L'infirmière doit donc lui enseigner comment compenser ses limites en s'aidant par exemple de dispositifs comme les barres et les trapèzes placés au-dessus du lit. Le patient se sentira plus autonome et il aura une meilleure estime de lui-même s'il est capable d'effectuer ses autosoins avec un minimum d'aide.

▷ *Prévention des escarres de décubitus.* L'infirmière doit vérifier régulièrement l'intégrité de la peau du patient, surtout sur les saillies osseuses. Il importe de soulager la pression, en mobilisant le patient toutes les heures et en utilisant des dispositifs de protection de la peau (protecteur de coude et talonnières par exemple).

▷ *Prévention des troubles respiratoires.* L'infirmière doit ausculter régulièrement les poumons du patient et lui enseigner des exercices respiratoires qui favorisent l'expansion

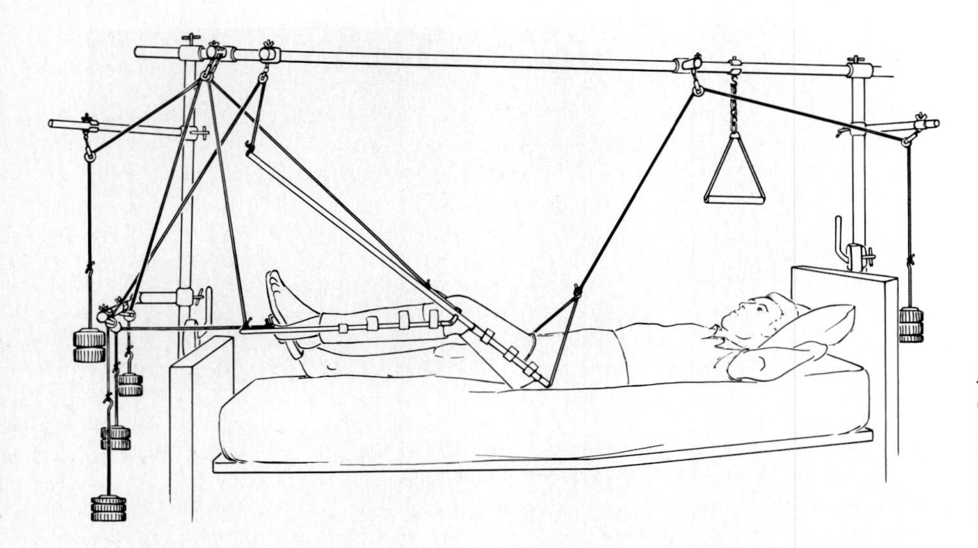

Figure 61-9. Traction équilibrée avec la jambe en suspension à l'aide d'une attelle de Thomas. Le patient peut se déplacer verticalement dans la mesure où il n'altère pas la ligne de tirage. L'infirmière doit connaître la direction dans laquelle la force est exercée.

des poumons et aident à éliminer les sécrétions (usage du spiromètre de stimulation, par exemple). Si une complication respiratoire apparaît (une infection, par exemple), il faut administrer sans délai un traitement, conformément à l'ordonnance du médecin.

▷ *Prévention des troubles gastro-intestinaux.* La constipation et l'anorexie sont les conséquences d'une diminution de la motilité intestinale. Les régimes à forte teneur en fibres et en eau peuvent stimuler la motilité intestinale. Dans les cas de constipation, l'infirmière doit prévenir le médecin qui pourra prescrire des agents émollients, des laxatifs, des suppositoires ou un lavement. Afin de stimuler l'appétit, on peut avoir recours aux services d'une diététicienne qui mettra au point un régime alimentaire approprié respectant les préférences alimentaires du patient. On peut aussi encourager les membres de la famille à apporter des plats de la maison.

▷ *Prévention des troubles des voies urinaires.* Il arrive que les patients alités ne vident pas complètement leur vessie, ce qui les prédispose à une infection des voies urinaires. Certains détestent l'utilisation du bassin hygiénique et limitent leur consommation de liquide pour réduire la fréquence des mictions. L'infirmière doit donc surveiller l'hydratation du patient et les caractéristiques de ses urines. Elle doit enseigner au patient les moyens de prévenir les infections urinaires et favoriser l'intimité lors des mictions.

▷ *Prévention des troubles circulatoires.* La stase veineuse est une complication de l'immobilité. L'infirmière doit enseigner au patient comment stimuler la circulation par des exercices quotidiens des membres inférieurs. Elle doit aussi l'inciter à boire beaucoup de liquide pour éviter une déshydratation, et une hémoconcentration consécutive qui pourrait contribuer à la stase veineuse. Elle doit de plus être à l'affût des signes de thrombose veineuse profonde et intervenir rapidement si ces signes se manifestent.

▷ *Évaluation*

Résultats escomptés

1. Le patient comprend le traitement par traction.
   a) Il énonce le but de la traction.
   b) Il explique les raisons de la traction.
2. Le patient est moins anxieux.
   a) Il se dit détendu.
   b) Il exprime ses craintes et ses sentiments.
3. Le patient a une plus grande mobilité.
   a) Il effectue les exercices recommandés.
   b) Il se sert des aides à sa disposition.
   c) Il change souvent de position.
4. Le patient effectue ses autosoins.
   a) Il participe activement à ses soins.
5. Le patient ne présente aucune complication.
   a) Sa peau est intacte.
   b) Ses voies respiratoires sont libres.
   c) Il n'est pas essoufflé.
   d) Il ne présente pas de toux productive.
   e) Son mode d'élimination intestinale est normal.
   f) Il a de l'appétit.
   g) Ses urines sont limpides et jaunes; leur volume et leur densité sont normaux.
   h) Il ne présente aucun signe ou symptôme de thrombose veineuse profonde.

Résumé: La traction est l'application d'une force de tirage sur la peau ou sur les os pour soulager les spasmes musculaires, réduire, aligner et immobiliser les fractures, diminuer les déformations, et augmenter l'espace compris entre deux surfaces osseuses des articulations. Il faut appliquer la traction dans une direction donnée et avec la force appropriée pour obtenir l'effet escompté. Les tractions cutanées, comme la traction pelvienne et cervicale, que l'on utilise pour réduire les spasmes musculaires, sont intermittentes. Inversement, la *traction transosseuse doit être continue.* Les complications de la traction sont notamment: les atteintes à l'intégrité de la peau, les infections aux points d'insertion de la broche, les troubles respiratoires, la constipation et l'anorexie, les infections des voies urinaires et la thrombose veineuse profonde.

SOINS INFIRMIERS AUX PATIENTS SUBISSANT UNE OPÉRATION ORTHOPÉDIQUE

Un grand nombre de troubles musculosquelettiques exigent une intervention chirurgicale. La chirurgie orthopédique vise généralement le rétablissement de la mobilité et de la stabilité, le soulagement de la douleur et la correction des incapacités.

TYPES D'INTERVENTIONS CHIRURGICALES

En chirurgie orthopédique, on distingue généralement les interventions suivantes:

Réduction ouverte: réduction et alignement d'une fracture après dissection chirurgicale

Fixation interne: stabilisation d'une fracture réduite à l'aide de vis, de plaques, de fils et de broches

Greffe osseuse: transplantation de tissu osseux (autologue ou hétérologue) pour favoriser la consolidation d'un os, le stabiliser ou le remplacer.

Amputation: ablation chirurgicale d'un membre ou d'une partie d'un membre.

Arthroplastie: réparation de troubles articulaires, soit au moyen d'un arthroscope (instrument qui permet d'atteindre les articulations en ne pratiquant qu'une petite incision), soit par une intervention chirurgicale.

Méniscectomie: excision d'un ménisque articulaire.

Mise en place d'une prothèse articulaire: remplacement d'une surface articulaire par une pièce en métal ou en plastique.

Mise en place d'une prothèse totale: remplacement des deux surfaces articulaires par une articulation en métal ou en matériel synthétique.

Transposition tendineuse: déplacement des insertions d'un tendon pour améliorer la fonction d'une articulation.

Aponévrotomie: excision d'une aponévrose musculaire pour soulager une compression du muscle ou réduire une contracture.

DÉMARCHE DE SOINS INFIRMIERS PATIENTS DEVANT SUBIR UNE OPÉRATION ORTHOPÉDIQUE

▷ Collecte des données

L'infirmière recueille les données de base (antécédents) et procède à un examen physique. Comme l'immobilité favorise la stase urinaire et les infections des voies urinaires de même que la formation de calculs, une bonne hydratation est essentielle chez les patients traités en orthopédie. Pour évaluer la déshydratation préopératoire, l'infirmière examine la peau du patient, prend régulièrement ses signes vitaux, mesure le débit et la densité urinaires et vérifie les résultats des épreuves de laboratoire.

Si le patient prend des corticostéroïdes (ce qui est fréquent chez les personnes atteintes de polyarthrite rhumatoïde ou d'une affection pulmonaire chronique), il est très important d'en poursuivre l'administration conformément à l'ordonnance médicale, afin de maintenir le taux sérique de cortisone et éviter ainsi l'insuffisance surrénalienne.

Si le patient prend régulièrement des médicaments comme des anticoagulants, des médicaments pour les troubles cardiovasculaires ou de l'insuline, l'infirmière doit le noter et en faire part à l'équipe médicale.

Les infections doivent donc être traitées avant une chirurgie orthopédique élective car la propagation des bactéries par le sang peut compromettre la guérison et même provoquer une ostéomyélite, entraînant un risque d'incapacité permanente. L'infirmière doit donc s'assurer que le patient ne souffre pas d'un rhume, d'un abcès dentaire, d'une infection urinaire ou d'une autre infection apparue dans les deux semaines précédentes.

▷ Analyse et interprétation des données

Selon les données recueillies, voici les principaux diagnostics pouvant s'appliquer aux patients devant subir une chirurgie orthopédique:

- Risque de diminution de l'irrigation tissulaire périphérique relié à une tuméfaction
- Altération de la mobilité physique reliée à la douleur
- Difficulté à participer aux soins reliée à une perte d'autonomie
- Perturbation de l'image corporelle et du concept de soi reliée à l'altération de la mobilité physique

▷ Planification et exécution

▷ *Objectifs de soins:* Soulagement de la douleur; maintien de l'irrigation tissulaire; participation aux soins; amélioration de la mobilité; amélioration du concept de soi

▷ Interventions infirmières:

▷ *Soulagement de la douleur:* Au cours de l'étape préopératoire, on peut soulager la douleur et les spasmes musculaires qui y sont associés par plusieurs méthodes: manipulations physiques, administration d'analgésiques et méthodes douces. Ainsi la douleur peut être soulagée par l'immobilisation d'un os fracturé ou d'une articulation enflammée, par l'élévation d'un membre tuméfié et par l'application de sacs de glace (conformément à l'ordonnance du médecin). En général, on administre régulièrement des analgésiques et on ajuste la dose pour atteindre un soulagement optimal. Les méthodes douces sont notamment la distraction, l'imagerie mentale, les massages et la musicothérapie.

▷ *Maintien de l'irrigation tissulaire.* Les traumatismes et les appareils de contention peuvent provoquer l'œdème et compromettre l'irrigation tissulaire. On favorise le retour veineux en évitant les pressions sur la partie postérieure du genou et en utilisant des bas élastiques, conformément à l'ordonnance du médecin. On doit évaluer régulièrement l'état neurovasculaire du membre atteint (couleur, température, remplissage capillaire, pouls, douleur, œdème, paresthésies, mobilité). Si la circulation est compromise, on doit notamment relâcher les bandages ou le plâtre s'il y a lieu. Il faut aussitôt en informer le médecin.

▷ *Participation aux soins.* Il est important de faire participer le patient aux soins dès son admission au centre hospitalier afin de réduire son sentiment d'impuissance. On invite le patient qui fume à cesser de fumer pour éviter les troubles respiratoires en période postopératoire. Avant l'opération, le patient doit se pratiquer à effectuer les exercices de respiration profonde et de toux, de même qu'à utiliser le spiromètre de stimulation. On doit se rappeler que l'enseignement préopératoire réduit les complications postopératoires.

Il faut aussi enseigner au patient les exercices musculaires qui préviendront la perte de la masse et de la force musculaires. Les exercices isométriques des muscles essentiels à la marche (quadriceps et fessiers), la contraction isométrique des mollets, les exercices actifs des chevilles, et les exercices actifs d'amplitude de mouvement des articulations saines réduisent les risques de stase veineuse et de thrombose veineuse profonde.

▷ ***Amélioration de la mobilité physique.*** Avant l'intervention, la mobilité est altérée par la douleur, et les appareils de contention (attelles, plâtres, tractions). Pour réduire la douleur pendant les mobilisations, on peut utiliser une attelle et administrer un analgésique. On explique au patient l'importance de se mouvoir dans les limites imposées afin d'éviter les altérations à l'intégrité de la peau et l'atrophie musculaire. Pour les patients qui présentent des risques de rupture de l'épiderme, il faut utiliser des dispositifs qui permettent de réduire la pression (matelas alvéolé, lit Clinitron ou matelas à gonflement alternatif) avant l'intervention chirurgicale. Le patient qui devra être alité après l'opération peut se pratiquer à utiliser le trapèze avant l'opération.

▷ ***Amélioration du concept de soi.*** Le patient qui doit subir une opération orthopédique a besoin d'aide pour accepter la perturbation de son image corporelle et de l'exercice de son rôle, que ces perturbations soient temporaires ou permanentes. L'infirmière encourage le patient à exprimer ses inquiétudes et ses appréhensions. Elle doit l'aider à analyser ses sentiments à l'égard de la cause et des conséquences du trouble musculosquelettique dont il souffre. Elle doit de plus dissiper ses idées fausses et l'aider à s'adapter aux modifications imposées par l'altération de ses capacités physiques et de son concept de soi.

▷ *Évaluation*

Résultats escomptés

1. Le patient est soulagé de la douleur intense.
   a) Il utilise différentes méthodes pour réduire la douleur.
   b) Il affirme que les médicaments atténuent efficacement la douleur.
   c) Il se déplace plus facilement.
2. Le patient maintient une bonne irrigation tissulaire.
   a) La couleur de sa peau est normale.
   b) La température de sa peau est normale.
   c) Le remplissage capillaire est normal.
   d) Il ne présente aucune perte de sensibilité et de mouvement.
   e) La tuméfaction est réduite.
   f) Il porte des bas élastiques, conformément à l'ordonnance du médecin.
3. Le patient participe à ses soins.
   a) Son régime alimentaire est équilibré et adapté à ses besoins énergétiques.
   b) Il maintient une bonne hydratation.
   c) Il s'abstient de fumer.
   d) Il fait des exercices respiratoires.
   e) Il change de position pour soulager les pressions.
   f) Il pratique des exercices de renforcement musculaire et d'amplitude de mouvement articulaire.
4. Le patient présente une mobilité physique maximale dans les limites du traitement.
   a) Il demande de l'aide pour se déplacer.
   b) Il soulève le membre tuméfié après les déplacements.
   c) Il utilise les appareils de contention et les dispositifs d'aide, conformément à l'ordonnance du médecin.
5. Le patient améliore son concept de soi.
   a) Il discute des altérations temporaires ou permanentes de son image corporelle et fait part des stratégies d'adaptation qu'il utilise.
   b) Il discute des modifications dans l'exercice du rôle.
   c) Il dit comment il prévoit faire face à ces changements.

DÉMARCHE DE SOINS INFIRMIERS PATIENTS AYANT SUBI UNE OPÉRATION ORTHOPÉDIQUE

▷ *Collecte des données*

Les interventions chirurgicales touchant les os, les muscles et les articulations provoquent beaucoup de douleur, particulièrement dans les jours qui suivent l'opération.

L'infirmière poursuit son plan de soins préopératoire, en le modifiant en fonction des nouvelles données recueillies.

Des données sur l'irrigation tissulaire du membre atteint doivent être recueillies régulièrement car un œdème et une hémorragie dans les tissus peuvent provoquer un syndrome du compartiment. De plus, comme l'anesthésie générale et l'immobilité ont des effets importants sur le métabolisme, on doit procéder à l'évaluation des fonctions respiratoire, gastro-intestinale et urinaire.

L'infirmière doit noter les restrictions de la mobilité et s'assurer que le patient comprend ces restrictions.

Les hémorragies et le choc sont des complications de la chirurgie orthopédique, surtout s'il y a eu dissection des muscles. L'infirmière doit donc être à l'affût des signes de choc (accélération du pouls, baisse de la pression sanguine, agitation, par exemple) et prendre rapidement les mesures qui s'imposent.

Le médecin doit être informé de la modification des signes neurovasculaires. Les complications respiratoires comme l'atélectasie et la pneumonie sont fréquentes; elles sont le plus souvent associées à une diminution de l'expansion pulmonaire causée par l'anesthésie, l'immobilité et les analgésiques. Il est donc important d'inciter le patient à faire ses exercices de spirométrie régulièrement afin de prévenir ces complications.

La fièvre peut indiquer un trouble respiratoire (atélectasie), ou urinaire (infection), ou une déshydratation. Une élévation de température dans les 48 heures qui suivent l'opération est souvent reliée à l'atélectasie. Dans les jours suivants, la fièvre est fréquemment associée à une infection des voies urinaires. Les infections superficielles de la plaie apparaissent entre le cinquième et le neuvième jour. L'élévation de température associée à une phlébite survient généralement au cours de la deuxième semaine.

Les *thrombo-embolies* (voir au chapitre 34 pour la thrombose veineuse profonde, et au chapitre 4 pour l'embolie pulmonaire) sont parmi les complications les plus courantes et les plus graves de la chirurgie orthopédique. L'infirmière doit examiner quotidiennement les jambes du patient afin de dépister la présence d'une douleur au mollet, d'œdème et du signe de Homans, et faire part immédiatement au médecin de toute observation anormale.

L'*embolie graisseuse* (page 2052) est une autre complication de la chirurgie orthopédique. Elle se manifeste par des changements brusques de la respiration, du comportement et du niveau de conscience.

▷ *Analyse et interprétation des données*

Selon les données recueillies, voici les principaux diagnostics infirmiers pouvant s'appliquer aux patients ayant subi une opération orthopédique :

- Douleur reliée à la tuméfaction et à l'immobilité.
- Risque d'altération de l'intégrité de la peau relié à l'immobilité.
- Risque de diminution de l'irrigation tissulaire périphérique relié à la tuméfaction.
- Difficulté à participer aux soins reliée à une perte d'autonomie.
- Altération de la mobilité physique reliée à la douleur.

Les diagnostics infirmiers qui suivent s'appliquent aux complications de la chirurgie orthopédique reliées à l'immobilité :

- Risque de dégagement inefficace des voies respiratoires
- Risque de rétention urinaire
- Risque de constipation

▷ *Planification et exécution*

▷ *Objectifs de soins :* Soulagement de la douleur ; amélioration de la capacité à se maintenir en santé ; amélioration de la mobilité physique ; amélioration du concept de soi ; prévention des complications comme les troubles respiratoires, la rétention urinaire, les infections et les thrombo-embolies

▷ *Interventions infirmières*

▷ *Soulagement de la douleur.* Le patient qui a subi une opération orthopédique est souvent très souffrant. L'œdème, les hématomes et les spasmes musculaires sont douloureux. L'infirmière établit l'intensité de la douleur en demandant au patient d'en évaluer l'intensité selon une échelle de 0 à 10. Le chiffre 0 indique l'absence de douleur. Un chiffre de 6 ou plus indique une douleur qui doit être soulagée rapidement.

On peut soulager la douleur par l'administration d'analgésiques. L'administration des analgésiques par voie orale ou intramusculaire doit être prévue avant que la douleur ne devienne trop intense. La participation du patient est donc essentielle. Si les analgésiques sont administrés par voie intramusculaire, on doit éviter de faire l'injection dans la hanche et la cuisse de la jambe opérée. Il est très important d'administrer les analgésiques de façon régulière, en respectant la posologie, afin de prévenir les douleurs intenses, notamment lors des déplacements ou des exercices. Il existe maintenant des dispositifs d'autoanalgésie qui permettent au patient d'être maître de l'administration des analgésiques.

En général, l'intensité de la douleur diminue rapidement dans les trois ou quatre jours après l'opération. Par la suite, la plupart des patients n'ont besoin d'analgésiques qu'occasionnellement. Une douleur irréductible et croissante révèle une complication ; on doit donc en informer aussitôt le chirurgien orthopédiste.

L'élévation du membre et l'application de sacs de glace (conformément à l'ordonnance du médecin) aident à soulager la douleur en réduisant l'œdème. Les drains permettent de diminuer l'accumulation de liquide à l'intérieur de la plaie, ce qui prévient la formation d'hématomes. Les changements de position, la relaxation, la diversion et l'imagerie mentale sont des méthodes douces qui contribuent à soulager la douleur.

▷ *Amélioration de la capacité à se maintenir en santé.* On incite le patient à mettre en pratique l'enseignement préopératoire. On lui offre un régime alimentaire équilibré contenant des protéines et des vitamines en quantité suffisante afin de promouvoir la régénération des tissus. Les patients qui doivent rester alités après une opération orthopédique doivent réduire leur consommation de lait et de produits laitiers afin d'éviter l'accumulation rénale de calcium pouvant provoquer la formation de calculs.

▷ *Amélioration de la mobilité physique.* Les patients craignent souvent de bouger après une chirurgie orthopédique. Il faut donc établir un climat de confiance et soulager la douleur. Pour gagner la confiance du patient, l'infirmière doit lui expliquer qu'elle va l'aider, que les exercices vont accélérer sa réadaptation, que la douleur peut être maîtrisée et que les objectifs visés sont réalisables.

Les tissus mous guérissent plus rapidement que les os, de sorte que l'incision est cicatrisée avant que les os ne soient consolidés et n'aient retrouvé leur force. Après certaines opérations orthopédiques, il est nécessaire de protéger le membre des tensions trop fortes, au moyen d'une attelle, d'un plâtre ou d'une orthèse.

- Avant de déplacer le patient, on doit discuter avec le chirurgien orthopédiste de l'utilisation d'une orthèse et des limites de la mise en charge.

Le programme d'exercice doit être adapté aux besoins du patient et doit viser le rétablissement de la capacité fonctionnelle du membre atteint le plus rapidement possible. La réadaptation comprend une augmentation progressive des activités et de l'intensité des exercices. Après l'opération, le patient a souvent besoin d'une aide à la motricité (béquilles, déambulateur). L'infirmière doit s'assurer que le patient respecte les limites de la mise en charge et que sa démarche est correcte et sûre. (Les démarches à l'aide de béquilles ou d'un déambulateur sont décrites au chapitre 42.)

▷ *Amélioration du concept de soi.* Il est important que l'infirmière aide le patient à se fixer des objectifs réalisables durant la période de réadaptation. Il faut encourager le patient à effectuer ses autosoins et à reprendre l'exercice de son rôle aussitôt que possible afin de favoriser son autonomie et son estime de soi. Le soutien de l'infirmière, de la famille et des amis permet au patient d'accepter graduellement son état.

▷ *Prévention des troubles respiratoires.* L'infirmière ausculte le patient à la recherche de bruits respiratoires et incite celui-ci à faire ses exercices de spirométrie. La pleine expansion des poumons prévient l'accumulation de sécrétions. Si des signes de troubles respiratoires apparaissent, l'infirmière doit en informer le chirurgien.

▷ ***Prévention de la rétention urinaire.*** En période postopératoire immédiate, il importe de surveiller le débit urinaire régulièrement pour déceler une distension vésicale. Il faut respecter l'intimité du patient quand il utilise le bassin hygiénique. Si le patient doit uriner dans une position inhabituelle, l'infirmière doit l'aider à se placer. L'utilisation d'un bassin hygiénique pour fracture peut faciliter la miction. Le décubitus latéral favorise parfois la miction chez les hommes. Certains hommes ne parviennent à uriner qu'en position debout. Avant de permettre à un patient de se lever pour uriner, il convient de vérifier le niveau d'activité permis. Si un patient n'arrive pas à uriner, on peut avoir recours au sondage intermittent.

▷ ***Prévention des infections.*** L'infection est une complication de toute intervention chirurgicale. Les infections des os sont difficiles à traiter et exigent le recours à une antibiothérapie prolongée par voie intraveineuse. Parfois, il faut exciser l'os atteint, et retirer, s'il y a lieu, la prothèse ou le matériel d'ostéosynthèse. De façon générale, le médecin prescrit une antibiothérapie à large spectre comme mesure prophylactique avant et après l'intervention chirurgicale. L'infirmière doit surveiller la réaction du patient aux antibiotiques. Quand elle change les pansements et manipule le système de drainage, elle doit utiliser une technique aseptique. Elle doit être attentive à l'aspect de la plaie et aux écoulements. Elle doit aussi vérifier des urines pour déceler une infection des voies urinaires. Le médecin doit être prévenu sans délai s'il y a présence de signes d'infection. L'infirmière doit enseigner au patient à reconnaître les signes et symptômes d'infection.

▷ ***Prévention des thrombo-embolies.*** Le plan de soins infirmiers doit comprendre diverses mesures de prévention des thrombo-embolies (exercices de la cheville et du mollet, utilisation de bas élastiques, hydratation appropriée, etc.). Le médecin prescrit parfois de la warfarine ou de l'héparine à titre préventif. L'aspirine semble n'avoir aucun effet prophylactique chez les patients ayant subi une chirurgie orthopédique.

▷ *Évaluation*

Résultats escomptés

1. Le patient est soulagé de la douleur intense.
   a) Il utilise diverses méthodes pour soulager la douleur.
   b) Il est soulagé par les analgésiques oraux.
   c) Il soulève le membre atteint pour réduire la tuméfaction et la douleur.
   d) Il se déplace plus facilement.
2. Le patient maintient une bonne irrigation tissulaire.
   a) La couleur de sa peau est normale.
   b) La température de sa peau est normale.
   c) Le remplissage capillaire est normal.
   d) Il ne présente aucune perte de sensibilité et de mouvement.
3. Le patient adopte des mesures de promotion de la santé.
   a) Il adopte un régime alimentaire équilibré et adapté à ses besoins énergétiques.
   b) Il maintient une bonne hydratation.
   c) Il s'abstient de fumer.
   d) Il fait des exercices respiratoires.
   e) Il change de position pour soulager les pressions.
   f) Il pratique des exercices de renforcement musculaire et d'amplitude de mouvement articulaire.
   g) Il porte des bas élastiques conformément à l'ordonnance du médecin.
4. Le patient présente une mobilité physique maximale dans les limites du traitement.
   a) Il demande de l'aide pour se déplacer.
   b) Il soulève le membre tuméfié après les déplacements.
   c) Il utilise les aides à la motricité conformément à l'ordonnance.
   d) Il respecte les limites de la mise en charge.
5. Le patient améliore son concept de soi.
   a) Il accepte les altérations temporaires ou permanentes de son image corporelle.
   b) Il discute des modifications dans l'exercice du rôle.
   c) Il a une bonne estime de soi et se sent capable d'assumer ses responsabilités.
6. Le patient ne présente pas d'autres complications.
   a) Ses signes vitaux et sa pression artérielle sont normaux.
   b) Ses poumons sont clairs.
   c) Sa plaie est en voie de cicatrisation.
   d) Les écoulements de la plaie ne sont pas purulents.
   e) Ses urines sont limpides.
   f) Il ne présente pas de signes de thrombo-embolie.

Résumé: On utilise diverses techniques chirurgicales pour traiter les troubles musculosquelettiques. Les soins infirmiers à prodiguer au patient qui a subi une opération orthopédique comprennent des mesures de prévention des complications (troubles respiratoires, infections, thrombo-embolies), le soulagement de la douleur et le maintien de l'irrigation tissulaire.

Le traitement orthopédique comporte des ordonnances précises concernant la mobilité et la mise en charge. Ces ordonnances sont basées sur l'état du patient et le type d'opération. Il faut éviter les positions qui risquent de compromettre les résultats de l'opération (déplacer la prothèse articulaire, par exemple) ou les tensions trop fortes qui pourraient notamment compromettre la guérison de l'os.

SOINS INFIRMIERS AUX PATIENTS SUBISSANT UN REMPLACEMENT D'UNE ARTICULATION

Certaines maladies et déformations articulaires exigent une intervention chirurgicale pour soulager la douleur, de même que pour améliorer la stabilité et le fonctionnement du membre atteint. Ces interventions sont notamment l'excision de tissus lésés, la réparation de structures lésées (tendons déchirés, par exemple), l'*arthrodèse* (blocage définitif d'une articulation, la pose d'une prothèse articulaire totale ou partielle, et l'arthroplastie (réparation de surfaces articulaires).

Le choix de l'intervention dépend de l'âge et des antécédents du patient, de son état de santé général et des conséquences du trouble articulaire sur sa qualité de vie. Pour obtenir une capacité fonctionnelle optimale, il importe de procéder à ce genre d'intervention avant l'apparition de contractures, d'une atrophie musculaire et de déformations.

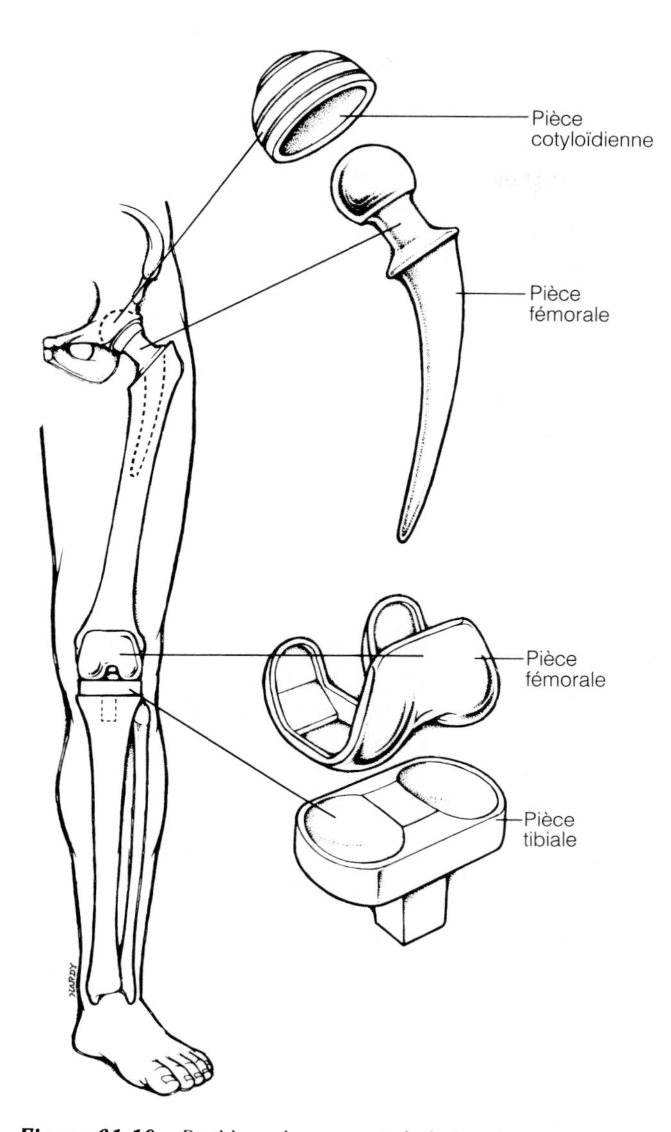

Figure 61-10. Prothèses du genou et de la hanche

Une prothèse totale permet le remplacement des deux surfaces articulaires. (La prothèse totale de la hanche se compose d'un néocotyle, qui remplace la cavité cotyloïde, et d'une tige fémorale, qui remplace la tête et le col du fémur.) Par contre, une prothèse partielle remplace une seule surface articulaire (une prothèse partielle de la hanche remplace la tête et le col du fémur, mais non la cavité cotyloïde).

La mise en place d'une prothèse articulaire est indiquée chez les patients qui présentent une douleur articulaire intense entraînant une grave perte d'autonomie. Les troubles qui provoquent la destruction des articulations sont notamment la polyarthrite rhumatoïde, l'arthrose (altération des cartilages articulaires), les traumatismes et les malformations congénitales. Les articulations les plus souvent remplacées sont celles du genou, de la hanche (figure 61-10), de l'épaule et des doigts. Les articulations plus complexes comme celles du coude, du poignet et de la cheville sont rarement remplacées. L'intervention chirurgicale est habituellement élective.

En général, les prothèses articulaires se composent de métal et de polyéthylène de haute densité. Les prothèses des doigts sont normalement en Silastic. Il arrive que la prothèse se relâche 5 à 15 ans après sa mise en place. Toutefois, il existe de nouvelles techniques et de nouveaux matériaux qui semblent réduire la fréquence de ce problème. À l'heure actuelle, on utilise de plus en plus souvent des prothèses qui permettent à l'os de pénétrer dans leur cavité et de s'y fixer (prothèses P. C. A.). En principe, ces prothèses ont une longévité supérieure à celle des prothèses fixées à l'aide d'un produit chimique. Elles doivent toutefois être ajustées avec précision dans une masse osseuse saine et bien irriguée.

Le remplacement d'une articulation par une prothèse totale apporte un soulagement de la douleur articulaire dans 85 à 90 % des cas. Le retour de la mobilité et de la capacité fonctionnelle du membre seront fonction de l'état des tissus mous avant l'opération, de la réaction des tissus mous à l'opération et de la force musculaire générale. L'inefficacité des prothèses articulaires est associée à une trop grande activité et à certaines pathologies.

Soins infirmiers

Les interventions préopératoires visent à s'assurer que le patient est physiologiquement et psychologiquement prêt à subir l'opération. On doit donc procéder à une collecte des données complète, en portant une attention particulière aux fonctions cardiovasculaire, respiratoire, rénale et hépatique. L'âge, l'obésité, un œdème préopératoire de la jambe, des antécédents de thrombose veineuse profonde et de varices augmentent les risques postopératoires de thrombose veineuse profonde et d'embolie pulmonaire. Il est important de prendre des mesures pour prévenir la thrombose veineuse profonde et l'embolie pulmonaire, car ce sont les causes les plus fréquentes de mortalité chez les patients âgés de plus de 60 ans qui ont subi un remplacement total de la hanche.

Avant l'opération, l'infirmière doit aussi recueillir des données sur l'état neurovasculaire du membre atteint pour être en mesure de faire des comparaisons avec les données recueillies après l'opération.

Prévention des infections

L'infection après la pose d'une prothèse articulaire peut avoir de graves conséquences. Il importe donc de dépister toute infection avant l'opération. Si le patient a présenté une infection dans les deux à quatre semaines précédentes, il faudra peut-être retarder l'opération.

Il faut commencer à préparer la peau un ou deux jours avant l'opération. Les recherches révèlent que la majorité des infections profondes sont causées par l'introduction dans la plaie pendant l'opération de bactéries aéroportées. Il faut respecter strictement les règles de l'asepsie tout au cours de l'opération. On peut administrer des antibiotiques à titre préventif juste avant ou pendant l'opération.

L'ostéomyélite est difficile à traiter et exige souvent le retrait de la prothèse. On doit alors procéder à une arthroplastie de résection qui permet de rétablir un fonctionnement minimal de l'articulation.

Marche après la chirurgie

Dès que son état le permet, soit un ou deux jours après l'opération, le patient doit commencer à marcher. Au début, le patient ne pourra se lever bien longtemps. Quand il tolèrera une plus grande activité, il pourra s'asseoir dans un fauteuil au cours de la journée. L'endurance du patient et les limites de la mise en charge sur la prothèse déterminent les directives concernant la mobilisation.

Le médecin établit les limites de la mise en charge sur la prothèse en fonction de l'état du patient, du type d'opération et de la méthode de fixation de la prothèse. Généralement, la mise en charge sur une prothèse fixée à l'aide d'un polymère sera déterminée par la tolérance du patient. Dans le cas d'une prothèse P. C. A. la mise en charge se fait graduellement afin de réduire les mouvements de la prothèse dans l'os et de prévenir ainsi les complications.

REMPLACEMENT DE L'ARTICULATION DE LA HANCHE PAR UNE PROTHÈSE TOTALE

La prothèse totale de la hanche permet le remplacement d'une articulation de la hanche gravement lésée, notamment par de l'arthrite (coxarthrose, polyarthrite rhumatoïde), une fracture du col du fémur, des complications d'une opération de reconstruction antérieure (défaillance de la prothèse, ostéotomie) ou certaines malformations congénitales de la hanche. Il existe une variété de prothèses de la hanche. La plupart d'entre elles se composent d'une pièce fémorale métallique sur laquelle on place une pièce cotyloïdienne en plastique (figure 61-10).

Le remplacement de la hanche par une prothèse totale était auparavant réservé aux personnes de plus de 60 ans éprouvant une douleur irréductible ou étant atteintes d'une lésion irréversible de l'articulation. L'amélioration des matériaux de construction des prothèses et des techniques opératoires a augmenté la durée des prothèses, ce qui permet maintenant de les utiliser chez des personnes plus jeunes.

Soins infirmiers particuliers

L'infirmière doit connaître les risques reliés à la mise en place d'une prothèse totale de la hanche afin de les prévenir. Les principales complications de cette intervention sont le déplacement de la prothèse, un drainage excessif provenant de la plaie, les thrombo-embolies et les infections.

Déplacement de la prothèse. Il est essentiel que le patient se mobilise de façon à éviter le déplacement de la prothèse. Le patient doit garder la jambe atteinte en *abduction* pour maintenir la prothèse en place. On peut utiliser une attelle, un oreiller d'abduction (figure 61-11) ou deux ou trois oreillers ordinaires afin de maintenir cette position. Quand on retourne le patient en décubitus latéral, il faut garder la jambe opérée en abduction et utiliser des oreillers pour supporter toute la jambe.

Le patient doit éviter de fléchir la hanche opérée à plus de 45 à 60 degrés. Par conséquent, il ne faut pas surélever la tête du lit à plus de 45 degrés. Quand le patient utilise le bassin hygiénique, il faut lui recommander de fléchir la hanche non atteinte, d'utiliser le trapèze pour se placer sur le bassin, et d'éviter de fléchir la hanche opérée.

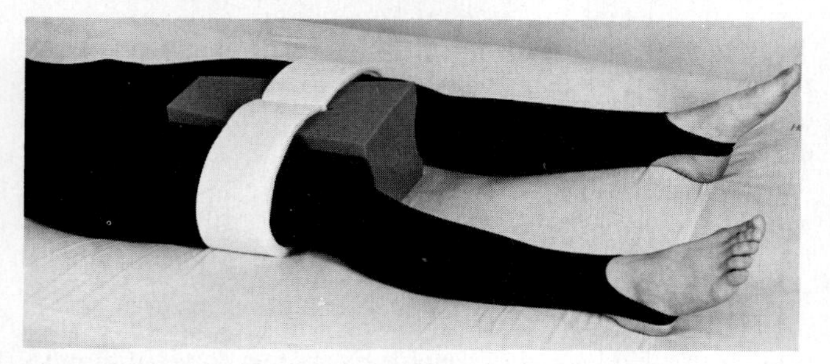

Figure 61-11. Après la mise en place d'une prothèse totale de la hanche, on peut placer un oreiller d'abduction entre les jambes du patient pour prévenir le déplacement de la prothèse.

Le patient doit limiter la *flexion* quand il est assis dans un fauteuil. On peut avoir recours à un fauteuil roulant à dossier inclinable ou a des oreillers placés derrière le dos pour réduire la flexion de l'articulation de la hanche. Quand on aide le patient à sortir du lit, on doit lui recommander de garder l'oreiller d'abduction entre ses jambes. L'infirmière aide le patient à s'appuyer sur la jambe saine lors des déplacements. Il faut éviter l'adduction, la flexion de même que la mise en charge excessive sur la jambe atteinte.

Le patient ne doit absolument pas croiser les jambes. Il doit aussi éviter tout mouvement de flexion de la hanche atteinte.

Le déplacement de la prothèse exige une intervention rapide pour éviter des lésions circulatoires et nerveuses.

- Les signes de déplacement sont notamment un raccourcissement, une perte de mobilité, une rotation anormale de la jambe et une aggravation de la douleur.

Si on observe un déplacement de la prothèse, il faut en prévenir le chirurgien qui replacera et stabilisera la hanche. Après la guérison des muscles et de la capsule articulaire, les risques de déplacement diminuent. La nouvelle articulation de la hanche doit subir le moins d'efforts possible pendant trois à six mois après l'opération. L'amélioration des méthodes de fixation des prothèses, l'emploi des prothèses P. C. A. et les greffes osseuses réduisent les risques de déplacement de la prothèse.

Écoulement excessif de la plaie. Le liquide et le sang qui s'accumulent dans la plaie chirurgicale sont généralement évacués à l'aide d'un appareil d'aspiration portatif. Au cours des 24 premières heures, les écoulements sont abondants (de 200 à 500 mL par 8 heures). Après 48 heures, ils diminuent normalement à 30 mL ou moins. On peut alors retirer l'appareil d'aspiration. Il faut prévenir rapidement le médecin si le volume des écoulements est supérieur à la normale.

Thrombo-embolie. Les risques de thrombo-embolie sont particulièrement élevés après une chirurgie reconstructive de la hanche. En effet, l'incidence de la thrombose veineuse profonde est de 45 à 70 % et celle de l'embolie pulmonaire due à une thrombose veineuse profonde de 20 %. L'embolie pulmonaire est fatale dans 1 à 3 % des cas. L'infirmière doit donc prendre des mesures pour prévenir ces complications et être capable d'en dépister rapidement les signes. Entre autres, il est indispensable de stimuler la circulation sanguine et de diminuer la stase veineuse chez les patients qui ont subi une chirurgie reconstructive de la hanche.

Infection. L'infection est une complication grave d'une prothèse totale de la hanche pouvant exiger le retrait de la prothèse. Les patients diabétiques, âgés ou obèses, de même que ceux qui souffrent de malnutrition, de polyarthrite rhumatoïde ou d'une infection concomitante (infection des voies urinaires, abcès dentaire, etc.) et ceux qui présentent de gros hématomes sont davantage exposés à l'infection de la région opératoire.

Afin de prévenir les infections, on administre au patient des antibiotiques à titre préventif. Il faut aussi retirer les sondes à demeure et les dispositifs de drainage dès que possible, car ils sont une porte d'entrée pour les microorganismes.

Des infections aiguës peuvent apparaître dans les trois mois qui suivent l'opération ; elles sont associées à des infections superficielles évolutives ou à des hématomes. Les infections tardives peuvent survenir 4 à 26 mois après l'opération. Les infections qui se manifestent plus de 2 ans après l'opération sont généralement dues à la propagation d'une infection par voie hématogène. La douleur est la manifestation la plus courante de l'infection. Dans les cas d'infection, un débridement chirurgical de la prothèse ou son retrait peuvent s'imposer.

Autres complications. Les autres complications sont notamment les complications reliées à l'immobilité, l'*ossification hétérotrophe* (formation osseuse dans l'espace périprothétique) et la *nécrose avasculaire* (destruction du tissu osseux causée par une entrave de l'irrigation).

Enseignement au patient et soins à domicile

Avant le départ du patient du centre hospitalier, l'infirmière doit préparer un programme d'enseignement complet visant à assurer la continuité des soins et à favoriser la réadaptation. Le patient doit reconnaître qu'il joue un rôle primordial dans sa réadaptation.

Comme le renforcement et la rééducation des muscles exigent du temps, il faut d'abord recommander au patient d'effectuer ses exercices régulièrement afin de maintenir la mobilité de sa hanche et de renforcer ses muscles abducteurs. Des aides à la motricité (béquilles, déambulateur ou canne) peuvent être utiles pendant un certain temps après l'opération. Quand son tonus musculaire est suffisant pour lui permettre de marcher sans douleur, le patient peut abandonner l'usage des aides. En général, le patient peut reprendre ses activités quotidiennes après trois mois. Il doit éviter de monter les escaliers au cours des six mois qui suivent l'opération. La marche, la natation et l'utilisation d'une chaise berçante à siège élevé sont d'excellents exercices pour les hanches. Pendant trois à six mois, le patient devra adopter une position passive lors de ses activités sexuelles pour éviter l'adduction et la flexion de la nouvelle hanche.

Le patient ne doit jamais croiser les jambes ou fléchir les hanches à plus de 90 degrés. Il est possible qu'il ait besoin d'aide pour mettre ses chaussures et ses chaussettes. Pour réduire la flexion de la hanche, il doit éviter les sièges bas. Pour prévenir les raideurs et les contractures, il ne doit pas rester assis plus de 30 minutes. Il doit aussi éviter les longs voyages à moins qu'il ne puisse changer souvent de position. De plus, il doit s'abstenir de se surmener, de soulever des charges lourdes, de trop se pencher et de pratiquer des activités qui exigent une rotation du tronc (soulever des objets, pelleter de la neige, se retourner rapidement).

Quand l'opération et la réadaptation sont réussies, la hanche est pratiquement indolore ; elle est mobile et stable, et permet une démarche normale.

Plan de soins infirmiers

L'infirmière prépare, en collaboration avec le patient, un plan de soins adapté aux besoins du patient et qui assure le dépistage des complications. Voir le plan de soins infirmiers 61-1.

REMPLACEMENT DE L'ARTICULATION DU GENOU PAR UNE PROTHÈSE TOTALE

La mise en place d'une prothèse totale du genou est envisagée chez les patients qui présentent des douleurs aiguës et une incapacité fonctionnelle reliées à l'altération des surfaces articulaires, notamment par l'arthrite (polyarthrite rhumatoïde, l'ostéoarthrite, l'arthrite due à un traumatisme) ou l'hémophilie. Il existe une grande variété de prothèses qui redonneront au patient une articulation fonctionnelle, indolore et stable. Si les ligaments sont faibles, on utilise une prothèse charnière ou semi-charnière pour stabiliser l'articulation.

Soins postopératoires. Après l'opération, le genou est entouré d'un bandage compressif. On peut appliquer des sacs de glace pour réduire l'œdème et les saignements. Il faut aussi évaluer les signes neurovasculaires de la jambe. On doit encourager la flexion active du pied et être à l'affût des complications (thrombo-embolies, paralysie du nerf péronier proximal, infections).

Un drain évacue les liquides qui s'accumulent autour de l'articulation. Au cours des 8 heures qui suivent l'opération, le volume des écoulements est d'environ 200 mL ; il devient inférieur à 25 mL 48 heures après l'intervention. Le chirurgien peut alors enlever le drain.

On place souvent la jambe du patient sur un appareil de mouvements passifs continus (figure 61-12). Cet appareil favorise la guérison en améliorant la circulation et la mobilité de l'articulation. La fréquence et le nombre des extensions et des flexions sont déterminés par le médecin. On commence habituellement avec une extension de 10 degrés, et une flexion de 50 degrés que l'on augmente graduellement à 90 degrés. On encourage le patient à se servir souvent de l'appareil. Celui-ci doit aussi faire des exercices de renforcement musculaire et d'amplitude des mouvements articulaires sous la surveillance d'un physiothérapeute. Si la flexion n'est pas satisfaisante après deux semaines, on peut effectuer une manipulation délicate du genou sous anesthésie générale.

Le patient doit se lever dès le lendemain de l'opération. Le genou est habituellement protégé par un appareil de contention et doit être surélevé sur un tabouret quand le patient est en position assise. Le médecin établit les limites de la mise en charge sur la jambe atteinte. Un jour ou deux après l'intervention, le patient doit commencer progressivement à se déplacer en utilisant une aide à la motricité et en respectant les limites de la mise en charge.

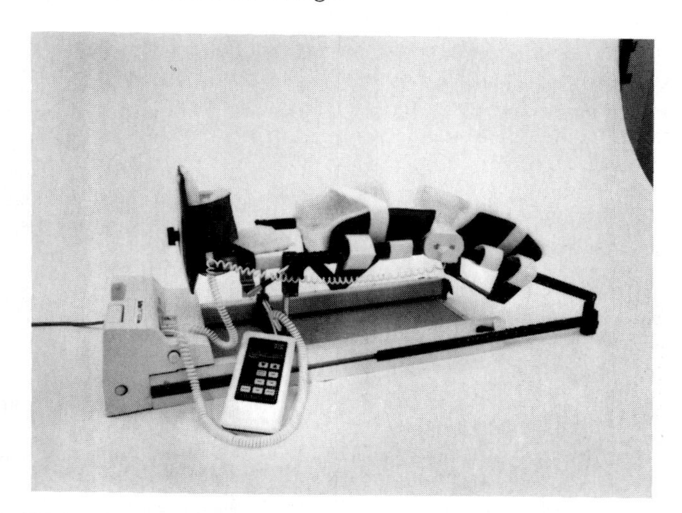

Figure 61-12. Appareil de mouvements passifs continus. On utilise cet appareil pour améliorer l'amplitude des mouvements articulaires chez les patients qui ont subi le remplacement de l'articulation du genou par une prothèse totale.
(Source : Sutter Biomédical Inc.)

Plan de soins infirmiers 61-1

Patient ayant subi la pose d'une prothèse totale de la hanche

Interventions infirmières	*Justification*	*Résultats escomptés*
Diagnostic infirmier: Douleur postopératoire		
Objectif: Soulagement de la douleur		
1. Évaluer la douleur.	1. La douleur est fréquente après une intervention chirurgicale en raison du traumatisme et de la réaction tissulaire. Après la mise en place d'une prothèse totale de la hanche, les spasmes musculaires sont fréquents. L'immobilité provoque un malaise aux points de pression.	• Le patient décrit la douleur qu'il ressent. • Il a confiance dans les méthodes utilisées pour la soulager. • Il dit que la douleur a diminué. • Il a recours à diverses méthodes pour soulager la douleur.
2. Demander au patient de décrire sa douleur.	2. Les caractéristiques de la douleur varient d'une personne à l'autre et peuvent aider à en déterminer la cause. La douleur est subjective et peut être liée à des complications (présence d'hématomes, infection, flatulences).	
3. Admettre l'existence de la douleur comme elle est ressentie par le patient.	3. Admettre l'existence de la douleur calme l'anxiété du patient et lui indique qu'on veut l'aider à la soulager.	
4. Utiliser différentes méthodes de soulagement de la douleur.		
a) Administrer des analgésiques de façon régulière, selon l'ordonnance.	a) On administre des analgésiques narcotiques par voie parentérale au cours des 24 à 48 premières heures. Par la suite, on passe aux analgésiques oraux.	
b) Mobiliser le patient après l'obtention d'un soulagement.	b) Utiliser des oreillers comme supports afin de soulager les pressions sur les saillies osseuses.	
c) Utiliser des méthodes douces.	c) L'imagerie mentale, les distractions, la surcharge ou la privation sensorielles peuvent avoir une influence sur la perception de la douleur.	
5. Évaluer le degré de soulagement obtenu et noter ses observations au dossier.	5. Si l'efficacité d'une méthode n'est pas satisfaisante, on doit réévaluer la situation et avoir recours à de nouvelles méthodes. Les notes d'observation fournissent des données sur la douleur, son traitement et son soulagement.	
Risque de complications: Hémorragie, atteinte neurovasculaire, déplacement de la prothèse, thrombose veineuse profonde, infection		
Objectif: Prévention des complications		
Hémorragie		
1. Prendre les signes vitaux régulièrement.	1. Une augmentation du pouls et une diminution de la pression sanguine indiquent une perte de sang.	• Les signes vitaux se stabilisent à l'intérieur des limites de la normale. • Le volume des écoulements diminue. • Les écoulements ne sont pas rouge vif. • Le taux d'hémoglobine et l'hématocrite sont dans les limites de la normale.
2. Noter le volume et l'aspect des écoulements.	2. Une hémorragie se manifeste par un volume d'écoulements supérieur à 250 mL au cours des 8 heures qui suivent l'opération et des écoulements de couleur rouge vif.	

Plan de soins infirmiers 61-1 (suite)

Patient ayant subi la pose d'une prothèse totale de la hanche

Interventions infirmières	*Justification*	*Résultats escomptés*
3. Prévenir le chirurgien aussitôt que le patient présente des signes d'hémorragie.	3. Une intervention rapide est nécessaire.	
4. Vérifier le taux d'hémoglobine et l'hématocrite et préparer le matériel d'oxygénation.	4. Une perte de sang peut entraîner une anémie. Une transfusion sanguine peut être nécessaire. L'administration d'oxygène peut aussi être nécessaire.	
Atteinte neurovasculaire		
1. Vérifier la couleur et la température du membre atteint.	1. Quand l'irrigation tissulaire est mauvaise, la peau est pâle et froide. Une congestion veineuse peut provoquer une cyanose.	• La couleur de la peau est normale. • La température de la peau est normale. • La vitesse de remplissage capillaire est normale. • Les pouls sont forts et réguliers. • L'œdème est modéré; les tissus ne sont pas tendus au toucher. • La sensibilité est normale. • Le patient ne présente pas de paresthésies. • La mobilité est normale. • Le patient ne souffre pas de parésie ou de paralysie.
2. Vérifier le pouls pédieux dans les deux pieds.	2. Le pouls pédieux témoigne de la circulation dans la jambe.	
3. Vérifier la vitesse de remplissage capillaire des orteils.	3. Quand l'irrigation capillaire est satisfaisante, l'orteil reprend rapidement une couleur rosée après une pression du doigt.	
4. Surélever la jambe atteinte (moins haut que la hanche, en position assise).	4. Réduit les risques d'œdème déclive.	
5. Vérifier la présence de sensations anormales et d'engourdissements.	5. Une diminution de la douleur et des paresthésies peuvent indiquer qu'un nerf est touché. L'altération de la sensibilité dans l'espace entre le gros orteil et le second orteil indique une atteinte du nerf péronier proximal; l'altération de la sensibilité de la plante du pied indique une atteinte du nerf tibial.	
6. Vérifier la mobilité du pied et des orteils.	6. La flexion dorsale de la cheville et l'extension des orteils traduisent le bon fonctionnement du nerf péronier proximal. La flexion plantaire de la cheville et la flexion des orteils traduisent le bon fonctionnement du nerf tibial.	
7. Prévenir le chirurgien si l'on constate la présence de signes d'atteinte neurovasculaire.	7. Une intervention rapide est nécessaire pour préserver le fonctionnement du membre.	
Déplacement de la prothèse		
1. Mobiliser le patient selon l'ordonnance du médecin.	1. Il est important que les pièces de la prothèse soient maintenues dans la position appropriée (pièce fémorale dans cavité cotyloïde).	• La prothèse reste intacte.
2. Utiliser une attelle d'abduction ou des oreillers pour maintenir la position et soutenir la jambe.	2, 3, 4, 5. Il faut maintenir la hanche en abduction et en rotation neutre pour prévenir le déplacement de la prothèse.	
3. Soutenir la jambe et placer des oreillers entre les jambes quand on installe le patient en décubitus latéral du côté sain.		

Plan de soins infirmiers 61-1 (suite)

Patient ayant subi la pose d'une prothèse totale de la hanche

Interventions infirmières	Justification	Résultats escomptés
4. Éviter de trop fléchir la hanche (tête du lit à moins de 45 °).		
5. Recommander au patient d'éviter de croiser les jambes.		
6. Prévenir le médecin si on constate un raccourcissement de la jambe, une rotation interne ou externe, une douleur aiguë à la hanche ou une altération de la mobilité de la jambe.	6. Ces signes peuvent révéler un descellement de la prothèse.	
Thrombose veineuse profonde		
1. Mettre les bas élastiques au réveil avant que le patient ne se lève.	1. Stimule le retour veineux et prévient la stase.	• Le patient porte les bas élastiques selon l'ordonnance médicale. • Il ne présente pas d'altération de l'épiderme. • Ses pouls périphériques sont forts et réguliers. • La température de sa peau est normale. • Il y a absence du signe de Homans. • Le patient change de position avec de l'aide et sous surveillance. • Il suit son programme d'exercices.
2. Retirer les bas élastiques deux fois par jour pendant 20 minutes et prodiguer des soins de la peau.	2. Les soins de la peau sont essentiels pour prévenir les ruptures de l'épiderme. Il ne faut pas enlever les bas trop longtemps, ce qui annulerait leur action.	
3. Prendre les pouls poplité, pédieux et tibial postérieur.	3. Les pouls traduisent l'irrigation artérielle des membres.	
4. Vérifier la température et la couleur de la peau des jambes.	4. Une inflammation locale s'accompagne d'une rougeur et d'une chaleur locale sur la peau.	
5. Vérifier la présence du signe de Homans toutes les huit heures.	5. Une douleur à la flexion dorsale de la cheville peut indiquer une thrombose veineuse profonde.	
6. Éviter les pressions sur les vaisseaux sanguins poplités par l'attelle ou par les oreillers.	6. La compression des vaisseaux entrave la circulation.	
7. Encourager le patient à changer régulièrement de position, selon l'ordonnance du médecin.	7. L'activité améliore la circulation et réduit la stase veineuse.	
8. S'assurer que le patient fait correctement les exercices de la cheville toutes les heures.	8. L'exercice favorise la circulation.	
9. Vérifier la température corporelle.	9. La fièvre peut indiquer une inflammation.	
Infection de la plaie		
1. Prendre régulièrement les signes vitaux.	1. L'infection provoque une augmentation de la température, du pouls et de la fréquence respiratoire (la réaction inflammatoire est moins forte chez le patient âgé).	• Les signes vitaux sont normaux. • L'incision est propre, sans écoulements purulents ou inflammation excessive. • La douleur est faible; il n'y a pas d'hématome. • Le patient tolère bien les antibiotiques.
2. Utiliser des techniques aseptiques pour changer les pansements et vider le drain.	2. Prévient l'invasion par les microorganismes.	
3. Vérifier l'aspect de la plaie et les caractéristiques de l'écoulement.	3. Une plaie rougeâtre, tuméfiée ou suppurante est généralement infectée.	
4. Vérifier s'il y a présence de douleur à la palpation.	4. La douleur peut être causée par un hématome ou une infection, ce qui peut exiger une intervention chirurgicale.	

Plan de soins infirmiers 61-1 (suite)

Patient ayant subi la pose d'une prothèse totale de la hanche

Interventions infirmières	*Justification*	*Résultats escomptés*
5. Administrer des antibiotiques à titre préventif selon l'ordonnance du médecin.	5. Il faut éviter l'infection de la prothèse.	

Diagnostic infirmier: Déficit d'autosoins relié à une altération de la mobilité physique

Objectif: Amélioration de la mobilité physique en assurant le bon fonctionnement et la stabilité de la hanche

Interventions infirmières	*Justification*	*Résultats escomptés*
1. Enseigner au patient comment changer de position et se déplacer en maintenant l'articulation de la hanche dans la bonne position (abduction, rotation neutre, flexion limitée).	1. Encourage la participation active du patient tout en prévenant le déplacement de la prothèse.	• Le patient se déplace avec une plus grande autonomie. • Il fait ses exercices régulièrement. • Il participe activement au programme d'exercices. • Il utilise convenablement et de manière sûre une aide à la motricité.
2. Enseigner au patient les exercices isométriques des quadriceps et des fessiers.	2. Maintient le tonus des muscles essentiels à la marche.	
3. En collaboration avec un physiothérapeute, enseigner au patient à se déplacer en respectant les règles de sécurité et les limites de la mise en charge.	3. La mise en charge dépend de l'état du patient et du type de la prothèse; une aide à la motricité peut être utilisée si la jambe ne peut supporter entièrement ou partiellement le poids du corps.	
4. Encourager le patient à faire ses exercices et lui apporter du soutien.	4. Les exercices de réadaptation peuvent être douloureux et fatigants; les encouragements aident le patient à garder espoir et à respecter son programme d'exercices.	

Diagnostic infirmier: Incapacité d'organiser et d'entretenir le domicile reliée à une altération de la mobilité physique

Objectif: Amélioration de la capacité d'organiser et d'entretenir le domicile

Interventions infirmières	*Justification*	*Résultats escomptés*
1. Inciter le patient à exprimer ses préoccupations à propos de son retour à domicile; explorer avec lui les solutions possibles.	1. Les barrières physiques (escaliers, aménagement de la salle de bain, etc.) peuvent limiter les déplacements du patient et sa capacité d'effectuer ses autosoins.	• Le patient semble détendu et utilise des stratégies d'adaptation. • Il a de l'aide à domicile si nécessaire. • Il se fait aider tout en participant à ses soins. • Il se conforme à son programme de soins à domicile. • Il respecte ses rendez-vous pour ses visites d'observation.
2. Établir si le patient aura besoin d'aide à la maison pour effectuer ses soins personnels.	2. Le patient dont la mobilité et l'amplitude des mouvements de la hanche sont limitées peut avoir besoin d'aide pour accomplir ses autosoins.	
3. Inclure les membres de la famille dans les soins au patient.	3. La participation de la famille aux soins assure la continuité des soins et offre un soutien au patient.	
4. Donner au patient de l'information avant son départ du centre hospitalier. a) Activités à éviter pour ne pas soumettre la prothèse à un effort. b) Recommandations relatives aux exercices. c) Utilisation sûre de l'aide à la motricité. d) Soins de la plaie. e) Prise de médicaments, s'il y a lieu. f) Prévention des complications.	4. Une mauvaise préparation aux soins à domicile et un manque de connaissances peuvent provoquer de l'anxiété chez le patient et sa famille et nuire à la réadaptation.	

Après son départ du centre hospitalier, le patient peut continuer à utiliser l'appareil de mouvements passifs continus et poursuivre une physiothérapie en externe. Les complications tardives d'une prothèse totale du genou sont les infections, de même que le déplacement et l'usure de la prothèse. S'il y a absence de complications, l'articulation est indolore et fonctionnelle. Elle contribue à améliorer la qualité de vie.

Résumé: Le remplacement d'une articulation est une intervention chirurgicale souvent élective qui vise à réduire la douleur et l'incapacité.

Il existe différentes sortes de prothèses qui sont fixées avec ou sans produit chimique.

On doit effectuer le bilan de santé complet du patient qui doit subir la mise en place d'une prothèse totale, afin de cerner les risques de complications postopératoires. L'âge, l'obésité, l'œdème de la jambe, des antécédents de thrombose veineuse profonde et de varices augmentent les risques postopératoires de thrombose et d'embolie pulmonaire.

Le chirurgien orthopédiste établit les limites de la mise en charge et de la mobilité, pour prévenir le déplacement de la prothèse. Le raccourcissement de la jambe, une perte de mobilité, une rotation anormale ou une douleur accrue peuvent indiquer un déplacement de la prothèse.

Les autres complications postopératoires majeures sont notamment les infections et un drainage excessif de la plaie. Le plan de soins infirmiers doit donc contenir des mesures de prévention et de dépistage des complications postopératoires.

Enfin, un enseignement complet au patient et à sa famille assure la continuité des soins. Il faut inciter le patient à participer activement au programme de réadaptation.

Bibliographie

Ouvrages

American Nurses Association and National Association of Orthopaedic Nurses. Orthopaedic Nursing Practice. Kansas City, MO, American Nurses Association, 1986.

Booth RE et al. Total Hip Arthroplasty. Philadelphia, WB Saunders, 1988.

Brashear HR Jr and Raney RB Sr. Handbook of Orthopaedic Surgery, 10th ed. St Louis, CV Mosby, 1986.

Chapman MW (ed). Operative Orthopaedics. Philadelphia, JB Lippincott, 1988.

Crenshaw AH (ed). Campbell's Operative Orthopaedics, 7th ed. St Louis, CV Mosby, 1987.

Epps CH Jr. Complications in Orthopaedic Surgery, 2nd ed. Philadelphia, JB Lippincott, 1986.

Farrell J. Illustrated Guide to Orthopedic Nursing, 3rd ed. Philadelphia, JB Lippincott, 1986.

Fields HL. Douleur. New York, Medsi/McGraw Hill, 1989.

Footner A. Orthopaedic nursing. London, Bailliere Tindall, 1987.

Gerhardt JJ et al (ed). Interdisciplinary Rehabilitation in Orthopedic Medicine. Toronto, Han Huber, 1987.

Hughes SPF et al (eds). Orthopaedics: The Principles and Practice of Musculoskeletal Surgery and Fractures. Edinburgh, Churchill Livingstone, 1987.

Laurin CA et al (eds). Atlas of Orthopaedic Surgery. Chicago, Year Book Medical Publishers, 1989.

Mourad LA and Droste MM. The Nursing Process in the Care of Adults with Orthopaedic Conditions, 2nd ed. New York, John Wiley & Sons, 1988.

Powell M (ed). Orthopaedic Nursing and Rehabilitation, 9th ed. Edinburgh, Churchill Livingstone, 1986.

Reynolds D and Freeman M (eds). Osteoarthritis in the Young Adult Hip: Options for Surgical Management. Edinburgh, Churchill Livingstone, 1989.

Rodrigo J. Orthopaedic Surgery: Basic Science and Clinical Science. Boston; Little, Brown, 1986.

Salmond S et al (eds). Core Curriculum for Orthopaedic Nurses, 2nd ed. Pitman, NJ, National Association of Orthopaedic Nurses, 1991.

Schlossberg D. Orthopedic Infection. New York, Springer-Verlag, 1988.

Scott WN. Total Knee Revision Arthroplasty. Orlando, Grune & Stratton, 1987.

Smith C. Orthopaedic Nursing. London, Heinemann Nursing, 1987.

Stearns CM and Brunner NA. Opcare: Orthopaedic Patient Care. A Nursing Guide, Vols 1-3. Rutherford, NJ, Howmedica, 1987.

Watt Watson J et MI Donovan. Pain management: Nursing perspective. St.Louis, Mosby Year Book, 1992.

Yaremchuck MJ et al. Lower Extremity Salvage and Reconstruction. New York, Elsevier, 1989.

The Zimmer Traction Handbook, Warsaw, IN, Zimmer, 1989.

Revues

Les articles de recherche en sciences infirmières sont marqués d'un astérisque.

Modalités de traitement

Bach BR et al. Surgical arthroscopy for anterior cruciate ligament reconstruction. Todays OR Nurs 1990 Feb; 12(2): 4-9, 28-30.

Berg EE. Progress in orthopaedic surgery: The 1980's in review. Orthop Nurs 1990 May/Jun; 9(3): 29-31.

Calhoun JH and Burke EE. Orthopaedic rehabilitation at home. Phys Med Rehabil 1988 Aug; 2(3): 415-459.

Christie J et al. Intramedullary locking nails in the management of femoral shaft fractures, J Bone Joint Surg [Br] 1988 Mar; 70(2): 206-210.

Collins R et al. Reduction in fatal pulmonary embolism and venous thrombosis by perioperative administration of subcutaneous heparin. N Engl J Med 1988 May 5; 318(18): 1162-1170.

Dobberstein K. Orthopaedic surgery: What patients need to know. Am J Nurs 1987 Jul; 87(7): 961.

Friedlaender GE. Bone Grafts. J Bone Joint Surg [Am] 1987 Jun; 69(5): 786-790.

Friedlaeder GE (ed). Bone grafting. Orthop Clin North Am 1987 Apr; 18(2).

Funk JR et al. Tibial osteotomy. Orthop Nurs 1990 Mar/Apr; 9(2): 29-34.

Gamron RB. Taking the pressure out of compartment syndrome. Am J Nurs 1988 Aug; 88(8): 1076-1080.

Genge ML. Epidural analgesia in the orthopaedic patient. Orthop Nurs 1988 Jul/Aug; 7(4): 11-19.

Goldhaber BZ. Venous thromboembolism: How to prevent a tragedy. Hosp Pract 1988 Oct 15; 23(10): 164-174.

Griffin PP. Orthopedic surgery 1947-1987. Postgrad Med 1987 Jul; 82(1): 147-152.

* Groth F. Effects of wheat bran in the diet of post surgical orthopaedic patients to prevent constipation. Orthop Nurs 1988 Jul/Aug; 7(4): 41-46.

Hampel G. Closed interlocking nailing in the lower extremity: Indications and positioning. AORN J 1988 May; 47(5): 1203-1209.

Hines NA and Bates MS. Discharging the patient in skeletal traction. Orthop Nurs 1987 Jul/Aug; 6(4): 21-24.

* Hoshiko B. Valsalva maneuver as a possible risk factor for pulmonary embolism. Orthop Nurs 1990 Jan/Feb; 9(1): 56-62.

Jackson MF. High risk surgical patients. J Gerontol Nurs 1988 Jan; 14(1): 8-15, 36-37.

* Jones-Walton P. Clinical standards in skeletal traction pin site care. Orthop Nurs 1991 Mar/Apr; 10(2): 12-16.

Lavine LS and Grodzinsky AJ. Electrical stimulation in repair of bone. J Bone Joint Surg [Am] 1987 Apr; 69(4): 626-630.

Lhowe DW and Hansen ST. Immediate nailing of open fractures of the femoral shaft. J Bone Joint Surg [Am] 1988 Jul; 70(6): 812-820.

Mather MLS. The secret to life in a spica cast. Am J Nurs 1987 Jan; 87(1): 56-58.

Miller B and Eden-Kilgour S. Preventing peroneal nerve damage. Orthop Nurs 1987 Jul/Aug; 6(4): 41-46.
Moore TJ et al. Complications of surgically treated supracondylar fractures of the femur. J Trauma 1987 Apr; 27(4): 402-406.
Morris L et al. Special care for skeletal traction. RN 1988 Feb; 51(2): 24-29.
Morris L et al. Nursing the patient in traction. RN 1988 Jan; 51(1): 26-31.
Newschwander GE and Dunst RM. Limb lengthening with Ilizarov internal fixator. Orthop Nurs 1989 May/Jun; 8(3): 15-21.
Osborne LJ and DiGiacomo I. Traction: A review with nursing diagnoses and interventions. Orthop Nurs 1987 Jul/Aug; 6(4): 13-19.
Paley D et al. Ilizarov treatment of tibial nonunions with bone loss. Clin Orthop 1989 Apr; (241): 146-165.
Peimer C. Compression neuropathies of the upper extremity. Orthop Rev 1987 Jun; 16(6): 379-385.
Ritter MA et al. The exogenous sources and controls of microorganisms in the operating room. Orthop Nurs 1988 Jul/Aug; 7(4): 23-28.
Roberts SL. Pulmonary tissue perfusion altered: Emboli. Heart Lung 1987 Mar; 16(2): 128-138.
Ross D. Acute compartment syndrome. Orthop Nurs 1991 Mar/Apr; 10(2): 33-38.
Rubin M. The physiology of bedrest. Am J Nurs 1988 Jan; 88(1): 50-56.
* Schmeltzer M. Effectiveness of wheat bran in preventing constipation of hospitalized orthopaedic surgery patients. Orthop Nurs 1990 Nov/Dec; 9(6): 55-59.
Schonholtz GJ. Arthroscopic debridement of the knee joint. Orthop Clin North Am 1989 Apr; 20(2): 257-263.
* Teter K et al. Patient controlled analgesia and GI dysfunction. Orthop Nurs 1990 Jul/Aug; 9(4): 51-56.
Thal ER. Embolism—Clot, fat, or air. Emerg Med 1987 Oct 15; 19(17): 31-32, 35.
Wienki VK. Pressure sores: Prevention is the challenge. Orthop Nurs 1987 Jul/Aug; 6(4): 26-30.
Zagorski JB et al. Diaphyseal fractures of the humerus. Treatment with prefabricated braces. J Bone Joint Surg [Am] 1988 Apr; 70(4): 607-610.

Prothèses articulaires

Ajemian E et al. Hospital acquired infections after arthroscopic knee surgery: A probable environmental source. Am J Infect Control 1987 Aug; 15(4): 159-162.
Apley AG. The prevention of deep sepsis in joint replacement. J Bone Joint Surg [Br] 1987 Aug; 69(4): 517-518.
Basso MD et al. Comparison of two continuous passive motion protocols for patients with TM implants. Phys Ther 1987 Mar; 67(3): 360-363.
Beisaw NE et al. Dihydroergotamine/heparin in the prevention of deep-vein thromposis after total hip replacement. J Bone Joint Surg [Am] 1988 Jan; 70(1): 2-10.
Bray TJ et al. The displaced femoral neck fracture. Internal fixation versus bipolar endoprosthesis. Clin Orthop 1988 May; (230): 127-140.
A conversation with William L Bargar, MD. Custon cementless total hip replacement. Orthop Rev 1987 Jan; 16(1): 27-35.
Cooke PH and Newman JH. Fractures of the femur in relation to cemented hip prothesis. J Bone Joint Surg [Br] 1988 May; 70(3): 386-389.
Cushner FD and Friedman PJ. Osteonecrosis of the femoral head. Orthop Rev 1988 Jan; 17(1): 29-32.
Doheny M and Ceccio CM. Total shoulder replacement: Preparing patients for discharge. Orthop Nurs 1988 May/Jun; 7(3): 13-21.
Dunajcik LM. The hip: When the joint must be replaced. RN 1989 Apr; 52(4): 62-71.
Ecker ML and Lotke PA. Postoperative care of the total knee patient. Orthop Clin North Am 1989 Jan; 20(1): 55-62.
Enis JE. Total hip arthroplasty in the geriatric patient. Hosp Med (Suppl) 1987 Apr; 23(4): 41.
Figgie HE and Goldberg VM. Some success rates of revision total knee arthroplasty. Orthop Rev 1988 May; 17(5): 464-466.
Finlay J. Uncemented total hip arthroplasty. Can Oper Room Nurs J 1987 Dec; 5(6): 22-24, 26.
Follman D. Nursing care concerns in total shoulder replacement. Orthop Nurs 1988 May/Jun; 7(3): 29-31.
Gill KP. Cementless total hip arthroplasty. Can Nurse 1987 Nov; 83(10): 18-20.
Goldberg VM et al. Total elbow arthroplasty. J Bone Joint Surg [Am] 1988 Jun; 70(5): 778-783.
Green A. Hip replacement: What's happening to hips. Nurs Times 1989 Nov 15-21; 85(46): 32-33.
Haddad RJ et al. Biological fixation of porous-coated implants. J Bone Joint Surg [Am] 1987 Dec; 69(9): 1459-1466.
Haug J et al. Efficacy of neuromuscular stimulation of the quadriceps femoris during continuous passive motion following total knee arthroplasty. Arch Phys Med Rehabil 1988 Jan; 69(6): 423-424.
Hughes SPF. The use of antibiotics in orthopaedic surgery: Total joint single vs multiple dose prophylaxis. Orthop Rev 1987 Apr; 16(4): 209-214.
Kozinn SC et al. Adult hip disease and total hip replacement. Clin Symp 1987; 39(5): 2-32.
Lotkr PA (ed). Reconstructive knee surgery. Orthop Clin North Am 1989 Jan; 20(1).
Lynch AF et al. Deep-vein thrombosis and continuous passive motion after total knee arthroplasty. J Bone Joint Surg [Am] 1988 Jan; 70(1): 11-14.
Nelson CL. Infected joint implants: Principles of treatment. Orthop Rev 1987 Apr; 16(4): 215-223.
Orthopaedic nursing surgical guide: Total hip replacement. Orthop Nurs 1987 Jul/Aug; 6(4): 57-59.
Podesta L et al. Knee bracing. Orthop Clin North Am 1988 Oct; 19(4): 737-745.
Radin EL. Loosening of total hip replacement prosthesis. Orthop Rev 1989 Mar; 16(3): 134-136.
* Selman S. Impact of total hip replacement on quality of life. Orthop Nurs 1989 Sep/Oct; 8(5): 43-49.
Salvati EA (ed). Long term results of cemented joint replacement: Is cement obsolete? Orthop Clin North Am 1988 Jul; 19(3).
Smith C. Total hip replacement. Nurs Times 1989 Nov 15-21; 85(46): 28-31.
Smith JE. Applying the continuous passive motion device. Orthop Nurs 1990 May/Jun; 9(3): 54-56.
Spaulding JM et al. Total ankle arthroplasty: A procedural review. AORN J 1988 Aug; 48(2): 201-203; 206-207.
Total knee replacement. Orthop Nurs 1987 May/Jun; 6(3): 37-39.
Viadero A et al. Post operative care of the TSR patient . . . Total shoulder replacement. Clin Manage Phys Ther 1987 Jul/Aug; 7(4): 14-15.

Fixateurs externes

Alanso J et al. External fixation of femoral fractures: Indications and limitations. Clin Orthop 1989 Apr; 241: 83-88.
Browner CM et al. Halo immobilization brace care: An innovative approach. J Neurosci Nurs 1987 Feb; 19(10): 24-29.
Edwards CC et al. Severe open tibial fractures. Results treating 202 injuries with external fixation. Clin Orthop 1988 May; 230: 98-115.
Garfin SR et al. Subdural abscess associated with halo-pin traction. J Bone Joint Surg [Am] 1988 Oct; 70(9): 1338-1340.
Goldberger DK et al. A survey of external fixator pin care techniques. Clin Nurse Spec 1987 Winter; 1(4): 166-169.
Javernig Sr P. Organizing and implementing an Ilizarov program. Orthop Nurs 1990 Sep/Oct; 9(5): 47-55.
* Jones-Walton P. Effects of pin care on pin reactions in adults with extemity fracture treated with skeletal traction and external fixation. Orthop Nurs 1988 Jul/Aug; 7(4): 29-33.
Liang GY and Wu JW. Fracture of the patella treated by open reduction and external compression skeletal fixation. J Bone Joint Surg [Am] 1987 Jan; 69(1): 83-89.
Paley D et al. Ilizarov treatment of tibial nonunions with bone loss. Clin Orthop 1989 Apr; 241: 146-165.
Schuind F et al. External fixation of clavicle fracture for non-union in adults. J Bone Joint Surg [Am] 1988 Jun; 70(5): 692-695.

Information/Ressources

Organismes

Arthritis Foundation
1314 Spring Street NW, Atlanta, GA 30309

National Institute of Arthritis and Musculoskeletal and Skin Diseases
National Institutes of Health, Bethesda, MD 20892

62
TRAITEMENT DES PATIENTS SOUFFRANT D'UN TRAUMATISME DE L'APPAREIL LOCOMOTEUR

SOMMAIRE

OBJECTIFS D'APPRENTISSAGE

Après avoir étudié ce chapitre, vous devriez être en mesure de réaliser ce qui suit:

1. *Expliquer la différence entre les contusions, les foulures, les entorses et les luxations.*
2. *Décrire les manifestations cliniques des fractures et les traitements d'urgence aux patients ayant subi une fracture.*
3. *Décrire les principes de la réduction des fractures, de la fixation interne (ostéosynthèse) et des traitements des fractures ouvertes.*
4. *Appliquer la démarche de soins infirmiers pour intervenir auprès des patients ayant subi une fracture fermée.*
5. *Décrire la prévention et le traitement des complications immédiates ou tardives associées aux fractures.*
6. *Décrire les besoins en matière de réadaptation des patients ayant subi une fracture de la clavicule, du bras, de la jambe, du bassin, de la hanche, des côtes ou de la colonne thoracolombaire.*
7. *Appliquer la démarche de soins infirmiers pour intervenir auprès des patients âgés ayant subi une fracture de la hanche.*
8. *Décrire les besoins en matière d'enseignement et de réadaptation des patients ayant subi une amputation.*
9. *Appliquer la démarche de soins infirmiers pour intervenir auprès des patients ayant subi une amputation.*

Une atteinte de l'appareil locomoteur implique généralement des blessures aux structures adjacentes. En effet, quand un os est brisé, les muscles ne peuvent pas fonctionner normalement; si les nerfs n'envoient pas d'influx nerveux aux muscles, comme dans une paralysie, les os ne peuvent pas bouger; si les surfaces articulaires ne bougent pas normalement, ni les os, ni les muscles ne fonctionnent correctement. Par conséquent, bien qu'une fracture touche d'abord les os, elle provoque aussi une altération du fonctionnement des muscles, des vaisseaux sanguins et des nerfs adjacents.

Pour traiter les blessures du système musculosquelettique, il faut stabiliser la région atteinte jusqu'à la guérison complète. On peut effectuer cette stabilisation par l'application externe d'un bandage, d'un emplâtre adhésif, d'une attelle ou d'un plâtre. On peut aussi intervenir directement sur l'os, à l'aide de broches ou de plaques. On peut aussi avoir recours à la traction pour corriger les déformations ou les raccourcissements.

Après avoir traité les symptômes immédiats de la fracture, il faut prévenir la fibrose et la raideur des muscles et des articulations touchés. *L'activité est le meilleur traitement pour prévenir la raideur.* Selon le matériel d'ostéosynthèse utilisé, la reprise de l'activité est plus ou moins rapide. Il existe différents traitements de physiothérapie pour accélérer la guérison et le retour des capacités fonctionnelles.

CONTUSIONS, FOULURES ET ENTORSES

Une *contusion* est une lésion des tissus mous produite par un choc (un coup de poing ou de pied, une chute, par exemple). Elle se manifeste toujours par une infiltration de sang dans le tissu sous-cutané (*ecchymose*), causée par la rupture de nombreux petits vaisseaux. L'ecchymose se caractérise par une tache noirâtre ou bleutée qui passe du brun au jaune avant de s'effacer quand le sang est entièrement réabsorbé. Quand la collection de sang est importante, on parle d'un *hématome*. Les symptômes localisés (douleur, tuméfaction et tache) sont facilement explicables.

Une *foulure* est une distension des ligaments due à une surutilisation, ou à une tension ou un étirement excessifs. Elle s'accompagne d'une légère infiltration de sang dans les tissus. Elle se manifeste par un endolorissement progressif ou une douleur soudaine, puis par une sensibilité localisée. La douleur apparaît lors de l'utilisation et de la contraction isométrique du muscle.

Une *entorse* est une déchirure des ligaments qui entourent une articulation. Elle est causée par une torsion. Elle se manifeste par une instabilité de l'articulation, les ligaments ayant pour fonction d'en assurer la stabilité tout en permettant la mobilité. Elle entraîne aussi la rupture de vaisseaux sanguins, ce qui provoque des ecchymoses et de l'œdème. L'articulation est sensible et les mouvements sont douloureux. L'intensité de la douleur et l'incapacité fonctionnelle augmentent au cours des deux ou trois heures qui suivent la blessure à cause de la tuméfaction et de l'infiltration de sang. Le patient doit subir une radiographie pour s'assurer qu'il n'y a pas de fracture. Une *avulsion* (arrachement d'un fragment osseux par un ligament ou un tendon) peut être associée aux entorses.

Traitement. On traite les contusions, les entorses et les foulures en surélevant la région blessée, en appliquant de la glace et en utilisant un bandage compressif. La surélévation permet de réduire la tuméfaction. L'application intermittente de glace toutes les 20 à 30 minutes au cours des 24 premières heures, entraîne une vasoconstriction qui diminue l'infiltration de sang, l'œdème et la douleur. Le bandage compressif réduit également l'infiltration de sang et l'œdème, tout en soutenant les tissus lésés. On doit évaluer fréquemment l'état neurovasculaire du membre blessé. Si l'entorse est grave (déchirure des fibres musculaires et des ligaments), une intervention chirurgicale ou la pose d'un plâtre peut s'avérer nécessaire afin d'éviter une perte de stabilité de l'articulation atteinte.

À l'étape de la réadaptation, on doit permettre aux muscles, aux ligaments ou aux tendons atteints de se reposer et de se cicatriser. L'application intermittente de chaleur humide (pendant 15 à 30 minutes, 4 fois par jour) favorise la vasodilatation, la réabsorption et la guérison. On recommande au patient d'utiliser le moins possible le membre atteint jusqu'au début de la guérison, puis de reprendre progressivement ses activités. Une reprise prématurée de l'exercice retarde la guérison. Les foulures et les entorses graves mettent environ un mois à se cicatriser.

LUXATIONS DES ARTICULATIONS

Une luxation articulaire est un déplacement des surfaces articulaires faisant en sorte qu'elles ne sont plus en position anatomique. On dit en langage populaire que les os sont «déboîtés». Une *subluxation* est une luxation partielle des surfaces articulaires. Les luxations traumatiques sont une urgence orthopédique car elles s'accompagnent de lésions des ligaments et des tendons, des vaisseaux et des nerfs. Elles peuvent donc entraîner une *nécrose avasculaire* (destruction tissulaire due à l'anoxie et à la diminution de l'irrigation sanguine).

Les luxations peuvent être (1) *congénitales* (présentes à la naissance en raison d'un retard de développement, le plus souvent à la hanche); (2) spontanées ou *pathologiques*, à la suite d'une maladie des structures articulaires ou périarticulaires; (3) *traumatiques*, dues à une blessure.

Les signes et les symptômes d'une luxation traumatique sont: (1) la douleur, (2) une modification du contour articulaire, (3) une modification de la longueur du membre, (4) une perte de mobilité, (5) une modification de l'axe des os disloqués.

On doit toujours effectuer une radiographie au moment du diagnostic car les luxations s'accompagnent souvent d'une fracture.

Traitement. La région blessée doit être maintenue immobile au cours des déplacements du patient. La réduction de la luxation (remise en place des os disloqués) se fait généralement sous anesthésie. On maintient ensuite l'articulation en place avec un bandage, une attelle, un plâtre ou une traction. Après la réduction de la luxation, l'articulation est redevenue stable. Le patient doit alors faire des exercices modérés trois ou quatre fois par jour, afin de garder son amplitude de mouvement articulaire.

Les soins infirmiers visent à soulager la douleur du patient, à dépister les complications neurovasculaires et à soutenir le patient pendant sa période de guérison. Le patient doit apprendre à utiliser un appareil de contention et à protéger son articulation.

BLESSURES SPORTIVES

De plus en plus de gens pratiquent des sports récréatifs et dépassent parfois les limites de leur condition physique, au risque de se blesser. Les blessures de l'appareil locomoteur peuvent être ponctuelles (foulures, entorses, luxations, fractures) ou résulter d'une surutilisation graduelle du membre (chondromalacie de la rotule, tendinite, fracture de fatigue). Les athlètes professionnels sont également exposés à ces mêmes blessures, même si leur entraînement est suivi de près.

Les contusions sont provoquées par des chutes ou par des coups. Elles se manifestent par une douleur sourde qui s'accentue graduellement, à cause de l'œdème et de la raideur. Une entorse est une déchirure des ligaments. On l'observe communément aux doigts, aux chevilles et aux genoux. Si les ligaments sont gravement endommagés, une avulsion peut être présente. L'articulation devient alors instable, et une intervention chirurgicale peut s'avérer nécessaire. Une foulure est un étirement des ligaments. Elle provoque une douleur vive, en coup de poignard, causée par le saignement et la contraction musculaire subséquente. On observe ce genre de blessure chez les joueurs de tennis et les joueurs de soccer ainsi que dans les sports comme la natation et l'haltérophilie. La *tendinite* (inflammation d'un tendon) est généralement due à une surutilisation. Par exemple, l'épicondylite est fréquente chez les joueurs de tennis, l'inflammation du tendon d'Achille chez les coureurs et les gymnastes et la tendinite infrapatellaire chez les coureurs et les joueurs de basketball. Les blessures au ménisque du genou sont reliées à une rotation excessive de l'articulation. Les luxations sont fréquentes dans certaines disciplines comme l'athlétisme et l'haltérophilie. Les fractures se produisent lors de chutes. Par exemple, la fracture du poignet ou de Pouteau-Colles (fracture de l'extrémité inférieure du radius) est fréquente chez les patineurs et les cyclistes, et les fractures du métatarse chez les danseurs de ballet et les athlètes de piste et pelouse. Les fractures de fatigue sont reliées à des traumatismes répétés de façon continue sur un os. Elles sont fréquentes dans les sports comme le jogging, la gymnastique, le basketball et la danse aérobique. Le tibia, le péroné et le métatarse sont les os les plus vulnérables aux fractures de fatigue.

Traitement. Il faut généralement cerner et traiter le plus rapidement possible les blessures de l'appareil locomoteur pour assurer leur guérison et réduire ainsi les risques d'incapacité permanente. Le traitement «*repos, glace, compression, élévation*» est à la base des soins de la plupart des blessures des tissus mous. On applique de la glace de façon intermittente toutes les 20 à 30 minutes, pendant les 24 premières heures, afin de réduire la tuméfaction et soulager la douleur. On applique un bandage compressif autour de la région atteinte afin de la soutenir, de réduire l'œdème et de soulager la douleur. Le bandage ne doit pas être trop serré. On doit donc surveiller régulièrement les signes neurovasculaires du membre atteint. Il est suggéré de surélever le membre blessé à la hauteur du cœur pour réduire l'œdème et la douleur. Selon le siège et la gravité de la fracture, une immobilisation ou une intervention chirurgicale peut être nécessaire. Une chirurgie arthroscopique est parfois indispensable dans les cas de déchirure des ménisques et autres blessures articulaires qui limitent le fonctionnement de l'articulation et contribuent à l'usure des cartilages.

Les victimes de blessures sportives ont généralement très hâte de retourner à la pratique de leur sport et négligent souvent de suivre les recommandations concernant la reprise *graduelle* de leurs activités. Il leur faut apprendre à prévenir de nouvelles blessures. Si les symptômes réapparaissent, le patient doit réduire l'amplitude et l'intensité des mouvements qui lui causent de la douleur et appliquer le traitement «repos, glace, compression, élévation». La guérison d'une blessure sportive peut prendre de quelques jours à six semaines ou plus.

On peut prévenir les blessures sportives notamment en portant des chaussures appropriées et en respectant les limites de sa condition physique. L'augmentation de l'intensité doit toujours être graduelle. On doit apprendre aux athlètes à être à l'écoute des symptômes physiques qui indiquent un effort trop intense et à adapter leurs activités en conséquence.

AFFECTIONS INTRA-ARTICULAIRES DU GENOU

Les blessures articulaires les plus fréquentes sont les déchirures de ligaments. Dans les blessures au genou toutefois, on observe souvent un déplacement ou une déchirure des *ménisques,* qui sont deux cartilages en forme de croissant attachés à la périphérie de la capsule articulaire de la tête du tibia. Normalement, les ménisques glissent doucement d'avant en arrière pour adapter les condyles au fémur lors de la flexion ou de l'extension de la jambe.

L'articulation de la rotule ne permet généralement qu'une très légère torsion. La torsion du genou lors de la pratique d'un sport ou lors d'un accident peut donc entraîner la déchirure complète ou partielle des ménisques. Les ménisques déchirés peuvent glisser entre le fémur et le tibia, empêchant ainsi l'extension complète de la jambe. Quand ce phénomène se produit pendant la marche ou la course, les victimes disent souvent que leur jambe s'est dérobée. Elles ressentent ou entendent parfois un craquement dans le genou quand elles marchent ou montent un escalier, lorsque la jambe en extension est en appui. Si le ménisque est fixé en avant et en arrière mais déchiré longitudinalement (ménisque en anse de seau), il peut glisser entre les os et se loger dans les condyles, ce qui empêche la flexion ou l'extension complète de la jambe. On dit alors que le genou se bloque.

Les *affections intra-articulaires* du genou sont gênantes car elles se manifestent de façon inopinée. On les traite généralement par une résection du ménisque atteint, soit par une intervention chirurgicale, soit par arthroscopie.

Après l'opération, on applique un pansement compressif ou une attelle. La jambe est surélevée par des oreillers pour réduire l'œdème. La principale complication de la méniscectomie est une accumulation de liquide séreux provoquant une douleur vive. Si cela se produit, l'infirmière en informe le médecin. Pour soulager la douleur on réduit la pression exercée sur le genou en relâchant le pansement compressif ou en procédant à une intervention chirurgicale qui consiste à ponctionner le liquide accumulé à l'intérieur de la capsule synoviale.

Pour prévenir l'atrophie musculaire des membres inférieurs, on enseigne au patient des exercices isométriques pour les quadriceps, de même que des exercices qui aideront à retrouver la capacité fonctionnelle, la stabilité et la force musculaire.

L'arthroscopie se fait en consultation externe. Le patient reprend généralement ses activités après un à deux jours et la pratique de son sport après quelques semaines, conformément aux recommandations du médecin.

DÉCHIRURE DU TENDON D'ACHILLE

La déchirure traumatique du tendon d'Achille, généralement à l'intérieur de la gaine du tendon, est due à une contraction soudaine du mollet avec le pied solidement fixé sur le sol. Elle se manifeste par une douleur et une incapacité d'effectuer la flexion plantaire. Une intervention chirurgicale rapide permet généralement d'obtenir des résultats satisfaisants. Dans certains cas, un plâtre qui maintient la cheville en flexion plantaire doit être porté pendant six à huit semaines afin d'éviter l'intervention chirurgicale.

Résumé: Les blessures de l'appareil locomoteur ne touchent pas seulement les os et les muscles, mais aussi les tissus mous voisins (cartilages, tendons, ligaments, vaisseaux sanguins, nerfs). Elles se traitent notamment par immobilisation et élévation du membre blessé.

Les contusions sont causées par des coups et provoquent une infiltration de sang dans les tissus sous-cutanés. Les foulures sont des distensions des ligaments et les entorses des déchirures des ligaments. Toutes ces blessures exigent une immobilisation et une élévation visant à réduire l'œdème. La reprise graduelle de l'activité est essentielle à la réadaptation.

Les luxations sont des urgences médicales à cause des risques associés aux lésions des vaisseaux sanguins et des nerfs. Une réduction rapide et une reprise graduelle de l'activité permettent le rétablissement de la fonction articulaire.

Les blessures sont très courantes chez les sportifs amateurs qui dépassent les limites de leurs capacités physiques ou utilisent de l'équipement inadéquat. Les athlètes blessés veulent reprendre rapidement la pratique de leur sport, mais ils doivent comprendre l'importance des recommandations de leur médecin s'ils veulent prévenir les complications.

FRACTURES

Une fracture est une rupture dans la continuité d'un os. On la définit selon son type et sa gravité (figure 62-1). Elle se produit quand l'os est soumis à un effort qui dépasse sa résistance.

Les fractures peuvent être causées par un coup direct, un écrasement, un brusque mouvement de torsion ou même une contraction musculaire extrême.

Elles touchent bien sûr directement les os, mais aussi d'autres structures, ce qui peut provoquer des saignements dans les muscles et les articulations, des luxations, des

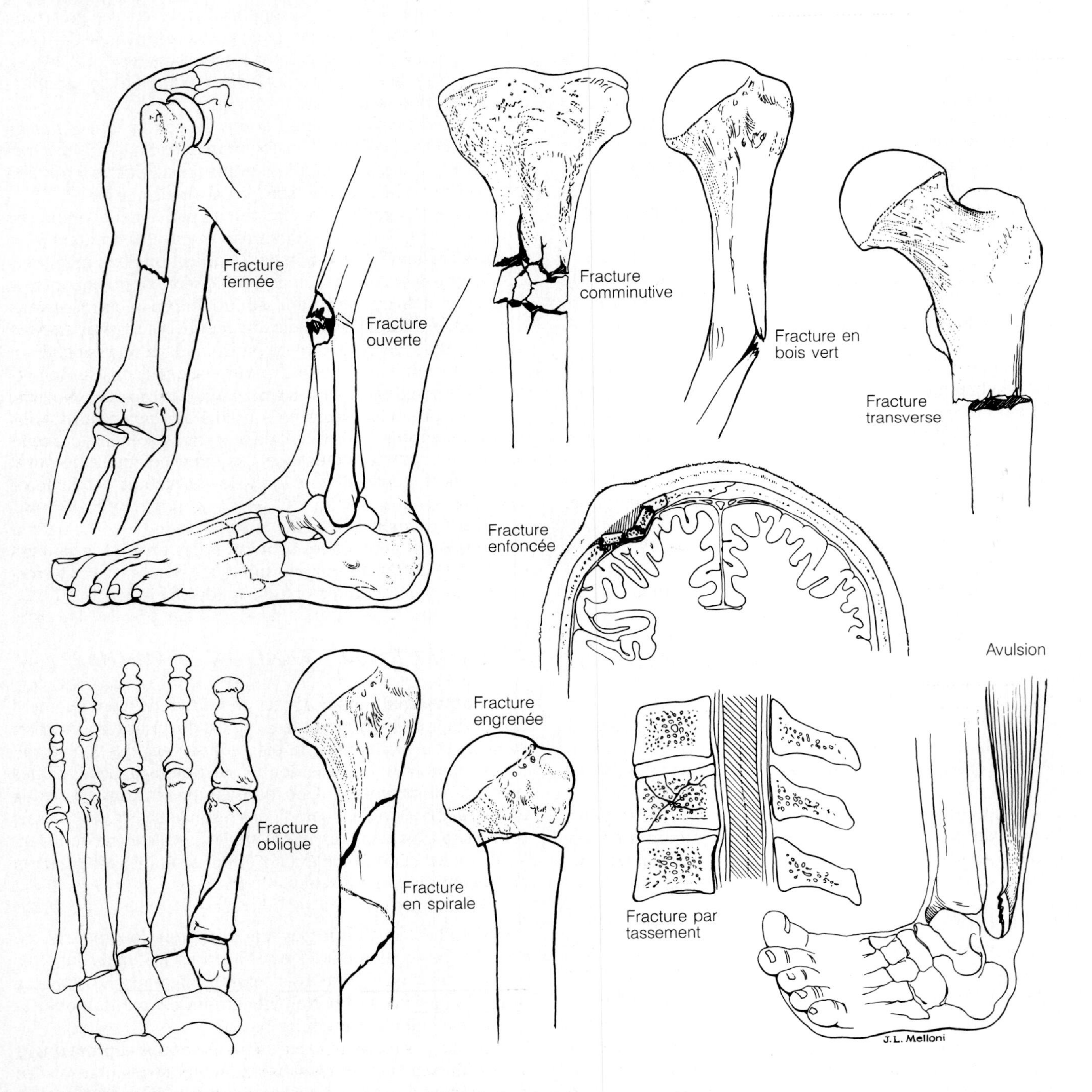

Figure 62-1. Types de fractures (D. S. Suddarth. *The Lippincott Manual of Nursing Practice,* 4ᵉ éd., Philadelphia, J. B. Lippincott, 1991)

déchirures des tendons et des lésions nerveuses et vasculaires. On peut aussi observer des lésions organiques dues au choc qui a provoqué la fracture ou à la présence de fragments osseux.

TYPES DE FRACTURES

Une *fracture complète* est la séparation de l'os en deux fragments, souvent avec déplacement (perte de l'alignement anatomique). Une *fracture incomplète* est une rupture partielle de l'os.

Une *fracture fermée* n'implique pas de rupture de la peau. Une *fracture ouverte* est une fracture dans laquelle les fragments osseux font saillie dans la peau ou les muqueuses. Les fractures ouvertes sont classées selon la gravité des lésions tissulaires : le stade I désigne une blessure propre de moins de 1 cm de profondeur, le stade II, une blessure plus profonde mais sans lésion étendue des tissus mous, et le stade III, des lésions tissulaires étendues.

On peut aussi classer les fractures selon qu'il y a ou non déplacement de l'os.

Voici la définition des différents types de fractures (figure 62-1)

Fracture en bois vert : fracture dans laquelle un côté de l'os est brisé et l'autre plié

Fracture transverse : fracture en ligne droite

Fracture oblique : fracture à angle (moins stable que la fracture transverse)

Fracture en spirale : fracture dont le trait est en spirale

Fracture comminutive : fracture dans laquelle il existe de nombreux fragments

Fracture enfoncée : fracture dans laquelle une partie de l'os est enfoncée vers l'intérieur (fréquent dans les fractures du crâne et du visage)

Fracture par tassement : fracture dans laquelle l'os est comprimé (fractures des vertèbres)

Fracture pathologique : fracture due à l'affaiblissement d'un os causé par une affection (kyste, maladie osseuse de Paget, métastases osseuses, tumeur)

Avulsion : Arrachement d'un fragment osseux par un ligament ou un tendon

Fracture épiphysaire : fracture des épiphyses

MANIFESTATIONS CLINIQUES

Les principales manifestations cliniques d'une fracture sont la douleur, une incapacité fonctionnelle, de faux mouvements, une déformation et un raccourcissement du membre atteint, une crépitation et une tuméfaction à la palpation, et une dyschromie.

1. La *douleur* est continue et s'intensifie généralement jusqu'à l'immobilisation des fragments osseux. Un spasme musculaire accompagne la fracture ; il s'agit d'une réaction de protection normale destinée à réduire le mouvement des fragments osseux.
2. Un membre fracturé se déplace de façon anormale (faux mouvement) et perd sa capacité fonctionnelle. Le déplacement des fragments osseux provoque une déformation (visible ou palpable) du membre, décelable quand on compare le membre atteint au membre sain. La capacité fonctionnelle du membre est altérée car le fonctionnement normal des muscles dépend de l'intégrité des os auxquels ils sont fixés.
3. Dans les cas de fractures des os longs, le membre est raccourci en raison de la contraction des muscles qui se trouvent adjacents au foyer de la fracture. Les fragments peuvent souvent se chevaucher sur 2,5 à 5 cm.
4. À la manipulation du membre atteint, on peut percevoir un grincement, appelé *crépitation*, causé par le frottement des fragments osseux les uns contre les autres. On peut donc aggraver les lésions tissulaires en provoquant les crépitations.
5. On note une tuméfaction localisée et une dyschromie reliées à l'inflammation et au saignement provoqué par le traumatisme. Ces symptômes n'apparaissent parfois que plusieurs heures ou plusieurs jours après la blessure.

Le diagnostic d'une fracture est basé sur la présente de ces signes et symptômes et sur les radiographies. Normalement, le patient est en mesure d'indiquer le siège de la fracture.

TRAITEMENT D'URGENCE

Immédiatement après une fracture, certains patients sont confus et tentent d'utiliser le membre brisé. S'il y a possibilité de fracture, il est important, avant de déplacer le patient, d'immobiliser la région atteinte avec une attelle ou un bandage afin de prévenir des lésions aux tissus mous. S'il faut déplacer le blessé avant de procéder à l'immobilisation, on doit soutenir le membre blessé sur et sous le foyer de la fracture en appliquant une traction selon le grand axe de l'os, ce qui prévient la rotation et le mouvement angulaire. Le déplacement des fragments de la fracture peut aviver la douleur, léser les tissus mous et aggraver l'hémorragie.

On peut immobiliser les os longs des membres inférieurs en attachant les deux jambes ensemble ; le membre sain sert alors d'attelle. On peut immobiliser un bras fracturé en l'attachant sur la poitrine, et un avant-bras en le plaçant dans une écharpe.

Il faut prendre les pouls périphériques en aval de la fracture pour s'assurer que la circulation sanguine n'est pas entravée et que l'irrigation tissulaire est suffisante.

Dans les cas de *fracture ouverte,* il faut recouvrir la blessure d'un pansement propre (stérile) pour prévenir la contamination des tissus plus profonds. Il ne faut pas tenter de réduire la fracture, même si un fragment osseux fait saillie de la plaie.

À l'admission au service des urgences, on procède à un examen complet du patient. On lui retire ses vêtements doucement, d'abord du côté sain, puis du côté atteint. Il faut déplacer le membre fracturé le moins possible pour éviter l'aggravation des blessures.

TRAITEMENT DES FRACTURES

Le traitement des fractures se fait notamment par une réduction et une ostéosynthèse, sous anesthésie générale. On rétablit la fonction et la force de l'os par la physiothérapie (encadré 62-1).

Réduction et ostéosynthèse. La réduction d'une fracture est la remise en position anatomique de l'os fracturé. L'ostéosynthèse permet la fixation des fragments osseux fracturés.

L'ostéosynthèse peut être externe ou interne. Les appareils de *fixation externe* sont notamment les bandages, les plâtres, les attelles, la traction continue, et les fixateurs externes. La *fixation interne* se fait notamment par des clous, des plaques, des vis, des fils et des tiges, qui jouent le rôle de fixateurs internes.

Il existe différentes méthodes de réduction des fractures; on choisit la méthode appropriée selon le type de la fracture. Les principes des différentes méthodes de réduction sont semblables. Normalement, on procède à la réduction le plus rapidement possible avant que les tissus ne perdent de leur élasticité à cause de l'œdème ou de saignements. Dans la plupart des cas, la réduction des fractures est plus difficile si l'os a commencé à se consolider.

Réduction fermée (simple). Dans la plupart des cas, la réduction fermée est pratiquée en replaçant les fragments osseux par *manipulation* et par *traction manuelle*.

Après la réduction, on maintient le membre fracturé dans la position voulue pendant qu'on l'immobilise avec un plâtre, une attelle ou un autre appareil. L'appareil de contention maintient la position du membre et le stabilise. Il faut ensuite prendre des radiographies pour s'assurer que les fragments osseux sont bien alignés.

Traction. On peut se servir de la traction pour procéder à la réduction de la fracture. Il faut ajuster la force de la traction à mesure que le spasme musculaire diminue. Les radiographies servent à vérifier la réduction de la fracture et le rapprochement des fragments osseux. Quand l'os commence à se régénérer, on constate la formation d'un cal osseux à la radiographie. Quand le cal est bien constitué, on retire la traction et on a recours à un plâtre pour contenir la fracture jusqu'à la consolidation. Le traitement par traction et les soins au patient en traction sont abordés en détail aux pages 2025 à 2030.

Réduction ouverte. Certaines fractures exigent une intervention chirurgicale. On a souvent recours dans ce cas à du matériel interne d'ostéosynthèse: broches, fils, vis, plaques, clous et tiges. Le matériel d'ostéosynthèse est fixé sur les côtés de l'os ou inséré dans la cavité médullaire (figure 62-2).

Maintien et rétablissement de la fonction. (Voir le chapitre 61, Démarches de soins infirmiers: Patients portant un plâtre; Patients en traction; Patients ayant subi une opération orthopédique.)

On doit mettre tout en œuvre pour favoriser la guérison de l'os et des tissus mous. On peut réduire la tuméfaction en élevant le membre fracturé et en y appliquant de la glace selon l'ordonnance. Il faut fréquemment vérifier les signes neurovasculaires du membre atteint (circulation sanguine, douleur, sensibilité, mouvement) et prévenir l'orthopédiste immédiatement si on observe des changements. On peut soulager l'agitation, l'anxiété et la douleur par différentes méthodes (changements de position, imagerie mentale, relaxation et administration d'analgésiques). L'infirmière doit inciter le patient à faire des exercices isométriques pour prévenir l'atrophie musculaire reliée à l'inactivité et stimuler la circulation sanguine. Elle doit aussi l'encourager à participer à ses soins afin d'accroître son autonomie et son estime de lui-même. La reprise graduelle des activités est encouragée dans les limites imposées par le traitement. Le chirurgien évalue la stabilité de la fracture et détermine en conséquence le mouvement et le poids que peut supporter le membre fracturé.

Encadré 62-1
Traitement des fractures

Objectifs du traitement des fractures

1. Replacer les fragments de l'os fracturé dans leur position anatomique normale (réduction).
2. Maintenir la réduction en place jusqu'à la consolidation complète des os (ostéosynthèse).
3. Favoriser le rétablissement de la fonction normale et de la force du membre atteint (réadaptation).

Méthodes de réduction des fractures

1. Réduction fermée (simple)
2. Traction
3. Réduction ouverte

Méthodes d'ostéosynthèse

1. Fixation externe
   a) Attelle
   b) Orthèse
   c) Plâtre
   d) Broches dans un plâtre
   e) Fixateur externe
   f) Traction
   g) Bandage
2. Fixation interne
   a) Clous
   b) Plaques
   c) Vis
   d) Broches
   e) Tiges

Réadaptation

1. Maintenir l'alignement corporel.
2. Surélever le membre atteint pour réduire la tuméfaction.
3. Surveiller les signes neurovasculaires.
4. Soulager l'anxiété et la douleur.
5. Encourager les exercices isométriques.
6. Encourager la participation aux activités de la vie quotidienne.
7. Favoriser la reprise graduelle des activités.

Facteurs influant sur la consolidation des fractures. La vitesse de consolidation des fractures est influencée par de nombreux facteurs (encadré 62-2). La réduction des fragments déplacés doit être précise et solide, en plus de permettre une irrigation adéquate du tissu osseux. L'âge du patient et le type de fracture influencent également la vitesse de consolidation. En général, les fractures des os plats (bassin, omoplate) guérissent assez rapidement. Les extrémités des os longs guérissent plus rapidement, car elles sont plus

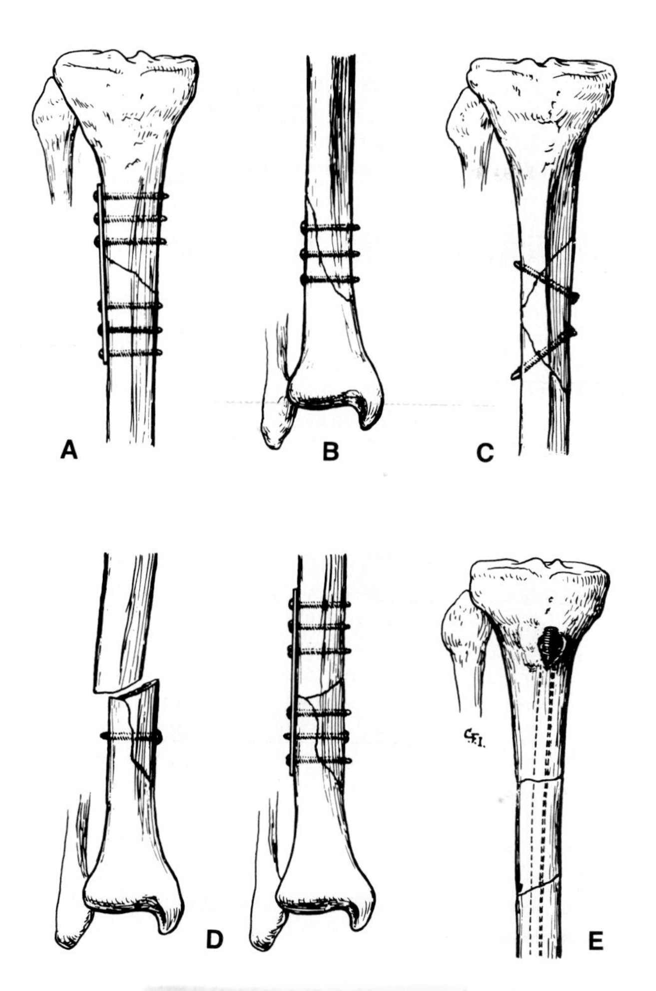

Figure 62-2. Techniques d'ostéosynthèse interne (**A**) Plaque et six vis pour une fracture transverse ou pour une fracture oblique courte (**B**) Vis pour une fracture oblique longue ou une fracture en spirale (**C**) Vis pour un fragment long en papillon (**D**) Plaque et six vis pour un fragment court en papillon (**E**) Clou médullaire pour une fracture segmentée
(Source : H. Smith, *Fractures*, Crenshaw AH (éd.), *Campbell's Operative Orthopaedics*, vol. 1, St-Louis, CV Mosby)

vascularisées et plus poreuses que le mi-corps. La mise en charge peut accélérer la consolidation des fractures stabilisées des os longs des membres inférieurs, en plus de réduire les risques d'*ostéoporose* par inactivité (réduction de la masse osseuse provoquant une diminution de la résistance des os). Voir le tableau 62-1 pour la vitesse approximative de la consolidation des fractures les plus courantes.

Certains facteurs peuvent retarder la consolidation d'une fracture : perte du caillot lors du débridement, dévitalisation des tissus adjacents à cause d'une mauvaise irrigation, espace trop grand entre les fragments osseux, interposition de tissu mou entre les fragments, processus d'ostéosynthèse inadéquat, infection, troubles métaboliques.

SOINS AUX PATIENTS AYANT SUBI UNE FRACTURE FERMÉE

Le patient ayant subi une fracture fermée doit reprendre ses activités quotidiennes le plus tôt possible. La consolidation de la fracture et le retour de la force et de la mobilité optimales du membre atteint peuvent prendre des mois. Le patient doit apprendre les exercices destinés à maintenir la force des muscles sains et à renforcer les muscles nécessaires à la marche. Il doit aussi apprendre à utiliser correctement une aide à la motricité. Enfin, l'infirmière doit évaluer les besoins du patient après son retour à la maison et avoir recours aux services communautaires si elle le juge nécessaire. Le plan d'enseignement doit porter notamment sur les moyens de réduire l'œdème et la douleur, sur le programme de rééducation, sur les médicaments et sur le dépistage des complications.

Voir le plan de soins infirmiers 62-1 pour les soins infirmiers de base à prodiguer aux patients ayant subi une fracture fermée.

TABLEAU 62-1. *Vitesse de consolidation de différentes fractures*

Foyer de la fracture	*Nombre de semaines*
Phalange (doigt)	3 à 5
Métacarpe	6
Carpe	6
Scaphoïde	10 (ou jusqu'à ce que les radiographies indiquent la consolidation)
Radius et cubitus	10 à 12
Humérus :	
Sus-condylien	8
Mi-corps	8 à 12
Proximal (engrené)	3
Proximal (déplacé)	6 à 8
Clavicule	6 à 10
Vertèbre	16
Bassin	6
Fémur :	
Intracapsulaire	24
Intratrochantérien	10 à 12
Corps	18
Sus-condylien	12 à 15
Tibia :	
Proximal	8 à 10
Corps	14 à 20
Malléole	6
Calcanéum	12 à 16
Métatarse	6
Phalange (orteil)	3

(Source : E. L. Compere et coll., *Pictorial Handbook of Fracture Treatment*, 5e éd., Chicago, Year Book Medical Publishers)

SOINS AUX PATIENTS AYANT SUBI UNE FRACTURE OUVERTE

Les fractures ouvertes se caractérisent par une plaie qui fait communiquer le foyer de la fracture avec l'extérieur. Elles peuvent dont se compliquer d'une *infection* : ostéomyélite,

Encadré 62-2
Facteurs influant sur la consolidation des fractures

Facteurs stimulant la consolidation des fractures

- Immobilisation
- Contact maximal entre les fragments osseux
- Irrigation suffisante
- Alimentation appropriée
- Exercice — mise en charge pour les os longs
- Hormones et vitamines — hormone de croissance, hormones thyroïdiennes, calcitonine, insuline, stéroïdes anabolisants, vitamines A et D
- Stimulation électrique

Facteurs freinant la consolidation des fractures

- Lésion locale importante
- Perte osseuse
- Mauvais alignement des fragments
- Espace et interposition entre les fragments osseux
- Infection
- Tumeur maligne
- Maladie osseuse métabolique (maladie de Paget, par exemple)
- Os irradié (nécrose par radiation)
- Nécrose avasculaire
- Fracture intra-articulaire (le liquide synovial contient des fibrolysines qui détruisent le caillot initial ou en retardent la formation)
- Âge (la consolidation des fractures est plus lente chez les personnes âgées)
- Corticostéroïdes (retardent la cicatrisation)
- Énervation

gangrène gazeuse et tétanos. Il est donc important que les soins visent à réduire les risques d'infection de la plaie, des tissus mous et de l'os, de même qu'à stimuler la guérison des tissus mous et de l'os.

À la salle d'opération, la plaie est débridée (débarrassée des corps étrangers et des tissus dévitalisés) et nettoyée. Des prélèvements par écouvillonnage pour cultures sont effectués pour dépister la présence de bactéries. On extrait habituellement les fragments osseux dévitalisés. Il arrive, quand l'os est sain, que l'on pratique une greffe osseuse pour relier les fragments osseux. On procède ensuite à l'ostéosynthèse et à la réparation des vaisseaux sanguins, des tissus mous, des muscles, des nerfs et des tendons.

Durant la période postopératoire immédiate, il est très important de surélever le membre atteint afin de réduire l'œdème. On doit aussi vérifier régulièrement les signes neurovasculaires. L'infirmière doit s'assurer que le patient ne présente pas de signes d'infection: fièvre, rougeur, douleur, écoulement purulent de la plaie.

Une plaie très contaminée doit être laissée ouverte. On la referme quand il est clairement établi que l'infection s'est résorbée. Il faut administrer des antibiotiques par voie intraveineuse pour prévenir ou traiter les infections. Habituellement, on administre une dose de rappel d'anatoxine tétanique.

COMPLICATIONS DES FRACTURES

Complications immédiates

Les complications immédiates des fractures sont le *choc*, l'*embolie graisseuse*, qui apparaît généralement dans les 48 heures, et le *syndrome du compartiment*, qui peut entraîner la perte permanente de la fonction du membre atteint s'il n'est pas traité rapidement, les *infections*, les *thrombo-embolies* (embolie pulmonaire) et la *coagulation intravasculaire disséminée.*

Choc. Comme les os sont très vascularisés, on peut observer d'importantes pertes de sang, surtout dans les fractures du fémur et du bassin. Un choc hypovolémique peut donc être fatal dans les heures qui suivent la blessure. Il est dû à une hémorragie interne ou externe et à la perte de liquide extracellulaire. Il peut survenir dans les cas de fractures des membres, du thorax, du bassin et de la colonne vertébrale.

On traite le choc en remplaçant le sang perdu, en immobilisant le membre atteint et en prévenant d'autres blessures.

Embolie graisseuse. L'embolie graisseuse est particulièrement fréquente chez les jeunes hommes (20 à 30 ans) ayant subi une fracture des os longs ou du bassin, des fractures multiples ou une fracture par tassement. Au moment de la fracture, la pression dans la moelle est supérieure à la pression capillaire. Un grand nombre de gouttelettes graisseuses peuvent alors s'infiltrer dans la circulation sanguine. Ces gouttelettes graisseuses se lient aux plaquettes et se déplacent dans la circulation pour aller bloquer les petits vaisseaux sanguins qui alimentent le cerveau, les poumons, les reins et d'autres organes. De plus, une hausse du taux des catécholamines, due au stress, provoque une mobilisation des acides gras. Les symptômes apparaissent subitement dans les quelques heures qui suivent la blessure ou dans la semaine qui suit. En général, ils se manifestent dans les 48 premières heures.

Le tableau clinique comprend de la tachycardie et des troubles neurologiques, tels une faible agitation et de la confusion, évoluant vers un délire et le coma.

Les principales manifestations respiratoires de l'embolie sont une tachypnée, une dyspnée, des douleurs thoraciques nécordiales, des craquements et des sifflements et de grandes quantités d'expectorations épaisses et blanches. L'analyse des gaz du sang artériel révèle une pO_2 inférieure à 60 mm Hg et une alcalose respiratoire suivie d'une acidose respiratoire. La radiographie pulmonaire révèle une infiltration en «tempête de neige».

Si l'embolisation est multiple et généralisée, le patient est pâle. On note la présence de pétéchies sur les membranes buccales, les sacs conjonctivaux, la voûte palatine, le fond de l'œil, la poitrine et les plis axillaires antérieurs. On peut aussi noter la présence de gouttelettes graisseuses dans les urines dans le cas d'embolies rénales.

- Si un patient ayant subi une fracture présente des changements de comportement, de l'agitation, de l'irritabilité ou de la confusion, il faut immédiatement obtenir une analyse des gaz du sang artériel. L'occlusion d'un grand nombre de petits vaisseaux peut causer une augmentation de la pression pulmonaire pouvant entraîner une insuffisance ventriculaire droite. L'œdème et l'hémorragie alvéolaire entravent le transport de l'oxygène, ce qui provoque une hypoxie.

Traitement. On peut réduire les risques d'embolie graisseuse en immobilisant rapidement la fracture et en manipulant le moins possible le membre fracturé. Il convient d'observer de près les patients susceptibles de développer cette complication. Aux premiers signes d'embolie graisseuse, il faut rapidement avoir recours à l'oxygénation et à la ventilation assistée.

Le traitement a pour objectif de maintenir la fonction respiratoire et de corriger les troubles homéostatiques. On obtient des analyses des gaz du sang artériel pour évaluer l'ampleur de l'atteinte respiratoire, car l'insuffisance respiratoire a souvent des conséquences fatales. On administre généralement de l'oxygène à forte concentration. On peut aussi avoir recours à la ventilation contrôlée avec pression positive en fin d'expiration pour prévenir ou réduire l'œdème pulmonaire. On peut administrer des stéroïdes pour traiter la réaction inflammatoire pulmonaire et l'œdème. Il est important de rassurer le patient et de soulager sa douleur. On peut lui administrer de la morphine.

L'embolie graisseuse est l'une des principales causes de décès chez les patients qui ont subi une fracture. Elle exige une assistance ventilatoire rapide. Le patient répond souvent au traitement dans les 48 heures.

Syndrome du compartiment. Le syndrome du compartiment est une complication due à une irrigation artérielle insuffisante du tissu musculaire. (Voir le chapitre 61.)

Autres complications précoces. Les thrombo-embolies, les infections (on considère que toutes les fractures ouvertes sont contaminées) et la coagulation intravasculaire disséminée sont d'autres complications des fractures. La coagulation intravasculaire disséminée se manifeste par différents troubles de la coagulation. Parmi ses nombreuses manifestations on note une atteinte tissulaire étendue. Elle se caractérise notamment par des ecchymoses, et des hémorragies spontanées des muqueuses, de même que des voies gastro-intestinales et urinaires. Voir le chapitre 17 pour le traitement de la coagulation intravasculaire disséminée.

Complications tardives

Retard de la consolidation ou absence de soudure. On parle d'un retard de la consolidation d'un os quand la guérison de l'os ne progresse pas normalement, et d'*absence de soudure* quand les extrémités d'une fracture ne se réunissent pas. Ces complications se manifestent par des douleurs persistantes et une instabilité au niveau du foyer de la fracture. Les principaux facteurs qui contribuent aux troubles de consolidation sont l'infection, une interposition entre les fragments osseux, un défaut d'ostéosynthèse, un mauvais contact entre les fragments et une réduction de l'irrigation sanguine.

Dans les cas d'absence de soudure, du tissu fibreux se forme entre les fragments osseux, mais il y a absence de calcification. Une fausse articulation (*pseudarthrose*) s'établit souvent au foyer de la fracture. L'absence de soudure se produit le plus souvent dans les fractures du tiers moyen de l'humérus et du col du fémur (chez les personnes âgées), et du tiers inférieur du tibia.

On peut traiter l'absence de soudure par une *greffe osseuse*. On avive chirurgicalement les fragments osseux et on traite l'infection s'il y a lieu. On place ensuite un greffon, provenant habituellement de la crête iliaque. Le greffon forme un treillis favorisant la migration des cellules osseuses. La greffe exige une immobilisation totale.

Stimulation électrique de l'ostéogenèse. Dans les cas d'absence de soudure, on peut stimuler l'ostéogenèse par des impulsions électriques. La stimulation électrique modifie le milieu tissulaire pour accélérer la calcification et l'ossification. Elle est presque aussi efficace que la greffe osseuse, à moins que l'espace entre les fragments osseux ne soit trop important ou qu'il y ait pseudarthrose synoviale.

Dans certains cas, on fait passer un courant continu, en utilisant comme cathode des broches insérées directement dans le foyer de la fracture. On ne peut pas utiliser cette méthode s'il y a infection.

Nécrose aseptique des os. La nécrose aseptique des os est une destruction d'une portion du tissu osseux dont l'irrigation est supprimée. Elle peut survenir lorsque les vaisseaux nourriciers de l'os ont été sectionnés à la suite d'une fracture (surtout du col du fémur) ou d'une luxation ; elle est aussi associée à la prise prolongée de fortes doses de stéroïdes, à l'insuffisance rénale chronique et à d'autres maladies. L'os dévitalisé peut se tasser, ou être réabsorbé et remplacé par du tissu osseux neuf. La nécrose aseptique des os se manifeste par de la douleur et une perte de mobilité. Les radiographies révèlent une perte de calcium et un tassement de la structure osseuse. On traite généralement cette complication par une greffe osseuse, par la pose d'une prothèse ou par la fusion articulaire (*arthrodèse*).

Réaction au matériel de fixation interne. On peut retirer le matériel d'ostéosynthèse interne quand la consolidation de la fracture est complète, mais on ne le fait que si certains symptômes se manifestent, comme une douleur et une perte de fonction du membre atteint, ce qui est très rare. Les complications associées au matériel d'ostéosynthèse interne sont un défaut mécanique (relié à une insertion et une stabilisation inadéquates), un bris, la corrosion (qui peut causer une inflammation localisée), une réaction allergique à l'alliage qui compose le matériel, et un remodelage ostéoporotique au niveau de la région affectée. Quand on retire le matériel, on doit protéger l'os d'une nouvelle fracture causée par l'ostéoporose, par une modification de la structure osseuse ou par un accident.

FOYERS DE FRACTURE PARTICULIERS

Les fractures peuvent être bénignes (comme la fracture simple linéaire) ou graves (comme la fracture par tassement). Le traitement dépend du type et du foyer de la fracture, ainsi que de l'ampleur des lésions aux structures adjacentes. L'objectif du traitement d'une fracture est le rétablissement complet de la fonction de la région atteinte.

Fractures du squelette appendiculaire

M sup
M Inf

Fractures de la clavicule

Une fracture de la clavicule est généralement causée par une chute sur l'épaule ou par un coup direct à l'épaule. Des blessures à la tête et aux vertèbres cervicales y sont souvent associées.

Plan de soins infirmiers 62-1

Patient ayant subi une fracture fermée

Interventions infirmières	*Justification*	*Résultats escomptés*
Diagnostic infirmier: Douleur reliée à la fracture ***Objectif:*** Soulagement de la douleur		
1. Demander au patient de décrire la douleur et d'en indiquer le siège et l'intensité.	1. Les fractures et les lésions tissulaires sont généralement accompagnées de douleur et de sensibilité; des spasmes musculaires s'observent en réaction à la blessure.	• Le patient peut décrire sa douleur et en indiquer le siège et l'intensité. • Le patient maintient le membre atteint élevé. • Il maîtrise l'œdème; les signes neurovasculaires du membre atteint sont satisfaisants. • Il connaît les moyens de soulager la douleur et de réduire la tuméfaction. • Il fait des exercices actifs et passifs des articulations non immobilisées; il change souvent de position. • Il connaît les signes et symptômes de complications neurovasculaires. • Il est soulagé de la douleur.
2. Utiliser les moyens appropriés pour soulager la douleur:		
a) Immobiliser et soutenir le membre atteint lors des déplacements.	a) Prévient d'autres blessures; stabilise les fragments de l'os fracturé.	
b) Surélever le membre blessé à la hauteur du cœur.	b) Réduit l'œdème.	
c) Appliquer des vessies de glace, selon l'ordonnance du médecin.	c) Réduit la douleur, l'hémorragie et l'œdème.	
d) Évaluer les signes neurovasculaires.	d) L'œdème et l'hémorragie dans les tissus blessés sont douloureux; une douleur irréductible peut indiquer un syndrome du compartiment.	
e) Administrer régulièrement des analgésiques selon l'ordonnance du médecin.	e) Les analgésiques sont plus efficaces au début du cycle de la douleur.	
f) Proposer des méthodes douces comme l'imagerie mentale, etc.	f) Ces méthodes permettent de mieux tolérer la douleur.	
3. Donner au patient et à sa famille de l'information sur les interventions infirmières destinées à soulager la douleur, à réduire la tuméfaction et à guérir les tissus endommagés.	3. Lorsque le patient et sa famille connaissent les buts des interventions infirmières, ils collaborent davantage aux soins prodigués.	
4. Inciter le patient à faire des exercices actifs et passifs des articulations non immobilisées et à changer de position fréquemment tout en respectant les limites imposées par l'appareil de contention.	4. La compression des saillies osseuses et l'inactivité provoquent de la douleur et retardent la guérison.	
5. Dépister les signes neurovasculaires anormaux: a) Augmentation de la douleur b) Diminution ou disparition du pouls distal c) Augmentation de la tuméfaction d) Diminution de la vitesse de remplissage capillaire e) Diminution de la mobilité du membre f) Sensations anormales	5. Il importe de dépister rapidement une altération des signes neurologiques pour prévenir une perte fonctionnelle permanente.	

Plan de soins infirmiers 62-1 (suite)

Patient ayant subi une fracture fermée

Interventions infirmières	Justification	Résultats escomptés
Diagnostic infirmier : Déficit d'autosoins relié à un sentiment d'impuissance		
Objectif : Amélioration de la capacité d'effectuer ses autosoins		
1. Inciter le patient à exprimer ses émotions et à parler de sa situation et des problèmes qu'elle lui cause. Faire de l'écoute active.	1. Les fractures altèrent la capacité du patient à effectuer ses autosoins et modifient son mode de vie. Il doit souvent cesser de travailler pendant un certain temps. La situation entraîne donc une modification soudaine des habitudes de vie et des projets, ce qui exige le recours à des mécanismes d'adaptation.	• Le patient parle de sa blessure et de ses répercussions sur sa vie. • Il utilise les ressources offertes et les mécanismes d'adaptation pour réduire son anxiété. • Il participe à l'établissement du plan de soins. • Il participe à ses soins.
2. Favoriser la participation des proches aux soins au patient.	2. Le patient peut avoir besoin d'aide dans ses activités quotidiennes. Ses proches représentent sa plus importante source de soutien.	
3. Faire participer le patient aux décisions concernant les soins et le traitement.	3. La participation aux décisions concernant les soins et le traitement favorise l'estime de soi et prévient le sentiment d'impuissance.	

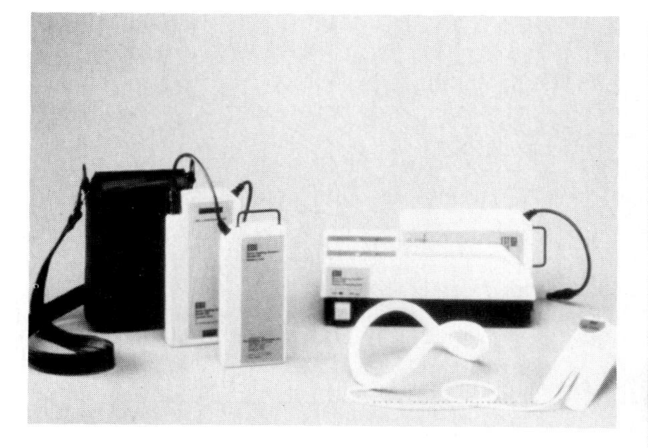

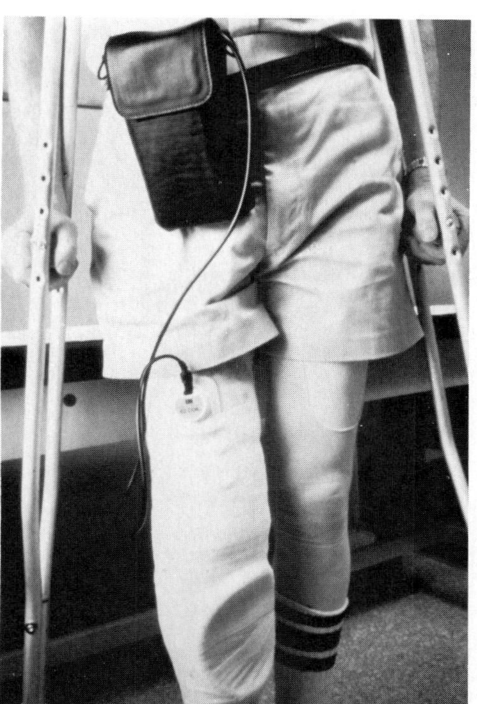

Figure 62-3. Stimulateur électromagnétique utilisé pour la consolidation des os. Des impulsions électromagnétiques générées par une bobine insérée dans le plâtre stimulent la croissance osseuse (ostéogenèse) au foyer de la fracture. Il s'agit d'un appareil portatif qui fonctionne à piles. On l'utilise 10 à 12 heures par jour.
(Source : EBI Medical Systems, Inc., Fairfield, New Jersey)

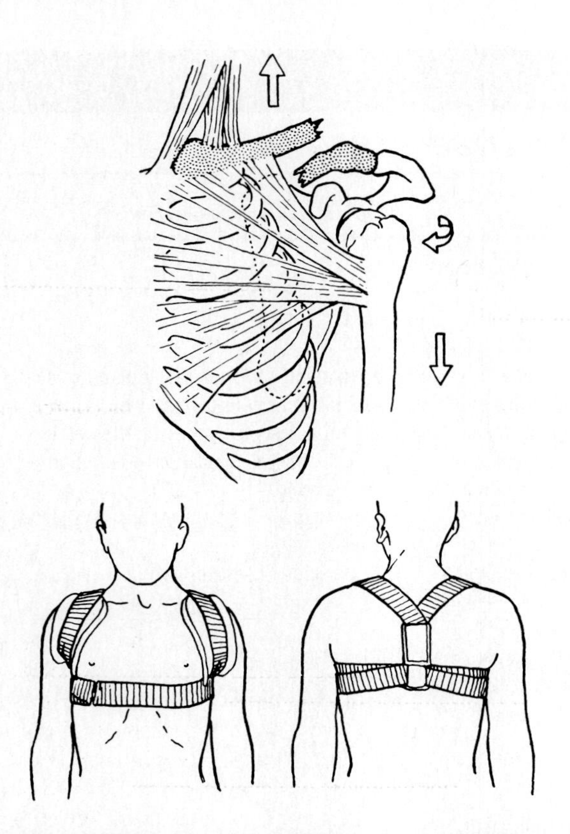

Figure 62-4. Fracture de la clavicule (**Haut**) Vue antéropostérieure, déplacement caractéristique d'une fracture médioclaviculaire (**Bas**) Immobilisation à l'aide d'une écharpe
(Source: J. D. Hardy, *Rhoads' Textbook of Surgery*, Philadelphia, J. B. Lippincott)

La clavicule retient l'épaule au tronc dans les mouvements vers le haut, vers l'extérieur et vers l'arrière. Donc, la victime d'une fracture de la clavicule doit prendre une position qui prévient les mouvements de l'épaule; elle baisse l'épaule et immobilise le bras. Le but du traitement est donc de réduire la fracture et de maintenir l'épaule dans une position stable.

Plus de 80 % des fractures de la clavicule se situent au milieu ou aux deux tiers internes de la clavicule. Dans la position de réduction, l'épaule est repoussée vers l'arrière. On peut utiliser un plâtre, un bandage en huit ou une écharpe spéciale (figure 62-4) pour maintenir cette position. Quand on utilise une écharpe, les aisselles doivent être protégées par du rembourrage pour empêcher une lésion par compression du plexus brachial ou de l'artère axillaire. On doit vérifier régulièrement les signes neurovasculaires des deux bras.

On traite les fractures stables du tiers distal de la clavicule (sans déplacement ou déchirure de ligaments) à l'aide d'une écharpe et d'un bandage élastique qui restreint les mouvements du bras. Les fractures du tiers distal accompagnées d'une déchirure du ligament coracoclaviculaire se traitent par ostéosynthèse interne.

Les complications des fractures de la clavicule sont notamment les lésions des nerfs du plexus brachial, les lésions des veines ou des artères sous-clavières et le cal vicieux.

Enseignement au patient et soins à domicile. L'infirmière doit recommander au patient de ne pas lever le bras plus haut que l'épaule jusqu'à la consolidation de la fracture (environ six semaines). Elle doit par contre l'inciter à faire des exercices pour le coude, le poignet et les doigts, dès que possible. Après la consolidation, des exercices (figure 62-5) permettent de rétablir la pleine amplitude de mouvement de l'épaule. Le patient doit éviter les exercices violents pendant trois mois.

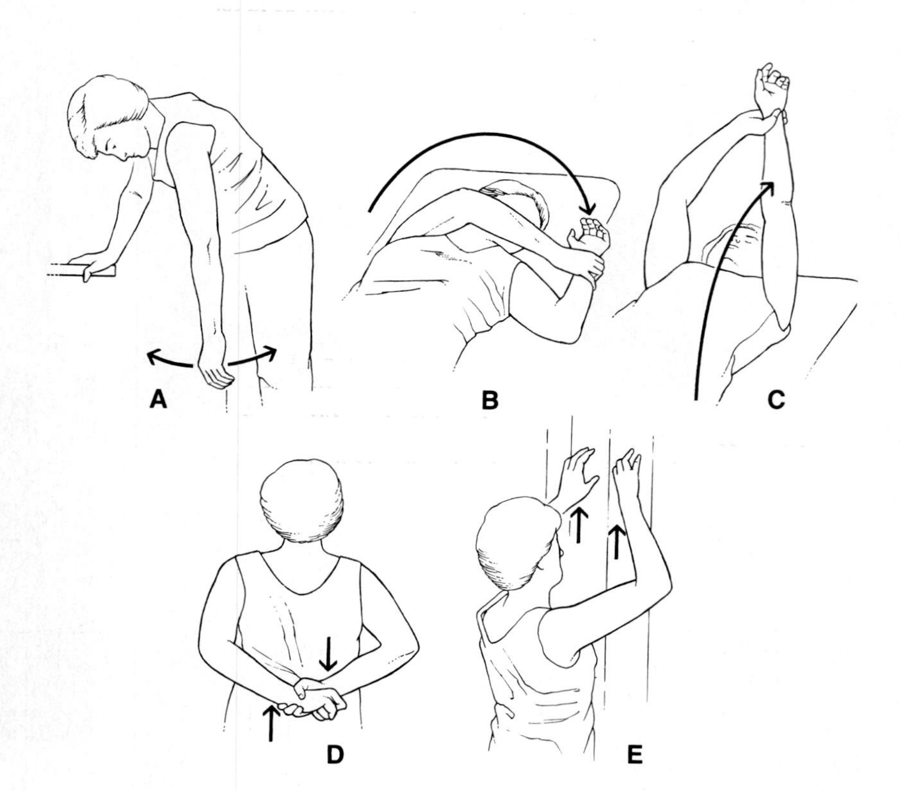

Figure 62-5. Exercices d'amplitude des mouvements de l'épaule (**A**) Pendule (**B**) Rotation externe (**C**) Élévation (**D**) Rotation interne. Pour tous ces exercices, on utilise la force du bras sain. (**E**) Mouvements d'escalade sur un mur

Fractures des membres supérieurs

Fractures du col de l'humérus. Les fractures de l'humérus proximal peuvent se situer au niveau du col anatomique ou du col chirurgical de l'humérus. Le col anatomique se trouve directement sous la tête de l'humérus et le col chirurgical sous les tubercules. Les fractures du col chirurgical engrenées se retrouvent le plus souvent chez des femmes âgées qui sont tombées sur le bras.

Il est alors essentiel d'évaluer les signes neurovasculaires du membre blessé pour connaître l'étendue des dommages et s'assurer de l'intégrité du faisceau vasculonerveux (nerfs et vaisseaux sanguins).

Un grand nombre des fractures du col chirurgical engrenées ne sont pas déplacées et n'exigent donc pas une réduction. On les immobilise à l'aide d'une écharpe et de bandages qui retiennent le bras sur le tronc (figure 62-6). On place un coussinet doux sous l'aisselle pour absorber l'humidité et éviter les lésions de l'épiderme. L'inactivité entraîne une restriction de l'amplitude de mouvement et une raideur de l'épaule. Par conséquent, le patient doit faire des exercices dès que possible. Quand il exécute le mouvement du balancier ou une circumduction, il doit se pencher vers l'avant et laisser le bras atteint faire un mouvement d'abduction et de rotation (figure 62-5). On peut mobiliser l'articulation sans risque de déplacer les fragments de la fracture si on respecte les limites imposées par la douleur.

Les fractures non déplacées du col de l'humérus se consolident normalement en six à huit semaines. Le patient doit ensuite éviter les exercices violents, comme le tennis, pendant quatre semaines. Une raideur, de la douleur et une certaine restriction de l'amplitude de mouvement peuvent persister pendant six mois.

Les fractures déplacées du col de l'humérus, se traitent par une réduction fermée avec confirmation par radiographie, par une réduction ouverte, ou par le remplacement de la tête de l'humérus par une prothèse. Ces fractures exigent une certaine période d'immobilisation.

Fractures du corps de l'humérus. Les fractures du corps de l'humérus sont principalement dues: (1) à un trauma direct (fractures transverse, oblique ou comminutive); (2) à une torsion indirecte (fracture en spirale). Elles s'accompagnent parfois de lésions des nerfs et des vaisseaux sanguins. Une main tombante indique une atteinte du nerf radial. Il est essentiel de procéder à une évaluation initiale de l'état neurovasculaire pour être en mesure de distinguer les dommages causés par la blessure de ceux associés aux complications du traitement.

Souvent, le poids de la main peut aider à corriger un déplacement, ce qui évite le recours à la chirurgie. S'il s'agit d'une fracture oblique, en spirale ou déplacée avec raccourcissement du corps de l'humérus, on peut utiliser un plâtre qu'on laisse pendre librement quand le patient est debout, de sorte que son poids exerce une traction sur le grand axe du bras. On doit recommander au patient de dormir dans une position verticale pour que la traction s'exerce continuellement. Les complications de ce type de plâtre sont une traction trop forte qui éloigne les fragments osseux, et une déviation.

Dès que le plâtre est posé, on peut commencer les exercices des doigts. On utilise le mouvement de balancier pour conserver l'amplitude des mouvements de l'épaule. Des exercices isométriques préviennent l'atrophie musculaire.

Après le retrait du plâtre, on place le bras en écharpe et on commence les exercices de l'épaule, du coude et du poignet. Les fractures du corps de l'humérus guérissent normalement en 10 semaines si elles sont traitées par un plâtre de ce genre.

Chez les personnes âgées qui ne peuvent supporter le plâtre, une écharpe et des bandages (figure 62-6) assurent le bien-être et l'immobilisation. Les exercices de l'épaule débutent après trois semaines.

On peut utiliser un spica de l'épaule au début du traitement pour les fractures instables de l'humérus. On utilise parfois une traction transosseuse chez les patients qui doivent

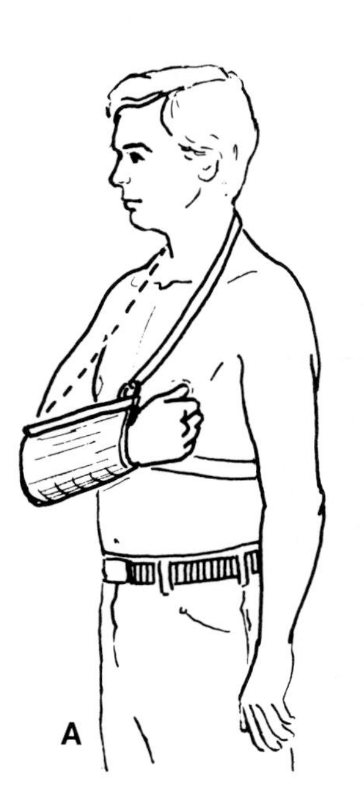

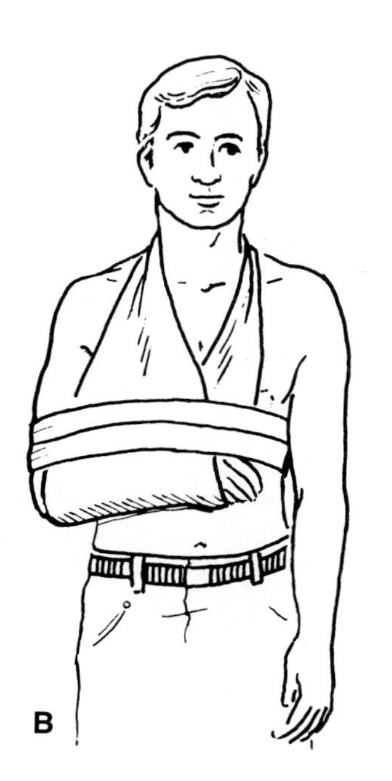

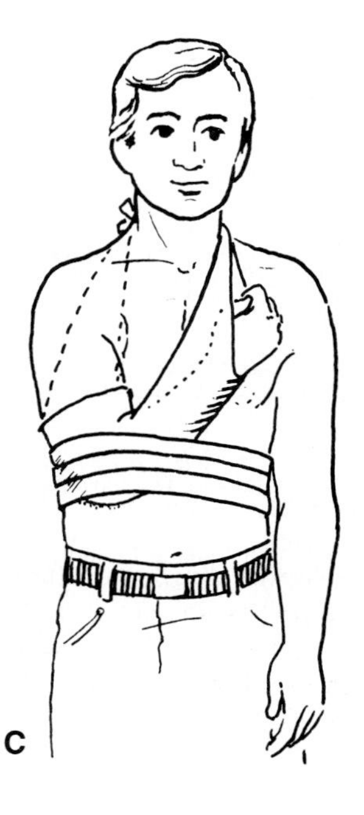

Figure 62-6. Types de bandages utilisés pour immobiliser les fractures de l'humérus proximal (**A**) Écharpe et bandage qui ne compriment pas le cou et sont faciles à enlever lors des soins d'hygiène. (**B**) Écharpe et bandage traditionnels. (**C**) Bande Velpeau utilisée quand le col chirurgical de l'humérus est instable; le bras est placé dans une position qui favorise le relâchement du muscle grand pectoral.

(Source: C. A. Rockwood et D. P. Green, *Fractures,* Philadelphia, J. B. Lippincott)

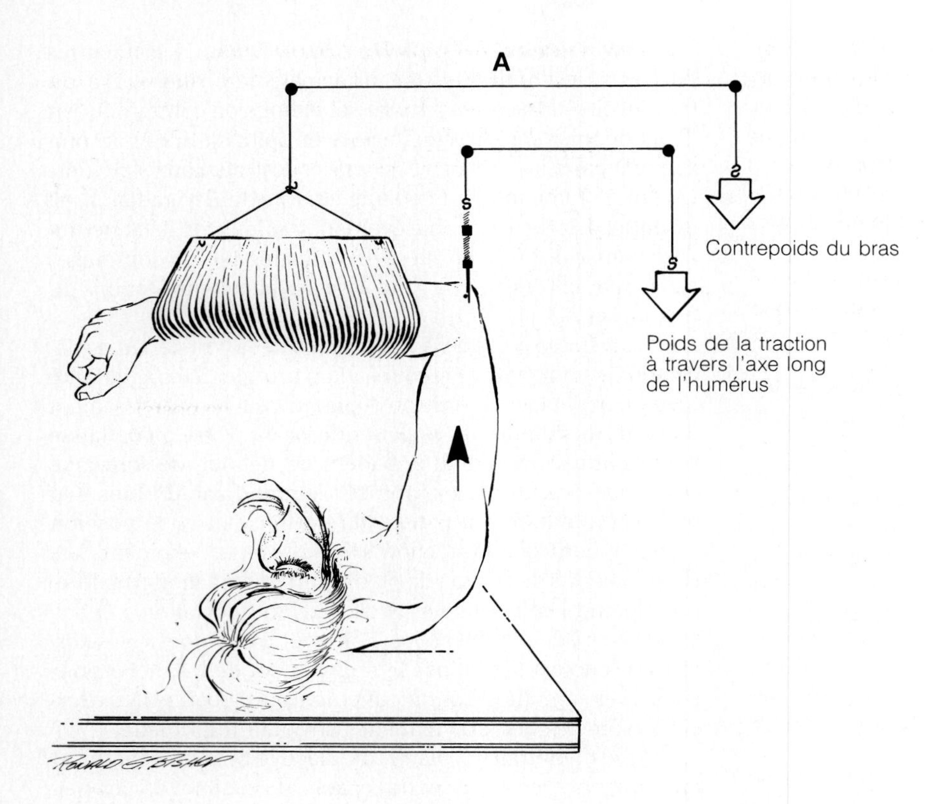

Figure 62-7. Traction du bras au-dessus du visage utilisée pour les fractures sus-condyliennes. Elle réduit la tuméfaction grâce à la surélévation du membre.
(Source: R. C. Lewis, *Handbook of Traction, Casting and Spliting Techniques*, Philadelphia, J. B. Lippincott)

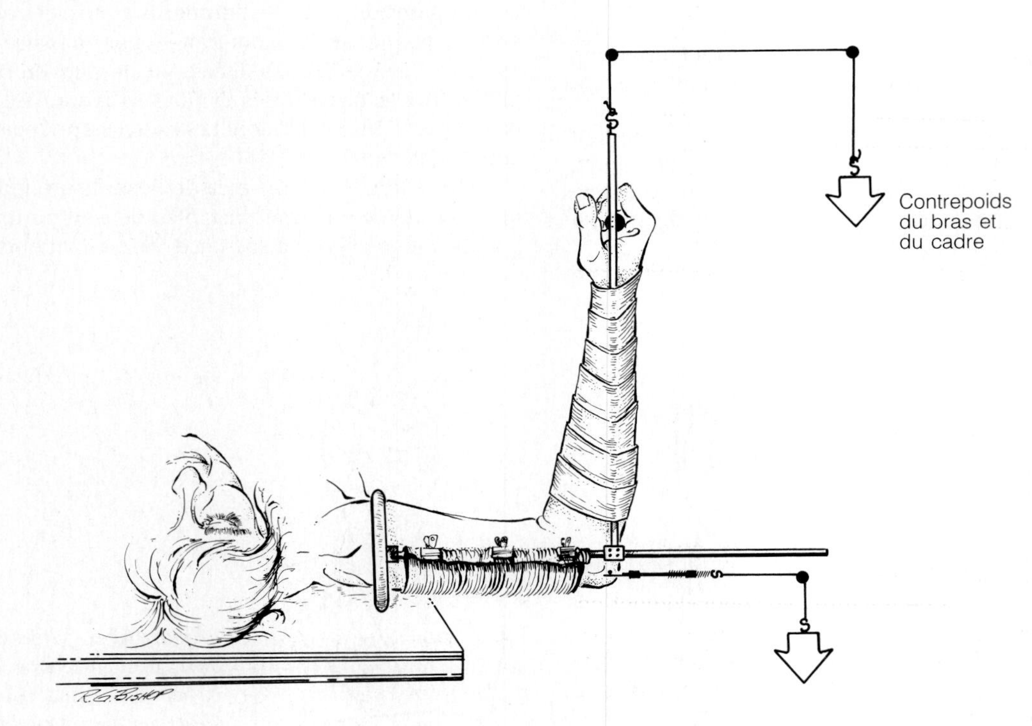

Figure 62-8. Traction latérale équilibrée du bras. On glisse le bras dans l'anneau jusqu'à l'épaule. L'attache verticale peut être déplacée pour respecter la longueur de l'humérus. On place une écharpe en tissu sur le segment horizontal pour soutenir le bras. L'olécrâne, dans lequel la broche est insérée, est légèrement à l'extérieur du plan vertical pour permettre une traction libre. L'avant-bras est placé entre deux supports verticaux et entouré d'un bandage élastique. On attache une corde à la partie verticale, et on la passe dans les poulies. On y place un poids pour contrebalancer le poids du bras et du cadre. La traction transosseuse est ensuite appliquée à travers la broche insérée dans l'olécrâne.
(Source: R. C. Lewis, *Handbook of Traction, Casting and Spliting Techniques*, Philadelphia, J. B. Lippincott)

rester alités à cause d'autres blessures (figures 62-7 et 62-8). Il faut inciter ces patients à faire des exercices actifs de la main et du poignet.

On traite souvent les fractures ouvertes du corps de l'humérus à l'aide de fixateurs externes (chapitre 61). Une réduction ouverte est nécessaire si le traitement avec un plâtre pendant est contre-indiqué à cause d'une paralysie, d'une fracture pathologique, d'une maladie de système ou d'une affection neurologique (maladie de Parkinson, par exemple).

Fractures du coude. Les principales causes des fractures de l'humérus distal sont les accidents de la route, les chutes sur le coude en flexion ou extension, ou les coups directs. Ces fractures peuvent s'accompagner de lésions des nerfs médian, radial ou cubital. On doit examiner le patient afin de déterminer la présence de paresthésies ou de signes d'une diminution de la circulation dans l'avant-bras et la main. Le *syndrome de Volkmann* est la complication la plus grave de la fracture sus-condylienne de l'humérus (figure 61-2).

L'infirmière doit évaluer les signes neurovasculaires de l'extrémité blessée afin d'éviter des lésions irréversibles. Elle doit entre autres procéder aux interventions suivantes :

- Examiner la main du côté atteint en la comparant à celle du côté opposé pour évaluer la couleur de la peau, la présence d'œdème, la vitesse de remplissage capillaire du lit de l'ongle et la température.
- Déterminer la présence de paresthésies (sensation de picotement et de brûlure) dans le membre atteint ; celles-ci peuvent indiquer une lésion nerveuse ou une ischémie.
- Vérifier la mobilité des doigts.
- Prendre le pouls radial. S'il faiblit ou disparaît, l'infirmière doit *immédiatement* en informer le chirurgien orthopédique.
- Mesurer directement la pression tissulaire conformément à l'ordonnance du médecin.

Les autres complications des fractures de l'humérus distal sont les lésions des surfaces articulaires et l'*hémarthrose* (épanchement de sang dans une articulation). Dans les cas d'hémarthrose, le médecin doit ponctionner le sang pour réduire la pression et la douleur.

Pour traiter une fracture du bras, on procède rapidement à une réduction et stabilisation. Quand l'œdème se résorbe et que la consolidation évolue, on entreprend un programme d'exercice progressif. Dans le cas d'une fracture sans déplacement, le bras est immobilisé dans un plâtre ou une attelle et le coude est gardé fléchi à un angle de 45 à 90°.

On peut également soutenir le coude avec un bandage de compression ou une écharpe.

En général, on place une fracture avec déplacement en traction, ou on procède à une réduction ouverte avec ostéosynthèse interne. Parfois, les fragments osseux sont extraits. On doit alors procurer un soutien additionnel au membre à l'aide d'une attelle plâtrée.

On doit inciter le patient à pratiquer des exercices actifs des doigts. On peut commencer par de légers exercices d'amplitude de mouvement de l'articulation atteinte environ une semaine après l'ostéosynthèse, ou après deux semaines dans le cas d'une fracture sans déplacement avec réduction fermée. Les exercices accélèrent la guérison des articulations lésées en activant la circulation du liquide synovial dans le cartilage. On recommande des exercices actifs du coude pour éviter une perte permanente de mobilité.

Fractures du radius et du cubitus

Fractures de la tête du radius. Les fractures de la tête du radius sont courantes. Elles résultent généralement d'une chute sur la main ouverte avec le coude en extension. S'il y a accumulation de sang dans l'articulation du coude (*hémarthrose*), on ponctionne le sang afin de soulager la douleur et de permettre au patient de recouvrer rapidement une bonne amplitude de mouvement. On immobilise les fractures sans déplacement par une écharpe. Les exercices actifs d'amplitude de mouvement peuvent être commencés un à deux jours après la blessure.

Certaines fractures avec déplacement exigent une excision chirurgicale de la tête du radius. Après l'intervention, le bras est immobilisé dans une attelle plâtrée en face postérieure et une écharpe. On doit inciter le patient à suivre un programme d'exercices actifs du coude et de l'avant-bras, conformément à l'ordonnance médicale.

Fractures du corps du radius et du cubitus. Les fractures du corps des os de l'avant-bras sont plus fréquentes chez les enfants. Le radius, le cubitus, ou les deux os, peuvent se fracturer à différents endroits. Il y a souvent déplacement quand les deux os sont fracturés.

Les mouvements de pronation et de supination de l'avant-bras doivent être maintenus grâce à une bonne position anatomique et à un alignement approprié.

Si les fragments ne sont pas déplacés, on traite la fracture par réduction fermée et par la mise en place d'un plâtre long qui couvre une partie du bras et descend jusqu'au pli palmaire proximal.

Il est important de vérifier les signes neurovasculaires de la main après la mise en place du plâtre. Pour réduire l'œdème, on surélève le bras et on incite le patient à faire des exercices de flexion et d'extension des doigts plusieurs fois par jour. Des exercices actifs de l'épaule sont également recommandés. On vérifie la stabilité de la réduction et l'alignement de la fracture par radiographie.

Le bras doit être immobilisé pendant environ 12 semaines. Durant les six dernières semaines, on peut utiliser une orthèse de l'avant-bras pour permettre des exercices du poignet et du coude.

On traite les fractures avec déplacement par une réduction ouverte avec ostéosynthèse au moyen d'une plaque avec vis, clous intramédullaires ou tiges. En général, on immobilise le bras dans une attelle plâtrée, un plâtre ou un bandage compressif. On peut aussi stabiliser les fractures ouvertes avec un fixateur externe. On surélève le bras pour réduire l'œdème et on vérifie fréquemment l'état neurovasculaire. Le patient peut faire des exercices du coude, du poignet et de la main tout en respectant les limites imposées par l'appareil de contention.

Fractures du poignet

Les fractures de l'extrémité inférieure du radius (fracture de Pouteau-Colles) sont courantes. Elles sont souvent causées par une chute sur la main ouverte en flexion dorsale. Elles sont fréquentes chez les femmes âgées qui souffrent d'ostéoporose. Elles se caractérisent par une déformation du poignet, une déviation, de la douleur, de l'œdème, une faiblesse musculaire, une perte de mobilité des doigts et des engourdissements.

On les traite par réduction fermée et la mise en place d'un plâtre. Pour les fractures plus graves, on doit utiliser une broche de Kirschner ou un fixateur externe pour stabiliser la réduction. On doit ensuite surélever l'avant-bras et le poignet pendant 48 heures.

Le patient doit commencer le plus tôt possible les exercices des doigts, du coude et de l'épaule et se servir de la main blessée pour effectuer ses activités quotidiennes. On recommande l'exercice suivant pour les doigts:

1. Tenir la main à la hauteur du cœur.
2. Étendre complètement les doigts, puis les fléchir. Garder la flexion, puis la relâcher. Répéter cet exercice au moins 10 fois toutes les 30 minutes pendant les heures de veille.

Les doigts peuvent enfler en raison de la diminution du retour veineux et lymphatique. On vérifie la fonction sensorielle du nerf médian en piquant la face distale de l'index. On vérifie la fonction motrice en demandant au patient de toucher l'auriculaire avec le pouce. Il faut corriger rapidement les altérations neurovasculaires en décomprimant le plâtre ou les bandages constrictifs.

Fractures de la main

Comme les fractures de la main sont souvent complexes, surtout dans les cas où une chirurgie reconstructive est nécessaire, on conseille au lecteur de se reporter aux ouvrages spécialisés sur ce sujet. Le traitement a toujours pour objectif de rétablir la fonction de la main.

Dans le cas d'une fracture sans déplacement de la troisième phalange, on immobilise le doigt dans une attelle pendant trois à quatre semaines pour soulager la douleur et le protéger des blessures. Les fractures avec déplacement et les fractures ouvertes peuvent exiger une réduction ouverte avec ostéosynthèse.

On doit vérifier fréquemment les signes neurovasculaires de la main atteinte et réduire l'œdème en surélevant la main. L'infirmière doit encourager l'utilisation des régions intactes de la main.

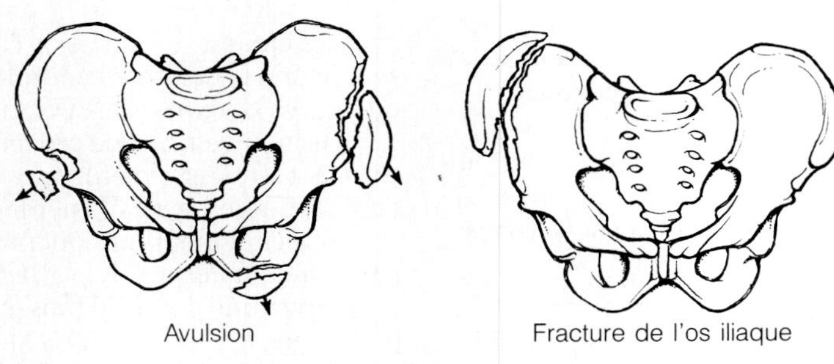

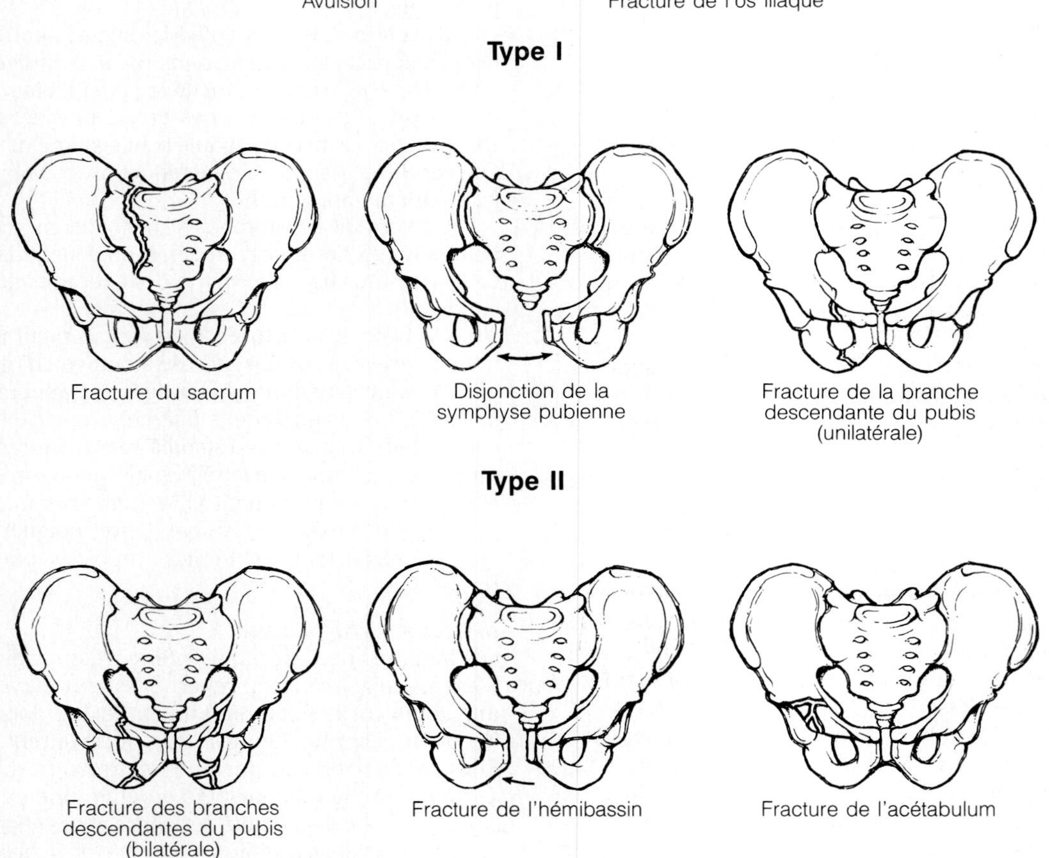

Figure 62-9. Fractures du bassin

Fractures du bassin

Le bassin est formé des deux os iliaques réunis en avant par la symphyse pubienne et en arrière par le sacrum et le coccyx. La gravité des fractures du bassin varie beaucoup (figure 62-9). La plupart d'entre elles guérissent rapidement car les os iliaques sont bien vascularisés.

Les fractures stables du bassin sont de deux types. Les fractures de *type I* touchent une seule branche descendante du pubis ou de l'ischion, le sacrum ou le coccyx, mais non l'anneau pelvien. Les fractures de *type II* sont les plus courantes. Il s'agit des fractures simples de l'anneau pelvien, qui touchent les deux branches descendantes du pubis. L'alitement est le principal traitement des fractures stables. Une planche doit être placée sous le matelas pour assurer un appui ferme. L'alitement doit se poursuivre jusqu'à ce que la douleur soit disparue. Il faut déplacer le patient en bloc pour favoriser son bien-être. Chez le patient avec fracture du sacrum, il faut évaluer régulièrement la présence des bruits intestinaux. Dans les cas de fracture du coccyx, on note une douleur en position assise et à la défécation. Les bains de siège et les laxatifs émollients sont donc recommandés. La reprise complète des activités peut se faire après 10 à 16 semaines.

Les fractures instables du bassin, soit les fractures de *type III*, se caractérisent par une rupture double de l'anneau pelvien.

Les fractures instables de l'anneau pelvien résultent le plus souvent d'accidents de la route, d'écrasements ou de chutes. Elles se caractérisent notamment par une déformation, une tuméfaction locale, des ecchymoses, une sensibilité dans les régions de la symphyse pubienne, de l'épine iliaque antérieure, de la crête iliaque, du sacrum ou du coccyx, de même qu'une incapacité à tolérer sans douleur le poids du corps. Ces fractures peuvent se compliquer d'une hémorragie et d'un état de choc.

Les fractures du bassin sont sérieuses car elles s'accompagnent fréquemment de blessures graves. (Voir la section consacrée aux polytraumatisés au chapitre 54.) Le taux de mortalité lié à ces fractures est donc très élevé.

Les saignements associés aux fractures du bassin proviennent du tissu spongieux des fragments osseux, et de veines ou d'artères lacérées par les spicules osseuses, et parfois même de l'artère iliaque déchirée. On doit évaluer régulièrement la qualité des pouls périphériques des deux membres inférieurs. L'absence d'un pouls peut indiquer des saignements internes. On doit mobiliser le patient avec soin afin d'éviter d'autres saignements ou l'état de choc. Un lavage péritonéal peut être nécessaire pour déceler une hémorragie abdominale.

Les fractures du bassin peuvent aussi s'accompagner de lésions à la vessie, à l'urètre ou aux intestins. Ces lésions peuvent être beaucoup plus graves que la fracture elle-même. Les complications potentiellement fatales des fractures du bassin sont les hémorragies, les troubles respiratoires, l'embolie graisseuse, la coagulation intravasculaire disséminée, les thrombo-embolies et les infections.

La présence de sang dans les urines peut indiquer des lésions des voies urinaires. On peut soupçonner une déchirure de l'urètre si on observe du sang sur le méat urinaire d'un homme avec fracture antérieure du bassin. (Les femmes présentent rarement une rupture de l'urètre.) Il faut éviter de poser une sonde urinaire avant que l'intégrité de l'urètre ne soit établie.

Il est donc important de stabiliser l'état général du patient et de traiter les hémorragies et les lésions thoraciques, abdominales et crâniennes avant de traiter les fractures.

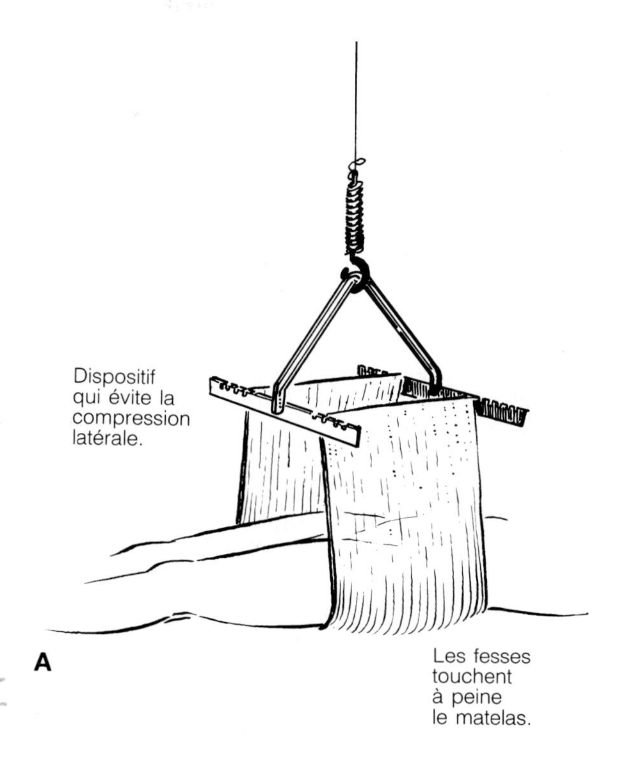

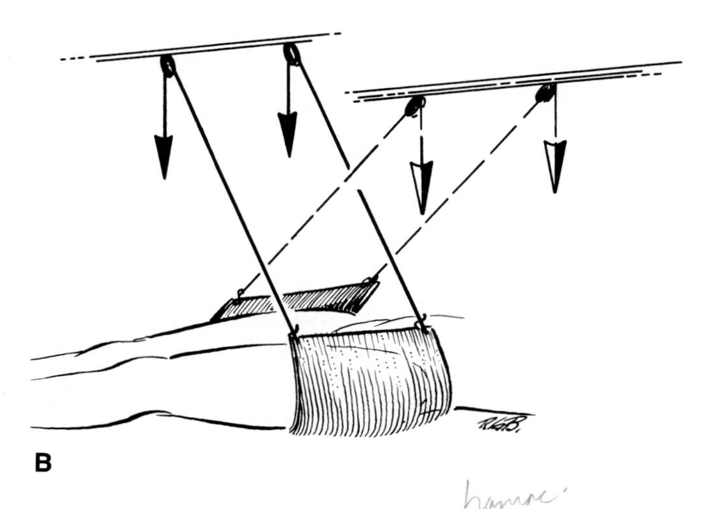

Figure 62-10. Suspension du bassin dans une élingue pelvienne pour les fractures du bassin. (**A**) Suspension sans compression du bassin. Les extrémités de l'élingue sont reliées à un large cadre métallique ; on applique le poids de façon à contrebalancer celui du bassin pour soulever les fesses du lit. Ainsi, le patient peut se mouvoir sans risque de déplacer les fragments osseux. (**B**) Suspension croisée utilisée dans les cas de disjonction de l'anneau pelvien antérieur, particulièrement au niveau de la symphyse pubienne. On comprime le bassin de chaque côté pour corriger le diastasis. À la longue, le patient éprouve inévitablement une douleur due à des pressions au niveau du trochanter. Cette douleur oblige souvent à écourter la durée de la traction.
(Source : R. C. Lewis, *Handbook of Traction, Casting and Splinting Techniques*, Philadelphia, J. B. Lippincott)

On traite les fractures instables du bassin par l'alitement, les fixateurs externes, la réduction ouverte avec ostéosynthèse, la traction transosseuse ou l'élingue pelvienne. L'élingue pelvienne immobilise le bassin tout en permettant au patient de se mobiliser dans le lit sans trop de douleur. Elle soulève légèrement les fesses du plan du lit (figure 62-10**A**). (Si l'état du patient le permet, on peut relâcher l'élingue pour faciliter les soins infirmiers.) On peut placer une peau de mouton au fond de l'écharpe pour prévenir les excoriations de la peau.

L'utilisation d'un fixateur externe stabilise le bassin, maîtrise l'hémorragie et réduit la durée de l'alitement. La réduction ouverte avec ostéosynthèse est effectuée pour traiter les fractures multiples du bassin qui sont difficiles à stabiliser.

Durant la période d'immobilisation, le patient doit pratiquer des exercices de renforcement musculaire, des exercices d'amplitude des mouvements articulaires et des exercices respiratoires, porter des bas élastiques et garder le pied du lit surélevé. Quand la consolidation de la fracture est amorcée, on doit augmenter progressivement la mise en charge. Les complications tardives des fractures du bassin sont notamment le cal vicieux, l'absence de formation du cal, une claudication permanente et des dorsalgies dues à des lésions aux ligaments.

Fractures des membres inférieurs

Le traitement des fractures des membres inférieurs vise: (1) à obtenir la consolidation de la fracture en conservant la longueur et l'alignement de l'os et en évitant les attitudes vicieuses; (2) à rétablir la force musculaire et la mobilité articulaire; (3) à éviter les claudications permanentes.

On doit prévoir des aides à la motricité ajustables: béquilles, déambulateur ou canne durant la convalescence. Voir le chapitre 42 pour les mesures de sécurité liées à l'emploi des aides à la motricité.

Il faut éviter de garder la jambe fracturée en position déclive afin de prévenir l'œdème. On doit inciter le patient à faire régulièrement des exercices d'amplitude des mouvements articulaires en respectant les limites imposées par le traitement de la fracture. Quand le patient recommence à marcher, on lui recommande de surélever le membre atteint périodiquement en se plaçant de préférence en décubitus dorsal. Après le retrait de l'appareil de contention, on peut conseiller au patient le port de bas élastiques pour favoriser le retour veineux.

Fractures du fémur. Le fémur peut se fracturer à divers endroits (figure 62-11). Si le foyer de la fracture se situe au niveau de la tête, du col ou de la région trochantérienne du fémur, on parle de fracture de la hanche. Les fractures sus-condyliennes et condyliennes se situent au niveau distal du corps du fémur et dans la région du genou.

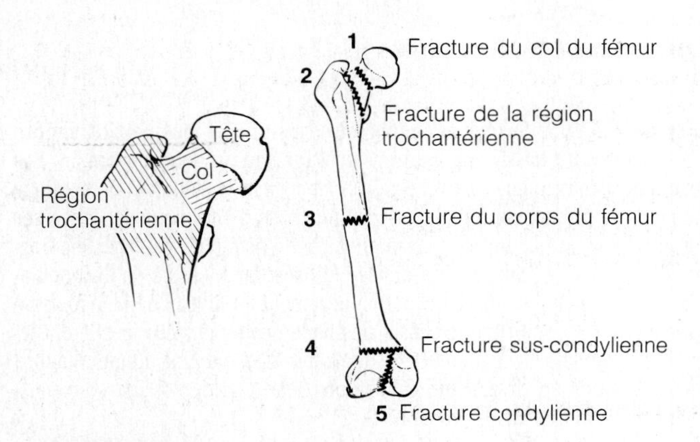

Figure 62-11. Foyers des fractures du fémur

Fractures de la hanche

Les fractures de la hanche sont très fréquentes chez les personnes âgées, car les os sont plus fragiles (surtout chez les femmes) à cause de l'ostéoporose. Les chutes qui provoquent les fractures sont dues notamment à une faiblesse des quadriceps, à la fragilité générale, aux affections qui entraînent une diminution de la circulation artérielle cérébrale (attaques ischémiques transitoires, embolies) et aux effets de certains médicaments. Les fractures de la hanche peuvent aussi être associées à des troubles cardiovasculaires, respiratoires, rénaux et endocriniens. Le patient et sa famille peuvent percevoir une fracture de la hanche comme une véritable catastrophe ayant des conséquences néfastes sur leur mode de vie.

Types de fractures. Il existe deux principaux types de fractures de la hanche: les *fractures intracapsulaires,* qui touchent le col du fémur et les *fractures extracapsulaires,* qui se situent au niveau de la région trochantérienne (entre la base du col et le petit trochanter) et de la région sous-trochantérienne.

Les fractures du col du fémur sont habituellement plus difficiles à traiter que celles de la région trochantérienne, à cause des lésions aux vaisseaux qui irriguent la tête et le col du fémur. Les artères nourricières à l'intérieur de l'os peuvent aussi subir des lésions, avec nécrose consécutive des cellules osseuses. Une absence de formation du cal ou une nécrose aseptique sont donc courantes chez les patients qui présentent ce type de fracture.

En principe, les fractures intertrochantériennes extracapsulaires guérissent rapidement car cette région est très bien vascularisée. Toutefois, elles touchent surtout des personnes âgées (entre 70 et 85 ans) et peuvent avoir des conséquences fatales.

Manifestations cliniques. Ce type de fracture se manifeste par un raccourcissement accompagné d'une adduction et d'une rotation externe de la jambe atteinte. Le patient peut se plaindre d'une douleur à l'aine ou à la face interne du genou. La plupart des fractures du col du fémur sont douloureuses, la douleur étant intensifiée par le moindre mouvement de la jambe. Elle est toutefois atténuée par une légère flexion en rotation externe. Par contre si la fracture est engrenée, la douleur est faible et n'est pas intensifiée par les mouvements; la jambe peut supporter le poids du corps et ne présente parfois ni raccourcissement ni rotation. Dans les fractures extracapsulaires, le membre est très raccourci et la rotation externe est beaucoup plus importante que dans les fractures intracapsulaires; les spasmes musculaires empêchent la position neutre et on observe un large hématome ou une grande ecchymose au niveau de la hanche.

Les radiographies permettent de confirmer le diagnostic de fracture de la hanche.

Gérontologie. Les fractures de la hanche dues à des accidents sont la principale cause de décès chez les personnes de plus de 75 ans.

À leur arrivée au centre hospitalier, certains patients âgés sont sous-alimentés et déshydratés. La déshydratation peut entraîner une hémoconcentration et des thrombo-embolies. L'infirmière doit donc inciter le patient à boire beaucoup de liquide et à suivre un régime équilibré.

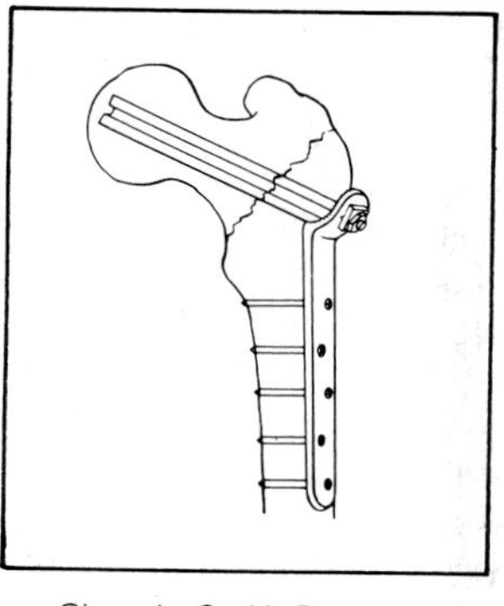

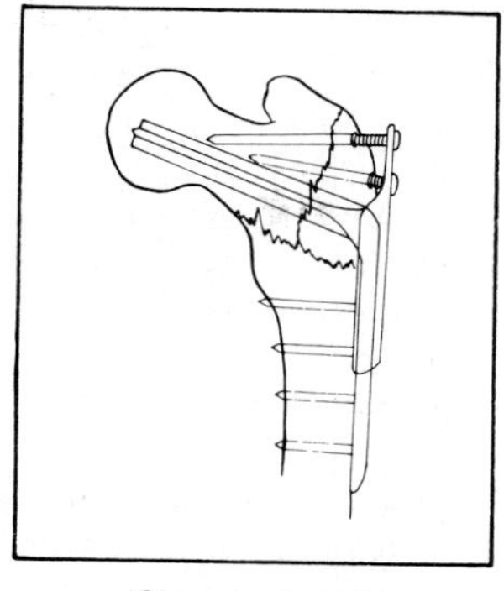

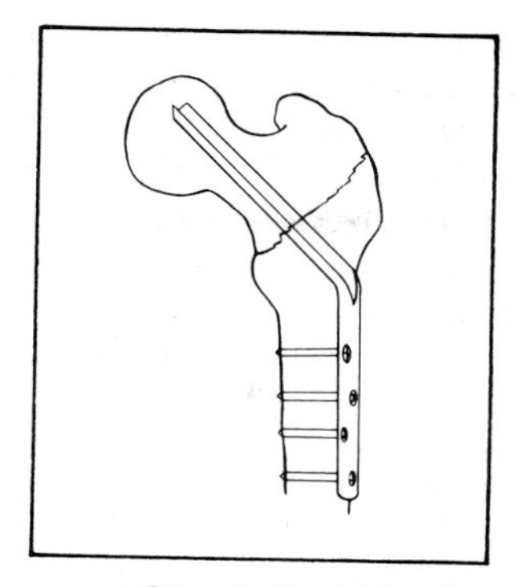

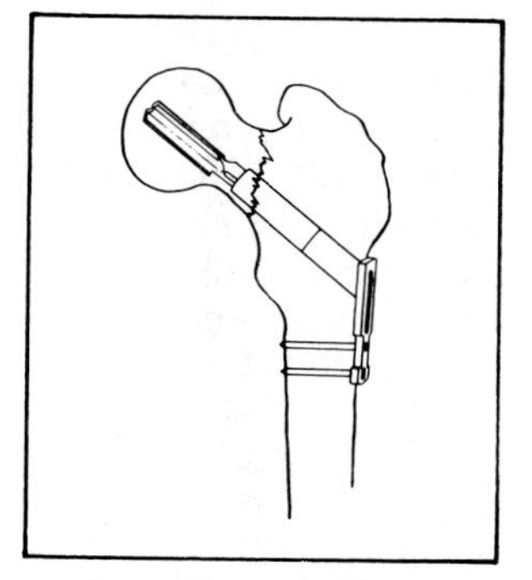

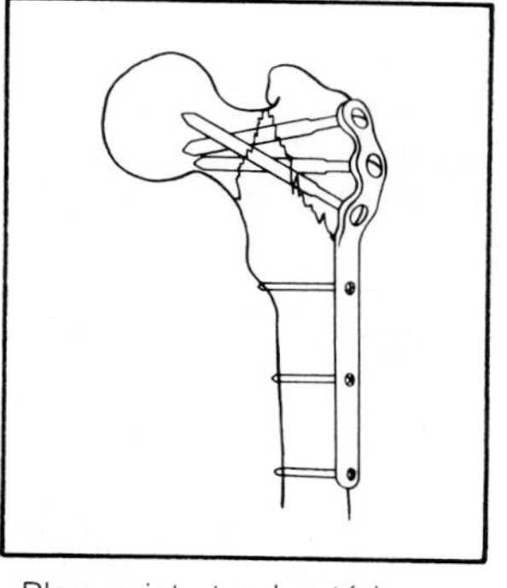
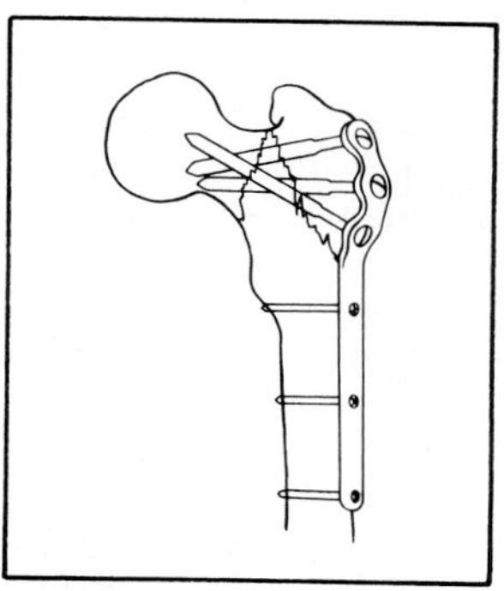

Figure 62-12. Matériel d'ostéosynthèse pour les fractures de la hanche. Pour les fractures du col du fémur et de la région trochantérienne, on utilise des clous et des plaques spécialement conçus.
(Source : Zimmer-USA, Warsaw, IN.)

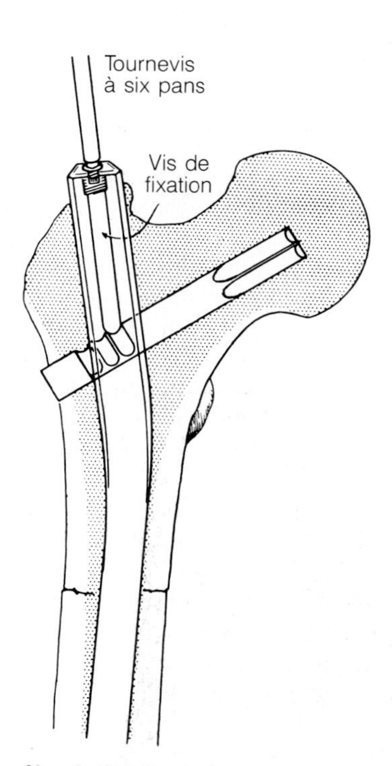

Figure 62-13. Clou de Zickel pour fractures sous-trochantériennes. Un clou à trois brides est bloqué dans le clou de Zickel à l'aide d'une vis de fixation. Le clou de Zickel prévient la rotation et maintient l'alignement, ce qui permet des mouvements actifs de la hanche et une mise en charge progressive.
(Source : Howmedica, Inc.)

Les chutes sont souvent reliées à une faiblesse musculaire que l'alitement et l'immobilité peuvent aggraver. L'infirmière doit prévenir une détérioration de l'état du patient en encourageant celui-ci à faire des exercices. Elle doit aussi inciter le patient à se déplacer dans le lit à l'aide du trapèze et à se soulever sur les bras, afin de renforcer les muscles des bras et des épaules en vue de la marche avec une aide à la motricité.

Traitement. On doit tout d'abord appliquer une traction cutanée temporaire, (extension de Buck), pour réduire les spasmes musculaires, immobiliser le membre et soulager la douleur. Pour maîtriser la rotation externe, on peut utiliser des rouleaux trochantériens ou des sacs de sable.

Le traitement chirurgical des fractures de la hanche vise à obtenir une stabilité suffisante pour que le patient retrouve rapidement une bonne mobilité. On traite donc ces fractures : (1) par une réduction avec ostéosynthèse ou (2) par le remplacement de la tête du fémur par une prothèse. On doit pratiquer l'intervention chirurgicale dès que possible, après s'être assuré que le patient est dans un état physiologique stable. On considère les fractures du col du fémur avec déplacement comme une urgence élective et on pratique généralement la réduction et ostéosynthèse dans les 12 à 24 heures qui suivent la fracture pour éviter une diminution de l'irrigation et une nécrose avasculaire.

La réduction de la fracture se fait sous anesthésie générale (ou rachidienne) avec vérification radiologique à l'aide d'un intensificateur d'image. En général, on immobilise les fractures stables à l'aide de clous, de plaques avec clous, de broches multiples ou de vis de compression (figures 62-12 et 62-13). Le choix du matériel de fixation varie selon le foyer de la fracture et les préférences du chirurgien orthopédique.

Le clou de Zickel est très efficace pour la fixation des fractures sous-trochantériennes, car il permet d'accélérer la mise en charge (figure 62-13). La vitesse de consolidation d'une fracture est fonction de la qualité de la réduction.

On remplace la tête du fémur par une prothèse quand il est impossible de réduire la fracture, ou de la fixer. Toutefois, certains orthopédistes préfèrent avoir recours d'emblée à la prothèse à cause des risques élevés d'absence de formation de cal et de nécrose avasculaire associés à ce type de fractures. On peut remplacer la hanche (prothèse totale, voir page 2036), chez les patients qui présentent des anomalies acétabulaires.

Interventions postopératoires. Les soins postopératoires immédiats aux patients ayant subi une fracture de la hanche sont les mêmes que pour toute opération majeure (voir le chapitre 61).

Au cours des 24 à 48 premières heures, on doit soulager la douleur et prévenir les altérations de l'intégrité de la peau. On doit inciter le patient à faire des exercices de spirométrie et de flexions des pieds toutes les heures. Des antibiotiques peuvent être administrés à titre prophylactique par voie intraveineuse, selon l'ordonnance du médecin. Il faut surveiller l'apport nutritionnel et liquidien, de même que le débit urinaire. On doit inciter le patient à se déplacer dans le lit et placer un oreiller entre ses jambes pour maintenir l'alignement corporel.

Déplacement du patient. L'infirmière doit tourner le patient sur le côté sain de la façon suivante:

- Placer un oreiller entre ses jambes pour maintenir la jambe atteinte en abduction. Tourner le patient sur le côté sain en soulevant le bassin. Quand le patient est moins souffrant on peut le tourner sur le côté atteint.

Exercices. Le patient doit faire des exercices à l'aide du trapèze pour se mobiliser, et renforcer les triceps et les deltoïdes, des muscles essentiels à l'utilisation des aides à la motricité.

Un jour ou deux après l'opération, avec de l'aide, le patient peut se déplacer du lit à un fauteuil et peut ensuite commencer à marcher. La progression de la mise en charge est établie par le médecin en fonction de la stabilité de la réduction. Le physiothérapeute enseigne au patient les méthodes de déplacement, l'utilisation du déambulateur ou des béquilles.

Il est important de préparer le retour à domicile du patient ayant subi une fracture de la hanche. Celui-ci doit savoir comment utiliser une aide à la motricité et pouvoir se déplacer en toute sécurité. Des soins à domicile peuvent être organisés par l'infirmière, au besoin.

Complications. Les personnes âgées qui ont subi une fracture de la hanche sont particulièrement exposées à des complications souvent fatales, comme un choc dû au traumatisme ou à une hémorragie.

Les complications neurovasculaires sont dues à des lésions des nerfs et des vaisseaux sanguins ou à une augmentation de la pression tissulaire.

La thrombo-embolie est la complication la plus fréquente des fractures de la hanche. Pour les prévenir, on doit inciter le patient à faire des exercices de la cheville et du pied. On prescrit parfois des bas élastiques et un traitement anticoagulant préventif. L'infirmière doit examiner fréquemment la jambe du patient (au moins toutes les deux heures) afin de déceler les signes de thrombophlébite.

Les complications respiratoires sont toujours une menace importante pour les patients âgés qui ont subi une opération à la hanche. Les changements de position toutes les heures et l'utilisation du spiromètre de stimulation sont les mesures de prévention usuelles. Il faut évaluer régulièrement les bruits respiratoires afin de déceler la présence de sécrétions ou l'absence de ventilation.

Une mauvaise circulation et l'immobilité sont les principales causes des escarres de décubitus. Les soins de la peau, particulièrement au dos, aux talons de même que sous les hanches et les omoplates, permettent de stimuler la circulation aux points de pression. Un matelas en mousse circonvoluée et des mobilisations fréquentes sont des mesures préventives usuelles.

Les personnes âgées souffrent souvent d'incontinence urinaire. Par ailleurs, la rétention urinaire est fréquente après une intervention chirurgicale. Il importe donc de surveiller le débit urinaire. On évite autant que possible le recours à une sonde à demeure, qui est une source d'infection. Afin d'assurer le fonctionnement des voies urinaires, on augmente l'apport liquidien en respectant la tolérance cardiovasculaire.

Les principales complications tardives des fractures de la hanche sont les infections, l'absence de formation du cal, la nécrose avasculaire de la tête du fémur (surtout dans les cas de fractures intracapsulaires), la rupture du matériel d'ostéosynthèse ou sa protrusion à travers l'acétabulum. On doit soupçonner la présence d'une infection si le patient se plaint d'une douleur modérée à la hanche et que sa vitesse de sédimentation est légèrement élevée.

Les soins infirmiers aux patients âgés souffrant d'une fracture de la hanche sont résumés dans le plan de soins 62-2.

Fractures du corps du fémur. Une force considérable est nécessaire pour briser le corps du fémur chez l'adulte. Les fractures du corps du fémur s'observent la plupart du temps chez de jeunes hommes, souvent polytraumatisés, victimes d'un accident de la route ou d'une chute.

Elles se manifestent par une augmentation de volume et une déformation de la hanche avec perte de mobilité de la hanche ou du genou. Elles peuvent être transverses, obliques, en spirale ou comminutives, et occasionner une perte de 1500 mL de sang pouvant provoquer un état de choc. L'hémorragie peut se manifester d'abord par une augmentation du diamètre de la cuisse au niveau de la fracture.

Il faut vérifier les signes neurovasculaires du membre atteint, en prenant les pouls pédieux et poplité et en mesurant la vitesse de remplissage capillaire des orteils. Il est parfois nécessaire de mesurer la vitesse d'écoulement du sang par vélocimétrie ultrasonique (Doppler).

Une luxation de la hanche ou du genou accompagne souvent les fractures du corps du fémur. Un épanchement dans le genou peut indiquer la présence de lésions au niveau des ligaments et une instabilité de l'articulation.

Traitement. Le traitement débute par une traction cutanée pour soulager la douleur et immobiliser le membre afin de prévenir des lésions des tissus mous. Une traction transosseuse (figure 62-14) est généralement utilisée pendant un certain temps pour séparer les fragments de la fracture en vue de l'ostéosynthèse ou pour réduire et immobiliser la fracture avant la pose d'un appareil de contention.

Plan de soins infirmiers 62-2

Patient âgé ayant subi une fracture de la hanche

Diagnostic infirmier : Douleur reliée aux lésions des tissus mous et à des spasmes musculaires

Objectif : Soulagement de la douleur

Interventions infirmières	*Justification*	*Résultats escomptés*
1. Demander au patient de décrire sa douleur.	1. La douleur est subjective ; on en détermine la cause d'après ses caractéristiques et son siège. Une douleur persistante peut traduire un trouble neurovasculaire.	• Le patient est capable de décrire sa douleur. • Il a confiance dans les moyens utilisés pour soulager la douleur. • Il a recours à des moyens physiques, psychologiques et pharmacologiques pour soulager la douleur. • Il dit que la douleur a diminué dans les 24 à 48 heures qui ont suivi l'opération. • Il a recours à des médicaments et à d'autres mesures de soulagement dès le début du cycle de la douleur. • Il participe aux mobilisations et s'assure de son bien-être. • Il se déplace de plus en plus facilement.
2. Admettre l'existence de la douleur ; renseigner le patient sur les méthodes de soulagement de la douleur.	2. On réduit l'anxiété du patient en lui manifestant de l'intérêt et en lui offrant de l'aide pour soulager la douleur.	
3. Manipuler le membre atteint avec douceur en le soutenant avec les mains ou un oreiller.	3. Le déplacement des fragments osseux est douloureux ; des spasmes musculaires se produisent lors des mouvements ; un soutien approprié diminue la tension sur les tissus mous.	
4. Utiliser des méthodes de diversion.	4. La sensibilité à la douleur peut être diminuée par des distractions.	
a) Procurer un environnement calme.	a) Les interactions avec d'autres personnes, les distractions, une surcharge ou une privation sensorielles peuvent avoir une influence sur la perception de la douleur.	
b) Administrer les analgésiques régulièrement et évaluer les besoins d'analgésie.	b) Les analgésiques soulagent la douleur ; les myorelaxants peuvent réduire la douleur associée aux spasmes musculaires.	
c) Inciter le patient à recourir à des méthodes de soulagement avant que la douleur ne devienne insoutenable.	c) On peut ainsi maintenir la douleur à une faible intensité.	
d) Vérifier et noter les réactions du patient aux médicaments et aux autres méthodes de soulagement de la douleur.	d) Les observations concernant l'efficacité des mesures de soulagement serviront de base pour les interventions à venir ; il faut dépister rapidement les effets secondaires des médicaments et modifier le traitement et le plan de soins en conséquence.	
e) Consulter le médecin si la douleur ne se dissipe pas.	e) Des modifications au traitement peuvent se révéler nécessaires.	
5. Installer le patient dans une position qui respecte l'alignement corporel.	5. Un bon alignement corporel favorise le bien-être ; la position fonctionnelle diminue les tensions sur l'appareil locomoteur.	
6. Aider le patient à changer souvent de position.	6. Les changements de position soulagent les pressions et la douleur et stimule la circulation et la respiration.	

Plan de soins infirmiers 62-2 (suite)

Patient âgé ayant subi une fracture de la hanche

Diagnostic infirmier: Risque d'altération des opérations de la pensée relié au stress associé au traumatisme, au dépaysement et aux traitements médicamenteux

Objectif: Amélioration des opérations de la pensée

Interventions infirmières	*Justification*	*Résultats escomptés*
1. Déterminer si le patient est bien orienté dans les trois sphères.	1. Les données de base sont importantes pour observer les changements.	• Le patient est capable de communiquer efficacement. • Il est bien orienté dans le temps et dans l'espace et reconnaît les personnes qui l'entourent. • Il participe à ses soins. • Il est lucide. • Il ne présente pas de périodes de confusion.
2. Interroger les membres de la famille sur la lucidité et les facultés cognitives du patient avant la blessure.	2. Fournit des données de base pour l'évaluation des observations.	
3. Vérifier si le patient souffre de troubles visuels ou auditifs.	3. Une baisse de l'acuité visuelle et auditive est souvent associée à l'âge; des lunettes ou des appareils auditifs peuvent améliorer le contact avec la réalité.	
4. Favoriser le contact avec la réalité.	4. On améliore le contact avec la réalité par des indices non verbaux et des énoncés simples et directs, de même qu'en réduisant les distractions.	
5. Orienter le patient fréquemment.	5. La mémoire à court terme peut être défaillante chez les personnes âgées; une réorientation fréquente peut être utile.	
a) Orienter le patient au moyen d'une pendule, d'un calendrier, d'images, etc., et en se nommant chaque fois que l'on entre dans la chambre.		
b) Réduire dans toute la mesure du possible les changements de personnel.	b) La constance du personnel favorise la confiance.	
6. Donner des explications simples sur les méthodes et le plan de soins.	6. La mémoire à court terme peut être défaillante.	
7. Encourager le patient à participer à ses soins d'hygiène et à s'alimenter.	7. La participation aux activités quotidiennes favorise la lucidité et améliore la conscience de soi.	
8. Veiller à la sécurité du patient. a) Laisser les ridelles relevées quand le patient est alité. b) Laisser la lumière allumée durant la nuit. c) S'assurer que la sonnette d'appel est accessible et que le patient sait comment l'utiliser. d) Répondre rapidement aux appels.	8. Les ridelles réduisent les risques de blessures reliés aux chutes et empêchent que le patient ne se lève sans surveillance. La sonnette d'appel et la lumière ajoutent à la sécurité du patient.	
9. Évaluer les réactions psychiques aux médicaments, particulièrement aux sédatifs et aux analgésiques.	9. Les personnes âgées ont tendance à être plus sensibles aux médicaments; des réactions anormales (hallucinations, dépression) peuvent survenir.	

Plan de soins infirmiers 62-2 (suite)

Patient âgé ayant subi une fracture de la hanche

Interventions infirmières	Justification	Résultats escomptés
Diagnostic infirmier : Stratégies d'adaptation individuelle reliées au choc de la blessure		
Objectif : Amélioration de l'efficacité des stratégies d'adaptation individuelles		
1. Inciter le patient à exprimer ses préoccupations et à discuter des conséquences de sa fracture de la hanche.	1. La verbalisation aide le patient à cerner la cause de ses problèmes. La clarification des idées et des sentiments aide à résoudre les problèmes.	• Le patient exprime ses sentiments concernant la fracture de la hanche et prend conscience des répercussions de cet accident sur sa vie quotidienne. • Il utilise ses ressources et des mécanismes d'adaptation efficaces. • Il utilise les ressources communautaires selon ses besoins. • Il participe à l'établissement du plan de soins.
2. Afin d'aider le patient à utiliser des mécanismes d'adaptation, faire intervenir les proches et les services de soutien, selon les besoins.	2. Partager ses préoccupations avec des personnes ressources diminue la tension et facilite l'adaptation.	
3. Communiquer avec les services sociaux s'il y a lieu.	3. L'anxiété peut être reliée à des problèmes financiers ou sociaux.	
4. Expliquer au patient les modalités du traitement et l'informer sur les mécanismes qui favorisent l'acceptation de la réadaptation.	4. La connaissance du plan de soins aide à réduire la peur de l'inconnu.	
5. Inviter le patient à participer à l'établissement du plan de soins.	5. La participation réduit le sentiment d'impuissance.	
Diagnostic infirmier : Risque d'atteinte à l'intégrité de la peau		
Objectif : Maintien de l'intégrité de la peau		
1. Vérifier l'état de la peau aux points de pression (talons, coccyx, épaules)	1. Les patients âgés sont particulièrement sujets aux ruptures de l'épiderme à cause de l'amincissement du tissu sous-cutané.	• Le patient ne présente pas de signes de rupture de l'épiderme. • Sa peau est intacte. • Il change souvent de position. • Il utilise des dispositifs de protection.
2. Changer le patient de position au moins toutes les deux heures. Éviter les forces de cisaillement.	2. Permet d'éviter les pressions prolongées et les lésions cutanées.	
3. Prodiguer des massages, autour des points de pression.	3. L'immobilité provoque des pressions sur les saillies osseuses ; les massages et les changements de position soulagent les pressions.	
4. Utiliser des matelas de soins spéciaux et d'autres dispositifs de protection (protecteurs de talon, par exemple).	4. Réduisent la pression sur les saillies osseuses.	
5. Prodiguer les soins conformément au protocole dès les premiers signes de rupture de l'épiderme.	5. Une intervention immédiate prévient la destruction des tissus.	

Plan de soins infirmiers 62-2 (suite)

Patient âgé ayant subi une fracture de la hanche

Diagnostic infirmier: Risque d'altération de l'élimination reliée à l'immobilité

Objectif: Maintien d'une élimination urinaire et intestinale normale

Interventions infirmières	Justification	Résultats escomptés
1. Tenir le bilan des ingesta et des excreta.	1. Une consommation de liquide appropriée assure une bonne hydratation et favorise l'élimination.	• Le bilan des ingesta et des excreta est équilibré. • Le patient ne présente pas de signes d'infection des voies urinaires. • Il élimine régulièrement des selles bien formées et a un débit urinaire normal.
2. Éviter l'utilisation d'une sonde à demeure.	2. Les sondes sont source d'infection des voies urinaires.	
3. Favoriser l'ingestion d'aliments favorisant l'élimination intestinale (jus de pruneaux, etc.).	3. Les fibres et le jus de pruneaux sont des aliments qui agissent comme laxatifs.	
4. Respecter l'intimité du patient lors de l'élimination.	4. Les facteurs de stress peuvent avoir un effet inhibiteur sur l'élimination.	
5. Aviser le médecin si l'élimination intestinale est retardée de plus de trois jours (voir à l'administration d'un lavement et d'un émollient).	5. Un retard prolongé de l'élimination intestinale peut entraîner des complications.	

Diagnostic infirmier: Altération de la mobilité physique reliée à la douleur

Objectif: Amélioration de la mobilité physique

Interventions infirmières	Justification	Résultats escomptés
1. Administrer un analgésique avant les mobilisations.	1. Un patient souffrant ne peut participer et collaborer aux soins.	• Le patient se mobilise sans ressentir des douleurs intenses. • Il place un oreiller entre ses jambes quand il se retourne. • Il est actif lors des changements de position et se déplace avec de moins en moins d'aide. • Il fait ses exercices toutes les heures. • Il utilise le trapèze. • Il respecte le programme de mise en charge. • Il se conforme au programme d'exercice. • Il utilise correctement les aides à la motricité.
2. Maintenir la hanche en position neutre et utiliser un rouleau trochantérien.	2. On évite ainsi les pressions sur le matériel de fixation et on réduit la rotation externe.	
3. Placer un oreiller entre les jambes quand on mobilise le patient.	3. Soutien les jambes et prévient l'adduction.	
4. Enseigner au patient les exercices isométriques des quadriceps et des fessiers.	4. Renforce les muscles nécessaires à la marche et facilite les mobilisations au lit.	
5. Encourager l'utilisation du trapèze.	5. Renforce les muscles des épaules et des bras, nécessaires à l'utilisation d'une aide à la motricité, et facilite la mobilisation.	
6. Prodiguer au patient des encouragements quand on vérifie l'exécution des exercices.	6. Les exercices peuvent être douloureux et fatigants; les encouragements aident le patient à se conformer à son programme.	

Plan de soins infirmiers 62-2 (suite)

Patient âgé ayant subi une fracture de la hanche

Interventions infirmières	*Justification*	*Résultats escomptés*
7. En collaboration avec un physiothérapeute, enseigner au patient une démarche qui respecte les limites de la mise en charge.	7. La mise en charge dépend de l'état du patient, de la stabilité de la fracture et de la méthode de fixation; les aides à la motricité sont utilisées pour aider le patient à se déplacer.	
8. Apprendre au patient comment utiliser des aides à la motricité et le surveiller quand il les utilise.	8. Prévient les blessures.	

L'ostéosynthèse permet une mobilisation plus rapide. Les exercices musculaires actifs favorisent la circulation. L'utilisation de l'énergie électromagnétique accélère la consolidation. On peut enlever les vis intramédullaires ou les plaques de compression après 18 mois. On peut utiliser une orthèse pendant quelques mois pour soutenir les os pendant le remodelage.

On utilise souvent une orthèse plâtrée pour les fractures du tiers moyen ou distal du corps du fémur (*fractures sus-condyliennes*). On pose l'orthèse après deux à quatre semaines de traction osseuse, quand la douleur et l'œdème ont diminué.

L'attelle plâtrée est un appareil de contention dont l'action provoque une compression musculaire qui stabilise l'os et en favorise la consolidation. Cet appareil permet une faible mise en charge que l'on augmente graduellement en fonction de la tolérance du patient. La mise en charge stimule aussi la consolidation. Le patient doit porter l'attelle plâtrée pendant 12 à 14 semaines. Le traitement des fractures du corps du fémur a pour principal objectif le rétablissement rapide de la fonction et de la force de l'os.

Pour préserver sa force musculaire, le patient doit faire régulièrement des exercices des jambes, des pieds et des orteils, de même que des exercices isométriques des quadriceps. Une des plus fréquentes complications des fractures du corps du fémur est la perte d'amplitude de mouvement du genou. Le patient doit donc faire des exercices actifs et passifs du genou dès que possible, en respectant les limites imposées par la stabilité de la fracture et les ligaments du genou. Les exercices de renforcement graduels des membres supérieurs sont nécessaires pour préparer le patient à l'utilisation d'une aide à la motricité.

Fractures du tibia et du péroné. Les fractures du tibia et du péroné sont les fractures de la jambe les plus fréquentes. Elles sont causées notamment par un coup direct, une chute avec le pied fléchi ou une torsion brusque. Il y a souvent fracture simultanée du tibia et du péroné. Ces fractures se caractérisent par de la douleur, une déformation, un hématome apparent et un important œdème. Elles sont souvent accompagnées de lésions graves des tissus mous.

Il est important de recueillir des données de base sur la fonction du nerf péronier. Une atteinte de ce nerf se manifeste par une perte de la flexion dorsale du gros orteil et de la sensibilité dans l'espace entre le gros orteil et le second orteil. On doit aussi vérifier l'état de l'artère tibiale en évaluant la vitesse de remplissage capillaire. Il existe aussi un risque de syndrome du compartiment au niveau du mollet, lequel se manifeste par une douleur intense, des paresthésies, une douleur à la mobilisation passive et une diminution de la vitesse de remplissage capillaire. Une hémarthrose ou des lésions des ligaments peuvent compliquer les fractures articulaires.

En général, on traite les fractures fermées du tibia par une réduction fermée et une immobilisation dans un long plâtre de marche ou un plâtre permettant une mise en charge du tendon rotulien. Une mise en charge partielle est normalement indiquée dans les 7 à 10 jours qui suivent. L'activité physique diminue l'œdème et stimule la circulation. Trois à quatre semaines plus tard, on remplace le plâtre par un plâtre court ou une attelle, ce qui permet la mobilité du genou. La consolidation de ces fractures de la jambe prend de 16 à 24 semaines.

Le traitement des fractures ouvertes ou comminutives se fait par traction transosseuse, ostéosynthèse avec tiges, plaques, ou clous, ou par fixation externe. Même si l'on a pratiqué une ostéosynthèse interne, on peut mettre un plâtre en place pour procurer un support externe. On doit inciter le patient à faire des exercices du pied et du genou, en respectant les limites de l'immobilisation de la fracture. On commence la mise en charge après six semaines environ.

Comme pour les autres fractures des membres inférieurs, il faut surélever la jambe afin de diminuer l'œdème. On doit vérifier régulièrement les signes neurovasculaires du membre atteint. Il importe de dépister et de traiter rapidement le syndrome du compartiment pour éviter une incapacité permanente.

Fractures du squelette axial

Voir le chapitre 58 pour les fractures du crâne et de la colonne vertébrale et le chapitre 25 pour les fractures de la mandibule.

Fractures des côtes

Les fractures des côtes (sans complications) sont fréquentes chez les adultes et n'entraînent normalement aucune perte fonctionnelle. Elles provoquent une douleur à la respiration, laquelle empêche le patient de respirer profondément et de tousser. Par conséquent, les sécrétions tranchéobronchiques s'accumulent, ce qui altère la ventilation des poumons et provoque une pneumonie ou une atélectasie. Pour aider le patient à tousser, l'infirmière peut comprimer doucement le thorax avec ses mains. Le médecin peut aussi procéder à un blocage du nerf intercostal pour soulager les douleurs respiratoires et favoriser une toux productive.

Il n'est pas conseillé de sangler le thorax pour immobiliser les côtes fracturées, car ceci peut entraîner des complications respiratoires, comme la pneumonie ou l'atélectasie. La douleur associée aux fractures des côtes diminue considérablement après trois ou quatre jours, et les os fracturés se consolident en six semaines.

Les autres complications graves des fractures des côtes sont le volet costal, qui s'observe dans les fractures multiples, les perforations pulmonaires avec épanchement gazeux dans la cavité pleurale (*pneumothorax*) ou épanchement de sang (*hémothorax*). Voir le chapitre 4 pour le traitement de ces troubles.

Fractures de la colonne thoracolombaire

Les fractures de la colonne thoracolombaire peuvent toucher: (1) le corps vertébral, (2) les lames ou les cornes, (3) l'apophyse épineuse ou l'apophyse transverse. Les vertèbres D12 à L2 sont les plus vulnérables aux fractures. Ces fractures sont généralement reliées à un traumatisme indirect provoqué par une charge excessive, une contraction musculaire soudaine ou un mouvement au-delà des limites physiologiques. L'ostéoporose augmente les risques de tassement des vertèbres.

Les fractures de la colonne vertébrale se manifestent par une douleur aiguë, une tuméfaction, des spasmes musculaires et parfois par un changement de la courbure normale ou par un écart entre les apophyses épineuses. Les mouvements du corps, la toux et la mise en charge intensifient la douleur.

Quand on soupçonne une fracture de la colonne, il faut immédiatement maintenir le patient immobile dans un alignement corporel neutre, à cause des risques d'atteinte neurologique. Les atteintes neurologiques sont rares; elles exigent généralement une décompression médullaire immédiate.

Les fractures stables de la colonne vertébrale sont causées par une flexion, une extension, une flexion latérale ou une surcharge verticale. Elles se caractérisent par une rupture de la structure antérieure (corps et disques) ou de la structure postérieure (arc neural, apophyses articulaires et ligaments). Les patients qui subissent ces fractures doivent rester alités en décubitus dorsal jusqu'à ce que la douleur disparaisse (de plusieurs jours à deux à trois semaines). Par la suite, ils doivent porter un corset dorsal ou une orthèse thoracolombaire en plastique et peuvent reprendre progressivement leurs activités quotidiennes. Ils doivent éviter de rester assis trop longtemps jusqu'à ce que la douleur soit disparue.

Les fractures instables se caractérisent par une luxation et une rupture des structures antérieure et postérieure. Il existe un risque d'atteinte médullaire. Il faut donc surveiller de près l'état neurologique du patient au cours des étapes préopératoire et postopératoire. Les patients souffrant d'une fracture instable sont immobilisés et doivent subir une réduction ouverte, une fixation avec arthrodèse et une stabilisation dans les 24 heures qui suivent la fracture. Après l'opération, le patient peut recommencer progressivement à se mobiliser; il doit porter un corset ou une orthèse.

Les exercices de réadaptation visent l'adoption d'une posture correcte et d'une bonne mécanique corporelle et, quand la guérison est avancée, le renforcement du dos.

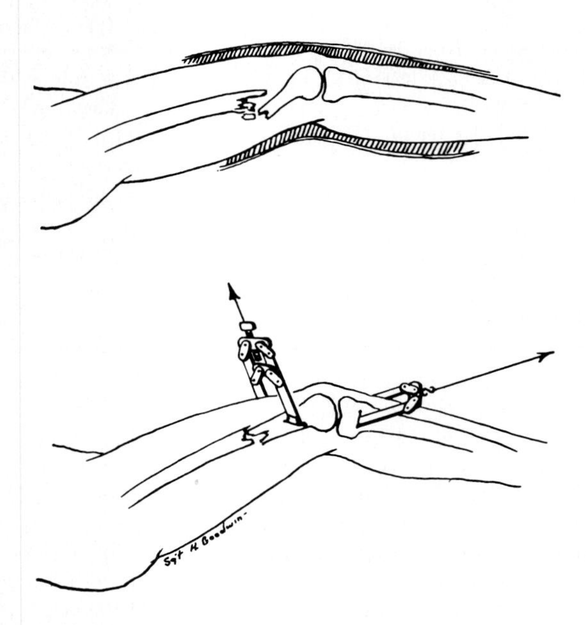

Figure 62-14. Traction transosseuse à deux broches pour les fractures du tiers distal du fémur (**Haut**) Déformation (**Bas**) Réduction avec insertion d'une broche supplémentaire dans le fragment fémoral inférieur et traction verticale équilibrée

(Source: O. P. Hampton Jr., *Wounds of the Extremities in Military Surgery,* St-Louis, C. V. Mosby)

Résumé: Les fractures sont des ruptures des os qui se produisent quand un os est soumis à une tension qui dépasse sa résistance. Elles s'accompagnent souvent de lésions des tissus mous adjacents. Sur le plan clinique, elles se manifestent par de la douleur, une perte fonctionnelle, et à l'examen, par une déformation, un raccourcissement, une crépitation, une tuméfaction locale et une dyschromie. Le traitement des fractures est obtenu par la réduction (rétablissement de la longueur et de l'alignement de l'os) et l'immobilisation externe (plâtre, attelle, orthèse, bandage). Les fractures ouvertes et les fractures comminutives sont les plus difficiles à traiter. Le programme de réadaptation est amorcé le plus tôt possible et tient compte du type et du foyer de la fracture.

Les soins infirmiers prodigués aux patients ayant subi une fracture sont complexes et varient selon le type de fracture et la méthode de réduction utilisée. L'infirmière doit être à l'affût des complications des fractures (lésions neurovasculaires, syndrome du compartiment, thrombo-embolies, embolie graisseuse, infections, escarres de décubitus) et apporter soutien et réconfort au patient et à sa famille, surtout pendant la phase aiguë du traitement.

AMPUTATIONS

Les maladies des vaisseaux périphériques, les traumatismes graves (écrasement, brûlures profondes, brûlures électriques, engelures), les malformations congénitales et le cancer sont les principales causes d'amputation. La plupart des amputations des membres inférieurs sont reliées aux maladies des vaisseaux périphériques.

On peut considérer l'amputation comme une opération qui vise à améliorer la qualité de vie du patient. On y a recours pour soulager les symptômes et favoriser la capacité fonctionnelle. Les membres de l'équipe soignante doivent avoir une attitude empathique afin d'aider le patient à s'adapter à l'amputation et à participer activement au programme de réadaptation.

Une amputation exige une adaptation majeure. En effet, le patient devra accepter l'altération permanente de son image corporelle, tout en gardant un niveau d'estime de soi satisfaisant. Il est donc important que les infirmières comprennent ce que l'amputation signifie pour le patient. Comme l'amputation d'un membre réduit la mobilité et la capacité d'effectuer les activités de la vie quotidienne, l'infirmière voudra savoir comment son patient entrevoit modifier ses activités et son environnement en fonction de son incapacité. Les membres de l'équipe de réadaptation (patient, infirmière, médecin, travailleur social, psychologue, prothésiste, physiothérapeute et ergothérapeute), pourront aider le patient à atteindre une capacité fonctionnelle optimale et à reprendre une vie satisfaisante.

CAUSES DES AMPUTATIONS

Chez les patients jeunes, l'amputation a généralement pour cause le cancer ou un traumatisme grave, et chez les patients âgés, une maladie des vaisseaux périphériques. En général, les patients *jeunes* guérissent rapidement et désirent participer à un programme de réadaptation vigoureux. Puisque l'amputation est soudaine, ils ont grandement besoin d'un soutien psychologique pour faire face au stress engendré par leur situation (hospitalisation, longue réadaptation, modification du mode de vie) et pour accepter la modification permanente de leur image corporelle. Les émotions associées à cette situation peuvent être très intenses. Le temps est un facteur important dans l'acceptation de la perte d'un membre.

Par contre, les patients *âgés* souffrent souvent de troubles cardiovasculaires, respiratoires ou neurologiques qui limitent leur potentiel de réadaptation. L'amputation due à un trouble chronique chez un patient âgé peut soulager la douleur, améliorer la capacité fonctionnelle et réduire la dépendance. Comme elle est souvent prévue depuis un certain temps, le patient dispose de plus de temps pour vivre le chagrin associé à la perte du membre. Par conséquent, l'adaptation à l'altération de l'image corporelle lui est souvent plus facile. Il est important de planifier un soutien psychologique avant et après l'amputation.

NIVEAUX D'AMPUTATION

L'amputation doit être la plus distale possible. On détermine le niveau d'amputation en fonction de deux facteurs: la circulation dans le membre et les exigences de la prothèse.

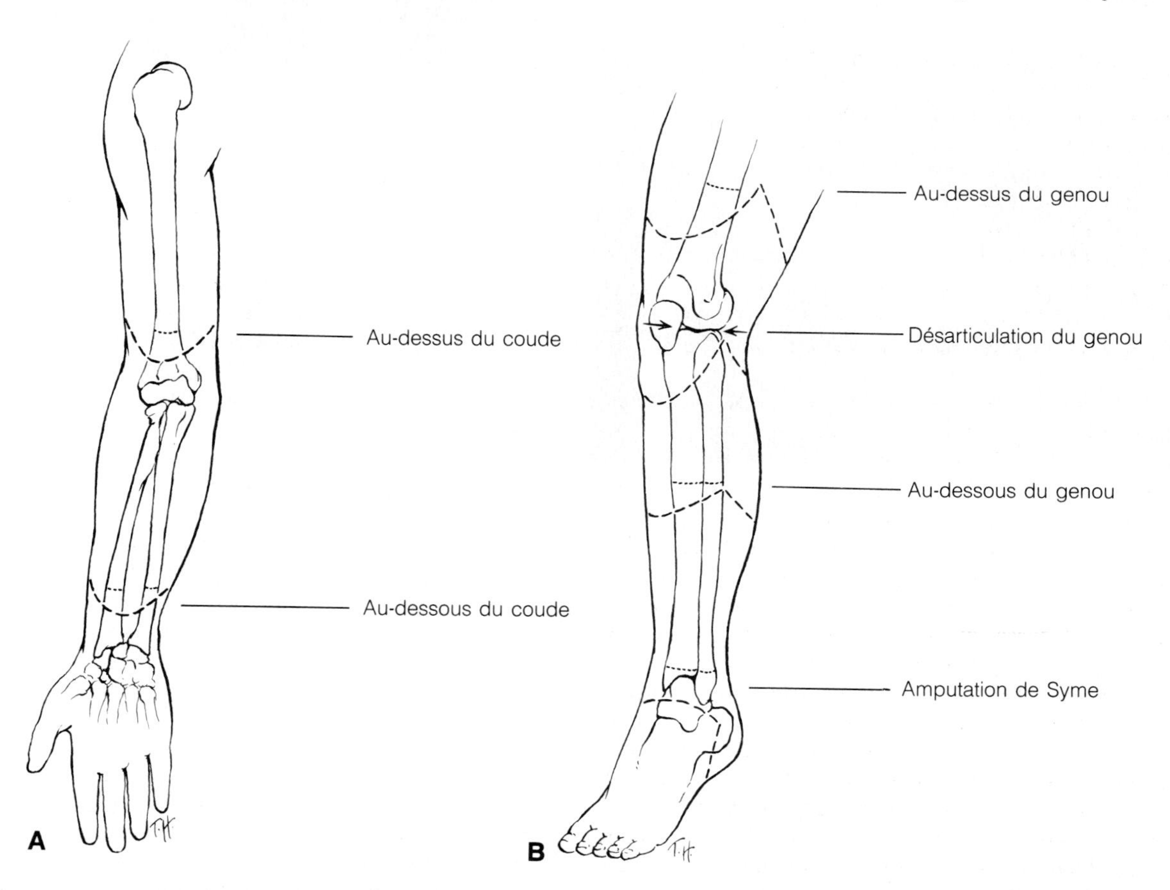

Figure 62-15. On détermine le niveau de l'amputation en fonction de la circulation sanguine, du type de prothèse envisagé, de la capacité fonctionnelle du membre et de l'équilibre musculaire. **(A)** Niveaux d'amputation du membre supérieur **(B)** Niveaux d'amputation du membre inférieur

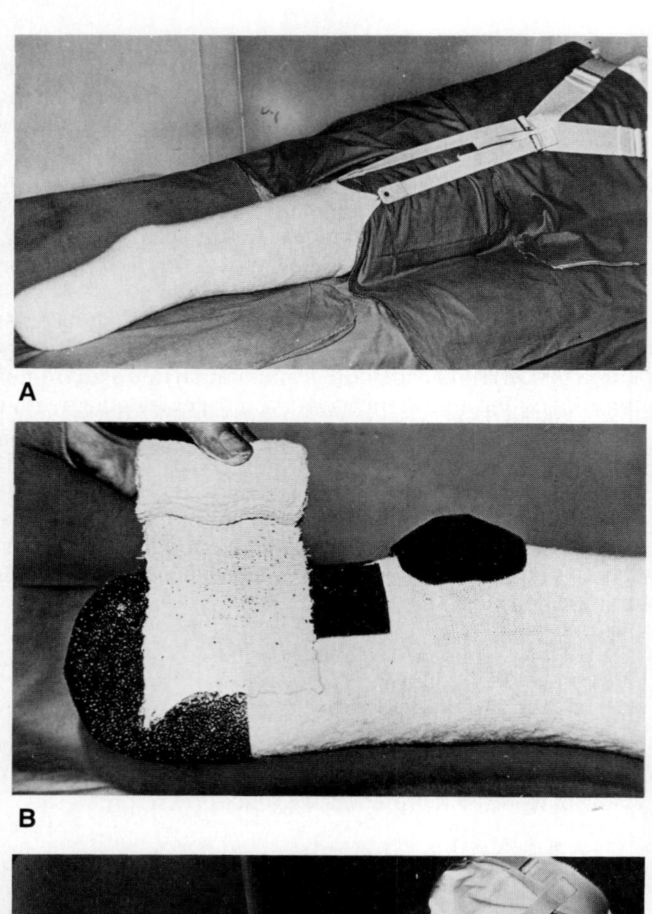

A

B

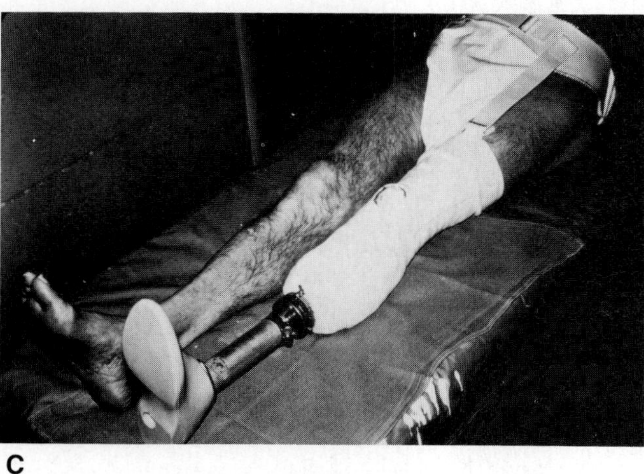

C

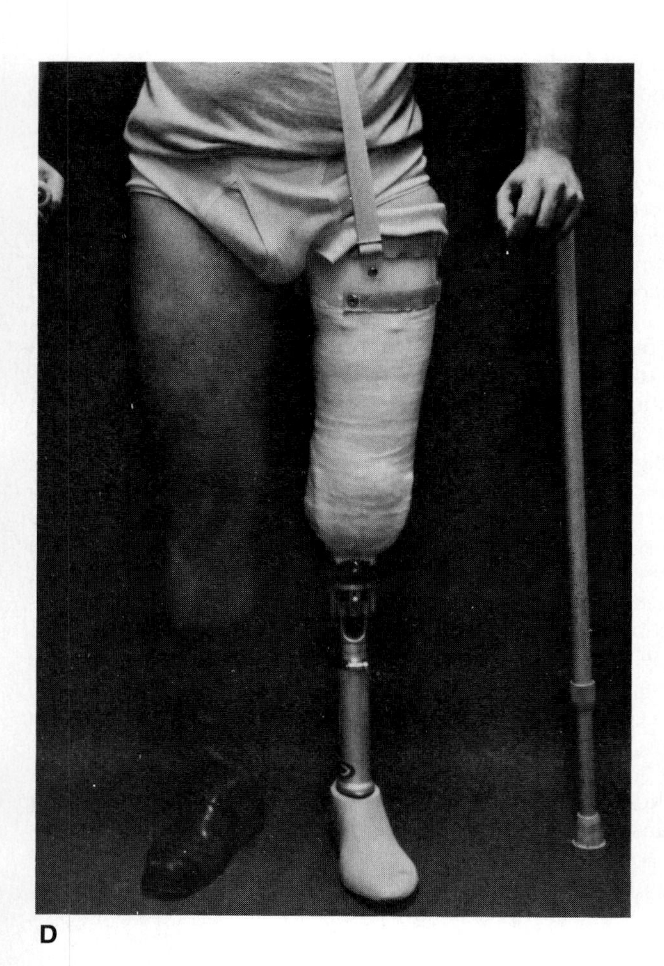

D

Figure 62-16. Ajustement d'une prothèse après l'amputation (**A**) Une chaussette prothétique est maintenue sous tension ferme pendant qu'on applique un pansement rigide. (**B**) Des coussinets feutrés sont placés aux points de pression avant l'application du bandage rigide en plâtre. (**C**) Assemblage complet des éléments de la prothèse chez un patient qui a subi une amputation au-dessus du genou. (**D**) Position pour la marche à l'aide d'une prothèse (pilon) avec pied.

(Source: *Prosthetics Research Study,* Veterans Administration Contract, V663P-784)

Le médecin évalue l'état vasculaire du membre par un examen physique et des examens diagnostiques comme la vélocimétrie ultrasonique, la mesure des pressions artérielles segmentaires et la pression partielle d'oxygène percutanée (PaO_2). On peut effectuer une angiographie, surtout si l'on pense pratiquer une revascularisation. L'irrigation des muscles et de l'épiderme joue un rôle important dans la guérison.

On doit tenter de conserver la plus grande partie du membre possible. Il est souhaitable de préserver les articulations du genou ou du coude. (Voir la figure 62-15 pour les différents niveaux d'amputation.) En général, le patient peut utiliser une prothèse quelque soit le niveau de l'amputation.

Il est très important de vérifier régulièrement la fonction cardiovasculaire du patient et d'établir ses besoins nutritionnels, car les efforts de mobilisation seront accrus.

L'amputation des orteils et d'une partie du pied entraînent des changements mineurs dans la démarche et l'équilibre. On pratique une amputation de *Syme* (amputation du pied avec désarticulation de la cheville) surtout dans les cas de traumatisme étendu du pied. Le moignon est indolore et ferme et peut supporter une mise en charge complète. Il est toujours préférable d'amputer sous le genou en raison de l'importance de l'articulation du genou dans la marche. Beaucoup de patients âgés amputés au-dessus du genou ne peuvent utiliser une prothèse. Par contre, les patients jeunes et actifs qui ont subi une désarticulation du genou peuvent apprendre à maîtriser parfaitement l'usage d'une prothèse. Si l'amputation doit se faire au-dessus du genou, on doit préserver la plus grande partie possible de la cuisse, stabiliser les muscles et les reformer, puis prévenir les contractures de la hanche.

La plupart des patients qui ont subi une désarticulation de la hanche doivent utiliser un fauteuil roulant.

Dans les amputations des membres supérieurs, on vise également à conserver la plus grande partie du membre possible. Le patient doit apprendre dès qu'il le peut à utiliser une prothèse.

SOINS DU MOIGNON

Il faut viser à obtenir une guérison parfaite du moignon. Celui-ci doit être indolore et la peau doit être saine pour permettre l'utilisation d'une prothèse. Pour favoriser la guérison, on doit manipuler le moignon avec soin, maîtriser l'œdème à l'aide de pansements compressifs souples ou rigides et respecter les règles de l'asepsie lors des soins de la plaie chirurgicale.

Bandages en plâtre. On utilise souvent, immédiatement après l'opération, un bandage en plâtre pour obtenir une compression uniforme, et soutenir les tissus mous. Ceci soulage la douleur, prévient les contractures et permet l'usage immédiat d'une prothèse temporaire (pilon) avec pied artificiel (figure 62-16). On recouvre d'abord le moignon d'une chaussette prothétique stérile. On peut appliquer ensuite des coussinets de feutre pour protéger les régions sensibles à la pression. On pose le bandage en plâtre en commençant par l'extrémité du moignon et en maintenant une pression ferme et uniforme. On doit s'assurer de ne pas gêner la circulation. On règle la longueur de la prothèse selon la taille du patient.

On change généralement le bandage tous les 10 à 14 jours. Il faut le changer plus souvent s'il se relâche ou si le patient présente de la fièvre ou une douleur aiguë.

Bandages souples. Si des examens fréquents du moignon sont nécessaires, il est préférable d'utiliser un *bandage souple* compressif ou non compressif. Une attelle peut être insérée dans le pansement.

Amputation répétée. On recommande de pratiquer une amputation répétée quand il y a gangrène ou infection. On pratique d'abord une amputation en section plane pour retirer les tissus nécrosés et infectés et permettre le drainage. On traite l'infection par l'administration d'antibiotiques par voie intraveineuse. Après quelques jours, quand l'infection est maîtrisée et que l'état du patient s'est stabilisé, on pratique l'amputation définitive avec fermeture chirurgicale.

DÉMARCHE DE SOINS INFIRMIERS
PATIENTS SUBISSANT UNE AMPUTATION

Collecte des données

Avant l'intervention, l'infirmière doit évaluer les signes neurovasculaires du membre atteint (couleur, température, pouls, réactions aux changements de position, sensibilité, douleur). On peut mesurer la vitesse de la circulation artérielle à l'aide d'un vélocimètre ultrasonique. Il faut examiner la hanche et le genou pour vérifier s'il y a restriction de l'amplitude de mouvement ou contractures, ce qui peut affecter l'ajustement et l'utilisation de la prothèse.

S'il y a gangrène ou infection, le patient peut présenter une tuméfaction ganglionnaire, de la fièvre et un écoulement purulent. On doit faire une culture avec antibiogramme pour déterminer l'antibiotique approprié. Si le patient a subi une amputation traumatique, on doit évaluer la fonction et l'état du moignon.

L'infirmière doit évaluer l'état nutritionnel du patient et s'assurer qu'il ait un régime alimentaire équilibré, à teneur suffisante en protéines et en vitamines, ces éléments étant essentiels à la cicatrisation.

On doit déceler et traiter les problèmes de santé (déshydratation, anémie, insuffisance cardiaque, troubles respiratoires chroniques, diabète sucré, par exemple) afin d'aider le patient à supporter le stress de la chirurgie. Toutefois, l'utilisation de stéroïdes, d'anticoagulants, de vasoconstricteurs ou de vasodilatateurs peut avoir une influence sur le traitement ou la guérison du moignon.

Il est très important d'obtenir des données complètes sur l'état psychologique du patient. L'infirmière doit absolument connaître les perceptions du patient et de sa famille face à l'amputation. Il est normal que le patient ait une réaction de deuil. Même si l'amputation diminue la douleur et augmente la capacité fonctionnelle, elle exige une importante adaptation. L'adaptation sera facilitée par l'attitude empathique et le soutien de l'infirmière.

Analyse et interprétation des données

Selon les données recueillies, voici les principaux diagnostics infirmiers possibles :

- Altération de la mobilité physique reliée à la douleur
- Douleur reliée à l'altération de la perception sensorielle (membre fantôme)
- Risque d'atteinte à l'intégrité de la peau
- État dépressif relié à la perturbation de l'image corporelle
- Déficit d'autosoins relié à l'altération de la mobilité physique

Les complications associées à ce type d'opération sont les suivantes :

- Altération de l'irrigation tissulaire reliée à une hémorragie postopératoire
- Risque élevé d'infection
- Atteinte à l'intégrité de la peau

Planification et exécution

Objectifs de soins : Soulagement de la douleur ; absence d'altération de la perception sensorielle ; cicatrisation de la plaie ; amélioration de l'image corporelle ; progression à travers les étapes du processus de deuil ; capacité d'effectuer les autosoins ; absence de complications comme les hémorragies, les infections et les ruptures de l'épiderme

Interventions infirmières

Soulagement de la douleur. La douleur liée à l'intervention chirurgicale se situe dans la région de l'incision. On peut rapidement la soulager à l'aide d'analgésiques et en évacuant les hématomes ou les liquides accumulés dans la plaie. (Une pression excessive sur une saillie osseuse ou un hématome peut entraîner une douleur vive. L'infirmière doit en informer le chirurgien, qui déterminera s'il est nécessaire de couper le bandage pour examiner le moignon.)

La perception de la douleur varie selon les personnes. La douleur peut être intensifiée par les réactions émotives et la perturbation de l'image corporelle. Par conséquent, l'évaluation de la douleur doit comprendre une évaluation des composantes physiques, affectives et cognitives qui y sont associées. L'évaluation de la réponse aux mesures destinées à la soulager font partie intégrante du plan de soins infirmiers.

Après quelques jours, on peut en général soulager efficacement la douleur par des analgésiques oraux et d'autres méthodes de soulagement de la douleur.

Une faible mise en charge sur une prothèse peut entraîner un léger malaise au moignon. Les spasmes musculaires peuvent aussi contribuer au malaise au cours de la convalescence. Des changements fréquents de position, l'application de chaleur, ou l'application d'un sac de sable léger sur le moignon peuvent réduire les spasmes musculaires et ainsi améliorer le bien-être du patient.

▷ ***Absence d'altération de la perception sensorielle.*** Le phénomène du membre fantôme est fréquent chez les amputés. Il s'agit d'une d'une sensation illusionnelle qui fait croire au patient que le membre est toujours là. Il peut être accompagné d'une douleur ou d'une sensation d'écrasement, de crampe ou de torsion. Ces sensations sont réelles, et le patient, comme l'infirmière, doivent accepter l'existence de ce phénomène.

Le phénomène du membre fantôme finit habituellement par disparaître, mais il n'en est pas moins troublant pour le patient. On n'en connaît pas la cause. En général, ce phénomène apparaît deux à trois mois après l'amputation; il est plus fréquent chez les patients qui ont subi une amputation au-dessus du genou. Quand il se manifeste, l'infirmière doit le reconnaître et aider le patient à en modifier la perception. Une diversion par la musicothérapie, l'imagerie mentale et d'autres méthodes est souvent efficace. L'électrostimulation percutanée peut procurer un soulagement chez certains patients.

▷ ***Cicatrisation de la plaie.*** Les retards de cicatrisation sont reliés notamment à une atteinte des vaisseaux périphériques, à des carences nutritionnelles ou à des maladies comme le diabète.

Pour favoriser la cicatrisation, on doit maîtriser l'œdème à l'aide d'un bandage plâtré ou d'un pansement compressif. Cette méthode assure une circulation sanguine et lymphatique appropriée.

- *Il est donc essentiel de se rappeler que le moignon doit rester dans le bandage en plâtre pendant toute la durée de l'hospitalisation.* Si le bandage est retiré par accident, on doit immédiatement recouvrir le moignon d'un bandage compressif et prévenir le chirurgien. Sinon, un œdème important se constituera en très peu de temps, ce qui peut retarder la réadaptation.

On doit manipuler le moignon avec soin. Quand on change les pansements, il faut respecter les règles de l'asepsie pour prévenir l'infection de la plaie et l'ostéomyélite.

Les patients âgés et affaiblis qui ont subi une amputation de la jambe souffrent souvent d'incontinence urinaire et fécale, ce qui peut compromettre l'intégrité du pansement et de la plaie. On peut protéger efficacement le pansement en le recouvrant d'une pellicule de plastique retenue par un large ruban adhésif.

Il est important d'établir la forme du moignon pour faciliter l'ajustement de la prothèse. On doit enseigner au patient comment envelopper son moignon de bandages élastiques (figures 62-17 et 62-18). Quand l'incision est cicatrisée, il faut aussi lui apprendre comment prendre soin de son moignon.

▷ ***Amélioration de l'image corporelle.*** L'amputation altère l'image corporelle. Il importe donc que l'infirmière établisse une relation de confiance avec le patient pour aider celui-ci à accepter ce changement de son apparence physique. Elle doit l'inciter à regarder et à toucher le moignon, ainsi qu'à participer aux soins. Elle doit évaluer les forces du patient et ses ressources afin de les utiliser pour faciliter sa réadaptation. Les soins visent à rétablir l'autonomie. Certains patients se sentent inutiles et dévalorisés après une amputation. L'infirmière doit les aider à avoir une perception réaliste de la situation. Souvent, lorsque le patient se sent accepté par son entourage comme une personne à part entière et qu'il se rend compte de sa capacité à effectuer ses soins personnels, son concept de soi s'améliore et il accepte mieux l'altération de son image corporelle. Toutefois, ceci nécessite du temps et de la compréhension.

▷ ***Progression à travers les étapes du processus de deuil.*** Le fait de perdre un membre représente toujours un choc pour le patient et sa famille même si ceux-ci ont reçu une préparation psychologique avant l'opération. L'infirmière aide le patient et sa famille à reconnaître la réalité de cette perte, en les écoutant et en les incitant à exprimer leurs émotions (dépression, colère, angoisse, désespoir, par exemple).

L'infirmière, par sa relation de confiance avec le patient et sa famille, aide ceux-ci à faire face à cette situation. Elle normalise les sentiments qu'ils expriment. Elle les soutient et les guide à travers les étapes du processus de deuil. Elle utilise leurs forces dans ses interventions. Comme le soutien de la famille et des amis accélère l'adaptation, l'infirmière favorise les contacts avec les personnes clés dans la vie du patient. Finalement, elle aide le patient à se fixer des objectifs de réadaptation réalistes et à viser l'autonomie.

▷ ***Capacité d'effectuer les autosoins.*** L'amputation d'un membre inférieur altère la mobilité physique du patient et l'empêche d'effectuer ses autosoins. Il faut par conséquent l'inciter à continuer de prendre une part active à ses soins, même si cela prend beaucoup de temps et d'énergie. Pour faciliter l'apprentissage des autosoins, il faut procurer au patient l'aide et la surveillance dont il a besoin. Le patient et l'infirmière doivent conserver une attitude positive et éviter une trop grande fatigue et l'accumulation de frustrations.

La capacité du patient de se vêtir, d'utiliser les toilettes et de se laver (dans la douche ou le bain) d'une manière autonome dépend de son équilibre, de sa capacité à se déplacer et de sa tolérance à l'effort. L'infirmière, en collaboration avec le physiothérapeute et l'ergothérapeute, enseigne au patient des façons d'effectuer sans danger ses soins personnels.

Les personnes qui ont subi l'amputation d'un membre supérieur ont aussi des difficultés à s'alimenter, à se laver et à se vêtir. On doit les encourager à effectuer ces activités de manière autonome en ayant recours à des dispositifs d'aide. L'infirmière, le physiothérapeute, l'ergothérapeute et le prothésiste travaillent en collaboration pour aider le patient à recouvrer un degré d'autonomie satisfaisant.

▷ ***Rétablissement de la mobilité physique.*** Si l'amputation d'un membre inférieur n'est pas urgente, on doit renforcer, pendant l'étape préopératoire, les muscles des membres supérieurs, du tronc et de l'abdomen. Ce sont surtout les extenseurs du bras et les abaisseurs de l'épaule qui ont besoin d'être renforcés, car ils jouent un rôle important dans la démarche du béquillard. Les flexions des bras avec poids renforcent les muscles extenseurs du bras. Les répulsions renforcent les triceps. Il est recommandé enseigner au patient l'utilisation des béquilles avant l'intervention chirurgicale.

Après l'opération, l'alignement corporel est important pour prévenir les contractures de la hanche ou du genou. Selon les préférences du chirurgien, le moignon peut être étendu, ou surélevé pendant une courte période. Pour surélever le moignon, il faut élever le pied du lit.

- Il faut éviter de placer le moignon sur un oreiller, ce qui pourrait provoquer une contracture en flexion de la hanche. La contracture de la première articulation au-dessus de l'amputation est une complication courante.

Vingt-quatre à quarante-huit heures après l'amputation d'un membre inférieur, on doit recommander au patient de se retourner régulièrement et de se placer en décubitus ventral pour relâcher les muscles fléchisseurs et ainsi éviter la contracture en flexion de la hanche. On peut placer un oreiller sous l'abdomen et le moignon. Les jambes doivent rester parallèles pour prévenir une contracture en abduction.

Exercices postopératoires. On doit commencer très tôt les exercices d'amplitude de mouvement car les contractures surviennent rapidement. Il faut enseigner au patient des exercices d'amplitude des articulations selon le niveau d'amputation choisi. On doit aussi recommander au patient de faire bouger le moignon et d'éviter de rester assis trop longtemps.

Le patient peut utiliser le trapèze pour changer de position et raffermir ses biceps. Il peut renforcer ses triceps, muscles essentiels à la marche avec des béquilles, en poussant les paumes des mains contre le lit pour soulever son corps. Des exercices, comme l'extension du moignon, effectués sous la surveillance d'un physiothérapeute, permettent aussi de raffermir les muscles, d'améliorer la circulation, de réduire l'œdème et de prévenir l'atrophie musculaire.

L'infirmière doit évaluer la force et l'endurance du patient. Le niveau d'activité doit augmenter graduellement pour éviter la fatigue. Quand le patient apprend à utiliser le fauteuil roulant ou à marcher avec une aide à la motricité ou une prothèse, on doit insister sur les principes de sécurité. Il faut donc enseigner au patient comment se déplacer en toute sécurité et comment surmonter les barrières physiques (escaliers, pentes, portes, etc.). L'infirmière doit aussi dépister et traiter les problèmes reliés à l'utilisation des aides à la motricité (pression des béquilles aux aisselles, irritation des mains due à l'utilisation du fauteuil roulant, irritation du moignon causée par la prothèse, par exemple).

L'amputé d'un membre supérieur doit renforcer les muscles de ses deux épaules, lesquels sont essentiels pour faire fonctionner la prothèse. S'il y a eu désarticulation de l'épaule, des anomalies posturales sont à prévoir en raison de la perte du poids du membre amputé. Des exercices de posture sont donc nécessaires.

Marche. L'amputation déplace le centre de gravité du corps. Le patient doit donc se pratiquer à maintenir son équilibre lors des changements de position (passer de la position debout à la position assise et se tenir sur un pied, par exemple). Il doit porter des chaussures bien ajustées avec semelle antidérapante. Pendant les changements de position, on doit assurer une surveillance afin de prévenir les chutes. On peut stabiliser le patient à l'aide d'une ceinture, au besoin.

On doit rapidement apprendre au patient comment se mobiliser dans le lit et comment sortir du lit. Dès que possible, on permet au patient un faible appui sur la prothèse temporaire à l'aide de barres parallèles ou d'une table basculante.

- Le patient doit éviter d'appliquer une pression excessive sur le moignon, ce qui pourrait retarder la cicatrisation.

L'âge du patient, sa condition physique générale et l'état du pied sain déterminent le début de la mise en charge sur le pied artificiel. Souvent, on doit retarder la mise en charge chez les patients affaiblis ou atteints de diabète ou d'une maladie des vaisseaux périphériques.

Le patient commence par se tenir debout entre des barres parallèles deux fois par jour. Quand son endurance augmente, il peut se déplacer entre les barres, avec une mise en charge partielle sur la prothèse. Il commence à marcher avec des béquilles quand son équilibre est suffisant.

Quand il commence à se déplacer avec des béquilles, le patient doit apprendre à adopter une démarche normale. Le moignon et les béquilles doivent se déplacer ensemble d'avant en arrière. Pour prévenir une contracture en flexion permanente, le moignon doit rester en position déclive.

On doit apprendre le plus tôt possible au patient ayant subi une amputation d'un membre supérieur comment pratiquer ses soins personnels d'un seul bras. Le patient qui apprend à utiliser une prothèse rapidement après l'amputation sera plus habile. Il peut porter un t-shirt en coton sous le harnais pour prévenir les irritations de la peau et absorber la transpiration. Le prothésiste donnera des conseils concernant le nettoyage de la prothèse et procédera à des vérifications périodiques afin de prévenir les problèmes.

Préparation de la prothèse. La prothèse est ajustée par le prothésiste. Les soins préalables sont déterminants pour assurer un bon ajustement. Les principaux problèmes qui peuvent retarder l'ajustement de la prothèse sont: (1) les contractures en flexion, (2) l'absence de rétraction du moignon, (3) la contracture en abduction de la hanche. Ces problèmes peuvent être évités.

L'emboîture de la prothèse est moulée directement sur le moignon. La prothèse est choisie en fonction du niveau d'activité et des capacités du patient. Elle peut être hydraulique, pneumatique, à biorétroaction, myoélectrique, synchronisée ou autres.

L'entraînement à la marche avec une prothèse se fait sous la surveillance du physiothérapeute. L'emboîture est ajustée régulièrement par le prothésiste en fonction des changements dans le moignon qui se produisent au cours des 6 à 12 premiers mois. Quand le patient ne porte pas la prothèse, on entoure le moignon d'un bandage rigide ou compressif pour prévenir l'œdème.

Formation et soins du moignon. Pour bien s'adapter à la prothèse, le moignon doit être de forme conique et rétracté. L'infirmière enseigne au patient ou à un membre de sa famille à faire le bandage.

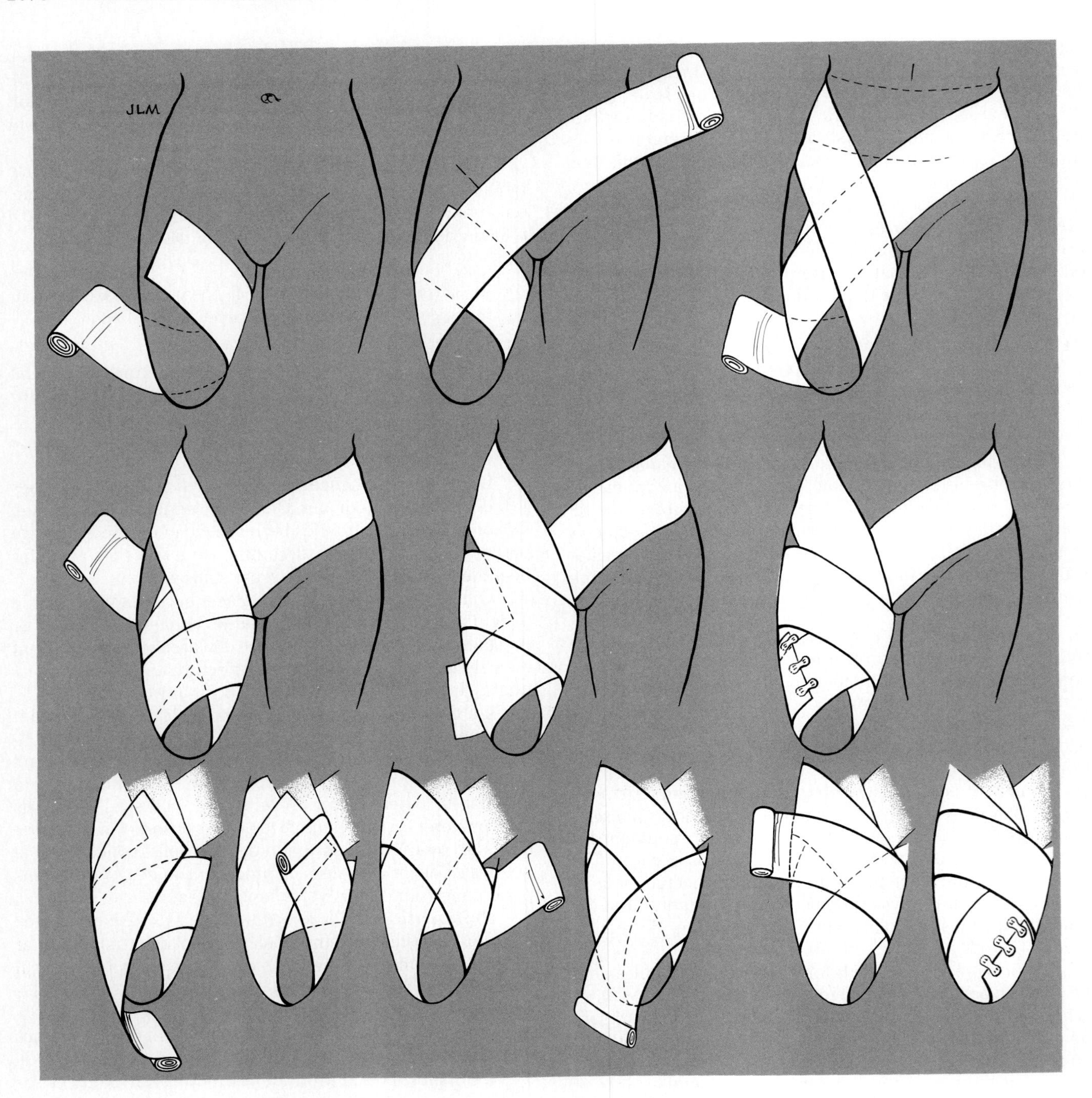

Figure 62-17. Pansement sur un moignon au-dessus du genou; le bandage élastique réduit l'œdème et donne une forme conique au moignon en vue du port d'une prothèse. En appliquant le bandage élastique, l'infirmière doit prendre soin de l'enrouler uniformément, sans faire de plis, car les plis pourraient causer des problèmes circulatoires et des lésions cutanées.
(Source: D. S. Suddarth, *The Lippincott Manual of Nursing Practice,* 5 éd., Philadelphia, J. B. Lippincott, 1991)

Les bandages soutiennent les tissus mous et réduisent l'œdème quand le moignon est en position déclive. On les applique de façon à raffermir les muscles qui servent à actionner la prothèse et à atrophier les muscles inutiles (figures 62-17 et 62-18). Un bandage élastique mal posé peut entraîner des troubles circulatoires et une déformation du moignon.

On prescrit généralement des exercices de raffermissement graduel du moignon. Le patient commence par appuyer son moignon sur un oreiller mou, puis sur un oreiller plus ferme et finalement, sur une surface dure. On lui enseigne à masser son moignon dans le sens de la suture afin de réduire la sensibilité et d'améliorer la circulation. Les premiers massages sont habituellement effectués par le physiothérapeute après la cicatrisation de l'incision. Le patient doit aussi apprendre à examiner et à soigner la peau de son moignon.

▷ ***Réadaptation.*** La réadaptation complète d'un amputé exige les efforts de toute une équipe. Le chirurgien orthopé-

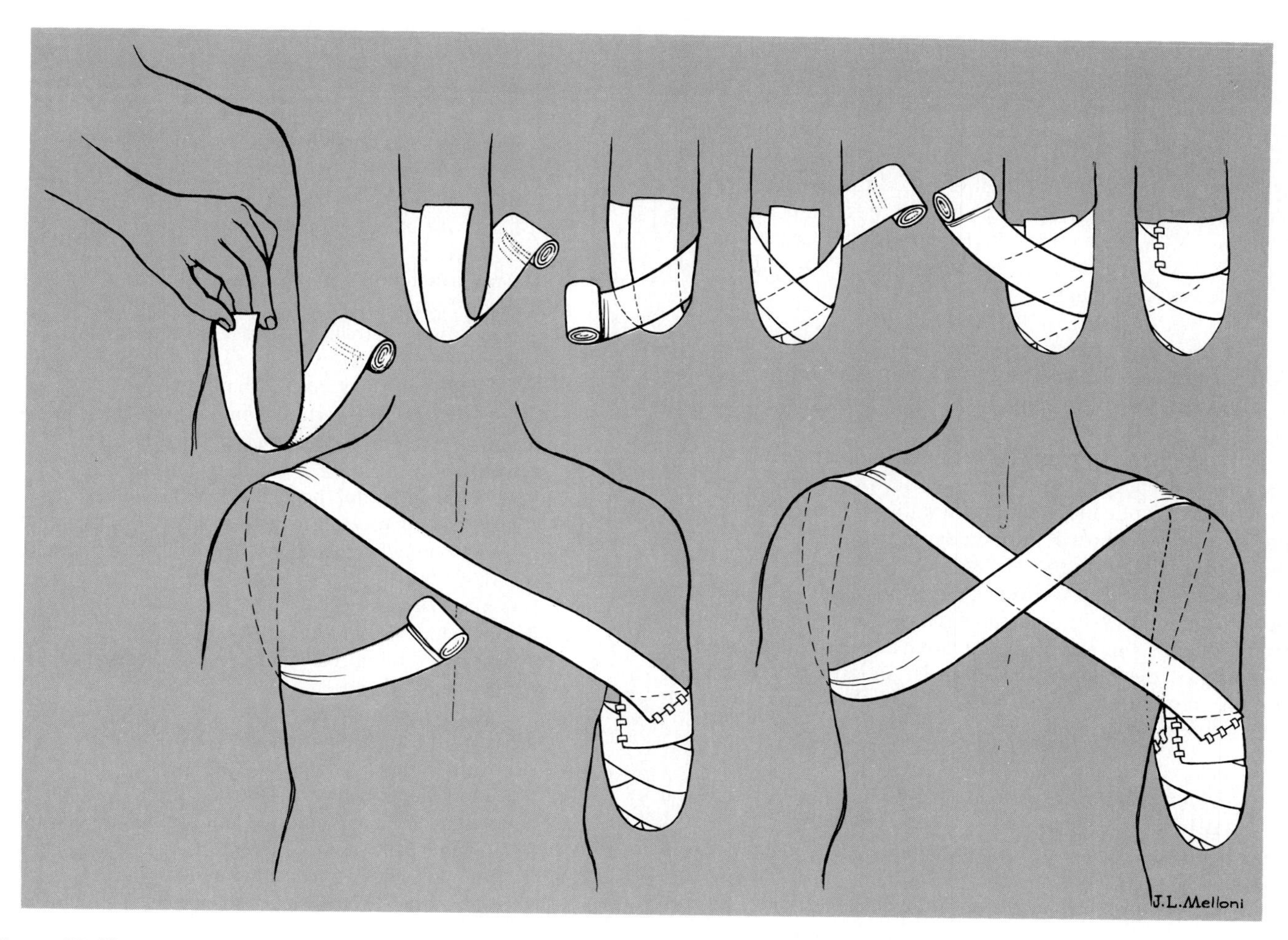

Figure 62-18. Pansement sur un moignon au-dessus du coude; le bandage élastique réduit l'œdème et forme le moignon en vue du port d'une prothèse. On fixe le bandage en le passant sur les épaules et en le croisant dans le dos.
(Source: D. S. Suddarth, *The Lippincott Manual of Nursing Practice,* 5e éd., Philadelphia, J. B. Lippincott, 1991)

dique, l'infirmière, le physiatre, le prothésiste, le physiothérapeute et l'ergothérapeute coordonnent leurs efforts pour faciliter l'adaptation à la prothèse et l'autonomie du patient. L'établissement de centres de prothèses a considérablement ouvert les horizons pour les amputés et permettent à la plupart d'entre eux de retourner au travail.

Le soutien offert par l'équipe de réadaptation et la rapidité avec laquelle l'amputé recouvre son autonomie vont influencer l'adaptation de celui-ci et de sa famille à la situation. Pour réduire le sentiment d'impuissance, il faut susciter la participation du patient à ses soins et au choix de sa prothèse. La réadaptation est réellement terminée quand l'amputé sait se servir correctement de sa prothèse. L'entraînement se fait généralement dans un centre de réadaptation.

Amputés incapables d'utiliser une prothèse. Certains amputés ne peuvent utiliser une prothèse, notamment à cause d'une maladie cardiaque, d'un accident vasculaire cérébral, de l'hypertension, d'une insuffisance circulatoire, de l'âge, de l'obésité, d'infections, d'un retard de cicatrisation du moignon ou d'une maladie des vaisseaux périphériques. L'amputé qui ne peut utiliser une prothèse, peut être autonome grâce à un fauteuil roulant.

Il est conseillé aux amputés de se servir d'un fauteuil roulant spécialement conçu pour eux, car les fauteuils de modèle courant ne compensent pas le manque de poids à l'avant et peuvent basculer vers l'arrière. Le fauteuil roulant pour amputés a un essieu arrière reculé de 5 cm pour mieux répartir le poids.

▷ *Traitement à domicile.* Lorsque l'état du patient se stabilise et que les principaux objectifs de soins sont atteints, celui-ci peut poursuivre sa réadaptation à domicile ou dans un centre spécialisé. Les services d'une infirmière en santé communautaire sont essentiels afin d'assurer un soutien et une continuité dans les soins.

Le retour à domicile peut se faire de manière graduelle, ce qui permet d'effectuer les aménagements nécessaires. Le patient peut aller passer une nuit ou une fin de semaine chez lui pour cerner les problèmes qui n'ont pas été dépistés lors des discussions à l'hôpital ou des visites antérieures. Il peut poursuivre la physiothérapie ou l'ergothérapie à domicile ou en consultation externe dans un centre de réadaptation. Dans ce dernier cas, la famille ou les services communautaires peuvent assurer son transport.

L'infirmière en santé communautaire poursuit l'évaluation de l'adaptation physique et psychologique du patient et de sa famille. Si le conjoint est incapable de fournir l'aide nécessaire au patient, on devra faire appel à une personne de l'extérieur. Le patient et sa famille apprécient souvent l'aide apportée par un groupe de soutien aux amputés. Ces groupes leur permettent de partager leurs problèmes et d'échanger des solutions et des ressources. Ils leur permettent également de connaître des amputés qui mènent une vie satisfaisante en dépit de leur handicap.

▷ *Prévention des complications.* Après une intervention chirurgicale, on vise à rétablir l'équilibre homéostatique et à prévenir les complications de l'opération, de l'anesthésie et de l'immobilité.

Il faut évaluer régulièrement les fonctions respiratoire, gastro-intestinale et génito-urinaire pour prévenir, dépister ou traiter les complications de l'immobilité (pneumonie, constipation, stase urinaire). Il importe de prévenir les complications de l'immobilité et de reprendre l'activité le plus tôt possible.

Hémorragies. Une des plus importantes complications de l'amputation est l'hémorragie massive reliée à une ligature trop lâche de l'incision. Il faut donc observer les signes et symptômes de saignement chez le patient. On doit donc prendre régulièrement les signes vitaux et évaluer le volume du drainage de la plaie.

- Les pertes de sang postopératoires peuvent être lentes ou massives.
- On doit toujours avoir un garrot à portée de la main et l'appliquer sans tarder si on observe une hémorragie.
- On doit prévenir immédiatement le chirurgien si on observe des saignements accompagnés de changements importants dans les signes vitaux.

Infections. Des écoulements purulents, des odeurs ou une aggravation de la douleur peuvent indiquer une infection ou une nécrose. Il importe de faire rapidement part au chirurgien de ces observations. Il faut aussi être à l'affût des signes d'infection généralisée. Une mauvaise circulation, les souillures de la plaie et certaines maladies contribuent aux infections.

Ruptures de l'épiderme. L'immobilité ainsi que les pressions exercées par les différents appareils d'aide peuvent entraîner des ruptures de l'épiderme. La prothèse peut également exercer des pressions. L'infirmière doit donc examiner souvent la peau du patient.

L'hygiène de la peau doit être méticuleuse afin de prévenir les irritations, les infections et les ruptures de l'épiderme. On lave et on assèche (délicatement) la peau du moignon au moins deux fois par jour. On examine la peau à la recherche de rougeurs, d'éruptions ou de vésicules. Les lésions cutanées doivent être traitées rapidement avant qu'elles ne s'aggravent. Le patient porte généralement une chaussette sur son moignon pour absorber la transpiration et éviter un contact direct de la peau avec l'emboîture de la prothèse. Il faut changer la chaussette tous les jours et bien la tirer pour éviter les irritations causées par les plis. Il faut laver l'emboîture de la prothèse avec un détergent doux, la rincer et l'essuyer minutieusement avec un linge propre. On doit recommander au patient d'attendre que l'emboîture soit complètement sèche avant de mettre la prothèse.

▷ *Évaluation*

Résultats escomptés

1. Le patient ne ressent pas de douleur.
   a) Il se dit détendu après la prise de son analgésique.
   b) Il se dit à l'aise.
   c) Il utilise des méthodes douces pour améliorer son bien-être.
   d) Il dit comprendre les sensations anormales qu'il éprouve dans son moignon.
2. Le patient présente une bonne cicatrisation du moignon.
   a) Il réduit l'œdème en surélevant son moignon.
   b) Son moignon n'est pas sensible et ne présente pas d'écoulements.
   c) Il participe aux soins du moignon.
3. Le patient s'adapte à la perturbation de son image corporelle.
   a) Il verbalise ses émotions face à la perturbation de son image corporelle.
   b) Il se voit comme une personne à part entière.
   c) Il a une perception réaliste de la situation actuelle et future.
   d) Il désire reprendre les responsabilités reliées à l'exercice de son rôle familial.
   e) Il reprend sa vie sociale.
   f) Il a confiance en ses capacités.
4. Le patient progresse normalement à travers les étapes du processus de deuil.
   a) Il exprime ses émotions.
   b) Il fait appel à sa famille et à ses amis pour surmonter ses réactions émotives.
   c) Il a une vision positive de l'avenir.
5. Le patient effectue ses autosoins de façon autonome.
   a) Il demande de l'assistance quand il en a besoin.
   b) Il utilise des aides pour faciliter ses soins.
   c) Il se dit content d'être capable d'effectuer ses autosoins.
6. Le patient acquiert la plus grande autonomie possible dans ses déplacements.
   a) Il évite les positions susceptibles d'entraîner une contracture.
   b) Il a une amplitude de mouvements complète.
   c) Il garde son équilibre quand il s'assoit ou se déplace.
   d) Il augmente sa force et son endurance.
   e) Il respecte les principes de sécurité lors de ses déplacements.
   f) Il parvient à une utilisation fonctionnelle de sa prothèse.
   g) Il surmonte les barrières physiques à la mobilité.
   h) Il utilise les services et les ressources communautaires selon ses besoins.
7. Le patient ne présente pas de complications comme les hémorragies, les infections, les ruptures de l'épiderme.
   a) Il ne présente pas de saignements excessifs.
   b) Les résultats de ses épreuves sanguines sont normaux.
   c) Il ne présente pas de signes d'infection localisée ou généralisée.
   d) Il change souvent de position.
   e) Il ne présente pas de ruptures de la peau dues à des pressions.
   f) Il communique rapidement toute douleur ou irritation de l'épiderme.

Résumé: Une amputation est généralement reliée à une maladie des vaisseaux périphériques, à un traumatisme, à une malformation congénitale ou à une tumeur maligne. Elle vise à améliorer la qualité de vie du patient. Les problèmes de soins associés à l'amputation sont la douleur, le phénomène du membre fantôme, les atteintes à l'intégrité de la peau, la perturbation de l'image corporelle, une incapacité à effectuer les autosoins et une altération de la mobilité. La réadaptation postopératoire exige la collaboration du patient, de sa famille et de spécialistes de différentes disciplines. L'infirmière doit être attentive aux réactions psychologiques du patient et de sa famille et prendre les mesures nécessaires pour promouvoir leur santé.

Bibliographie

Ouvrages

Adams JC. Outline of Fractures, 9th ed. Edinburgh, Churchill Livingstone, 1987.

American Nurses Association and National Association of Orthopaedic Nurses. Orthopaedic Nursing Practice. Kansas City, MO, American Nurses Association, 1986

Apley AG and Solomon L. Concise System of Orthopaedics and Fractures. London, Butterworths, 1988.

Bohne WHD. Atlas of Amputation Surgery. New York, Thieme Medical Publishers, 1987.

Dandy DJ. Essential Orthopaedics and Trauma. Edinburgh, Churchill Livingstone, 1989.

Dee R et al. Principles of Orthopaedic Practice, Vols 1 & 2. New York, McGraw-Hill, 1988.

Farrell J. Illustrated Guide to Orthopedic Nursing, 3rd ed. Philadelphia, JB Lippincott, 1986.

Gates SJ and Mooar PA. Orthopaedics and Sports Medicine for Nurses. Baltimore, Williams & Wilkins, 1989.

Garhardt JJ et al. Interdisciplinary Rehabilitation in Orthopedic Medicine. Toronto, Han Huber, 1987.

Hughes SPF et al (eds). Orthopaedics; The Principles and Practice of Musculoskeletal Surgery and Fractures. Edinburgh, Churchill Livingstone, 1987.

Iversen LD and Clawson DK. Manual of Acute Orthopaedic Therapeutics, 3rd ed. Boston, Little Brown, 1987.

Mears DC and Rubash HE. Pelvic and Acetabular Fractures. Thorofare, NJ, Slack, 1986.

Mourad LA and Droste MM. The Nursing Process in the Care of Adults with Orthopaedic Conditions, 2nd ed. New York, John Wiley & Sons, 1988.

Paton DF. Fractures and Orthopaedics. Edinburgh, Churchill Livingstone, 1988.

Powell M (ed). Orthopaedic Nursing and Rehabilitation, 9th ed. Edinburgh, Churchill Livingstone, 1986.

Salmond S et al (eds). Core Curriculum for Orthopaedic Nurses, 2nd ed. Pitman, NJ, National Association of Orthopaedic Nurses, 1991.

Smith C. Orthopaedic Nursing. London, Heinemann Nursing, 1987.

Stearns CM and Brunner NA. Opcare: Orthopedic Patient Care: Á Nursing Guide, Vols 1-3. Rutherford, NJ, Howmedica, 1987.

Revues

Les articles de recherche en sciences infirmières sont marqués d'un astérisque.

Blessures musculosquelettiques

Cabot A. Tennis elbow: A curable affliction. Orthop Rev 1987 May; 16(5): 322-326.

Clark S et al. Rotator cuffs: Tears, repairs, and care. CONA J 1987 Sep; 9(3): 9-13.

Diamond JE. Rehabilitation of ankle sprains. Clin Sports Med 1989 Oct; 8(4): 13-18.

Folcik MA. Winter sports injuries: An overview. Orthop Nurs 1988 Nov/Dec; 7(6): 25-28.

Hoshowsky VM. Chronic lateral ligament instability of the ankle. Orthop Nurs 1988 May/Jun; 7(3): 33-40.

McInerney VR et al. Rehabilitation of the sports-injured patient. Orthop Clin North Am 1988 Oct; 19(4): 725-735.

Montgomery JB. Dislocation of the knee. Orthop Clin North Am 1987 Jan; 18(1): 149-156.

Nemeth VA. Ankle sprains: Recognition and management. Hosp Med 1987 Jun; 23(6): 146, 148-149.

Norris TR. Recurrent posterior shoulder subluxations. Hosp Med 1990 Apr; 26(4): 45+.

Spalj N et al. The school nurse's role in managing athletic injuries. J Sch Health 1989 Aug; 59(6): 271-273.

* Wild E et al. Analysis of wrist injuries in workers engaged in repetative tasks. AAOHN J 1987 Aug; 35(8): 356-366.

Fractures

American Pain Society. Relieving pain: An analgesic guide. Am J Nurs 1988 Jun; 88(6): 815-825.

Antrum R and Solomkin J. A review of antibiotic prophylaxis of open fractures. Orthop Rev 1987 Apr; 16(4): 246-254.

Bach AW and Hansen ST Jr. Plates versus external fixation in severe open tibial shaft fractures. Clin Orthop 1989 Apr; 261: 89-94.

Bone L and Bucholz R. The management of fractures in the patient with multiple trauma. J Bone Joint Surg (Am) 1986 Jun; 68A(6): 945-949.

Burgess AR et al. Pedestrian tibial injuries. J Trauma 1987 Jun; 27(6): 596-601.

Burgess AR et al. Management of open grade III tibial fractures. Orthop Clin North Am 1987 Jan; 18(1): 85-93.

Carlson DC. Common fractures of the extremities: How to recognize and treat them. Postgrad Med 1988 Mar; 83(4): 311-317.

Cochran S. Action STAT! Open fracture. Nursing 1987 May; 17(5): 33.

Dellinger EP et al. Risk of infection after open fracture on the arm or leg. Arch Surg 1988 Nov; 123(11): 1320-1327.

Dellinger EP et al. Duration of preventive antibiotic administration for open extremity fractures. Arch Surg 1988 Mar; 123(3): 333-339.

Fractured fewer with internal fixation. Orthop Nurs 1987 Mar/Apr; 6(2): 38-41.

Gabel GT et al. Intraarticular fractures of the distal numerous in the adult. Clin Orthop 1987 Mar; (216): 99-108.

Gershuni DH et al. Fracture of the tibia complicated by acute compartment syndrome. Clin Orthop 1987 Apr; (217): 221-227.

Harper MC and Hardin G. Posterior malleolar fractures of the ankle associated with external rotation-abduction injuries. Results with the without internal fixation. J Bone Joint Surg [Am] 1988 Oct; 70(9): 1348-1356.

Herron DG and Nance J. Emergency department nursing management of patients with orthopedic fractures resulting from motor vehicle accidents. Nurs Clin North Am 1990 Mar; 25(1): 73-83.

Johnson KD (ed.). Complicated fractures. Orthop Clin North Am 1987 Jan; 18(1).

Matta JM and Merritt PO. Displaced acetabular fractures. Clin Orthop 1988 May; (230): 83-97.

Mayo KA. Fractures of the acetabulum. Orthop Clin North Am 1987 Jan; 18(1): 43-51.

Merritt K. Factors increasing the risk of infection in patients with open fractures. J Trauma 1988 Jun; 28(6): 823-827.

Mims BC. Fat embolism syndrome: A variant of ARDS. Orthop Nurs 1989 May/Jun; 8(3): 22-28.

Mooney V and Stills M. Continuous passive motion with joint fractures and infections. Orthop Clin North Am 1987 Jan; 18(1): 1-9.

Ross D. Acute compartment syndrome. Orthop Nurs 1991 Mar/Apr; 10(2): 33-38.

Seyfer AE and Lower R. Later results of free muscle flaps and delayed bone grafting in the secondary treatment of open distal tibial fractures. Plast Reconstr Surg 1989 Jan; 83(1): 77-84.

Srabo RM and Weber SC. Comminuted intraarticular fractures of the distal radius. Clin Orthop 1988 Mar; 230: 39-48.

tenDuis HJ et al. Fat embolism in patients with an isolated fracture of the femoral shaft. J Trauma 1988 Mar; 28(3): 383-390.

Waldrop J et al. Fractures of the posterolateral tibial plateau. Am J Sports Med 1988 Sep/Oct; 16(5): 492-498.

Fractures de la hanche

Barangen J. Factors that influence recovery from hip fracture during hospitalization. Orthop Nurs 1990 Sept/Oct; 9(5): 19-29.

Barnes B et al. Functional outcomes after hip fracture. Phys Ther 1987 Nov; 67(11): 1675-1679.
Billing N et al. Hip fracture, depression, cognitive impairment: A follow-up study. Orthop Rev 1988 Mar; 17(3): 315-320.
Cummings SR et al. Recovery of function after hip fracture: The role of social supports. J Am Geriatr Soc 1988 Sep; 36(9): 801-806.
Dubrouskis V et al. Hip fracture in the elderly: Program planning puts these patients on their feet again. Can Nurse 1988 May; 84(5): 20-22.
Felson DT. Prevention of hip fractures. Hosp Pract 1988 Sep; 23(9A): 23-32, 37-38.
* Gleit C and Graham B. Secondary data analysis: A valuable resource. Nurs Res 1989 Nov/Dec; 38(5): 380-381.
Furstenberg A. Attributions of control by hip fracture patients. Health Soc Work 1988 Winter; 13(1): 43-48.
Gustafson V et al. Acute confusional states in elderly patients treated for femoral neck fracture. J Am Geriatr Soc 1988 Jun; 36(6): 525-530.
Jette AM et al. Functional recovery after hip fracture. Arch Phys Med Rehabil 1987 Oct; 68(10): 735-740.
Kauffman TL et al. Rehabilitation outcomes after hip fracture in persons 90 years old or older. Arch Phys Med Rehabil 1987 Jun; 68(6): 369-371.
Krug BM. The hip: Nursing fracture patients to full recovery. RN 1989 Apr; 52(4): 56-61.
Nelson L et al. Improving pain management for hip fractured elderly. Orthop Nurs 1990 May/Jun; 9(3): 79-83.
Palmer RM et al. The impact of the prospective payment system on the treatment of hip fractures in the elderly. Arch Intern Med 1989 Oct; 149(10): 2237-2241.
Reinhard S. Case managing community services for hip fractured elders. Orthop Nurs 1988 Sep/Oct; 7(5): 42-49, 71.
Pryor GA. Rehabilitation after hip fractures. J Bone Joint Surg [Br] 1989 May; 71B(3): 471-474.
Pryor GA et al. Team management of the elderly patient with hip fracture. Lancet 1988 Feb 20; 1(8582): 401-403.
Schoen DC. Assessing a fractured hip. Nursing 1987 Mar; 17(3): 97-98.
* Wells DL et al. Voiding dysfunction in geriatric patients with hip fracture: Prevalence rate and tentative nursing intervention. Orthop Nurs 1986 Nov/Dec; 5(6): 25-28.

Fractures du bassin

Coyer HM et al. Pelvic fracture classification: Correlation with hemorrhage. J Trauma 1988 Jul; 28(7): 973-980.
Denis F et al. Sacral fractures: An important problem. Clin Orthop 1988 Feb; (227): 67-81.
Johnson L. Operative management of unstable pelvic fractures. Orthop Nurs 1989 Jul/Aug; 8(4): 21-25.
Kellan JF et al. The unstable pelvic fracture: Operative treatment. Orthop Clin North Am 1987 Jan; 18(1): 25-41.
Lin PS et al. Acute bowel entrapment and perforation following operative reduction of pelvic fracture. J Trauma 1987 Jun; 27(6): 684-686.
Lowe MA et al. Risk factors for urethral injuries in men with traumatic pelvic fractures. J Urol 1988 Sep; 140(3): 506-507.
Meyer PS. Urologic complications associated with pelvic fractures. Orthop Nurs 1989 Jul/Aug; 8(4): 41-44.
Mucha P Jr and Welch TJ. Hemorrhage in major pelvic fractures. Surg Clin North Am 1988 Aug; 68(4): 757-773.
Polando G et al. PASG use in pelvic fracture immobilization . . . Pneumatic antishock garments. JEMS 1990 Mar; 15(3): 48-49, 51-52, 55+.
Peter NK. Care of patients with traumatic pelvic fractures. Crit Care Nurs 1988 May; 8(3): 62-70.
Seibel RW and Flint L. Management of complicated pelvic fractures. Curr Surg 1986 Sep/Oct; 43(5): 391-394.
Spirnak JP. Pelvic fracture and injury to the lower urinary tract. Surg Clin North Am 1988 Oct; 88(5): 1057-1069.
Tile M. Pelvic ring fractures: Should they be fixed? J Bone Joint Surg [Br] 1988 Jan; 70(1): 1-12.
Unkle D and Delong W. Abdominal trauma associated with pelvic fractures. Orthop Nurs 1989 Jul/Aug; 8(4): 27-30.
Ward EF et al. Open reduction and internal fixation of vertical shear pelvic fractures. J Trauma 1987 Mar; 27(3): 291-295.

Amputations

Adler JC et al. Treadmill training program for a bilateral below-knee amputee patient with cardiopulmonary disease. Arch Phys Med Rehabil 1987 Dec; 68(12): 858-861.
Barker-Stotts KA. Action STAT! Traumatic amputation. Nursing 1988 May; 18(5): 51.
Beekman C and Antell L. Prosthetic use in elderly patients with dysvascular above-knee and through knee amputations. Phys Ther 1987 Oct; 67(10): 1510-1516.
Bild DE et al. Lower-extremity amputation in people with diabetes: Epidemiology and prevention. Diabetes Care 1989 Jan; 12(1): 24-31.
Broadhurst C. Adjusting to amputation. Nurs Times 1989 Oct 25-31; 85(43): 55-57.
Ceccio CM et al. Teaching the elderly amputee to meet the world. RN 1988 Sep; 51(9): 70-77.
Colen LB. Limb salvage in the patient with severe peripheral vascular disease. Plast Reconstr Surg 1987 Mar; 79(3): 389-395.
Cotter DHB. Artificial limbs. Br Med J 1988 Apr 23; 296(6630): 1185-1187.
Finsen V et al. Transcutaneous electrical nerve stimulation after major amputation. J Bone Joint Surg [Br] 1988 Jan; 70B(1): 109-112.
Gavant ML. Digital subtraction angiography of the foot in atherosclerotic occlusive disease. South Med J 1989 Mar; 82(3): 328-334.
Huber PM et al. Prosthetic problem inventory scale. Rehabil Nurs 1988 Nov/Dec; 13(6): 326-329.
* Medhat A et al. Factors that influence level of activities in persons with lower extremity amputation. Rehabil Nurs 1990 Jan/Feb: 15(1): 13-18.
Miller RA et al. Immediate postop prosthesis. Am J Nurs 1987 Mar; 87(3): 310-311.
Moore TJ et al. Prosthetic usage following major lower extremity amputation. Clin Orthop 1989 Jan; (238): 219-242.
Mouratoglou VM. Amputees and phanton limb pain: A literature review. Physiother Pract 1986 Dec; 2(4): 177-185.
Pinzur MS et al. Psychological testing in amputation rehabilitation. Clin Orthop 1988 Apr; (229): 236-240.
Osterman HM et al. Amputation: Last resort or new beginning? Geriatr Nurs 1987 Sep/Oct; 8(5): 246-248.
Stern PH. Occlusive vascular disease of lower limbs: Diagnosis, amputation surgery and rehabilitation. Am J Phys Med Rehabil 1988 Aug; 67(4): 145-154.
Wyss CR et al. Transcutaneous oxygen tension as a predictor of success after an amputation. J Bone Joint Surg [Am] 1988 Feb; 70A(2): 203-207.

Information/Ressources

Organismes

Amputees in Motion
P.O. Box 2703, Escondido, CA 92025
Amputee Shoe and Glove Exchange
P.O. Box 27067, Houston, TX 77227
Association for the Handicapped (Sports Program)
350 Fifth Ave., Suite 1829, New York, NY 10017
National Amputation Foundation
1245 150th Street, Whitestone, NY 11357
National Easter Seal Society
70 E. Lake Street, Chicago, IL 60601
National Handicapped Sports and Recreation Association
1145 19th Street NW, Suite 717, Washington, DC 20036
National Institute of Arthritis and Musculoskeletal and Skin Diseases
National Institutes of Health, Bethesda, MD 20892
National Odd Shoe Exchange
P.O. Box 56845, Phoenix, AZ 85079

63 TRAITEMENT DES PATIENTS SOUFFRANT D'UN TROUBLE CHRONIQUE DE L'APPAREIL LOCOMOTEUR

SOMMAIRE

OBJECTIFS D'APPRENTISSAGE

Après avoir étudié ce chapitre, vous devriez être en mesure de réaliser ce qui suit:

1. *Appliquer la démarche de soins infirmiers pour intervenir auprès des patients souffrant de douleurs lombaires.*
2. *Décrire les besoins des patients souffrant de douleurs lombaires en matière de rééducation et d'enseignement.*
3. *Appliquer la démarche de soins infirmiers pour intervenir auprès des patients subissant une chirurgie de la main ou du poignet.*
4. *Appliquer la démarche de soins infirmiers pour intervenir auprès des patients subissant une chirurgie du pied.*
5. *Appliquer la démarche de soins infirmiers pour intervenir auprès des patients atteints d'une fracture spontanée de la colonne vertébrale reliée à l'ostéoporose.*
6. *Appliquer la démarche de soins infirmiers pour intervenir auprès des patients atteints d'ostéomalacie.*
7. *Décrire le traitement médicamenteux de la maladie de Paget.*
8. *Appliquer la démarche de soins infirmiers pour intervenir auprès des patients atteints d'ostéomyélite.*
9. *Appliquer la démarche de soins infirmiers pour intervenir auprès des patients atteints d'une tumeur osseuse.*

PROBLÈMES MUSCULO-SQUELETTIQUES COURANTS

LOMBALGIES (DOULEURS LOMBAIRES)

Les lombalgies touchent 80 % de la population et sont la troisième plus importante cause d'absentéisme au travail. Elles limitent beaucoup les activités et entraînent des pertes estimées en millards de dollars.

Les lombalgies ont de multiples causes, mais sont dues le plus souvent à des problèmes musculosquelettiques (lumbago, instabilité des ligaments lombosacrés et faiblesse musculaire, cervicarthrose, étroitesse du canal rachidien lombaire, dégénérescence des disques intervertébraux, inégalité de la longueur des jambes). Les douleurs lombaires provoquées par des troubles musculosquelettiques sont généralement aggravées par l'activité, contrairement à celles qui ont d'autres causes. Chez les personnes plus âgées les douleurs lombaires peuvent être associées à des métastases osseuses ou à une fracture spontanée des vertèbres due à l'ostéoporose. Les autres causes sont notamment les néphropathies, les troubles pelviens, les tumeurs rétropéritonéales, les anévrismes abdominaux et les problèmes psychosomatiques.

L'obésité, le stress et parfois la dépression peuvent aggraver les lombalgies. Les patients souffrant de lombalgie chronique développent parfois une dépendance à l'alcool ou aux analgésiques.

Physiopathologie

On peut se représenter la colonne vertébrale comme une tige élastique faite de composants rigides (les vertèbres) et de composants flexibles (les disques intervertébraux) qui sont soutenus par des facettes articulaires complexes, de nombreux ligaments et des muscles.

Le dos a une structure unique qui permet la souplesse tout en protégeant la moelle épinière. En effet, les courbures de la colonne absorbent les chocs verticaux provoqués par la course et les sauts, tandis que le tronc aide à stabiliser la colonne. Les muscles abdominaux et thoraciques sont des muscles de soutien qui ont notamment de l'importance dans les mouvements de redressement. Ils sont affaiblis par l'inactivité. Par conséquent, les douleurs lombaires peuvent être provoquées par l'obésité, les problèmes de posture, les problèmes de structure et l'affaiblissement des muscles de soutien.

La structure des disques intervertébraux change avec l'âge. Chez les jeunes, les disques intervertébraux sont principalement composés de fibrocartilage et d'une substance gélatineuse. Avec l'âge, le fibrocartilage devient dense et irrégulier. Cette dégénérescence est l'une des principales causes de lombalgie. Comme les disques des vertèbres inférieures, L4 à L5 et L5 à S1, subissent les plus grandes demandes mécaniques, ce sont eux qui présentent les changements dégénératifs les plus importants. La hernie discale (hernie du nucleus pulposus) et certaines altérations des facettes articulaires peuvent exercer une pression sur les racines d'un nerf, provoquant ainsi une douleur qui irradie le long du trajet du nerf (sciatique). Environ 12 % des patients souffrant de douleurs lombaires sont atteints d'une hernie discale. (Voir le chapitre 59 pour le traitement des affections des disques intervertébraux.)

Manifestations cliniques

Les douleurs lombaires dites aiguës persistent depuis moins de trois jours et celles dites chroniques durent depuis plus de deux mois et s'accompagnent de fatigue. Il faut d'abord établir le siège et les caractéristiques de la douleur et déterminer si elle irradie dans le territoire d'un nerf. Généralement, une douleur d'origine musculosquelettique est aggravée par le mouvement.

Il faut évaluer la démarche, la mobilité de la colonne, les réflexes, la longueur des jambes, la force motrice et la perception sensorielle, de même que l'intensité de la douleur. Si la douleur est aggravée par l'élévation de la jambe tendue, il peut s'agir d'une irritation de la racine des nerfs rachidiens.

L'examen physique peut révéler un *spasme des muscles paravertébraux* (forte contraction des muscles posturaux du dos) avec perte de la courbure lombaire normale et une déformation possible de la colonne.

Si le patient présente une *radiculopathie* (affection des racines nerveuses) ou souffre de lombalgie chronique, il faudra peut-être effectuer de multiples examens diagnostiques.

Les douleurs lombaires n'ont pas toujours de causes organiques précises et sont parfois reliées à l'anxiété et au stress. Elles peuvent être la manifestation d'une dépression, de tensions psychologiques, familiales, sociales ou professionnelles.

L'infirmière qui prodigue des soins à un patient souffrant de lombalgie chronique voudra obtenir des données sur la vie familiale, sociale et professionnelle du patient. De plus, elle doit évaluer les répercussions des douleurs chroniques sur le bien-être émotionnel du patient et de sa famille. Le plan de soins doit comprendre des interventions visant à réduire les tensions psychologiques ou psychosociales associées aux douleurs de ce type.

Examens diagnostiques

On peut pratiquer divers examens diagnostiques pour bien déterminer les causes des douleurs lombaires et de la sciatique.

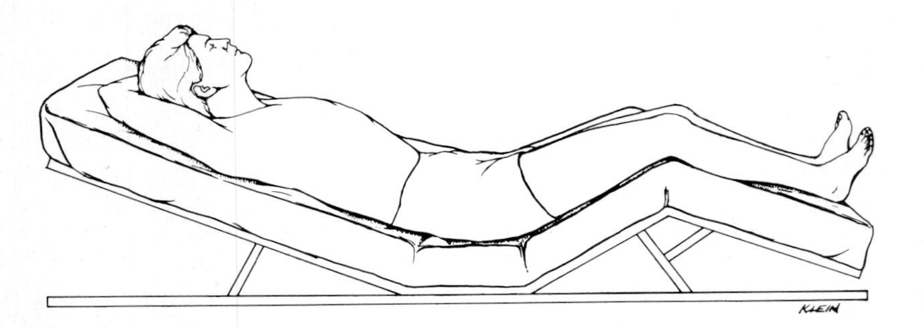

Figure 63-1. Position assurant une flexion lombaire

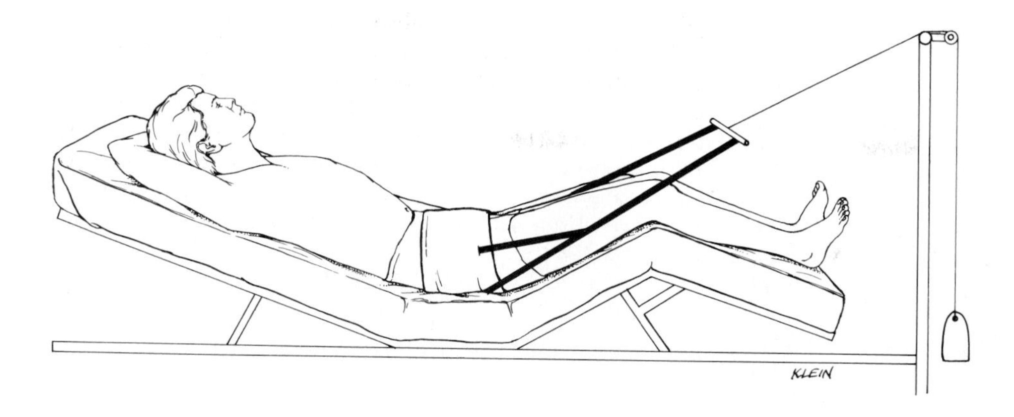

Figure 63-2. Traction pelvienne avec flexion lombaire pour soulager les douleurs lombaires

L'infirmière doit préparer le patient à ces examens et lui apporter un soutien psychologique au cours de l'examen.

Les radiographies de la colonne vertébrale permettent de déceler une fracture, une dislocation, une infection, une cervicarthrose ou une scoliose. La tomographie est utile pour déceler les lésions des tissus mous adjacents à la colonne vertébrale et les atteintes des disques intervertébraux. L'échographie permet de mettre en évidence l'étroitesse du canal rachidien. L'imagerie par résonance magnétique (IRM) peut révéler la nature et le siège d'une atteinte rachidienne. La myélographie et la *discographie* (radiographie des disques intervertébraux après injection d'une substance de contraste dans le nucleus pulposus) peuvent être pratiquées pour déceler la dégénérescence des disques ou la hernie discale. La phlébographie épidurale permet de déceler les déplacements des disques lombaires en mettant en évidence le déplacement des veines de la région affectée. On utilise l'électromyographie et les épreuves de vitesse de conduction nerveuse pour dépister les radiculopathies.

DÉMARCHE DE SOINS INFIRMIERS PATIENTS SOUFFRANT DE DOULEURS LOMBAIRES

▷ *Collecte des données*

Il faut demander au patient souffrant de douleurs lombaires de décrire sa douleur et les circonstances qui y sont associées : effort brusque (ouverture d'une porte de garage, par exemple) ou activité exigeant un effort musculaire prolongé (jardinage de fin de semaine, par exemple). Il est important que l'infirmière connaisse les méthodes utilisées par le patient pour soulager sa douleur, surtout s'il s'agit d'un problème chronique. Il importe également qu'elle connaisse les effets des douleurs lombaires sur le mode de vie du patient, sur son travail et sur ses loisirs. Ces données aideront à la préparation du plan d'enseignement des soins du dos.

L'infirmière doit observer la posture du patient, ses changements de position et sa démarche. En général, le patient qui souffre de douleurs lombaires surveille ses mouvements, garde le dos raide, et choisit une chaise muni d'accoudoirs, dont le siège est de hauteur normale. Il est possible que le patient se tienne dans une position anormale, s'inclinant du côté le moins douloureux et qu'il demande de l'aide pour se dévêtir parce que la douleur est trop forte.

Lors de l'examen physique, il faut examiner la courbure lombaire, la crête iliaque et la symétrie des épaules. Il faut palper les muscles paraspinaux et noter les spasmes et les régions sensibles. On doit demander au patient de se pencher vers l'avant et le côté et noter si ces mouvements sont restreints et provoquent de la douleur. S'il y a restriction des mouvements, on doit en évaluer les conséquences sur les activités de la vie quotidienne. Il faut aussi rechercher les signes d'irritation des nerfs : sensations anormales (paresthésies, parésies, par exemple), faiblesse ou paralysie musculaire, et douleur au dos et aux jambes à l'élévation de la jambe en extension.

Un excès de poids peut aussi provoquer des douleurs lombaires. Il faut donc effectuer une évaluation des besoins nutritionnels.

▷ *Analyse et interprétation des données*

Selon les données recueillies, voici les principaux diagnostics infirmiers pouvant s'appliquer aux patients souffrant de douleurs lombaires :

- Douleur reliée à des problèmes musculosquelettiques
- Altération de la mobilité physique reliée à la douleur, à des spasmes musculaires et à une diminution de la souplesse
- Perturbation dans l'exercice du rôle reliée à l'immobilité et à la douleur chronique
- Douleur reliée à un manque de connaissances sur les soins du dos
- Douleur reliée à un excès nutritionnel

▷ *Planification et exécution*

▷ ***Objectifs de soins :*** Soulagement de la douleur ; amélioration de la mobilité physique ; reprise de l'exercice du rôle ; acquisition de connaissances sur les soins du dos ; modification du régime alimentaire

▷ *Interventions infirmières*

▷ ***Soulagement de la douleur.*** La plupart des douleurs lombaires sont soulagées par la réduction du stress, la relaxation, le repos au lit et l'inactivité. Le patient doit rester couché sur un matelas ferme. (On peut placer une planche sous le matelas au besoin.) Il peut quitter le lit seulement pour aller à la toilette. On doit lui interdire toute autre activité (répondre au téléphone, voir aux enfants, etc.). Les spasmes musculaires graves se résorbent en trois à sept jours. Pour réduire la pression sur les racines nerveuses, on doit placer le patient de façon à obtenir une flexion lombaire. Le tronc doit donc être incliné à 30° et les genoux légèrement fléchis (figure 63-1). En décubitus latéral, les genoux et les hanches doivent être fléchis (position en chien de fusil); on place un oreiller entre les jambes et un oreiller sous la tête. Le décubitus ventral accentue la lordose; le patient doit donc éviter cette position.

On peut aussi utiliser une traction pelvienne intermittente de 7 à 14 kg dans le traitement de la douleur lombaire. La traction permet d'accentuer la flexion lombaire (figure 63-2).

L'infirmière peut enseigner au patient des techniques comportementales de soulagement de la douleur qui réduisent les tensions musculaires et psychologiques. La respiration diaphragmatique et la relaxation aident à réduire la tension musculaire qui aggrave les douleurs lombaires. Les distractions, comme la lecture et la télévision, détournent l'attention du patient. L'imagerie mentale, une technique selon laquelle le patient détendu apprend à se concentrer sur des situations très agréables, peut aussi être efficace pour soulager la douleur.

Un léger massage des tissus mous peut réduire les spasmes musculaires, stimuler la circulation sanguine, réduire la congestion et soulager la douleur. Des traitements de physiothérapie peuvent aussi soulager la douleur et les spasmes musculaires: application de froid, application de chaleur radiante infrarouge, enveloppement humide chaud, ultrasons, diathermie, bains à remous et traction. Le choix des méthodes de traitement se fait de façon personnalisée. Une mauvaise circulation, une perte de sensation et une blessure sont des contre-indications à l'enveloppement humide chaud.

Les bains à remous sont contre-indiqués pour les patients présentant des troubles cardiovasculaires car ceux-ci ne peuvent tolérer une importante vasodilatation périphérique. Les ultrasons sont contre-indiqués pendant la phase aiguë, car ils émettent une chaleur profonde intense qui peut aggraver la tuméfaction. Ils sont aussi contre-indiqués pour les patients atteints d'un cancer ou de troubles hémorragiques. Si le patient a déjà souffert de douleurs lombaires, il est utile de connaître les méthodes qui ont soulagé efficacement la douleur dans le passé. La réponse à la méthode choisie détermine la poursuite du traitement.

On peut soulager la douleur aiguë par un traitement médicamenteux. Les analgésiques narcotiques interrompent le cycle de douleur. Les tranquillisants réduisent l'anxiété et les relaxants musculaires, les spasmes musculaires. Les anti-inflammatoires non stéroïdiens comme l'aspirine peuvent aussi contribuer au soulagement de la douleur. Les corticostéroïdes sont parfois utilisés pendant une courte période dans le but de diminuer la réaction inflammatoire des nerfs et de prévenir l'apparition d'une neurofibrose reliée à l'ischémie. L'infirmière doit évaluer la réponse du patient à chaque médicament. Quand la douleur aiguë s'atténue, il faut réduire graduellement la médication, selon l'ordonnance du médecin.

Pour soulager la douleur, le médecin peut aussi utiliser l'injection épidurale de stéroïdes, l'infiltration d'un anesthésique local dans les muscles paraspinaux ou l'injection de stéroïdes dans les facettes articulaires.

L'électrostimulation percutanée est une méthode non effractive de soulagement de la douleur qui se fait au moyen d'un appareil portatif. On croit qu'elle soulage la douleur en bloquant les signaux de la douleur (théorie du portillon) et en stimulant les endorphines.

L'infirmière doit connaître le fonctionnement de l'appareil d'électrostimulation percutanée. Il faut placer les électrodes de façon à assurer la plus grande efficacité possible. Le patient règle la longueur d'onde et l'intensité de la stimulation selon ses besoins. Les patients qui portent un stimulateur cardiaque ne peuvent avoir recours à l'électrostimulation percutanée à cause d'un risque d'arythmies. En général, le patient utilise constamment l'appareil pendant un à deux mois, puis en réduit graduellement l'utilisation à mesure que la douleur s'atténue et que les muscles du dos sont renforcés par des exercices.

▷ ***Amélioration de la mobilité physique.*** L'infirmière doit évaluer la posture et la démarche du patient. Quand la douleur s'atténue, le patient recommence à effectuer ses autosoins en évitant d'exercer une trop forte tension sur les structures lésées. Il doit changer de position lentement avec de l'aide, au besoin, et apprendre la façon appropriée de sortir du lit. Il doit éviter les mouvements de torsion et les mouvements brusques, et changer souvent de position. L'infirmière doit l'inciter à alterner le repos au lit et au fauteuil avec les séances de marche. De fréquentes périodes de repos en position allongée réduisent la tension exercée sur le dos.

Quand le patient ne ressent plus de douleur au repos, il peut graduellement reprendre ses activités et entreprendre un programme d'exercice ayant pour but d'améliorer la mobilité, la force musculaire et la souplesse. On recommande généralement des exercices de renforcement des muscles abdominaux et d'étirement des muscles du bas du dos. Le programme d'exercice se fait sous la direction d'un physiothérapeute et est adapté aux besoins du patient.

L'infirmière doit recommander au patient de se conformer à son programme d'exercice, car la constance est essentielle à l'efficacité de tout programme d'exercice. Dans la plupart des programmes, on recommande deux séances par jour, en augmentant graduellement le nombre des exercices. Les exercices ont pour but de renforcer les muscles de l'abdomen et du tronc, de réduire la lordose et de diminuer la tension exercée sur le dos. Le maintien de la posture et le respect des principes de la mécanique corporelle aident à prévenir les lombalgies. La pratique régulière d'activités physiques agréables comme la marche, la bicyclette ou la natation, aident à maintenir le dos en santé. Le patient peut donc graduellement remplacer le programme d'exercice par des activités physiques qui lui plaisent. Les activités choisies ne doivent pas provoquer de tension ou de douleur au bas du dos, ni exiger des mouvements de torsion; il en augmente graduellement la durée selon ses capacités.

▷ ***Reprise de l'exercice du rôle.*** La dépendance est un problème associé aux douleurs lombaires, car ces douleurs forcent le patient à demander de l'aide pour accomplir différentes tâches. Il faut aider le patient à cerner ses besoins d'aide réels de façon à mettre fin à une dépendance excessive. La collaboration des personnes clés a de l'importance à cet égard.

Il peut être nécessaire d'orienter le patient vers un centre de soins du dos ou vers un centre de traitement de la douleur. Dans ces centres, des spécialistes de différentes disciplines travaillent en collaboration pour soulager la douleur et aider le patient à assumer les responsabilités liées à l'exercice de son rôle familial, social et professionnel. Le traitement comporte généralement d'importantes modifications au mode de vie. Les douleurs lombaires procurent des avantages à certains patients (indemnités, diminution de la charge de travail, surprotection, par exemple). Ces patients peuvent développer une névrose lombaire. Dans ces cas, une psychothérapie est recommandée pour aider le patient à reprendre une vie active et productive.

▷ *Acquisition de connaissances sur les soins du dos.* La prévention de la récurrence des douleurs lombaires aiguës est un élément important des soins infirmiers. Il faut apprendre au patient les bonnes postures, en position debout, assise, couchée et en mouvement (soulever des objets, par exemple). Le respect des principes de la mécanique corporelle est essentiel pour éviter les douleurs lombaires. Il faut recommander aux femmes d'éviter les chaussures à talon haut.

Quand le patient est en position assise, il doit avoir les genoux à la hauteur des hanches ou un peu plus haut. Les pieds doivent être posés au sol. Le dos doit être complètement appuyé contre le dossier de la chaise. Le patient doit éviter de rester longtemps penché vers l'avant.

Si le patient doit rester longtemps debout, il doit déplacer souvent son poids et poser un pied sur un petit tabouret pour réduire la lordose lombaire. Il peut vérifier sa posture dans un miroir. Le tronc doit être droit, l'abdomen rentré, les genoux légèrement fléchis. On doit expliquer au patient comment soulever correctement des objets, en utilisant la force des quadriceps, pour réduire la tension sur les muscles du dos. L'objet à soulever doit se trouver aussi près que possible de la personne qui le soulève.

Le patient doit dormir en décubitus latéral, avec les hanches et les genoux fléchis; ou en décubitus dorsal, les genoux fléchis et appuyés sur des oreillers. Il doit éviter de dormir en décubitus ventral.

La rééducation posturale prend environ six mois. La pratique des positions de protection selon les règles de la mécanique corporelle renforce naturellement le dos et diminue les risques de récurrence des douleurs lombaires.

Dans certains cas, on prescrit un support orthopédique ou une ceinture lombaire pour restreindre les mouvements de la colonne vertébrale, pour corriger la posture et pour réduire les tensions exercées sur le bas du dos. Le patient ne doit utiliser ces appareils que pour une courte période car ils peuvent favoriser une atrophie, une faiblesse et une perte d'élasticité musculaires. Les patients qui doivent soulever des objets lourds dans le cadre de leur travail peuvent porter une large ceinture de cuir (ceinture trochantérienne) pour réduire les tensions sur le dos. Il est essentiel que le patient suive un programme d'exercice personnalisé pour renforcer les muscles de soutien du dos.

Enseignement au patient et soins à domicile

Il faut donner au patient les conseils qui suivent.

Debout

- Éviter de rester debout et de marcher trop longtemps.
- S'il faut rester debout pendant un certain temps, poser un pied sur un petit tabouret ou sur une boîte pour diminuer la lordose.
- Garder le dos droit.

Assis

Les tensions exercées sur le dos peuvent être plus importantes en position assise qu'en position debout.

- Éviter de rester assis trop longtemps.
- Choisir une chaise dont le dossier est droit et offre un bon appui pour le dos. Utiliser un tabouret au besoin pour que les genoux soient plus élevés que les hanches.
- Garder le dos droit en rentrant les fesses.
- Garder les hanches et les genoux fléchis. Au volant d'une voiture, avancer le siège autant que possible.
- Toujours bien appuyer le dos.
- Éviter les extensions qui causent une tension sur le dos : s'étirer pour atteindre un objet hors de portée, pousser, rester assis avec les jambes tendues.

Couché

- Se reposer régulièrement car la fatigue contribue aux spasmes musculaires.
- Placer une planche sous le matelas.
- Éviter de dormir en décubitus ventral.
- En décubitus latéral, placer un oreiller sous la tête et entre les jambes et fléchir les hanches et les genoux.
- En décubitus dorsal, placer un oreiller sous les genoux pour diminuer la lordose.

En mouvement

- Pour soulever un objet, garder le dos droit et tenir l'objet le plus près possible du corps; utiliser les muscles forts des jambes et non les muscles du dos.
- Pour soulever un objet à partir du sol, s'accroupir en gardant le dos droit.
- Éviter de faire des mouvements de torsion, de soulever des objets au-dessus de la taille et de s'étirer vers le haut.

Exercice

- L'exercice quotidien est essentiel à la prévention des problèmes de dos.
- Faire des marches à l'extérieur en augmentant graduellement le rythme et la distance.
- Faire les exercices pour le dos deux fois par jour, en augmentant graduellement le nombre des exercices.
- Éviter les sauts.

▷ *Modification du régime alimentaire.* L'obésité contribue aux douleurs lombaires en exerçant une tension additionnelle sur les muscles du dos, en plus de rendre les exercices moins efficaces et plus difficiles. Les personnes obèses qui souffrent de douleurs lombaires doivent donc perdre du poids. La perte de poids doit se faire grâce à un régime alimentaire équilibré qui favorise l'adoption de nouvelles habitudes alimentaires. Pour se conformer à son régime amaigrissant, le patient a besoin de renforcement positif et d'encouragement. Les problèmes de dos disparaissent souvent avec la perte de poids.

▷ Évaluation

Résultats escomptés

1. Le patient se dit soulagé de la douleur.
   a) Il ne ressent aucun malaise au repos.
   b) Il ne ressent pas de douleur quand il change de position.
   c) Il obtient un soulagement de la douleur par des méthodes pharmacologiques, physiques et psychologiques.
2. Le patient recouvre sa mobilité physique.
   a) Il reprend graduellement ses activités.
   b) Il évite les positions qui provoquent ou aggravent les douleurs et les spasmes musculaires.
   c) Il se repose au lit plusieurs fois par jour.

3. Le patient reprend les responsabilités reliées à l'exercice de son rôle (familial, social, professionnel).
   a) Il adopte des stratégies d'adaptation pour surmonter le stress.
   b) Il devient plus autonome dans ses autosoins.
   c) Il reprend ses activités à mesure que les douleurs lombaires s'atténuent.
   d) Il reprend une vie active et productive.
4. Le patient prévient les douleurs lombaires.
   a) Il améliore sa posture.
   b) Il évite les tensions sur le dos.
   c) Il respecte les principes de la mécanique corporelle.
   d) Il se conforme à son programme d'exercice.
5. Le patient atteint le poids désiré.
   a) Il comprend le lien entre l'obésité et la lombalgie.
   b) Il se fixe des objectifs réalisables.
   c) Il participe à la mise au point du programme de perte de poids.
   d) Il se conforme au programme de perte de poids.

Résumé: Un grand nombre de personnes souffrent de douleurs lombaires qui compromettent leur bien-être et leur productivité. Ces douleurs sont le plus souvent d'origine musculosquelettique. Il faut établir la cause de la douleur, car le traitement doit viser à la corriger. Les douleurs lombaires sont souvent provoquées par des tensions exercées sur les muscles du dos à cause d'une mauvaise mécanique corporelle. On les traite d'abord par du repos au lit pour guérir les structures affaiblies puis par un programme progressif d'exercice. L'infirmière doit aussi enseigner au patient les principes de la mécanique corporelle et l'encourager à observer, si besoin est, le traitement amaigrissant prescrit. Les antispasmodiques, les anti-inflammatoires et les analgésiques permettent de soulager la douleur. Les objectifs de soins infirmiers pour le patient souffrant de douleurs lombaires sont notamment le soulagement de la douleur, l'amélioration de la mobilité physique et la reprise de l'exercice du rôle.

AFFECTIONS DES MEMBRES SUPÉRIEURS

Affections de l'épaule. Les douleurs de l'épaule sont fréquentes. Ces douleurs peuvent être dues à une tendinite sus-épineuse ou bicipitale, accompagnée d'une inflammation qui s'étend aux tendons et à leur gaine (ténosynovite), à la bourse séreuse, à la capsule, à la synoviale, au cartilage, aux os et aux muscles avoisinants. Les affections les plus courantes de l'épaule apparaissent au tableau 63-1.

Enseignement au patient. L'infirmière doit expliquer au patient les soins généraux et les mesures à prendre pour favoriser la guérison. L'enseignement au patient comprend les conseils suivants:

1. Au cours de la phase aiguë, mettre l'articulation au repos dans une position qui prévient l'aggravation des lésions et la formation d'adhérences.
2. Durant la nuit, placer des oreillers sous le bras lésé pour éviter de se retourner sur l'épaule.
3. Procéder d'abord à des applications de froid pour réduire l'inflammation, puis à des applications de chaleur pour favoriser la circulation.
4. Recommencer graduellement à bouger et à utiliser l'articulation. Il sera peut-être nécessaire d'avoir recours à de l'aide pour effectuer les activités quotidiennes.
5. Éviter de lever le bras au-dessus de l'épaule ou de pousser un objet avec l'épaule bloquée.
6. Pratiquer quotidiennement des exercices d'amplitude de mouvement pour renforcer la ceinture scapulaire et les muscles.

Épicondylite des joueurs de tennis. L'épicondylite des joueurs de tennis est une affection douloureuse chronique due à une pronation ou une supination excessive répétée (comme au tennis et à l'aviron, ou dans un mouvement de vissage) entraînant des lésions aux tendons. En général, la douleur irradie vers la face postérieure de l'avant-bras. Le patient présente une faiblesse de la préhension. La mise au repos du bras dans une attelle moulée, l'application de chaleur humide et la prise d'analgésiques peuvent soulager la douleur. Dans certains cas, on peut prescrire des injections locales de corticostéroïdes ou de procaïne. La pratique quotidienne d'exercices légers aide à prévenir la raideur du coude.

Kystes synoviaux. Le kyste synovial est un renflement rond et ferme généralement observé près du poignet. Il est formé aux dépens de la synoviale articulaire et tendineuse, à la suite de lésions de la gaine du tendon ou de la capsule. Il apparaît surtout chez les femmes de moins de 50 ans. Il est sensible au toucher et peut causer une douleur sourde et persistante. Quand la gaine du tendon est atteinte, on observe une faiblesse dans les doigts. On soigne le kyste synovial par succion ou par excision. Il peut être nécessaire de répéter la succion, car le liquide peut s'accumuler de nouveau. Dans ce cas, on doit parfois avoir recours à une opération de la capsule articulaire impliquant une ablation complète.

Syndrome du canal carpien. Le syndrome du canal carpien est un ensemble de symptômes dus à la compression du nerf médian du poignet par la gaine du tendon fléchisseur, un empiétement des os ou une masse de tissus mous. Il se caractérise par de la douleur, un engourdissement, des paresthésies et parfois par une perte de sensibilité du pouce, de l'index et du majeur. L'exacerbation nocturne de la douleur est courante. Ce syndrome se traite principalement par des injections de cortisone et par le port d'une attelle au repos. Les activités exigeant une flexion du poignet doivent être suspendues. Une décompression chirurgicale du ligament est parfois nécessaire.

Maladie de Dupuytren. La maladie de Dupuytren se caractérise par une rétraction progressive et lente de l'aponévrose palmaire moyenne qui entraîne une flexion de l'auriculaire, de l'annulaire et parfois du majeur, entraînant une perte fonctionnelle (figure 63-3). Elle est relativement fréquente et atteint surtout les hommes de plus de 50 ans, d'origine scandinave ou celtique. Elle pourrait être héréditaire, transmise sur le mode autosomique dominant. Sa première manifestation est l'apparition d'un nodule sensible sur l'aponévrose palmaire. Puis, la sensibilité disparaît et le nodule peut rester inchangé ou évoluer vers un épaississement des tissus fibreux qui atteint la peau et entraîne une rétraction des doigts. L'atteinte est d'abord unilatérale, mais peut devenir bilatérale. Les deux mains se déforment de la même manière. L'excision de l'aponévrose, limitée ou radicale, améliore le fonctionnement de la main. Les taux de récidive et de progression sont de 45 à 80 %.

DÉMARCHE DE SOINS INFIRMIERS
PATIENTS SUBISSANT UNE CHIRURGIE DE LA MAIN OU DU POIGNET

Collecte des données

En général, les opérations à la main ou au poignet se font en externe. Avant l'intervention chirurgicale, l'infirmière note les caractéristiques et l'intensité de la douleur, ainsi que le degré de perte fonctionnelle de la main. Après l'intervention chirurgicale, l'infirmière doit évaluer les signes neurovasculaires (circulation, sensation, mouvement), l'œdème, la douleur et le fonctionnement de la main. La douleur peut être reliée à l'œdème, au bandage constrictif, ou à la formation d'un hématome.

Analyse et interprétation des données

Selon les données recueillies, voici les principaux diagnostics infirmiers pouvant s'appliquer aux patients ayant subi une chirurgie de la main ou du poignet:

- Manque d'intérêt pour les autosoins relié à la douleur
- Déficit d'autosoins relié à une altération de la mobilité des mains
- Risque élevé d'infection relié à la rupture de l'épiderme

Planification et exécution

Objectifs: Soulagement de la douleur; capacité d'effectuer les autosoins; prévention de l'infection

Interventions infirmières

Soulagement de la douleur. En général, la prise d'analgésiques oraux soulage la douleur. L'infirmière doit évaluer le degré de soulagement de la douleur induit par les analgésiques et les autres méthodes utilisées. Elle est responsable de l'enseignement au patient concernant les méthodes de soulagement de la douleur. On recommande de surélever la main à la hauteur du cœur à l'aide d'oreillers (selon l'ordonnance du médecin) ou en la plaçant dans une écharpe attachée à une potence pour solution intraveineuse ou à une barre. Si le patient peut se déplacer, on lui place le bras dans une écharpe ordinaire. Les exercices actifs d'extension et de flexion des doigts favorisent la circulation. On doit donc inciter le patient à les faire même si le bandage limite ses mouvements.

On recommande l'application intermittente de vessies de glace sur la région opérée durant les 24 à 48 premières heures pour réduire la tuméfaction. Une atteinte de la fonction neurovasculaire peut provoquer de la douleur. On doit donc vérifier les signes neurovasculaires des doigts découverts toutes les heures pendant les 24 premières heures. Pour ce faire, on demande au patient de décrire les sensations qu'il ressent dans la main et de faire bouger les doigts. Les données sur l'état neurovasculaire recueillies avant l'opération servent de points de comparaison.

Capacité d'effectuer les autosoins. Au cours des jours qui suivent la chirurgie, le patient aura besoin d'aide pour effectuer ses activités de la vie quotidienne. Entre autres, il aura besoin d'aide pour s'alimenter, se laver, effectuer ses soins d'hygiène, se vêtir, soigner son apparence et utiliser les toilettes. Après quelques jours, il aura peut-être acquis une certaine habileté à effectuer ces activités d'une seule main et sera plus autonome. Les exercices de physiothérapie l'aideront par la suite à recouvrer le fonctionnement de la main lésée.

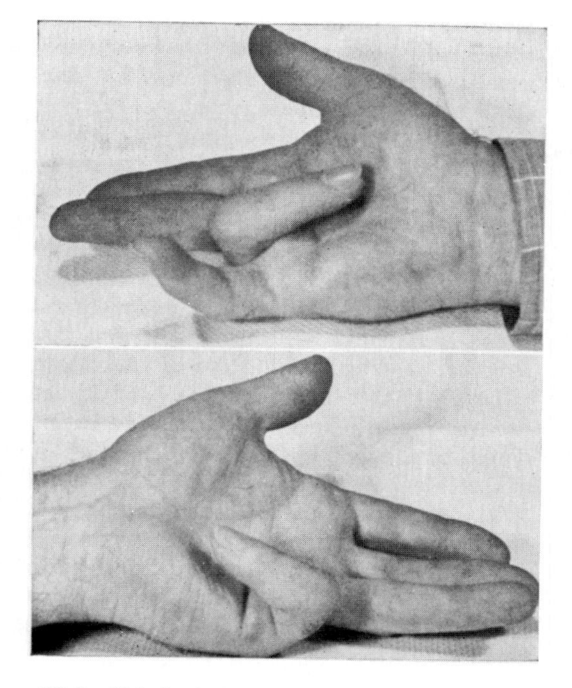

Figure 63-3. Maladie de Dupuytren
(Source: J. H. Boyes, *Bunnell's Surgery of the Hand,* 5e éd., Philadelphia, J. B. Lippincott)

Absence d'infection. Une opération à la main ou au poignet comporte des risques d'infection. Il faut donc enseigner au patient à reconnaître les signes d'infection. On doit lui recommander de prendre régulièrement sa température et son pouls et de consulter son médecin s'il note des écoulements, une odeur ou une aggravation de la douleur, ou de la tuméfaction. Le bandage doit être gardé propre et sec en tout temps. Il faut aussi informer le patient sur l'utilisation préventive des antibiotiques si son état l'indique.

Évaluation

Résultats escomptés

1. Le patient obtient un soulagement de la douleur.
   a) Il dit se sentir mieux.
   b) Il surélève la main pour réduire l'œdème.
   c) Les mouvements de la main atteinte ne causent plus de douleur.
2. Le patient effectue seul les autosoins.
   a) Il demande de l'aide pour effectuer ses activités de la vie quotidienne durant les jours qui suivent l'opération.
   b) Il essaie d'effectuer ses activités quotidiennes d'une seule main.
   c) Il utilise la main lésée de façon fonctionnelle.
3. Le patient ne présente pas d'infection.
   a) Sa température et son pouls sont normaux.
   b) Il ne présente pas d'écoulements purulents.
   c) Il ne présente pas d'inflammation.

Résumé: Certaines affections peuvent causer de la douleur aux membres supérieurs. On traite certaines douleurs de l'épaule et l'épicondylite par le repos, des applications de

TABLEAU 63-1. *Affections de l'épaule*

Affection	*Caractéristiques cliniques*	*Manifestations cliniques*	*Traitement*
Tendinite sus-épineuse et ténosynovite	Réaction aux demandes mécaniques et à l'effort, accompagnée d'un processus dégénératif avec inflammation	Douleur à l'épaule; sensation de pression Le patient soutient l'épaule lésée avec la main opposée. Douleur nocturne; incapacité de s'appuyer sur le côté lésé L'abduction au delà de 60° est douloureuse (à cause d'une friction des tendons et de la coiffe).	Applications intermittentes de chaleur ou de froid Exercices du bras: mouvements pendulaires Traitements aux anti-inflammatoires — acide salicylique (aspirine), selon la tolérance du patient à la douleur Injection locale de stéroïdes ou d'un anesthésique dans l'articulation de l'épaule
Tendinite calcifiante	Formation de dépôts de calcium dans les tendons entraînant une réaction dans la bourse sus-jacente La tendinite s'accompagne souvent d'une bursite.	Survient chez les personnes actives et jeunes. Douleur intense d'apparition rapide (un à quatre jours) Tous les mouvements de l'épaule et du bras sont douloureux. La phase aiguë est suivie d'un soulagement de la douleur.	Infiltration dans la région sous-acromiale et aspiration des dépôts Analgésiques Anti-inflammatoires (aspirine, phénylbutazone, indométacine) Applications de chaleur ou de froid Injection locale d'un anesthésique et de stéroïdes Traitement chirurgical: excision des dépôts de calcium
Déchirures et rupture de la coiffe des rotateurs	Les ruptures se produisent au point d'insertion de la coiffe des rotateurs, à l'intérieur de l'os; elles sont probablement causées par des changements dégénératifs.	Se produit le plus souvent après 50 ans. Douleur fulgurante à l'épaule dans la région du muscle deltoïde Faiblesse ou incapacité de lever latéralement le bras Sensation de craquement dans l'épaule à l'abduction ou à la rotation	La déchirure partielle est généralement traitée par des méthodes conventionnelles (le repos de la région touchée et des applications de chaleur ou de froid). Infiltration locale d'un anesthésique pour soulager la douleur Intervention chirurgicale en cas de rupture complète
Lésions bicipitales (la longue portion du biceps): tendinite et ténosynovite	Les mouvements du bras et de l'épaule affectent la longue portion du biceps.	Douleur chronique dans la région antérolatérale de l'épaule, associée à un spasme musculaire et à une douleur dans les muscles trapèze, scalène et deltoïde	Repos du membre affecté Exercices légers selon la tolérance du patient à la douleur Aspirine Applications de chaleur pour réduire l'inflammation Éviter les mouvements qui étirent les tendons des biceps.
Bursite	La plupart des bursites sous-acromiales sont précédées d'une tendinite ou d'une ténosynovite de la coiffe des rotateurs, des tendons des biceps et de la gaine, ou encore une inflammation des os ou des articulations; la propagation de l'inflammation dans la bourse est donc secondaire.	Douleur profonde à l'épaule Douleur à la rotation du bras	Le traitement consiste à cerner la cause principale de la bursite, et à la traiter.

(Source: J. E. Bateman, *The shoulder and Neck*, Philadelphia, W. B. Saunders)

chaleur ou de froid et la reprise graduelle des activités une fois la guérison entamée. Toutefois, si le problème est de nature structurelle (déchirure et rupture de la coiffe des rotateurs, kystes synoviaux, syndrome du canal carpien, maladie de Dupuytren, par exemple) un traitement chirurgical est souvent nécessaire. Après une opération à la main ou au poignet, l'infirmière doit veiller à soulager la douleur et à prévenir les complications, comme les infections. Elle doit aussi aider le patient à effectuer ses activités de la vie quotidienne.

AFFECTIONS DU PIED

Dans notre société moderne, les exigences de la mode et de l'esthétique font que l'on ne respecte pas toujours la physiologie du pied. Par conséquent, les affections du pied sont souvent dues au port de mauvaises chaussures. Elles peuvent aussi être attribuables à des facteurs héréditaires.

Les douleurs au pied sont soulagée notamment par la mise au repos, l'élévation du membre, la physiothérapie, de même que le port de bandages élastiques et d'orthèses. Les exercices actifs du pied favorisent la circulation et renforcent les muscles. La marche, avec de bonnes chaussures, est considérée comme une excellente forme d'activité physique.

Affections courantes du pied

Le cor est un épaississement de l'épiderme (*hyperkératose*) observé à la face dorsale des orteils. Il peut être dû à une pression interne (saillie de l'os à cause d'une déformation congénitale ou héréditaire, ou de l'arthrite) ou à une pression externe (chaussures). Il atteint le plus souvent le petit orteil.

Le traitement consiste à faire tremper le pied, puis à gratter la couche cornée. On recouvre ensuite l'orteil d'un coussinet protecteur. Une excision chirurgicale de la structure osseuse qui crée la pression est parfois nécessaire.

Les cors peuvent se situer entre les orteils et sont alors mous en raison de l'humidité et de la macération. On les traite en gardant secs et séparés les espaces entre les orteils atteints.

Une *callosité* est un épaississement étendu et fissuré de l'épiderme causé par une pression ou un frottement, souvent associé à une anomalie mécanique du pied. Si elle est douloureuse, elle est généralement traitée par l'excision du tissu

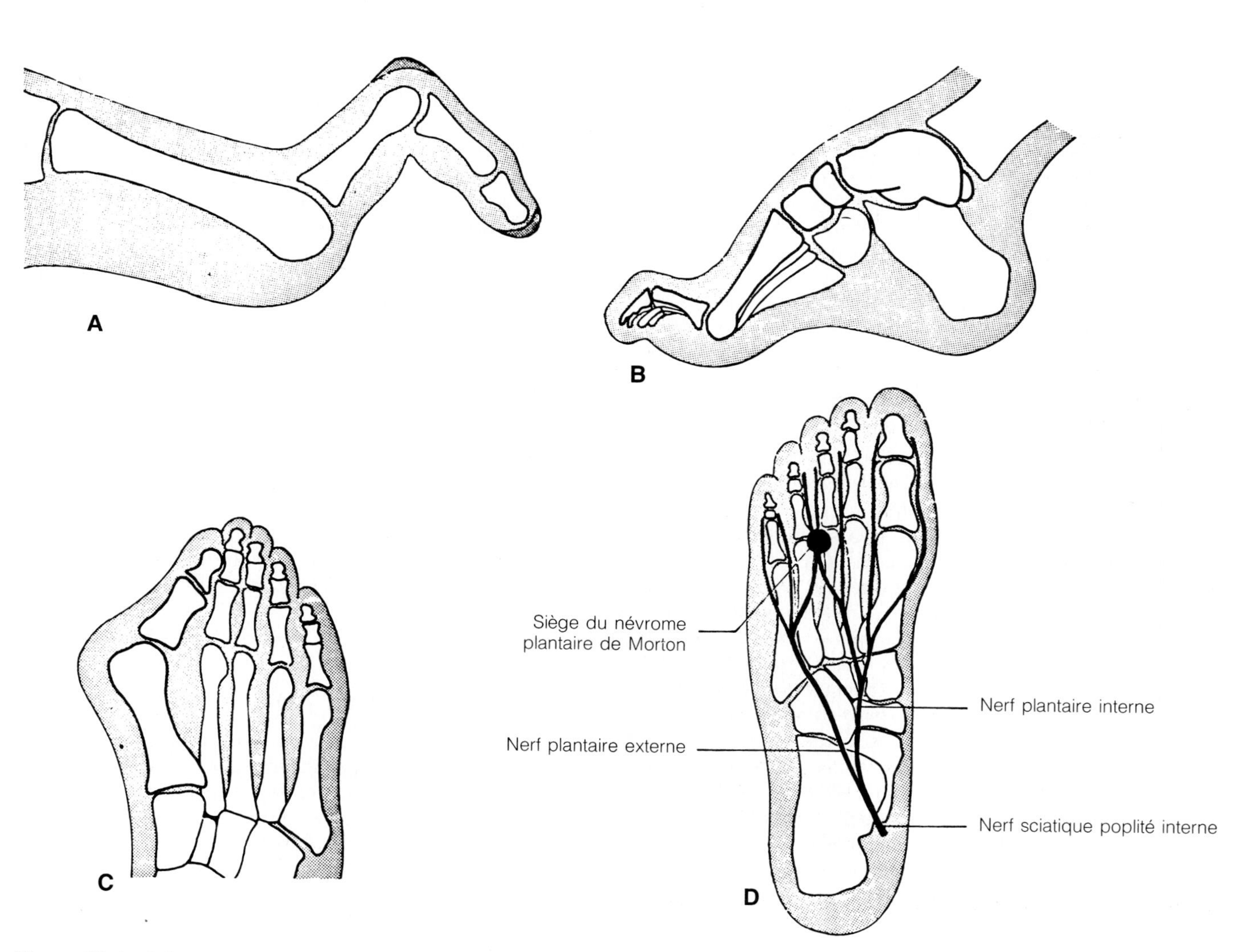

Figure 63-4. Déformations courantes du pied (**A**) Orteils en marteau (**B**) Pied creux (**C**) Hallux valgus (**D**) Névrome de Morton

hyperkératosique. Si les callosités se situent sur le talon, on peut appliquer une pommade kératolytique sur le talon et le couvrir d'un mince protecteur de plastique. On peut aussi appliquer des coussinets adhésifs de feutre pour prévenir la pression, ou la soulager. Si la pression est exercée par une saillie osseuse, on peut la soulager par une orthèse ou par l'excision de la saillie.

L'*ongle incarné* est la pénétration latérale ou antérieure du rebord de l'ongle dans le tissu mou qui l'entoure. Il peut s'accompagner d'une infection ou d'une granulation tissulaire. Il est douloureux et souvent dû à une pression externe (chaussures trop étroites ou chaussettes trop serrées), à une pression interne (déformation de l'orteil, excroissance sous l'ongle), à une blessure ou à une infection. On peut l'éviter en taillant les ongles correctement. On peut soulager la douleur en diminuant la pression qu'exerce l'ongle sur le tissu mou. S'il y a infection, on recommande des immersions dans l'eau chaude. Dans le cas d'une infection grave, l'excision de l'ongle est souvent nécessaire. Le traitement des affections courantes du pied peut exiger une consultation auprès d'un spécialiste des soins du pied (podologue).

Déformations courantes du pied

Pied plat. Le pied plat est une déformation caractérisée par l'affaissement de l'arche longitudinal interne. Il peut être congénital ou associé à une lésion osseuse ou ligamentaire, à un déséquilibre musculaire ou postural, à un excès de poids, à une fatigue musculaire, à des chaussures mal ajustées ou à l'arthrite. Il se manifeste notamment par une sensation de brûlure, de la fatigue, une démarche singulière, un œdème et de la douleur.

Des exercices pour renforcer les muscles et améliorer la posture et la démarche sont efficaces. Il existe de nombreux appareils orthopédiques qui procurent un support additionnel au pied. Si la déformation est marquée, on doit consulter un podologue ou un chirurgien orthopédique.

Orteil en marteau. L'orteil en marteau est une déformation en flexion de l'articulation interphalangienne d'un ou de plusieurs orteils (figure 63-4**A**). Il est souvent dû au port de chaussettes ou de chaussures trop serrées. Les orteils sont généralement déviés vers le haut, poussant les articulations métatarsiennes (avant-pied) vers le bas. On peut observer la formation de cors sur le dessus des orteils et de callosités sensibles sous la région métatarsienne. On traite généralement les orteils en marteau par des exercices de manipulation, le port de sandales à bout ouverts ou de chaussures qui épousent la forme du pied. On utilise aussi des coussinets pour protéger les articulations saillantes. Une correction chirurgicale est nécessaire quand la déformation est évidente.

Hallux valgus. Le hallux valgus (oignon) est une déviation latérale progressive du gros orteil (figure 63-4**C**). Il se caractérise par une proéminence marquée de la face interne de la première articulation métatarsophalangienne, de même que par un renforcement de la face interne de la tête du premier métatarse, avec ou sans bursite (consécutive à une pression et à une inflammation). Les symptômes de la bursite aiguë sont la rougeur, l'œdème et la sensibilité. Les facteurs qui favorisent le hallux valgus sont notamment l'hérédité, le port de chaussures trop étroites, l'arthrite et le pied plat.

Le traitement est fonction de l'âge du patient, de l'ampleur de la déformation et de la gravité des symptômes. Si la déformation ne cause pas de complications, on la traite par le port de chaussures moulées selon la forme du pied. Si elle est très marquée, elle peut exiger une correction chirurgicale avec réalignement de l'orteil.

Après l'opération, le patient peut ressentir une douleur pulsative intense qui peut être soulagée par de fortes doses d'analgésiques. Il faut surélever le pied lésé à la hauteur du cœur pour réduire l'œdème et la douleur. On doit vérifier régulièrement les signes neurovasculaires du pied. La période d'immobilité dépend de la technique chirurgicale utilisée. Après l'opération, l'infirmière doit inciter le patient à faire des exercices de flexion et d'extension des orteils, car la flexion des orteils est essentielle à la marche. Le port de chaussures qui ne causent pas de pression sur le pied est recommandé.

Pied creux. Le pied creux se caractérise par une élévation anormale de la voûte longitudinale (figure 63-4**B**). Il provoque un raccourcissement du pied, et une augmentation de la pression qui entraîne la formation de callosités dans la région métatarsienne et sur le dos du pied. On recommande des exercices de manipulation de l'avant-pied en dorsiflexion et d'étirement des orteils. Si la déformation est grave, on doit la corriger par ostéotomie.

Névrome de Morton. Le névrome de Morton (névrome interdigital) se caractérise par une tuméfaction de la troisième branche (externe) du nerf plantaire interne (figure 63-4**D**). Le troisième nerf interdigital, situé dans le troisième espace intermétatarsien, est le plus souvent touché. Des changements microscopiques de l'artère digitale entraînent une ischémie du nerf.

Le névrome de Morton se caractérise par une douleur pulsative et une sensation de brulûre dans le pied. Cette douleur apparaît le plus souvent à la marche; elle impose l'arrêt de la marche et oblige à se déchausser. La douleur est atténuée par la mise au repos du pied. Parfois, la douleur irradie dans toute la jambe. La palpation du pied permet de repérer un point douloureux très précis entre le troisième et le quatrième orteil. Les symptômes peuvent être soulagés par l'insertion d'une semelle, d'une coupole métatarsienne ou de coussinets conçus pour écarter les têtes des métatarses et équilibrer la position du pied. Des injections locales d'hydrocortisone ou d'un anesthésique peuvent procurer un soulagement. En cas d'échec de ces mesures, une excision chirurgicale du névrome s'impose. On obtient alors un soulagement de la douleur immédiat et permanent.

Autres problèmes du pied

Plusieurs maladies peuvent causer des problèmes au pied. Ainsi, la polyarthrite rhumatoïde provoque souvent des déformations du pied. Les diabétiques sont sujets aux cors, de même qu'à des ulcères aux points de pression du pied. Ces ulcères sont dus à des neuropathies périphériques avec perte de sensation. Les personnes atteintes d'une maladie des vaisseaux périphériques et d'artériosclérose se plaignent de sensations de brûlure et de démangeaisons dans les pieds, lesquelles provoquent des lésions de grattage. Les problèmes dermatologiques du pied les plus courants sont les mycoses et les verrues plantaires.

DÉMARCHE DE SOINS INFIRMIERS
PATIENTS SUBISSANT UNE CHIRURGIE DU PIED

Collecte des données

La chirurgie du pied peut corriger de nombreux problèmes, notamment les névromes de Morton et les déformations du pied (oignon, orteils en marteau, pied creux, par exemple). En général, les opérations du pied se font en consultation externe. Avant l'intervention chirurgicale, l'infirmière doit évaluer la démarche et l'équilibre du patient, ainsi que les signes neurovasculaires du pied. Elle doit aussi s'informer de l'aide dont disposera le patient à son retour à domicile et des caractéristiques architecturales de la maison afin d'établir un plan de soins adapté aux besoins du patient pour les jours suivant l'intervention. Elle utilise ces données, en plus de ses connaissances sur le traitement habituel du problème, pour formuler les diagnostics infirmiers appropriés. Après l'intervention, l'infirmière surveille la tuméfaction et les signes neurovasculaires du pied (circulation, mouvement, sensation), soulage la douleur, vérifie l'état de la plaie et aide le patient à se déplacer.

Analyse et interprétation des données

Selon les données recueillies, voici les principaux diagnostics infirmiers pouvant s'appliquer aux patients ayant subi une chirurgie du pied :

- Altération de la mobilité reliée à la douleur
- Perte d'autonomie temporaire reliée à une altération de la mobilité physique
- Risque élevé d'infection

Planification et exécution

Objectifs de soins : Soulagement de la douleur ; amélioration de la mobilité physique ; prévention des infections

Interventions infirmières

Soulagement de la douleur. La douleur que ressent le patient à la suite d'une chirurgie du pied est souvent reliée à l'inflammation et à l'œdème. La formation d'un hématome peut contribuer au malaise. Pour réduire la tuméfaction, on doit garder le pied surélevé quand le patient est assis ou couché.

On peut avoir recours à l'application intermittente de sacs de glace sur la plaie chirurgicale durant les 24 à 48 premières heures pour réduire la tuméfaction et soulager la douleur. Quand le patient augmente ses activités, la position déclive lui cause généralement un malaise qui peut être soulagé en surélevant le pied.

Il est essentiel d'évaluer les signes neurovasculaires du pied atteint toutes les heures ou toutes les 2 heures pendant les 24 premières heures. Si la chirurgie a été pratiquée en consultation externe, on doit enseigner au patient et à sa famille comment évaluer les signes neurovasculaires. Une altération de la fonction neurovasculaire peut aggraver la douleur.

Les analgésiques oraux peuvent contribuer au soulagement de la douleur. L'infirmière doit informer le patient et sa famille sur la prise de ces médicaments.

Amélioration de la mobilité physique. Après l'opération, le pied est généralement entouré d'un volumineux bandage protégé par un plâtre léger ou une botte spéciale. La mise en charge sur le pied est déterminée par le chirurgien. Elle varie selon le type d'intervention chirurgicale et les préférences du chirurgien. On permet à certains patients un appui total sur le talon ou un appui progressif selon leur tolérance. On peut aussi interdire la mise en charge pendant les premiers jours. Si une aide à la motricité est nécessaire, on la choisit selon l'état général du patient, son équilibre et l'ordonnance de mise en charge. L'infirmière doit enseigner au patient comment utiliser l'aide à la motricité en toute sécurité avant sa sortie du centre hospitalier. Elle doit aussi discuter avec le patient des obstacles à l'utilisation d'une aide à la motricité à son domicile. Quand la guérison est amorcée, le patient peut recommencer progressivement à marcher en respectant les limites imposées par le traitement.

Prévention des infections. Toutes les interventions chirurgicales présentent un risque d'infection. Étant donné que le pied est près du sol ou en contact direct avec celui-ci, on doit le protéger de la saleté et de l'humidité. Quand le patient se lave, il peut recouvrir les pansements d'un sac de plastique pour éviter de les mouiller, et garder le pied à l'extérieur du bain ou de la douche. Au besoin, l'infirmière doit expliquer au patient les soins aseptiques de la plaie.

Elle doit aussi lui enseigner à dépister les infections en prenant sa température et son pouls, et lui faire connaître les symptômes dont il doit faire part sans délai à son médecin : écoulements dans les pansements, odeur nauséabonde, augmentation de la douleur et de la tuméfaction.

Le patient à qui l'on a prescrit des antibiotiques à titre prophylactique doit recevoir un enseignement approprié concernant ces médicaments.

Évaluation

Résultats escomptés

1. Le patient se dit soulagé de la douleur.
   a) Il surélève son pied pour réduire l'œdème.
   b) Il applique du froid sur son pied selon l'ordonnance du médecin.
   c) Il prend des analgésiques oraux selon ses besoins et l'ordonnance du médecin.
   d) Il dit se sentir mieux.
2. Le patient se déplace plus facilement.
   a) Il utilise prudemment une aide à la motricité.
   b) Il reprend graduellement la mise en charge du membre suivant l'ordonnance du médecin.
3. Le patient ne présente pas d'infection.
   a) Sa température et son pouls sont normaux.
   b) Il n'y a pas d'écoulements purulents provenant de sa plaie.
   c) Ses pansements sont propres et secs.
   d) Il prend des antibiotiques à titre prophylactique selon l'ordonnance du médecin.

Résumé : Les affections courantes du pied (cors, callosités et ongles incarnés) et les déformations du pied (pied plat, orteils en marteau, oignons, pied creux et névrome de Morton) ont des conséquences sur la mobilité et le bien-être du patient. Le traitement vise la correction du problème sous-jacent. Le patient peut porter des chaussures de soutien pour soulager la douleur et faciliter la marche. S'il a dû subir une intervention chirurgicale, l'infirmière doit l'informer sur les méthodes de soulagement de la douleur, sur les moyens d'améliorer sa mobilité et sur les signes d'infection.

TROUBLES MÉTABOLIQUES DES OS

OSTÉOPOROSE

L'ostéoporose peut se définir comme une réduction de la masse osseuse totale causée par une modification du remaniement osseux, soit un taux de résorption osseuse supérieur au taux de formation. Les os deviennent progressivement poreux et fragiles, se brisant facilement sous une pression à laquelle un os sain résisterait. L'ostéoporose provoque souvent des fractures par tassement (figure 63-5) de la colonne dorsale ou lombaire, des fractures du col du fémur, des fractures intertrochantériennes et des fractures de Pouteau-Colles. Les fractures par tassement multiples entraînent une déviation de la colonne appelée *cyphose,* ou bosse de sorcière dans le langage populaire.

Le tassement graduel des vertèbres peut être asymptomatique, mais évident à long terme. À mesure que la cyphose s'accentue, la taille diminue (figure 63-6). Après la ménopause, certaines femmes peuvent perdre de 2,5 à 15 cm en raison du tassement des vertèbres. Le changement de posture entraîne un relâchement des muscles abdominaux se manifestant par une protrusion de l'abdomen. La déviation peut également provoquer une fatigue musculaire.

La perte de la masse osseuse est un phénomène universel associé au vieillissement. L'ostéoporose atteint en plus grand nombre, plus tôt et plus gravement les femmes que les hommes. Les femmes noires, dont la masse osseuse est plus importante, sont plus rarement touchées que les femmes blanches. Les femmes les plus exposées sont les femmes blanches qui sont obèses et dont l'ossature est petite. Environ la moitié des femmes de plus de 45 ans ont des signes radiologiques d'ostéoporose. Comme cette affection touche surtout les femmes, on emploiera le féminin dans le texte.

Pour prévenir les fractures et l'invalidité qu'elles entraînent, on doit rapidement reconnaître les personnes à risque et leur enseigner les mesures de prévention.

Gérontologie

L'ostéoporose touche 90 % des femmes âgées de plus de 75 ans. En moyenne, une femme de 75 ans a déjà perdu 25 % de sa substance osseuse corticale et 40 % de sa substance trabéculaire. En raison du vieillissement de la population, on remarque une augmentation de la fréquence des fractures, ainsi que de la douleur et de l'invalidité liées à l'ostéoporose.

Pathogénie

Chez l'adulte, le remaniement osseux normal produit une augmentation de la masse osseuse jusqu'à l'âge de 35 ans environ. Des facteurs génétiques (petite ossature, peau claire, race blanche et origine européenne), la nutrition et le mode de vie (tabagisme, consommation d'alcool et de caféine), de même que l'activité physique, ont des effets sur la masse osseuse. La perte osseuse reliée au vieillissement débute rapidement après que la masse osseuse a atteint son maximum. La chute du taux des œstrogènes associée à la ménopause et à l'ovariectomie accélèrent la résorption osseuse. L'incidence de l'ostéoporose est inférieure chez les hommes car ceux-ci ne subissent pas de changements hormonaux brusques.

Certains facteurs nutritionnels contribuent à l'apparition de l'ostéoporose. Le calcium est essentiel à la minéralisation des os et la vitamine D à l'absorption du calcium. Par conséquent, une carence alimentaire prolongée en calcium ou en vitamine D entraîne une perte de masse osseuse. Le taux quotidien recommandé de calcium est de 1200 mg pour les adolescents et les jeunes adultes (11 à 24 ans) et de 800 mg pour les adultes. Or, l'apport quotidien moyen de calcium est d'environ 300 à 500 mg. De plus, les personnes âgées absorbent moins bien le calcium alimentaire et l'éliminent plus facilement par les reins. Par conséquent, les femmes ménopausées doivent consommer de grandes quantités de calcium. Le lait enrichi est considéré comme la meilleure source de calcium et de vitamine D.

Certains agents cataboliques *endogènes* (produits par l'organisme) et *exogènes* (d'origine extérieure) peuvent contribuer à l'ostéoporose. Un traitement prolongé aux corticoïdes, le syndrome de Cushing, l'hyperthyroïdie et l'hyperparathyroïdie provoquent des pertes osseuses. L'ampleur de l'ostéoporose est proportionnelle à la durée du traitement aux corticoïdes. Les pertes osseuses dues aux corticoïdes ou à un trouble endocrinien sont généralement irréversibles.

Certaines maladies (syndromes de malabsorption, intolérance au lactose, alcoolisme, insuffisance rénale, insuffisance hépatique, troubles endocriniens) contribuent à l'évolution

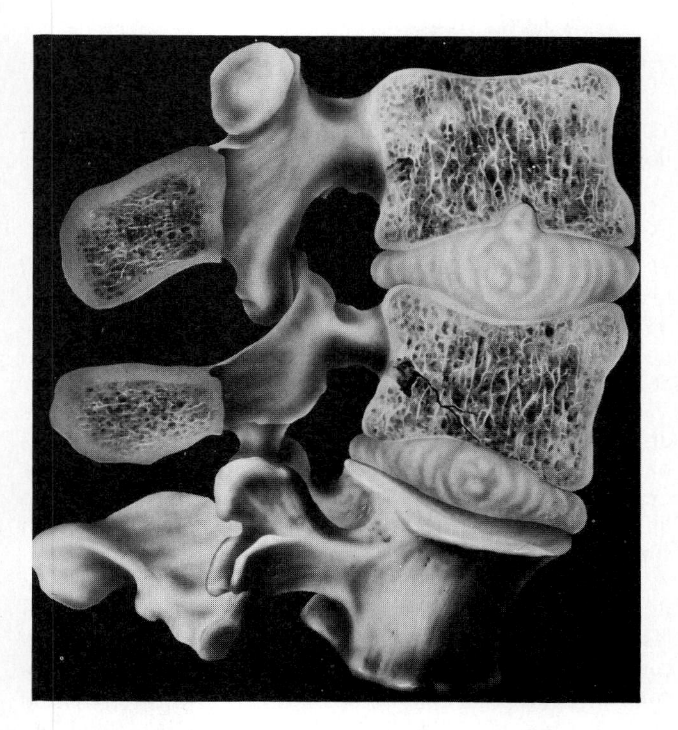

Figure 63-5. Représentation artistique de la perte osseuse et des fractures par tassement dues à l'ostéoporose.
(Source: Ayerst Laboratories, New York, New York)

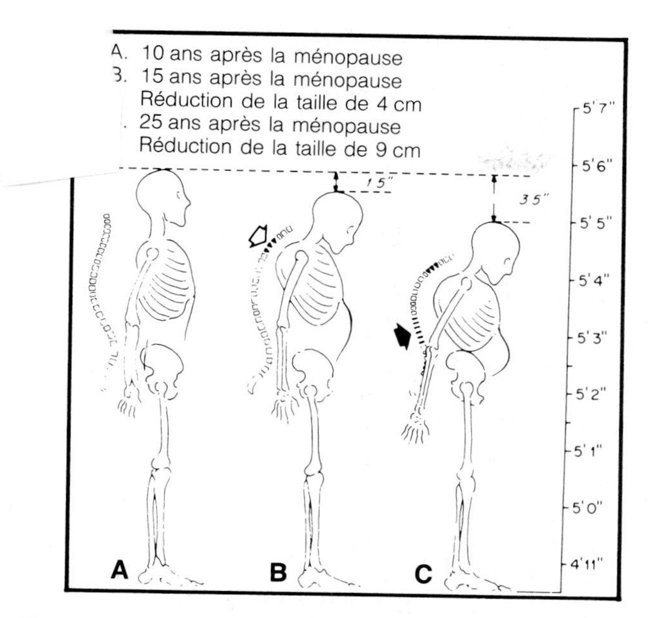

Figure 63-6. Réduction de la taille liée à l'ostéoporose et au vieillissement (Source: Wilson Research Foundation)

de l'ostéoporose. Certains médicaments (isoniazide, héparine, tétracycline, antiacides contenant de l'aluminium, furosémide, anticonvulsivants, corticostéroïdes et extraits thyroïdiens) altèrent l'utilisation et le métabolisme du calcium.

L'immobilité est un autre facteur qui favorise l'apparition de l'ostéoporose. La formation de l'os est stimulée par la tension exercée par la masse corporelle et par l'activité musculaire. Donc, les os immobilisés par un plâtre, une paralysie ou l'inactivité sont sujets à l'ostéoporose.

Examens diagnostiques

L'ostéoporose est décelée par examen radiologique quand la déminéralisation est de 25 à 40%. On peut alors noter une transparence des os, un tassement des vertèbres ou un arrondissement des espaces intervertébraux.

Les épreuves de laboratoire (calcium sérique, phosphate sérique, phosphatase alcaline, excrétion urinaire de calcium, excrétion urinaire d'hydroxyproline, hématocrite, vitesse de sédimentation, etc.) et les examens radiologiques aident au dépistage des maladies qui contribuent à la perte osseuse (myélome multiple, ostéomalacie, hyperparathyroïdie, cancer).

On utilise l'absorptiométrie monophotonique pour mesurer la densité de l'os cortical du poignet. L'absorptiométrie biphotonique et la tomographie permettent d'obtenir des données sur la densité osseuse de la colonne vertébrale et du bassin. Ces techniques permettent aussi d'évaluer la réponse au traitement.

Démarche de soins infirmiers

Patients ayant subi une fracture spontanée de la colonne vertébrale due à l'ostéoporose

Collecte des données

Pour dépister les personnes exposées à l'ostéoporose et déceler les manifestations de cette maladie, l'infirmière doit recueillir des données sur les antécédents familiaux d'ostéoporose, les fractures antérieures, la consommation alimentaire de calcium, l'activité physique, le début de la ménopause et la prise de stéroïdes. Les symptômes comme les douleurs lombaires, la constipation ou l'altération de l'image corporelle doivent aussi être notés.

L'examen physique permet de déceler les fractures, la cyphose ou la réduction de la taille.

Analyse et interprétation des données

Selon les données recueillies, voici les principaux diagnostics infirmiers pouvant s'appliquer aux patients ayant subi une fracture spontanée de la colonne vertébrale à cause de l'ostéoporose:

- Risque élevé de blessure (fracture d'un os ostéoporeux) relié à un manque de connaissances sur l'ostéoporose et son traitement
- Douleur reliée à la fracture ou à un spasme musculaire
- Constipation reliée à l'immobilité

Planification et exécution

Objectifs de soins: Acquisition de connaissances sur l'ostéoporose et son traitement; soulagement de la douleur; amélioration de l'élimination intestinale; prévention des complications

Interventions infirmières

Acquisition de connaissances sur l'ostéoporose et son traitement. L'enseignement à la patiente doit porter essentiellement sur les facteurs qui contribuent au développement de l'ostéoporose, sur les moyens d'arrêter ou de ralentir la perte osseuse et sur les mesures de soulagement des symptômes. Les moyens suivants sont suggérés pour maintenir la masse osseuse: un apport de calcium alimentaire suffisant ou la prise de suppléments de calcium, la pratique régulière d'une activité physique faisant intervenir les articulations portantes et une diminution de la consommation de caféine, de tabac et d'alcool. L'exercice et l'activité physique sont essentiels à la formation d'os très denses qui résisteront mieux à l'ostéoporose. Afin de prévenir la déminéralisation des os, on recommande de suivre un régime alimentaire équilibré, riche en calcium et en vitamine D et d'augmenter l'apport en calcium au début de l'âge moyen.

Pour avoir un apport alimentaire en calcium suffisant, il faut consommer tous les jours trois verres de lait écrémé ou entier additionné de vitamine D, ou d'autres aliments à teneur élevée en calcium (fromage suisse, pak-choï cuit à la vapeur, saumon en conserve avec les os, par exemple). Les personnes âgées qui présentent souvent une carence en calcium peuvent prendre un supplément de calcium (carbonate de calcium) pour augmenter leur apport quotidien.

À la ménopause, le médecin peut prescrire une hormonothérapie substitutive (œstrogènes-progestérone) pour retarder la perte osseuse. Les œstrogènes diminuent la résorption osseuse mais n'augmentent pas la masse osseuse; ils sont peu efficaces à long terme. Ils ont été associés à une légère augmentation de la fréquence des cancers de l'endomètre et du sein. Les patientes sous hormonothérapie doivent donc faire tous les mois un auto-examen des seins et subir un examen gynécologique, incluant un test de Papanicolaou et une biopsie de l'endomètre, une ou deux fois par année.

▷ *Soulagement de la douleur.* La patiente peut demeurer alitée, en décubitus dorsal ou latéral pendant quelques jours pour soulager les douleurs dorsales. Le matelas doit être ferme. La flexion des genoux, l'application intermittente de chaleur et les massages du dos favorisent aussi le relâchement des muscles et améliorent le bien-être. On doit enseigner à la patiente à déplacer son corps d'un seul mouvement en évitant les torsions. On doit aussi la renseigner sur les principes de la mécanique corporelle. Quand la patiente est autorisée à quitter le lit, elle peut porter temporairement une ceinture lombaire pour obtenir un soutien et une immobilisation. Toutefois, ces ceintures sont souvent gênantes et mal tolérées par les personnes âgées. Quand la patiente passe plus de temps debout, on doit l'inciter à s'étendre régulièrement au cours de la journée pour soulager la douleur et réduire la tension sur les muscles affaiblis.

La patiente peut avoir recours à des analgésiques narcotiques oraux pendant les jours qui suivent l'apparition de la douleur, puis passer aux analgésiques non narcotiques.

▷ *Amélioration de l'élimination intestinale.* La constipation est reliée à l'immobilité, aux médicaments et à l'âge. Pour la prévenir ou en réduire la gravité, la patiente doit suivre un régime alimentaire à forte teneur en fibres, boire beaucoup de liquide et prendre des laxatifs émollients. Si le tassement vertébral touche les vertèbres D10 à L2, elle peut souffrir d'un iléus. L'infirmière doit dans ce cas tenir un bilan des ingesta et des excreta et écouter régulièrement les bruits intestinaux.

▷ *Prévention des complications.* L'activité physique est essentielle pour renforcer les muscles, empêcher l'atrophie due à l'inactivité et retarder la déminéralisation osseuse. La patiente peut faire des exercices isométriques de renforcement des muscles abdominaux. On doit l'inciter également à marcher, à observer les règles de la mécanique corporelle et à surveiller sa posture. Elle doit éviter de se pencher ou de se déplacer brusquement et de soulever des poids lourds. Elle doit pratiquer tous les jours un exercice faisant intervenir les articulations portantes, de préférence à l'extérieur, à la lumière du jour, pour stimuler la synthèse de la vitamine D par la peau.

▷ *Gérontologie.* Les personnes âgées font souvent des chutes dues à des troubles neuromusculaires, à un déficit sensoriel, à une altération de la fonction cardiovasculaire ou aux médicaments. Elles doivent donc pouvoir obtenir facilement de l'aide ou de la surveillance.

La patiente et sa famille doivent participer à la planification du programme de soins continus et de prévention. On doit visiter le domicile de la patiente pour en éliminer les dangers (carpettes, obstacles, mauvais éclairage, etc.) et prendre les mesures de sécurité qui s'imposent (amélioration de l'éclairage dans les escaliers et consolidation de la rampe, pose de barres d'appui dans la salle de bain, etc.). Il faut aussi s'assurer que la patiente porte des chaussures appropriées.

▷ *Évaluation*

Résultats escomptés

1. La patiente acquiert des connaissances sur l'ostéoporose et son traitement.
   a) Elle explique la relation entre l'apport en calcium, l'exercice et la masse osseuse.
   b) Son apport alimentaire quotidien en calcium est suffisant.
   c) Elle fait plus d'exercice.
   d) Elle se conforme à l'hormonothérapie, selon l'ordonnance du médecin.
   e) Elle subit les tests de dépistage, selon l'ordonnance du médecin.
2. La patiente maîtrise la douleur.
   a) Sa douleur est soulagée par le repos.
   b) Elle éprouve peu de douleur au cours de ses activités quotidiennes.
   c) Le foyer de la fracture est moins douloureux.
3. La patiente présente une amélioration de l'élimination intestinale.
   a) Elle présente des bruits intestinaux actifs.
   b) Ses selles sont régulières.
4. La patiente ne présente pas d'autres fractures.
   a) Elle corrige sa posture.
   b) Elle observe les règles de la mécanique corporelle.
   c) Son régime alimentaire est équilibré et à teneur élevée en calcium et en vitamine D.
   d) Elle fait des exercices qui font intervenir les articulations portantes (marches quotidiennes).
   e) Elle se repose au lit plusieurs fois par jour.
   f) Elle fait des activités à l'extérieur.
   g) Son domicile est aménagé de façon sûre.
   h) Elle accepte de l'aide et de la surveillance au besoin.

OSTÉOMALACIE

L'*ostéomalacie* est une maladie métabolique osseuse caractérisée par un défaut de minéralisation des os. (On l'appelle *rachitisme* chez les enfants.) Elle serait provoquée par une disparition progressive des sels de calcium qui confèrent aux os leur solidité. Ce défaut de minéralisation produit un ramollissement et un affaiblissement du squelette, entraînant des douleurs, une sensibilité au toucher, des déformations osseuses et des fractures pathologiques. Chez l'adulte, il s'agit d'une maladie chronique. Les déformations du squelette ne sont pas aussi graves que chez l'enfant car la croissance des os est terminée.

Physiopathologie

L'ostéomalacie peut être due à différentes causes qui provoquent toutes un dérèglement général du métabolisme des minéraux. Les facteurs de risque qui y sont associés sont les carences alimentaires, les troubles de malabsorption, la gastrectomie, l'insuffisance rénale chronique, un traitement prolongé aux anticonvulsivants (phénitoïne, phénobarbital) et une carence en vitamine D (alimentaire, lumière solaire).

L'ostéomalacie apparaît généralement à la suite d'une carence alimentaire en ions calcium et phosphate, ou d'un défaut d'absorption ou d'une perte importante de ces éléments.

L'ostéomalacie causée par une malnutrition (carence en vitamine D souvent liée à un apport insuffisant en calcium) se retrouve surtout dans les milieux défavorisés et chez des personnes qui s'alimentent mal ou qui suivent des régimes à la mode. On l'observe généralement dans les régions du monde où les aliments ne sont pas enrichis de vitamine D, où les carences alimentaires sont fréquentes et où les gens évitent le soleil.

Les troubles gastro-intestinaux qui entraînent une malabsorption des lipides et une perte de vitamine D (ainsi que des autres vitamines liposolubles) et de calcium, comme la maladie cœliaque, l'obstruction chronique des voies biliaires, la pancréatite chronique et une résection ou une anastomose chirurgicale de l'intestin grêle, peuvent être à l'origine de l'ostéomalacie.

L'insuffisance rénale est une autre cause d'ostéomalacie. Elle entraîne, en effet, une acidose qui provoque une libération du calcium osseux pour tenter de rétablir le pH.

Les maladies hépatiques et rénales peuvent aussi entraîner une carence en vitamine D, car la transformation de la vitamine D en sa forme active se fait au niveau du foie et des reins. Finalement, l'hyperparathyroïdie provoque une décalcification des os à cause d'une stimulation de l'élimination urinaire des phosphates.

Gérontologie. On doit accorder une attention particulière au régime alimentaire des personnes âgées et les inciter à consommer la quantité recommandée de vitamine D et de calcium. Étant donné que la lumière solaire est bénéfique, on doit encourager les personnes âgées à passer plus de temps à l'extérieur.

Pour réduire le nombre des fractures chez les personnes âgées, il est essentiel de prévenir, de diagnostiquer et de traiter l'ostéomalacie, qui peut s'ajouter à l'ostéoporose.

Manifestations cliniques

Le symptôme le plus courant et le plus pénible de l'ostéomalacie est la douleur et la sensibilité des os. La carence en calcium entraîne généralement une faiblesse musculaire. La démarche est claudicante ou dandinante. Au stade avancé de la maladie, les jambes deviennent arquées (en raison du poids corporel et de la traction musculaire). Les vertèbres ramollies se tassent, la taille du patient diminue et sa colonne dévie (*cyphose*). Le sacrum est poussé vers le bas et l'avant, et le bassin est comprimé latéralement. Ces deux déformations expliquent la forme caractéristique du bassin qui oblige souvent les femmes enceintes souffrant d'ostéomalacie à subir une césarienne. La faiblesse et l'instabilité provoquent des chutes et des fractures.

Examens diagnostics

Les radiographies révèlent une déminéralisation des os. On peut observer à la radiographie des vertèbres, une fracture par tassement et des plateaux vertébraux mal définis. Les épreuves de laboratoire indiquent de faibles taux sériques de calcium et de phosphates et un taux de phosphatase alcaline modérément élevé. L'élimination urinaire de calcium et de créatinine est faible.

Démarche de soins infirmiers *Patients souffrant d'ostéomalacie*

Collecte des données

Les patients souffrant d'ostéomalacie se plaignent habituellement d'une sensibilité ou d'une douleur osseuse généralisée dans le bas du dos et dans les membres. La description de la douleur est parfois vague. Le patient peut présenter une fracture. L'infirmière doit recueillir des données concernant les maladies préexistantes (syndrome de malabsorption, par exemple) et les habitudes alimentaires.

Lors de l'examen physique, l'infirmière note les déformations. La déviation de la colonne vertébrale et la déformation des os longs peuvent donner au patient une apparence inhabituelle et une démarche dandinante. On observe souvent une faiblesse musculaire. Les patients sont souvent gênés de leur apparence.

Analyse et interprétation des données

Selon les données recueillies, voici les principaux diagnostics infirmiers possible :

- Manque de connaissances sur la maladie et son traitement
- Douleur reliée à la sensibilité des os ou à une fracture possible
- Risque d'isolement relié à l'altération de l'image corporelle

Planification et exécution

Objectifs : Acquisition de connaissances sur la maladie et son traitement ; soulagement de la douleur ; amélioration des rapports sociaux

Interventions infirmières

Acquisition de connaissances sur la maladie et son traitement. L'enseignement au patient doit porter sur les causes de la maladie et sur les mesures permettant de la maîtriser.

Si l'ostéomalacie est d'origine alimentaire, on prescrit un régime avec un apport suffisant en protéines et une forte teneur en vitamine D et en calcium. On renseigne le patient sur les sources alimentaires de calcium et de vitamine D, et l'utilisation sûre des suppléments. La vitamine D peut être toxique à forte dose et provoquer une hypercalcémie. On doit insister sur l'importance d'une vérification régulière du taux sérique de calcium.

Si l'ostéomalacie est due à une malabsorption, le médecin prescrit habituellement de fortes doses de vitamine D et des suppléments de calcium. On peut également recommander au patient de s'exposer au soleil, car le rayonnement ultraviolet transforme un isomère du cholestérol présent dans la peau (le 7-déhydrocholestanol) en vitamine D.

La correction de la carence alimentaire ou du trouble sous-jacent entraîne souvent une diminution des problèmes de l'appareil locomoteur associés à l'ostéomalacie. Le patient a besoin d'un suivi médical prolongé pour assurer la stabilisation ou la correction de l'ostéomalacie. On doit traiter certaines déformations orthopédiques à l'aide d'une orthèse ou d'une intervention chirurgicale (ostéotomie dans le cas des déformations des os longs).

▷ *Soulagement de la douleur.* Des mesures physiques, psychologiques et médicamenteuses sont utilisées pour soulager la douleur. À cause de la douleur et de la sensibilité des os, le patient a besoin qu'on l'aide à changer de position. Des changements de position fréquents permettent de réduire la douleur reliée à l'immobilité. Un matelas en mousse circonvoluée et des oreillers mous soutiennent le corps en suivant le contour des déformations. Le patient peut détourner son attention de la douleur de différentes façons (centrer son attention sur une conversation, regarder la télévision, lire, etc.). Il peut prendre des analgésiques, selon l'ordonnance du médecin. L'infirmière doit évaluer le niveau de soulagement selon la méthode utilisée.

▷ *Amélioration des rapports sociaux.* L'infirmière doit établir un climat de confiance afin d'inciter le patient à exprimer ses sentiments face à l'altération de son image corporelle. Elle doit l'aider à reconnaître et à utiliser ses forces, et le faire participer à la préparation du plan de soins. La participation active du patient diminue le sentiment d'impuissance et améliore l'estime de soi. On doit encourager le patient à maintenir des contacts avec sa famille et ses amis, ces contacts lui permettant de garder son réseau de soutien.

▷ *Évaluation*

Résultats escomptés

1. Le patient a acquis des connaissances sur la maladie et son traitement.
   a) Il décrit les facteurs qui contribuent à l'ostéomalacie.
   b) Il consomme des doses thérapeutiques de calcium et de vitamine D.
   c) Il s'expose à la lumière solaire.
   d) Il fait vérifier son taux sérique de calcium tout au cours du traitement.
   e) Il respecte ses rendez-vous chez son médecin.
2. Le patient se dit soulagé de la douleur.
   a) Il dit se sentir mieux.
   b) Il dit que sa sensibilité osseuse a diminué.
3. Le patient maintient des rapports avec ses amis et sa famille.
   a) Il a confiance en ses capacités.
   b) Il est plus actif.
   c) Il reprend peu à peu sa vie sociale.

MALADIE DE PAGET

La maladie de Paget (ostéite déformante) est une affection caractérisée par un renouvellement accéléré des os, touchant le plus souvent le crâne, le fémur, le tibia, le bassin et les vertèbres. On observe d'abord une prolifération des ostéoclastes provoquant une résorption osseuse. Par la suite, on observe une augmentation compensatrice de l'activité ostéoblastique produisant un aspect en mosaïque de la trame osseuse. L'os ostéoblastique contient beaucoup de minéraux, mais, comme il est mal formé, sa structure est fragile. Souvent, les jambes deviennent arquées, entraînant un mauvais alignement des articulations des hanches, des genoux et des chevilles, ce qui peut provoquer de l'arthrite et de la douleur.

La maladie de Paget touche environ 3 % des personnes de plus de 50 ans. Elle est légèrement plus fréquente chez les hommes que chez les femmes et son incidence s'accroît avec l'âge. On a observé une incidence familiale, plusieurs frères et sœurs d'une même famille pouvant être atteints. Ses causes sont inconnues, mais certaines de ses manifestations suggèrent une infection virale.

Manifestations cliniques

La maladie de Paget est insidieuse. Elle est souvent diagnostiquée fortuitement à l'occasion d'une radiographie ou d'un examen demandé pour une autre raison. Elle se manifeste par des changements sclérotiques, des déformations osseuses (déformation en arc du fémur et du tibia, élargissement du crâne) et un épaississement de la substance corticale des os longs. La scintigraphie osseuse permet de la déceler à un stade relativement peu avancé.

Chez la majorité des patients, les déformations osseuses touchent le crâne ou les os longs. Le crâne peut s'élargir, de sorte que le patient constate que ses chapeaux ne lui font plus. Dans certains cas, le crâne est très élargi, mais non les os du visage, qui semble, de ce fait, petit et triangulaire. La plupart des patients dont le crâne est touché souffrent d'une baisse de l'acuité auditive. On peut observer dans certains cas la compression d'un nerf crânien, de même qu'une hydrocéphalie par obstruction.

Les jambes s'arquent à cause d'une déformation du fémur et du tibia, ce qui donne au patient une démarche dandinante. La colonne vertébrale est raide et courbée vers l'avant; le menton est appuyé sur la poitrine. Le thorax est comprimé et reste immobile à la respiration. Le tronc est fléchi sur les jambes pour assurer l'équilibre. Les bras sont recourbés et semblent longs par rapport au tronc. La cyphose et la déformation en arc des os longs peuvent réduire la taille du patient de 30 cm. Ces déformations donnent une apparence simiesque au patient.

Les os peuvent être sensibles et douloureux. La douleur peut être légère ou modérée, mais elle est parfois profonde et pénible. Elle est accentuée par la mise en charge si les membres inférieurs sont touchés. Les malaises peuvent précéder de plusieurs années les déformations osseuses; on les attribue souvent, à tort, au vieillissement ou à l'arthrite.

La température de la peau augmente localement en raison d'une vascularisation accrue de l'os.

Examens diagnostiques

Le patient présente habituellement une élévation du taux sérique de phosphatase alcaline et du taux urinaire d'hydroxyproline, ce qui traduit une augmentation de l'activité ostéoblastique. Plus ces taux sont élevés, plus la maladie est avancée. La calcémie est généralement normale. Certains patients atteints de la maladie de Paget présentent une dégénérescence maligne et un ostéosarcome.

Traitement

On ne recommande aucun traitement particulier pour les patients asymptomatiques. Les anti-inflammatoires non stéroïdiens soulagent habituellement la douleur.

Un traitement est indiqué quand le patient présente des douleurs graves, une atteinte neurologique ou une atteinte osseuse importante. Il existe maintenant de puissants inhibiteurs de la résorption osseuse qui permettent le remplacement du tissu osseux lésé par de l'os lamellaire sain.

La calcitonine, une hormone polypeptidique, retarde la résorption osseuse en réduisant le nombre et la disponibilité des ostéoclastes. Elle favorise le remaniement des os anormaux en os lamellaires normaux, soulage la douleur osseuse et réduit les complications neurologiques et biochimiques. Elle est administrée par voie sous-cutanée. Elle peut toutefois avoir des effets indésirables, comme une rougeur du visage et des nausées, que l'on peut atténuer en l'administrant au coucher ou en association avec un antihistaminique. Ces effets ont tendance à disparaître avec le temps. Le traitement à la calcitonine dure environ trois mois.

L'étidronate disodique, un diphosphonate, ralentit le remaniement osseux et soulage la douleur. Il entraîne une baisse de la phosphatase alcaline sérique et une diminution de l'excrétion urinaire de l'hydroxyproline. La nourriture en inhibe l'absorption. On peut en réduire les effets indésirables, comme les nausées, les crampes et la diarrhée en espaçant les doses. De trop fortes doses peuvent ralentir la consolidation des fractures et favoriser l'apparition de l'ostéomalacie. On peut associer la calcitonine et l'étidronate disodique chez les patients dont la maladie évolue très rapidement.

La mithramycine, un antibiotique cytotoxique, est réservée aux patients très gravement atteints présentant des lésions neurologiques ou qui résistent aux autres traitements. Elle a des effets spectaculaires sur la douleur et sur les taux sériques de calcium et de phosphatase alcaline et le taux urinaire d'hydroxyproline. On l'administre par voie intraveineuse. Pendant le traitement, on doit évaluer régulièrement les fonctions hépatique, rénale et médullaire. La rémission peut durer plusieurs mois après l'arrêt du traitement.

Les fractures dont la réduction et l'immobilisation sont appropriées se consolident généralement. L'absence de formation du cal dans une fracture du col du fémur doit être traitée au moyen d'une prothèse.

On peut corriger la perte d'acuité auditive par une prothèse auditive ou employer les méthodes de communication utilisées avec les malentendants (lecture sur les lèvres, langage corporel, par exemple).

Gérontologie

On doit noter minutieusement les caractéristiques de la douleur du patient, car les personnes âgées souffrent souvent de douleurs arthritiques accentuées par des déformations osseuses. Les douleurs peuvent aussi être dues à une fracture.

Résumé: Les affections métaboliques des os (ostéoporose, ostéomalacie et maladie de Paget) altèrent la quantité et la qualité de la masse osseuse. L'ostéoporose est une maladie courante caractérisée par une réduction de la masse osseuse totale qui entraîne des fractures, surtout chez les femmes ménopausées de race blanche, qui sont obèses et dont l'ossature est petite. Pour prévenir l'ostéoporose, il faut consommer les quantités recommandées de calcium pendant les années de formation des os, éviter le tabac, la caféine et l'alcool, qui contribuent à la réduction de la masse osseuse, et pratiquer des activités physiques comme la marche. À la ménopause, le médecin peut prescrire aux femmes à risque une hormonothérapie substitutive (œstrogènes et progestérone) pour retarder la perte osseuse et prévenir les fractures. Si une fracture survient, on vise le soulagement de la douleur, la stabilisation et la consolidation de la fracture, de même que la prévention d'autres fractures.

L'ostéomalacie est due à une minéralisation inadéquate des os caractérisée par un ramollissement et une faiblesse du squelette qui causent des douleurs, des déformations et des fractures pathologiques. La malnutrition, les troubles gastro-intestinaux et les maladies hépatiques et rénales contribuent à son apparition. Le traitement vise généralement la cause sous-jacente.

La maladie de Paget est une atteinte métabolique des os qui se caractérise par une accélération du remaniement osseux. Les os sont déformés et leur structure est faible. Les fractures pathologiques sont fréquentes. L'épaississement du crâne peut entraîner une baisse de l'acuité auditive. Les symptômes sont variés et le traitement personnalisé. Les anti-inflammatoires non stéroïdiens soulagent généralement de la douleur. Dans les cas graves, on utilise des inhibiteurs de la résorption osseuse.

INFECTIONS DE L'APPAREIL LOCOMOTEUR

OSTÉOMYÉLITE

L'ostéomyélite est une infection de l'os. Les infections des os sont plus difficiles à traiter que les infections des tissus mous car les os sont moins bien irrigués. L'ostéomyélite peut devenir chronique et entraîner la perte d'un membre.

L'ostéomyélite peut être *hématogène* (due à une propagation par voie sanguine). Dans ce cas, elle est consécutive à une autre infection (amygdalite, furoncle, abcès dentaire, infection des voies respiratoires supérieures). Elle se manifeste dans les os qui ont subi une lésion, ou dont la résistance est affaiblie.

Les germes peuvent aussi être diffusés à l'os à partir d'une suppuration des tissus mous (escarre de décubitus ou ulcère vasculaire infecté, otite moyenne) ou pénétrer directement dans l'os (fracture ouverte, blessure par balle, chirurgie orthopédique).

Les personnes qui présentent des carences alimentaires, les personnes obèses ou diabétiques et celles qui ont subi une longue opération orthopédique sont particulièrement exposées à l'ostéomyélite.

Prévention

Les soins doivent viser essentiellement la prévention de l'ostéomyélite. Le traitement des infections réduit le risque de propagation hématogène et de diffusion à partir des tissus mous. On peut réduire la fréquence de l'ostéomyélite postopératoire en respectant rigoureusement les règles de l'asepsie chirurgicale.

On peut administrer des antibiotiques à titre préventif pour s'assurer de l'intégrité des tissus au moment de l'opération et au cours des 24 à 48 heures qui suivent l'opération. Pendant l'étape postopératoire, on réduit la fréquence des infections superficielles et les risques consécutifs d'ostéomyélite en respectant rigoureusement les règles de l'asepsie lors des soins de la plaie.

Physiopathologie

Staphylococcus aureus est responsable de 70 à 80 % des infections osseuses. Les autres agents pathogènes isolés dans l'ostéomyélite sont notamment *Proteus*, *Pseudomonas* et *Escherichia coli*. Les germes anaérobies, Gram négatif, nosocomiaux et résistants à la pénicilline sont de plus en plus souvent en cause.

Dans sa forme aiguë fulminante, l'ostéomyélite postopératoire apparaît dans les trois mois qui suivent une chirurgie orthopédique; elle est souvent associée à l'extraction d'un hématome ou à une infection superficielle. La forme retardée apparaît de 4 à 24 mois après l'intervention chirurgicale. La forme très retardée est habituellement due à une propagation hématogène et apparaît au moins deux ans après l'opération.

Les premiers signes de l'ostéomyélite sont l'inflammation et l'augmentation de la vascularisation. Après deux ou trois jours, on observe une thrombose des vaisseaux sanguins dans la région infectée, entraînant une ischémie avec nécrose osseuse. L'infection se propage ensuite dans la cavité médullaire et sous le périoste. Elle peut se disséminer par le pus dans les articulations et les tissus mous adjacents. Si elle n'est pas jugulée rapidement, un abcès se forme.

Manifestations cliniques

L'ostéomyélite hématogène apparaît souvent de façon brusque, se manifestant par des signes cliniques de septicémie (frissons, forte fièvre, pouls rapide et malaise généralisé). Les symptômes généraux peuvent précéder les signes locaux. À mesure que l'infection s'étend de la cavité médullaire au cortex, au périoste et aux tissus mous, le membre devient douloureux, tuméfié et très sensible. Le patient dit ressentir une douleur constante et pulsative accentuée par le mouvement. Cette douleur est due à la pression causée par l'accumulation de pus.

Si l'ostéomyélite est due à la propagation d'une d'infection adjacente ou à une contamination directe, le patient ne présente pas de symptômes de septicémie. La région est tuméfiée, chaude, douloureuse et sensible au toucher.

L'ostéomyélite chronique se traduit par un écoulement sinusal continu ou par des épisodes douloureux, avec inflammation et écoulements. Le tissu cicatriciel dont l'irrigation sanguine est réduite est un terrain propice à l'infection.

Examens diagnostiques

Dans l'ostéomyélite aiguë, les radiographies révèlent une tuméfaction des tissus mous. Après deux semaines, on observe des zones irrégulières de décalcification, une périostose et la formation de nouveau tissu osseux. Les analyses sanguines révèlent une augmentation du nombre des leucocytes et de la vitesse de sédimentation. Il est nécessaire de faire une hémoculture et une culture de l'abcès avec antibiogramme pour connaître l'antibiotique auquel le germe causal est le plus sensible.

Dans l'ostéomyélite chronique, les radiographies révèlent de grandes cavités irrégulières, une périostite, un séquestre ou la formation d'os dense. La scintigraphie osseuse permet de repérer les foyers d'infection. La vitesse de sédimentation est élevée. On doit faire une culture de l'abcès pour connaître l'agent infectieux en cause et un antibiogramme pour connaître l'antibiotique auquel cet agent est le plus sensible.

Démarche de soins infirmiers
Patients atteints d'ostéomyélite

▷ *Collecte des données*

Le patient atteint d'ostéomyélite présente des symptômes soudains (douleur localisée, tuméfaction, érythème, fièvre, par exemple) ou des écoulements récurrents provenant d'un sinus infecté, accompagnés de douleur, de tuméfaction et d'une légère fièvre. L'infirmière doit noter les facteurs de risque (âge, diabète, traitement prolongé aux stéroïdes) de même que les blessures, les infections ou les opérations orthopédiques antérieures. Le patient évite les pressions sur la région infectée et surveille ses mouvements. Dans les cas d'ostéomyélite aiguë, il éprouve une fatigue généralisée en raison de la réaction à l'infection.

L'examen physique révèle une inflammation localisée se manifestant par un œdème important, de la chaleur et une sensibilité. On remarque parfois un écoulement purulent et de la fièvre. Dans les cas d'ostéomyélite chronique, la hausse de température est souvent faible et se produit dans l'après-midi ou la soirée.

Les épreuves de laboratoire indiquent une augmentation du nombre des leucocytes et de la vitesse de sédimentation. L'hémoculture et la culture des écoulements peuvent être positives. Les signes radiologiques n'apparaissent généralement que s'il y a nécrose de l'os et périostite.

▷ *Analyse et interprétation des données*

Selon les données recueillies, voici les principaux diagnostics infirmiers pouvant s'appliquer aux patients atteints d'ostéomyélite:

- Altération de la mobilité physique reliée à la douleur, aux appareils de contention et aux restrictions de la mise en charge
- Risque élevé de propagation de l'infection: formation d'un abcès osseux
- Manque de connaissances sur le traitement

▷ *Planification et exécution*

▷ *Objectifs de soins:* Soulagement de la douleur; amélioration de la mobilité physique dans les limites du traitement; traitement de l'infection; acquisition de connaissances sur le traitement

▷ *Soulagement de la douleur.* On peut immobiliser le membre atteint à l'aide d'une attelle pour réduire la douleur et les spasmes musculaires. Les articulations en amont et en aval de la région lésée doivent être placées en position fonctionnelle. Les plaies sont souvent très douloureuses et doivent être traitées délicatement.

On doit vérifier régulièrement les signes neurovasculaires du membre atteint. Pour améliorer la circulation, on peut immerger le membre dans du soluté physiologique chaud pendant 20 minutes plusieurs fois par jour. Les méthodes douces de soulagement de la douleur et les analgésiques peuvent être utiles.

▷ *Amélioration de la mobilité physique.* Le traitement restreint l'activité physique. L'os étant affaibli par l'infection, il faut le protéger à l'aide d'un appareil de contention. On doit expliquer au patient les raisons qui justifient la restriction des activités. Pour favoriser le bien-être du patient, on doit l'encourager à participer aux activités quotidiennes tout en respectant les limites physiques imposées par le traitement.

▷ *Traitement de l'infection.* Le traitement a pour principal objectif de juguler l'infection. On procède à des hémocultures, et à des cultures du pus provenant des abcès pour identifier le germe responsable. Un antibiogramme permet de choisir les antibiotiques appropriés. L'infection est souvent causée par plusieurs germes pathogènes.

Après avoir obtenu les échantillons, on administre au patient des antibiotiques actifs contre *Staphylococcus aureus*, comme la pénicilline G et la céphalosporine. Il est important de juguler l'infection avant qu'une thrombose ne réduise la circulation dans la région infectée. On administre l'antibiotique par perfusion intraveineuse continue afin de maintenir un taux sanguin élevé. L'infirmière doit être attentive à la réponse du patient à l'antibiothérapie et observer le point de perfusion à la recherche de signes de phlébite ou d'infiltration. Une fois que les résultats de l'antibiogramme sont connus, on administre l'antibiotique auquel l'agent pathogène est le plus sensible. Quand l'infection semble enrayée, on administre un antibiotique par voie orale pendant trois mois. Les antibiotiques oraux doivent être pris entre les repas pour favoriser une meilleure absorption.

Si le patient ne répond pas à l'antibiothérapie, il faut procéder à une chirurgie de l'os atteint pour en extraire le pus et les tissus dévitalisés, et irriguer directement la région infectée avec du soluté physiologique stérile. On doit ensuite poursuivre l'antibiothérapie.

Dans les cas d'ostéomyélite chronique, l'antibiothérapie est un traitement d'appoint au débridement chirurgical. On peut pratiquer une *séquestrectomie* (ablation du séquestre), et une *mise à plat* (évidement de la cavité permettant de la combler par du tissu de granulation), suivies d'une antibiothérapie. La guérison ne peut s'amorcer que si tout le tissu osseux et le cartilage dévitalisés et infectés ont été retirés.

Il faut favoriser la santé générale du patient et lui assurer un apport nutritionnel et liquidien suffisant. Le régime alimentaire doit être riche en protéines, de même qu'en vitamine C et en vitamine D pour assurer un bilan azoté positif et favoriser la guérison.

▷ *Acquisition de connaissances sur le traitement.* Le traitement de l'ostéomyélite (soins de la plaie et antibiothérapie par voie intraveineuse) peut se faire à domicile, si le patient et sa famille le désirent et si l'état du patient le permet. L'ambiance familiale doit être propice au soutien et à l'observance du traitement.

Le patient et sa famille doivent savoir comment administrer les antibiotiques. Il faut aussi leur appendre les techniques aseptiques de changement des pansements et l'application de compresses chaudes. Le recours aux services communautaires et la participation du patient et de sa famille sont essentiels au succès du traitement de l'ostéomyélite à domicile.

Il faut observer de près ces patients pour déceler l'apparition de nouvelles régions sensibles. On doit recommander au patient de consulter immédiatement son médecin s'il constate une hausse de température, des écoulements, une mauvaise odeur ou une aggravation de l'inflammation.

▷ *Évaluation*

Résultats escomptés

1. Le patient connaît un soulagement de la douleur.
   a) Il se dit moins souffrant.
   b) Il ne ressent aucune sensibilité aux foyers d'infection.
   c) Les mouvements ne provoquent pas de douleur.
2. Le patient améliore sa mobilité physique.
   a) Il participe aux activités d'autosoins.
   b) Il maintient le fonctionnement normal des membres sains.
   c) Il se déplace de façon sûre avec les appareils de contention et l'aide à la motricité.
3. Le patient ne présente pas d'infection.
   a) Il prend les antibiotiques selon l'ordonnance du médecin.
   b) Sa température est normale.
   c) Il ne présente pas d'œdème.
   d) Il ne présente pas d'écoulements.
   e) Sa numération leucocytaire et sa vitesse de sédimentation sont normales.
   f) Les cultures de la plaie sont négatives.
4. Le patient comprend le traitement.
   a) Il prend ses médicaments selon l'ordonnance du médecin.
   b) Il protège les os affaiblis.
   c) Il soigne correctement sa plaie.
   d) Il consulte rapidement son médecin s'il note un problème.
   e) Il suit un régime alimentaire à forte teneur en protéines et en vitamines C et D.
   f) Il se présente à ses rendez-vous.
   g) Il dit se sentir plus fort.
   h) Il ne présente pas de fièvre, de douleur, de tuméfaction ou d'autres symptômes.

ARTHRITES INFECTIEUSES

Les articulations peuvent s'infecter par *voie hématogène* ou directement à la suite d'une blessure ou d'un acte chirurgical. Les blessures articulaires, les inflammations articulaires chroniques et une altération des défenses immunitaires favorisent les infections articulaires. Les *gonocoques* et les *staphylocoques* sont responsables de la majorité des infections articulaires de l'adulte. Un diagnostic et un traitement rapide sont nécessaires pour éviter une *chondrolyse* (destruction du cartilage hyalin), laquelle est difficile à traiter.

Manifestations cliniques. L'articulation infectée est chaude, douloureuse et tuméfiée avec une perte d'amplitude articulaire. On note parfois des frissons et de la fièvre. Il est important de repérer le foyer de l'infection primaire. Chez les patients âgés et chez ceux qui prennent des corticostéroïdes ou des immunosuppresseurs, les manifestations cliniques peuvent être très atténuées.

Examens diagnostiques. Les examens diagnostiques comprennent l'aspiration, l'examen et la culture du liquide synovial. L'arthrographie peut révéler une lésion du revêtement articulaire. La scintigraphie permet de localiser l'infection ou de distinguer l'infection articulaire de la cellulite.

Traitement. Il est essentiel d'entreprendre rapidement le traitement. Il faut administrer des antibiotiques par voie intraveineuse comme la nafcilline, la céphalosporine et la gentamycine. L'arthrite gonococcique se traite à la pénicilline G. Il faut poursuivre l'antibiothérapie par voie parentérale jusqu'à ce que les symptômes disparaissent. On doit prélever régulièrement du liquide synovial pour culture et numération leucocytaire.

En plus de l'antibiothérapie, le médecin peut ponctionner l'articulation pour aspirer l'excès de liquide articulaire, les exsudats et les débris. Il utilise occasionnellement l'arthroscopie pour drainer l'articulation et retirer les tissus dévitalisés.

Il faut immobiliser l'articulation enflammée en position fonctionnelle à l'aide d'une attelle. Cette immobilisation améliore le bien-être du patient. On peut prescrire de la codéine pour soulager la douleur. Après l'antibiothérapie, le médecin peut prescrire des anti-inflammatoires non stéroïdiens.

Il faut s'assurer que le patient reçoive un apport nutritionnel et liquidien suffisant pour favoriser la guérison. On prescrit des exercices progressifs d'amplitude de mouvement une fois l'infection jugulée.

Traitée à temps, l'arthrite septique ne laisse pas de séquelles. Le patient doit toutefois subir régulièrement des examens car il existe des risques de récidive. S'il y a eu chondrolyse, on peut observer une fibrose et une perte fonctionnelle permanente.

Résumé: L'ostéomyélite et les arthrites infectieuses sont les principales infections de l'appareil locomoteur. Il faut avant tout prévenir l'ostéomyélite, car elle peut nuire à la qualité de vie et entraîner la perte d'un membre. Cette infection peut être associée à une contamination directe de l'os (fracture ouverte, chirurgie orthopédique), à la dissémination d'une infection des tissus mous ou à une propagation hématogène. La prise d'antibiotiques à titre prophylactique et le respect strict des règles de l'asepsie réduisent les risques d'ostéomyélite. L'ostéomyélite peut se manifester immédiatement après une blessure ou une opération ou seulement après des mois, voire des années. L'infirmière aide le patient à comprendre et à suivre le traitement (antibiothérapie prolongée, débridement chirurgical, soulagement de la douleur et immobilisation de l'os). Les arthrites infectieuses exigent un traitement rapide pour éviter les pertes fonctionnelles permanentes.

TUMEURS DES OS

Il existe différents types de cancer de l'appareil locomoteur: ostéosarcome, chondrosarcome, fibrosarcome, réticulosarcome, myosarcome. On observe aussi des tumeurs composées de cellules nerveuses, vasculaires ou adipeuses. Il peut s'agir de tumeurs primitives ou de métastases (tumeurs provenant d'un cancer primitif à distance: sein, poumon, prostate, rein, etc.). On observe des métastases osseuses surtout chez les personnes âgées.

TUMEURS BÉNIGNES DES OS

Les tumeurs bénignes des os ont généralement une croissance lente, elles sont bien circonscrites, provoquent peu de symptômes et ne sont pas mortelles. On distingue les ostéochondromes, les chondroblastomes, les ostéomes ostéoïdes, les kystes, les rhabdomyomes et les fibromes. Les tumeurs bénignes des os sont plus fréquentes que les tumeurs malignes. Certaines tumeurs bénignes comme les tumeurs à cellules géantes peuvent subir des transformations malignes.

TUMEURS MALIGNES DES OS

Les tumeurs malignes primitives des os sont relativement rares. Elles se forment aux dépens du tissu conjonctif ou des tissus qui en dérivent (*sarcomes*) ou de la moelle osseuse (*myélomes*). Les tumeurs malignes primitives des os sont, notamment, l'ostéosarcome, le chondrosarcome, le sarcome d'Ewing et le fibrosarcome. Les principaux sarcomes des tissus mous sont le liposarcome, le fibrosarcome et le myosarcome. Les tumeurs osseuses provoquent fréquemment des métastases.

L'*ostéosarcome* (sarcome ostéogénique) est la tumeur maligne primitive des os la plus fréquente et généralement la plus mortelle. Il a tendance à se disséminer rapidement vers les poumons par voie sanguine. Son taux de mortalité est élevé, car il a souvent déjà atteint les poumons quand on le découvre. Il est fréquent chez les hommes de 10 à 25 ans (dans les os à croissance rapide) et chez les personnes âgées qui souffrent de la maladie de Paget. Il peut être la conséquence d'une radiothérapie. Il se manifeste généralement par de la douleur, une tuméfaction, une restriction de l'amplitude des mouvements articulaires et une perte pondérale (que l'on considère comme un mauvais présage). La masse osseuse peut être palpable, sensible et fixe. On peut observer une élévation de la température de la peau ainsi qu'une distension veineuse. La lésion primitive peut atteindre n'importe quel os, mais siège généralement au fémur distal, au tibia proximal ou à l'humérus proximal.

Les tumeurs malignes du cartilage sont appelées *chondrosarcomes*. Il s'agit aussi de tumeurs malignes primitives des os. Les chondrosarcomes sont volumineux, ont une croissance lente et surviennent chez les adultes (chez les hommes plus souvent que chez les femmes). Ils atteignent habituellement le bassin, les côtes, le fémur, l'humérus, la colonne vertébrale, l'omoplate et le tibia. Ils métastasent aux poumons dans moins de 50 % des cas. Si la tumeur est clairement différenciée, une *exérèse* extensive ou l'amputation augmente les chances de survie. Les chondrosarcomes ont une tendance à la récidive.

LÉSIONS MÉTASTATIQUES DES OS

Les métastases osseuses (tumeurs secondaires) sont plus fréquentes que les tumeurs malignes primitives des os. Les métastases peuvent envahir l'os et le détruire localement, avec des résultats cliniquement très semblables à ceux observés dans les tumeurs primitives. Parmi les cancers qui métastasent le plus fréquemment aux os, on trouve les carcinomes du rein, de la prostate, du poumon, du sein, de l'ovaire et de la thyroïde. Les tumeurs métastatiques atteignent surtout le crâne, la colonne vertébrale, le bassin, le fémur et l'humérus.

PHYSIOPATHOLOGIE

La présence d'une tumeur dans un os provoque une réaction *ostéolytique* (destruction osseuse) ou *ostéoblastique* (formation osseuse). Certaines tumeurs des os sont fréquentes tandis que d'autres sont extrêmement rares. Certaines ne causent aucune complication, tandis que d'autres peuvent être mortelles à brève échéance.

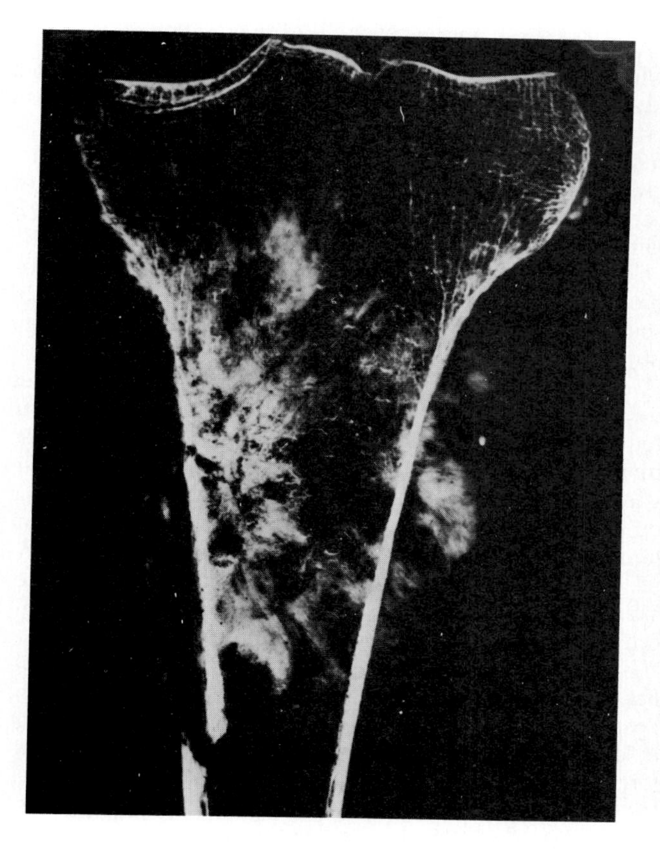

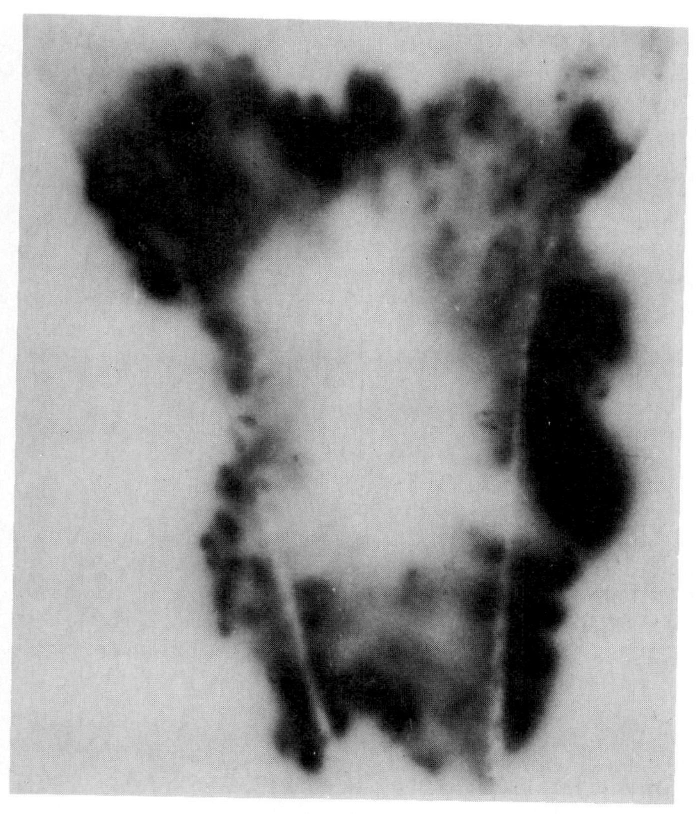

Figure 63-7. Manifestations radiologiques d'un ostéosarcome. (**Gauche**) Radiographie révélant un ostéosarcome de l'extrémité proximale du tibia; on note une atteinte anatomopathologique de l'os. (**Droite**) Autoradiographie au Sr^{85} (strontium) chez le même patient. On note un foyer d'hyperfixation (zone noire) dans la marge périphérique de croissance et une absence de fixation au centre.
(Source: Armed Forces Institute of Pathology, négatifs 67-4-8, 67-4-9)

Manifestations cliniques. Les problèmes associés aux tumeurs des os sont très variables. En effet, les tumeurs des os peuvent être asymptomatiques, provoquer occasionnellement une faible douleur ou causer une douleur intense et constante. Elles peuvent entraîner une incapacité plus ou moins importante. On observe parfois une excroissance osseuse apparente, une perte de poids, des malaises et de la fièvre. Il arrive qu'on les découvre de façon fortuite à la suite d'une fracture pathologique.

Examens diagnostiques. Le diagnostic différentiel des tumeurs osseuses se fait sur la base des antécédents, d'un examen physique, d'examens radiologiques: tomographie, scintigraphie osseuse et artériographie (figure 63-7), d'analyses sanguines et urinaires (le taux des phosphatases alcalines est souvent élevé dans les ostéosarcomes et le taux des phosphatases acides dans les métastases des carnicormes de la prostate) et de biopsies pour les caractéristiques histologiques. Les radiographies des poumons permettent de déceler la présence de métastases pulmonaires. On établit le stade des tumeurs selon leur taille, la vitesse de leur croissance, leur siège et leur capacité de dissémination.

Au cours de l'établissement du diagnostic, l'infirmière doit expliquer au patient et à sa famille les examens diagnostiques, et leur apporter un appui psychologique et émotionnel. Elle doit évaluer les stratégies d'adaptation du patient et de la famille et les ressources dont ils disposent. Elle doit travailler avec eux pour les aider à vivre cette situation difficile le mieux possible.

DÉMARCHE DE SOINS INFIRMIERS
PATIENTS SOUFFRANT D'UNE TUMEUR OSSEUSE

Collecte des données

L'infirmière s'informe auprès du patient de l'apparition et de l'évolution des symptômes. Durant l'entrevue, elle note les connaissances du patient et de la famille sur la maladie, leurs stratégies d'adaptation et les techniques de soulagement de la douleur utilisées par le patient.

Au cours de l'examen physique, elle palpe doucement la masse et note sa taille, de même que la tuméfaction des tissus mous avoisinants, la douleur et la sensibilité. L'évaluation des signes neurovasculaires et de l'amplitude de mouvement du membre atteint sont aussi des données de base importantes à recueillir. Enfin, l'infirmière doit évaluer la mobilité du patient et sa capacité d'effectuer ses activités quotidiennes.

▷ *Analyse et interprétation des données*

Selon les données recueillies, voici les principaux diagnostics infirmiers pouvant s'appliquer aux patients présentant d'une tumeur osseuse:

- État dépressif relié à un manque de connaissances sur la maladie et son traitement
- Douleur reliée à la maladie et à une intervention chirurgicale
- Risque élevé de blessures (fracture pathologique)
- Stratégies d'adaptation inefficaces reliées à une perception déformée de la situation et à un manque de soutien
- Perturbation de l'estime de soi reliée à la perte d'un membre ou à la perturbation dans l'exercice du rôle

Les diagnostics infirmiers reliés aux risques de complications sont, notamment:

- Altération de l'intégrité des tissus avec retard de cicatrisation de la plaie reliée à l'immobilité et aux effets secondaires de la radiothérapie ou de la chimiothérapie
- Déficit nutritionnel relié à la chimiothérapie ou à la radiothérapie
- Risque élevé d'infection relié à l'immunosuppression causée par la chimiothérapie ou la radiothérapie

▷ *Planification et exécution*

▷ *Objectifs:* Acquisition de connaissances sur la maladie et son traitement; soulagement de la douleur; prévention des fractures pathologiques; stratégies d'adaptation efficaces; amélioration de l'estime de soi; prévention des complications comme l'atteinte à l'intégrité des tissus, le déficit nutritionnel et les infections.

▷ *Interventions infirmières*

Les soins infirmiers à prodiguer aux patients ayant subi l'excision d'une tumeur osseuse sont sensiblement les mêmes que pour les autres opérations orthopédiques. En général, on immobilise le membre opéré à l'aide d'attelles, d'appareils plâtrés ou de bandages élastiques jusqu'à la consolidation de l'os.

▷ *Acquisition de connaissances sur la maladie et son traitement.* Il est essentiel de donner au patient et à sa famille de l'information sur la maladie, les conséquences du diagnostic et le traitement. On doit expliquer les examens diagnostiques, les traitements (soins de la plaie, par exemple) et leurs effets (diminution de l'amplitude des mouvements, engourdissements, modifications des contours des corps, etc.) pour aider le patient à comprendre le but des interventions.

Le traitement des tumeurs osseuses vise l'élimination du tissu tumoral par la méthode la plus efficace possible. Les principales méthodes de traitement sont l'excision chirurgicale (de l'excision locale à l'amputation et la désarticulation), la radiothérapie (si la tumeur est radiosensible) et la chimiothérapie (préopératoire, postopératoire et adjuvante s'il y a risque de métastases). D'importants progrès dans le traitement des tumeurs malignes des os permettent de préserver le membre.

S'il est impossible de sauver le membre, on pratique l'amputation nettement plus haut que la tumeur osseuse. (Voir Démarche de soins infirmiers: Patients subissant une amputation, page 2073.)

Les techniques chirurgicales pour sauver le membre atteint comprennent le remplacement de l'os réséqué et des tissus adjacents par une prothèse adaptée ou une prothèse articulaire totale, ou encore par une greffe osseuse. Les tissus mous et les vaisseaux sanguins peuvent aussi nécessiter une greffe à cause de l'étendue de l'excision. Les principales complications de ces techniques sont les infections, le descellement ou la dislocation de la prothèse, l'absence de prise de l'allogreffe, les fractures, la nécrose de l'épiderme et des tissus mous, la fibrose articulaire et la récidive de la tumeur. Un soutien psychologique est essentiel à la réadaptation du patient qui a subi une telle intervention.

Afin de réduire les risques de métastases, on effectue des traitements de chimiothérapie préopératoires et postopératoires. On espère obtenir ainsi une plus grande efficacité avec moins d'effets toxiques. La chirurgie avec chimiothérapie adjuvante permet d'obtenir un taux de survie de 60 % après 5 ans ou plus. Les principaux agents antinéoplasiques utilisés sont la doxorubicine, la cisplatine ou le méthotrexate.

On traite les sarcomes des tissus mous par la radiothérapie, suivie d'une intervention chirurgicale de sauvetage du membre et d'une chimiothérapie adjuvante.

Le traitement des cancers des os avec métastases est palliatif; il a pour principal objectif de soulager la douleur. Ainsi, l'ostéosynthèse des fractures pathologiques réduit l'invalidité et la douleur. On a aussi recours à l'ostéosynthèse pour renforcer les os affaiblis par de grosses métastases ou pour les fractures des os longs. On encourage le patient à rester autonome et productif le plus longtemps possible.

Une équipe multidisciplinaire commence rapidement la préparation et la coordination du traitement de façon à en assurer la continuité. L'enseignement au patient porte sur les médicaments, les modalités du traitement, ainsi que sur les programmes de physiothérapie et d'ergothérapie. Le patient et sa famille doivent apprendre à reconnaître les signes et les symptômes de complications. On conseille au patient de conserver à portée de la main les numéros de téléphone des personnes qu'il peut rejoindre rapidement en cas de problèmes. On doit avoir recours aux services communautaires pour assurer les soins à domicile.

▷ *Soulagement de la douleur.* Il existe des méthodes physiques, psychologiques et médicamenteuses pour soulager la douleur. Pour réduire le sentiment d'impuissance du patient face à la douleur, l'infirmière doit travailler avec lui pour établir un mode de soulagement efficace. L'infirmière prépare le patient aux interventions douloureuses en lui donnant de l'information sur le déroulement de l'intervention et sur les sensations qu'il est susceptible de ressentir. La présence de l'infirmière procure du soutien au patient pendant l'intervention. S'il y a eu excision de la tumeur avec greffe, le patient éprouve de la douleur au siège de l'excision et dans la zone donneuse. Des analgésiques narcotiques sont administrés pour soulager la douleur juste après l'opération. Plus tard, les analgésiques non narcotiques oraux procurent un soulagement efficace.

▷ *Absence de fracture pathologique.* Les tumeurs osseuses affaiblissent les os au point que les activités normales ou les changements de position peuvent entraîner une fracture. Quand on prodigue les soins infirmiers, il faut donc soutenir les os atteints et les manipuler doucement. Pour une meilleure protection, on peut utiliser un appareil de contention (une attelle, par exemple). Les restrictions de mise en charge doivent être respectées. On apprend au patient à se servir d'une aide à la motricité en toute sécurité et à renforcer les muscles des membres sains.

▷ *Stratégies d'adaptation efficaces.* On doit encourager le patient et sa famille à exprimer librement leurs sentiments. Ceux-ci ont besoin d'être écoutés et de se sentir compris pour affronter le choc, de même que le désespoir et le chagrin. Ces sentiments doivent être normalisés. La verbalisation aide le patient et sa famille à partager leurs émotions et à reconnaître leurs craintes et leurs peurs. L'infirmière, par son attitude empathique, les aide à avoir une perception réaliste de la situation tout en leur procurant espoir et confiance. Elle les incite à se fixer des objectifs réalisables et à trouver les moyens les plus efficaces pour les atteindre.

▷ *Amélioration de l'estime de soi.* Le patient atteint d'une tumeur maligne voit son mode de vie grandement perturbé, temporairement tout au moins. En effet, il est confronté à une perte d'autonomie et à une perturbation probable de son image corporelle. Il est important de le rassurer, de façon réaliste, sur son avenir et sur la reprise des activités reliées à l'exercice du rôle. On doit encourager sa participation aux autosoins et les contacts avec ses amis et sa famille. La participation du patient et de sa famille aux soins crée un climat de confiance, améliore l'estime de soi et réduit le sentiment d'impuissance.

▷ *Maintien de l'intégrité des tissus.* La cicatrisation de la plaie peut être retardée en raison de lésions tissulaires dues à la chirurgie ou à la radiothérapie. Il faut éviter toute pression sur la plaie afin de favoriser la circulation. Les changements de pansements doivent aussi se faire en douceur, selon une technique aseptique. Un régime alimentaire équilibré favorise la cicatrisation de la plaie.

Il faut aider le patient à changer régulièrement de position afin de réduire les risques de ruptures de l'épiderme. Les tissus qui ont été exposés à la radiothérapie sont particulièrement vulnérables aux lésions. Des carences alimentaires, la douleur et l'immobilité peuvent contribuer aux ruptures de l'épiderme. Il faut parfois avoir recours à un lit spécial.

▷ *Amélioration de l'état nutritionnel.* Une alimentation équilibrée est nécessaire à la santé. L'anorexie, les nausées et les vomissements sont des effets secondaires fréquents de la chimiothérapie et de la radiothérapie. Les antiémétiques ainsi que les techniques de relaxation réduisent les réactions gastro-intestinales. On traite la stomatite par des bains de bouche avec un agent antifongique ou anesthésique. Une bonne hydratation est essentielle. On doit parfois avoir recours à des suppléments vitaminiques ou à l'alimentation parentérale totale pour assurer un apport nutritionnel approprié.

▷ *Absence d'infection.* Les opérations aux os comportent un risque d'ostéomyélite. Pour prévenir cette complication redoutable, on a recours à l'administration d'antibiotiques et à des techniques aseptiques de changement des pansements.

Si le patient suit une chimiothérapie, on vérifie régulièrement sa numération leucocytaire et on lui recommande d'éviter les contacts avec des personnes qui ont un rhume ou une infection.

▷ *Évaluation*

Résultats escomptés

1. Le patient connaît sa maladie et son traitement.
   a) Il explique sa maladie.
   b) Il énonce les objectifs du traitement.
   c) Il observe son traitement (il prend les médicaments prescrits, il poursuit son programme de physiothérapie et d'ergothérapie, par exemple).
   d) Il cherche à obtenir des renseignements clairs.
   e) Il comprend la nécessité d'un suivi médical prolongé.
   f) Il se présente à ses rendez-vous médicaux.
   g) Il connaît les symptômes ou les complications dont il doit faire part à son médecin.
2. Il parvient à soulager la douleur.
   a) Il utilise différentes techniques de soulagement de la douleur.
   b) Il n'éprouve pas de douleur ou une faible douleur seulement au siège de l'opération, au repos ou au cours des tâches de la vie quotidienne.
3. Il ne présente pas de fractures pathologiques.
   a) Il évite les tensions sur les os affaiblis.
   b) Il utilise une aide à la motricité de façon sûre.
   c) Il renforce ses membres sains.
4. Il utilise des stratégies d'adaptation efficaces.
   a) Il exprime ses sentiments.
   b) Il connaît ses forces et ses capacités.
   c) Il participe aux décisions et fait des choix.
   d) Il demande de l'aide au besoin.
5. Il améliore son concept de soi.
   a) Il assume ses responsabilités.
   b) Il a confiance en ses capacités.
   c) Il fait preuve d'autonomie dans les tâches de la vie quotidienne.
6. Il ne présente pas de complications.
   a) Sa plaie cicatrise bien.
   b) Il ne présente pas de ruptures de l'épiderme.
   c) Il maintient son poids.
   d) Il ne présente pas d'infections.
   e) Il réussit à réduire les effets secondaires des traitements.

Résumé : Les tumeurs osseuses peuvent être bénignes (à évolution lente et bien circonscrites), malignes (sarcomes provenant des tissus conjonctifs et de soutien) ou métastatiques. Les symptômes ainsi que le traitement dépendent de la nature de la tumeur osseuse. L'objectif du traitement d'une tumeur primitive des os est la destruction ou l'excision des tissus lésés selon la méthode susceptible de donner les meilleurs résultats (chirurgie, radiothérapie ou chimiothérapie). L'excision étendue avec greffe et les autres techniques de sauvetage du membre atteint permettent souvent d'éviter l'amputation. Les soins prodigués au patient qui a subi l'excision d'une tumeur osseuse sont sensiblement les mêmes que pour les autres opérations orthopédiques. L'objectif du traitement des métastases osseuses est de soulager la douleur et de prévenir une fracture pathologique. L'infirmière aide le patient à mieux comprendre la maladie, à observer son traitement, à soulager la douleur, à utiliser des stratégies d'adaptation efficaces, à améliorer son estime de soi et à éviter les complications. En raison des nombreux besoins du patient atteint d'une tumeur osseuse, sa réadaptation exige la collaboration de spécialistes de différentes disciplines.

Bibliographie

Ouvrages

American Nurses Association and National Association of Orthopaedic Nurses. Orthopaedic Nursing Practice. Kansas City, MO, American Nurses Association, 1986.

Avioli LV. The Osteoporotic Syndrome, 2nd ed. Orlando, Grune & Stratton, 1987.

Borenstein DB and Wiesel SW. Low Back Pain. Philadelphia, WB Saunders, 1989.

Buckle P. Musculoskeletal Disorders at Work. London, Taylor & Francis, 1987.

Cailliet R. Low Back Pain Syndrome, 4th ed. Philadelphia, FA Davis, 1988.

Coombs R and Fitzgerald RH Jr (ed). Infection in the Orthopaedic Patient. London, Butterworths, 1989.

D'Ambrosia RD and Marier RL (ed). Orthopaedic Infections. Thorofare, NJ, Slack, 1989.

Dahlin DC and Unni KK. Bone Tumors, 4th ed. Springfield, IL, Charles C Thomas, 1986.

Farrell J. Illustrated Guide to Orthopedic Nursing, 3rd ed. Philadelphia, JB Lippincott, 1986.

Footner A. Orthopaedic Nursing. London, Ballière Tindall, 1987.

Giles LGF. Anatomical Basis of Low Back Pain. Baltimore, Williams & Wilkins, 1989.

Gustilo RB et al (ed). Orthopaedic Infection: Diagnosis and Treatment. Philadelphia, WB Saunders, 1989.

Hughes SPF and Fitzgerald RH. Musculoskeletal Infections. Chicago, Year Book Medical Publishers, 1986.

Kirkaldy-Willis WH (ed). Managing Low Back Pain, 2nd ed. New York, Churchill Livingstone, 1988.

Lewis MM. Bone Tumor Surgery: Limb Sparing Techniques. Philadelphia, JB Lippincott, 1988.

Mourad LA and Droste MM. The Nursing Process in the Care of Adults With Orthopaedic Conditions, 2nd ed. New York, John Wiley & Sons, 1988.

Salmond S et al (eds). Core Curriculum for Orthopaedic Nurses, 2nd ed. Pitman, NJ, National Association for Orthopaedic Nurses, 1991.

Schlossberg D. Orthopedic Infection. New York, Springer-Verlag, 1988.

Siom FH. Diagnosis and Management of Metastatic Bone Disease: A Multidisciplinary Approach. New York, Raven Press, 1988.

Smith C. Orthopaedic Nursing. London, Heinemann Nursing, 1987.

Tam CS et al. Metabolic Bone Disease: Cellular and Tissue Mechanisms. Boca Raton, FL, CRC Press, 1989.

Tollison CD and Kriegel ML (ed). Interdisciplinary Rehabilitation of Low Back Pain. Baltimore, Williams & Wilkins, 1989.

Yaremchuk MJ et al. Lower Extremity Salvage and Reconstruction. New York, Elsevier, 1989.

Revues

Les articles de recherche en sciences infirmières sont marqués d'un astérisque.

Douleurs lombaires

Anderson L. Educational approaches to management of low back pain. Orthop Nurs 1989 Jan/Feb; 8(1): 43-46.

Boachie-Adjei D. Conservative management of low back pain: An evaluation of current methods. Postgrad Med 1988 Sep; 84(3): 127-133.

Dwyer AP. Backache and its prevention. Clin Orthop 1987 Sep; 222: 35-43.

Evans C et al. A randomized controlled trial of flexion exercises, education, and bedrest for patients with acute low back pain. Physiother Can 1987 Mar/Apr; 39(2): 96-101.

Fast A. Low back disorders: Conservative management. Arch Phys Med Rehabil 1988 Oct; 69(10): 880-891.

Gottlieb H et al. Self management for medication reduction in chronic low back pain. Arch Phys Med Rehabil 1988 Jun; 69(6): 442-448.

Harvey BL. Self care practices to prevent low back pain. AAOHN J 1988 May; 36(5): 211-217, 246-248.

Jameson RN et al. Treatment outcome in low back pain patients: Do compensation benefits make a difference. Orthop Rev 1988 Dec; 17(12): 1210-1215.

Klein HA et al. Low back pain. Clin Symp 1987; 39(6): 2-32.

Lanier DC and Stockton P. Clinical predictors of outcome of acute episodes of low back pain. J Fam Pract 1988 Nov; 27(5): 483-489.

Lee CK. Office management of low back pain. Orthop Clin North Am 1988 Oct; 19(4): 797-804.

*Lisanti P. Perceived body space and self-esteem in adult males with and without chronic low back pain. Orthop Nurs 1989 May/Jun; 8(3): 49-56.

McQuadek et al. Physical fitness and chronic low back pain: An analysis of the relationships among fitness, functional limitations, and depression. Clin Orthop 1988 Aug; 233: 198-204.

Posner JB. Back pain and epidural spinal cord compression. Med Clin North Am 1987 Mar; 71(2): 185-205.

Rosen CD et al. A retrospective analysis of the efficacy of epidural steroid injections. Clin Orthop 1988 Mar; 228: 270-272.

Smith IW et al. Nontechnologic strategies for coping with chronic low back pain. Orthop Nurs 1990 Jul/Aug; 9(4): 26-32.

Stauffer JD. Antidepressants and chronic pain. J Fam Pract 1987 Aug; 25(2): 167-170.

Swezey RL. Low back pain in the elderly: Practical management concerns. Geriatrics 1988 Feb; 43(2): 39-44.

Tollison CD and Kriegel ML. Physical exercise in treatment of low back pain, Part I. Orthop Rev 1988 Jul; 17(7): 724-729; Part II. Orthop Rev 1988 Sep; 17(9): 913-923; Part III. Orthop Rev 1988 Oct; 17(10): 1002-1006.

Uhl JE et al. Aching backs? A glimpse into the hazards of nursing. AAOHN J 1987 Jan; 35(1): 13-17.

Warfield CA. Facet syndrome and the relief of low back pain. Hosp Pract 1988 Oct 30; 23(10A): 41-42; 47-48.

Problèmes courants du pied

Flemming LL (ed). Management of foot problems. Orthop Clin North Am 1989 Oct; 20(4).

Osterman H and Stuck R. The aging foot. Orthop Nurs 1990 Nov/Dec;9(6): 43-47.

Ostéoporose

Ausenhus MK. Osteoporosis: Prevention during the adolescent and young adult years. Nurs Pract 1988 Sep; 13(9): 42, 45, 48.

Barth RW and Lane JM. Osteoporosis. Orthop Clin North An 1988 Oct; 19(4): 845-858.

Barzel US. Estrogens in prevention and treatment of postmenopausal osteoporosis: A review. Am J Med 1988 Dec; 85(6): 847-850.

Bellantioni MF and Blackman MR. Osteoporosis: Diagnostic screening and its place in current care. Geriatrics 1988 Feb; 43(2): 63-70.

Carter LW. Calcium intake in young adult women: Implications for osteoporosis risk assessment. J Obstet Gynecol Neonatal Nurs 1987 Sep/Oct; 16(5): 8301-8308.

Cauley J et al. Endogenous estrogen levels and calcium intakes in postmenopausal women. JAMA 1988 Dec 2; 260(21): 3150-3155.

Cerrato PL. Piecing together the osteoporosis puzzle. RN 1990 Apr; 53(4): 77-82.

Chambers JK. Metabolic bone disorders. Imbalances of calcium and phosphorus. Nurs Clin North Am 1987 Dec; 22(4): 861-872.

Finn S. Osteoporosis: A nutritionist's approach. Health Values 1987 Jul/Aug; 11(4): 20-23.

Holm K and Dudas S. Osteoporosis: Implications for critical care. DCCN 1987 May/Jun; 6(3): 158-164.

Kaplan FS. Osteoporosis: Pathophysiology and prevention. Clin Symp 1987; 39(1): 2-32.

Ladage E et al. Osteoporosis and calcium. J Urol Nurs 1988 Jan/Mar; 7(1): 364-368.

Lamb K et al. Falls in the elderly: Causes and prevention. Orthop Nurs 1987 Mar/Apr; 6(2): 45-49.

Lane JM et al. Osteopenic syndromes. Orthop Rev 1988 Dec; 17(12): 1231-1235.

Lindsay R. Osteoporosis: An updated approach to prevention and management. Geriatrics 1989 Jan; 44(1): 45-54.
Lindsay R. Prevention of osteoporosis. Clin Orthop 1987 Sep; 222: 44-59.
Madson S. How to reduce the risk of postmenopausal osteoporosis. J Gerontol Nurs 1989 Sep; 15(9): 20-24.
Marcus R. Understanding and preventing osteoporosis. Hosp Pract 1989 Apr; 15; 24(4):189-215.
Martin AD and Houstin CS. Osteoporosis, calcium, and physical activity. Can Med Assoc J 1987 Mar 15; 136(6): 587-593.
McKenna MJ and Frame B. Hormonal influences on osteoporosis. Am J Med 1987 Jun 26; 82(1B): 61-67.
Pak CVC et al. Safe and effective treatment of osteoporosis with intermittent slow-release sodium fluoride: Augmentation of vertebral bone mass and inhibition of fractures. J Clin Endocrinol Metab 1989 Jan; 68(1): 150-159.
Perry BR. Living with osteoporosis: Early awareness and attention to lifestyle can delay or prevent osteoporosis. Geriatr Nurs 1988 May/Jun; 9(3): 174-176.
Raisz LB. Local and systemic factors in the pathogenesis of osteoporosis. N Engl J Med 1988 Mar 31; 318(13): 818-828.
Resnick NM and Greenspan SL. "Senile" osteoporosis reconsidered. JAMA 1989 Feb 17; 261(7): 1025-1029.
Rodysill KJ. Postmenopausal osteoporosis: Intervention and prophylaxis. J Chronic Dis 1987; 40(8): 743-760.
Santora AC II. Role of nutrition and exercise in osteoporosis. Am J Med 1987 Jan 26; 82(1B): 73-79.
Silverberg SJ and Lindsay R. Postmenopausal osteoporosis. Med Clin North Am 1987 Jan; 71(1): 41-57.
Simak M. Exercise and osteoporosis. Arch Phys Med Rehabil 1989 Mar; 70(3): 220-229.
Skolnick A. It's important, but don't bank on exercise alone to prevent osteoporosis, experts say. JAMA 1990 Apr 4; 263(13): 1751-1752.
Skolnick A. New doubts about benefit of sodium fluoride. JAMA 1990 Apr 4; 263(13): 1752-1753.
Skolnick A. New osteoporosis therapies appear close. JAMA 1990 Apr 4; 263(13): 1753.
Solomon DH et al. New issues in geriatric care. Ann Intern Med 1988 May; 108(5): 718-732.
Thorneycroft IH. The role of estrogen replacement therapy in the prevention of osteoporosis. Am J Obstet Gynecol 1989 May; 160(Suppl 2): 1306-1310.
Walden O. The relationship of dietary and supplemental calcium intake to bone loss and osteoporosis. J Am Diet Assoc 1989 Mar; 89(3): 397-400.
Watts NB. Osteoporosis. Am Fam Physician 1988 Nov; 38(5): 193-207.

Troubles métaboliques des os

Cagel RF et al. Treatment of Paget's disease of bone with salmon calcitonin nasal spray. J Am Geriatr Soc 1988 Nov; 36(11): 1010-1014.
Chambers JK. Metabolic bone disorders. Imbalances in calcium and phosphorus. Nurs Clin North Am 1987 Dec; 22(4): 239-245.
Freeman DA. Paget's disease of bone. Am J Med Sci 1988 Feb; 295(2): 144-158.
Krozy RE. Paget's disease: Implications for home nursing. Home Health Nurs 1987 Mar/Apr; 5(2): 324.
Lando M et al. Stabilization of hearing loss in Paget's disease with calcitonin and etidronate. Arch Otolaryngol Head Neck Surg 1988 Aug; 114(8): 891-894.
Rosenthal MJ et al. Paget's disease of bone in older patients. J Am Geriatr Soc 1989 Jul; 37(7): 639-650.

Ostéomyélite

Bamberger DM et al. Osteomyelitis in the feet of diabetic patients. Am J Med 1987 Oct; 83(4): 653-660.
Dimant J and Tanael L. Decubitus ulcers: When to suspect osteomyelitis. Geriatrics 1987 Jun; 42(6): 74, 79, 83.
Esterhai JL et al. Treatment of chronic refractory osteomyelitis with adjunctive hyperbaric oxygen. Orthop Rev 1988 Aug; 17(8): 809-815.
Esterhai JL et al. Adjunctive hyperbaric oxygen therapy in the treatment of chronic refractory osteomyelitis. J Trauma 1987 Jul; 27(7): 763-768.
Gabb G et al. Hyperbaric oxygen therapy in search of diseases. Chest 1987 Dec; 92(6): 1074-1082.
Gentry LO. Home management of osteomyelitis. Bull NY Acad Med 1988 Jul/Aug; 64(6): 565-569.
Martin ME. Oral antibiotics for treatment of patients with chronic osteomyelitis. Orthop Nurs 1989 May/Jun; 8(3): 35-38.
Perry CR et al. Local antibiotic administration in a inplantable pump for treatment of chronic osteomyelitis. Hosp Formul 1988 Apr; 23(4): 342-351.

Tumeurs musculosquelettiques

Barker C. Is it drug toxicity—Or something else? Nursing 1989 Apr; 19(4): 84-86.
Bone tumors: Evaluation and treatment. Orthop Clin North Am 1989 Jul; 80(3).
Common soft tissue tumors. Clin Symp 1990; 42(1): 2-32.
Edeiken J and Karasick D. Imaging in bone cancer. CA 1987 Jul/Aug; 37(4): 239-245.
Lang JM (ed). Pathological fractures in metabolic bone disease. Orthop Clin North Am 1990 Jan; 21(1).
Lewis MM (ed). Bone tumors: Evaluation and treatment. Orthop Clin North Am 1989 Jul; 20(3).
Lord CF et al. Infection in bone allografts: Incidence, nature, and treatment. J Bone Joint Surg (Am) 1988 Mar; 70A(3): 369-376.
Nicholson S. Femoral-tibial replacement for osteosarcoma. Nurs Times 1988 Feb 17-23; 84(7): 34-37.
Osteogenic sarcoma: Incidence and distribution. Hosp Med 1987 Jun; 23(6): 19, 22.
Raconlin, AA and Present D. Osteochondral allografts for limb salvage. Orthop Nurs 1989 Mar/Apr; 8(2): 35-39.
Sartoris D et al. New concepts in bone grafting. Orthop Rev 1987 Mar; 16(3): 154-164.
Siegal RD et al. Osteosarcoma in adults. Clin Orthop 1989 Mar; 240: 261-269.
Simon MA. Limb salvage for osteosarcoma. J Bone Joint Surg [Am] 1988 Feb; 70(2): 307-310.
Springfield DS et al. Surgical treatment for osteosarcoma. J Bone Joint Surg [Am] 1988 Sep; 70(8): 1124-1130.
Stine KC et al. Systemic doxorubicin and intraarterial cisplatin preoperative chemotherapy plus postoperative chemotherapy in patients with osteosarcoma. Cancer 1989 Mar 1; 63(5): 848-853.
Taylor WF et al. Prognostic variables in osteosarcoma: A multi institutional study. J Natl Cancer Inst 1989 Jan 4; 81(1): 21-30.
Welch-McCaffrey. Metastatic bone cancer. Cancer Nurs 1988 Apr; 11(2): 103-111.

Organismes

American Chronic Pain Association
257 Old Haymaker Road, Monroeville, PA 15146

National Committee on the Treatment of Intractable Pain
c/o Wayne Coy, Jr., Cohn & Marks, 1333 New Hampshire Ave. NW, Washington, DC 20036

National Easter Seals Society
2023 West Ogden Ave., Chicago, IL 60612

National Institute of Arthritis and Musculoskeletal and Skin Diseases
National Institutes of Health, Bethesda, MD 20892

National Osteoporosis Foundation
2100 M Street NW, Suite 602, Washington, DC 20037

Osteogenesis Imperfecta Foundation, Inc.
P.O. Box 14807, Clearwater, FL 34629-4807

Paget's Disease Foundation
165 Cadman Plaza East, Brooklyn, NY 11202

Texas Back Institute
3801 West 15th Street, Plano, TX 75075

Progrès de la recherche en sciences infirmières

Progrès de la recherche en orthopédie

On trouve de plus en plus dans les revues spécialisées en sciences infirmières des articles scientifiques portant sur les problèmes que connaissent les patients atteints de troubles musculosquelettiques. Les études suivantes traitent de questions relatives aux soins infirmiers à prodiguer aux personnes souffrant de troubles orthopédiques ainsi que des facteurs physiques et psychosociaux liés à ces troubles.

▷ ***B. Hoshiko, «Valsalva maneuver as a possible risk factor for pulmonary embolism»,* Orthop Nurs, *janv.-fév. 1990, 9(1):56-62***

Les patients qui souffrent d'un trouble orthopédique sont très susceptibles de développer une embolie pulmonaire. Cet article fait état des implications hémodynamiques de la manœuvre de Valsalva. On y a relevé les activités associées à la manœuvre de Valsalva. Les indicateurs retenus étaient associés aux fonctions gastro-intestinale et urinaire (effort de défécation, par exemple), à l'effort (utilisation du trapèze, déplacement, par exemple), à la fonction respiratoire (toux, par exemple) et autres (douleur, par exemple).

Cette étude rétrospective avait pour but de comparer, pour une période donnée, la fréquence de la manœuvre de Valsalva chez des patients ayant présenté une embolie pulmonaire et chez des patients qui n'en ont pas présenté. L'échantillon a été obtenu à partir de listes informatisées. Il se composait de 30 sujets ayant présenté une embolie pulmonaire au cours d'une hospitalisation et de 60 sujets «sains» choisis au hasard et appairés en fonction de l'âge, du sexe et de l'année d'hospitalisation (1979 à 1986).

On a créé un indicateur de la manœuvre de Valsalva pour les besoins de l'étude. La fréquence générale de la manœuvre de Valsalva et la fréquence de la manœuvre de Valsalva liée aux fonctions gastro-intestinale et urinaire et à l'effort étaient significativement plus élevées dans le groupe ayant souffert d'une embolie pulmonaire que dans le groupe témoin. De plus, le niveau d'activité était très différent dans les deux groupes. En effet, les sujets ayant souffert d'une embolie pulmonaire étaient alités en majorité alors que les sujets du groupe témoin quittaient le lit plus de 4 heures par jour. Il s'agit d'une variable confusionnelle qui n'a pas été neutralisée. Cette étude est limitée par le fait qu'on a utilisé un nouvel indicateur de la manœuvre de Valsalva dont la validité et la fiabilité n'ont pas été démontrées. De plus, la difficulté à mesurer certains indicateurs précis (toux, constipation, défécation, par exemple) et le manque de fiabilité de test-retest (biais de recherche) limitent la généralisation des résultats de cette étude rétrospective de dossiers médicaux.

Soins infirmiers. Cette recherche est basée sur l'hypothèse selon laquelle la manœuvre de Valsalva serait liée à l'incidence de l'embolie pulmonaire. Les résultats suggèrent que la manœuvre de Valsalva combinée à l'alitement pourrait augmenter les risques d'embolie pulmonaire. D'autres études comparatives dont les sujets auraient un niveau d'activité comparable sont nécessaires pour confirmer ces résultats.

Les patients qui souffrent de troubles orthopédiques sont très exposés à l'embolie pulmonaire. Des interventions infirmières visant à réduire la fréquence de la manœuvre de Valsalva, combinées à des mesures destinées à réduire l'incidence de la thrombose veineuse profonde (mobilité, bas élastiques, anticoagulants, par exemple), pourraient prévenir efficacement l'embolie pulmonaire.

▷ ***P. Jones-Walton, «Effects of pin care on pin reactions in adults with extremity fracture treated with skeletal traction and external fixation»,* Orthop Nurs, *juillet-août 1988, 7(4):29-33***

Les réactions douloureuses et l'ostéomyélite sont les principales complications de la traction transosseuse et des broches sous-cutanées. Diverses méthodes sont utilisées pour prévenir les réactions aux broches. Elles sont choisies selon le protocole de l'établissement de soins ou la préférence du chirurgien. Cette étude rétrospective avait pour but de déterminer les caractéristiques de la réaction aux broches, de même que l'efficacité des soins des points d'insertion des broches. Pour les besoins de cette étude, une réaction aux broches est définie comme une modification des tissus en réponse à la présence d'une broche. On a qualifié la réaction de mineure si on a pu laisser la broche en place et de majeure si on a dû retirer la broche. On a tenu compte de facteurs comme l'âge, le sexe, les médicaments et le bilan de santé.

On a étudié les dossiers de 12 adultes ayant subi une fracture simple d'un membre supérieur ou inférieur, traités par traction transosseuse ou fixation externe moins de 48 heures après leur admission au centre hospitalier, et dont le traitement s'est poursuivi pendant au moins trois semaines. Des soins au peroxyde d'hydrogène furent prodigués aux points d'insertion des broches chez neuf sujets; les trois autres sujets n'ont reçu aucun soin aux points d'insertion.

Sept des douze sujets n'ont présenté aucune réaction importante aux points d'insertion. Six d'entre eux présentaient une fracture fermée. Chez les sujets qui ont présenté une réaction, la broche avait été en place sensiblement plus longtemps. On a observé des réactions mineures et majeures chez cinq des neuf sujets qui avaient reçu des soins aux points d'insertion. Ceux qui n'ont pas reçu de tels soins n'ont présenté aucune réaction. Les auteurs ont donc conclu que les soins aux points d'insertion avec du peroxyde d'hydrogène ne préviennent pas les réactions aux broches. Aucune constante n'a pu être établie concernant les facteurs endogènes.

Soins infirmiers. Cette étude ne permet pas de tirer des conclusions générales sur l'efficacité des soins aux points d'insertion des broches. Il faudra attendre les résultats d'autres études portant sur les facteurs qui contribuent aux réactions aux broches et sur l'efficacité des protocoles de soins infirmiers destinés à réduire ces réactions. Certaines des pratiques courantes concernant les soins aux broches n'ont aucune base scientifique. Les facteurs endogènes pourraient être des variables plus importantes que les soins dans la fréquence des réactions aux broches.

▷ *S. Selman, «Impact of total hip replacement on quality of life»,* Orthop Nurs, *sept.-oct. 1989, 8(5):43-49*

Les maladies chroniques perturbent de nombreux aspects de la vie, notamment la fonction physiologique, le concept de soi, l'exercice du rôle et l'autonomie. Cette étude rétrospective descriptive avait pour but d'évaluer les effets sur ces aspects de la vie, de même que sur la qualité de vie, d'une prothèse totale de la hanche chez les patients souffrant d'arthrose.

L'échantillon de convenance se composait de 46 patients âgés de 30 à 90 ans, souffrant d'arthrose et ayant subi la mise en place d'une prothèse totale de la hanche au cours des 12 à 24 derniers mois. Ils étaient suivis par huit chirurgiens orthopédiques différents. Les 46 sujets ont rempli une version modifiée du Arthritis Impact Measurement Scales composé de 57 items. On a évalué l'information qualitative portant sur la satisfaction générale des patients à l'égard de la prothèse au moyen d'une échelle de Likert. La fiabilité et la validité des instruments n'ont pas été entièrement établies.

Les résultats de cette étude révèlent que la mise en place d'une prothèse totale de la hanche a eu des effets positifs sur la fonction physiologique, le concept de soi et l'exercice du rôle chez tous les sujets. Pour ce qui est de l'autonomie, les effets ont été positifs chez la moitié des sujets environ, les autres n'ayant noté aucun changement ou un changement négatif. On a observé une corrélation positive significative entre toutes les variables; les corrélations entre la variable physiologique et les autres variables étaient les meilleures. On a également étudié les effets de l'âge, du sexe et de l'état civil sur les quatre aspects de la vie mentionnés plus haut. La grande majorité des sujets se sont dits satisfaits des résultats de l'opération.

Il est impossible de généraliser les résultats de cette étude en raison de la méthodologie et de l'échantillonnage. Un échantillonnage aléatoire aurait donné des résultats plus concluants.

Soins infirmiers. L'infirmière peut se reporter à cette étude pour aider un patient qui souffre d'arthrose à prendre une décision concernant la mise en place d'une prothèse totale.

▷ *E. Wild et al., «Analyses of wrist injuries in workers engaged in repetitive tasks»,* AAOHN J, *août 1987, 35(8):356-366*

On a observé une incidence anormale de blessures au poignet, dont le syndrome du canal carpien, les kystes synoviaux, les entorses, les tendinites et les ténosynovites, chez des femmes travaillant dans une usine de fabrication d'articles en papier. Leur travail comprenait la manutention, l'inspection et l'emballage des articles et exigeait des mouvements répétés du poignet (hyperextensions, flexions, torsions, inclinaisons cubitales), de même que des levages.

Cette étude épidémiologique rétrospective avait donc pour but de rendre compte des blessures du poignet chez 45 de ces employées. On a établi deux périodes, soit la période passée (les 12 mois précédant la période actuelle) et la période actuelle (les 12 mois précédant le début de l'étude et la durée de l'étude). On a recueilli, à l'aide d'un questionnaire, des données démographiques, les antécédents professionnels, les attitudes concernant le travail, les antécédents médicaux et chirurgicaux ainsi que les symptômes de blessures au poignet au cours des périodes passée et actuelle. On a également étudié le lieu de travail.

Vingt pour cent des sujets ont dit avoir souffert d'une blessure professionnelle confirmée par un médecin. Au cours des deux périodes de l'étude, plus de la moitié des sujets ont présenté des problèmes à l'avant-bras, au poignet ou aux mains. Les symptômes les plus courants étaient des engourdissements, des fourmillements, une douleur, une faiblesse liée à la douleur, une perte de sensibilité et un sensation de picotement. La main gauche était plus souvent atteinte que la droite. On n'a observé aucun lien entre l'état de santé et la fréquence des symptômes et des problèmes mentionnés. Selon les analyses en fonction de l'âge, de la taille, de l'ancienneté dans l'entreprise et de l'ancienneté dans la catégorie d'emploi, les femmes jeunes et de petite taille qui travaillent depuis moins de quatre ans sont les plus exposées aux blessures du poignet et de l'avant-bras.

Soins infirmiers. Les résultats de cette étude ont de l'importance pour l'infirmière en santé du travail. En effet, ils suggèrent que le respect des principes de l'ergonomie, un ralentissement du rythme du travail et une réduction du stress associé à la tâche améliorent le rendement et le bien-être des travailleurs.

▷ *C. Gleit et B. Graham, «Secondary data analysis: A valuable resource»,* Nurs Res, *nov.-déc. 1989, 38(6):380-381*

Cette étude descriptive avait pour but de comparer l'autonomie dans les activités quotidiennes, le soutien de la famille, le degré de satisfaction concernant la santé, la mobilité physique et l'utilisation des services communautaires entre des personnes ayant subi une fracture de la hanche et des personnes qui n'en ont pas subi. L'échantillon se composait de 456 sujets ayant subi une fracture de la hanche et de témoins appariés en fonction de l'âge et du sexe. On a tenté d'établir une corrélation entre les variables étudiées et l'incidence des chutes et des fractures de la hanche. On a obtenu l'échantillon du *National Center for Health Statistics, National Health Interview Survey, Supplement on Aging.* Il s'agit d'un échantillon aléatoire stratifié recueilli à l'échelle nationale, composé de 16 148 sujets de plus de 55 ans.

Les résultats de cette étude ont confirmé les résultats d'études précédentes et généré de nouvelles observations. Les sujets des deux groupes ont fait quelques chutes au cours de l'année précédente, mais les chutes ont été plus nombreuses dans le groupe ayant subi une fracture de la hanche. Les sujets de ce groupe étaient aussi plus nombreux à souffrir de troubles auditifs et visuels, d'incapacité physique, d'ostéoporose et d'arthrite. Ils étaient moins actifs même s'ils suivaient un programme d'exercice similaire à celui du groupe témoin.

On a noté le même nombre d'épisodes de confusion et de perte de mémoire dans les deux groupes. Les sujets du groupe ayant subi une fracture de la hanche étaient davantage inquiets de leur santé, quoique la perception des efforts de prévention de la maladie était la même dans les deux groupes.

La fréquence de l'utilisation des services communautaires (transport adapté, livraison de repas à domicile, services d'entretien ménager à domicile, surveillance par téléphone, soins de jour, par exemple) était la même dans les deux groupes. Les sujets du groupe ayant subi une fracture de la hanche ont utilisé davantage les services d'infirmières visiteuses et d'aides en hygiène familiale et ont fréquenté les centres pour les personnes âgées plus souvent que les sujets du groupe témoin.

Soins infirmiers. Un ensemble de facteurs, comme la baisse de l'acuité visuelle ou auditive, l'ostéoporose et l'incapacité physique due à l'arthrite, pourrait contribuer aux chutes et à l'incidence des fractures de la hanche chez les personnes âgées. L'infirmière peut réduire la fréquence des fractures de la hanche en faisant de l'enseignement sur les moyens de compenser une baisse de l'acuité visuelle ou auditive et en favorisant la mobilité physique dans un environnement sûr.

▷ ***A. Medhat et al., «Factors that influence level of activities in persons with lower extremity amputation»,*** **Rehabil Nurs** ***janv.-fév. 1990, 15(1):113-118***

Cette étude avait pour but de décrire et de comparer les effets d'une amputation au-dessus du genou à ceux d'une amputation au-dessous du genou sur différents aspects de la vie.

Les aspects de la vie étudiés comprenaient les activités de la vie quotidienne, la vie sociale, la fonction sexuelle et la pratique des sports. Ces activités font état de la capacité de l'individu à satisfaire ses besoins et à s'adapter. Ainsi, la capacité d'effectuer les activités quotidiennes favorise l'exercice du rôle et l'autonomie, et les interactions sociales améliorent l'estime de soi. La sexualité comble le besoin d'intimité et la pratique de sports favorise l'affirmation de soi et le sens de l'accomplissement.

Les 131 sujets ont été choisis dans un centre hospitalier pour anciens combattants et un centre hospitalier universitaire. Ils étaient âgés de 24 à 90 ans (moyenne: 58 ans) et avaient subi une amputation d'un membre inférieur à la suite d'une maladie des vaisseaux périphériques, d'un traumatisme, de gangrène, de diabète, d'une tumeur maligne ou d'une infection. Quatre-vingt-treize pour cent d'entre eux étaient des hommes et 6 % ont dit n'avoir jamais utilisé une prothèse.

Les sujets ont rempli un questionnaire intitulé Prosthetic Problems Inventory Scale créé spécialement pour cette étude. Ce questionnaire portait sur les activités de la vie quotidienne, la vie sociale, la fonction sexuelle et la pratique des sports. La fiabilité et la validité de ce questionnaire n'ont pas été évaluées.

L'étude a révélé que les amputés au-dessous du genou avaient une vie sociale plus active que les amputés au-dessus du genou. Les activités quotidiennes qui posaient un problème majeur dans les deux groupes étaient la douche, l'entretien de la pelouse et le jardinage. Les amputés au-dessus du genou ont dit avoir de la difficulté à faire leurs emplettes, à laver le plancher et à se vêtir. Les sujets des deux groupes ont dit éprouver des troubles sexuels mineurs. Les sports exigeant l'utilisation des membres inférieurs posaient un problème dans les deux groupes.

On ne peut généraliser les résultats de cette étude à cause de limites sur le plan du mode d'échantillonnage et de la méthodologie. Des études supplémentaires sont donc nécessaires.

Soins infirmiers. Les résultats de cette étude suggèrent qu'une évaluation holistique est nécessaire pour établir un programme de réadaptation favorisant la plus grande autonomie possible. Ils suggèrent également que l'amélioration de l'équilibre, de la perception visuelle, de la sensibilité proprioceptive et de la coordination peuvent favoriser l'autonomie dans les activités quotidiennes. Les groupes de soutien peuvent faciliter la réintégration sociale des amputés en stimulant leurs capacités d'adaptation et en leur proposant des moyens de surmonter leurs problèmes. Les problèmes sexuels ne sont pas toujours exprimés librement; il est donc important de recueillir des données à ce sujet afin de procurer au patient l'aide dont il a besoin. On doit orienter les personnes qui ont subi une amputation vers des programmes de conditionnement physique adaptés et personnalisés qui les aideront à développer leur endurance et à améliorer leur confiance en soi.

▷ ***P. Lisanti, «Perceived body space and self-esteem in adult males with or without chronic low back pain»,*** **Orthop Nurs,** ***mai-juin 1989, 8(3):49-56***

Cette étude avait pour but de comparer certaines variables entre des personnes souffrant de douleurs lombaires et des personnes atteintes d'hypertension chronique. Les variables étudiées étaient la perception spatiale, mesurée à l'aide d'un instrument topographique, et l'estime de soi, mesurée à l'aide d'un instrument d'autoévaluation. Les sujets ont également rempli un questionnaire sur la dépression. L'échantillon intentionnel se composait d'hommes âgés de 35 à 45 ans qui participaient à un programme de soins en clinique externe. L'échantillon comprenait 42 sujets souffrant de douleurs lombaires et 43 sujets atteints d'hypertension.

Selon l'hypothèse des chercheurs, les sujets souffrant de douleurs chroniques auraient une plus grande perception spatiale et une moins grande estime de soi que les sujets qui ne présentent pas de douleur chronique. Cette hypothèse s'est révélée non soutenue. Dans les deux groupes, les scores du questionnaire sur la dépression indiquaient l'absence de dépression. Les coefficients de corrélation de Pearson entre la dépression et l'estime de soi, ainsi qu'entre la dépression et le statut social, étaient significatifs dans les deux groupes. On a observé une corrélation significative entre le statut social et l'estime de soi dans le groupe des sujets souffrant de douleurs chroniques.

Selon des études antérieures, il existerait un lien entre la douleur chronique et une faible estime de soi, ce qui est contredit par les résultats de la présente étude. Cette divergence pourrait être attribuable au fait que les sujets de la présente étude avaient accès à un réseau de soutien social et menaient une vie active. Les conséquences des problèmes de santé chroniques sur le bien-être général devront faire l'objet de recherches supplémentaires.

Soins infirmiers. L'infirmière doit aider les patients qui ont un problème de santé chronique à améliorer leur estime de soi. Elle doit les aider à reconnaître leurs forces et leurs limites, et les orienter vers les ressources qui leur sont offertes. On peut atténuer les effets de la douleur chronique sur l'estime de soi par un soutien social approprié et une vie active.

APPENDICE
ANALYSES DE LABORATOIRE : INTERVALLES DE RÉFÉRENCE* ET INTERPRÉTATION DES RÉSULTATS

SYMBOLES

ANCIENNES UNITÉS

kg = kilogramme
g = gramme
mg = milligramme
μg = microgramme
μμg = micromicrogramme
ng = nanogramme
pg = picogramme
mL = millilitre
mm³ = millimètre cube
fL = femtolitre
mmol = millimole
nmol = nanomole
mOsm = milliosmole
mm = millimètre
μm = micron ou micromètre
mm Hg = millimètre de mercure
U = unité
mU = milliunité
μU = micro-unité
mEq = milliéquivalent
IU = unité internationale
mIu = milliunité internationale

UNITÉS SI

g = gramme
L = litre
mol = mole
mmol = millimole
μmol = micromole
nmol = nanomole
pmol = picomole
d = jour

* Les valeurs varient selon la méthode d'analyse utilisée.

Hématologie

Composant	*Intervalles de référence* — *Anciennes unités*	*Unités SI*	*Interprétation clinique*
HÉMOSTASE			
Consommation de prothrombine	>20 s		Altérée dans les déficiences en facteurs VIII, IX et X
Facteur V (proaccélérine)	60 à 140 %		
Facteur VIII (facteur antihémophilique)	50 à 200 %		Déficient dans l'hémophilie A
Facteur IX (composant de thromboplastine plasmatique)	75 à 125 %		Déficient dans l'hémophilie B
Facteur X (facteur Stuart)	60 à 140 %		
Fibrinogène	200 à 400 mg/100 mL	2 à 4 g/L	Élevé dans la grossesse, les infections avec leucocytose et le syndrome néphrotique Abaissé dans les maladies du foie grave et dans le décollement placentaire
Produits de dégradation de la fibrine	<10 mg/L	<10 mg/L	Élevés dans la coagulation intravasculaire disséminée
Stabilité du caillot de fibrine	Absence de lyse après 24 heures d'incubation		Présence de lyse dans les hémorragies massives, certaines interventions chirurgicales majeures et les réactions transfusionnelles
Temps de céphaline activée	20 à 45 s		Allongé dans les déficiences en fibrinogène et en facteurs II, V, VIII, IX, X, XI et XII; allongé dans le traitement à l'héparine
Temps de prothrombine	9 à 12 s		Allongé dans les déficiences en facteurs I, II, V, VII et X, dans les troubles de l'absorption des lipides, dans les maladies du foie graves et dans le traitement aux coumarines
Temps de saignement	2 à 8 min	2 à 8 min	Allongé dans les thrombopénies et les anomalies de la fonction plaquettaire; allongé par la prise d'aspirine
HÉMATOLOGIE GÉNÉRALE			
Fragilité globulaire	Augmentée quand on observe une hémolyse dans le NaCl à plus de 0,5 % Diminuée quand l'hémolyse est incomplète dans le NaCl à 0,3 %		Augmentée dans la sphérocytose congénitale, dans les anémies hémolytiques idiopathiques acquises, dans l'anémie hémolytique iso-immune et dans l'incompatibilité ABO chez le nouveau-né Diminuée dans la drépanocytose et dans la thalassémie
Hématocrite	Hommes: 42 à 50 % Femmes: 40 à 48 %	0,42 à 0,50 0,40 à 0,48	Abaissé dans les anémies graves, l'anémie de la grossesse et les pertes de sang massives Élevé dans les polyglobulies et dans la déshydratation ou l'hémoconcentration associée au choc

Hématologie (suite)

Composant	*Intervalles de référence* — *Anciennes unités*	*Unités SI*	*Interprétation clinique*
Hémoglobine	Hommes: 13 à 18 g/100 mL Femmes: 12 à 16 g/100 mL	130 à 180 g/L 120 à 160 g/L	Abaissée dans les anémies, dans la grossesse, dans les hémorragies graves et dans les excès de volume liquidien Élevée dans les polyglobulies, les broncho-pneumopathies chroniques obstructives, dans l'hypoxie due à l'insuffisance cardiaque et chez les personnes qui vivent en haute altitude
Hémoglobine A2	1,5 à 3,5 % de l'hémoglobine totale	0,015 à 0,035	Élevée dans certains types de thalassémie
Hémoglobine F	<2 % de l'hémoglobine totale	<0,02	Élevée chez les bébés et les enfants atteints de thalassémie et dans plusieurs anémies
Indices globulaires:			
volume globulaire moyen (VGM)	80 à 94 (μm3)	80 à 94 fl	Élevé dans les anémies macrocytaires; abaissé dans les anémies microcytaires
teneur globulaire moyenne en hémoglobine (TGMH)	27 à 32 μμg/globule	27 à 32 pg	Élevé dans l'anémie macrocytaire; abaissé dans l'anémie microcytaire
concentration globulaire moyenne en hémoglobine (CGMH)	33 à 38 %	0,33 à 0,38	Abaissée dans l'anémie hypochrome grave
Numération des érythrocytes	Hommes: 4 600 000 à 6 200 000/mm3 Femmes: 4 200 000 à 5 400 000/mm3	 4,6 à 6,2 × 1012/L 4,2 à 5,4 × 1012/L	Élevée dans la diarrhée grave avec déshydratation, dans la polyglobulie, dans les intoxications aiguës et dans la fibrose pulmonaire Abaissée dans les anémies, dans les leucémies et dans les hémorragies
Numération leucocytaire	5000 à 10 000/mm3	5 à 10 × 109/L	Élevée dans les infections aiguës (la proportion des neutrophiles est augmentée dans les infections bactériennes et celle des lymphocytes dans les infections virales) Élevée dans les leucémies aiguës, après la menstruation et après une intervention chirurgicale ou un traumatisme Abaissée dans l'anémie aplasique, dans l'agranulocytose et par certains agents toxiques, comme les antinéoplasiques La proportion des éosinophiles est augmentée dans les atteintes diffuses du collagène, dans les allergies et dans les parasitoses intestinales
neutrophiles	60 à 70 %	0,6 à 0,7	
éosinophiles	1 à 4 %	0,01 à 0,04	
basophiles	0 à 1 %	0 à 0,01	
lymphocytes	20 à 30 %	0,2 à 0,3	
monocytes	2 à 6 %	0,02 à 0,06	
Numération plaquettaire	100 000 à 400 000/mm3	100 à 400 × 109/L	Élevée dans certains cancers, dans les affections myéloprolifératives, dans la polyarthrite rhumatoïde et dans la période postopératoire; on diagnostique un cancer chez environ 50 % des personnes qui présentent une élévation non expliquée du nombre des plaquettes Abaissée dans le purpura thrombopénique, dans les leucémies aiguës, dans l'anémie aplasique, dans les infections, dans les réactions médicamenteuses et au cours de la chimiothérapie

Hématologie (suite)

	Intervalles de référence		
Composant	*Anciennes unités*	*Unités SI*	*Interprétation clinique*
Phosphatase alcaline leucocytaire	Score de 40 à 140		Élevée dans la polyglobulie essentielle, dans la myélofibrose et dans les infections Abaissée dans la leucémie granulocytaire chronique, dans l'hémoglobinurie paroxystique nocturne, dans l'aplasie médullaire et dans certaines infections virales, dont la mononucléose infectieuse
Réticulocytes	0,5 à 1,5 %	0,005 à 0,015	Élevés dans les troubles qui stimulent l'activité médullaire (infections, pertes de sang, etc.), après un traitement au fer dans l'anémie ferriprive et dans la polyglobulie essentielle Abaissés dans les troubles qui inhibent l'activité médullaire, dans la leucémie aiguë et dans les anémies graves au stade avancé
Taux de sédimentation (méthode par centrifugation)	41 à 54 %	0,41 à 0,54 %	Même interprétation que pour la vitesse de sédimentation
Vitesse de sédimentation (méthode Westergreen)	Hommes de moins de 50 ans: <15 mm/h Hommes de plus de 50 ans: <20 mm/h Femmes de moins de 50 ans: 20 mm/h Femmes de plus de 50 ans: <30 mm/h	 <15 mm/h <20 mm/h <20 mm/h <30 mm/h	Élevée quand il y a destruction des tissus d'origine inflammatoire ou dégénérative; élevée pendant la menstruation et la grossesse et dans les affections fébriles aiguës

Biochimie (sang)

	Intervalles de référence (adultes)		*Interprétation clinique*	
Composant ou épreuve	*Anciennes unités*	*Unités SI*	*Élevé*	*Abaissé*
Acétoacétate	0,2 à 1,0 mg/100 mL	19,6 à 98 µmol/L	Acidose diabétique Jeûne	
Acétone	0,3 à 2,0 mg/100 mL	51,6 à 344,0 µmol/L	Toxémie gravidique Régime pauvre en glucides Régime riche en lipides	
Acide ascorbique (vitamine C)	0,4 à 1,5 mg/100 mL	23 à 85 µmol/L	Larges doses d'acide ascorbique	
Acide folique	4 à 16 ng/mL	9,1 à 36,3 nmol/L	Anémie mégaloblastique de la petite enfance et de la grossesse Carence en acide folique Maladies du foie Malabsorption Anémie hémolytique grave	

Biochimie (sang) (suite)

	Intervalles de référence (adultes)		*Interprétation clinique*	
Composant ou épreuve	*Anciennes unités*	*Unités SI*	*Élevé*	*Abaissé*
Acide lactique	Sang veineux: 5 à 20 mg/100 mL Sang artériel 3 à 7 mg/100 mL	 0,6 à 2,2 mmol/L 0,3 à 0,8 mmol/l	Augmentation de l'activité musculaire Insuffisance cardiaque Hémorragie Choc Certaines acidoses métaboliques Certaines infections fébriles Maladie du foie grave	
Acide pyruvique	0,3 à 0,7 mg/100 mL	34 à 80 μmol/L	Diabète Carence en thiamine Infection en phase aiguë (probablement à cause d'une augmentation de la glycogénolyse et de la glycolyse)	
Acide urique	2,5 à 8 mg/100 mL	120 à 420 μmol/L	Goutte Leucémies aiguës Lymphomes traités par chimiothérapie Toxémie gravidique	Xanthinurie Défaut de réabsorption tubulaire
Adrénocorticotrophine (ACTH)	20 à 100 pg/mL	4 à 22 pmol/mL	Syndrome de Cushing dépendant de l'ACTH Syndrome d'ACTH ectopique Insuffisance surrénalienne (primaire)	Tumeur corticosurrénalienne Insuffisance surrénalienne secondaire d'un hypopituitarisme
Alanine aminotransférase (ALT)	10 à 40 U/mL	5 à 20 U/L	Même que pour l'AST, mais augmentation plus marquée dans les maladies du foie	
Aldolase	0 à 6 U/L à 37 °C (unités Sibley-Lehninger	0 à 6 U/L	Nécrose hépatique Leucémie granulocytaire Infarctus du myocarde Maladies des muscles squelettiques	
Aldostérone	Couché: 3 à 10 ng/100 mL Debout: 5 à 30 ng/100 mL Veine surrénale: 200 à 400 ng/100 mL	 0,08 à 0,30 nmol/L 0,14 à 0,90 nmol/L 5,5 à 22,2 nmol/L	Hyperaldostéronisme primaire et secondaire	Maladie d'Addison
Alpha-1-antitrypsine	200 à 400 mg/100 mL	2 à 4 g/L		Certaines formes de maladies chroniques des poumons et du foie chez les jeunes adultes
Alpha-1-fétoprotéine	0 à 20 ng/mL	0 à 20 μg/L	Hépatocarcinome Cancer métastatique du foie Cancer des testicules et des ovaires à cellules germinales Anomalie de la moelle épinière par défaut de soudure chez le fœtus — valeurs élevées chez la mère	

Biochimie (sang) (suite)

Composant ou épreuve	*Intervalles de référence (adultes)*		*Interprétation clinique*	
	Anciennes unités	*Unités SI*	*Élevé*	*Abaissé*
Alpha-hydroxybutyrique déshydrogénase	<140 U/mL	<140 U/L	Infarctus du myocarde Leucémie granulocytaire Anémies hémolytiques Dystrophie musculaire	
Ammoniac	40 à 80 μg/100 mL (varie considérablement selon la méthode de dosage utilisée)	22,2 à 44,3 μmol/L	Maladies du foie graves Décompensation hépatique	
Amylase	60 à 160 U/100 mL (unités Somogyi)	111 à 296 U/L	Pancréatite aiguë Oreillons Ulcère duodénal Cancer de la tête du pancréas Pseudokyste pancréatique (élévation prolongée) Prise de médicaments qui contractent les sphincters des canaux pancréatiques: morphine, codéine, cholinergiques	Pancréatite chronique Fibrose et atrophie du pancréas Cirrhose Grossesse (2e et 3e trimestres)
Antigène carcino-embryonnaire	0 à 2,5 ng/mL	0 à 2,5 μg/L	La présence de cet antigène est fréquente chez les personnes atteintes de cancers du côlon, du rectum, du pancréas et de l'estomac, ce qui porte à croire que son dosage pourrait être utile pour suivre l'évolution de ces cancers.	
Arsenic	6 à 20 μg/100 mL	0,78 à 2,6 μmol/L	Intoxication accidentelle ou intentionnelle Exposition dans le milieu de travail	
Aspartate aminotransférase (AST)	7 à 40 U/mL	4 à 20 U/L	Infarctus du myocarde Maladies des muscles squelettiques Maladies du foie	
Bilirubine	Totale: 0,1 à 1,2 mg/100 mL Directe: 0,1 à 0,2 mg/100 mL Indirecte: 0,1 à 1,0 mg/100 mL	 1,7 à 20,5 μmol/L 1,7 à 3,4 μmol/L 1,7 à 17,1 μmol/L	Anémie hémolytique (indirecte) Obstruction et maladies des voies biliaires Hépatite Anémie pernicieuse Maladie hémolytique du nouveau-né	
Calcitonine	Non mesurable (pg/mL)	Non mesurable (ng/L)	Cancer médullaire de la thyroïde Certaines tumeurs non thyroïdiennes Syndrome de Zollinger-Ellison	

Biochimie (sang) (suite)

	Intervalles de référence (adultes)		*Interprétation clinique*	
Composant ou épreuve	*Anciennes unités*	*Unités SI*	*Élevé*	*Abaissé*
Calcium	8,5 à 10,5 mg/100 mL	2,2 à 2,56 mmol/L	Tumeur ou hyperplasie des parathyroïdes Hypervitaminose D Myélome multiple Néphrite avec urémie Tumeurs malignes Sarcoïdose Hyperthyroïdie Immobilisation des os Apport excessif de calcium (syndrome du lait et des alcalins)	Hypoparathyroïdie Diarrhée Maladie cœliaque Carence en vitamine D Pancréatite aiguë Néphrose Après une parathyroïdectomie
Catécholamines	Adrénaline: <90 pg/mL Noradrénaline: 100 à 550 pg/mL Dopamine: <130 pg/mL	 <490 pmol/L 590 à 3240 pmol/L <850 pmol/L	Phéochromocytome	
Céruloplasmine	30 à 80 mg/100 mL	300 à 800 mg/L		Maladie de Wilson (dégénérescence hépatolenticulaire)
Chlorure	95 à 105 mEq/L	95 à 105 mmol/L	Néphrose Néphrite Obstruction urinaire Décompensation cardiaque Anémie	Diabète Diarrhée Vomissements Pneumonie Intoxication par un métal lourd Syndrome de Cushing Brûlures Obstruction intestinale Fièvre
Cholestérol	150 à 200 mg/100 mL	3,9 à 5,2 mmol/L	Hyperlipidémie Ictère obstructif Diabète Hypothyroïdie	Anémie pernicieuse Anémie hémolytique Hyperthyroïdie Infection grave Maladies débilitantes au stade terminal
Cholestérol, esters	60 à 70 % du cholestérol total	En fraction du cholestérol total: 0,6 à 0,7		Maladies du foie
Cholestérol LDL Âge 1 à 19 20 à 29 30 à 39 40 à 49 50 à 59	 mg/100 mL 50 à 170 60 à 170 70 à 190 80 à 190 20 à 210	 mmol/L 1,30 à 4,40 1,55 à 4,40 1,8 à 4,9 2,1 à 4,9 2,1 à 5,4	Les personnes qui ont un taux élevé de cholestérol LDL présentent un risque élevé de maladie cardiaque.	
Cholestérol HDL	(voir tableau ci-dessous)			Les personnes ayant un taux abaissé de cholestérol HDL présentent un risque élevé de maladie cardiaque.

Âge (ans)	*Hommes (mg/100 mL)*	*Femmes (mg/100 mL)*	*Hommes (mmol/L)*	*Femmes (mmol/L)*
0 à 19	30 à 65	30 à 70	0,78 à 1,68	0,78 à 1,81
20 à 29	35 à 70	35 à 75	0,91 à 1,81	0,91 à 1,94
30 à 39	30 à 65	35 à 80	0,78 à 1,68	0,91 à 2,07
40 à 49	30 à 65	40 à 85	0,78 à 1,68	1,04 à 2,2
50 à 59	30 à 65	35 à 85	0,78 à 1,68	0,91 à 2,2
60 à 69	30 à 65	35 à 85	0,78 à 1,68	0,91 à 2,2

Biochimie (sang) (suite)

Composant ou épreuve	*Intervalles de référence (adultes)*		*Interprétation clinique*	
	Anciennes unités	*Unités SI*	*Élevé*	*Abaissé*
Cholinestérase	620 à 1370 U/L à 25 °C	620 à 1370 U/L	Néphrose Exercice	Intoxication par un gaz neuroplégique Intoxication par les organophosphates
Clairance de la créatinine	100 à 150 mL/min	1,7 à 2,5 mL/s		
Complément, C_3	70 à 160 mg/100 mL	0,7 à 1,6 g/L	Certaines maladies inflammatoires	Glomérulonéphrite aiguë Lupus érythémateux disséminé avec atteinte rénale
Complément, C_4	20 à 40 mg/100 mL	0,2 à 0,4 g/L	Certaines maladies inflammatoires	Souvent dans les maladies immunitaires, surtout le lupus érythémateux disséminé Œdème de Quincke familial
Cortisol	8 h: 4 à 19 µg/100 mL 16 h: 2 à 15 µg/100 mL	 110 à 520 nmol/L 50 à 410 nmol/L	Stress dû à une maladie infectieuse, à des brûlures, etc. Grossesse Syndrome de Cushing Pancréatite Toxémie gravidique	Maladie d'Addison Hypoactivité de l'hypophyse antérieure
CO_2 (sang veineux)	Adultes: 24 à 32 mEq/L Bébés: 18 à 24 mEq/L	 24 à 32 mmol/L 18 à 24 mmol/L	Tétanie Maladies respiratoires Obstructions intestinales Vomissements	Acidose Néphrite Toxémie gravidique Diarrhée Anesthésie
Créatine	Hommes: 0,17 à 0,50 mg/100 mL Femmes: 0,35 à 0,93 mg/100 mL	10 à 40 µmol/L 30 à 70 µmol/L	Grossesse Nécrose ou atrophie des muscles squelettiques	État d'inanition Hyperthyroïdie
Créatine phosphokinase	Hommes: 50 à 325 mU/mL Femmes: 50 à 250 mU/mL	 50 à 325 U/L 50 à 250 U/L	Infarctus du myocarde Myopathies Injections intramusculaires Syndrome d'écrasement Hypothyroïdie Délirium tremens Myopathie alcoolique Accident vasculaire cérébral	
Créatine phosphokinase, isoenzymes	Présence de la fraction MM (muscles squelettiques) Absence de la fraction MB (muscle cardiaque)		Présence de la fraction MB dans l'infarctus du myocarde et l'ischémie	
Créatinine	0,7 à 1,4 mg/100 mL	62 à 124 µmol/L	Néphrite Insuffisance rénale chronique	Maladies rénales
Cryoglobulines	Négatif		Myélome multiple Leucémie lymphoïde chronique Lymphosarcome Lupus érythémateux disséminé Polyarthrite rhumatoïde Endocardite infectieuse subaiguë Certains cancers Sclérodermie	
Cuivre	70 à 165 µg/100 mL	11,0 à 26 µmol/L	Cirrhose Grossesse	Maladie de Wilson

Biochimie (sang) (suite)

Composant ou épreuve	*Intervalles de référence (adultes)* — *Anciennes unités*	*Unités SI*	*Interprétation clinique* — *Élevé*	*Abaissé*
11-Désoxycortisol	0 à 2 μg/100 mL	0 à 60 nmol/L	Forme hypertensive de l'hyperplasie surrénalienne virilisante due à un déficit en 11-B-hydroxylase)	
Dibucaïne number (pourcentage d'inhibition par la dibucaïne de la pseudocholinestérase)	Normale: 70 à 85 % d'inhibition Hétérozygotes: 50 à 65 % d'inhibition Homozygotes: 16 à 25 % d'inhibition			Traduit une activité anormale de la pseudocholinestérase pouvant provoquer une apnée prolongée à la succinyldicholine, un myorelaxant administré pendant l'anesthésie
Dihydrotestostérone	Hommes: 50 à 210 ng/100 mL Femmes: non mesurable	1,72 à 7,22 nmol/L		Syndrome de féminisation testiculaire
Épreuve d'absorption du D-xylose	30 à 50 mg/100 mL (après 2 heures)	2 à 3,5 mmol/L		Syndrome de malabsorption
Électrophorèse des protéines (acétate de cellulose)				
Albumine	3,5 à 5,0 g/100 mL	35 à 50 g/L		
Globulines:				
Alpha 1	0,2 à 0,4 g/100 mL	2 à 4 g/L		
Alpha 2	0,6 à 1,0 g/100 mL	6 à 10 g/L		
Bêta	0,6 à 1,2 g/100 mL	6 à 12 g/L		
Gamma	0,7 à 1,5 g/100 mL	7 à 15 g/L		
Estradiol	Femmes:		Grossesse	Insuffisance ovarienne
	Phase folliculaire: 10 à 90 pg/mL	37 à 370 pmol/L		
	Milieu du cycle: 100 à 550 pg/mL	367 à 1835 pmol/L		
	Phase lutéale: 50 à 240 pg/mL	184 à 881 pmol/L		
	Hommes: 15 à 40 pg/mL	55 à 150 pmol/L		
Estriol	Femmes non enceintes: <0,5 ng/mL	<1,75 nmol/L	Grossesse	Insuffisance ovarienne
Estrogènes	Femmes: Jours du cycle:		Grossesse	Détresse fœtale Insuffisance ovarienne
	1 à 10: 61 à 394 pg/mL	61 à 394 ng/L		
	11 à 20: 122 à 437 pg/mL	122 à 437 ng/L		
	21 à 30: 156 à 350 pg/mL	156 à 350 ng/L		
	Hommes: 40 à 115 pg/mL	40 à 115 ng/L		
Estrone	Femmes: Jours du cycle:		Grossesse	Insuffisance ovarienne
	1 à 10: 4,3 à 18 ng/100 mL	15,9 à 66,6 pmol/L		
	11 à 20: 7,5 à 19,6 ng/100 mL	27,8 à 72,5 pmol/L		
	21 à 30: 13 à 20 ng/100 mL	48,1 à 74,0 pmol/L		
	Hommes: 2,5 à 7,5 ng/100 mL	9,3 à 27,8 pmol/L		

Biochimie (sang) (suite)

	Intervalles de référence (adultes)		*Interprétation clinique*	
Composant ou épreuve	*Anciennes unités*	*Unités SI*	*Élevé*	*Abaissé*
Fer	65 à 170 µg/100 mL	11 à 30 µmol/L	Anémie pernicieuse Anémie aplasique Anémie hémolytique Hépatite Hémochromatose	Anémie ferriprive
Fer, capacité de fixation	250 à 420 µg/100 mL	45 à 82 µmol/L	Anémie ferriprive Hémorragie aiguë ou chronique Hépatite	Infections chroniques Cirrhose
Ferritine	Hommes: 10 à 270 ng/mL Femmes: 5 à 100 ng/mL	 10 à 270 µg/L 5 à 100 µg/L	Néphrite Hémochromatose Certains cancers Leucémie myéloblastique aiguë Myélome multiple	Carence en fer
Galactose	<5 mg/100 mL	<0,3 mmol/L		Galactosémie
Gamma-glutamyl-transpeptidase	0 à 30 U/L à 30 °C	0 à 30 U/L	Maladies hépatobiliaires Alcoolisme anictérique Lésions dues à des médicaments Infarctus du myocarde Infarctus rénal	
Gastrine	À jeun: 50 à 155 pg/mL Postprandial: 80 à 170 pg/mL	 50 à 155 ng/L 80 à 170 ng/L	Syndrome de Zollinger-Ellison Ulcère duodénal Anémie pernicieuse	
Gaz carbonique: pression partielle ($PaCO_2$)	35 à 45 mm Hg	4,7 à 6,0 kPa	Acidose respiratoire Alcalose métabolique	Alcalose respiratoire Acidose métabolique
Gaz du sang artériel: Oxygène Pression partielle (PaO_2) Saturation (SaO_2)	95 à 100 mm Hg 94 à 100 %	12,6 à 13,3 kPa 0,94 à 1,0	Polyglobulie Anhydrémie	Anémie Décompensation cardiaque Bronchopneumopathies chroniques obstructives
Globuline de liaison de la thyroxine (TBG)	10 à 26 µg/100 mL	100 à 260 µg/L	Hypothyroïdie Grossesse Œstrogénothérapie Prise de contraceptifs oraux	Prise d'androgènes et de stéroïdes anabolisants Syndrome néphrotique Hypoprotéinémie grave Maladies hépatiques
Glucose	À jeun: 60 à 110 mg/100 mL Postprandial: 65 à 140 mg/100 mL	 3,3 à 6,0 mmol/L 3,6 à 7,7 mmol/L	Diabète Néphrite Hyperthyroïdie Hyperpituitarisme au premier stade Lésions cérébrales Infections Grossesse Urémie	Hyperinsulinisme Hypothyroïdie Hyperpituitarisme au stade avancé Vomissements graves Maladie d'Addison Atteinte hépatique grave
Glucose-6-phosphate déshydrogénase (globules rouges)	1,86 à 2,5 IU/mL de GR	1860 à 2500 U/L		Anémie hémolytique médicamenteuse Maladie hémolytique du nouveau-né

Biochimie (sang) (suite)

	Intervalles de référence (adultes)		*Interprétation clinique*	
Composant ou épreuve	*Anciennes unités*	*Unités SI*	*Élevé*	*Abaissé*
Glycoprotéines(alpha-1-acide)	40 à 110 mg/100 mL	400 à 1100 mg/L	Cancer Tuberculose Diabète compliqué d'une maladie vasculaire dégénérative Grossesse Polyarthrite rhumatoïde Rhumatisme articulaire aigu Hépatite Lupus érythémateux	
Gonadotrophine chorionique (B-HCG)	0 à 5 IU/L	0 à 5 IU/L	Grossesse Mole hydatiforme Choriocarcinome	
Haptoglobine	50 à 250 mg/100 mL	0,5 à 2,5 g/L	Grossesse Œstrogénothérapie Infections chroniques Différents troubles inflammatoires	Anémie hémolytique Réaction transfusionnelle hémolytique
Hémoglobine A1 (hémoglobine glycosylée)	4,4 à 8,2 %		Diabète mal équilibré	
Hémoglobine plasmatique	0,5 à 5,0 mg/100 mL	5 à 50 mg/L	Réactions transfusionnelles Hémoglobinurie paroxystique nocturne Hémolyse intravasculaire	
Hexosaminidase A	Normale: 49 à 68 % Maladie de Tay-Sachs: Hétérozygotes: 26 à 45 % Homozygotes: 0 à 4 % Diabète: 39 à 59 %	 0,49 à 0,68 0,26 à 0,45 0 à 0,04 0,39 à 0,59		Maladie de Tay-Sachs
Hexosaminidase totale	Normale: 333 à 375 nmol/mL/h Maladie de Tay-Sachs: Hétérozygotes: 288 à 644 nmol/mL/h Homozygotes: 284 à 1232 nmol/mL/h Diabète: 567 à 3560 nmol/mL/h	333 à 375 µmol/L/h 288 à 644 µmol/L/h 284 à 1232 µmol/L/h 567 à 3560 µmol/L/h	Diabète Maladie de Tay-Sachs	
Hormone de croissance	<10 ng/mL	<10 mg/L	Acromégalie	Nanisme
Hormone folliculostimulante (FSH)	Phase folliculaire: 5 à 20 mIu/L Milieu du cycle: 12 à 30 mIu/L Phase lutéale: 5 à 15 mIu/L Après la ménopause: 40 à 200 mIu/L	 5 à 20 IU/L 12 à 30 IU/L 5 à 15 IU/L 40 à 200 IU/L	Ménopause Insuffisance ovarienne primaire	Insuffisance hypophysaire

Biochimie (sang) (suite)

Composant ou épreuve	*Intervalles de référence (adultes)*		*Interprétation clinique*	
	Anciennes unités	*Unités SI*	*Élevé*	*Abaissé*
Hormone lutéinisante	Hommes: 3 à 25 mIu/mL Femmes: 2 à 20 mIu/mL Pic de production: 30 à 140 mIu/mL	3 à 25 IU/L 2 à 20 IU/L 30 à 140 IU/L	Tumeur hypophysaire Insuffisance ovarienne	Insuffisance hypophysaire
Hormone parathyroïdienne	160 à 350 pg/mL	160 à 350 ng/L	Hyperparathyroïdie	
17-hydroxyprogestérone	Hommes: 0,4 à 4 ng/mL Femmes: 0,1 à 3,3 ng/mL Enfants: 0,1 à 0,5 ng/mL	1,2 à 12 nmol/L 0,3 à 10 nmol/L 0,3 à 1,5 nmol/L	Hyperplasie congénitale des surrénales Grossesse Certains cas d'adénome surrénalien ou ovarien	
Hyperglycémie provoquée	Limite supérieure de la normale: À jeun: 125 mg/100 mL 1 heure: 190 mg/100 mL 2 heures: 140 mg/100 mL 3 heures: 125 mg/100 mL	 6,9 mmol/L 10,5 mmol/L 7,7 mmol/L 6,9 mmol/L	(Courbe plate ou inversée) Hyperinsulinisme Insuffisance surrénalienne (maladie d'Addison) Hypoactivité de l'hypophyse antérieure Hypothyroïdie Maladie cœliaque	(Courbe élevée) Diabète Hyperthyroïdie Tumeur ou hyperplasie des surrénales Anémie grave Certaines maladies du système nerveux central
Immunoglobuline A	50 à 300 mg/100 mL	0,5 à 3 g/L	Myélome à IgA Syndrome de Wiskott-Aldrich Maladies auto-immunitaires Cirrhose	Ataxie-télangiectasies Agammaglobulinémie Hypogammaglobulinémie transitoire Dysgammaglobulinémie Entéropathies avec pertes de protéines
Immunoglobuline D	0 à 30 mg/100 mL	0 à 300 mg/L	Myélome à IgD Certaines infections chroniques	
Immunoglobuline E	20 à 740 ng/mL	20 à 740 μg/L	Allergies et infections parasitaires	
Immunoglobuline G	635 à 1400 mg/100 mL	6,35 à 14 g/L	Myélome à IgG Après une hyperimmunisation Maladies auto-immunitaires Infections chroniques	Hypogammaglobulinémies congénitales et acquises Myélome à IgA Macroglobulinémie de Waldenström Certains syndromes de malabsorption Grave perte de protéines
Immunoglobuline M	40 à 280 mg/100 mL	0,4 à 2,8 g/L	Macroglobulinémie de Waldenström Infections parasitaires Hépatite	Agammaglobulinémie Certains myélomes à IgG et à IgA Leucémie lymphoïde chronique
Insuline	5 à 25 μU/mL	35 à 145 pmol/L	Insulinome Acromégalie	Diabète
Isocitrate-déshydrogénase	50 à 180 U	0,83 à 3 U/L	Hépatite et cirrhose Ictère obstructif Cancer métastatique du foie Anémie mégaloblastique	
Lactate-déshydrogénase (LDH)	100 à 225 mU/L	100 à 225 U/L	Anémie pernicieuse non traitée Infarctus du myocarde Infarctus pulmonaire Maladies du foie	

Biochimie (sang) (suite)

Composant ou épreuve	Intervalles de référence (adultes)		Interprétation clinique	
	Anciennes unités	*Unités SI*	*Élevé*	*Abaissé*
Lactate-déshydrogénase, iso-enzymes			LDH-1 et LDH-2: Infarctus du myocarde Anémie mégaloblastique Anémie hémolytique LDH-4 et LDH-5: Infarctus pulmonaire Insuffisance cardiaque Maladies du foie	
LDH-1	20 à 35 %	0,2 à 0,35		
LDH-2	25 à 40 %	0,25 à 0,4		
LDH-3	20 à 30 %	0,2 à 0,3		
LDH-4	0 à 20 %	0 à 0,2		
LDH-5	0 à 25 %	0 à 0,25		
Leucine aminopeptidase	80 à 200 U/L	19,2 à 48 U/L	Maladies du foie et des voies biliaires Maladies du pancréas Cancers métastatiques du foie et du pancréas Obstruction des voies biliaires	
Lipase	0,2 à 1,5 U/mL	55 à 417 U/L	Pancréatite aiguë et chronique Obstruction des voies biliaires Cirrhose Hépatite Ulcère gastroduodénal	
Lipides totaux	400 à 1000 mg/100 mL	4 à 10 g/L	Hypothyroïdie Diabète Néphrose Glomérulonéphrite Hyperlipoprotéinémies	Hyperthyroïdie

Caractéristiques des différents types d'hyperlipoprotéinémies

Type	Fréquence	Aspect du sérum	Triglycérides	Cholestérol	Électrophorèse des lipoprotéines				Causes
					Bêta	*Pré-bêta*	*Alpha*	*Chylomicrons*	
I	Très rare	Lactescent	Très élevés	Normal à modérément élevé	Faible	Faible	Faible	Très forte	Dysglobulinémie
II	Fréquent	Limpide	Normaux à légèrement élevés	Légèrement élevé à très élevé	Forte	Absente à forte	Modérée	Faible	Hypothyroïdie, myélomes, syndrome hépatique et apport alimentaire élevé en cholestérol
III	Rare	Limpide ou lactescent	Élevés	Élevé	Large bande, forte	Chevauche la bande bêta	Modérée	Faible	
IV	Très fréquent	Limpide ou lactescent	Légèrement élevés ou très élevés	Normal à légèrement élevé	Faible à modérée	Modérée à forte	Faible à modérée	Faible	Hypothyroïdie, diabète, pancréatite, glycogénoses, syndrome néphrotique myélomes, grossesse et prise de contraceptifs oraux
V	Rare	Limpide ou lactescent	Très élevés	Élevé	Faible	Modérée	Faible	Forte	Diabète, pancréatite, alcoolisme

Les types I et II sont provoqués par les lipides, les types III et IV par les glucides et le type V par les lipides et les glucides.

Biochimie (sang) (suite)

Composant ou épreuve	*Intervalles de référence (adultes)* — *Anciennes unités*	*Unités SI*	*Interprétation clinique* — *Élevé*	*Abaissé*
Lithium	0,5 à 1,5 mEq/L	0,5 à 1,5 mmol/L		
Lysozyme (muramidase)	2,8 à 8 µg/mL	2,8 à 8 mg/L	Leucémie monocytaire aiguë Inflammations et infections	Leucémie lymphoïde aiguë
Magnésium	1,3 à 2,4 mEq/L	0,7 à 1,2 mmol/L	Consommation exagérée d'antiacides contenant du magnésium	Alcoolisme chronique Maladie rénale grave Diarrhée Retard de croissance
Manganèse	0,04 à 1,4 µg/100 mL	73 à 255 nmol/L		
Mercure	<10 µg/100 mL	<50 nmol/L	Intoxication au mercure	
Myoglobine	<85 ng/mL	<85 µg/L	Infarctus du myocarde Nécrose musculaire	
5'nucléotidase	3,2 à 11,6 IU/L	3,2 à 11,6 IU/L	Maladies hépatobiliaires	
Osmolalité	280 à 300 mOsm/kg	280 à 300 mmol/L	Déséquilibre hydro-électrolytique	Sécrétion inadéquate d'hormone antidiurétique
Peptide C	1,5 à 10 ng/mL	1,5 à 10 µg/L	Insulinome	Diabète
pH	7,35 à 7,45	7,35 à 7,45	Vomissements Hyperhypnée Fièvre Obstruction intestinale	Urémie Acidose diabétique Hémorragie Néphrite
Phénylalanine	Première semaine de vie: 1,2 à 3,5 mg/100 mL Après: 0,7 à 3,5 mg/100 mL	0,07 à 0,21 mmol/L 0,04 à 0,21 mmol/L	Phénylcétonurie	
Phosphatase acide prostatique	0 à 3 U	0 à 5,5 U/L	Cancer de la prostate	
Phosphatase acide totale	0 à 11 U/L	0 à 11 U/L	Cancer de la prostate Maladie de Paget au stade avancé Hyperparathyroïdie Maladie de Gaucher	
Phosphatase alcaline	30 à 120 U/L	30 à 120 U/L	Augmentation de l'activité ostéoblastique Rachitisme Hyperparathyroïdie Maladies du foie	
Phosphohexose isomérase	20 à 90 IU/L	20 à 90 IU/L	Cancers Maladies du cœur, du foie et des muscles squelettiques	
Phospholipides	125 à 300 mg/100 mL	1,25 à 3,0 g/L	Diabète Néphrite	
Phosphore inorganique	2,5 à 4,5 mg/100 mL	0,8 à 1,45 mmol/L	Néphrite chronique Hypoparathyroïdie	Hyperparathyroïdie Carence en vitamine D
Plomb	<40 µg/100 mL	<2 µmol/L	Intoxication au plomb	
Potassium	3,8 à 5,0 mEq/L	3,8 à 5,0 mmol/L	Maladie d'Addison Oligurie Anurie Hémolyse, nécrose tissulaire	Acidose diabétique Diarrhée Vomissements

Biochimie (sang) (suite)

	Intervalles de référence (adultes)		*Interprétation clinique*	
Composant ou épreuve	*Anciennes unités*	*Unités SI*	*Élevé*	*Abaissé*
Progestérone	Phase folliculaire: < 2 ng/mL Phase lutéale: 2 à 20 ng/mL Fin du cycle < 1 ng/mL Grossesse 20e semaine: jusqu'à 50 ng/mL	 < 6 nmol/L 6 à 64 nmol/L < 3 nmol/L jusqu'à 160 nmol/L	Utile dans l'évaluation des troubles menstruels et de l'infertilité, de même que de la fonction placentaire dans les grossesses avec complications (toxémie gravidique, diabète, menace d'avortement)	
Prolactine	0 à 20 ng/mL	0 à 20 ug/L	Grossesse Troubles fonctionnels ou structurels de l'hypothalamus Section de la tige pituitaire Tumeurs hypophysaires	
Protéines: Totales Albumine Globulines	 6 à 8 g/100 mL 3,5 à 5 g/100 mL 1,5 à 3 g/100 mL	 60 à 80 g/L 35 à 50 g/L 15 à 30 g/L	Hémoconcentration Choc Myélome multiple (fraction globulines) Infections chroniques (fraction globulines) Maladies du foie (fraction globulines)	Malnutrition Hémorragie Brûlures Protéinurie
Protoporphyrine	15 à 100 μg/100 mL	0,27 à 1,8 μmol/L	Intoxication au plomb Protoporphyrie érythropoïétique	
Pyridoxine	3,6 à 18 ng/mL			Dépression Neuropathies périphériques Anémie Convulsions néonatales Réaction à certains médicaments
Régime normal en sodium Régime réduit en sodium Rénine	1,1 à 4,1 ng/mL/h 6,2 à 12,4 ng/mL/h	0,3 à 1,14 $ng \bullet L^{-1} \bullet s^{-1}$ 1,72 à 3,44 $ng \bullet L^{-1} \bullet s^{-1}$	Hypertension rénovasculaire Hypertension maligne Maladie d'Addison non traitée Néphropathie avec perte de sel Régime pauvre en sel Traitement aux diurétiques Hémorragie	Aldostéronisme primaire Augmentation de l'apport en sel Corticothérapie avec rétention de sel Traitement à l'hormone antidiurétique Transfusion sanguine
Sodium	135 à 145 mEq/L	135 à 145 mmol/L	Hémoconcentration Néphrite Obstruction du pylore	Hémodilution Maladie d'Addison Myxœdème
Sulfate inorganique	0,5 à 1,5 mg/100 mL	0,05 à 0,15 mmol/L	Néphrite Rétention d'azote	
Testostérone	Femmes: 25 à 100 ng/100 mL Hommes: 300 à 800 ng/100 mL	 0,9 à 3,5 nmol/L 10,5 à 28 nmol/L	Femmes: Polykystose ovarienne Tumeurs virilisantes	Hommes: Orchidectomie Œstrogénothérapie Syndrome de Klinefelter Hypopituitarisme Hypogonadisme Cirrhose

Biochimie (sang) (suite)

	Intervalles de référence (adultes)		*Interprétation clinique*	
Composant ou épreuve	*Anciennes unités*	*Unités SI*	*Élevé*	*Abaissé*
Thyrotrophine (TSH)		2 à 11 mU/L	Hypothyroïdie	Hyperthyroïdie
Thyroxine libre	1,0 à 2,2 ng/100 mL	13 à 30 pmol/L		
Thyroxine (T_4)	4,5 à 11,5 μg/100 mL	58 à 150 nmol/L	Hyperthyroïdie Thyroïdite Prise de contraceptifs oraux (à cause de l'augmentation du taux des protéines de liaison de la thyroxine) Grossesse	Hypothyroïdie Prise d'androgènes et de stéroïdes anabolisants (à cause de la baisse du taux des protéines de liaison de la thyroxine) Hypoprotéinémie Syndrome néphrotique
Transferrine	230 à 320 mg/100 mL	2,3 à 3,2 g/L	Grossesse Anémie ferriprive due à une hémorragie Hépatite aiguë Polyglobulie Prise de contraceptifs oraux	Anémie pernicieuse en rémission Thalassémie et drépanocytose Chromatose Cancer et autres maladies du foie
Triglycérides	10 à 150 mg/100 mL	0,10 1,65 mmol/L	Voir le tableau des hyperlipoprotéinémies	
Triiodothyronine (T_3), captation	25 à 35 %	0,25 à 0,35	Hyperthyroïdie Déficit en TBG Prise d'androgènes et de stéroïdes anabolisants	Hypothyroïdie Grossesse Excès de TBG Prise d'œstrogènes
Triiodothyronine totale	75 à 220 ng/100 mL	1,15 à 3,1 nmol/L	Grossesse Hyperthyroïdie	Hypothyroïdie
Tryptophane	1,4 à 3,0 mg/100 mL	68 à 147 nmol/L		Malabsorption du tryptophane
Tyrosine	0,5 à 4 mg/100 mL	28 à 220 mmol/L	Tyrosinose	
Urée, azote	10 à 20 mg/100 mL	3,6 à 7,2 mmol/L	Glomérulonéphrite aiguë Obstruction urinaire Intoxication au mercure Syndrome néphrotique	Insuffisance hépatique grave Grossesse
Vitamine A	50 à 220 μg/100 mL	1,75 à 7,7 μmol/L	Hypervitaminose A	Carence en vitamine A Maladie cœliaque Ictère obstructif Giardiase
Vitamine B_1 (thiamine)	1,6 à 4,0 μg/100 mL	47 à 135 nmol/L		Anorexie Béribéri Polyneuropathies Myocardiopathies
Vitamine B_6 (pyridoxal)	3,6 à 18 ng/mL	14,6 à 72,8 nmol/L		Alcoolisme chronique Malnutrition Urémie Convulsions néonatales Malabsorption

Biochimie (sang) (suite)

	Intervalles de référence (adultes)		Interprétation clinique	
Composant ou épreuve	*Anciennes unités*	*Unités SI*	*Élevé*	*Abaissé*
Vitamine B_{12}	130 à 785 pg/mL	100 à 580 pmol/L	Lésions des cellules hépatiques Maladies myéloprolifératives (les taux les plus élevés s'observent dans la leucémie myéloïde)	Végétarisme strict Alcoolisme Anémie pernicieuse Gastrectomie totale ou partielle Résection de l'iléon Maladie cœliaque Infection par le Diphyllobothrium latum
Vitamine E	0,5 à 2 mg/100 mL	11,6 à 46,4 μmol/L		Carence en vitamine E
Zinc	55 à 150 μg/100 mL	7,6 à 23 μmol/L		

Biochimie (urines)

	Intervalles de référence (adultes)		Interprétation clinique	
Composant ou épreuve	*Anciennes unités*	*Unités SI*	*Élevé*	*Abaissé*
Acétone et acétoacétate	Négatif		Diabète mal équilibré État d'inanition	
Acide delta aminolévulinique	0 à 0,54 mg/100 mL	0 à 40 μmol/L	Intoxication au plomb Porphyrie hépatique Hépatite Cancer du foie	
Acide homogentisique	0		Alcaptonurie Ochronose	
Acide homovanillique	$<$15 mg/24 h	$<$82 μmol/d	Neuroblastome	
Acide 5-hydroxyindole-acétique	0		Carcinomes	
Acide phénylpyruvique	0		Phénylcétonurie	
Acide urique	250 à 750 mg/24 h	1,48 à 4,43 mmol/d	Goutte	Néphrite
Acide vanillylmandélique	$<$6,8 mg/24 h	$<$35 μmol/d	Phéochromocytome Neuroblastome Certains aliments (café, thé, bananes) et certains médicaments dont l'aspirine	
Acidité titrable	20 à 40 mEq/24 h	20 à 40 mmol/d	Acidose métabolique	Alcalose métabolique
Aldostérone	Régime normal en sel: 4 à 20 μg/24 h	11,1 à 55,5 nmol/d	Aldostéronisme secondaire Déficit en sel Surcharge en potassium Administration d'ACTH à fortes doses Insuffisance cardiaque Cirrhose avec ascite Néphrose Grossesse	

Biochimie (urines)

	Intervalles de référence (adultes)		*Interprétation clinique*	
Composant ou épreuve	*Anciennes unités*	*Unités SI*	*Élevé*	*Abaissé*
Amylase	35 à 260 unités excrétées à l'heure	6,5 à 48,1 U/h	Pancréatite aiguë	
Arylsulfatase A	>2,4 U/mL			Leucodystrophie métachromatique
Azote d'aminoacide	50 à 200 mg/24 h	3,6 à 14,3 mmol/d	Leucémies Diabète Phénylcétonurie et autres maladies métaboliques	
Calcium	<150 mg/24 h	<3,75 mmol/d	Hyperparathyroïdie Intoxication à la vitamine D Syndrome de Fanconi	Hypoparathyroïdie Carence en vitamine D
Catécholamines	Totales: 0 à 275 μg/24 h Épinéphrine: 10 à 40 % Norépinéprhine: 60 à 90 %	 0 à 1625 nmol/d 0,1 à 0,4 0,6 à 0,9	Phéochromocytome Neuroblastome	
17-cétostéroïdes	Hommes: 10 à 22 mg/24 h Femmes: 6 à 16 mg/24 h	 35 à 76 μmol/d 21 à 55 μmol/d	Carcinome des testicules à cellules interstitielles Hirsutisme (occasionnellement) Hyperplasie surrénalienne Syndrome de Cushing Cancer virilisant des surrénales Arrhénoblastome	Thyrotoxicose Hypogonadisme chez la femme Diabète Hypertension Maladies débilitantes Eunochoïdisme Maladie d'Addison Panhypopituitarisme Myxœdème Néphrose
Clairance de la créatinine	100 à 150 mL/min	1,7 à 2,5 mL/s		Maladies rénales
Cortisol, libre	20 à 90 μg/24 h	55 à 248 nmol/d	Syndrome de Cushing	
Créatine	Hommes: 0 à 40 mg/24 h Femmes: 0 à 80 mg/24 h	 0 à 300 μmol/d 0 à 600 μmol/d	Dystrophie musculaire Fièvre Cancer du foie Grossesse Hyperthyroïdie Myosite	
Créatinine	0,8 à 2 g/24 h	7 à 17,6 mmol/d	Fièvre typhoïde Salmonellose Tétanos	Atrophie musculaire Anémie Insuffisance rénale avancée Leucémie
Cuivre	20 à 70 μg/24 h	0,32 à 1,12 μmol/d	Maladie de Wilson Cirrhose Néphrose	
Cystine et cystéine	10 à 100 mg/24 h	40 à 420 μmol/d	Cystinurie	
11-désoxycortisol	20 à 100 μg/24 h	0,6 à 2,9 μmol/d	Forme hypertensive de l'hyperplasie surrénalienne virilisante due à un déficit en 11-bêta-hyroxylase	
Épreuve d'absorption du D-Xylose	16 à 33 % du D-xylose ingéré	0,16 à 0,33		Syndrome de malabsorption

Biochimie (urines) (suite)

	Intervalles de référence (adultes)		*Interprétation clinique*	
Composant ou épreuve	*Anciennes unités*	*Unités SI*	*Élevé*	*Abaissé*
Estriol (placentaire)	*Semaines de grossesse*	*µg/24 h*	*nmol/d*	Détresse fœtale Prééclampsie Insuffisance placentaire Diabète mal équilibré
	12	<1	<3,5	
	16	2 à 7	7 à 24,5	
	20	4 à 9	14 à 32	
	24	6 à 13	21 à 45,5	
	28	8 à 22	28 à 77	
	32	12 à 43	42 à 150	
	36	14 à 45	49 à 158	
	40	19 à 46	66,5 à 160	
Estriol (femmes non enceintes)	Femmes: Début de la menstruation: 4 à 25 µg/24 h Pic ovulation 28 à 99 µg/24 h Pic lutéal 22 à 105 µg/24 h Après la ménopause: 1,4 à 19,6 µg/24 h Hommes: 5 à 18 µg/24 h	 15 à 85 nmol/d 95 à 345 nmol/d 75 à 365 nmol/d 5 à 70 nmol/d 15 à 60 nmol/d	Hypersécrétion d'œstrogènes due à un cancer des gonades ou des surrénales	Aménorrhée primaire ou secondaire
Étiocholanolone	Hommes: 1,9 à 6 mg/24 h Femmes: 0,5 à 4 mg/24 h	 6,5 à 20,6 µmol/d 1,7 à 13,8 µmol/d	Syndrome génitosurrénal Hirsutisme idiopathique	
17-hydroxycorticostéroïdes	2 à 10 mg/24 h	5,5 à 27,5 µmol/d	Maladie de Cushing	Maladie d'Addison Hypofonctionnement de l'hypophyse antérieure
Glucose	Négatif		Diabète Troubles hypophysaires Hypertension intracrânienne Lésion du 4e ventricule	
Gonadotrophine chorionique	Négatif en l'absence de grossesse		Grossesse Chorioépithéliome Môle hydatiforme	
Hémoglobine et myoglobine	Négatif		Brûlures étendues Transfusion de sang incompatible Graves blessures par écrasement (myoglobine)	
Hormone folliculostimulante (FSH)	Femmes: Phase folliculaire: 5 à 20 IU/24 h Phase lutéale: 5 à 15 IU/24 h Milieu du cycle: 15 à 60 IU/24 h Après la ménopause: 50 à 100 IU/24 h Hommes: 5 à 25 IU/24 h	 5 à 20 IU/d 5 à 15 IU/d 15 à 60 IU/d 50 à 100 IU/d 5 à 25 IU/d	Ménopause et insuffisance ovarienne primaire	Insuffisance hypophysaire

Biochimie (urines) (suite)

Composant ou épreuve	*Intervalles de référence (adultes)*		*Interprétation clinique*	
	Anciennes unités	*Unités SI*	*Élevé*	*Abaissé*
Hormone lutéinisante	Hommes: 5 à 18 IU/24 h Femmes: Phase folliculaire: 2 à 25 IU/24 h Pic ovulation: 30 à 95 IU/24 h Phase lutéale: 2 à 20 IU/24 h Après la ménopause: 40 à 110 IU/24 h	 5 à 18 IU/d 2 à 25 IU/d 30 à 95 IU/d 2 à 20 IU/d 40 à 110 IU/d	Tumeur hypophysaire Insuffisance ovarienne	Insuffisance hypophysaire
Hydroxyproline	15 à 43 mg/24 h	0,11 à 0,33 μmol/d	Maladie de Paget Dysplasie fibreuse Ostéomalacie Cancer des os Hyperparathyroïdie	
Métanéphrines	0 à 2 mg/24 h	0 à 11,0 μmol/d	Phéochromocytome; dans quelques cas de phéochromocytome, les métanéprhines sont élevées, mais les catécholamines et l'acide vanillylmandélique sont normaux.	
Mucopolysaccharides	0		Maladie de Hurler Syndrome de Marfan Maladie de Morquio	
Osmolalité	Hommes: 390 à 1090 mOsm/kg Femmes: 300 à 1090 mOsm/kg	 390 à 1090 mmol/kg 300 à 1090 mmol/kg	Utile dans l'étude de l'équilibre hydroélectrolytique	
Oxalate	< 40 mg/24 h	< 450 μmol/d	Oxalose	
Phosphore inorganique	0,8 à 1,3 g/24 h	26 à 42 mmol/d	Hyperparathyroïdie Intoxication à la vitamine D Maladie de Paget Cancer métastatique des os	Hypoparathyroïdie Carence en vitamine D
Plomb	< 150 μg/24 h	< 0,6 μmol/d	Intoxication au plomb	
Porphobilinogène	0 à 2,0 mg/24 h	0 à 8,8 μmol/d	Intoxication au plomb chronique Porphyrie aiguë Maladie du foie	
Porphyrines	Coproporphyrine: 45 à 180 μg/24 h Uroporphyrine: 5 à 20 μg/24 h	 68 à 276 nmol/d 6 à 24 nmol/d	Porphyrie hépatique Porphyrie érythropoïétique Porphyrie cutanée tardive Intoxication au plomb (coproporphyrine seulement)	
Potassium	40 à 65 mEq/24 h	40 à 65 mmol/d	Hémolyse	

Biochimie (urines) (suite)

Composant ou épreuve	*Intervalles de référence (adultes)* — *Anciennes unités*	*Unités SI*	*Interprétation clinique* — *Élevé*	*Abaissé*
Prégnandiol	Femmes :		Kystes du corps jaune Rétention placentaire Certaines tumeurs corticosurrénaliennes	Insuffisance placentaire Menace d'avortement Mort intra-utérine
	Phase proliférative : 0,5 à 1,5 mg/24 h	1,6 à 4,8 µmol/d		
	Phase lutéale : 2 à 7 mg/24 h	6 à 22 µmol/d		
	Après la ménopause : 0,2 à 1 mg/24 h	0,6 à 3,1 µmol/d		
	Grossesse :			

Semaines de gestation	*mg/24 h*	*µmol/d*
10 à 12	5 à 15	15,6 à 47,0
12 à 18	5 à 25	15,6 à 78,0
18 à 24	15 à 33	47,0 à 103,0
24 à 28	20 à 42	62,4 à 131,0
28 à 32	27 à 47	84,2 à 146,6

Composant ou épreuve	*Anciennes unités*	*Unités SI*	*Élevé*	*Abaissé*
	Hommes : 0,1 à 2 mg/24 h	0,3 à 6,2 µmol/d		
Prégnantriol	0,4 à 2,4 mg/24 h	1,2 à 7,1 µmol/d	Hyperplasie surrénalienne congénitale androgénique	
Protéines	< 100 mg/24 h	< 0,10 g/d	Néphrite Insuffisance cardiaque Intoxication au mercure Fièvre Hématurie	
Protéines de Bence-Jones	Absence		Myélome multiple	
Sodium	130 à 200 mEq/24 h	130 à 200 mmol/d	Utile dans l'étude de l'équilibre hydroélectrolytique	
Urée	12 à 20 g/24 h	450 à 700 mmol/d	Augmentation du catabolisme des protéines	Altération de la fonction rénale
Urobilinogène	0 à 4 mg/24 h	0 à 6,8 µmol/d	Maladies du foie et des voies biliaires Anémies hémolytiques	Obstruction des voies biliaires Diarrhée Insuffisance rénale
Zinc	0,15 à 1,2 mg/24 h	2,3 à 18,4 µmol/d		

Liquide céphalorachidien

Composant ou épreuve	*Intervalles de référence (adultes)* — *Anciennes unités*	*Unités SI*	*Interprétation clinique* — *Élevé*	*Abaissé*
Acide lactique	< 24 mg/100 mL	< 2,7 mmol/L	Méningite bactérienne Hypocapnie Hydrocéphalie Abcès cervical Ischémie cérébrale	
Albumine	15 à 30 mg/100 mL	150 à 300 g/L	Certains troubles neurologiques Lésion du plexus choroïde ou obstruction de l'écoulement du liquide céphalorachidien Altération de la barrière hémato-encéphalique	

Liquide céphalorachidien

	Intervalles de référence (adultes)		*Interprétation clinique*	
Composant ou épreuve	*Anciennes unités*	*Unités SI*	*Élevé*	*Abaissé*
Chlorure	100 à 130 mEq/L	100 à 130 mmol/L	Urémie	Méningite aiguë généralisée Méningite tuberculeuse
Électrophorèse des protéines (acétate de cellulose)			Augmentation de la fraction albumine seulement: lésion du plexus choroïde ou obstruction de l'écoulement du liquide céphalorachidien. Augmentation de la fraction gamma-globuline avec fraction albumine normale: sclérose en plaques, neurosyphilis, panencéphalite sclérosante subaiguë et infections chroniques du SNC. Fraction gamma-globuline élevée avec fraction albumine élevée: altération grave de la barrière hémato-encéphalique.	
Préalbumine	3 à 7 %	0,03 à 0,07		
Albumine	56 à 74 %	0,56 à 0,74		
Globulines:				
$Alpha_1$	2 à 6,5 %	0,02 à 0,065		
$Alpha^2$	3 à 12 %	0,03 à 0,12		
Bêta	8 à 18,5 %	0,08 à 0,18		
Gamma	4 à 14 %	0,04 à 0,14		
Glucose	50 à 75 mg/100 mL	2,7 à 4,1 mmol/L	Diabète Coma diabétique Encéphalite épidémique Urémie	Méningite aiguë Méningite tuberculeuse Choc insulinique
Glutamine	6 à 15 mg/100 mL	0,4 à 1,0 mmol/L	Encéphalopathies hépatiques, dont le syndrome de Reye Coma hépatique Cirrhose	
IgG	0 à 6,6 mg/100 mL	0 à 6,6 g/L	Altération de la barrière hémato-encéphalique Sclérose en plaques Neurosyphilis Panencéphalite sclérosante subaiguë Infections chroniques du SNC	
Lactate déshydrogénase	1/10 du taux sérique	0,1	Maladies du SNC	
Numération globulaire	0 à 5/mm^3	0 à 5 × 10^6/L	Méningite bactérienne Méningite virale Neurosyphilis Poliomyélite Encéphalite léthargique	
Protéines			Méningite aiguë Méningite tuberculeuse Neurosyphilis Poliomyélite Syndrome de Guillain-Barré	
lombaires	15 à 45 mg/100 mL	15 à 45 g/L		
sous-occipitales	15 à 25 mg/100 mL	15 à 25 g/L		
ventriculaires	5 à 15 mg/100 mL	5 à 15 g/L		

Liquide gastrique

	Intervalles de référence (adultes)		*Interprétation clinique*	
Composant ou épreuve	*Anciennes unités*	*Unités SI*	*Élevé*	*Abaissé*
Acidité maximum	5 à 50 mEq/h	5 à 40 mmol/h	Syndrome de Zollinger-Ellison	Gastrite atrophique chronique
Débit acide basal	0 à 6 mEq/h	0 à 6 mmol/h	Ulcère gastroduodénal	Cancer de l'estomac
pH	<2	<2		Anémie pernicieuse

Concentrations thérapeutiques de différents médicaments

Médicament	*Anciennes unités*	*Unités SI*
Acétaminophène	10 à 20 μg/mL	10 à 20 mg/L
Aminophylline (théophylline)	10 à 20 μg/mL	10 à 20 mg/L
Bromure	5 à 50 mg/100 mL	50 à 500 mg/L
Chlordiazépoxide	1 à 3 μg/mL	1 à 3 mg/L
Diazépam	0,5 à 2,5 μg/100 mL	5 à 25 μg/L
Digitoxine	5 à 30 ng/mL	5 à 30 μg/L
Digoxine	0,5 à 2 ng/mL	0,5 à 2 μg/L
Gentamicine	4 à 10 μg/mL	4 à 10 mg/L
Phénobarbital	15 à 40 μg/mL	15 à 40 mg/L
Phénytoïne	10 à 20 μg/mL	10 à 20 mg/L
Primidone	5 à 12 μg/mL	5 à 12 mg/L
Quinidine	0,2 à 0,5 mg/100 mL	2 à 5 mg/L
Salicylates	2 à 25 mg/100 mL	20 à 250 mg/L
Sulfamides:		
Sulfadiazine	8 à 15 mg/100 mL	80 à 150 mg/L
Sulfaguanidine	3 à 5 mg/100 mL	30 à 50 mg/L
Sulfamérazine	10 à 15 mg/100 mL	100 à 150 mg/L
Sufanilamide	10 à 15 mg/100 mL	100 à 150 mg/L

Concentrations toxiques de différentes substances

Substance	*Anciennes unités*	*Unités SI*
Éthanol	Intoxication marquée: 0,3 à 0,4 % Stupeur: 0,4 à 0,5 %	
Méthanol	Concentration potentiellement fatale: >10 mg/100 mL	>100 mg/L
Monoxyde de carbone	>20 % de saturation	
Salicylates	>30 mg/100 mL	300 mg/L

F

Q

R